世界经济转型与中国

——潮流、风暴、"入世"和"入市"

World Economic Transition and China

Economic Tendency Financial Crisis
WTO Entry Market Membership

萧 琛 著

人民出版社

策划编辑:郑海燕

封面设计:肖　辉

图书在版编目(CIP)数据

世界经济转型与中国——潮流、风暴、"入世"和"入市"/萧琛著.
-北京:人 民 出 版 社,2006.4
ISBN 7－01－005387－1

Ⅰ.世…　Ⅱ.萧…　Ⅲ.经济-研究-世界
Ⅳ.F11

中国版本图书馆 CIP 数据核字(2006)第 006682 号

世界经济转型与中国
　　——潮流、风暴、"入世"和"入市"
SHIJIE JINGJI ZHUANXING YU ZHONGGUO
　　——CHAOLIU、FENGBAO、RUSHI HE RUSHI

萧　琛　著

人民出版社 出版发行
(100706　北京朝阳门内大街 166 号)

北京市双桥印刷厂印刷　新华书店经销

2006 年 4 月第 1 版　2006 年 4 月北京第 1 次印刷
开本:710 毫米×1000 毫米 1/16　印张:44.75
字数:629 千字　印数:0,001－3,000 册

ISBN 7－01－005387－1　定价:68.00 元

邮购地址 100706　北京朝阳门内大街 166 号
人民东方图书销售中心　电话 (010)65250042　65289539

作者在纽约

作者在瑞士"世界经济论坛"总部

与诺贝尔经济学奖得主麦金农教授在北京的合影

作者与诺德豪斯夫
妇在北大的合影

作者在日内瓦WTO总部

作者在萨缪尔森《经济学》教科书第16版中译本首发式上

作者在韩国央视（KBS）

作者在华盛顿DC世界银行总部

作者在奥地利《萨尔斯堡论坛》

八年前在北大附近的书店里，我曾注意到一本名为《面对改革之路》的小书，作者是一位我所景仰的学者。该书处理"瞬间火花"和"体系创新"的能力让我感触良多。面对大千世界，人们难免常有"忽有好花生眼底，泼墨点染已难寻"的感觉。只有那些勤于捕捉并善于积累的人，有可能臻至"十年回首望，已海阔天空"的境界。而在气象万千的世界经济和色彩纷呈的中国经济等研究领域，这一点更应该说是非常的重要。

世事总是容易钟爱后来人，"电脑写作"是一例。1988 年刚进世界银行工作时，我曾用最初的薪酬买下过我的第一台"笔记本"（东芝 1000，至今仍保留完好）。十多年来，电脑总是不断地催我喜新厌旧和推陈出新。包括几个"笔记本"在内，我竟然总共已经换用过十几台电脑，"写"下过近千万文字！即便是在那一年，我用电脑写成的东西也已经相当的可观。

有仗于此，看到上面的那本书后，我便很快主动地与该书的责任编辑联系，并毛遂自荐地拿出一本《面对开放之光》加盟。对方非常地欣赏和赞成，我们还因此成了好友。于是我利用暑假将不同时期的电子文稿按要求迅速汇编成册。不过出版社最终还是未能如约。毕竟，那是一套题名为"高层、高知、高见"的丛书，且在我的动议之前就已经基本出齐。也许更重要的一点是，"论文集"一般都不大可能"畅销"。尽管如此，如何将"学习上厚积薄发"和"研究上薄积厚发"更好地结合起来这一点，自那时起便深深地植根在我的脑海里。

时间一晃就是八年。作为新中国的同龄人，我不觉已跨入了

"怀旧"的人生阶段。多年来，我在世界经济转型、全球网络经济和中国经济转轨接轨等领域中耕耘之勤、成果之丰，恐怕还算是处在"可以自慰"之列。而萨缪尔森《经济学》教科书的第 16 版和第 17 版，还有《美国总统经济报告》等几项大型翻译工程，也算是可以告一段落。还有一点也很重要，在结束了三届 12 年的北京大学国际经济系系主任工作之后，为康复疲惫的身心，我一时间只能先做一点不那么搜肠刮肚和殚精竭虑的事情。在《经济学》教科书的第 18 版的翻译工作正式启动之前，我更是需要有所休整。于是，我便开始折腾起自己八年前的那个心愿，深信："是玫瑰，总是要开花的"。

本书的出版还荣幸地得益于两个巧合。一方面，今年暑假，我承担的北京市哲学社会科学规划办的科研项目，在一项关于研究成果的后续调查中评价不错。规划办的领导和专家们特批了我一个"后续项目"，以便我将多年来的项目成果汇编成一部更有分量的专著。另一方面，人民出版社经济室的郑海燕女士，作为责任编辑曾于去年年底为我和我的研究生们出版过一本《信息网络经济的管理与调控》的小型论著。也许是我们都觉得"还不过瘾"的缘故吧，《世界经济转型与中国》这本大型的专著式文集，最后成了我们三方的共同心愿，并终于如此快速地呈现在各位的眼前。

2

出版一部题为"世界经济转型与中国"的论著，恐怕还是更多的学习和研究世界经济的人士的共同心愿。高度开放的中国经济已经同风起云涌的世界经济休戚与共、息息相关。今天，谁不了解世界经济前沿，谁就不能把握世界经济的"潮流"和网络金融的"风暴"，恐怕也无从理解与把握好中国经济的"奇迹"。

2000 年，美国"新经济"滑坡之后，纳斯达克股指曾经从 5000 点迅速下滑到 1600 点，道琼斯指数也从 11000 点高峰下降到 7500 点低谷。为防止衰退和刺激经济，美联储主席格林斯潘曾 14 次下调美元利率。股市长期低迷和利率不断走低等因素，导致资本迅速流入房地产部门。"新经济"滑坡中，美国的资本市场曾经损失了 8 万亿美元，但是美国的房地产业却赢利了 7 万亿美元。同期，全球性的房地产泡沫也开始应声吹起并一发不可收拾。中国的房地产更可谓一马当先，北京、上海、杭州等地的房价真可谓日夜兼程、高歌猛进，房价竟然高到了"一个农民需要用260年的收入才能买得起一套"的程度！

国际资本当然不会放过在中国的机会，据推算，中国在贸易顺差之外所增长的国际流入资金的数量已经高达3千多亿美元，几乎占亚洲地区国际游资的一半左右。单是流入上海的房地产投机"热钱"，恐怕早就超过了1千多亿美元！这些资本在"耐心"地等待着中国的"房地产"和"人民币"的双重升值。

然而，房地产的价格攀升并非没有尽头，至少是在中短期内。2003年年底关于中国房地产泡沫的国内外大争论，显然是早期的一大迹象；而2004年"国八条"和七部委的房地产"调控组合拳"（俗称房地产"新政"）的出台，更可谓"一锤定音"。此外还有几大重要的新因素，也导致房价的前景变得扑朔迷离。

3

首先，入境外资特别是投机"热钱"的动向就处在十分微妙的阶段。由于中国与欧洲和美国的"贸易摩擦"和"纺织品设限"等问题，我们的出口增长率势必趋降。其后果是贸易顺差从而美元收入乃至货币供应将会减少。《多纤维协定》中的进出口限制于今年年初解除后，5个月内中国的纺织品出口曾骤增过52％！其次，美元自从去年6月以来已经连续13次加息，利率已达4％，而人民币利率至今却仍在2％以下。就汇率而言，人民币虽然有所升值，但幅度仅为2％多一点，远远低于"热钱"所有人的预期，很有可能让"热钱"失去耐心。

国内外一些专家认为，国际炒房资金很可能出现回流，从而中国房地产的"彻底崩盘"和"五年大熊市"行将到来；国内也有专家认为，上海的房价应该并将会下跌50％，北京的则要跌30％。果真如此？恐怕还需要进一步观察，因为中国经济的确有很多特殊之处。我的看法是，只要工资收入从而物价提上去，同时稳定人民币利率以保持它同美元利率的差距，就可以既维持名义的房价，又可以缓释人民币升值的压力，从而让"接轨红利"尽可能少地外流或者不外流。人民币汇率的稳定，显然有利于外贸出口这个经济增长的重要引擎，但不利于高价石油进口。然而，这样做的一个前提条件是国内"收入政策"必须非常到位。

　　今年五月在人民大会堂《诺奖得主北京论坛》上,"欧元之父"蒙代尔在他的学术讲演中,曾列举人民币为什么不应该升值的12大理由。作为那场报告的"BTV电视直播解说专家",我在荣幸之余,也深感国内外经济学家还需要更多地研究世界经济转型对中国经济的影响渠道和中国经济奇迹的特殊性质。首先,邀请7位诺奖得主和5位国际上顶级的经济学家来北京,恐怕就已经创下了一项"世界之最"。其次,首开先河的发言人蒙代尔的原定题目是"主张世界货币的理由"。临上台前两分钟,他才决定改成了中国听众更关心的课题"人民币为什么不应当升值?"更出人意料的一点是,就在论坛结束后的两个月内,中国的人民币还是对外宣布:改变汇率形成机制,并升值2%多一点。

4

　　解开这些谜团,需要挖掘更深层的底蕴和进行更前卫的思考。在美国网络经济初具规模的今天,经济学,国际经济学,乃至更新的国际宏观经济学中的许多原理性东西,显然都需要更多地同世界经济前沿现实和中国的国情相结合,并且还需要学者及时提出更切合实际的新命题。例如,为什么中国经济能连续高速增长27年?创造中国经济奇迹的核心资源究竟是什么?为什么股市、车市和楼市都遭遇困难而中国经济却始终为各国专家继续高度看好?"提高工资物价并稳定利率"是不是一个能够皆大欢喜的"解"?为什么中国特别需要石油的时候,不仅是油价畸高的时候,而且还是人民币被明显低估的时候?油价是否同汇价一样也是美国在世界经济大舞台上取得竞争优势的新的战略武器?

　　面对潮流和风暴,如何站到时代潮头?如何回答好上述难题?需要我们"十年如一日"地"面壁图破壁":把握世界经济转型的态势与前景,揭示新型世界经济的运行机制和传导机制,回答为什么美国的"强经济"能够同"弱美元"和"弱外贸"并行不悖,为中国的"入世"和"入市"提供更科学的决策依据。具体地说,"转轨模型"、"接轨模型",WTO的"成熟效应"和"升级效应","网络金融冲击模型","新经济周期",等等,都是不应该回避的前沿课题，也是我多年来在教学研究中所致力的几个项目。

本书围绕"世界经济转型与中国"这个主题，辑选了我这些年中所发表的42篇论文和52篇短论。全书被分成四篇，相继解读四大问题："世界经济潮流"、"网络金融风暴"、"政策上如何切入"、"理念上如何更新"。为方便阅读，每篇的最后一章都是一组短论，以展开细节、舒缓气氛和一张一弛。

第一篇"告别凯恩斯"，主要研究在微电子主导产业群替代汽车制造产业群的条件下，美国的社会经济体制和企业组织管理机制的巨大变革及其前景展望。10篇论文依次论及法治设计、政策选择、中性税制、军工改制、电子证券、信息期货、组合投资、公司重组、新型失业和网络企业等问题。以"世界经济转型态势跟踪分析"为题的12篇短论，基本是20世纪90年代以来的世界经济发展态势的分析评论。

5

第二篇"走向'新经济'"。研究视野被推广至全球信息网络服务型经济，讨论它如何运行和如何冲击各国。世界经济转型的态势、前景和已经形成的制度轮廓，在本篇也得到了一定篇幅的探讨。所选的11篇论文，分别研究全球经济变革趋势、世界税制改革比较、世界新秩序、首脑会议模式嬗变、无国界经济实体的网络冲击、金融风暴和网络冲击危机、"新经济"、"新周期"、"准衰退"和"新型复苏"。题为"新时期美国经济运行机制变革"的12篇短论，解剖了率先走向新经济的美国经济的各大领域的制度变革动向。

第三篇立足于中国经济，研究的是"入世"与"入市"方面的理论和对策问题。10篇论文依次研究中国经济改革开放的战略（"第四条道路"）、转轨模型、接轨模型、条块体制、周期调控、"大中国圈"、社会保障、城市规划、农业政策和"入世"对中国市场机制的"成熟效应"和"升级效应"。16篇短论的主题是"加入WTO与走向成熟市场的思路与对策"。论题涉及面比较宽，多是当年涉外经济中的重大问题。其中几篇短论是首次公开发表的内部调研。

第四篇题为"求索与眺望"，致力于在学术层面上贯通东西方企业文化和经济学思维模式，回答若干更深层次的问题，以进一步深化关于世界经济转型和中国经济奇迹的研究。11 篇论文涵盖了经济学明天、周期理论回归、停滞膨胀顽症、"长波"假说、菲利普斯曲线、经济学帝国扩张（译文）、"转移理论"、"国家新论"、钱权交换、科技教育宗教、知识专利和 WTO 的"法治效应"等较为务虚也更富哲理的课题。12 篇短论包括经济学札记、评论和演讲等多种文体，中心是"东西方文化模式的差异与中国市场经济的成熟"。

本书致力于持续地将经济学分析工具用于当今经济前沿现实的观察和研究，在体例上试图将"时评不怕新"和"史料不怕旧"二者所蕴涵的有益成分相糅合。经济学研究的第一要义恐怕应该是"致用"，而不是无休止地"追求完美"。近百篇论文，60 余万文字，显然不可能在短时间内一气呵成，更谈不上能够一以贯之和天衣无缝。这方面的不足，作者在此恳请读者多加宽宥和指正。

作为一个补救，本书在选材、编排和提炼等方面倾注了较多的心血。内容写真和原创思考理应得到更多的重视。另一个补救是注好每篇论文的发表年份，以减免读者因"时态"而产生不必要的误解。过去的数据、判断和预期，今天俨然已成为历史，只能属于英文中约定俗成的"过去完成时态"。世界经济的每一波浪潮、每一场风暴、每一轮起伏和每一次洗礼，都曾在我多年的跟踪研究中留下过它们的印迹。作者所希望的是：将那汹涌而来的时代潮头上的思考者的声音，渐次地串联与叠合起来，供大家"分享"，并渴望在"置疑"与"赐教"中获得"升华"。

本书是国家社会科学基金、教育部社会科学博士点基金和北京市哲学社会科学基金所支持的多个科研项目相关成果的专著式汇集。其顺利出版首先应当感谢北京哲学社会科学规划办的专家和领导，刘绢女士、陈之昌和李建平两位先生在立项资助过程中给予了较多的理解和支持。其次应当感谢人民出版社经济室的郑海燕女士，她在选题、编辑、出版和印制等各环节都付出了智慧的劳动和辛勤的汗水。此外，国内外的学术前辈和学界同行，北京大学和其他许多大学的师生，多年来都给了我强劲的激励和宝贵的启示。最新数据的交流和思想火花的迸发，永远都离不开"巨人的肩膀"和"创新的摇篮"。值此 2005 年岁末，请允许我向上述各位，还有多年来我的读者和听众，以及因潜心而疏淡了的老朋友们，致以最诚挚的新年问候！

萧琛

2005 年 12 月 31 日于北京大学

一、告别凯恩斯

1. 论美国法治设计对其
经济效率的支持[*]

迄今为止一个公认的事实是，美国一方面具有最"古老"的自治实践、法治传统和当今世界上最庞大、最完备的法律制度体系，另一方面，美国又拥有当代西方乃至整个世界的最成熟的市场机制、最系统的现代企业制度和比较有效率的宏观调控组织。本文拟借助"人本主义经济学"的思想成果，探讨"社会法律制度界面"和"经济机制界面"之间各主要"接口"的设计原理，判别前者对于后者的支持效率和相容程度。

一、美国法治设计的特殊条件和基本意图

关于"法治"比"人治"优越和民主法治的基本形式等问题，欧洲众多学者早已对此做过大量的探索并留下了许多有价值的思考。但是，这类关于人类有效合作的见解在其发祥地的落实程度却始终相对落后。而在美国情况却不然，它从一开始就相当成功地进行了全盘的法治设计。而美国之所以例外，能在建国之前就比较多地从经济效率的角度设计其法治框架，离不开它一系列得天独厚的初始条件。

美国密歇根大学的政治学及公共政策教授阿克塞尔罗得（Rob-

---

* 本文发表于中国社会科学院《美国研究》季刊 1995 年第三期，署名萧琛。

ert Axelrod）教授运用电脑模拟人们合作行为的研究结果表明：在适当的条件下，合作关系的确可以在一个没有中央权威的利己主义的环境中产生。[①] 而美国恰恰是特别幸运地符合这些条件的国家。美国宪法之所以能够成为历史上最早体现欧洲启蒙运动思想精髓的成功的"社会契约"，主要的一个原因是在于（当时的）国家是软弱的，甚或可以说是因为根本就不存在什么国家。黑格尔就认为美国根本不应被视为一个"国家"，而只是一个世界政治史上绝无仅有的"公民社会"。[②] 在那里没有用政治秩序来表达的统一而理性的意志，只有个人的自我利益以及追求自由的激情。美国的"政府"，至少在其早期阶段，可以说主要地并不是通过一支军队和一个官僚体系来行使中央集权并持久地推行某一利益集团的意志的传统意义上的政治实体，而只是一个政治市场，各种利益集团在此斗争，各种交易也在此达成。

4

　　美国一开始就具有一种重视经济的优良传统。西班牙的探险者在南美洲发现了大批金银财宝。虽然英国人同西班牙人同样地贪图财富，但是两国的文化却存在着很大的差异。信奉天主教的西班牙人在逐出犹太人和摩尔人之后，统一了教会，在精神上获得了安全感。对于西班牙的政策制定者来说，新大陆是一个进行冒险、追求浪漫和改变信仰的地方，是西班牙在外进行"哈布斯堡王朝欧洲式冒险"的一个财源基地。但是，英国人与西班牙人不同，到16、17世纪时，英国在政治上和宗教上仍然处于四分五裂的状态。由于存在着这种英国内争，美洲这个没有发生过宗教战争、而又讲英语的大陆，常常被说成是流亡者的乐土。众多男女为了追求在本国被剥夺了的宗教自由和政治自由而纷纷踏上这块土地。到早期北美殖民地定居的人，大多数并不是为了追求冒险和浪漫，而是为了建立新的家园。马克思曾经评论说："这里朝气蓬勃而又狂热的物质生产运动，必将造成一个既无时间概念、又无闲暇去清除旧世界意识的特

---

① 罗伯特·阿克塞尔罗得：《合作关系的发展》，《交流》1986年第1期，第59～63页。
② D. 贝尔：《再论"美国例外论"》，《交流》1990年第3期，第4页。

殊的新世界。"①

美国还是一个具有法治传统的民族。当年美国殖民者发现新大陆时，每建立一个居民点，别的什么事都可以不做，但有两个建筑是必须修建的，一个是教堂，另一个是法庭。美国的居民来自世界各地，没有共同的语言、风俗习惯和文化传统，法的作用就显得特别重要。多数到过美国的人都会由于美国优越的地理位置、得天独厚的自然环境与气候条件而感叹美国的幸运。但是许多美国专家人士却认为："我们最幸运的莫过于有一部稳定而又灵活的宪法。"②这种幸运不仅使得美国成了"提供最理想机会的地方"③而且使它成了一种现代化的化身，"是一片属于未来的土地，是那些厌倦了藏纳陈旧历史遗物的古老的欧洲人们所向往的地方。"④

独特的"公民社会"、"重经济"和"重法治"的传统，以及由此派生的"实用主义"和"个人主义"精神，使得美国的宪法具有了以下几个特征：第一，它是惟一的一部在没有中央权威的条件下酝酿与颁发的宪法；第二，它是一部资本主义世界中人权条款最为精心设计的宪法；第三，它是一部罕见的只允许修正而不允许推翻（且两个多世纪以来已经做到）的现代成文法；第四，它是一部分权与制衡原则最为彻底的政法学文献。

美国两个多世纪以前形成的这套法治体系，其有效减少"政府不灵"⑤的作用途径表现如下：

首先，各权力中心彼此牵制可以使权力本身受到限制和变得温和，并只能服务于无害的人类目的。在每一个欧洲国家（英国在一定程度上例外），政府都是通过一支军队统治着社会，并通过庞大的

5

---

① 马克思：《路易·波拿巴的雾月十八日》，《马克思恩格斯选集》第一卷，人民出版社1972年版，第603页。

② 潘慕平：《美国人最幸运的是有一部稳定而灵活的宪法》，1989年2月6日《经济导报》，第4版。

③ J. 科特金：《一个"世界性国家"的出现》，《交流》1990年第2期，第11页。

④ D. 贝尔：《再论"美国例外论"》，《交流》1990年第3期，第4页。

⑤ 与"市场不灵"概念相对应的概念。"市场不灵"指的是市场对不完善的竞争、不完全的信息、外部效应、公共品等问题无能为力，如污染、奉献、责任感等。"市场不灵"要求公共经济进行干预来加以弥补，但由于政府机制投入产出关系比较模糊，因此，干预过度、干预不当等情况很难避免，此外，政府同样也并非万能。这些可能的效率损失可以理解为"政府不灵"。

官僚体系行使中央集权或者类似中央集权的权力。美国的情况不同，它所经历的国内暴力和大规模的阶级斗争也许并不比欧洲或其他国家要少，例如各种反对金融财团的斗争、争夺土地的斗争、还有更为频繁和引人注目的劳资冲突等，但是这些斗争的目的并不是要求夺取"国家政权"，而是主要针对具体公司集团的具体政策规定而进行的经济斗争。20 世纪 30 年代的煤矿、钢铁、汽车制造和橡胶工业所采取的、大规模的反对法人经济巨头的有组织的行动，事实上是得到罗斯福政府的支持的。①

其次，分权的、制衡的权力结构能够产生出一种"自动效率机制"。美国宪法规定税收、预算支出的立法权力属于国会。行政部门要取得某个项目的所需款项，必须到国会申请拨款。这就需要行政部门充分阐明执行这项政策和花费这笔钱的理由，得到批准后方可行动。在美国要想把一种想法变成政策和法律是相当不容易的，因为存有一套极为复杂繁琐的政治程序。"立国之父"的基本思想是希望能防止任何一个"坏主意"变成政策或法律，防止一小撮政治集团控制政府。另一方面，如果一个人要将某种想法变成政策或法律，它就必须做大量的舆论工作，使得多数人相信这是一个"好主意"，否则，绝无成功希望。另一方面，这一机制可以使得少数人也有机会否决他们所强烈反对的方案。

这套制度的弊端也非常明显。它使得达成统一的对外政策的协调工作变得非常的困难，很多外国人甚至很难弄清楚究竟是谁在代表美国政府。由于需要反复地辩论、磋商，维持这套繁琐的程序的代价（缓慢费时，等等）是昂贵的。但是美国的先哲们认为这种效率损失是合理的和难免的代价，也是至今美国人仍然愿意支付的代价。因为政策失误对于一个国家和它的人民的损害往往更大。纵观美国历史，虽然在国内外重大政策方面都有过失误，但比起其他各国的确要少得多。相反，在民族利益攸关之际，美国政府往往惊人地明智。例如，"路易斯安那购买"、"门罗主义"、两次世界大战中美国的"中立政策"、战后"联合国宪章"的通过、"美元体系"以

6

---

① D. 贝尔：《再论"美国例外论"》，《交流》1990 年第 3 期，第 4 页。

及"廉价石油政策"等，都为美国国民带来了难以置信的巨大利益。

最后，美国宪法能够长期保持经济效率而有利于社会稳定的原因还在于"立国之父"设计了一个"自动纠错机制"。美国的宪法规定："国会，凡遇两院议员各以三分之二的多数认为必要时，应提出对本宪法的修正案，或者，在全体各州中三分之二的州议会提出请求时，国会应召集修宪大会，以上两种修宪案，如经各州中四分之三的修宪大会批准时，即成为本宪法之一部分而发生全部效力，至于采取哪一种批准方式，则由国会决议……。"① 这一条款的明智之处在于：一方面决不奢望一部既定的宪法有可能解决社会发展过程的所有新问题；另一方面则又充分地预见到长期保留宪法的基本精神的重要性。因为"合作关系的发展需要个人之间有充分的一再交往的机会"，"朝令夕改"或"一朝君子一朝臣"的办法肯定是不利于抑制投机和积累文明的。此外，修宪程序显然十分严格，要通过一个违背公益的法案是很难设想的。

7

二、切实地融个人选择于社会需要

个人真实偏好在市场上比较容易显示，但在"非私人产品"（公共品、外在性问题等）场合，如官场、有可能违背社会公德、或者虽不违背公德但却不利于合作，诸如"自由骑士"（free riders）②、"潜在的帕累托改善"③ 等场合，个人选择是否能够接近真实偏好就会成为相当困难的问题。因为每个人偏好的难以显示往往是他人偏好难以显示的条件。而要打破这个恶性循环，就必须创造几个基本条件：个人必须具有充足的安全感、完善的客观性的信息、足够强劲的有效动力。

个人偏好的真实显示是优化集体选择的前提，也是社会福利函数增值的条件。在市场条件下，由于"无形的手"的作用，个人愈

---

① H. S. 康马杰编辑：《美国历史文献选萃》，今日世界出版社 1979 年版，第 35 页。
② 个人为供应公共物品而努力时的勉强心理。
③ potential improvement，也即对自己无害对他人有利时的理应顺利的福利改善。

是如实地追求一己目的，价格就愈是接近均衡，所谓的"市场不灵"（market failure）[①] 从而真正需要政府进行干预的情况就会如期出现，从而使公共政策获得预期效果。在公共经济中或者在官场上，如果各种投机（如"自由骑士"）得到比较有力的抑制，个人追求名的动力得到比较适当的鼓励，努力与成就的投入产出关系就可能比较稳定与明确，那么各种投机性或曰"分配性努力"[②] 所造成的福利损失亦就可以被降到比较低的限度。

美国社会法律制度融个人选择于社会需要的基本途径可以概括为以下几点：

第一，尽可能使个人如实显示偏好

个人自由选择的最基本条件是必须拥有足够的安全感。为此个人必须享有充分的经济上的自由权和其他社会意义上的自由权。个人经济自由权包括个人在处理私有财产即决定个人在处理私有资财的用量与投向上的权利，个人对其时间（包括工余时间）的支配权以及决定未来个人发展方向上的选择权等。其他重要的个人的社会权利包括：人身自由、言论或出版自由、信教自由、还有性别平等和种族平等等。个人拥有经济上的自由权意味着在既定的社会法律环境中，法定的已经属于他的那些资源不会因为任何外在的非自愿的分配方式而具有任何不确定性。这一点可以说是市场制度、或者说一切（自愿的）交换行为能够发生并且持续下去的最基本的条件。

确立市场制度的重要意义是尽可能减少通过政治手段来解决问题的范围。通过政治渠道的行动，其主要特征是：在相当大的程度上趋向于强制命令。而强制总是不利于个人真实偏好的显示。市场的优越性还在于它允许广泛的多样性的存在，因而能够最大限度地满足个人偏好。以政治术语来说，市场是一种按比例配置的代议制。好像是每个人能够对他所需要的领带的颜色进行投票并且得到这种

8

---

① "市场不灵"指的是市场对不完善的竞争、不完全的信息、外部效应、公共品等问题无能为力，如污染、奉献、责任感等。

② 人们追求自己的利益，必须进行努力。一般来说，努力有两种形式：一种是生产性努力；另一种是分配性努力。生产性努力指的是一个人为了获得收入而进行的创造新财富的活动。分配性努力则指对于已经分配到人的财富进行再次分配的活动。

领带，而不需要观察大多数人所需要的领带的颜色。然而，如果他属于少数派的话，他就比较难以买到他所需要的领带。这也许可以说是一种"服从"，但其性质显然与政治服从不同。

提供安全和满足偏好的不可缺少的条件还在于市场规则变动这个集体选择的政治过程。政治过程的产出效率首先在于个人真实偏好显示的难度。像美国参议院这样的立法机构其所形成的行为模式可谓是这类合作关系的典型，每个参议员均有向他的选民显示自己才干的动机，为此甚至不惜与其他报有同样动机的参议员们发生冲突。另一方面，对于持不同政见者，美国法律也有许多既保障自由又无碍秩序的较为合理的考虑：宣传不受欢迎的主张的自由并不是说这种宣传是不需要代价的。相反，假使激进改革的主张不需要代价，更不用说去"补贴"它们，那么就不可能存在着稳定的社会。

人们为了宣传自己所深信的主张而做出牺牲是完全应当的。重要的是要让那些愿意自我牺牲的人保持自由，否则自由宣传会异化成放肆和无责任感。问题的关键在于：应该容忍不受欢迎的主张的宣传，并且不要使宣传的代价高到无法支付的程度。在美国，言论与出版自由比起西欧国家来显然较为宽松。例如，一对夫妇可以同在白宫前抗议 11 年，而不会使美国人感到特别惊讶；① 又如，20 万同性恋者可以组织全国大游行，而警察们从容若常地帮助维持秩序；② 再如，越战时一位女学生因为带黑袖章抗议战争而被学校开除。但后来经过起诉上告，最高法院判定女学生没有违宪：佩戴袖章属于"象征性言论"，不同于"焚烧征兵卡"。③ 相反学校开除这名女学生则是"侵权"。④ 为了确保人身安全，美国的《权利法案》甚至对于（已经）犯罪的人还有关于"陪审团"、"及时审讯"、"不得受死罪、辱罪"等问题的非常严密的规定。⑤

第二，注意动力分流和强化"有效动力"

美国著名的新自由主义经济学诺贝尔奖获得者米尔顿·弗里德

① 华文：《夫妻同在白宫前示威抗议十一载》，《环球》1992 年第 8 期，第 1 页。
② 作者 1987 年在美国首都华盛顿目击。
③ 对此美国最高法院认为："我们不能同意各种无边无际的行为都可以名之曰'言论'。"
④ R. 系尔斯曼：《美国是如何治理的》（曹大鹏译），商务印书馆 1986 年版，第 434 页。
⑤ 曹绍濂：《美国政治制度史》，甘肃人民出版社 1982 年版，第 283 页。

曼曾写道:"假使经济力量加入政治力量,权力的集中就几乎是不可避免的。另一方面,假使经济力量保持在和政治力量分开的人的手中,那么它就可以作为政治力量的牵制物与抗衡物。"①

升官发财是中国封建社会几千年来的一句口头禅。把升官和发财混成一体是妨碍近代中国社会发展的一个重要因素。美国人至今仍感到庆幸的是,从开国起就有人反对把升官和发财连在一起,特别是革命元老中那位年龄最大的本杰明·福兰克林,他在制宪会议上特地提出一条意见,明确要求把升官与发财拆开。他说:"世间有两种爱好对人间发生着强有力的影响。这就是野心和贪心,也就是爱权和爱财。如果把它们拆开,那么,这两爱之中任何一爱就可以成为推动人们发挥才干的一种强大力量。但如果把两者在同一目标上连成一体,那它们就会对许多人产生最猛烈的影响。对于这些人来说,如果他们看到某一位置既能带来荣誉,又会带来利润,那么,他们就会冒天下之大不韪去谋取这样一个位置。这些人将投身阴谋诡计、百般争夺、结党营私、不顾廉耻来得到这样一种名利双收的位置。"②

基于这样一种动力分流的思想,美国长期以来形成了一套较为有效的文官制度,并制定了相当严格的约束文官的"利益冲突法"、"廉政法",等等。另一方面,为了鼓励政治家励精图治奋发执著,美国人赋予了总统以一个全世界各国最有实权的职位,对于那些为美国人建树较多的人,美国人给予的各种荣誉也较为慷慨与及时。

为了强化有效动力,在平等与效率的替代关系上,美国比一般的资本主义国家更为注重效率。历史地看,由于封建等级关系遗留问题几乎微不足道,美国人一开始就在一个较为平等的环境中生存与发展,因而比较有条件更多注重效率。美国企业晋升机制的竞争性特别强:雇佣期短,考核评定节奏很快,终身雇佣非常罕见;设有许多鼓励人才脱颖而出的特殊路径;人事控制机制的透明度比较高,努力与利益的投入产出关系比较明确、公开与稳定;美国人合

---

① M. 弗里德曼:《资本主义与自由》(张瑞玉译),商务印书馆 1986 年版,第 7 页。
② 曹德谦:《升官发财必须分开:福兰克林的忠告》,《美国研究参考资料》1985 年第 5 期,第 57 页。

作模式中，个人决策与个人负责的色彩明显高于其他民族。

鉴于这些特点，如今处于美国企业界最高层的，多半是那些从地位卑微、无权无势的底层沿着本企业的阶梯爬上去的人。据估计，一百家最大公司的三千五百名董事长和总经理中，只有百分之十是豪华家庭的后嗣。其余的"经理人员"都不是靠家庭关系，而是凭借自己在组织机构生涯中的成就取得权利的。但是这些经理人员绝大多数都接受过良好的教育。①

第三，鼓励"生产性"而不是"分配性"努力②

美国社会鼓励生产性努力的最基本手段是尽可能保障这种努力在任何情况下所带来的成果都能够合理地回归劳动者。而这一点在产品效用的外溢性很强的时候往往很难做到，因为在这种场合，投机性的努力强烈，使得开拓性的努力容易受挫。假如某个人突然有一个可以把某种事做得更好的念头，他也许会下决心再花十年功夫使这个想法臻于完善，以期获得酬报；但是他也可能认为不值得冒这个险。假如他相信其他人也会产生这个想法并加以利用，他很可能不再劳神去进一步思考。但是如果他确信这个想法将归自己所有，那么，他就极有可能继续努力下去。这便是专利的基本理论，也即在法律上授予一项发明拥有专有产权。

长期以来，美国专利制度和它的种种保护性措施为美国国内的投资和科技发展提供了良好的环境，专利在法律上保护创新的思想，鼓励了科学家、发明家和企业家的成长。美国宪法第一条第八节第八款明确规定："保证著作家和发明家对于其著作和发明在一定期限内享有专利权，以奖励科学和有用的艺术的进步。"依据这一立法权力，美国国会早在1790年便通过了第一部专利法，几乎与美国建国同步。林肯认为："专利制度是在天才的创造火焰中加入了利益这种燃料。"杰弗逊也曾这样谈论过专利制度："对新发现颁发专利证，为发明创造活动带来了我所意想不到的巨大动力。"

---

① T. R. 戴伊：《谁掌管美国》（梅士等译），世界知识出版社1980年版，第39页。

② 人们追求自己的利益，必须进行努力。一般说来，努力有两种形式：一种是生产性努力；另一种是分配性努力。生产性努力指的是一个人为了获得收入而进行的创造新财富的活动。分配性努力则指对于已经分配到人的财富进行再次分配的活动。

1990 年前后一位到美国首都华盛顿考察的日本官员曾对美国的专利制度发出如此感叹："我们四下环顾，找寻最伟大的国家以便效法它们。我们问，是什么使美国成为如此伟大的国家？我们经过调查后发现是专利制度。因此我们也将建立。"①

当今世界上大多数国家都有专利法。但是许多外国公民都宁肯向美国申请专利。原因之一在于美国的保护较为合理有效。而这最终又归因于美国宪法所确定的私人产权原则较为彻底。

在力戒分配性努力方面，除了借助市场逐步形成合理和精细的分配链条之外，健全合理有效的"小费制度"和"罚款制度"等，对于解决"服务"态度和提高"公德"水平等问题也非常耐人寻味。鉴于对于劳动的尊重与否同对于劳动者或公民的基本权利尊重与否是无法分开的，因此法律体系的作用显然也不可忽视，因为单靠民族习俗是不够有力的。

12

三、不断增进市场主体经济行为的竞争性与合作性

作为群居动物的人往往出于本性而相互冲突，许多哲学家都探讨过如何解决这一古老问题。在一个以自我为中心而又无中央权威的世界中，要在什么条件下才会出现合作关系呢？众所周知，人并非圣洁的天使，人们总是首先关心他们自己和他们所拥有的一切。然而人与人之间又的确存在着各种各样的合作关系。这也是今天人类的文明大厦赖以存在的基石。那么，在每个人均有自谋私利的动机下，合作关系又是怎样发生的呢？（至少）从经济的角度看，这个问题的答案在于"交换"，以及由交换演进而成的"市场"机制。"交换"要求"等价"，交换的双方价值评估标准不一（至少通常如此），导致交换前后效用总量增加（至少一方效用不会减少）。而这种互惠效果丝毫也不违背双方的利己动机。主观为自己，客观为他人，这也许可以作为东方人对于亚当·斯密著名的"无形的手"的最好的注脚。

① J. 默克尔：《专利制度与经济繁荣》，《交流》1989 年第 2 期，第 29 页。

除了上述关于动力、信息和显示偏好的举措之外，美国法律制度保障市场合作性和竞争性的基本途径是：

第一，稳固市场合作行为发生和持续下去的前提

市场是由众多自由、平等的交换活动构成的。市场经济的发展，必然要求市场活动的当事人成为拥有特定身份和行为方式、具有一定权利义务和自行决策的经济主体。市场经济的有效运作，又必然要求当事人的决策尽可能地逼近其真实偏好。这就要求可供选择的机会比较多，帮助决策的信息比较及时、完善与真实。市场经济愈是发达，满足上述条件的可能性就会愈大。反之，满足上述条件的可能性愈大，市场经济才会愈来愈发达。然而要使社会经济进入这一良性循环，前提条件就在于明确赋予市场当事人必要的权利和义务，从而规范个人和团体的经济行为。

关于个人经济行为规范，我们上文已经讨论。至于企业的经济行为，企业法（包括合同、代理、票据、破产、民事侵权、保释、财产、销售等方面的相关法律），公司法，各种反托拉斯法，还有公认会计、审计标准，资信评级，质量标准检验，社会运行指数，等等，都使得企业必须遵循社会和市场秩序而且高度透明。也许这其中许多行为规范并非经过正规立法程序而只是经由市场运行所派生的公共权威而非政治权威，但是，如果社会基本结构同经济机制包括其中的市场机制的相容性存在系统性障碍的话，上述规范决不可能产生并行使其权威。

就保障市场合作机制的持续性而言，美国法律结构也有独到之处。鉴于美国宪法是在没有中央权威的条件下酝酿与颁发的，鉴于它的人权条款的精心设计，美国的市场合作机制的发生前提与上述古老命题的理论假设几乎天然地吻合，这往往是那些历史悠久或者封建社会较长的国家所难以甚或不可能做到的（这一点在借鉴时切不可忘记）。较为纯粹的无政府性和较为彻底的"个人主义"，为利己前提下的合作行为的发生发展提供了较少社会扭曲的可能性，也就是说，交换所带来的互惠利益的外溢的可能性比较小。这就使得人们努力交换从而健全市场、借助市场的动机的强烈性得以持续。

第二，稳定竞争规则，同时适当灵活，并使合作链条永无尽头

如果说美国宪法上述两个特点所创造的条件只是市场形成与存在的必要条件的话，那么前文所述的美国宪法的后两个特征所创造的条件则是保证市场有效运行的充要条件。不仅因为它只允许修正而不允许推翻，而且因为它在落实分权与制衡原则方面最为彻底。现代合作理论不仅仅表明，在适当的条件下，合作关系的确可以在一个没有中央权威的利己主义者的环境中产生，而且它还表明，合作关系的发展需要个人之间有充分的一再交往的机会，以使他们看到在将来的相互交往中存在着利害关系。[①]

关于"囚犯之迷"的研究表明：两个利己主义者如只玩（交换）一次，他们就都会选择"背叛"。如果他们知道要玩多少次，他们仍然不会有始终"合作"的动机。至少他们在最后一次玩的时候不会选择"合作"，因为此时已无须顾虑。而在玩倒数第二次时，他们也不大会有"合作"的动机，因为他们都料想对手在下一轮中将选择"背叛"。但是，如果不限定双方交锋的次数，这个推理就不会存在。由此可见，宪法、从而一个较为公平与有效的社会制度体系的稳定性（连续性）越好，各种游戏的基本竞赛规则越非朝令夕改，人们的投机（背叛、不合作）动机产生的可能性便会越小。

不言而喻，这个结论的前提是规则必须合理，也就是说规则本身必须杜绝投机，否则结局便很可能相反。因此，除了要求初始的规则基本合理并且尽可能稳定与连续之外，还必须要求能不断地、及时地做必要的修正。而这个纠错（含补充）机制又要求规则修订者本身具有足够的动力和必要的能力。由此，美国代议制的上述第三、第四个特征就显得极为重要。"不许推翻"这个基本原则显然有利于保持宪法的长期稳定，分权与制衡的体制则为各种合理的修订开辟了广阔的可能性与可行性。

第三，吸纳社会呼声，不懈地努力以形成良性的经济分配体系

如果说当今美国的市场机制被公认为是成熟的资本主义市场经济中较富于效率与公平的成功的典范，那么它健全市场机制的努力

---

① R. 阿克塞尔罗德：《合作关系之发展》，《交流》1986 年第 1 期，第 61 页。

过程也可以说是最为痛苦的。而在这样一个痛苦的过程中，美国人关于市场的立法斗争的频繁性与尖锐性也可以说是最为突出的。

姑且不说残暴的黑奴贩运和对于印第安人的血腥的屠戮，也不说南进、西进运动中的种种暴力冲突与掳掠欺诈。即便是到了原始积累阶段的后期，美国市场的竞争秩序也可以说是极为糟糕的，市场的竞争手段也是极为野蛮与卑劣的。为了到某一个城市推销灭鼠药剂便将老鼠运送到该城市去生长繁衍的案例有之；为了挤垮对手，一条渡船的船主便将蝎子置于另一条渡船之上，以惊跑旅客并乘机加以吸引的情况有之；小儿益肝丸中采用鸦片配方却还能大量流行十多年的事例有之；为了多获得铁路修筑工程的土地优惠便将铁路修得蛇路逶迤的怪诞现象也有之……。但是这些明显不正当的竞争方式通过不到半个世纪的社会净化运动，便基本得到控制并且从那以后基本上销声匿迹。而这一净化过程却又基本上（南北战争的根源在于宪法的一项重大失误）是非暴力的。

15

19世纪后期与20世纪初期，美国的社会运动可以说是风起云涌："劳工骑士团"（Labor Knight）、"格兰其"（Grange）、"进步运动"（Progressive Movement）、"平民党"（The Populace），等等。工人、农民、记者与知识分子、平民政治家等社会各阶层人士纷纷觉悟并奋起斗争，终于使得美国社会逐步走出了"镀金时代"而开始进入现代化市场机制建设的新阶段。20世纪30年代资本主义制度又一次面临一场大的社会危机。作为这场经济大萧条和世界大冲突的结局是什么呢：欧洲是元气大伤、到处闹"美元荒"，日本则几乎是一蹶不振、百废待兴，而美国，除了登上西方世界盟主的宝座之外，其他的更有长期意义的便是一大堆立法。这些立法构成了战后经济繁荣的基础，并成为当代市场机制趋向成熟的标志。

市场交换机制是人类社会而不仅仅是美国人民更不是少数人所创造的一项最为杰出的文明成果。市场机制的发展与成熟的过程实质上是"等价交换"不断得到承认的过程。这一历史进程的推动力主要是来自劳工大众而不是少数百万富翁。"黑奴制"的废除、"八小时工作制"的采行、消费者保护、投资人保护、劳资关系法、社会保险法、乃至战后的"最低工资法"，还有直接决定市场框架的

《统一商法》（Uniform Commercial Code）、会计、审计、银行、证券、保险、专利等大量的交易法规，无一不是在轰轰烈烈的社会运动的背景上通过的。没有广大民众不屈不挠的努力奋斗，没有社会各界强大的舆论与呼声的畅达传播，没有整个社会基本权力体系的运行效力与支持能力，现代美国的较为成熟的资本主义市场秩序决不可能趋向公平与效率，按"劳"（包括风险与稀缺等）分配（利息、利润、股息、薪资、保险费、"评级"费、会计审计收费率等等）的相当精细的分配链条，从而一个良性的竞争与合作的经济机制决不可能形成并且相对地长期稳定下来。[①]

四、努力按"效率水平"供应"政府"

16

现代经济学表明："政府服务"既"不可分割"也"不必分割"，供应一个（为其国民服务的）"政府"既有成本问题，也有收益问题，因此"政府"本身也可以理解成一种公共品。如果"政府"这一公共品的供应规模过大（不该管的事也管了），如果维持"政府"正常运营和产品换代（政权交接）的代价过大（如通过战争），如果"政府"对于社会经济的干预的副作用（征税过多、政策失误过多）偏大，那么，供应"政府"这个公共品的经济行为就不能被认为是符合"效率标准"的。

美国代议制在供应"政府"问题上，不比在个人与企业层面成功。至少美国官僚制度缺乏激励机制的问题一直未能比较好地解决。《文官法》保证文官不被解雇，这一法规的初衷是消灭腐败，防止竞选获胜者随意委任不适宜的亲信管理公共项目。但是这种不予解雇的规定加上僵死的文官工资制度，势必导致工作好的受奖偏少，工作差的受惩偏轻。其结果是鼓励"勉强合格"者。对于这样一类问题尽管有过不少的改革方案，但至今尚无一个行之有效。一些美国专家已经无可奈何地认为这种低效率是美国现行的宪法制度所不可

① 萧琛：《深化改革必须进一步借鉴国外市场机制》，《世界经济》1992 年第 7 期，第15 页。

避免的。[①]

尽管有许多问题，美国宪法在深层次地决定与影响政府的规模、政权的新陈代谢、文官与政策的基本质量等问题上，比起古老的欧洲各国的处理方法来，还是具有更多的生气与可借鉴之处。这些支持作用体现在以下三个方面：

第一，美国政府的规模比较适度，长期以来也比较稳定，不像许多欧洲国家那样有过大起大落

殖民地时期美国完全是一盘散沙，"邦联"时期也只是"以绳串沙"，总之政府的作用可以说是微不足道。即使在"联邦"宪法之下，美国联邦政府的权利也是始终被确定在非常有限的范围内。

在美国人看来，自由是最宝贵的。而对自由的最大威胁是权力集中。为了保护自由，政府是必要的；然而，由于权力集中在当权者手中，自由势必受到威胁。即使使用权力的人们开始是出于良好的动机，即使他们没有被其所使用的权力所腐蚀，权力也会塑造出和吸引来那些与他们不同的人。对于政府趋利避害的方法是：一、限定政府的职责范围；二、必须让政府的权力分散。为此美国宪法明确规定了联邦政府的职责。[②] 在既定历史条件下，一个国家公、私经济的比重和结构存在着一个理论上的最佳值。政府及公共经济规模逼近这个最佳值的程度取决于社会政治法律体制的性质、政府的经济管理能力和市场机制的效率。

美国政府经济比重比较小的原因还在于美国人重视市场并存在着一个比较有效的市场机制。美国政府主要只是自由市场"竞赛规则"的制定者和执行者；而市场所做的则是尽可能减少必须通过政

---

① 哈佛大学的政治学教授 M. P. 菲奥里纳对此曾这样写道："只有改革了奖惩制度才能见效……但能够改革奖惩制度的体制改革又不会被现行的体制所接受……现行的制衡必然会阻挠这种改变制衡地位的改革。而由于这种制衡实际上是由我们的宪法规定的；因此只有在宪法层次上进行改革才可能有实质性的收效。"

② 宪法规定的联邦政府职能是：1. 管理国际与州际贸易；2. 制定统一的破产法；3. 发行货币与管理币值；4. 制定度量衡标准；5. 设立邮局和开筑邮路；制定有关专利和版权的条例。30 年代"新政"（New Deal）之后，美国政府干预经济的作用有了很大的变动。但是从战后的情况看，除了公共品之外，美国公营的私人产品主要也只是在于保险业。铁路的公有化是最近一二十年的事。国防产业（包括航空航天等高科技产业）政府管得比较多，但主要方式并不是直接生产，而是通过项目向私人厂商提供资金、订货采购。近年来随着凯恩斯主义影响的收缩，政府干预强度已呈现回归趋势。

治手段来决定的问题的范围，从而尽可能地缩小政府参与赛事的程度。只有在"市场不灵"的确存在的时候，政府才有理由干预。而且政府在干预时必须能在原则上证明：存在着一个使得每个人的福利现状变得更好的市场干预途径。此外还必须证明：在弥补"市场不灵"的努力过程中，民主社会的政治程序和官僚政治的结构不会使经济违背帕累托效率原则。这些繁琐的要求使得大面积地采取"国有化"或"私有化"的运动在美国几乎不可能出现。

第二，保证"政府"公共品的基本质量，政府官员的基本品位和政府决策的基本质量

宪法在这个问题上的基本手段主要是配置权力和确定规则，并派生出一整套文官制度。美国目前联邦官员中，大约百分之八十五是根据文官制度选任的。大约百分之十五不是根据文官制度而是按照其他功绩制度选任的。其中主要的职务包括：各部部长、各机构首脑、副部长和部长助理，管理委员会成员，白宫班子成员，也即构成"管理系统"的那些职务。其次还包括检察官和驻外国雇员，以及海关、邮局和其他政府公司（如 TVA）中少数封赏性职务。其中"管理系统"成员的基本素质与选择办法对于国民经济管理显然至关重要，基本选任办法是一种制衡的组阁制，其关键决策人是一个人（总统）和一群人（参议院）。

美国"管理系统"成员的质量也许并不特别地德才兼备，很多情况下（远）不如欧洲贵族国家的执政者。但是他们的日常决策，包括对下属重要官员的任命仍然具有较高的质量。在代议制的分权与制衡条件下，一般说来，一个腐化或无能的行政官员，不能只靠另一个或另一些行政官员也像他一样腐化无能而彼此勾结，并联合起来使他们的腐化和无能在他们的后代繁衍。相反，一个行政官员的野心和阴谋，还会促使他去揭露另一个官员。同理，在分权与制衡的条件下，一个行政首长的不良政绩也不可能与其制度环境长期相安无事。一般说来，这种不良政绩最多是在其有限的任期内发生影响。腐化与无能，绝非来自可以把人们经常地联合在一起的共同利益。执政人可能常常不忠于职守和犯重大错误，但是他们决不可能把一个违背大多数人共同利益的方针贯彻下去，他们也不可能使

政府具有独断专行和令人生畏的形象。况且，由于复杂而激烈的竞选以及其他轮换制度，加上舆论的不断跟踪，不励精图治的行政首长也实在难以登上和坐稳总统或高级官员的宝座。

保证政府决策基本质量还借助一套基于分权制衡条件之上的公共决策的程序与规则体系。美国的公共政策的决策人可以被划分成两大部分。一部分是直接的决策人：总统、国会和法院；另一部分则是间接的决策人：政党、利益集团、舆论等等。在美国代议制条件下，直接决策人的行动要受到间接决策人的强烈制衡，决策的过程实质上可以说是一种社会上许多不同集团之间相互协调意见的过程。通过投票、参加利益集团和在政党中工作，个人便能够在制定政策的过程中间接发挥作用。各政党本身也许可以被看成各利益集团的联合。在公共政策形成过程中，各大公司、私人财富通常是资金供应人；各大学、研究基金会则组织研究报告；各政策规划组织则发挥协调政策制定过程的作用；各新闻媒介和政府有关的委员会机构则担负制造舆论的工作；最后，公共政策的直接决策人根据所收到的各种报告和政策建议，并考察过公众的政策偏好之后，才进入动议、辩论、听证、表决、签署等一系列讨价还价的直接的政策制定过程。这也是前文"自动效率机制"的注脚。

第三，努力把强制和冲突降到最低限度

"冲突"与"合作"（或曰"交换"）相比，显然是一种非效率，因为它几乎不可能同时使得双方都受益。冲突的最高形式是流血的战争。而就历史上各国的政权交接过程而言，战争与冲突常常是重要的表现形式。争斗的结果通常是一方被降服或者被消灭；而另一方则筋疲力尽或者元气大伤。这种情况显然不是现代文明社会所愿意接受的，也不是经济学家所能赞赏的。

南北战争也许是美国文明的一页耻辱的历史。民主秩序不幸被弃置一旁，冲突双方进行了长达五年的暴力对抗。虽然战争的积极成果是奴隶制的废除，但是这并不能排除美国宪法对这场战争应负

① C. A. D. 托克维尔：《论美国的民主》（董果良译），商务印书馆 1988 年版，第 266 页。

的责任。因为它未能成功地阻挡冲突的升格和有效地促成应有的合作。宪法关于联邦政府权力与州政府权力的规定，只是在立宪过程中所取得的折衷与"大妥协"的产物，它并未明确地回答州是否有权离开联邦而宣布独立这一重大而尖锐的问题，而林肯的雄辩也毕竟不能无可争议。

除了南北战争之外，美国国内的暴力冲突虽然非常频繁，但是都未能酿成战争，也未能表现为肢解政权或者夺取政权的运动。近几年的洛杉矶骚乱、纽约的爆炸事件、同性恋 20 万人全国大游行的事件，还有 20 世纪 60 年代的黑人抗议运动，再就是 30 年代崩溃性的经济危机与社会动荡，等等，虽然冲突规模与破坏程度都相当可观，但都只能是局部的短期的现象，总体社会秩序并没有被打乱，而且基本上都酿成了具有永久性质的积极的立法成果。

20

20 世纪 30 年代剧烈的社会冲突对于美国的社会制度可以说是一场最为严峻的考验。经历过 30 年代大危机的美国老人们至今对于那场噩梦恐怕仍然会谈虎色变。在那充满冲突的关键时刻，联邦政府能否迅速有效地编织一张"社会安全网"，实质上是对于美国社会基本制度的和平自救能力的检验。历史已经表明，在 30 年代大危机中，美国经历了十多年的恐慌，但是并没有走向崩溃。相反，通过"新政"和一系列相当成功的立法甚至修宪活动，美国为战后经济增长的黄金年代打下了坚实的基础。

美国社会更为广义的安全网还体现在美国人对于舆论的"平衡社会心态"的功能十分重视。舆论在美国号称"第四权"。它不仅对于交流信息、相互监督起着重要的媒介作用，而且对于社会抱怨的累积起到缓释作用。美国联邦制下各州的独立立法权对于尊重公民偏好也起着分流与区别对待的作用。美国各州的税法和居民的权利义务有着比较大的差别，这使得不同偏好的美国人有可能"用脚投票"（Voting by feet），走向最适合自己口味的社区去发展。美国各社区关于日常社会经济生活中的纠纷、争端与冲突的成文法律与习惯法不尽相同。但法律制度的完备与细致入微，则是一个非常突出的共同点。"在美国，法律就是帝王。"① "美国任何一个政治问题几乎迟早都不可避免地要变成司法问题。"② 据统计，美国现在全年的法律事务费要占到国民生产总值2％，超过了整个的钢铁业。③

此外，美国宪法对于总统、州长和议员的竞选制度的设计也可谓十分精心。它已经成功地使得两百多年来美国政权的定期交接采取了和平方式。当然，作为这一事实的补充，美国被暗杀的总统也并不罕见。但值得思索的是这些个人悲剧，例如林肯、加菲尔德和肯尼迪的被刺等，并未能够殃及整个民族与整个制度。

---

① 美国早期资产阶级革命家 T. 潘恩语。
② 19 世纪著名法国政治思想家与历史学家托克维尔语。
③ 任越：《美国联邦法院诉讼程序》，《美国研究参考资料》1986 年第 5 期，第 61 页。

2. 告别凯恩斯时代：
论美国税制改革[*]

20 世纪 80 年代美国社会经济影响最大的事件莫过于 1987 年开始实施税制改革法。税制改革作为一场"世纪之战"，"消除了各种嘲讽与怨言的根源"，将作为"人类耻辱的"旧税制"变成一个公平、简明、有效率且富人情的典范。"① 税制改革不仅是经济滞胀以来生产关系的一次最全面深入的调整，而且在国际上引发了一场 60 多个国家都已卷入的世界税制改革洪流。美国税制改革有何成就？1986 年法案错过了哪些机会？改革寻求的是什么样的新机制？划时代的意义何在？本文拟就上述问题进行若干理论分析。

一、退离凯恩斯，寻求新的调节机制

凯恩斯革命的实质性内容是利用虚拟经济刺激实际经济，从较为强调依仗市场转向强化政府对经济的全面干预。其主要手段是赤字财政和形形色色的税收特惠。对于战后 20 多年的经济繁荣，凯恩斯的财税政策的作用不可低估。但是，就在美国中产阶级由战后初期的 20％增至 60 年代末的 50％以上之时，美国人所希求的"更多更好"的前景却以日益加快的速度变得越来越渺茫。能源问题、环境问题、产业结构问题、失业与通货膨胀问题、地下经济问题等一

---

* 本文发表于中国社会科学院《美国研究》季刊 1990 年第三期，署名萧琛。
① 引号内为卡特、里根两总统语。

系列经济恶魔纷纷随美梦而至。一方面是各类"避税专家"日益走红，另一方面则是税收管理法规逐尺逐寸地不断加厚；一方面是贫困线以下的低收入者的扶贫支出在日益增长，另一方面却又是他们的税收义务在日益增长⋯⋯

福特、卡特、里根等总统无不就此惊呼并发誓要净化税制。奈何税制改革牵动各行各业和千家万户的成败荣辱，加之经济病体难以康复，因而尽管有一系列的改革，如"1975 年减税法"（Tax Peduction Act of 1975），"1977 年减税与简化税收管理法"（Tax Peduction and Simplification Act of 1977），"1978 年税收收入法"（Revenue Act of 1978），"1981 年经济复兴税法"（Economic Recovery Tax Act of 1981，即 ERTA）和"1982 年税收公平与财税责任法"（Tax Equity and Fiscal Reponsibility Act of 1982，即 TEFRA），真正的改革却只能是在经济好转几年之后的 1986 年 8 月才得以成功。应该指出，上述一系列税法的矛头无不指向凯恩斯税制的弊端，但是只有 1986 年税制改革的手段才是非凯恩斯主义的。无怪乎美国不少税收问题权威认为只有这次改革才开始使美国人追求新税制的"梦想变成现实"。①

为全面调节与干预经济，凯恩斯税制中设有越来越多的税收特惠，税制的歧视性质日益加剧。此外，为刺激企业投资，公司所得税的税负轻化趋势日益明显。1960 年公司所得税在税收收入中的比重为 23.2％，而到 1985 年改革前夕却已仅占 10.2％。② 由于长期以来税收在国民收入中的比重日益趋于增长，因此企业投资税的轻化势必导致个人消费税的重化。个人税重化最明显的表现是个人所得税边际税率的增长。30 年代以前，个人所得税最高税率和最低税率分别为 7％和 1％，且起征收入高达 50 万美元，而战后最高税率却达到 90％！最低税率也为 20％，80 年代初仍为 11％。③更为荒唐的是从 1979 年开始，贫困线的增长竟快过免税收入水平的增长，以至

① J. A. 佩奇曼：《税制改革与美国经济》（英文版），第 10 页，布鲁金斯学会，1987 年。

② J. E. 斯蒂格里兹：《公共部门经济学》（英文版），第 323 页，W. W. Norton & Company，1986 年。

③ J. E. 斯蒂格里兹：《公共部门经济学》（英文版），第 324 页，W. W. Norton & Company，1986 年。

于 1985 年的免税水平大大低于贫困线，[①] 即是说，有相当一部分美国公民在用救济款缴纳个人所得税。对于一个标榜效率的发达工业社会，这种明显的不合理现象是何等的不协调！

税制畸形严重地扭曲了经济，导致税收管理日益困难。"投资税抵免"（Investment Tax Credit）、"加速折旧"（Accelerated Depreciation）、"存货资本化"（Inventory Capital Adjusion）以及各种补贴性的"税收支出"（Tax Expenditure），势必造成各种"税收偏好"（Tax Preference）、"税收策划"（Tax Planning），日益成为决定投资的关键性因素，影响有限资源的效率配置。税制畸形千方百计地寻求"税收庇护"（Tax Shalter）和偷税漏税。个人所得税畸重，边际税率畸高且缺少公平，使得人们与政府的合作态度恶化，不如实申报和投机取巧动机的诱惑力日益变大。据统计，改革前已有1/4的劳动力和15％左右的国民生产总值直接同"地下经济"相连。所得税税基遭到严重的侵蚀。

24

由上分析不难推知，旧税制的种种弊端的根源在于凯恩斯的需求刺激及种种非市场性的经济干预，在于各种税收特惠政策促进经济增长的短期性质。这种税制在配合政府反周期的同时日益严重地牺牲了长期经济增长与社会发展。个人所得税税率过高、税基变窄、个人所得税与公司所得税结构不合理、管理困难、税法日益繁杂甚至经常使税收法庭之间争执不已等等，无不起源于凯恩斯选择的需求刺激。因此，由需求刺激转向注重供给，尽可能取消不必要的特惠，尽可能减少政府干预，退离凯恩斯主义的税收歧视，转向税收中性原则，已成为至为迫切的任务。而"取消特惠，增进公平，扩大税基，降低税率，简化管理，促进经济增长"则正是这次税制改革的宗旨。

二、税制改革的主要成就

新税法是自 1954 年以来对整个税制所做的一次最为全面深入的

---

① J. E. 斯蒂格里兹：《公共部门经济学》（英文版），第 325 页，W. W. Norton & Company，1986 年。

改革。新税法扩大税基并将所得税税率降低到 20 年来从未有过的水平。新税法还将原税法的 14 个收入与税率级次简化为两个级次！法案的最后制定者，参院财政委员会主席鲍勃·帕克伍德（B. B. Packwood）得意地宣称这是"美国的胜利"。美国总统里根也认为新税制"将使美国更具有竞争能力并率先迈入 21 世纪"。就本文主题而言，改革的主要成就可以归纳为以下三点。

1. 取消税收特惠，恢复了市场功能

改革前税制的歧视性主要表现在两个方面。其一，对不同产业和不同资产所采取的税率差别过大，往往鞭打快牛、鼓励后进；其二，由于税法繁杂，不同产业不同资产避重就轻和寻求税收庇护的机会过于不平衡，实际税负差别过大。结果是与贷款相关程度较大且交易成本较低的资产性投资可以得到较多的实惠。例如商业性房地产、多户住宅（Maltifamily Housing）、有轨电车、某些飞机及有关设施投资等等，避税与逃税的机会就比较多。这导致大量资金流入这些产业或资产，许多城市的办公室因此盖得过多，闲置率超过 20％。这不屑包括潜在的配置过渡。

对于长期资本利得的 60％实行免税也是投资特惠的一个重要途径。原税法采取这一措施的目的是防止在利润实现年那些面临高边际税率的法人的税负会过重。加之通货膨胀因素及相应的收入档次及边际税率爬升问题，势必抑制长期性投资。立法人的这一动机当然无可厚非，但是由于各种资产和产业的经营条件和利润前景差别很大，因而实际税负的歧视性质日益明显，给税收筹划和税收庇护造成了许多可乘之机。

新税法断然取消了上述规定，取消了投资税抵免和大型合作项目免税规定，此外还降低公司转移投资股利的免税和公司海外收入的税收抵免等等。这些针对性、建设性很强的改革措施对于实现税收中性原则和增进投资的横向公平具有极为深远的意义。新税法下各类资产和产业的有效税率（effective tax rate）已基本拉平，为市场功能的恢复扫除了最基本的障碍。新税法实施两年来，美国投资的产业构成和投资配置效益均有较大改善。新、旧税法下各类资产和产业的有效税率的变动与对比可见表1。

表 1　美国各类资产和产业的有效税率　　　　　　　　　（%）

类别	旧税法	新税法
资产类别		
设备	11	38
厂房	35	39
存货	58	40
产业类别		
农业	41	42
矿业	30	38
采油业	23	28
建筑业	28	41
制造业	43	43
运输业	23	37
通讯业	24	36
电、煤气	28	38
商业	47	44
服务业	32	40
平均	38	41

资料来源：Jane. G. Gravelle："众议院参议院与联席会议提案比较；公司所得税有效税率方面的条款"，《国会研究服务报告》，第 86～854 页。

2. 重视通货膨胀问题，一定程度上恢复了所丧失的税负的累进性

长期赤字财政的结果是通货膨胀问题严重。通货膨胀给确定收入档次、各种扣除额、抵免额和相应的税率带来大量困难，也为征税与纳税双方的扯皮及申报技巧的提高造成了大量的机会。更重要的是，通货膨胀使得原税法下的税负累进的合理化为乌有，纵向不公平问题和税负预期不确定问题严重地影响了人们的积极性，造成经济扭曲。

税制改革有效地增加了公司税和投资税，因而可以在大幅度降低个人所得税负担的有利条件下，断然采取一系列克服通货膨胀、增进纵向公平的措施：（1）提高个人免税额 80%，提高扶养家属宽减额 85%，二者均随物价指数调整；（2）提高标准扣除额 44%，并且予以指数化；（3）提高勤劳所得的税收抵免，并予以指数化；（4）税率级次由 14 个减至 2 个。大大简化了收入的确定问题，努力恢复税收的通货膨胀中性。税制改革在这一大幅度与多角度结构调整的

背景上，着眼于各项措施的综合性效果，使得税负的实际累进趋于合理，基本上实现了"纵向公平"。

个人减免、标准扣除、指数化及其他诸如抵免自由之类的改革措施，使得两年来每年600万低收入者不再缴纳个人所得税，消除了免税线低于贫困的怪现象。改革为年收入不到2万美元的家庭不同程度地减轻了税负，而对年收入5万美元以上的家庭则不同程度地加重了他们的负担，从而纠正了旧税法下富者实际税负偏轻、穷者实际税负偏重的累退倾向，恢复了由于各种不合理政策及通货膨胀因素而丧失了税负的累进性。新税制下各收入阶层的税负变动可见表2。

表2 1988年各收入阶层税负变动估计

收入阶层（美元）	个人所得税和公司所得税税负变动（%）	全部税负变动（%）
1万以下	−32.0	−12.5
1～2万	−8.1	−3.1
2～3万	−4.1	−1.8
3～4万	−4.1	−2.0
4～5万	−6.1	3.1
5～7万	+0.7	−0.4
7～10万	+5.3	−3.9
10～20万	+6.0	−5.0
20万以上	+9.2	−8.2

资料来源：马里兰大学经济学系教授、布鲁金斯学会税收问题专家 Henry J. Aaron 的统计与估算。参见 J. A. 佩奇曼：《税制改革与美国经济》（英文版），第14页表2。

3. 恢复了劳动者的积极性与创造性，改善了自由竞争秩序

旧税法下个人所得税畸重、公司所得税畸轻等不合理因素，使得劳动者个人的工作积极性与创造性严遭挫伤。新税法在降低公司所得税名义税率、扩大公司所得税税基并使之合理化的同时，有效地增加了公司所得税的实际负担。据统计，1987～1991年五年中，公司所得税可以增加1200.3亿美元，平均每年可增240亿美元。[①]由于改革的收入中性原则，这笔可观的收入被用于减轻个人所得税

---

① 《1986年税制改革法》，《国会报告》第二卷，政府出版署（GPO），第99～841页。

负担。由此，新税法为绝大多数美国人不同程度地降低了税率，年收入不到两万美元的家庭，现在仅剩下30％左右有可能面临可谓之"高"的边际税率。增加个人减免和标准扣除等措施则可以保证不到10％的人实际税负增加。年收入超过5万美元的家庭的边际税率几乎降低了90％，但由于有效地扩大税基，这些家庭中仅有3/5实际税负减少。

边际税率和大多数个人税负的减轻不仅是改革可行的最基本条件，而且由于劳动者个人是社会经济机体的细胞，是市场最基本的要素。个人可以是投资者或消费者，可以是买者或卖者，还可以是雇主或雇员。因此个人从繁重不堪的税负下得以解脱，对于整个经济增长的意义极为深远。其一，由于边际税率大为降低，投机取巧的诱惑性会大为减弱，勤劳致富之风可以畅行；其二，由于税负趋于适度与合理，人们的社会合作性得以恢复，较多的外在不经济会转向外在经济；其三，由于税收中性原则得以伸张，劳动者个人的积极性与创造性将更多地被引向生产性的而非耗散性的活动，个人活动的市场价值同社会经济价值（相应于影子价格）将趋于接近，"无形之手"的引导会易于增进社会财富。总之，由于税制中不必要的人为干预减少，束缚市场配置资源和分配财富的功能发挥的因素得以排除，自由竞争的秩序势必会有所改善。如果说凯恩斯主义的锋芒所向在于"市场不灵"（market failure），则近年来的一系列改革的锋芒则主要指向当代资产阶级的"政府不灵"（government failure）。如果说80年代初连续几年的大幅度减税是权宜的、局部的"治标"之方，则80年代后期的改革则显然是从长计议的带全局性的"治本"之举。

三、税制改革错过了哪些机会？

税制改革涉及面广，政治难度很大。尽管举国上下很少有人不赞成改革，但在改什么、如何改、改到何种程度等一系列问题上很难有一致意见。早在1984年11月美国财政部便公布了一套意义深远的改革方案，经行政当局修改，于 1985 年又以总统改革方案公布于世。众议院对总统方案于 1985 年通过了一项修正案，并于 12 月通过了改革议案。但是到 1986 年 5 月，参议院财政委员会主席鲍勃·帕克伍德又提出一个与总统方案相去甚远的方案。经参议院及国会两院联席会议反复修正讨论，最后才形成"1986 年税制改革法"（Tax Reformation of 1986：Conference Agreement）。在这场盘根错节的利益拉锯战中，"将欲取之，必先予之"的妥协战术势所不免，因而改革措施的过正与不足之处也势所难免。总之，在告别凯恩斯时代的关键时刻，美国人并未能充分把握机会，至少在下列三个问题上未能尽如人意。

1. 未能实行全面的通货膨胀自动调整，从根本上消除通货膨胀对税制的扭曲

29

国会保留了 1981 年采行的免税额、标准扣除、税收档次指数化等有关规定，但未能接受财政部方案中关于折旧、利息收支、资本利得和存货成本的指数化的建议。70 年代末和 80 年代初，自动指数化机制的缺少，曾经使得国会和行政当局穷于应付并捉襟见肘。财政部的方案本可以彻底解决这个问题，然而不幸的是里根总统最后还是向国会做了让步。作为回报，国会采取了取消消费性贷款利息扣除、限制房屋抵押贷款利息扣除等补救性措施。

2. 在增进所得税的公平与效率方面，新税法在两个问题上未能充分利用这次全面改革的机会

其一是附加福利税（fringe benefits tax）问题；其二是综合公司所得税与个人所得税问题。新税法未能将雇员享受或消费的各种福利全部纳入税基。这些福利包括雇主担保的雇员医疗保险、可高达 5 万美元一年的人寿保险、集体法律保险（group legal insurance）杂项福利等等。这类福利数额很大，可惜未能列入税基。而澳大利亚近年税制改革在这方面已取得了令人瞩目的成功。早在 1982 年，里根就曾建议限制雇主为雇员担保购买医疗保险和相应的个人所得税减免。总统本可以坚持这个意见，并将限制定在基本医疗保险计划的支出水平上，而对超过部分作为收入进行征税。财政部方案写入了总统 1982 年建议。但由于参议院帕克伍德这条硬汉的坚决抵

制，政府方面只得做出妥协。

附加福利未予征税意味着新税法下各种消费之间的税收歧视尚未扫荡殆尽。这势必继续鼓励雇员寻求雇主提供过于慷慨的福利支出，从而扭曲经济，影响生产性投资。这个问题还意味着所得税税率尚未降到理想水平，因为税基未能由此扩至应有程度。国会的动机在于使中、低收入者在取得附加福利时可以享受较以前更为均等的机会。然而长期以来的实践已经证明，税收歧视对经济效率的损害最终总是会大于社会公平所带来的利益。

3. 新税法在以上提及的综合所得税问题上也未能利用机会解决个人所得税与公司所得税统一征收的问题

改革前美国学术界有三种代表性思潮。其一是采行综合所得税制（The comprehensive income tax）；其二是采行统一比例税制（The flat-rate tax）；其三是建议将税基重心由收入（所得）转向消费，采行统一税率的消费税（a flat-rate consumption tax）或增值税（The value-added tax）。所谓的综合所得税，指的是综合各种实际经济收入。合并公司所得税与个人所得税，解决股息收入的双重课税问题。所谓的统一比例税，指的是尽可能使得纳税人按同一边际税率缴纳。里根方案是综合所得税与统一比例税二者的糅合，既不完全综合，也不完全税率统一。里根方案设有三个税率级次，国会最后通过的方案更为统一，为两个税率档次。

新税法下，股息收入仍要分两次征税，一次作为公司所得税征收，另一次作为个人收入征个人所得税。而继美国改革之后的许多发达工业国，都下力气解决了这个学术界长期争议的问题。财政部方案曾允许公司扣除50％收入作为股息支出，不再列入公司所得税税基，而将这部分收入作为股东收入课征个人所得税，从而解决股息收入双重课税问题。但是白宫方面乃至最后通过的改革法只将扣除比重定为10％。这就是说，大部分股息收入仍要课征两次。从而为改革前这方面的税收偏好的延缓留有很大的余地。

股息扣除可以鼓励公司将利润收入的较多部分作为股息支付给股东。但是这一效应本身也就足以解释它的出师不利问题。因为如果股息支出比重增长，公司势必只能保留较小的再投资能力。这会使得公司掌权人物不得不更多地仰仗外部资金，更多地倚重发行债券和追加发行股票。资本形成、资金配置，或曰扩大再生产的实现更多地经由公开市场，这本当是一件好事，比之由公司内部处理至少会更易于达到效率水平。但是不可避免的副作用是公司筹资成本势必因此增加，竞争压力会偏大，企业环境的气氛可能会过于紧张。新税法在偏袒公司经理阶层免于一系列头疼的成败攸关的问题之际，实际上是牺牲了市场机制的机会效率。可见，要完全回到理想的市场调节境界，还有待长时期的努力。因为，10%股息扣除的法定时间是 10 年以上。

四、新税法与实际经济运行

纵观美国经济史，生产关系全面的结构性调整曾经有过三次。第一次发生在 1873 年以后美国资本主义由自由竞争向垄断过渡的一二十年中。第二次发生在 20 世纪 30 年代大危机时期。这一时期垄断资本主义正向国家垄断资本主义过渡。第三次则是 60 年代末美国经济陷入滞胀以来的一系列调整与改革。如果说整个 70 年代是消极适应、被动调整的时代，整个 80 年代则是积极进取、主动改革的时期。如果说里根 80 年代初的高利率政策是借助国际资本流入而带动美国经济走出滞胀的起动器，则 1986 年税制改革法就是美国经济走向新的增长时期的发动机。因为高利率政策的实质是寻求"国际性输血"，而税制改革则是利用靠输血借来的时间，对经济机制的弊病做了一次相当成功的手术。

新税法实施之后，美国经济几大指标均有好转。联邦支出（包括预算内和预算外）的增长在 1987 年慢了 1.4%，扣除通货膨胀因素之后，是 14 年以来第一次下降。联邦总收入在 1987 年上升了 11.1%，在国民生产总值中的比重上升到 19.4%，比 1960～1980 年平均比重上升了一个百分点。这说明扩大税基的改革相当成功。此外，1987 年联邦财政赤字下降了 1/3，达 708 亿美元，占 GNP 的

1.9％。① 一年内降幅如此之大，实为战后第一次。由于经济增长因果关系的多元性与复杂性，很难确定短期经济增长在多大程度上应该归功于税制改革。

就短期经济影响而言，新税法1987年下半年开始执行的一部分改革措施于1987年大股灾先后不过两三个月！尽管这场"黑色风暴"的根本原因与导火线均已为各方面专家揭示清楚，但就公众心理而言，税制改革引起的"未来不确定"在一定程度上还是一个推波助澜的因素。这场股票指数暴跌，不能说同结构性改革的震撼力无关。不过总起来说，税制改革在实施的前两年内，没有引起任何实质性的经济动荡（股灾化险为夷的速度已为世人所惊叹），而且在各方面见好，这未尝不是改革成功的一点最初的迹象。

32

根据改革设计，1987～1991年财政年度税收收入应减少"0.3％"，其中1987年，1990年，1991年是增收年，而1988年，1989年两年是减收年。1987年美国财政日子比较好过，可以用增收的300亿美元解决各种难题，如降低赤字和满足格拉姆斯法（Gramm－Rudman Hollings Act）。但是，1988、1989财年的形势就比较严峻。因为根据有关方面的计算，这两年的税收收入分别下降16.7％和15.1％。然而，由于持续的经济增长（自1982年年底以来，美国经济已连续增长87个月以上，是战后和平时期最长的一次），新税法已经顺利地经受了这场严峻的考验。

由于税制改革的结构性，新税法对经济运行实绩的总量效应不大。因为存有许多相互抵消的因素。从消费上说，个人税负转向公司会导致个人可支配收入的增加，从而增加消费支出。但是却会在投资方面起抑制作用，因为公司税负的增加会减少"流动资金"（cash flow），即税后收入减去折旧保留。不过新税法对投资的总体效果也很难测定。有的改革措施，如免费午餐和娱乐设施的扣除、海外税收抵免限制等等，会扩大国内投资需求，成为一个抵消因素。值得重视的一点是，有效率的增长会有助于美元汇率下跌，增强美国产品的国际竞争能力。因为有效税率提高会减少美元资产需求从

---

① 《1988年美国总统经济报告》，第337页。

而减少对美元的需求，导致美元汇价下跌。然而美元下跌是否增加投资需求还取决于美国的利率政策和实际利率波动。根据两年来的实际运行，新税法同利率等金融政策配合得比较默契，效果也比较好。美国贸易赤字由 1986 年 2210 亿美元降为 1988 年的 1550 亿美元，1989 年进一步降至 1500 亿美元，预计 1990 年可降至 1050 亿美元，低过平衡预算法的目标水平。据乐观人士透露，1991 年可进一步降至 1000 亿美元以下。①

　　尽管短期总体效应近于中性且不易测定，但新税法在左右某些产业的发展前景方面却有巨大的影响。建筑业中此前税收庇护较多的那些投资的成本会明显提高，而商业、电脑高科技业及一部分制造业却会因新税法而得到较为有利的发展条件。因为税率降低、设备折旧加快而带来的好处，大于投资抵免的取消和厂房折旧放慢而造成的不利（参见表 1—1）。高科技产业（如电脑、医疗器械、电器设备、飞机业）的特点是科研支出多，平均利润高（因为风险大），次产主要是无形资产，设备更新与淘汰速度较快。新税制下由于公司所得税税率已大为下降，而高科技业的名义税率与实际税率在原税法下就已经比较接近，加上科研经费支出税收规定已变得相当有利，因此高科技业的发展势头必定会如虎添翼并更上一层楼。无怪乎里根总统曾得意地宣称："新税制将使我们进入技术发展和经济增长的未来。"

33

---

　　①　根据《国际经贸消息》1989 年 12 月各期提供的数据整理。

3. 华尔街与网络时代：

论美国证券业沿革*

　　惊险程度胜过 1929 年股市大崩溃的 1987 年 10 月的"股灾"，向世人提出了一个严肃的课题：倏忽可至的电子信息和全球化全天候的电子证券交易将给美国传统证券业带来何种变革？股份制这一市场配置经济资源机制的核心将取何种新的形式？美国以纽约证券交易所为首的华尔街金融势力是否还能长盛不衰？

　　而在地球的这一边，当纽约证券交易所的总裁先生向我国领导人赠送所徽致敬，而我方以新中国第一张公司股票加以回赠时，[①]我们又应当作何感想？联系到深圳、上海及中国电子证券业的迅速发展，难道我们没有必要较为系统地了解今天的美国证券业的来龙去脉？有鉴于此，本文拟就美国证券业的拍卖制、专家制和电子市场交易机制作一点较系统的"考洋"工作。

一、早期美国的证券业与拍卖制

　　美国的证券业可以说是起因于 1790 年第一任财政部长汉密尔顿所主张发行的 8500 万美元的"公共股票"。这些股票后来成了众所周知的政府公债，它们实际上是一种期票，政府不但在借贷期内按规定付息，而且还保证在特定时日偿还所规定数额的本金。当时美

---

　　* 本文发表于中国社会科学院《美国研究》季刊 1991 年第四期，署名萧琛。
　　① 《经济导报》周刊，1991 年 6 月 14 日第 4 期，第 30 页。

国两磅重的面包还用不了 5 美分（如今 1 美元左右），8500 万美元无疑是一笔巨款。它给华尔街靠河口那头的"拍卖商"们带来了令人振奋的机会。这些拍卖商长年注视着从食糖到香料等各种舶来品，对于任何微波的机会都有强烈的兴趣。尽管他们对这批股票的机会收益不甚了了，但直觉诱使他们迅速认购了这些股票的大部分。这实质上构成了美国建国后最早的政府公债一级市场，而其发行方式则不过是在华尔街附近溜达，寻求一切可能的买主。

两年之后许多局外人纷纷"觉悟"并开始追随这些拍卖商。于是这些分散在拍卖商们手中的证券如何转手流通便成了大家关注的问题。为了给势将兴旺的"新产业"确定一些交易规则。24 个拍卖商于 1792 年 5 月 17 日相聚于现今距华尔街纽约证券交易所不远的一棵梧桐树（buttonwood tree）下，决定每周用几个上午在这棵树下碰头，并制定了三大交易原则。它们是：（1）只搞相互交易；（2）一律排外；（3）按统一规定收费。这三个原则实质上是今日美国的证券业"成员（membership）制或席位（seat）制"、"394 规定"（只许在公认的市场上交易，不得与局外人交易）和"固定佣金制"的胚芽。而除了"固定佣金制"于 1975 年被正式废除以外，其他原则及派生制度基本沿用至今。

35

1793 年一家名为汤迪的咖啡馆在华尔街建成，使得这批拍卖商与经纪人由树下进入室内。在市场发育程度低、通讯与交易条件很差的情况下，面对面地打交道的确是做生意的惟一可靠方式。而拍卖又特别适于小型场合。尽管每笔交易都是靠双方个人信用来进行，也没有条件签订合同。但在那欺诈行为盛行的年代，华尔街的做法在商业道德方面却要比普通交易方法略胜一筹。因而许多人感到有必要到华尔街去，华尔街的地价扶摇直上。1803 年，交易所搬入布罗德大楼（现今的房子是 1901～1903 年另建的），华尔街的交易体制基本成形。在那以后的"运河热"、"黄金热"与"铁路热"中，华尔街的"现代"金融热逐渐席卷全国。例如 1848 年"黄金热"中，交易所忙不过来，便每天增加一次拍卖。到 1877 年，纽约证券交易所开始有了两大交易场。其中一个便是"拍卖场"；另一个场地叫"长房"，其交易方式是下文要谈的"专家制"。

二、专家制的形成

早期证券交易中的行情传递主要靠人工跑街。这当然很难实现及时与公平，而且也会受到天候的影响。1866 年纽约黄金交易所的副董事长 S. S. 劳斯发明了行情报价置；1867 年接线员 E. A. 卡拉汉加以改进并取名股票行情记录电报机；1868 年托马斯·爱迪生进一步使之完善。这种机器能够把每笔交易的主要细节立即印在纸带上，因而大大提高了交易效率。1869 年大西洋电缆的铺设完毕又使得纽约与伦敦之间突然变得只有几秒钟的距离。这对于华尔街的兴旺发达意义重大而又深远。到 1878 年，纽约证券交易所已经全面安装了这种机器。1884 年，道·琼斯公司创立并开始编制运输业股票指数；1897 年开始编制迄今为止最常用、最方便的道·琼斯工业股票指数。

股票指数能及时地反映股票价格的变动，加上新的通讯记录手段，极大地改变了证券业的面貌，但是新技术也使得交易所昔日的重大优势——信息的优先与控制权受到有力挑战。因为各大交易当事人都为自己装配这种情报价系统，交易场上的事等于全部对局外人公开。为了控制交易，阻挠信息免费外传，1885 年纽约证券交易所明确要求取消交易场上各私营厂商的报话员。1890 年又将纽约商用电报公司控制起来，改名为纽约报价公司。到 1892 年，美国"西部联盟"被迫屈服就范。从此就只有纽约证券交易所的成员公司所拥有的经纪人事务所才有权安装股票行情电报机。

1882 年，纽约证券交易所的"拍卖场"已由于冷落而被取消，但"长房"的以专家（specialist）为中心的交易市场却日益兴隆起来。1892 年，纽约证券交易所正式全面推广"专家制"。

所谓的专家，不仅指这些人谙熟证券交易，而且主要是指在交易场上既充当"场上经纪人"（floor brooker）又充当"注册自营商"（registered trader）这样一种特定的双重身份的人。[①] 专家制则

---

① 场外市场上也有这种双重身份者，一般叫"market maker"。

指以专家为中心的证券交易方式。具体的办法是在交易大厅上设立若干交易站或柜台。每个交易站配置若干专家主持交易。例如，当今纽约证券交易所 1567 个成员约有 1/4 是专家。分成 66 个小组，轮班负责 22 个交易站。每一交易站分管若干种证券。

当场外证券买主或卖主以各种通讯手段将各种形式的委托（现价委托、相机行事委托、保本委托等）。传到交易所乃至交易站内时，专家便忠实而有效地执行这些指令，代表买主或卖主与交易站周围的、代表其他卖主或买主的场上经纪人交易。专家完成这一任务的基本办法实质上还是拍卖，无非是选取较好的出价或报价，并在买卖价差中选取一个双方可以成交的价格。专家的另一重身份是作为一个交易商。为自己（或自己的交易所）买卖证券以影响交易气氛与稳住价格的波动。因为若长时间无人买或无人卖，市面便会冷落滑坡，并造成恶性循环，越是无人买卖越是冷落，越是冷落则越是无人买卖。专家的重要性在于能有效地浓化交易气氛并促成较多的交易。专家执行前一职能的报酬是佣金、手续费等，执行后一职能的收入则是盘存利润。当今纽约证券交易所的收入大约 20％来自佣金，50％来自盘存利润，其余为证券挂牌及各种收费。

专家制的优点在于能向投资人与集资人提供一个相对公开的证券交易市场。因为证券交易所的价格、成交量等都按每半小时一次报告给行情汇总系统，股票指数①也是每半小时计算并公布一次。而且在"收盘"与"开盘"的期间内（夜间）一切都冻结，任何人不得在幕后秘密交易。专家制的第二个优点是能维持一个相对稳定的市场。专家长期丰富的经验与高强度的及时补抛可以使得价格波动较少受特殊时点上偶然事件的干扰。第三个优点则在于它的效率。由于记录详细、报价及时，交易双方又都是长于某些证券的内行（拥有席位或成员资格的其他场上经纪人实际上也都是经验丰富的行家），因而成交速度快，经营品种多，交易规模也远远大于拍卖制所能达到的水平。这些优点反映在统计数字上便是交易所交易的日处理能力的增长。特别是 20 世纪 20 年代电动打字机取代手动打字机。

---

① 指道·琼斯工业股票指数。

"计算器"取代于加法器之后，专家市场的交易效率更是迅速增长，到 20 世纪 30 年代，纽约证券交易所的日平均处理能力已达到 75 万股，高峰日处理能力可达 500 万股。

三、专家制的发展

专家制的完善与成熟在某种意义上应归功于 1929 年的股市大崩溃，因为它全面彻底地暴露了自由竞争时代专家制证券交易体制的种种重大缺陷。

1929 年美国 1.2 亿人口中约有 150 万至 200 万人涉足证券业（如今是 3500 万人，加上间接证券投资人则可达 1.78 亿人），其中 137.19 万人住在纽约。[①]"黑色的星期四"使得道·琼斯工业股票指数在其后的两年多时间内下跌了 500 多点，跌幅高达 89%，股票投资人的损失为 500 多亿美元！这一灾难使得每 10 万纽约人中的自杀率由 1929 年的 17 人上升到 1930 年的 19.7 人，[②]也使得举国上下全面反思美国证券业的弊端。

大危机爆发之前，美国证券业与银行业之间并无明确分工，许多商业银行（主要是储贷业）染指证券交易，盛行把证券投资公司作为银行子公司的风气，因而一旦经济衰退，许多公司的证券如同废纸时，银行及其附属公司便由于持有大量"废纸"而破产，并殃及储蓄者破产。为此，1933 年的银行法（Banking act of 1933，又称《格拉斯—斯蒂高尔法》，the Glass—Steagall Act of 1933）将银行业与证券业做了明确的分工：禁止银行从事证券业务，商业银行不得参与股票发行或做有关承诺；投资银行（invest banking company）和证券投资公司（investment company）则不能接受储蓄和发放贷款。银行业与证券业的这一分离为证券业的独立发展与加强宏观调控、提高管理能力奠定了坚实的基础，因为没有区别便没有政策。为了使经济萧条时银行解付能力不再殃及社会，联邦当局为银

---

① 见于 Robert Sobel："Inside Wall Street"和《华尔街发家史》（中译本）。
② 加尔布雷斯统计。

行业创建了联邦存款保险公司（FDIC）和联邦储蓄与贷款保险公司（FSLIC）；战后又根据证券投资人保护法（Securities Investor Protection Act）成立了证券投资人保护公司（SIPC）。

1929年股灾的另一重大原因在于联邦对证券市场的监控与调节机制没有确立。具体表现为：（1）没有能代表国家的强有力的权威机构专门管理；（2）对交易当事人的财务经营状况没有有效的披露与监督机制；（3）对证券交易中的"垫头"（Margin）没有调控装置。证券业中"垫头"的作用类似于银行业中的准备金比率，对于资本派生能力和货币供应量的作用至关重大。"垫头"变低意味着虚拟经济与实际经济的脱节性增强，意味着爬得高摔得重的可能性变大。20世纪20年代股票热中，"垫头"往往只有10％左右，也就是说，只需1万美元便可做成10万美元的交易。这无疑会鼓励投机。针对上述问题，1933年的证券法（Securities Act of 1933）和1934年的证券交易法（Securities Exchange Act of 1934）采取了三项重要措施。

其一是授权成立证券交易委员会（SEC），代表联邦政府执行对证券业的各项政策。负责批准、监督与征治各交易机构厂商与当事人的不法行为。1938年马罗尼法（Malony Act of 1938）补充了1934年的证券交易法，授权场外市场（OTC）自我管理，并成立全国证券自营商协会（NASD）协同证券交易委员会工作。其二是建立健全"真情披露"制度，包括各种有效的会计、审计和证券。评级（Rating）制度。1933年的证券法也称"真情披露"法（Truth in Securities Act），因为它要求全面披露有关信息（full disclosure of relerent of inancialin formation）。这些信息包括厂商的财务状况与经营状况；各种重大的潜在有利因素（如即将推出某种发明）和不利因素（如原料价格可能较大上涨），以及公司内部高级经理人员持有本公司股票的情况及其变动。其三是授权联邦储备银行负责调控"垫头"。此外1940年的投资公司法（Investment Company Act of 1940）进一步授权证券交易委员会管理互助基金（mutual funds）也是一项意义深远的措施。

上述重大措施与基本立法事实上确立了战后40年来的美国证券

业体制。标志着以专家为中心的二级证券交易方式的成熟并进入了
一个新的发展时期。20 世纪 30 年代与 40 年代，纽约证券交易所的
日平均处理能力为 75 万股，50 年代迅速上升到 200 万股，60 年代
超过 600 万股，70 年代增至 1500 万股，如今可达 2500 万股。[①] 诚
然，专家市场交易效率的提高与交易规模的扩张在很大程度上是由
于各种技术手段的进步，但是战后直至 1987 年的 40 年中，证券机
制本身的稳定与适应能力较强也是不可低估的重要因素。

四、"第三市场"的挑战

40

1965 年美国金融刊物上出现了一个新的名词——"第三市场"
（The Third Market），指的是场外市场（OTC）中通过证券交易中
介经营挂牌证券交易的那部分二级市场。因其技术特征主要是现代
电子通讯技术，因而也被称为"电子市场"。但是实际上电子市场决
不仅仅指第三市场。所谓的场外市场，指的是分散而灵活的证券交
易网络。美国场外市场拥有 6000 个经纪人事务所和 3000 个成员公
司。经营的证券交易占全部证券（包括挂牌与不挂牌）交易额的
9/10。但在传统上，场外市场是不经营挂牌证券的。

第三市场出现之前很长一段时期内，场外市场的行情报价工作
是由一个私营的服务公司——国民行情局（Netional Quotation Bu-
reau）用印发"粉红纸"（pink sheets）的办法来完成的。粉红纸将
每天的股票、债券的价格、成交额等信息连夜印送各地，以便在第
二天场内市场开盘之前，各场外市场经纪人公司都能读到。由于情
报通讯手段比较陈旧落后，利用迟传、漏传或时差来获利的情况在
所难免。1964 年修订"证券法"时，证券交易委员会便提出运用电
子计算机联网在全国实行同步自动报价问题，并约请有关专家和厂
商设计制造。到 1971 年这一著名的全面证券自营商协会自动报价系
统（NASDAQ）问世，1976 年又进一步建成行情汇总服务系统

---

① 见于 Robert Sobel："Inside Wall Street"，梅政译，《华尔街发家史》，时事出版社
1983 年版。

（CQS），使得各种设计意图基本上付诸实践。

以微电脑网络为特征的场外第三市场无疑会对以人脑（专家）集合为特性的场内市场提出有力挑战。第三市场用电子屏幕经营着几千种挂牌证券，服务时间远比纽约证券交易所要长，交易的精度与速度也比专家制市场要强，更有竞争力的一点是其收费低廉。公司规模、交易额度相当的两个公司在两个市场上的年登记费、手续费、挂牌费和佣金支出总额之比是 1：10.3。由于这些优势，第三市场的交易总量一度迅速增长。1965 年，第三市场交易总量为 4900 百万股，比华尔街少 3％；但到 1972 年，根据较乐观的估算，第三市场的交易总量已达 32700 百万股，超过专家制市场交易的 7％。[①]

历史上，专家制市场的大本营——华尔街纽约证券交易所对付竞争对手有三大武器。第一，以"不公正"为理由，要求局外当权人士组织调查对手；第二，如调查不奏效，便发起直接攻击，以各种手段惩罚那些同对手做交易的厂商；第三，如再不胜，便提出合并或结盟，在分享利益的过程中同化对手。华尔街这三件武器长期以来可谓无往而不胜。但是在对付电子市场方面却未见奏效。华尔街的许多老手（old timers）后来也不得不承认"这是一场打不赢的战争"。[②] 尽管如此，华尔街的反击仍然非常有力。华尔街的一大优势是"近水楼台"，各大证券投资公司，大银行、大公司总部、评级公司等多云集纽约，彼此人事关系盘根错节，利益息息相关，另一大优势是拥有"394 规定"这一上方宝剑，可使纽约证券交易所在相当长的一段时间内继续保住主要客户。华尔街还游说国会，提出"两个中央市场"的改革方案，即一个挂牌中央市场，一个不挂牌中央市场，企图对第三市场终于在强烈的对抗中生存与发展起来。到 80 年代末期，纽约证券交易所 NASDAQ 和美国证券交易所三大市场的上市家数分别是 2244 家、5537 家和 957 家，成交股数分别是 478801 百万股、37980 百万股和 3505 百万股。[③]

---

① 见于 Robert Sobel："Inside Wall Street"。梅政译，《华尔街发家史》时事出版社 1983 年版。

② 见于 Robert Sobel："Inside Wall Street"和《华尔街发家史》（中译本）。

③ 《台湾经济研究月刊》1989 年 9 月，第 112 页。

五、"第四市场"的成长

第四市场指的是不通过证券经纪人等交易中介而由证券买卖双方直接成交的二级市场。第四市场发展的直接动因是可以节省交易费用，其技术条件则在于电子技术与第三市场。第二市场发展过程中，曾产生大宗股票自动交易系统（BASRX）、自动执行系统（Aut—Ex）机构网络系统（Instinet）、自动转换系统（ATS），等等。自动执行系统出现于 1968 年，很快发展到 140 多个用户，75 个机构，并吸收了 30 个纽约证券交易所的成员公司。自动执行系统同大宗股票交易系统配合，适于大宗股票交易。机构网络系统 1970 年投入使用。其特点是可以为成交双方保密，允许控制台直接执行交易。机构网络系统也很快发展到 30 多个用户，但因有违传统而遭非议，发展受到很大控制。但是富于意义的一点是它已经为第四市场的发育成长播下了宝贵的种子。

42

20 世纪 70 年代以来是美国经济一度走走停停的年代，也是各种金融创新风起云涌的年代；Q 条例的突破；银行跨州经营禁令的名存实亡；商业银行与投资银行的重新融合；证券交易中固定佣金制的废除；还有 80 年代以来的各种金融宽松政策（Geregulation），等等。在这样一种社会背景条件下，各大厂商在集资投资过程中已不敢再对华尔街抱过高企望。他们不断地寻求新的更加适于自身生存与发展的渠道，包括自己动手直接融资。

例如，杜邦公司、壳牌石油公司等曾直接向投资人销售商业票据。年金（Pension Funds）这一随着"老人势力"（Grey Power）增长而强大起来的金融实体则走得更远。它们干脆雇佣经济专家在自己的办公室乃至私人宅邸中做证券交易（House operation）。还有的年金则干脆公开创造第四市场。例如加州公职人员退休基金体系①所拥有的 170 亿美元的权益资产中即有 75％系直接同买卖者

---

① California Public Employees' Retirement System，（美）《商业周刊》（"Business Week"）1990 年 11 月 5 日，第 121 页。

交易。

第四市场发展的重要特点之一是迅速地国际化。如果说 20 世纪
70 年代银行业能借助电子技术如履平地一般地冲破国民银行跨州经
营的重重法律障碍。则 80 年代证券业借助电子市场也在平步青云地
跨越各民族传统的经济法规的万里长城。迄今为止，一个以路透社
（Reuters）为信息传输骨干的无国界的电子证券市场业已形成。这
一体系已在 129 个国家装置了 20 万个终端，经营着几百种举世闻名
的世界级证券和上万种美国、欧洲各国公司的股票。

今年以来路透社还同芝加哥商品交易所（Chieago Mercantile
Exchange）、芝加哥交易会（Chicago Board of Trade）、美国证券交
易所（AMEX）和辛辛那提股票交易所（The Cincinnati Scok Ex-
change）联手建设一个更有效率的证券交易系统：GLOBEX（全球
交易执行系统）。该系统建成后，将由芝加哥方面专注期货交易，由
美国证券交易所和辛辛那提方面专注期权（Options）交易。对于这
一势将席卷全球的金融风暴，西方观察家的评论是："路透社正在用
它们的屏幕取代交易大厅"；"新的世界证券交易市场将属于路透
社"。①

43

六、华尔街的未来

如果说对于第三市场的挑战华尔街还有招架与还手之功的话，
则第四市场对传统证券交易方式的打击势将是不可抗拒的。第四市
场不直接同华尔街公开抗争，而是另辟蹊径，使得整个电子市场更
加有效地削减传统的专家制市场的交易份额，并在国内外市场一体
化的新形势下表现出传统市场无法比拟的优越性。

早年纽约证券交易所的挂牌证券市场份额是 90％左右，到 1985
年已被降为 80％，1990 年进一步降至 60％，而 1991 年的估计数仅

① California Public Employees' Retirement System，（美）《商业周刊》（"Business
Week"）1990 年 11 月 5 日，第 122 页。

为 55%!① 电子市场还使得华尔街的佣金收入骤减，因为由于电子市场的竞争，每股成交收费率已从 8 美分降至 2 美分！迄今为止，第四市场的日交易量已达 2500 万～3000 万股，1980 年美国私人年金的海外投资还只有 210 亿美元。到 1999 年已迅速增至 2500 亿美元。② 而其中大部分是经由第四市场跨国成交的。

华尔街实质性的优势在于它对于交易信息的优先权与垄断权。而这两大特权在技术创新与金融创新面前都已经风雨飘摇。今日的华尔街虽然还不会门前冷落，但确已不如以前那般雄风抖擞。尽管华尔街在统计方面仍拒不承认第四市场，并且对第三市场也不无遮掩能力。但是危机意识确已深深潜入那坚固而厚实的交易大厅。当美国各项社会福利制度，包括"雇员拥有股票计划"（ESOP）空前发展。个人储蓄率下降到一定程度的时候，当人们逐渐告别股票而走向邮票、中国瓷器与房地产投资的时候；当个人风险投资可以为专业团体的多元化投资所代替的时候；当电子技术使得全世界的人们可以随时随地通过荧光屏面对面地进行交易的时候；那传统的熙熙攘攘的常常令人失魂落魄的资源配置方式难道还不需要来一场划时代的变革？1987 年"股灾"以后的布雷迪报告和今年 2 月 5 日财政部的改革方案③难道不是值得注意的动向？

美国经济学家查理斯·威尔士和莫利卡·罗曼（Chris Weles, with Monica Homan）曾就这场变革并针对华尔街写道："20 世纪 70 年代是华尔街的深渊。华尔街挺住了并因此迎来了沸沸扬扬的 80 年代，又一次验应了华尔街老手们的格言'华尔街自有回天之力'。但是这一次老手们很可能不再正确。因为这场滑坡势将不可逆转。"④ 到目前为止，华尔街纽约证券交易所的实际市场份额仅为 50%略高一点，而其税后利润也由 1986 年 30 亿美元急剧下降到

① California Public Employees' Retirement System. （美）《商业周刊》（"Business Week"）1990 年 11 月 5 日，第 121 页，资料出处：Secnrities Indutry Assn。

② California Public Employees' Retirement System. （美）《商业周刊》（"Business Week"）1990 年 11 月 5 日，第 118～132 页。

③ 请参见：Daniel F. Burton. Jr. 等三人所编辑的论文集：Vision of the 1990s。

④ California Public Employees' Retirement System. （美）《商业周刊》（"Business Week"）1990 年 11 月 5 日，第 118～132 页。

1990 年的 6 亿美元（仅相当于 1987 年"股灾"那年的水平）。[①]

华尔街的专家们当然并非不识时务。他们也清醒地认识到"如果不改变观念，则势将面临灭顶之灾"[②]。因此，尽管他们对于新的交易方式不能不本能地有所抵触，并不无解嘲地扬言"人与计算机不能和谐"[③]。但他们还是努力从现实出发积极变革图存，几年来，纽约证券交易所已在改造其 DOT 系统（一种配合专家工作的电子手段），并以其已经开始向海外发展的交叉网络（Crossing Network）同其他电子系统竞争。交易所的总裁理查德 A. 格拉索（Riohard A. grasso）估计到 20 世纪末他们将有 150 种股票在全世界实行 24 小时的经营。不无讽刺意味的是这些自动化电子证券交易将是没有任何"华尔街"专家的！[④] 两百年来不断同化对手的证券业的天之骄子——华尔街金融权势正在被卷入电子时代新型交易方式的汪洋大海之中。

45

① California Public Employees' Retirement System. （美）《商业周刊》（"Business Week"）1990 年 11 月 5 日，第 118～132 页。

② California Public Employees' Retirement System. （美）《商业周刊》（"Business Week"）1990 年 11 月 5 日，第 118～132 页。

③ California Public Employees' Retirement System. （美）《商业周刊》（"Business Week"）1990 年 11 月 5 日，第 118～132 页。

④ California Public Employees' Retirement System. （美）《商业周刊》（"Business Week"）1990 年 11 月 5 日，第 118～132 页。

4. 进入后冷战时期：论美国
"大裁军"的经济影响[*]

1987 年当世界军费开支突破 1 万亿美元时，美苏两家分别为 2960 亿和 3030 亿美元，各占 30％左右！① 随着冷战结束与近年来一系列重大事件的发生。"美国发挥了四十年作用的遏制战略已经需要重新考虑"。② 美国人又一次面临新的机会与挑战：如何用新时期的"和平红利"来重振经济和维持自己的国际地位？为从美国经济的沉浮或兴衰角度进一步认识当代世界经济新格局，本文拟就美国国防预算连年削减趋势对美国有关产业、失业及收入分配、预算结构变动及其经济效应和美国经济增长的前景的影响问题，做一点较为系统的探讨。

一、军费削减与短期经济动荡

20 世纪 70 年代中期以后由于限制战略武器谈判比较顺利，美国军费比重下降。但是 80 年代由于两伊战争、苏联入侵阿富汗和里根强硬路线，美国军费开支迅速上升。1981 年国防预算为 1575 亿美元（比上年增长 17.6％），1989 年继续猛增为 3036 亿美元，增长

---

* 本文发表于中国社会科学院《美国研究》季刊 1992 年第一期，署名萧琛。

① 金森久雄和山川浩市："把世界军费开支的 50％改为政府开发援助"，《日本经济新闻》，1991 年 5 月 15 日。

② 美国总统布什：《1991 年国家安全战略报告》。

几乎一倍。[①] 但是 1990 年和 1991 年国防预算却分别比前一年下降 1.7% 和 2.6%。更为重要的是布什总统与国会还计划 1995 年以前每年削减 2% 的年费。结果 1995 年军费将比 1989 年减少 35% 左右。那时军费在国民生产总值中的比重将是 4%，成为战后最低水平。许多政界军界人士预测国会将会削减更多。根据 1992 年预算咨文的预测，1996 年以前军费在国民生产总值中的比重将降到 3.5%，比 10 年前（1986 年）6.6% 减低 4.6‰[②]。

这些数字的背后将是：五角大楼在 1995 年之前关闭它 1600 个海外设施中的 1/3；[③] 军队兵力将减少 1/4，即 50 万现役军人；[④] 美国国防产业雇员将从目前的 350 万减至 150 万，[⑤] 等等。到目前为止，为执行 1989 年《基地关闭和调整法》而关闭或调整的国内基地已超过 141 个，[⑥] 海外基地关闭调整已超过 93 个，[⑦] 就军费削减而言，1991 年度军费预算已比白宫要求的数字短少 176 亿美元；核战中确保通讯的"卫星计划"从 10 亿美元削减为 0.6 亿美元；"星球大战"反导弹防御研究计划也从布什总统要求的 49 亿美元削减为 31.5 亿美元；1991 年度武装力量将裁减 8 万（国会要求 12 万）；[⑧]等等。

1. 裁军对有关厂商的冲击

对于产业界来说，裁军对于不同的厂商有不同的影响。美国军事承包商基本上可分四类：第一类是主要同军方并且几乎完全同联邦政府做生意的大公司。如洛克希德公司、通用动力公司、马丁·马里亚塔公司和格鲁曼公司等。这些公司的军事销售比重分别是

① 《1991 年美国总统经济报告》，第 287、377 页。
② 金森久雄和山川浩市："把世界军费开支的 50% 改为政府开发援助"，《日本经济新闻》，1991 年 5 月 15 日。
③ （美）国防部发言人彼特·威廉斯语，美联社华盛顿，1991 年 7 月 30 日英文电。
④ 詹姆斯·弗拉尼根："冷战后时代的新型美军"，《洛杉矶时报》，1990 年 9 月 16 日。
⑤ （美）前国防副部长、布鲁金斯学会会员劳伦斯·科布语。新华社联合国 1990 年 9 月 16 日英文电。
⑥ （美）国防部长切尼 1990 年 1 月 29 日宣布，路透社华盛顿 1 月 29 日英文电。
⑦ （美）国防部发言人威廉斯 1991 年 7 月 30 日宣布，英联社华盛顿 7 月 30 日英文电。
⑧ 查尔斯·阿尔丁杰："切尼对国防部国会达成 2883 亿美元 1991 年度国防预算表示满意"，路透社华盛顿 1990 年 10 月 22 日英文电。

91％、87％、75％和70％。第二类公司也是能生产大量民用产品的大军事承包商。如麦克唐奈·道格拉斯公司、雷锡昂公司和波音公司。军事销售比重分别为60％、55％和20％。第三类公司是那些设有军用产品分部的公司。如通用电器公司和通用汽车公司，军事销售比重分别为16％和4％。第四类公司是为主要承包商提供零部件及有关服务的企业。①

对于第一、第二两类公司来说，今后若干年内将会受到很大冲击，能够幸存下去的公司并不很多。例如在飞机骨架制造方面，美国大多数分析家认为现有七家到20世纪90年代末最多只能剩下两三家。具体地说，由于军费削减，A—12型战斗机570亿美元订货已被取消，沉重地打击了通用动力公司和麦克唐奈·道格拉斯公司及有关辅助性承包商。通用动力公司1989年名列美国最大五百家公司第41位。年销售额95.51亿美元，雇员10.28万。② 该公司过去3年中一直名列五角大楼武器供应商的前3名。上述打击已经使得该公司无法招架，不得不于1992年5月宣布1995年以前将现有9万雇员（已经比1989年养活1.28万）进一步缩减到6.3万，裁幅高达30％～40％！格鲁曼公司的雇员也比5年前减少了25％，并且已经决定明年进一步裁员5％～10％。③ 格鲁曼公司的主要产品是F—14山猫式战斗机。因该机将于明年停产而形势严峻。为摆脱困境奋力求生，该公司试图改行生产大型轿车，然而一直不成功。现又改产邮车，前途未卜。著名的波音公司也不得不试图将其直升飞机分部改产地铁车厢，也不成功。马丁·马里亚塔公司则正在为邮政管理局执行一项自动化计划。

第一、第二两类公司中因海湾战争而免遭厄运者也有几例。例如生产"战斧式"巡航导弹和"坦克杀手"的麦克唐奈·道格拉斯公司，生产"爱国者"导弹的雷锡昂公司，等等。雷锡昂公司在海湾开战后两个星期内股票上涨10点，高达每股75美元。战后获得大量订

---

① 本自然段有关数据见于1991年3月11日《上海译报》。
② 1989年4月24日版《幸福》杂志（Fortune），第194页。
③ 戴维·罗森鲍姆："武器制造商和军方面临一个新的转折时期"，《纽约时报》（New York Time），1991年8月4日。

货。单是沙特阿拉伯1991年12月一次订货便是5.13亿美元。①

军费削减对于第三类公司的影响不会很大。这类公司长年多样化经营，转产改行的适应能力较强。20世纪80年代美国企业第四次合并浪潮中，许多公司已通过压缩（downsizing）、割卖（divestiture）、并转（spin—off）等改组办法甩掉了效益不高、前景暗淡的部分。例如固特异公司、霍尼韦尔公司和克莱斯勒公司等。裁军对第四类公司企业的影响较难估计。万全证券公司专家估计5年前美国这类厂商约有12.5万个，但如今只剩下2.5万个。而且再过5年它们之中还将有一半不得不放弃军用品生产任务。

2. 裁军对失业及收入分配的影响

20世纪80年代中期以后，美国16岁以上人口1.83亿左右，其中劳动力1.20亿，就业人数1.11亿，失业0.08亿。就业人口中，民间就业比重与军队就业比重之比为67：1。②

49

连年裁军使美国近几年军事就业机会迅速减少。1987年美国现役部队人数为220万人，1990年降为200万人，而到1995年将进一步减至250万人。裁军对军工产业雇员压力也很大。根据美国劳工部的估计，美国从事武器生产的工人约50万人。从事军事订货等管理工作的雇员约275万人。③军工产业工人中估计有10%会遭淘汰。而且很可能无法找到工作。国防部雇员中绝大多数人的工作与民用工业的工作没有区别，比如开卡车或编写计算机程序之类。这些人要是被解雇，重找工作不会很困难，但会大大加剧劳工市场的竞争。这类人将有20万左右需要另谋生计。属于这类人士长年工作条件安定优越，很多人薪俸偏高，大权在握。因而一旦失势而被抛入动荡多变的劳工市场，势将饱尝世态炎凉。据统计，美国物理学家的38%，航空航天技术人员的61%左右为国防部高薪聘用。

美国前国防部副部长、现布鲁金斯学会专家劳伦斯·科布认为

---

① 本自然段有关数据见于1991年3月11日《上海译报》。
② 1988年《美国统计摘要》第363页。"军队就业"现役军人。
③ 戴维·罗森鲍姆："武器制造商和军方面临一个新的转折时期"，《纽约时报》（New York Time），1991年8月4日。

美国 10 年内全部国防产业的就业机会将减少 200 万。[①] 大约每年减少 20 万个就业机会。这对于长年 800 万失业，600 万人找不到全日制工作的大国虽然还算很大，但是无论如何不可小看。因为净失业的影响会超过数字本身的许多倍。许多美国人为此忧心忡忡实在不无道理。

失业问题还会因下列因素而恶化：第一，失业压力集中在为数不多的厂商身上；第二，这些压力集中在长期因军事订货而受惠较多的社区；第三，美国经济正处于衰退之中，1991 年 5 月份失业率已高达 6.9％，857 万人，创 1992 年以来纪录。

战后美国南部、西部依靠军事订货使许多荒僻的乡村、残破的小城变成了喧嚣的城市。例如加州的圣地亚哥就是一例。该市政府军事拨款曾长期占全市收入的 1/3 左右。裁军对于这类社区的打击将是灾难性的。近年来大批国内军事基地的撤除已经使得密歇根、得克萨斯、路易斯安那、加利福尼亚等州的许多社区处于动荡之中。

二、"和平红利"与长期经济增长

裁军短期内已给美国经济带来许多问题，引起一场资源重新配置的经济调整。长期来看，这一调整将有利于美国经济增长。

1. 预算结构调整与私人资本形成

私人投资包括厂房、设备投资。资本形成则指厂房设备投资超过同期折旧部分。军费削减对于资本形成的影响取决于当局如何使用"和平红利"；也即裁军后的预算结余。美国当局不外有三种选择：增加非军事性预算，减税，或减少预算赤字。

第一，增加非军事性预算支出。20 世纪 80 年代中期以后美国一度每年分别要用 1500 亿美元和 500 亿美元巨款来保卫欧洲和北太平洋。[②] 随着冷战结束，这笔巨款有可能被转用于国内"逐渐衰落

---

① 詹姆斯·弗拉尼根："冷战后时代的新型美军"，《洛杉矶时报》1990 年 9 月 16 日。

② 凯文·菲利普斯："应当把军队撤回来以便打经济仗"，《洛杉矶时报》1990 年 3 月 4 日。

的城市，紧缺的住宅，千疮百孔的公路，年久失修的桥梁，被忽视的儿童，半文盲的劳动队伍和学校的不景气"。①

军事支出转为非军事支出对于资本形成的影响不会很大。虽然生产军用商品劳务的厂商投资减少得较慢，生产非军用商品劳务的厂商投资增加得较快，但是这种结构变动终会大体抵消，不大会引起资本形成总量变动。事实上军工厂商和非军工厂商几乎具有同样的投资倾向（inclinations），因为产品的劳动资本比例应该大致相同。② 但是，如果军费削减集中于资本比重过高或过低于军工资本比重平均水平的时候，私人资本形成也可能不会完全等同于军工资本的减少。但就长期情况看，资本的这一转移势必减少经济资源扭曲性的使用，从而为要素供应留有较大余地。

第二，减轻税负（a matching tax cut）。由于财政拮据，布什总统已于 1991 年 6 月不得不放弃他在竞选中做出的不增新税的保证。国会也于 1991 年 10 月通过了今后 5 年增税 370 亿美元的法案。但是，如果今后 5 年内五角大楼能够顺利削减 1700 亿美元军费甚至更多，则美国纳税人的负担才有可能大大减轻。因为单是这笔巨款的利息支付节余即可达数万亿美元！③

减轻税负不外有两个途径：其一是降低（或不再提高）边际税率。1990 年增税法案曾将收入 20 万美元以上的税率从 28% 提高到 31%，和平红利有可能使之反向变动。其二是增加税收抵免。应税收入扣除、税收支出之类。降低所得税税率对于私人资本形成有较大促进作用，因为这可以增加新厂房设备投资的税后收入。降低个人所得税可以增加个人工作与储蓄的积极性，并增加个人投资，如股票、债券投资的税后利润收入。

第三，削减联邦预算赤字。20 世纪 80 年代美国赤字累积超过 3 万亿美元。赤字弥补只能靠外资流入或争夺国内民用资金，从而降

51

---

① 凯文·菲利普斯："应当把军队撤回来以便打经济仗"，《洛杉矶时报》1990 年 3 月 4 日。

② C. Alan Garner："The Act of U. S. Defese Cuts on the Standard of Living"，（美）《经济评论》（Economic Review）1991 年 1～2 月期，第 45～46 页。

③ "美参众两院通过历史上削减赤字最多的预算"，路透华盛顿 1990 年 10 月 27 日英文电。

低国民储蓄，抬高实际利率。国民储蓄等于私人储蓄减去联邦赤字，是私人资本形成可运用资金。减少赤字可以增加国民储蓄。平抑利率则能鼓励国内投资，减少对外资的依赖并减少对外利息支付。

为实行 1985 年预算平衡法，和平利润的大部分有可能用于削减赤字。据研究，降低相当国民生产总值 1% 的赤字，到 21 世纪中期便可能使国民生产总值增长 3.5%。[1] 20 世纪 80 年代后期以来美国联邦赤字约占国民生产总值的 3%，因此 90 年代中期如能基本上平衡预算，则未来美国经济增长率将因此增长 10 个百分点。[2]

2. 非军事预算支出增长与全部要素产出率

全部要素产出率[3]指的是既定资本劳动组合的产出能力，其增长取决于公共基础设施、教育和技术条件的改善。

由于长期备战，美国政府近 20 年来基础设施支出一直是下降的。20 世纪 60 年代后期政府基础设施项目支付约占国民生产总值的 2.5%，而到 80 年代末仅占 1.0% 左右。与此相应，60 年代后期私人非农企业产出率的年增长率为 1.5%，70 年代后期降为 0.3%，80 年代末经过战后和平时期最长的一次经济增长也才达到 0.8%。[4]

美国经济学家阿斯考尔（Aschauer）的研究表明：政府军用资本支出，不论是建筑物还是设备，对于私人部门全部要素产出率的增长都没有促进作用；而政府民用公路、机场、供水与排污系统等基础设施的支出却能有效地促进全部要素产出率。改进后的高速公路可以快速与可靠地完成各种原材料和制成品的及时流转。可以鼓励厂商采用各种先进的管理技术，降低成本，增加利润。例如零仓储管理（JIT）等。[5]

和平红利也可以用来提高教育质量，从而促进产出能力。50 年

---

① 1989 年美国国会预算局（CBO）中期预测。

② C. Alan Garner：“The Act of U. S. Defese Cuts on the Standard of Living”，（美）《经济评论》（Economic Review）1991 年 1～2 月期，第 45～46 页。

③ Total factor productivity 这一概念同劳动生产率概念有别，劳动生产率概念允许资本劳动比率变动。

④ 基础设施投资统计资料来源于（美）经济学家 Korotz；全部要素产出率增长情况来自（美）劳工部《每月劳工评论》；20 世纪 80 年代全部要素产出率的增长率只统计到 1987 年。

⑤ 即 Just-in-time inventory management。一种新兴管理技术。特征是尽可能使原材料进厂、生产过程与产品交付直接衔接。可节约资本占用与仓储管理费用。

代美国国家科学基金拨款总额的 40％用于教育，如今只有 10％。过去 20 年中，美国大学科研设施拨款实际上下降了 95％。[①] 与此相应，美国高考语文、数学单科平均分数 1969 年分别是 463 分与 493 分。1990 年则分别降为 424 分和 476 分。[②] 据有关方面预测，美国 20 年内科学家、工程师与技术员将要短缺 50 万名。[③]

卡得和科如格（Cart & Krueger）曾经发现：美国教育质量较高的名牌大学男性毕业生在就业生涯中所得收入远远高于男性同等学历者平均水平。在一定程度上反映了美国教育质量与市场价值的正相关关系。而市场价值直接取决于该要素的产出能力。经济学家毕肖普（Bishop）则已经引用大量数据证明：下降的教育质量是美国 70、80 年代劳动生产率增长缓慢的重要原因。

目前美国人"对教育问题的实情的认识已经达到了一个新的水平"，"这是两年前所没有的"，"这个国家愿意接受的变革甚至比几年前还要多"。[④] 有教育总统美称的布什总统和各州长已经议定教育改革的六大目标。然而不管什么改革，不增加经费总是困难。教育质量的提高取决于师生比率、学期长度和教师工资水平；哪一项都离不开美元。1987 年联邦教育经费 297 亿美元，仅为当年军费的 1/10。1992 年已经上升到 428 亿美元，1993 年（92RH）预计增为 455.3 亿美元。[⑤]

和平红利还可以用来加速科技进步。根据罗森贝格（Rosenberg）的研究，美国国防部自从 1960 年以来研究开发经费长期占联邦研究开发经费的一半以上。若将能源部、航空航天部有关国防的研究开发经费计数在内。则美国军事性研究开发经费要占联邦科研拨款的绝大多数。甚至在 1982 年高达 97％！[⑥]

53

---

① 萧琛："九十年代美国经济现实与政策选择"，《世界经济》1991 年第 7 期。

② "高考"指的是 SAT（Scholastic Aoitude Test），全美有 22 个州采行。每年举行一次，参加者超过 100 万。

③ Daniel F. Burton, Jr., Victor Gotbaum & Felix G. Rohatyn: Vision for the 1990s: U. S. Strategy and the Global Economy, Ballinger Publishing Company, 1989, p. 11.

④ 吉姆·本西文："教育部长谈教育计划"，《基督教科学箴言报》1991 年 8 月 27 日。

⑤ 《1991 年美国总统经济报告》第 377 页。

⑥ C. Alan Garner: "The Act of U. S. Defese Cuts on the Standard of Living",（美）《经济评论》（Economic Review）1991 年 1～2 月期，第 45～47 页。

削减军事性研究开发经费能否加速技术进步取决于民用研究开发投资的增长所产生的效益能否抵消或超过削减军事性研究开发经费所产生的效益损失。因为军事技术也可以转为民用技术。为此必须考虑两个问题：第一，军事性研究开发和非军事性研究开发哪一种更能有效地提高全部要素产出率？第二，如果后者更有效，则前者的削减能否导致非军事性研究开发的实际增长？

赞成军事性研究开发的人常常过于强调军事性研究开发中突破性成果对于民用技术的促进作用。他们常常以雷达、喷气式飞机为例；此外还引用半导体的早期发展依赖于军事订货的这一事实。但是更多的人认为现代军事技术高度专业化和不计成本这两大特征，使得军事技术很难转移，有的"硬件"（如建筑工事等）几乎不可能转用。战斗机只讲最佳性能，而民航则不能不首先考虑制造、营运和维修成本。至于军事订货对发明的促进作用也不能过高估计。自发产生与发展的现代技术比比皆是。更有力的事实是：私人项目比政府项目更讲究多快好省；私人项目不会像政府项目那样产生"挤出效应"和经济扭曲。政府项目为吸引稀有人才，往往高薪聘用，不顾市场价值。

54

美国经济学家窦兹科（Deutsch）和斯考普（Schopp）的研究表明：联邦研究开发拨款中军事性比重增长 1.0% 时，美国的全部要素产出率的增长便会放慢近 0.1%。

另一个值得注意的问题是：联邦军事性研究开发经费的削减能否有效增加民用研究开发投资？

如果当局将预算节余用于大学、厂商的基础研究，则这一转移本身即可以弥补与超过削减军事研究开发经费的损失。因为军事研究主要是利用现有科学知识发展新产品、新工序，较少涉及基础性研究。而基础性研究对于全部要素产出率的促进作用更大。

如果当局不采行预算转移而是减税或降低赤字，则私人研究开发投资势必能够增长。因为减税能降低这种投资的税后成本；降低赤字则能平抑偏高的实际利率，减少利息支付；投资成本降低能使企业较多注重长期目标；而较多注重长期目标能较快提高要素产出率。[1]

三、"化剑为犁"与美国经济前景

经济计量学研究表明：军事开支在国民生产总值中的比重下降1％，军工产品总值在国民生产总值中的比率就会下降1.38％。有关产业比重的下降将分别是：军需品10.5％，飞机产业8％，通讯设备产业4.1％，运输设备业3.6％，政府产业3.6％，[2] 鉴于美国军费开支在国民生产总值中的比重5年内将下降2个百分点，而且5年后比其10年前将减少3个百分点。因此美国经济能否在维持一定的经济增长率和国际影响的前提下承受上述压力成为人们担心的问题。

1. 经济调整能否顺利

1950年以来，美国经济曾经适应过两次大的军费削减。第一次是在朝鲜战争以后，军费支出急剧下降了130亿（1982年不变）美元，引发了一场经济衰退。实际人均国民生产总值下降275美元，下降3.1％。然而到1956年实际人均国民生产总值便很快超过了此前（即1953年）峰值。[3] 第二次是在越南战争以后，1968年至1975年，军事支出下降了900亿（1982年不变）美元。[4] 这次军费削减是1969～1970年经济衰退的重要原因，也是1973～1975年危机的原因之一。但是值得注意的事实是：1968年到1975年，美国实际人均国民生产总值仍然增长了700美元，增长5.9％，相当可观。此外1973～1975年危机之后几年中经济增长率都保持在较高水平。

20世纪90年代军费削减对于经济增长的影响预计会小于前两

55

① 可参见美国著名经济学家曼斯菲尔德（Mansfield）的著述。

② 金森久雄与山川浩市："把世界军费支出的50％改为政府开发援助"，《日本经济新闻》，1992年5月15日。

③ 资料来源：Bureau of Economic Analysis 和 U. S. Department of Commerce. *Economic Review*，1991年1～2月期，第34～37页。

④ 资料来源：Bureau of Economic Analysis 和 U. S. Department of Commerce. *Economic Review*，1991年1～2月期，第34～37页。

次。理由是：第一，美国军事开支在国民生产总值中的比重已经远远小于前两次。朝鲜战争、越南战争期间这一比重分别是 1％和 10％。[①] 而 90 年代前后仅为 5％～6％。第二，这次裁军的渐进性比较强。裁军过程实际上从 1988 年即已开始，到 90 年代中期以前每年削减幅度不算很大，而且当局有一定的主动权。缓冲期较长有利于经济调整顺利进行。第三，美国军费支出对经济增长的作用力已经今非昔比。50、60 年代美国经济剩余或曰未充分利用的经济资源的比重高达 15％，[②] 军事支出这一追加需求可以产生很大的预算乘数效应。因而一旦削减，经济动荡便很大。而现在美国经济已经不再是需求不足而是需求过大，80 年代中期以来供应学派的一系列改革已经使得美国市场经济对于政府需求刺激和依赖性大为降低。

有关美国经济增长前景的预测也可以说明这次经济调整将会比较顺利。《幸福》杂志经济学家们认为：美国经济 20 世纪 90 年代年平均增长率为 2.5％～3％，与 70 年代、80 年代大致相同。联邦预算赤字到 2000 年有可能减少到零。今后十年中会发生一次经济衰退。[③] 美国经济学家斯罗普（Throop）利用美国数据库公司（Data Resources，Inc.）的数据和季度模型模拟了 1990 年以后五年乃至 21 世纪的美国经济增长情况。研究结果表明：实际军事支出 5 年内削减 20％条件下的经济增长率在整个 90 年代要比军费支出在国民生产总值中的比率不变条件下的经济增长率要低一点；但到 2005 年前者将会略高于后者；而到 2015 年时前者将会比后者高出 3.3％。[④]

2. "化剑为犁"与美国国际经济地位

第二次世界大战以后，美苏两国在世界经济中的地位逐渐下降。军费开支过大，经济发展受到压迫是两国经济相对衰落的重要原因。

---

① 戴维·罗森鲍姆："武器制造商和军方面临一个新的转折时期"，《纽约时报》（New York Time），1991 年 8 月 4 日。

② （苏）B.A 法拉马江：《美国军国主义与经济》，商务印书馆 1977 年版，第 238 页。北京师范大学外国问题研究室译。

③ 1990 年 3 月 26 期《幸福》（Fortune）杂志："美在 90 年代将是世界上真正的超级大国"。

④ C. Alan Garner："The Act of U. S. Defese Cuts on the Standard of Living"，（美）《经济评论》（Economic Review）1991 年 1～2 月期，第 45～47 页。

里根时代美国巨额国防预算在最后关头对于冷战的结束也许起了某种作用。但是整个胜利的代价也的确可谓怵目惊心，后患无穷。美国经济学家戴维·黑尔最近指出：美国国民生产总值在全球的份额已经第一次降到 1914 年以来的最低水平，以至于美国又回到伍德罗·威尔逊当政时的境地，当时美国人曾经拒绝了一次领导世界的尝试。

今天美国又一次处于能否领导世界经济的关头。虽然美国仍有较大的选择余地，但是经济增长缓慢，国民储蓄低下，巨额外债和联邦赤字等等，正在使美国丧失"帮助"解决世界问题的能力，并且严重地损害着美国在大国俱乐部里受到的尊重。一个拖欠国际核心组织——联合国会费（而且已高达 5 亿～6 亿美元）和处处哭穷的国家无法指望在世界事务中发挥领导作用。90 年代乃至下一个十年美国的重要任务在很大程度上将不是重建尼加拉瓜、东欧和柬埔寨。而是重建"被遗忘了的美国"。19 年前当麦戈文呼吁美国"回家"时，人们都认为他很天真。然而今天的化干戈为玉帛的收缩却无疑是一项识时务的明智之举。

美国 20 世纪 90 年代大幅度削减军费是在日本、韩国和德国正在争取获胜的经济上的第一次世界大战中为维护其实力而必须进行的一场大调整。牺牲美国的国内重点而把赋税收入用来保卫美国的竞争对手到底有什么意义？大多数美国人已经呼吁把更多的资金用于教育、科技、基础设施、削减赤字、减少外债，并且不想为此而增税！因此，通过收拢罩在日本和德国这样的回家头上的花销太大的军事保护伞来获得上述款项就更具重大的历史与现实意义。如果华盛顿将所削减军费有效转用于发展本国经济，那么日本和德国将不得不把他们用于发展经济的资金较多地用于自己的防务，这就可能削弱他们的国际经济竞争能力。因此美国的化剑为犁对提高美国国际地位的作用可谓一箭双雕。

当代世界经济正处在一场大的经济变革的早期阶段。这场变革将比工业革命更为深刻。它将使世界从以自然资源为基础，以大规模制造业为特征的国别经济时代，过渡到靠信息推动的全球经济时代。在这样一个时代中，实力将会变得不那么容易转移，不那么有

57

形，而且也不那么具有强制性。

几十年后历史学家们也许会就这场关于世界性裁军的评论做出结论。美国的大撤军有可能被视为罗马的衰亡和大英帝国的没落在20世纪的翻版。但是这种比喻现在看来很难成立。

5. 90 年代美国经济现实 与政策选择[*]

20世纪80年代美国出现了一系列引人注目的战略性变化：持续的低通货膨胀的经济增长；由债权国转为最大的债务国；比1929年股市暴跌还要惊险的"1987年股灾"；1986年税制改革，1988年外贸体制改革，1989年"美加自由贸易区"的形成，等等。体现在这一系列事件中的经济趋势是什么？90年代继续调整的目标是什么？调整将主要发生在哪几大领域？具体经济政策会有哪些变动？本文试就这些问题进行较系统的讨论。

一、90 年代美国经济继续调整的方向

90年代美国经济将受到来自两个方面的挑战。其一是世界经济日益增长的开放性对美国较为内向的经济机制的进一步无情冲击。其二是如何有效地鼓励储蓄、鼓励长期的生产性投资。

（一）进一步走向外向型经济机制

战后四十多年来，世界经济的和平发展、技术变革及其节奏渐快的传播，已经使得美国的经济伙伴们毛羽甚丰。这些经济伙伴正日益成为熟悉美国弱点的强有力的竞争对手。它们长期成长在美国

---

* 本文发表于中国社会科学院《世界经济》杂志1990年第9期，署名萧琛。

霸权之下，其经济机制往往从起步时就是为适应经济开放而建立的，因而能够比较灵活、准确和迅速地抓住世界经济一体化过程中许多新的机会。相比之下美国的经济机制却更多是内向型的，因而在适应新形势时显得较为僵硬与迟钝。美国的外贸比重1967年仅占其国民生产总值的6%；1985年以前的70年中，美国一直是世界上最大的债权国。就美国的商业传统而言，"出口意识"（Export-mindness）也决不是美国人的长处。美国公司的出口经理（Expert-manager）的地位一般都比较低，远不如国内部的总裁（President-domestic）那样大权在握，也不如国际部的总裁（President-international）。国际部总裁主管国际信托投资，忙于兼并、合并与接办等事。美国公司的财务经理（Financial official）的主要职责在于对付国内收入署（IRS），忙于避免双重所得税。很少积极经营对外财务事宜。美国高校经济管理专业及多数涉外专业的课程设置在培养青年的"出口意识"与"如何赚外国人的钱"方面也显得乏力。而西德、日本的青年在其可塑性最强的学习阶段往往都在港口城市实习经商与出口业务。总之，如果说一两百年来美国成熟而精良的资源配置机制一直是美国经济实力不断增长乃至确立霸权的有力武器，那么自80年代中期以来，这一武器实在到了不能不做大的检修的时候了。许多国家为适应国内外市场一体化而进行的一系列调整早已开始，现在该轮到美国。尽管比较被动，比较突然甚至相当痛苦，但美国没有其他选择。美国人至今还在褒贬自己的1977年制定、1988年修改的"国外行贿受贿法"，认为该法在"禁止美国公民和公司对外国政府官员进行贿赂以达到某种经济目的"的同时，也捆住了美国厂商的手脚，使他们在国际商业机会竞争中难以处于有利地位。这同日益频繁地活动于美国行政立法机构内外的日本人的战术，形成极其鲜明的对照。

（二）进一步走向储蓄—投资刺激型运行机制

日益增长的世界经济的开放性向美国提出的另一个问题是如何处理消费与投资？从许多方面分析，美国经济运行的基本模式仍然没有离开凯恩斯的基本思想，即不断地利用国家经济政策干预经济周期，而其主要手段是刺激消费而不是储蓄（从供给方面说）或投资（从需求方面说）。80 年代奇迹般地维持经济增长的基本政策也并未离开上述原则。所不同的只是弥补需求缺口的资金更多地来自海外。美国的消费热仍旧不止。储蓄率仍旧低下，投资的增长主要依靠国际收支的经济账户赤字。而这一赤字已经恶化到惊人的程度（见表 1）。

表 1　80 年代美国储蓄与投资在 GNP 中的比重

年份	净国民储蓄	净国民投资	经常账户余额
1980	4.4	4.2	0.2
1981	5.3	5.2	0.1
1982	2.0	2.0	0
1983	2.0	3.2	−1.2
1984	4.5	7.1	−2.6
1985	3.2	6.2	−3.0
1986	2.0	5.5	−3.5
1987	—	—	−3.4
1988	—	—	−2.7

资料来源："OCED Quarterhy Income Accounts"。转引自 "The Guild for manufacturing in Americans Future"，（Rocher N. Y. Eastman Kodak Co 即柯达公司，1988）第 15 页。注 1987 年，1988 年数字系本文作者根据《1989 年总统经济报告》第 318、454 页数字计算。

这些外资与外国货物的流入，如果能够被有效地转成生产性投资，并且能够带来大于借债偿债的成本的话，那么这种利用外资政策当然无可非议。但是如果这些外资被用于消费（进口价格便宜的消费品）和弥补联邦预算赤字（主要是过去的消费而不是生产性投资），正如美国这几年来的所作所为，则这种外债的后果将会削弱美国经济增长的潜力，并影响美国人未来的生活水平，因为这些外资每年要带走 250 亿美元左右的利润。因此，由较多地鼓励消费转向较多地鼓励储蓄或投资，提高美国的国民储蓄率，提高引进外资的生产性投资比重，是 90 年代美国经济战备的另一项基本原则。

二、科技领域：加强科技开发，加速新技术的商品化

为调整经济机制和运行模式，美国需要在全国实施长期的投资战略，在技术、资金和人力资本三大领域全面地、系统地改变美国生产力要素的不适应状况，切实提高美国的劳动生产率，加强美国产品的出口能力。在技术领域，有待于 90 年代加以改变的几个问题与相应的对策如下：

（一）面临的问题

1. 科研教育经费不足

历史地看，美国公私部门对于科研教育与技术开发是高度重视的。美国政府曾鼓励积极引进技术发展美国的棉纺业；在南北战争动荡年代曾拨出大量土地兴办教育，建立科研基地；后来又鼓励公司企业建立科学实验室。第二次世界大战中与战后初期，美国政府更是重视科研。联邦政府通过国防部和国家科学基金，设立各种奖学金与研究项目，建立了各种科研设施，鼓励科技开发与培养工程技术人才。1957 年苏联人造卫星上天以后，美国政府更觉得形势逼人，发起了"特别科技资助"项目，建立了总统科技顾问委员会。这一时期美国科教经费比较充裕，官僚作风也不算严重。但到 20 世纪 60 年代中期，连年的越南战争使科教经费大幅度下降。致使美国各大学科研设施不能更新，科技人才培养严重短缺。近些年来美国大约有一个五百个大学工程技术专业的教职空缺。1965 年至 1987 年美国居民的专利申请比重已由 80％下降到 54％。而最近十年来日本人获美国专利的速度已快于美国人。

2. 科研经费使用不当

最近几年来，国家科学基金对科技工程教育的资助已经增加。但是仍然不到 20 世纪 60 年代高峰年的 5 亿美元的 1/3（以不变美元计算）。50 年代，国家科学基金拨款总额的 40％用于教育，而如今只有 10％。过去 20 年中，大学科研设施拨款实际上下降了 95％。

1988 年，联邦研究发展支出 650 亿美元，几乎占全国总数的一半。但用在与产业直接相关的部分支出非常有限，据估计仅为 10% 左右。据有关方面预测，美国 20 年后科学家与工程技术人员将要短缺50 万名。

3. 新技术的商品化程度较低

近一二十年来，尽管美国在世界科技领域的相对优势大为减弱。但美国的科技资源仍然是全世界最为雄厚的。较为迫切的问题是美国人往往不能有效而及时地利用自己的科研成果，迅速提供适销的低成本的新技术产品并占领国际市场。晶体管、录像机、彩色电视、集成电路、激光唱机、半导体研制的突破性成果都出自美国，但日本等国却是世界市场主要的收益人。

不能有效地将新技术商品化的原因在于美国有两个弱点。第一，美国人较多地追求的是服务质量与生活质量，对于制造业这一更为基本的财富源泉的敏感程度不如日本及其他新兴工业国。20 世纪50、60 年代的自满情绪加重了美国人对制造业的疏忽，以至于当他们发现日本人装一部车（19 小时）要比自己（26 小时）节省 40%的时间时，世界汽车市场大局已定，重新投资为时已晚。第二，美国厂商对外部资金的依赖程度较大，外部资金主要通过证券和筹集。这种资金投机性强，集资程序复杂。在制造业前景不佳，国际金融动荡之时，这种资金的短期性与制造业投资的长远性难以相容，美国厂商在国际商业竞争中不断败北，实在是因为外国公司的制造工艺更为先进，而决不仅仅是因为美国的工资成本较高。

20 世纪 80 年代的高利率政策，更使得美国制造业厂商的税后成本相应地高出日本几倍。高利率造成的经济前景不确定与不稳定也使得美国制造业的投资环境危机四伏（hostality environment）。高利率引致的高汇率，还使得美国的出口处于极为不利的地位，使得外国产品更顺利地涌入美国市场，致使美国制造业及许多涉外产业处于困境。

（二）近年来动向与 90 年代的政策选择

由于财政困难，联邦政府对上述情况一时还难以采取得力的措施。但是州政府正在增加科教经费并采取了不少值得注意的做法。第一，加强科研部门与经济行政管理部门的联系。例如在马萨诸塞州。重要科技研究开发中心定期向经济事务官（Secretary for Economy Affairs）报告进展情况。这已成为一项制度。第二，将科研经费更多地用于应用研究。新泽西州集中力量改善工程技术教育；弗吉尼亚，俄亥俄，伊利诺斯等州则建立了技术讯息网络（TIN）；密执安州建立了技术交流服务处（Technology Deployment Service）。第三，鼓励和强调合作研究与联合开发。宾夕法尼亚州的本杰明、福兰克林联合开发项目就是典型的科研项目往往比较容易建立三者的联系，因为这些项目规模较小，目的性与地方性较强。

私人经济部门在科技开发方面的动向也值得注意。20 世纪 70 年代以来，私人科研开发项目很多，各种军工转民用研究项目（Strategic Defence Initiatives）、半导体联合研究开发团（Semiconductor Research Consortium）以及著名的微电脑技术公司（MCC）科技开发模式等。这一模式实质上是私人联合风险投资。该项目最初仅有 10 个人，有钱出钱，有才能出才能，家庭实验室起家。如今已发展到年投资 7500 万美元，525 人，近年来，美国私人部门正在推广这种办法，估计在 90 年代将日显生机。

上述努力的作用不可低估，但却难免非常有限。1986 年美国高科技产品贸易第一次出现赤字，1987 年这项贸易的盈余也才仅仅 5.9 亿美元，而 1981 年（最近的一个高峰年）则是 270 亿美元。

根据各方面情况，美国联邦政府振兴科技的迫切感已经不亚于 1957 年"卫星危机"之时。如经济增长情况良好，财政收入情况好转，则美国当局势必会采取下列各项政策：1. 加强科技开发立法、动员各部门为科技让路。2. 企业界、工程技术界帮助确定科研重点。工程技术资助需求将首先得到满足。优先资助的顺序将是：（1）科技教育；（2）科研设施更新；（3）有利于提高生产者经费使用效率、严肃这方面财务纪律的项目。3. 提高国家科学基金的教育资助拨款比重。工程技术专业的奖学金将较快增长。4. 白宫科学院（White House Science Council）估计从 1986 年到 1995 年，大约要拨出 100 亿美元经费，改善大学实验工厂和其他科研设施设备老化的状况。5. 增加研究与发展（R&D）拨款中与产业有关的项目拨款比重。必要时，将这方面的支出与该产业的发展直接挂钩。6. 由行政部门设立政策讲坛，就与产业相关的科研拨款与企业界直接对话。7. 修改 R&D 税收抵免，基本研究抵免及财政部 1.861.8 条款。增加优惠，鼓励私人企业的科技开发投资。8. 鼓励私人部门发展"拳头产品"。9. 及时表彰与推广科技开发经验。

三、金融领域：平衡预算、鼓励投资、调整融资机制

要加速新技术商品化，还必须从根本上解决资金来源问题，解决制造业及其他出口比重较大的产业的长期投资的融资问题，并创造有利的投资环境。

（一）面临的问题

1. 日益激增的巨额外债

1981 年美国经常账户盈余 63 亿美元，到 1986 年赤字却已高达 1400 亿美元，1982 年美国对外净债权 1500 亿美元，而对外净负债 3680 亿美元，1988 年增至 5300 亿美元，占美国 GNP 的 10%，估计 1990 年可进一步增为 7500 亿美元。

外债激增的直接原因在于联邦预算赤字，80 年代前 5 年，联邦预算赤字翻了将近 3 倍。1981 年为 700 亿美元（占 GNP 的 2.6%），而 1986 年即为 2210 亿美元（占 GNP 的 2.6%），而 1986 年由于税制改革的安排，预算赤字有所下降，但是 1990 年又激增至 2204 亿美元，成为战后第二个高峰年。

2. 制造业投资的长期性与金融业投资的短期性之间的冲突正在激化

制造业投资规模大，回收期长。证券市场则将投资收益、风险的分配同投资者的成本、才能挂钩，并采取补抛转手的方式，协调产业投资回收的长期性与金融投资回收的短期性。由于美国制造业长期每况愈下。缺少国际竞争能力，投资前景不佳和投资成本过高，

因而投资人不能不分外踟蹰。另一方面，由于金融市场的电子化与国际化，加上几年来的"宽松"（deregulation）政策，金融投机、快快发财（get-rich-quick）之风盛行。而且投机人往往又是那些规模很大、资金雄厚的非银行金融机构。联邦对这些机构的管理不太健全，尤其是对于新的交易形式。如期权（Options），等等。制造业投资不利和金融投资有机可乘二者一推一拉，便使得上述长短目标的冲突问题显得突出。

冲突的激化比较集中地表现在美国企业频繁地兼并、合并与接办之风潮上。美国企业第一次合并浪潮开始于19世纪末，主要是横向联合。第二次是20世纪20年代，主要是纵向联系。第三次合并高潮是在战后60年代，主要是混合联系。这一次则始于80年代，其实质是适应国内外市场一体化过程的产物，似可谓之跨国联合。

通过合并改组，企业可以提高经济效益，振兴公司管理，适应新的生产力的要求，但是美国这次合并风潮似带有强烈的短期投资性质。许多企业追求的只是税收方面的好处，并使得它们下跌的股票价格所代表的实际资产得到一次重新高估的机会，从而增加股东的财富，现实地解决上述长短目标的冲突。

对于过度兼并合并与接办问题，联邦政府尚在观望与寻求对策阶段。但是至少已有27个州现在已经立法限制带有敌意的企业接管（hostile takeovers）。其实问题的关键并不在于是敌意的还是友好的，而在于这种融资行为是否有利于长期生产发展；美国经济是否应当容忍由此产生的资本不足或资本过度的经济实体；是否低估了这种合并风潮的不利之处。

3. 金融市场的易变性问题（Volatility）

大量国际资本的频繁流动，倏忽可至的信息，电脑交易的增长以及全球范围内集资能力的增强，都使得金融市场更加动荡不定和难以把握。1987年"股灾"在某种意义上可谓是这种"易变性"的第一次大示威。1990年上半年，外资从美国净流出220亿美元，单是日本一国撤走的美国国库券投资就是89亿美元，又一次给世界经济亮出"红灯"。

20世纪70年代中期以来，国际金融市场至少已刮过四次"台风"，西方专家称之为"四不"。其一是"不通货膨胀"。70 年代以来长期的通货膨胀使得银行习惯于从存户短期无息存款中获利，因而 80 年代的通货紧缩对银行打击很大，因为这股风将银行的"传统机会利润"一扫而光。其二是"不通过中间人"。大企业不再通过银行，而是直接到金融市场筹资，使得银行不得不增加优惠以保住客户。其三是"不规则"。银行、金融市场、信贷、存款等管理章程常常朝令夕改，自行其是。其四是"不限制信贷"。由于通货膨胀得到较好控制，控制银行信贷便失去意义，实际上已经废止。由于这种冲击，美国目前有 1100 家商业银行濒临破产边缘，而美国联邦存款保险公司（FDIC）的保险基金却仅剩 132 亿美元。几家大银行的倒闭就能把它消耗殆尽。估计 90 年代最初几年中美国将有 500 家左右的中小商业银行要倒闭。

（二）20 世纪 90 年代的对策

67

1. 三至五年内实质性地削减联邦预算赤字

1989 年联邦预算赤字已降至 1533 亿美元，但是 1990 年又恶化了 43.7％。据估计 1991 年度的预算赤字将增加到 2536 亿美元的高峰水平，而且还不包括 401 亿美元的增收减支计划。削减赤字是一项最为艰苦和需要时间的措施，但只有这种办法才是没有意义的。因为财政赤字不仅是美国经济各种恶果的祸根，而且也是筹集资金鼓励科技开发和进行长期生产性投资的根本途径。

削减赤字的根本办法无非是增收节支，在节支方面，估计美国当局不大可能削减教育、科技、基础设施项目的拨款，甚至会酌情增加。当然这是很困难的工作。在增加收入方面，联邦当局将面临两种选择：其一是拓宽消费税税基，如开征增值税、联邦销售税和企业流转税，这些税不直接影响生产，但可能推动通货膨胀；其二是采取一揽子单项税收的办法，如提高烟酒税、汽油税、石油进口费、增加上等收入阶层的税收，开征上等收入阶层的社会保险支出税，等等。

2. 加强金融市场管理

1987 年"股灾"之后，"总统市场机制调研团"（布雷迪委员会）建议：在加强市场控制巨额交易能力的同时，应当更为密切和具体地干预金融市场。联邦应授权某一联邦机构负责制定交叉市场（Cross—marketplace）管理细则。此外还建议：（1）改善信息体系。（2）扩大期权交易的"垫头"（margin）。（3）加强协调交易踟蹰与价格限制。（4）限制电脑交易。

美国证券市场的管理办法主要是基于 20 世纪 30 年代大危机时期的几项重大立法。60 年代"第三市场"（电子挂牌交易）兴起之后，美国当局基本上是在电子市场与传统市场之间加强协调。对于可能触动 30 年代基本法规的新的建设性立法，联邦还不能不继续观望并三思而后行。估计 90 年代在改革证券市场方面会有较大的突破。证券交易委员会 80 年代起应当一致的重大表决都是以三比二的微弱优势取胜，说明五人小组正日益受到较多的外部干扰。为加强管理，对这一核心权威机构进行改革是必要的，对于企业过度合并问题，联邦目前正在研究对策，预计 90 年代可能采取的措施有：（1）限制由联邦存款保险公司承保的非银行机构购买低于投资等级的证券。（2）对公司执董和经理的"金降落伞"（golden parachute）开征货物税。（3）控制"绿邮"（green—mail）。（4）相对提高短期利润税。（5）对长期利润给予税收优惠或补助。（6）稳定政策，打消企业长期投资的顾虑。

68

3. 促进国际经济合作

战后建立的各种以美国为核心的国际金融与经济协调组织，有一些已经不大适合 90 年代的需要。因为作为债权国与作为债务国的需求是大相径庭的。90 年代估计西方七国首脑会议的作用会增强。七国财政部长会议也更为值得注意。

四、劳工领域加强人力资本投资，建立新型劳资关系

在工业社会中战略资源是资本，而在新的信息社会中战略资源将是信息、知识和创造。90 年代美国经济增强竞争能力的重要任务就是要提高劳工素质，确立关于人的因素的崭新的态度。

（一）劳工市场 90 年代面临的问题

1. 新的劳工构成的五个趋势

20 世纪 90 年代美国劳动力的新增加部分将主要是妇女、少数民族和移民。劳动力的平均年龄也将增大。根据人口统计推算，90 年代美国劳动力的增长将会出现下列特点。

第一，劳动力的增长将要慢一些。根据人口普查局估算，90 年代结束以前美国劳动力人数将增加到 1.29 亿或 1.4 亿，增长率为 12% 或 28%，低于 80 年代，更低于 70 年代。

第二，新增劳动力中的青年劳工人数将减少，劳动力的平均年龄会增大，中位数年龄将从 35 岁增加到 39 岁。年轻人减少将会有利于家庭与社会的稳定，而有阅历的年长劳工增多将会有利于提高劳动生产率和增加国民储蓄。但是年轻人接受新事物的能力较强，估计 90 年代美国劳工市场对年轻人的需求将变得强烈。

69

第三，妇女进入劳动力的人数将要比过去增多，但是增长率却要低于 80 年代。劳工统计局指出：90 年代新增加的劳动力中妇女比重将要占 3/5；2000 年妇女劳动力将占整个劳动力的 47%。妇女就业增加会导致：（1）幼儿日托、学前教育需求增长；（2）双职工家庭增多，美国人口的流动性减弱；（3）社会福利项目将需要调整以适应新的家庭格局；（4）非全日制工作、零工和在家工作者将增加；（5）男女工作性质与工资数量的差别将会缩小。

第四，少数民族在新增劳动力中的比重将增长。到 2000 年，这一比重将达到 29%，约为 80 年代的两倍。由于这类人员的实际经济状况在 70 年代和 80 年代已经有所恶化，教育程度较低且多集中在大城市中心，因而 90 年代他们的就业前景暗淡。因为 90 年代的工作机会将要求教育良好的并多居住在西郊地区的人。

第五，移民在新增劳动力中的比重将增长。如果合法移民不变，非法移民比率按 90 年代前夕的水平，则 90 年代每年进入美国的移民数量将为 60 万人，其中 2/3 可以进入劳动力统计。

2. "混合工种"（job mix）将会增加，就业机会将更多地属于具有"综合能力"（skill mix）的人

20世纪90年代美国企业中中层管理人员将因为电脑化而减少10％到40％。强调直觉和创造，已经在向传统的注重数字的经营思想提出了挑战。经理的新作用将在于充当"法官、教师和指导者"。由于国际业务联系，经理人员的国际流动性将增加。业务工作人员将是善于独立思考而不是仅会执行指令的人。业务人员参加决策的程度将增大。所谓的"混合工种"和"综合技能"，就是反映今后劳工素质的概念。这种发展趋势势必减少高薪低能的熟练工种的工作机会。工作机会增加较多的将是那些能输出创造性劳动产品的职业，例如咨询专家、工程设计人员和推销人员，等等。就业素质的提高将要求当局扩大人力资本投资，并使得许多低能者费尽心力之后还无法拿到就业培训的资格。

70

3. 收入分配问题将更加棘手

十多年来国际贸易给美国制造业的工作机会与工资水平带来了一系列不利的影响。1973年至1987年，尽管美国平均生活水平是上升的，但是非经理阶层每小时实际工资却下降了10％。这些人生活水平的提高主要靠增加就业、利息和福利收入。90年代双职工家庭增长的潜力已经非常有限，由于削减赤字福利支出也会减少，因而这些人的收入分配问题将会突出。外国产品涌入美国以来，已经对那些出口比重较大的产业造成巨大冲击，使这些产业的成本与收益的格局同国内服务业的成本与收益格局很不对称，加上上述问题，必将使当局更加难以处理。

（二）人力资本政策选择

1. 在加强教育与培训的条件下，促成建立新型的劳资合作关系。（1）提倡妥协精神。（2）加强劳资对话。（3）资方应增加就业安全和改善劳动条件，劳工应提高产品质量和劳动生产率。（4）晋级制度应当更为合理并富刺激性。（5）工会应发挥较大作用。

2. 改革美国教育。美国教育经费目前已超过2000亿美元/年，提高使用效益是极为重要的。州与地方政府在这方面有许多工作可

做。联邦也应选择样板加以表彰，鼓励各类学校自愿参照实行。课程设置将会注重培养出口意识，培训新型的劳动力。具体政策措施有：（1）设立"全国优秀教学项目"，优化教学内容，设立学者基金，鼓励企业家兼课。（2）建立"全国教师培养金额奖学金"鼓励研究生从教。（3）鼓励州教育机构健全学术考核制度，严格把关。（4）注意低分低能学生的补救工作。（5）加强学前教育和幼儿教育。（6）加强资助工程技术专业的研究生。

3. 使培训项目成为联邦经济政策的组成部分。（1）修改"工作培训法"，不仅要培训被淘汰的失业者，而且要培训需要提高技能的在业人员。（2）扩大成人文化项目。南方半文盲不少，1/4 的人所受的教育只有 8 年。黑人的半文盲与文盲比重高达 3/8。（3）改进"贸易调整援助项目"。强调将资助用在预防阶段，而不是用在因为进口冲击而失业之后。

以上在技术、金融和人力资本三大领域势将出现的经济运行机制的改革与调整，实质上组成了一个新的全国性的长期投资战略。这一战略的实施进程与落实程度，将决定美国经济在 90 年代的发展概貌。

参考文献

1. Ray Marshall：Adjustment and Competition in the Coming Decade.

2. Robert O. Anderson：Reading the Signals.

3. Bobey R. Inman：U. S. Technology in an International Context.

4. Ian M. Ross：Information Technology and U. S. Technological Leadership in the 1990s.

5. Thomas A. Vanderslice：Technology and Economic Transition.

6. Felix G. Rohatyn：Financial Markets in Perspective.

7. John R. Petty and Albert E. Deprinte, Jr: Mergers and Acquisitions and the U. S. Economy.

8. Paul H. Aron: The Dynamics of International Investing.

9. Rictor Gotbaum and Carol O' Cleireacain: Labor Market Issues and Policies.

10. Donald F. Ephlin: Workplace Innovation in the New Economy.

6. 论美国企业"第四次兼并浪潮"*

美国企业兼并活动曾于 19 世纪末，20 世纪 20 年代和 60 年代出现过三次浪潮。三次浪潮的基本特征分别是横向联合、纵向联合和混合联合，显示着历史与逻辑的统一。80 年代美国企业又掀起一次以"借债兼并"（LBO）为主要手段的兼并浪潮，引起美国朝野乃至各国专家的关注，如何把握这次兼并浪潮的来龙去脉及其同前三次的联系与区别？如何评价这次兼并浪潮对美国经济和世界经济格局的影响？等等，是摆在美国经济研究与教学人员面前的新课题。

一、美国企业第四次兼并浪潮的背景与原因

20 世纪 80 年代是美国经济模式发生战略性转变的年代。大量外资涌入美国，对美国企业特别是涉外企业与制造业产生了巨大冲击。

1. 新形势下美国企业难以协同长期目标与短期目标的冲突

战后初期美国资金外汇储备几乎占全世界的 3/4，但到 80 年代中期美国已沦为世界上最大的债务国。50 年代美国劳工的 75％忙于生产，而 80 年代仅为 20％左右。仔细观察美国前 500 家大公司名单不难发现：1955 年前 500 名中现已有 281 家销声匿迹。而 30 年前 116 家无名之辈如今已荣登金榜。

※ 本文发表于中国社会科学院《世界经济》杂志 1991 年第 12 期，署名萧琛。

严峻的经济形势使美国企业的种种弊端变得难以姑息：（1）管理机构臃肿。前500家大公司一般设有9～13个经理阶层；经理工人之比为1：3.4；经理秘书之比为2：1。结果导致生产人员开销比重仅占20％不到。[1]（2）劳工成本上升。80年代美国劳工平均实际工资比1965年增长2.2倍，美国产品成本比20年前增长16倍！[2]（3）营销意识与出口意识较差。制造业营销人员直接用于经销的时间不到工作时间的25％，而零销售业是95％。[3]公司出口经理一般由老者担任，地位一般低于国内经销经理。公司国际事务方面日益走红的人是那些主管并购投资事宜的副总裁。

新经济形势与企业积重难返的弱点使得美国公司日益难以协调长期目标与短期目标。特别是在制造业中，制造业要求较多的是中长期投资和各种系统工程开发。但由于商品市场与资本市场的压力，经理们不能不密切注视企业短期利润。据估算80年代美国企业研究与开发基金的80％不得不用在现有产品和现行市场上。[4]

74

2．"借债兼并"成为企业摆脱困境的现实手段

新形势下企业要摆脱困境必须迅速振兴公司管理和提高经济效益。兼并则不失为一种急功近利的更新资本与淘汰不适应部分的手段。兼并有狭义与广义之分。狭义的兼并（merger）指的是一家公司吞并另一家，被吞并者丧失法人地位。广义的兼并则包括兼并与接力（N＆A）、接管（takeover）和合并（consolidation）。80年代美国兼并活动主要表现为改组（reshaping）、重建（reconstruction或 rebuiling）；具体做法是压缩（downsizing）、割卖（divestiture）、

① Ralph Lobdell："Creating Value from Castoffs"，American Manufacturing in a Global Market edited by Kenneth W. Chiltln，Melinda E. Warren，＆ Murray L. Weidenbaun，Kluwer academic Publishers. 1990；第130～131页。

② Ralph Lobdell："Creating Value from Castoffs"，American Manufacturing in a Global Market edited by Kenneth W. Chiltln，Melinda E. Warren，＆ Murray L. Weidenbaun，Kluwer academic Publishers. 1990；第130～131页。

③ Ralph Lobdell："Creating Value from Castoffs"，American Manufacturing in a Global Market edited by Kenneth W. Chiltln，Melinda E. Warren，＆ Murray L. Weidenbaun，Kluwer academic Publishers. 1990；第130～131页。

④ Ralph Lobdell："Creating Value from Castoffs"，American Manufacturing in a Global Market edited by Kenneth W. Chiltln，Melinda E. Warren，＆ Murray L. Weidenbaun，Kluwer academic Publishers. 1990；第130～131页。

甩卖（cast-off）和肢解（spin-off 或 split-off）。

被兼并的公司或者公司的某些部分实质是一种经济包袱，大多是 60 年代混合兼并过渡的"后遗症"。这些包袱本当难以处理，但是 80 年代却不乏需求。因为长期通货膨胀因素使得企业资产的账面价值和实际价值出现较大的差距。账面价值低，实际价值高。因而有"潜在价值"实现问题，从而使得那些适于接管并具有实现能力的厂商提出兼并要求。

"借债兼并"则是在买方资金短缺条件下有效促成交易的好办法。它以兼并后的新公司的资产作为抵押发行高收益、高风险的债券，对于资本市场上大量的互惠基金具有很大的吸引力，因而在短时间内能够筹足兼并所需的资金。

3. "政策宽松"与"金融创新"推波助澜

政策宽松主要指联邦信贷政策、税收政策与反托拉斯法。信贷政策又主要指信贷控制与"垫头"（margin）控制。长期以来用于兼并活动的贷款一般被视为非生产性的或有投机之虞，列在《1969 年信贷控制法》所禁止的贷款栏目之中。近在 1980 年联储还在激烈的争议中坚持控制这种贷款，但自那以后却又完全放开。原因之一在于这种贷款在新形势下派生能力有限和不会造成挤出效应。垫头是证券业中的"准备金比率"或"融资比率"。对于资本派生能力与供应量有乘数作用。70 年代以来由于对期权（option）、指数套利（indexarbitrage）和项目交易（program trading）等新交易形式的管理法规远不健全，因而整个证券业的实际垫头偏低，从而使得各种金融投资有较大余地。税收政策也很宽松，短期证券销售利润税很轻，许多非金融机构享有税收优惠。反托拉斯法对于兼并活动更具有较大的左右能力。第三次兼并浪潮之所以表现为混合联合。原因之一就是为了绕开 1950 年的限制横向联合与纵向联合的法令。而其告一段落的原因主要在于 1968 年司法部的一揽子限制性政策。但是 80 年代联邦当局已经放宽了反托拉斯政策。①

---

① John R. Petty, Albert E. Deprince, J.: "Mergers and Acquistions and The U. S. Economy", Vision for the 1990s; U. S. Strategy and the Global Economy, edited by Daniel F. Burten, Jr. Victlr gotbaum, & Felix G. Rohatyn, Ballinger Publishing Company, 1989.

20 世纪 80 年代是宽松政策（Relaxation）的年代，也是消除管制（deregulation）和金融创新风起云涌的年代；Q 条例的突破；银行跨州经营禁令的名存实亡；证券业固定佣金制的废除；电子市场，从而"第四市场"的兴起；个人风险投资为专业团体多元化投资取代；银行业与证券业界线的模糊；等等。借债兼并，继尔用"垃圾债券"（Junk Bones）借债融资筹。就是在这样的背景上出台的。垃圾债券发行的条件之一是资本市场上存在大量游资。80 年代美国的年金（pension）已随老人势力（grey power）的强大而膨胀，金融资产占到全国的 14%，仅次于保险公司（17%）和商业银行（53%）。条件之二是投资者可以转嫁一部分风险。80 年代年金、信贷协会（credit union）、储蓄与信贷协会（S & L A）等互助基金大多由联邦储蓄贷款保险公司（PSLIC）等政府机构承保。

76

资本市场各金融中介既了解公司企业的财务状况与经营状况，又熟悉资本证券市场的行情与动向。上述条件成熟之后，这些投资银行公司（Investment Bankers）和投资公司（Investment Companies）便争先恐后、各显神通。1984 年到 1987 年，有华尔街兼并大王之称的 KKR 公司先后借款 267 亿美元承办了 11 起兼并业务；两位老板个人每年因此收入 7000 万美元。

二、美国企业第四次兼并浪潮的表现与特征

这次兼并浪潮来势汹涌。80 年代一开始各大公司便出手不凡。1981 年兼并资产 10 亿美元以上公司的事件即达 14 起。其中杜邦公司以 78 亿美元兼并销售额比它大 50 亿美元的大陆石油公司，更是前所未见的"小鱼吃大鱼"的轰动性事件。1982 年因外资收购较少兼并活动略有收敛。1984 年再度涌起，1986 年以后进入高潮。1990 年经济衰退以来，银行的兼并与合并业务又开始活跃，估计 90 年代会有较大的进展。这次兼并浪潮中值得注意的特征如下：

1. 兼并中伴有大规模金融投机

第四次兼并浪潮手段上的基本特征是借债兼并。它是 KKR 公

司创始人之一考尔伯特 1965 年的发明。借债兼并 1970 年 10 月起，1980 年 94 起，但到 1987 年和 1988 年迅速升至 3565 起和 3637 起！交易额分别升为 2195 亿和 3114 亿美元。1981 年借债兼并占兼并次数的 15％左右，1987 年这一比重猛增为 96％。[①]

与借债兼并紧相伴随的新现象是垃圾债券风行。垃圾债券是华尔街投资公司中的暴发户"D 公司"借债兼并部主管米尔肯（Milken）的发明。垃圾债券又称劣等债券，专指那些资信低、风险大、收益高的公司债券。垃圾债券几年之内已发行 1 千多亿美元。单是 1998 年就发行了 310 亿美元。[②]

借债兼并实质是一场"财富"再分配。赢家主要是：（1）被兼并公司（也称目标公司）的股东。例如位于亚特兰大从事烟草和食品制造的 RJR 公司被收购前的股票价格为每股 56 美元，兼并中被抬到 94 美元至 118 美元。2.25 亿股可使股东获利 80 亿～140 亿美元。（2）兼并公司。可以赚取潜在价值与收购价值之间的价差。资本创利率可高达 20％。（3）向兼并公司放款的投资者，包括垃圾债券的持有人。他们可以获取利息，垃圾债券年息可高达 14.5％。（4）律师、会计师等中介机构，他们可赚取大量手续费和成交费等。

输家主要有：（1）被兼并公司原来发行的债券的持有者。因为被兼并反映该公司财务状况与经营状况恶化。债券持有人会因为不确定因素增多而抛售债券，导致债券价格下跌。例如 RJR 公司原来发行的债券就因为兼并消息传开后下跌 20％。（2）政府，而归根到底是纳税人。兼并过程中的税收实惠，各种违约而引起了联邦机构的保释金支出，最后都将落到全体纳税人的头上。据估计，80 年代单是联邦储蓄与贷款保险公司就因各种违约问题而支付 500 亿～750 亿美元！[③]

77

---

① & A Database. "The Effect of Mergers and Acquisitions", American Manufacturing in a Global Market, 1989，第 138 页。借债兼并数据见于陈宝森："美国借债兼并面面观"，《美国研究》1990 年第 1 期，第 81 页。

② 尹建国："垃圾债券风潮——1989 年对固定收入证券收益排列的影响"，《世界经济》1992 年第 6 期，第 46 页。

③ Felix G. Rohatyn："Financial Markets in Perspective Vision for the 1990s: U. S. Strategy and the Global Economy"，1989：第 74 页。

2. 大量外资收购美国公司

美国企业第四次兼并浪潮资金来源上的一个重要特点是外资比重较大。1987 年有统计的外资购买美国公司的成交总额高达 420 亿美元。占总交易额的 25％。这一比重虽然同 1981 年几乎相同，但绝对额却比 1981 年（160 亿美元）增长了 2.6 倍。外资收购美国企业在 1982 年至 1984 年期间处于低潮。低谷年 1983 年外资收购美国公司交易额仅为 22 亿美元，占总交易额比重不到 3％。下跌的重要原因之一是美元坚挺。1982 年年底美国经济开始复杂，里根当局的高利率政策在短短两三年时间内吸引了大量的外资，外资涌向美国导致美元汇率迅速上升。美元高估有利于对美国出口，但构成对美直接投资的障碍。1985 年外资收购美国企业的势头又开始恢复，并于 1987 年进入高潮。原因一方面在于美元汇率回跌，另一方面则在于美国吸引外资直接投资政策变化。1986 年美国税制改革以前，西方国家中只有加拿大、日本和西德的公司所得税高于美国。美国新税法把公司所得税最高边际税率由 46％ 降为 34％ 以后，英国、荷兰、法国的公司所得税也都高于美国。[1] 于是大量外资又对收购美国公司趋之若鹜。

值得注意的是日本对美国直接投资增长速度很快。1980 年日本在美国直接投资仅为 47 亿美元，1985 年猛增至 191 亿美元。[2] 1982 年年底已有近 400 家日本的汽车部件生产在美国安营扎寨。1990 年日本汽车生产已有 20％在美国本土进行。据日本通产省预测，2000 年以前，日本在美国制造业的年平均增长率将保持在 14.2％。[3]

外资收购美国企业的原因除了利率、税率优惠之外，美国地方政府的态度也起了重要的作用。实际上不少州长、市长为了本地利益纷纷以各种优惠条件吸引外资。例如日本丰田公司在肯塔基州乔治城郊区投资 8 亿美元办汽车装配厂，雇佣了 300 名美国劳工。州政府便向该厂免费提供 1500 英亩土地和价值 4700 万美元的专用公路，拨款 6500 万美元帮助培训工人。此外还提供警察、消防服务，

① 萧琛："美国税制改革及其影响"，《世界经济与政治》1991 年第 6 期，第 13 页。
② 胡学龙："美国：'日本人又来了！'"，《国际贸易问题》1989 年第 11 期，第 47 页。
③ 胡学龙："美国：'日本人又来了！'"，《国际贸易问题》1989 年第 11 期，第 47 页。

并且每天帮助该厂消除 1200 吨垃圾。1989 年国会通过《埃克森—弗洛里奥修正集》之后情况有所变化。

3. 这次兼并浪潮在某种意义上是以往三次的"回流"

第一，主要动向不再是扩张而是压缩与改组。前三次浪潮中美国公司的主要追求是企业的规模：资产额、销售额、雇员人数等等。因为大公司拥有较多的产权，可以将较多的外在性问题内在化。从而在内部维持一个计划机制，节约交易成本。大公司还能较大程度地左右政府决策和影响原材料与产品的价格。1901 年美国资产超过10 亿美元的大公司开始出现。到 1980 年已为数 305 家，并且其中19 家资产已超过 100 亿美元。这次兼并浪潮中美国企业特别是制造业等工业部门的主要目标已经不再是追求"大"，至少都认为"仅仅大是不够的"，因而联合与合并已经鲜见（银行业 1991 年来因特殊政策因素而有所不同），而压缩、割卖、肢解、改组则成为主流。原因在于：（1）消费者个性已增强到一个新阶段，传统的"福特式"（批量生产）产品已经不合时宜。（2）信息内部交换所能带给企业的效益已经严重削弱。较大的计划系统在信息社会化的过程中只能受到较多的社会监控。（3）以往三次浪潮特别是第三次浪潮中产生的过度集中和"消化不良"情况在新的市场压力下已难以为继。美国专家杰里、莫克维茨就这次兼并写道："无须继续处于大而不利的状态时，美国公司有必要考虑小。压缩和改组已经造就了一大批小而精的公司……。20 世纪 90 年代规模经济一词的含义将同 20 世纪 50年代和 60 年代所崇尚的相反。"[①]

第二，主要约束不再来自政府而是来自市场。美国反托拉斯传统由来已久，对于大公司购买竞争者的股票、资产（如工厂、设备、存货等）限制越来越严。加上各种产业、资产之间的税收歧视："加速折旧"、"存贷资本化"、"税收抵免"、"税收庇护"等等，使得兼并扩张活动在一定意义上等于寻找政策漏洞。例如，混合兼并的发展重要原因之一是为了避开《1950 年塞勒—贰弗维尔法》。因为该

79

① Jerry Moskowitz："The Effect of Mergers and Aquizitions"，American Manuring in a Global Market，1989 年，第 143 页、第 136 页、第 147 页。

法限制横向与纵向兼并。[1] 80 年代联邦当局的客观经济调控战略思想已由需求管理或日需求刺激转向供应经济学。微观产出能力已得到较多强调，加上美国经济开放性的急剧增强。美国企业正在接受这次新的兼并浪潮的洗礼：矫正各种政策扭曲，重新回到市场。

第三，主要着眼点不再是美国市场而是世界市场。80 年代以前美国除了 IBM 公司和 Caterpillar 公司以外，很少有公司形成了全球配置、全球生产、全球营销的战略。[2] 但在新浪潮中美国企业已极为关注美国产品成本、劳工成本与海外的差异并刻意寻求"最佳低价"；强调利用跨国设施与全球网络转移生产、融通资金和相互贸易；注意在寻求国际公法与各国法规差异中增强自身的适应能力。美国公司一方面将产业转移到低工资的国家去，他们从日本或其他能以低成本制造高质量产品的国家、地区采购零部件，在自已的公司装配成成品倾销到市场上去。另一方面美国制造商又正在关闭他们一个又一个的车间并演变成为别的生产者（主要是外国生产者）的销售机构。一种新型公司正在不断出现——它们可以设计和销售产生，但实际上却不制造任何东西。它们是所谓的"空心企业"。80年代以来尽管美国外债激增，私人海外直接投资却始终稳步增长，其中用海外赢利进行兼并与购买外国公司的直接投资比重相当突出。近年来美国正在努力将苏东作为进一步打入欧洲统一大市场的跳板。1989 年项目投资达 5 亿美元。1990 年又激增至 20 亿美元。[3]

三、美国企业第四次兼并浪潮的作用与影响

兼并浪潮迅速改变了美国乃至全世界企业所有制格局，造成巨额财富的再分配，引起了美国乃至世界各国的强烈反响。一些人认

① John R. Petty, Albert E. Deprince, J: "Mergers and Acquistions and The U. S. Economy", Vision for the 1990s; U. S. Strategy and the Global Economy, edited by Daniel F. Burten, Jr. Victlr gotbaum, & Felix G. Rohatyn, Ballinger Publishing Company, 1989.

② John R. Petty, Albert E. Deprince, J: "Mergers and Acquistions and The U. S. Economy", Vision for the 1990s; U. S. Strategy and the Global Economy, edited by Daniel F. Burten, Jr. Victlr gotbaum, & Felix G. Rohatyn, Ballinger Publishing Company, 1989.

③ 金芳："当前美国对外直接投资格局剖析"，《世界经济》1991 年第 6 期，第 54 页。

为兼并活动值得肯定，另一些则认为不过是一场"零和游戏"（Zero Sum Game）。基于上述分析笔者认为新浪潮的精髓在于走向市场、走向世界和走向未来，是美国经济体制转轨时期的预算改革、税制改革、外贸体制改革和正在深化的金融改革的集中体现。

1. 迅速地优化了产业组织与资源配置

兼并活动的直接作用在于：（1）淘汰不合格经理（EOS）。长期以来由于经营权与所有权的分离，由于线性（参谋）制管理体制的命令式传统。美国企业界已出现一批"公司官僚"。而这批官僚的质量又呈严重下降甚至恶性循环趋势。他们讲究排场（如购置大批的公司飞机）、追求个人权势与公司排名而不是公司的实际竞争能力。这次兼并浪潮的"金降落伞"（golden parachute）特别多而"白骑士"（White knight）比较少。借债兼并迫使公司面对金融市场的风险，迫使公司权衡各种资金运用的实际效益，认真制定公司新的战略并据以扬长避短、存优淘劣。所有企业必须开足马力全速前进，否则便难免被视为"目标"，收到"绿邮"（green-mail）。（2）使资源转移到更适合的地方。这次兼并浪潮使美国股东的"财富"因重新评估而增值了 30%～50%，基本上矫正了长期通货膨胀对固定资本的扭曲。1981 年到 1986 年 6 年中股东"财富"净增长 1780 亿美元，假定全部分期投资于国库券，则增值额为 2080 亿美元。根据密切尔·简森博士的"闲置流动资金"计量分析（"Free Cash Flow" thesis），与上述资金流动相应的资源重新配置的效益决不是"零和"，而是正作用大于负作用。[①] 就实际增长情况看，简森的结论也是站得住的。这次兼并活动较多发生在制造业。制造业占 GNP 的 22%，但兼并交易却占 40%。[②] 然而就是在这兼并较多的部门，就是在这兼并较为频繁的年代，美国制造业的劳动生产率的增长率却是劳工部有史统计以来最好的记录。80 年代美国制造业生产率年

81

---

① Dr. Michael Jensen："Takeover Controversy：Analysis and Evidence"，*The Midland Corporate Finance Journal*，Summer 1986.

② Jerry Moskowitz："The Effect of Mergers and Aquizitions"，American Manuring in a Global Market，1989 年，第 143 页、第 136 页、第 147 页。

平均增长 3.4%。①

2. 有力地推动了"金融深化"

借债兼并是制造业投资前景不佳和证券投资短期内有机可乘二者一推一拉的产物，是短期金融投资对长期实物投资的一种替代，必然的副作用是鼓励投机和短期行为，造成企业债务严重等一系列问题。但是从经济模式转变这一角度来看，动荡、分化与改组所引起的代价势所不免、不宜重看。兼并浪潮全面彻底暴露了限制团体投机不力等一系列重大经济体制弊端并引起更深层次的反思与变革，这未尝不是一件好事。

1989 年 8 月布什当局已通过一项挽救储蓄贷款协会的法案。其中重要的一点是要求这些协会在今后五年之内清除所持的垃圾债券。此外经济专家们所建议的并将陆续出台的措施有：（1）对于一年以内的证券销售利润税开征 50% 的所得税，并强调对独资、公司、合伙及"免税"机构一视同仁。与此同时将减少 15% 保持证券五年以上的资本利得税。（2）严格限制联邦、州政府承保的金融团体的投机性融资比率和资本充足比率。（3）用各种经济办法鼓励权益投资和限制债务投资（debt leverage）。如减轻双重公司所得税。取消非金融机构债务融资中的税收优惠，等等。1991 年 2 月美国财政部又提出了一项内容广泛、意义深远的建议。主张对美国银行法进行自 20 世纪 30 年代以来最彻底的改革。银行业证券业的相互渗透将为新的立法所认可。国民银行的许多限制性规定将被正式取消。因而美国大银行携手合作并努力在世界范围内重新名列前茅的年代已可望在即。

3. 加速了国际资本市场一体化

20 世纪 80 年代以前美国经济增长率与就业机会增长率中仅有 3.5% 同外国公司设在美国的子公司相关。但到 1987 年这一指标已经迅速增至 11%。如今外国公司在美国雇佣的工人人数已超过 300 万，占美国制造业的 10% 以上。1989 年外国制造商在美国的公司所

---

① Jerry Moskowitz，"The Effect of Mergers and Aquizitions"，American Manuring in a Global Market，1989 年，第 143 页、第 136 页、第 147 页。

创造的就业机会要多于美国制造商。外国公司美国雇员的平均年薪为 3.29 万美元，约为美国企业美国雇员的 1.14 倍。[①]

新的经济现实使美国人对于公司所有权、控制权和原国籍的观念正在发生方向性变化。对于美国经济的前途来说，那些正在美国进行研究开发和生产等活动并依赖美国工人的外国公司，比雇佣大批外国工人在海外生产并将产品向美国出口的美国资本公司也许更为重要。因为在当今世界经济中，美国人从股份投资中得到的总收益并不仅仅取决于美国人拥有控股权的那些公司所取得的成就。收益的多寡取决于美国人将多少储蓄投资在全世界的有价证券上，还要看美国投资人选择有价证券的认真程度和智力的高低。如今美国人投资的有价证券中，外国证券已占 10%，而根据美国年金方面的预测，10 年内这一比重将会上升到 25‰。[②]

从世界经济角度看，第四次兼并浪潮已为美国股东创造了大量"财富"。因为 80 年代美国是外资净流入国、是外资净公司收购国，但是外资却并不因此失去什么，因为各国资本的机会成本本来就严重不对称。而美国巨大的无形资产（对世界资本的较大吸引能力）对于各国资本的机会收益也是非常的不对称。

长期看，美国企业将会目睹越来越多的外国人拥有的大公司在他们中间脱颖而出，美国人拥有的公司将不再是仅有的实力雄厚的世界性企业，甚至也不是规模最大的企业了。美国经济将越来越依赖于外部经济力量，而它影响这些外部力量的能力却在相对缩小。正如普林斯顿大学教授罗伯特·吉尔平所言："我们仍在高谈阔论，好像我国仍是一种自治经济。但是，我们的利率现在是由世界上其他国家确定的。"对于上述悲剧性图画一部分美国人难免忧心忡忡。

但是另一部分人却认为大可不必。因为新的世界经济格局中，民族国家的概念对于美国来说已经不合时宜，美国公司的利益同美国的利益并无必然一致的联系。外资在美经营虽然会取得利润，但是大量人力资本收益却永久性地属于美国。而后者又必将益显重要。

83

---

① Robert B. Reich："公司与国家"和"我们"指谁? 1989 年第 2 期和 1990 年第 4 期。
② Robert B. Reich："公司与国家"和"我们"指谁? 1989 年第 2 期和 1990 年第 4 期。

因为未来世界经济更为赖以发展的将是拥有信息处理技能的高智商的人力资本而非实物资本。对于美国的新挑战只是在于能否在世界资本市场上长期保持最大的吸引能力。

7. 论信息网络时代美国 "新型失业潮"*

经过 20 世纪 80 年代经济长期持续稳定地发展之后，从 1990 年开始美国又出现了一轮战后历史上延续时间最长的失业大潮。这场失业潮不论从规模、范围还是从经济社会影响上看，都有着后冷战时期、高科技时代和服务业主导阶段的一些新特征，其实质是对 30 年代大萧条以来逐步形成的传统劳工市场机制的一次大的调整。本文拟分析新一轮失业的严重程度、突出特征及其长期根源和短期因素，并就这些因素的新近动向对前景作若干展望。

一、"新型失业潮" 来势较猛影响严重

虽然 1990 年 7 月开始的新一轮经济衰退从程度上看是战后历史上最轻微的一次。但经济复苏和就业增长速度却又是战后历史上最缓慢的一次。衰退前美国民营企业的失业率大约在 5％左右，1990 年年底为 6.3％，1991 年年底失业率上升到 7.1％。1992 年第一季度经济虽然一度出现过好转，但马上又趋于恶化，失业问题也随之更为严重。1992 年第三季度失业率达到最高点 7.7％。此后失业才逐步稳定并缓慢下降。但到 1992 年年底失业率仍高达 7.3％。① 进入 1993 年以后，失业危机仍然没有从根本上得到缓解，失业率一直

---

* 本文发表于中国社会科学院《世界经济》杂志 1995 年第 8 期，署名萧琛、王直。
① 《1993 年美国总统经济报告》，第 43 页。

高居 7％左右，仅上半年就有 25.5 万雇员被解雇，比 1991 年同期增长了 1/3，7 月又有 68 家大公司宣布裁员 10 万，其中 IBM 一家就裁员 6 万。① 而到 1993 年第四季度，单是制造业就还有 2.19 万人被解雇。②

尽管如此，从 1993 年全年情况来看，美国的劳工就业问题还是有所缓解。1993 年头三个季度中，就业人数比年初增加了 120 万。③ 而且已有迹象表明，这种趋势会继续下去。因为：对中小企业的调查结果显示他们将尽可能扩大职员队伍；随着进出口数额的增加，制造业的产出量将持续增长；由于中西部遭受水患而进行的重建工作将刺激建筑业的复苏。但是目前还没有迹象表明就业将随经济复苏而进入快速回升时期。

86

鉴于这次失业潮的严重性，美国《时代》周刊的专家认为"美国就业的黄金时代已经结束"。首先，经济复苏两年半之后，解雇的浪潮仍然一浪高过一浪，并且波及到长期就业稳定的白领阶层。其次，据美国劳工部估计，至少有 120 万人因为屡屡碰壁、灰心丧气而不再去职业介绍所登记；大约有 620 万人在长期打零工，使得实际失业人数高达 1620 万，实际失业率高达 12％，而战后最高的名义失业率是 9.7％。再者，失业潮还席卷技术人员、经理人员、高级工程师和资深科员。最后是再就业非常困难，能够找到的工作往往也都是一些工资很低的粗杂活，而就是这些工作也不好找。例如，底特律邮局要招聘一些营业员、分拣员和邮递员。名额只有数百，合同只签三到五年，但报名应试者多达两万。

劳工市场的严峻形势也给大学毕业生和其他劳工的未来蒙上了一层阴影。美国劳工部的一项研究表明，从现在到 2005 年，每届大学毕业生将至少有 30％的人找不到专业对口的工作。新形势下的"失业潮"正在使得许多传统的就业观念发生变化，"职业择一而终"已经成为昨日的梦，"终身的饭碗"已经摇摇欲坠，甚至"去国外谋生"也开始成为美国人的一种寻求新乐土方式。就业困难对于社会

---

① 美国《幸福》杂志 1993 年 9 月 20 日，第 54 页。
② 美国《幸福》杂志 1993 年 9 月 15 日，第 15 页。
③ 美国《幸福》杂志 1993 年 9 月 15 日，第 15 页。

治安也有一定的影响。联邦 1993 年 11 月《武器法案》和 1994 年 8 月的《打击犯罪法案》，以及个别州的《禁止携带攻击性武器法案》，之所以终于得以通过，甚至"午夜篮球俱乐部"的活动也遭比较强烈的非议等，都与就业和社会治安问题不无关系。

二、"新型失业潮"性质有悖传统非同凡响

经济复苏对就业增长的带动作用空前减弱传统经济复苏过程中，当经济跌入谷底之后，两年之内总就业量可比谷底时增长 6％以上。而在此次经济复苏中，自 1991 年 3 月经济到达低谷之后，就业率就一直处于停滞和爬行状态。到 1993 年 3 月总就业量只增长 1.5％左右。① 另一方面，在一般经济复苏过程中，经济跌入低谷以后的三个月之内失业率都会明显下降。但是从 1991 年 3 月到 1992 年 6 月，失业率非但没有下降，反而上升了大约 2 个百分点。此后失业率才呈现出缓慢下降的趋势。这一点在将这一次经济复苏中民营企业失业率的变动与战后历次复苏中失业率平均水平做比较时，可以看得更清楚。根据美国劳工部的一项统计分析，战后美国分别以 1954 年 5 月、1958 年 4 月、1961 年 2 月、1970 年 11 月、1975 年 3 月和 1982 年 11 月为谷底的六次商业周期中，平均的民营企业失业率都在三个月内显著下降；而这一次则是到第 16 个月之后才开始缓慢地下降。②

首当其冲的已经是国防产业和政府部门过去经济衰退时，失业通常集中在民营部门，特别是在制造业。但在新一轮就业危机中，失业却集中在政府经济部门，国防产业首当其冲。80 年代前半期，军费开支呈现出明显的上升趋势，1986 年此项支出占国民生产总值的 6.5％。③ 随着冷战结束和美国军费开支随之大幅度削减，1990 年和 1991 年国防预算分别比前一年下降了 1.7％和 2.6％。④ 预计到

① （美）堪萨斯城联邦储备银行《经济评论》，1993 年第三季度，第 6 页。
② （美）堪萨斯城联邦储备银行《经济评论》，1993 年第三季度，第 7 页。
③ 《1993 年美国总统经济报告》，第 88 页。
④ 萧琛："论美国军费削减对经济的影响"，《美国研究》1992 年第 1 期，第 59 页。

1997 年军费开支将下降到国民生产总值的 3.7％，[①] 达到战后最低水平。军事采购在 1987 年曾达到 1060 亿美元，1992 年降为 760 亿美元，1997 年将进一步减为 500 亿美元。军事采购的减少使军工企业被迫大量裁员以应付订货的下降。据估计，美国国防工业 1986 年高峰时雇佣工人 670 万人，到 1992 年下降到 260 万人。与军事采购相联系的国防部从事订货等管理工作的 275 万雇员中，至少有 20 万人[②]需要另谋生路。这无疑大大加重了劳工市场的竞争。1993 年 9 月克林顿公布的精简政府的计划无疑又加剧政府就业人员的恐慌。该计划决定在五年内裁员 25.5 万名，以节约政府开支 1080 亿美元。裁员内容包括关闭或合并农业部所属 1200 多个地方办事处；关闭住房和城市发展部的各地办公室；撤销食品安全检查处等等。

长盛不衰的服务业首次被卷入失业浪潮美国第三产业在战后几十年中经历了长期的大发展，从未被经济衰退中断。不仅如此，它还吸纳了大量的从其他产业游离出来的劳动力。据美国官方统计，从 1950 年到 1988 年，全国商业就业人数增加了 1.52 倍，服务业就业人数增加了 4.2 倍；到 80 年代美国服务的迅速发展更是突出，10 年内从业人数就增加了 200 万人以上，而与此同时工业部门就业人数减少了 150 万人。[③] 然而，在这次经济衰退中，第三产业却一反常态，成为企业倒闭数目最多的产业。1991 年上半年，企业破产总数为 4.3 万家，其中商业 1.13 万家，服务业 1.11 万家。从 1990 年 6 月到 1991 年 4 月，批发零售业就业人数下降 52.4 万人，金融保险和不动产领域减少 2.8 万人，交通和公用事业减少 1.7 万人，联邦国家机构减少 38.4 万人。整个第三产业失业人数占工作机会减少总数的 1/4。[④] 这些都是前所未有的现象，为此有些经济学家将这次衰退称为"服务业衰退"。

中产阶级、白领阶层不再安然无恙，战后几十年发展中逐步形成的美国中产阶级一直被认为是教育良好、职业与收入稳定的阶层。

① 《1993 年美国总统经济报告》，第 89 页。
② 萧琛："论美国军费削减对经济的影响"，《美国研究》1992 年第 1 期，第 60 页、第 61 页。
③ 参见《世界经济译丛》1993 年 5 月期"美国经济增长的消失"。
④ 参见《世界经济译丛》1993 年 5 月期"美国经济增长的消失"。

早期的"雅皮士"（Yappies），如今的"慕士"（MOSS）、"新领阶级"（New Collar）等指的就是这一批人。然而 1990 年开始的经济衰退首先冲击的就是这个中产阶级或白领阶层。目前许多企业，特别是一些大公司都在致力于所谓的"结构调整"，以便充分应用高科技提高劳动生产率和降低劳工成本。为此它们一方面大力投资先进技术设备，另一方面则大规模裁员。例如，磁条和激光检测仪的使用正在替代数据录入员和存货管理员的工作。又如，微电子信息系统将跨国公司设在全球的分公司连为一体以后，大批搜集、整理和传递信息的中层经理人员便日益成为多余。1993 年 7 月 IBM 公司宣布裁员 6 万，其中白领占相当高的比例。再如，总部设在洛杉矶的第一州际银行，[①] 一次内部调整便裁减管理人员 9 千，占该行总裁员人数的 25％以上。[②] 此外，经济学家的调查还表明，在 170 家雇员人数平均为 4 万人左右的大公司中，有 40％的人力资源的经理们声称他们的公司还将继续这种"结构调整"。[③]

三、"新型失业潮"的根源在于经济长期转型

上述"衰退时间长、就业增长慢、国防产业和新领阶层遭殃"等新情况的出现，既有短期因素的影响，也受长期经济发展的支配。长期看，新型失业的根源在于新技术革命和它引发的产业调整，冲击劳工市场的动力也来源于此。

1994 年 1 月克林顿政府劳工部长里奇向国会提交的《劳动保障法案》，是对美国 30 年代以来的失业保险制度所做的全面修订。其宗旨，正如里奇所言，"我们需要的是一个重新就业的制度，而不是一种失业（救济）制度。"[④] 这表明，美国的劳工市场机制正处在一次半个世纪以来的历史性的大调整过程中。高技术替代劳工、具有综合技能（skill mix）的新型劳工（job mix）呼唤和培育，信息型

---

① First Interstate Bancorp of Los Angeles，美国第十三大银行集团。
② 美国《幸福》杂志 1993 年 9 月 20 日，第 56 页。
③ 美国《幸福》杂志 1993 年 9 月 20 日，第 54 页。
④ 朱颖编译自《美国新闻与世界报道》。

产业组织的国际化，是这场调整的基本内容。

新技术将劳工市场推向一个新的十字路口。战后几十年中，特别是70年代中期以来，科学技术有了突飞猛进的发展，许多经济学家称之为"第二次产业革命"，使得劳动力和原材料在社会产品中所占的比重迅速下降。例如，应用计算机控制生产流程以后，美国一家小钢铁厂（Nucor）生产一吨钢只需要10年前所需劳动力的1/12。① 从制造业劳工人数在总就业人数中的比重来看，1920年曾经为27%，而目前已经下降到17%，预计2005年将进一步降至12%。② 信息处理与传输技术还被广泛地应用于企业管理，导致企业管理层次急剧减少，中间管理层日益成为累赘。因此，"技术替代劳工"的对象不像以前那样仅仅局限于蓝领劳工，而是势必包括白领在内的一切不适应者。

90

历史地看，发生"第一次产业革命"时，大批农民曾被迫背井离乡另谋生路，短期内放弃一种熟悉的生活工作方式当然是一种非常痛苦的选择，虽然从长期来看未必不是一件好事。现在，美国社会同样又处于这样一个十字路口。新技术革命虽使一些人永久性地丧失了原有的工作和生活方式，但这并不是美国社会所面临问题的最要紧之处。政治家、经济学家乃至千百万老百姓更关注的是新的就业机会隐藏在哪里？在经济稳定增长的80年代，整个经济社会共创造出186万个新就业机会；而进入90年代以后，到1993年年底新增就业人数只有44万个，而且绝大部分是在政府部门之中。

现阶段美国劳工市场的最大困惑在于，目前还没有哪个经济学家能准确地预言哪些部门和行业将成为90年代乃至21世纪初的吸收就业的主力。根据美国劳工统计局的预测，从1990年到2005年美国新增就业将为246万个，增长率为20%。这一增长率仅为前15年的一半。增长速度的缓慢并不是由于美国经济活力的衰退，而主要是由于人口老龄化而造成的劳动力的缓慢增长。服务行业将吸纳几乎全部的新增就业，而制造业的雇员将下降60万人。③ 这样的前

① 美国《幸福》杂志1993年3月8日，第33页。
② 美国《幸福》杂志1993年3月8日，第34页。
③ 美国《幸福》杂志1993年3月8日，第34页、第35页。

景是否真实？有关专家有许多保留意见。

冷战后的"商战"要求美国厂商进一步严格控制劳工成本。战后几十年发展中，美国产品竞争力可以说是每况愈下。半导体市场、电器市场、照相机市场等先后被日本抢占，国内的支柱产业汽车工业也遭受着日本廉价节能汽车的激烈竞争。冷战结束后，随着苏联解体及东欧的变革，军事实力在衡量一个国家的总体实力中已不像以往那么重要。美国国内从总统到企业界人士都深刻地认识到：当今世界上，只有那些以最低的成本生产出最高质量产品的国家才能在国际上保持自己的领先地位。因此，进入90年代以后，美国的各大公司都将目光集中在如何降低产品的原材料成本、劳工成本和管理成本之上。即使在这次经济衰退过程中生产性投资有所下降时，美国企业用于购买计算机系统和通讯设备的投资仍保持上升趋势。这充分显示了美国公司降低劳工成本、增强产品国际竞争力的决心。

这些举措短期内势必使一些职员暂时或永久地丧失原有的工作。例如，以生产汽车配件为主的爱尔文（Arvin）公司，自1990年到现在已经削减了10％的雇员，使雇员总数降至1.6万人以下，竞争力明显提高；1995年随着汽车行业的回升，其利润率有了大幅度增长；预计1995年以前每年利润可以按20％的高速度增长。[1] 按传统逻辑，该公司理应不失时机地增加雇员。但事实却恰恰相反，用该公司人力资源开发部主任的话来讲："为了增强公司的全球竞争能力，我们必须继续改进工艺流程并严格控制劳工成本。"[2]

四、新一轮失业在短期内不会明显改观

新时期失业的短期原因主要是军工订货减少、还债负担加重、增税和医疗保健改革，还有出口不景气等。根据这些因素的动向来看，短期内美国的失业情况虽然会有所好转，但是很难有大的改观。

---

① 美国《幸福》杂志1993年9月20日，第54页。
② 美国《幸福》杂志1993年9月20日，第54页。

1. 军工订货减少对就业的冲击已经今非昔比

军事采购减少对就业的影响此前我们已经做过分析。这里应该进一步指出的是：美国有不少经济学家并不认为军费下降对于就业机会的影响是严重的，理由是军费开支的减少占国民生产总值的比重比以前几次裁军时都要小，而且这次军费削减采取的是渐进方式。

虽然军费减少的长期经济影响是积极的，但就其对经济的短期影响而言，却应当比这些经济学家们所预料的要大得多。首先，军费开支采取逐渐减少的方式虽然试图有利于缓释冲击，但事实上还是会对企业经济行为产生误导。因为公司管理者是要进行长远发展规划的，一旦知道军费削减接踵而来，就会立即对公司雇员和设备投资进行调整，而并非等到削减真正发生时才做出反应。许多大军火承包商，如洛克希德、麦道、波音等公司，都已经根据对未来订货减少量的预期大幅度地减少了雇员。其次，军工产业的雇员由于担心随时有被长期解雇的危险，已经普遍地削减其消费支出，从而会加剧总需求不足。最后，由于现阶段军工行业和民用行业中生产专业化程度的提高，军工行业的雇员，包括一些掌握着高精尖技术的专家和工程师，在军转民的过程中，再也无法像二十年前那样能在民用行业中轻而易举地找到一个相应的位置。

2. 还债高峰的到来抑制了消费需求和投资需求

从 20 世纪 80 年代后期开始，美国进入了一个新的还债高峰时期，导致个人需求和企业投资同时大幅度下降。80 年代末，偿还高涨时期积累的债务负担已经过重，1992 年非金融债务总额（包括居民、企业和国家债务）已超过 11 万亿美元，约为国民生产总值的两倍。[①]

消费者债务的积累主要是由于 80 年代信用卡的广泛应用和信贷领域的其他创新。消费信贷使得整个 80 年代在实际纯收入增长缓慢的情况下保持了较高的消费需求。1983 年到 1989 年，美国居民户实际平均收入共增长 6.9%，而同期实际平均债务却上涨了 42%。到 80 年代末，消费贷款和抵押贷款的债务总额超过了居民年纯收入

---

① （俄）奥·鲍加切娃："美国经济增长的消失"，《世界经济译丛》1993 年 5 月。

总额，大部分家庭被迫将日常收入的 20％以上用于偿还除抵押贷款以外的其他银行债务，这显然会导致消费需求的普遍减弱。1991 年消费品实际购买总额减少了 6.8％，其中耐用品购买减少了 6％，非耐用品购买减少了 0.8％。1992 年消费品购买增长率不到 1％。1988 年到 1992 年消费支出年平均增长仅为 0.9％，而 1983 年到 1988 年这一增长率却为 4.4％。①

80 年代末企业界也开始清理资产负债表中在高涨时期积累起来的债务，这是造成投资减少的另一个因素。私人实际生产投资 1991年下降 6.7％，1992 年又下降了 3％。② 1993 年头三个季度美国公司税后利润比 1992 年同期增长 17.7％，因此企业生产投资在 1994 年中仍然可望有较大增长。

尽管"美国经济终于进入了一个持续的、温和的增长时期"，③但是就业前景却依然暗淡，因为这是一种被许多经济专家称为的"没有工作机会的复苏"，详情前文已述。根据美国管理协会 1993 年9 月底发表的调查，职员不足百人的公司在 1994 年 6 月之前仍将有15％的裁员，而职员超过一万的公司的裁员率则将为 37％。据估计，1994 年全年的失业率仍将维持在 6.5％左右的高水平。

93

3. 克林顿的增税和改革建议导致预期劳工成本提高

预期劳工成本提高会引起产出结构调整，而这种预期与克林顿政府准备出台的增税计划与医疗保健制度改革有着直接的联系。据《幸福》杂志 1993 年的调查，美国企业界所担忧的几大问题中，增税高居榜首，医疗保健制度改革位居第三。

为了对付 80 年代累积起来的庞大的财政赤字，克林顿政府决定通过增税来解决这一难题。公司税和个人所得税的增加会增加企业负担，从而会抑制企业扩大生产规模。在经济缓慢复苏的条件下，增税只会进一步促使企业以降低劳工成本的方式来缓解额外的税收负担，从而加剧了失业问题的严重性。

克林顿政府在竞选时提出的另一项富于吸引力的计划是医疗保

---

① （俄）奥·鲍加切娃："美国经济增长的消失"，《世界经济译丛》1993 年 5 月。
② （俄）奥·鲍加切娃："美国经济增长的消失"，《世界经济译丛》1993 年 5 月。
③ 美国总统经济顾问委员会主席泰森语。

健制度改革。在美国，一方面每年用于医疗保健的支出占到联邦政府总收入的 14％以上，高于其他发达国家；另一方面许多美国人却又并不能得到应有的医疗保障。由此克林顿政府的改革计划必须带有减轻政府的巨额负担和使绝大多数美国人都能享受到医疗保障这样一个双重目标。为此，克林顿政府的改革很有可能是让企业负担一部分其雇员的医疗费用。

政府的愿望固然良好，但由于企业界不能肯定这项改革究竟会使劳工成本上升多少，因此"裁减那些被认为是可以用先进技术设备替代的雇员"的方案容易得到优先考虑。《幸福》杂志所做的一份调查中，大约有 40％的企业高级管理人员承认，对医疗成本的预期已促使他们削减了雇佣计划。

克林顿的保健改革建议，根据两院领袖向议会宣布的一项提案，将于 1994 年年底表决。鉴于企业所担心的东西同表决内容不会有大的出入，因此建议通过也不会对改善就业有很大助益。

世界经济形势好转短期内难以扭转美国出口需求下降出口额的多寡是国外需求是否旺盛的表现。目前美国每年出口的商品和劳务相当于国民生产总值的 11％。虽然 20 世纪 80 年代后半期以来美国出口有了一定的增长，但进入 90 年代以后，由于一些主要的贸易伙伴先后进入经济衰退，对美国产品的需求大幅度下降。1993 年外贸逆差又回升到 1000 亿美元以上[①]。国内外需求不足交织在一起，更加剧了国内劳工市场就业问题的压力。

西欧各国的衰退在很大程度上受德国统一的影响。为了应付重建工作所带来的严重的通货膨胀效应，德国中央银行一直采取高利率的货币政策。这种政策又通过欧洲货币体系中的固定汇率制度影响到欧共体其他成员国，造成经济的普遍滑坡。日本在进入 90 年代以后，随着泡沫经济的崩溃，内需不足的弊端逐渐暴露，经济增长出现明显下降。美国另一个重要贸易伙伴加拿大的经济也处于缓慢增长之中。西欧、日本和加拿大的衰退对美国出口的影响举足轻重。因为美国的对外贸易主要是与这三个地区和国家进行的，对它们的

---

① 美国《幸福》杂志 1993 年 2 月 22 日，第 63 页。

出口占到美国全部出口额的一半以上。

1995 年来虽然世界经济形势已经好转，但是各国失业情况并没有改观。西方各国实际上是处在"低通胀高失业"的新困境之中。欧洲失业率 1993 年为 10.9％，比 1992 年的 11.6％稍有下降。经济合作与发展组织预测 1995 年和 1996 年两年欧洲平均失业率会升至 11％，工业国平均失业率将维持在 8.5％左右。①

高失业率的存在无疑容易导致各国保护主义抬头，尽管关贸总协定的谈判已经结束，但是这些国家迫于国内压力很难慷慨地敞开贸易大门。近期美日贸易谈判就是一个很好的例证。日本的失业表面上看与众不同，但是实际情况也未可乐观。

---

① 丛诚编译自《经济学家》："低通胀高失业，西方喜中掺忧"，《上海译报》1994 年 1 月 13 日。

8. 美商"证券投资组合"的
全球化态势分析[*]

近年来，因投资组合理论而获诺贝尔经济学奖的得主之一夏普 (W. F. Sharpe)[①] 的新研究已经表明：多元化证券投资决策的主要因素已经由证券的种类构成转向证券的地区构成甚至国别构成。该研究根据抽样的美国共同基金的经验数据指明：证券月收益差异的 90％的原因来自投资的地区选择，仅仅 10％的原因出于证券的种类选择。[②] 由证券较为均质的种类型组合到较多差异的地区型组合的转变，意味着美国厂商的国际投资行为在发生大的变化，意味着会对全球证券市场产生较大影响，同时也意味着对于新兴市场的许多潜在机会。本文拟重点考察新旧证券投资组合方式更替的投资技术原因。鉴于这种转变的长期性质，作者将就更好地把握机会谈几点想法。

一、美国证券投资组合的全球化态势

20 世纪 70 年代早期，美国资本市场上日益显赫的团体投资人，即各种养老基金的活动几乎完全局限于国内，可以说没有任何海外

* 本文发表于《北京大学学报》（双月刊）1995 年第一期，署名萧琛。

① 该奖得主为美国三位经济学家：H. M. Markowitz W. F. Sharpe 和 M. H. Miller。

② Patrick Odiler & Bruno Solnik: "Lessons for International Asset Allocation", *Financial Analysis Journal*，1993. 3/4 p. 76.

资产。当时证券投资组合及其国际化策略问题,实际上只是证券分析家和学术界探讨和酝酿的课题。[①] 80 年代,证券市场的国际化与国际融资的证券化相辅相成,为全球投资者提供了许多机会,美国对外证券投资组合开始稳步发展。到 1991 年,当全球证券流动总额占国际资本流动量的比重由 1975~1979 年的 15% 升至 75% 的时候,美国资金雄厚的养老金已经将其 4% 的资产用于海外投资。[②]

90 年代美国对外证券投资组合的发展势头比较迅猛。在被称为"全球投资黄金年"的 1993 年,美国海外股票投资额高达 664 亿美元,约占世界海外股票投资总额的 42%,比上年增长了 58%。[③] 加上对外国债券等金融资产购买,美国共同基金当年在海外的投资已超过 1000 亿美元。美国养老基金 1993 年上半年的海外投资也猛增为 180 亿美元,几乎相当于它在 1992 年全年的对外投资。[④] 全球最大的证券商美林集团为加快投资结构调整,决定在 1993 年年底之前将其海外投资比重增加到全部投资的 7.5%。[⑤] 据预计,到 20 世纪末一般证券投资组合中的非美国证券的比重将从原来的 0~5% 增至 20% 左右。[⑥]

美国证券投资全球化趋势还表现为对新兴市场日益备加关注。据美国一家新兴市场投资者有限公司的总裁估计,1993 年新兴股市上海外机构投资已经从 5 年前的 5 亿美元上升到 500 亿美元左右,尽管这种资金流动的转向"仅仅是刚刚开始"。[⑦] 其中,约 300 亿美元流向亚洲股市,仅中国香港和新加坡两地股市就吸纳了 115 亿美

97

---

① 列维和萨纳特合著了《证券投资的国际多样化经营》(1970 年),索尔尼克发表了《为什么将证券投资局限于国内?》(1974 年)。这些早期研究已经注意到全球性证券投资组合的优势和重要性。

② 1994 年国际金融公司统计数字。见中国银行金融研究所《国外金融动态》。

③ 1994 年 4 月 14 日《Wall Street Journal》,伦敦巴林证券公司统计数字。

④ 美国英特塞克公司研究报告:"全球投资者"《Business Week》中文版 1994 年第一期,第 27~30 页。

⑤ 美国英特塞克公司研究报告:"全球投资者"《Business Week》中文版 1994 年第一期,第 27~30 页。

⑥ 1994 年 5 月 11 日《金融时报·每日证券》第一版。

⑦ "资金大转移:新兴股市牛气旺",《亚洲华尔街日报》见 1993 年 10 月 25 日《上海译报》。

元。① 1989 年至 1991 年流入发展中国家的私人证券组合投资从 76 亿美元激增至 203 亿美元,其中股票投资增加了 14 倍。② 1993 年全球 1592 亿美元的投资者海外股票投资中,35％流向欧洲股市,18％流入北美,13％流向日本,其余 33％是流向环太平洋、拉美、东欧、中东和非洲(新兴)股票市场。③

1987 年以前,一些有眼光的专家曾经鼓吹对发展中国家市场的股票投资会带来高收益。当时一般人都不以为然。随着 1987 年"股灾"、苏东解体、冷战结束和自由市场观念的广泛传播,西方证券投资专家对新兴市场的成见发生了巨大变化。美国商务部副部长加藤认为:"在庞大的新兴市场里,我们相信我们的投资将得到最大的回报";"未来二十年的好戏将在这些地方上演,所以我们必须进入那里"。④ 1993 年美国开出了他们认为最重要的十大新兴市场的名单,海外投资额比上年激增 58％。美国现已成为新兴股票市场上的最大户,取代了英国和日本这两个传统的带头人。1995 年以来,华尔街上的大陆华裔专家,如取得美国商学位的北大、清华学生可谓已经时来运转和异军突起。

二、美国证券投资组合全球化的经营技术原因

美国证券投资组合所涵盖的范围由比较均质的国内市场扩张到比较不均质的国际市场特别是发展中国家的新兴市场,其社会经济原因虽然非常复杂和繁多,但是这些因素最终无非都会比较集中地表现在证券(组合)的投资风险和投资收益等指标上。美国分析证券投资组合的风险和收益的统计方法通常是"协方差法"。反映投资

① "去年跨国股票投资空前活跃:美国海外股票投资居世界之首",《国际经贸消息》1994 年 4 月 22 日。

② Mascood Ahmed & Sudarshan Gooptu:"Portfolio Investment Flows to Developing Countries",《Finance & Development》1993 年 3 月,p. 9,p. 8.

③ "去年跨国股票投资空前活跃:美国海外股票投资居世界之首"《国际经贸消息》1994 年 4 月 22 日。

④ "美国开出十大新兴市场名单"美国《国际先驱论坛报》见《上海译报》1994 年 4 月 14 日。

收益的"收益率",等于证券买卖差价加上股息利息收入之后再除以证券的买价。单一证券的收益率是其概率分布的期望值;证券投资组合的收益率等于各种被组合的单一证券的在总资本中所占的比重与该证券期望值的乘积的和。投资风险,也即市场变动率,描述的是证券的实际收益偏离期望值的倾向程度。投资风险通常由收益率的方差和标准差来反映。标准差是方差开方后的绝对值。二者数值越大,风险越大;反之亦然。

证券投资组合的风险是各种被组合的单一证券的风险同该证券投资在总投资中的比重的乘积的和。而刻画这种包含多个变量(各种证券的风险)的多维随机向量的取值之间的联系需要借助的是协方差和相关系数。相关系数是协方差同标准差的商,它的数值势必在负1和正1之间。相关系数的绝对值越大,说明相关程度越高;正负号表示相关方向。各证券收益率相关系数越小,协方差就越小,标准差也越小,即风险也就越小。因此,相关性较低的证券所组成的投资组合具有较低的风险。

1. 国际化证券投资组合优于国内化组合

根据经验数据,运用上述统计分析技术,我们可以就美国的证券投资组合得到这样的结论:国际化的组合的风险小于国内证券投资组合;国际化的组合的收益高于国内证券投资组合。因此,国际化组合优于国内化组合。

首先,从风险角度看,统计分析结果可以表明:美国市场同其他市场相关性比较小;债市比股市相关性更小。因此,国际化组合风险小于国内化组合。

如果我们以收益率的标准差来反映证券投资组合的风险度,那么过去20年中美国投资者在国内股票市场和全球股票市场上的经历就可以表明:分散地投资于不同国家的世界股票组合比单一地投资于美国国内的股票组合具有更低的风险。后者比前者的市场变动率,也即风险,在1980~1990年这10年中,要高出这4.5%;而在

99

1970～1990 年的 20 年中则要高 8%。[1] 如借助外汇套期交易消除外汇风险的影响的话，则后者的风险比前者的还会高出更多。

国际化证券投资组合之所以风险较低的原因在于：各证券市场间的相关性较弱，使部分由国家政治经济因素引起的风险被分散。相关系数的数值表明：1980～1990 年的 10 年中美国股票市场和其他国家及地区的股票市场之间的相关性比较弱。例如，美国股票组合与日、德间的相关系数小于 0.4，与英、荷的相关系数均为 0.6，等等；与 16 种世界性股市的平均的相关系数为 0.5，不属于高相关范畴。[2]

在债券市场上美国与其他国家的相关性更低。除加拿大外，美国投资于其他国家和地区的债券组合与美国债券组合的相关系数均小于 0.5。[3] 这说明长期收益在不同国家之间并非高度相关。而这一点显然同传统上一般人的感觉相反。各国货币政策和财政政策的相对独立性导致了利率变动的国别差别，进而使受利率影响的债券市场间出现惊人的低相关性。所以，美国对外债券投资比对国内股票投资更能分散风险。

100

值得争议的问题是：随着世界经济一体化的进展，不同市场间的相关性是否依然很低呢？毋庸置疑，就信息传递的便利程度和交易机制的通约化而言，世界各地的证券市场正趋向于一个整体。但这不等于说各国或各地区的市场的变动就更加均质化。而只有后者才真正关系到对外证券投资风险的分散的效果。美国股票组合同 EAFE（欧洲、澳大利亚和远东）股票组合，同美日债券组合之间相关系数统计表明：从 70 年代到 80 年代，这两种相关性都无明显加强，虽然证券业微电子化和全球网络化在这 20 年中可谓突飞猛进。20 年内的 4 个 5 年中美国股票组合同 EAFE 股票组合平均相关系数依次是 0.59、0.34、0.46 和 0.44；同日本债券组合的相应的 4

① Patrick Odiler & Bruno Solnik：“Lessons for International Asset Allocation”，*Financial Analysis Journal*，1993.3/4 p.65. Table 1；p.65. Figure B，p.66. Figure C.

② Patrick Odiler & Bruno Solnik：“Lessons for International Asset Allocation”，*Financial Analysis Journal*，1993.3/4 p.65. Table 1；p.65. Figure B，p.66. Figure C.

③ Patrick Odiler & Bruno Solnik：“Lessons for International Asset Allocation”，*Financial Analysis Journal*，1993.3/4 p.66 Figure D；p.67 Figure E.

个平均相关系数依次是 0.12、0.27、0.25 和 0.26。更有甚者，1986～1990 年这些股市间的相关系数（0.44）竟然低于 1971～1975 年的数值（0.59）。[1] 国际货币基金组织经济学家莫里斯·戈尔茨和迈克尔·马撒的关于这一问题的研究也得出了类似的结论。[2]

其次，从收益角度看，统计分析也表明：美国的国际股票投资的收益优于国内，而包括债券的一般国际证券投资又优于国际股票。因此，美国的国际化证券投资组合的收益较大。

美国证券投资组合的国际化降低风险、增加赢利的背景是：全球市场上的收益率高于美国国内市场上的收益率。根据加州大学经济学家琳林·特撒与英格里特·沃纳的一项最新研究，全球证券市场上的收益率在 1970～1991 年间每年超过美国 3/4 个百分点。[3]

基于这一背景，根据 1980～1990 年的收益率，借助协方差求得美国国际股票投资组合的效率可能性曲线（未考虑空头交易和外汇套期交易的因素）后可以发现：美国等单个国家的国内市场股票投资组合（如英国、德国、日本、荷兰）的收益都不如美国国际性股票投资组合。例如，在风险为 16.2% 的情况下，美国国际股票投资组合的年收益率将高于 19%，而美国国内市场股票投资组合的年收益率只有 13.3%。[4]

101

美国国际股票债券组合的收益情况，根据同样的统计分析，更可以说是优于上述美国国际股票组合。美国国际股票、债券（即包含两者的）投资组合的效率可能性曲线表明：由股票和债券共同组成的投资组合在等风险条件下收益率最高，其收益率几乎等于美国国内股票投资组合的收益的 2 倍，几乎等于国内美国债券收益的 1.5 倍。而在收益率等于美国国际股票投资组合的收益率，如 13.3% 时，美国国际股票债券投资组合的风险只有美国国内股票投

① Patrick Odiler & Bruno Solnik: "Lessons for International Asset Allocation", *Financial Analysis Journal*，1993. 3/4 p. 75. Figure N，Figure O.

② 美国英特塞克公司研究报告："全球投资者"《Business Week》中文版 1994 年第一期，第 27～30 页。

③ 美国英特塞克公司研究报告："全球投资者"《Business Week》中文版 1994 年第一期，第 27～30 页。

④ Patrick Odiler & Bruno Solnik: "Lessons for International Asset Allocation", *Financial Analysis Journal*，1993. 3/4 p. 69. Figure F，Figure G.

资组合的 1/3。[①]

2. 重视新兴市场的全球化组合优于只重视成熟市场的国际化组合

证券投资组合理论认为构建投资组合时应尽可能选择那些相关性小的证券。否则，按协方差法推算出的投资组合的总风险就会比较高。对于两个具有较强经济和货币联系的国家，如美国和加拿大，它们的股票和债券的相关系数都较大。所以，希望通过全球投资分散风险的美国证券投资组合不宜看重加拿大，而应将重点转向非美国化的市场。这也是美国投资者近年大举进军新兴市场的一个重要注脚。

传统上，包括世界主要 15 大股市的世界股票组合的所实现的风险收益水平被视为国际股票投资组合用以参照的效率边界。但是，重视了新兴市场的证券投资组合的风险收益的经验数据已经表明：这个"效率标准组合"（benchmark portfolio）的内容应当加以更新，而其"效率标准水平"也应当加以并已经被提高。根据统计分析：在等风险水平时，世界股票组合的年均收益率比美国国际股票组合的收益率要低 3.5 个百分点左右，比美国股票债券投资组合的收益水平则低得更多，仅为后者的 2/3。[②]

世界股票组合的"标准组合"功能的丧失的原因不仅由于它未能包括债券投资，更重要的是在于没有重视新兴市场。按照国际金融公司的统计，新兴市场包括 24 个国家，它们对证券投资总收益的影响正与日俱增。1992 年全球表现最佳的 15 个股票市场中，12 个是新兴股票市场，其中前 6 名也是新兴市场。[③] 1993 年世界行情最好的 10 家股市中，有 8 家在发展中国家，土耳其、菲律宾和中国香港的股价指数在 1 年内分别上升了 211％，152％和 116％。1993 年上半年，土耳其股票市场上以美元计算的收益率增长了 111％，巴西和印尼分别增长 83％和 29％，都快于美、日、德股市的增长率。

① Patrick Odiler & Bruno Solnik："Lessons for International Asset Allocation"，*Financial Analysis Journal*，1993. 3/4 p. 69. Figure F，Figure G.

② Patrick Odiler & Bruno Solnik："Lessons for International Asset Allocation"，*Financial Analysis Journal*，1993. 3/4 p. 69. Figure F，Figure G.

③ 《上海译报》1993 年 10 月 25 日。

这些高收益市场的出现当然会使效率边界朝着坐标系(横轴为年均标准差,即风险;竖轴为收益率)的左上方移动。

重视新兴市场的证券投资的全球化组合备受青睐的另一个重要原因是:外汇风险并不可怕而且可以防范。进行全球证券投资,最令人把握不准的问题也许要数外汇风险,即由汇率变动引起的证券投资名义收益与实际收益的偏差。衡量外汇风险在国际证券投资组合总风险中的作用,可以按本币和外币分别计算投资组合收益率的标准差,两者之差就是外汇风险。用这种方法可以求得关于过去20年中对美国投资者来说的日、英、德股票和债券市场上的总风险和外汇风险的数据。[①] 分析这些数据可知:第一,外汇风险在股票投资总风险中的比重很小;第二,外汇风险在债券投资的总风险中的比重较大,但债市总风险低于股市;第三,80年代的外汇风险比70年代略有增加,但增幅不大。

若以购买力平价衡量收益,汇率的变动也会影响到国内的投资组合。80年代后期美元(对于多数货币的)贬值就曾降低仅投资于美国固定收入资产的投资组合的购买力。这导致一部分投资者,尤其是那些持有为期3年以上的证券的人,完全不考虑回避外汇风险。他们认为:长期的汇率波动会相互抵消,其影响不足多虑。当然,并非所有人都对外汇风险视之等闲。尽管在全球化证券投资组合中相当一部分外汇风险可被分散,美国投资者还是会负担美元相对于全部或多数货币升值时所带来的风险。外汇风险约占世界股票组合总风险的10%~15%。当然,这些风险大多可以通过外汇期货合约或远期外汇交易进行防范,具体的保值比率也可以借助进一步的成本效益分析而加以确定。

三、美国证券投资组合战略变动的影响与启示

关于美国证券投资组合进一步跨出国界而在包括众多新兴市场

---

① Patrick Odiler & Bruno Solnik: "Lessons for International Asset Allocation", *Financial Analysis Journal*, 1993. 3/4 p. 65. Table 1.

的全球范围内进行新的战略调整的态势及其经营技术方面的原因分析表明：国内均质化股票投资组合逐步让位于国际异质化证券投资组合这一大的转变必带有长期的和示范的性质。因为，在冷战后世界经济区域化和一体化的新条件下，证券投资的风险和收益的可行性格局已经发生了深刻的和长远的变化。

1. 中国、亚洲及其他新兴证券市场日益繁荣

全球新兴股票市场的巨大活力和快速繁荣可以说是上述变化的现实写照。据国际金融公司研究：由于美国等海外投资的迅速流入，亚洲、拉美、非洲和欧洲 36 个主要的新兴市场的总值已经达到 1982 年的 11 倍，从 670 亿美元猛增到 7741 亿美元。有关专家预测还指出：这种增长势头还将会持续地进行下去。到 20 世纪末，资金在有些城市诸如上海、利马、圣彼得堡、河内、哥伦布和布拉格各股票交易所之间的流动将会如同今天在纽约、伦敦、东京和法兰克福等股市之间的流动一样的容易。[①]

亚洲经济增长迅速，股市的发展形势更是引人注目。1993 年 12 月 10 日，香港恒生指数首次突破万点大关，成为香港股市的奇迹。此外，马来西亚的综合指数 1993 年上升 1.98 倍，1994 年 1 月 5 日创下历史最高值，达到 1314 点；新加坡 1993 年的股价上升了 0.59 倍；印尼的雅加达证券交易所综合指数在 1993 年急剧增长了 1.14 倍。中国台湾、菲律宾、泰国、韩国的股市也很活跃。[②] 1995 年年初，由于美国利率提高，加上 1995 年亚洲股市普遍疲软，一些人曾担心美国投资者可能抽回资金。但是"恐惧"转瞬即逝，美商仍然乐观，着眼于长远利益的长期投资仍然源源不断。"我们相信，亚洲股票不会有大的下跌"。[③]

亚洲股市的繁荣当然也离不开中国经济的高速增长和中国股市的迅速发展。1993 年中国发行了价值 12 亿美元的股票，在亚洲发

104

---

① 《上海译报》1993 年 10 月 25 日。
② 《国际经贸消息》1994 年 4 月 1 日。
③ 美国考耐尔投资公司负责人斯库德语。

行的所有股票（46 亿美元）中占 1/4。[①] 根据发展速度测算："到 1995 年，中国股票市场的总市值将会超过香港。"[②] 在债券市场上，中国也是主要角色之一，1993 年共发行债券 30 亿美元。[③] 根据世界银行的预测，在未来 10 年中，中国大陆、台湾和香港的经济实力合起来将超过美国。美国投资公司的巨头们将会从建设工厂和基础设施的巨大投资中获利。美国商务部在全球范围内确定的十大新兴市场中，中国被排在第一位。"我们已经在相当长的时间内是商业利益服从对外政策，现在我们应当改变这种做法。"[④] 美国贝尔—斯特恩斯公司的总经理詹姆斯·恩就中国投资市场说道："中国是我所见过的最令人兴奋的国家。"美国 AT&T 副董事长表示"过去我们对中国市场评价过低了。除了美国之外，中国是 AT&T 的最重要的市场。"[⑤]

2. 组合全球化潮流对中国股市建设的要求

美国及其他市场的证券投资格局的巨大变革已经给我们提供了许多大的机遇。美国扩大对外证券投资，拓展新兴市场，正值我国急需资金实现经济起飞之际。抓住这一有利时机，通过证券市场筹集资金，不仅可用较低的成本扩大资金来源，还可改善我国的外债结构，促进经济运行机制与国际惯例接轨。中美两国经济互补性强，证券市场相关性低，今年中美又签订了证券监管合作谅解备忘录，更加强了两国的证券融资联系。自信之余，我们还应当更为冷静地考虑如下问题，因为国际资本供求失衡状况依然严重，实现潜在的机会还有待我们有效地提高中国市场的竞争地位。

第一，应当进一步降低中国股市债市的风险

美资进入中国大陆的一个值得正视的现实是：大多数投资人还

---

① 经济合作与发展组织 1994 年 2 月 27 日发布的数字。

② 美国摩根斯坦利证券公司 1993 年 11 月的一份有关中国的研究报告，《国际经贸消息》1993 年 11 月 7 日。

③ 经济合作与发展组织 1994 年 2 月 27 日发布的数字。

④ 《国际经贸消息》1994 年 1 月 31 日。

⑤ 《日本经济新闻》："中国被视为本世纪最后一个巨大市场：西方企业掀起对中国通信领域投资热"，《国际经贸消息》1993 年 4 月 25 日。

只是"涉足"而不是"投入"。① 少数美籍华人甚至认为"投资中国市场必须保持必要的撤退能力"。不少美国公司还认为根本没有向中国大规模投资的必要。美林公司、贝尔－斯特恩斯公司和波士顿的一家公司都避免向中国进行直接的投资。莱曼兄弟公司购买3亿第一批发行的"龙债券"时是同亚洲的投资商联手进行的。② 此外，在纽约证券交易所上市的中国基金、大中华基金和怡富中国地区基金这三大家中，除了大中华基金在中国股市有部分直接投资以外，其余大多数是投资于香港上市的"中国概念股"。原因之一在于投资风险。1940年美国投资公司法规定，美国公司在外国投资证券必须通过该国的中央系统作证券结算。但是上海、深圳两地各有独立的清算系统，没有全国的中央清算系统。近年美国方面在执行该法时已放宽政策，但风险问题仍未解决。显然中国方面的配合极为重要。

中国股市债市违约风险的最深刻的因素在于中国经济改革开放的前景和大陆、香港的政局变动。经济的持续增长、效益型增长和通货稳定显然都值得重视。中国的通货膨胀和货币发行一度失控，"乱拆借"问题一度非常严重，根子在于金融等体制的一系列弊端。公开性、透明性、有关统计的全面与及时性，还有决策、监管人员的职责分工等，都有待进一步明确。《证券法》的制定步伐应当加快和更加审慎。没有一套全国通行且国际通约的法律，如何能保障中外股民的各种利益？

至于市价风险和外汇风险，需要进一步注意的工作也很多：根据新会计制度和国际会计准则编制股票发行公司的各项财务报表、加强国际化的审计并及时加以公布、迅速缓解"B"股流通量的严重不足和平衡其产业分布、加快人民币的自由兑换、实现股票交易行情报价、成交、清算与交割手段的电子化和现代化，等等。

第二，应当进一步使中国股市债市的收益更加合理

根据美国商务部的一项调查，美国1989年到1991年在亚洲市场得到的平均投资收益率为23％，几乎是同期世界24个主要工业

---

① 美国证券分析家安吉尔女士对1989～1993年的调研。参见《亚洲华尔街日报》《上海译报》1994年6月27日。

② 美《商业周刊》："美国金融公司涌入中国"见《国际经贸消息》1993年11月25日。

国的平均收益率的两倍。① 这些高收入实际上主要还是来自经济高速增长的中国大陆，正像香港等地经济的繁荣依附大陆经济一样。高收益无疑有利于国际竞争，但是中国股市的收益率偏高莫测、甚至有时畸高，却值得注意。例如母公司为香港综合证券公司的皮格利（Peregrine）投资有限公司的年收益率竟高达 101％！此外，几乎全部外国机构都宣称自己在中国市场上赚了钱，虽然无人说出确切的数字和准确的利润率。另一方面，外商又常感叹："如此之多的经理、董事们在中国初次尝试，匆忙报价，他们怎么可能为在中国的生意提供更多的好处呢？""几乎全部的金融家们都在忙于投资，我无法相信他们每一个人都不在亏损。"②

美国人及其他外国人投资中国证券市场的收益状况不错，但是利润分割的合理性显然有待改善。这里，佣金水平及其在香港和纽约市场上的差别；香港、上海、北京及其他外商集聚地的办公宅地设施的价格；各种"中国专家"的工资；中国市场"公关"中的软障碍；审批、监管工作的效率偏低和成本偏高；人民币和美元的比价；税率及课征落实情况等等；显然都是值得权衡和研究的课题。例如，不论深圳或上海，B股市场的交易费用都明显偏高。就佣金、印花税和其他交易征费的总和来说，深圳、上海分别是 1.6％和 1.46％，而香港只需要 0.505％。③

形成合理的精细的按劳分配链条当然可以说是经济改革的一项最基本内容。涉及到证券市场，一个运作良好的初级市场和二级市场的必备条件必须进一步加紧完善。证券评级、证券保险、会计师收费率、审计师收费率、信息查询收费率、股息利息收入的税率、科技开发的优惠、银行贷款利率，等等，都有一个适度的问题，当然也有一个自发形成的长期过程。但对于后起新兴市场，自觉地模仿和积极地设计显然非常必要。

---

① "美国对亚洲贸易和投资急剧增加"，香港《远东经济评论》1993 年 11 月。《国际经贸消息》1993 年 11 月 25 日。
② 《世界金融》1994 年 3 月第一期，第 9 页、第 7 页。
③ 《世界金融》1994 年 3 月第一期，第 5 页。

第三，应当进一步创造证券投资组合技术发挥的条件

证券投资组合技术充分发挥的基本条件是国内外证券市场的规模、结构和多元化。而我国证券市场的分布显然很不平衡，比较成熟的交易市场数量很少，交易的品种也比较单调，而且十分集中于工业企业。特别是在 B 股方面，属于第三产业的上市公司简直是寥寥可数，而且市场流通量非常有限。深圳、上海 B 股市场的月流通量分别只有 3000 万和 2.5 亿美元，而同期香港成交量则为 251 亿美元。①

企业分布过于集中也限制了本国投资者的选择范围，也不利于争取对中国不同经济环节感兴趣的习惯于成熟市场的外国投资人。这种情况也适合于现在上市公司的地区分布，绝大部分 B 股都是深圳、上海的企业。因此，有关当局应当加快容许其他省份的企业到这两个股市上市。扩大 B 股流通量的一个重要途径是在国内引入大量的个人投资者。显然这里有一个人民币自由兑换的问题。目前人民币在经常项目中还只是局部地自由兑换，在资本项目中限制更大。其次，境内人士将 B 股利润汇出国外的问题也应当较妥善地解决。总之，随着金融开放的深化，统一 A 股 B 股的任务应当提上议事日程。

扩大投资组合选择范围还应当同时开拓各种派生证券产品。迄今为止，中国银行已经开展带客从事境外外汇期货、期权、掉期交易业务；深圳股票指数交易也曾在海南证券交易所试行；国债期货交易也已在上海证券交易所推出；此外，商品期货已经比较红火。但是金融期权交易还未能展开，虽然金融期货市场已见雏形。至于成熟股票市场上的后配股、混合股、可赎股、偿还股、无面额股等，国内一时还望尘莫及。但是，随着改革开放的加速，这些新交易形式的引入已经可望在即。中国现在已有三十多家公司的股票在海外上市。设在百慕大的由中国财政教育基金会建立和控制的"Brilliance 中国汽车控股有限公司"已经成功地在美国纽约股票交易所直接上市。上海石化公司的股票则以美国存托凭证（ADRs），一种 H 股的代用股票的形式在华尔街交易。②

---

① 《世界金融》1994 年 3 月第一期，第 5 页。

② 柳亚编译："中国公司大举进军华尔街"《上海译报》1994 年 2 月 24 日。

9. 股票指数期货（SIF）：
美国新型交易机制考察[*]

近年来美国证券市场上日益广为流行的新型金融工具之一是股票指数期货（Stock Index Futures）。美国股市分析专家们（Sean Becketti 和 Dan J. Roberts 等）认为股票指数期货是"20 世纪 80 年代以来最成功的金融创新之一"。[①] 它既为证券投资者提供了一种新的有效的金融资产保值手段，也为投机者提供了一种快捷的"小本搏大利"[②] 的新机会。《华尔街日报》称它是"百万富翁们的最新手段"[③]，然而在多数市场机制不成熟的国家，包括证券业起步不久的中国，对于这种较为先进的交易方式许多人士可能还缺少全面的了解。本文拟就股票指数期货的推出背景、交易条件、操作过程、经济功能和成功推广的情况等问题做一个较为全面的介绍与分析。

109

一、股票指数期货概念

股票指数期货是一种以股票指数为交易对象的特殊的金融期货交易。买卖双方在法定的有组织的交易场所"买入"或"卖出"（实

　* 本文发表于中国社会科学院《世界经济与与政治》杂志，1993 年第十二期，署名萧琛。
　① Sean Becktti & Dan J. Robers "Will Increased Regulation of Stock Index Futures Reduce Stock Market Volatility?" *Economic Review*，November/December 1990 p. 34.
　② 参见蔡长学：《国际金融期货》，重庆出版社 1991 年版。
　③ 见 Neil S. Weiner："Stock Index Futures"，New York：John Wiley & Sons. 1984，封面折页。

际是签订）一种特殊的金融期货合同。合同写明当时该交易场所的用作交易对象的一组股票的价格（以指数水平为核心），并决定在未来某一时点之前进行交割的合同的价格及有关事项。

股票指数（Stock Index）是衡量与描述所选定的一组股票的报告期的价格水平对于基期的价格水平的变动程度并以指数形式来表达的统计指标。美国常见的股票指数有：道·琼斯工业股票价格平均指数（DJIA）；主要市场指数（MMI）；斯坦德与普尔500种股票价格综合指数（S&P500）；纽约证券交易所股票价格综合指数（NYSE Composite）；价值线综合股票价格平均指数（VLCI，等等。

金融期货交易（Financial Futures Trading）是交易双方在法定的有组织的交易场所，遵循确定而规范的交易程序，如由交易中心统一结算等，以商定的价格买卖在将来某一时点进行交割的一种金融活动。美国金融期货可以分为三类，一类是短期、中期和长期的国债券的利率期货（Interest Rate Futures）；另一类是以欧洲美元、日元、德国马克等货币为主的外汇期货（Foreign Currency Futures，也称汇率期货）；再有一类则是本文将要介绍的股票指数期货。

二、股票指数期货交易方式的推出

股市对外在变化的反应历来极其敏锐。股票价格常常以夸张的方式随利率、汇率、经济周期、通货膨胀、政治形势等因素的微小变化而大起大落，从而对持股人的金融资产的价值构成极大风险。20世纪70年代初布雷顿森林体系崩溃以后，浮动汇率取代了固定汇率。汇率和美元存款利率的剧烈波动开始猛烈冲击股市。1981年里根为抑制通货膨胀而大力推行高利率政策，使得利率水平最高时竟然达到21.5％！高利率沉重地打击了美国股市，使大量资金流向银行市场，1982年股价一跌再跌，许多投资者损失惨重。1981年第三季度纽约股票交易所和场外市场（OTC）所经营的股票中有90％的股票价格下跌。与此同时，各种基金和其他大宗股票持有人的数目则在不断增加。大批团体投资人的频繁的巨额的股票补抛，加上

80年代大规模的企业兼并浪潮，使得股市波动的频率迅速加快、波幅急剧增大。结果是为数众多的中小投资者们深受其害。1980年年底，美国公众持有的股票的总价值为14000亿美元，股票种类为55000种。股市异常的波动意味着如此巨额财产和如此众多的股民和厂商时刻面临着灾难性的损失。为此持股者难免惶恐不安、如坐针毡，本打算涉足股市的投资者们也裹足不前、左顾右盼，其中相当一部分投资人干脆告别股票市场而转向债券、房地产、中国邮票与瓷器或银行市场。此外，70年代以来各种旨在减少风险与提高收益的金融创新的不断涌现，投资对象的日益多元化，也对股票市场失去昔日魅力起了推波助澜的作用。在如此严峻的形势下，股市管理当局不能不奋力创新求生，对股票投资者日益甚嚣尘上的要求减少风险的呼声做出积极的反应。

111

　　早在1977年10月，美国堪萨斯城交易所（KCBT）曾向美国商品期货交易委员会（CFTC）呈交过一份意义非同寻常的报告。报告提议用股票指数构成期货合同来避免股票投资中的极难避免的整个市场的系统风险（Systematic Risks）。商品期货交易委员会建议堪萨斯城交易所采用道·琼斯工业股票指数作为期货合同的基础，但却未能就此问题与道·琼斯公司达成最终协议。报告的设想第一次落空。1979年4月20日，堪萨斯城交易所修改了上次呈送给商品期货交易委员会的报告，提出以价值线综合股票指数作为期货合同的基础。但在新合同的管辖权问题上，商品期货交易委员会与美国证券交易委员会（SEC）等有关各方的意见有分歧，上述设想又一次落空。1981年，里根总统任命非利普·M.约翰逊（Philip M. Johnson）为商品期货交易委员会的主席，任命约翰·夏德（John Shad）为证券交易委员会的主席。在新的严峻的形势下两位主席经过多次协商，终于在新型合同的管辖权问题方面达成协议（The Shad—Johnson Agreement）。1982年2月16日，堪萨斯城交易所的关于进行股票指数期货交易的建议终于获得证券业法定权威的正式批准。

　　1982年2月24日，堪萨斯城交易所的价值线综合股票指数期货交易首次隆重推出。当天成交合同即高达1800份，足见股票指数期货交易方式具有很强的生命力。1982 年 4 月 21 日芝加哥商品交易所（CME）也推出以斯坦德与普尔 500 种股票价格平均数综合指数为基础的股票指数期货合同交易，当天成交合同数更高达 3963份。紧接着纽约股票交易所也于 5 月 6 日推出了以纽约股票交易所股票价格综合指数为基础的股票指数期货交易，并且在开张的第一天便取得成交 6162 份合同的好成绩。1982 年 7 月 23 日，芝加哥期货交易委员会（CBOT）则推出了以主要市场指数为基础的股票指数期货交易，后来又推出了城市债券指数（MBI）期货交易。纽约股票交易所后来则相继推出了 RUSSEL2000 股票指数期货与 RUS-SEL3000 股票指数期货。

三、股票指数期货交易合同

股票指数期货交易的实质是买卖一种规范化了的股票指数期货合同。被买卖的指数期货合同根据某一法定的交易中心的设计都有一定的规格。以下将介绍现今美国较为常见的股票指数期货合同。表 1 是芝加哥商品交易所的以斯坦德与普尔 500 种股票指数期货合同的基本内容。

表 1　S&P 500 期货合同

交易单位	$ 500 X（S&P 500）
最小变动价位	0.05 指数点（每份合同 25 美元）
每日价格最大波动及交易终止	与相应的在证券市场挂牌的股票的交易终止相协调。细节与芝加哥商品交易所研究部联系
开市限价	交易开盘期间最大价格波动不得高于或低于上一个交易日结算价 5 个指数点
合同月份	3，6，9，12
交易时间	上午 8：30 至下午 3：15（芝加哥时间）
最后交易日	最后结算价格确定日以前的一个工作日
交割方式	按最后结算价以现金结算。最后结算价由合同的月份的第三个星期五的 S&P500 构成股票的市场开盘价格决定

资料来源：Education and Marketing Services Department of the CBOT；Commodity Trading Manual，Appendix.

表1中第一行"交易单位"的意思是：进行股票指数期货交易的单位是"份合同"，即每份合同的价格。此每份合同的价格等于指数水平（即"点"数）与500美元的乘积。例如，指数为310.20点时，每份合同的价格即为：500美元×312.20＝155.100美元。第二行"最小变动价位"规定的是合同报价变化的最小幅度。0.05个指数点的意思是每份合同报价变动单位为（500美元×0.05＝）25美元。第三行"每日价格最大波动限制及交易中止"和第四行"开市限价"都是为了防止期货市场剧烈波动而采取的防范措施。其具体执行是随市场的波动情况而变动。第五行"合同月份"所规定的是合同的最后交割时间，即一年中的3月、6月、9月和12月。第六行"最后交易日"限定了合同在市场上的最后的买卖日期，过期后合同便不能再被买卖。最后一行"交割方式"则明确规定合同必须以现金交割，而不是一揽子股票。这也是股票指数期货与一般（商品）期货交割方式的区别。

另外两种重要的股票指数期货合同是芝加哥期货交易委员会的主要市场指数（MMI）期货合同和纽约股票交易所和纽约期货交易所的以纽约股票交易所股票价格综合指数为基础的股票期货合同。二者的规格与上述斯坦德与普尔500种股票指数期货合同大体一致。值得注意的不同点是：纽约股票交易所及纽约期货交易所的股票指数期货合同对于"每日价格最大波动限制"未做具体限制，也没有"开市限价"的栏目；芝加哥期货交易委员会的股票指数期货在"每日价格最大波动限制"一栏中则规定得比较具体："不高于上一交易日结算价80个指数点；不低于商议交易日结算价50个指数点（最初停板额）"，等等。至于"交割方式"，芝加哥期货交易委员会的主要市场指数期货合同依据的是收盘价格（而不是开盘价格），并采取逐日盯市法进行现金结算。

四、股票指数期货合同价格的确定

进行股票指数期货交易的关键性程序在于确定期货合同的价格。

其实质是确定买卖合同时的股票指数（也可以说是平均价格）水平。尽管期货合同的价格在很大程度上同股市现时指数水平（也叫做现货指数价格）直接相关，但合同价格与指数价格两者并不是一回事。因为"期货合同的价格反映着人们现时对合同到期日的股票指数水平的预测"[1]。只有"当合同到期时，股票指数期货（合同）的价格才一定等于现货指数价格本身"。[2]

股票指数期货的价格通常要取决于四个因素（以 S&P 500 为例）：(1) S&P 500 现货价格 C，(2) S&P 500 的构成股票在该指数水平上的收益率 i，(3) 当前利率水平 r，(4) 距离最后交割日的时间 t。股票指数期货的价格 F 可以由以下公式给出：

$$F = C(1 + rt - it)$$

如果 S&P 500 现货价格为 300，利率为 7%，收益率为 3%，到期日距今 180 天。那么，该股票指数期货的价格为

$$F = 300(1 + 0.07 \times 180/365 - 0.03 \times 180/365)$$
$$= 305.92$$

一般情况下，买卖此期货的双方都会基于 305.92 点这一现货指数价格，为确定有利于自己的期货合同的价格（实质还是指数点）而讨价还价。

五、股票指数期货交易过程

尽管股票指数期货交易的成败取决于较多的投资技巧，但是具体操作过程并不特别复杂。兹举例说明。设投资人甲认为股市会上涨，并于 5 月 9 日通知她的经纪人公司 A "以市价购入 9 月份到期执行的斯坦德与普尔 500 种股票指数期货合同一份。"为此她需要付给公司 A 17500 美元的初始保证金，作为她参与期货交易的良好的信誉保证。同时她还必须准备出 12500 美元的流动资金以预防市场

---

① Robert M. Bear Ph. D. "Introduction to Future Contracts", Handbook of Financial Markets: Securities, Options and Futures. second edition. DOW JONES — IRWIN, 1986, p. 645.

② Robert A. Strong: "Speculative Markets", Longman 1989, p. 182.

不测。因为，当期货市场价格下跌时，如果她的保证金扣除损失之后已不足 6000 美元时，公司 A 会通知她立付现款或支票把保证金补足到 17500 美元。又设，同一天另一投资者乙预测股市将下跌，他指示其经纪人公司 B 以不低于 305.90 的价格卖出 9 月期的斯坦德与普尔 500 种股票指数期货合同一份。为此乙也须交给公司 B 初始保证金 17500 美元。A 和 B 接到指令后，分别立即用电话通知其在芝加哥商品交易所中的交易代理人。芝加哥商品交易所的电话员接到 A 的指令后在指令单上加盖时间戳记，并由传递员迅速交给 A 的交易代理人甲。甲便公开叫价，用手势信号表达出他希望按市价购买 9 月期斯坦德与普尔 500 种股票指数期货合同一份。此时开始执行乙投资人指令的交易代理人乙也表示出要卖出一份同样的合同，价格是 305.92。甲认为乙的要价高于市价 305.86，但其他交易代理人的要价更高，可见该合同价格看涨。经过一番讨价还价，双方终于以 305.91 点的价格成交。于是交易池高台上的价格报告员便将此成交价格输入交易所的中央数据库，信息被输送至电子报价牌乃至世界各地的用户的终端。执行完毕的指令由电话员再次加盖时间戳记，并电告 A 和 B。整个交易过程往往只需二三分钟。公司 A 电告投资人甲已为她买下了一份 9 月期的斯坦德与普尔 500 种股票指数期货合同，公司 B 电告投资人乙已为他卖出了一份 9 月期的斯坦德与普尔 500 种股票指数期货合同。为此甲和乙需要分别付给她和他的经纪人 32 美元的佣金。公司 A 和公司 B 继而将执行完毕的指令转给交易所结算所，结算所确认该指令后，便调整 A 和 B 在结算所的交易账户。至此，A 在交易所结算所账户上买进合同一份，B 则卖出合同一份。

投资人甲买入上述合同以后，9 月期斯坦德与普尔 500 种股票指数期货果然如期一直上涨。至 8 月 25 日，甲以 312.07 指数点的价格卖出一份 9 月期斯坦德与普尔 500 种股票指数期货合同，对冲掉上述的她于 5 月 9 日买入的那份合同。因为股票指数期货以现金交割，所以甲直接赢利现金（$\$500 \times 312.07 - \$500 \times 305.91 =$）3085 美元。乙的情况可以说是相反。尽管市场走势（看涨）与乙的预测（看跌）相反，情况对乙不利，但乙一直相信股价会转而下跌，因此他保留着（卖出的）9 月期斯坦德与普尔 500 种股票指数合同直至期满交割。9 月的第三个星期五，斯坦德与普尔 500 种股票指数的构成股票的开盘价指数为 310.24，结算所以此价格作为 9 月期斯坦德与普尔 500 种股票指数合同的最后结算价格。经计算，乙亏损（＄500×305.91－＄500×310.24＝－）2165 美元。乙没有甲那么幸运。

六、股票指数期货的保值功能

116

  同商品期货和其他金融期货的当事人一样，股票指数期货交易人参与交易的动机无非有两个：套期保值（hedge）或投机（specu-late）。这里的保值行为是指已经持有股票资产，或者打算买入或卖出股票资产者，为避免整个股市波动带来的风险，买入或卖出期货合同，以便在将来某一时间进行对冲时能够以期货市场的赢利（或损失）弥补（股票）现货市场的损失（或赢利）。已经持有或将要卖出股票资产的投资人，要避免股市下跌的风险，可以先卖出再买入股票指数期货合同，也即作空头（short hedge）。而那些打算在未来某一时刻购入股票者，为防止股价上涨的风险，则可以在市场上做多头（long hedge），即先买后卖股票指数期货合同。所谓的投机指的是那些手中并没有股票资产需要保值的投资人在期货市场上频繁买卖合同以求获取买卖差价的行为。股票指数期货市场上的投机行为可以分为一般的多头（先买后卖）和空头（先卖后买），此外还有复杂的套期图利（Spread）[①] 和套期套利（Arbitrage）[②]。

  首先举例说明如何在股票指数期货市场上作空头保值。设某公司计划发行普通股 150 万股，每股 9 美元，筹资总额 1350 万美元，由 M 银行团包销。M 银行团的预测结果是股市将要下跌。于是在

---

  ① Spread 是一种非常重要的投机手段。它是利用不同市场之间、同一市场不同金融工具之间或交割月份的同种期货合同之间价格上的差异的变动而谋利的交易方式。套利者同时既做多头，也做空头。

  ② Arbitrage 是利用不同市场间同一种金融工具价格间的差距而获利的投机手段。套利者在某一市场上买进一种期货合约，同时在另一市场上卖出同种期货合约。

过户购入股票之日，5 月 17 日，在期货市场上以 331.46 点的价格卖出 82 份 1992 年 9 月期的斯坦德与普尔 500 种股票指数期货合同，总价值为（＄500×331.46×82＝）13589860 美元。到 8 月 9 日，现货市场上的斯坦德与普尔 500 种股票指数已从 5 月 17 日的 330.01 点跌至 325.47 点。M 银行团又决定买入 1992 年 9 月期斯坦德与普尔 500 种股票指数期货合同，用以对冲掉 5 月 17 日卖出的 82 份合同。M 银行团的购入价格为 322.83 点，总额为（＄500×322.83×82＝）13236030 美元。假定这段期间内 M 银行团所包销的股票已经全部卖出，收入为 13240000 美元，因股市下跌造成的损失为 260000 美元。但是由于 M 银行团在期货市场上有赢利（＄13589860－＄13236030＝）353830 美元，所以就全部交易过程而言，M 银行团还是有净收益（＄353830－＄260000＝）93830 美元。由此可见，如果 M 银行团没有利用股票指数期货交易进行保值的话，M 银行团在承购包销上述那笔股票业务中不但不能赢利，反而会亏损 260.000 美元。

利用股票指数期货还可以进行多头保值。现举例说明如下。

众所周知，养老金及其他信托基金在美国股票市场上是一群日益显赫与重要的投资团体。鉴于各基金一般都是定于每个季度末，即 3 月、6 月、9 月和 12 月末从有关方面收得数目可观的份额金（Contribution）①，而这些资金的使用却又并不是在集中的时间内整笔地被资金所有人取用，因此这些投资团体有可能也有必要利用这些资金做证券交易。然而，股价在基金无钱的非季末时往往比较低，而在季末基金有钱时股价又很可能上扬；如从银行贷款购入低价股票，则往往要付较高的利息，从而会减少收益。而求助于股票指数期货市场则往往可以解决问题。对此西屋电器公司（Westin house Electric）一位证券分析家曾有一句经验之谈：股票指数期货提供了"一条把资金投入市场的迅捷之路，而且与购买股票相比，购买股票

---

① 份额金是养老金计划的参加者定期向养老金基金缴纳的款项，是养老金基金最重要的原始收入来源。

指数期货要便宜得多"。[①]

　　设 W 养老金的经理认定德来福斯公司收益良好，股价长期看势必大涨。于是他希望能在价格还比较低的时机购入 150000 股。10 月 22 日，德莱福斯公司股票每股为 16 美元，150000 股共需 2400000 美元。但 10 月份 W 养老金并没有份额金收入，无力支付这笔款项。于是他于 10 月 22 日以 195.56 点的价格购入 24 份次年 3 月期的斯坦德与普尔 500 种股票指数期货合同，总价值 2358720 美元（= $500 \times 196.56 \times 24$）。12 月 20 日，W 收取份额金 3000000 美元。此时德莱福斯股票已涨至 24.50 美元一股，购入 150000 股共需资金 3675000 美元。W 卖出 24 份次年 3 月期斯坦德与普尔 500 种股票指数合同，每份价格 201.25 点，共收入 2415000 美元。使 W 在期货市场有收入 56280 美元（= $2415000 - $2358720）。此时，W 共有 3056280 美元（= $3000000 + $56280）可用来按计划购入德莱福斯股票 150000 股，但尚需补足 618720 美元（= $3675000 - $3056280）。与 10 月 22 日相比，W 亏损 1218720 美元（= $3675000 - $2400000 - $56280）。假如没有用股票指数期货保值，此亏损则为 1275000 美元（= $3675000 - $2400000）。当然，W 养老金按计划购入的股票的未来收益这里并没有予以考虑。

七、股票指数期货交易的推广情况

　　股票指数期货问世十年来，已经从最早的堪萨斯城交易所的 VLCI 期货发展到十余种。今天，可以说几乎所有的美国的重要股票指数都有了以其为基础的期货合同。值得注意的是全国证券自营商协会（NASD）也已经在其场外交易市场上推行证券指数选择权期货交易。

　　从交易量上来说，股票指数期货自 1982 年起一直是稳步增长，1986～1987 年"股灾"之前达到顶峰，日平均交易合同数高达

118

---

　　① Frank J. Fabozzi："Handbook of Financial Markets：Securities，Options and Futures"，DOW JONES—IRWIN 1986，p. 668.

77000 个。股票指数期货在期货总交易中所占的比例越来越大。1987 年，股票指数期货交易占期货交易总量的 11.2%，仅次于利率期货（46.2%）和农产品期货（19.0%）而居于第三位，高于外汇期货（9.0%）、石油产品期货（9.2%）和五金期货（8.9%）。"股灾"之后，美国证券界不少专家认为股票指数期货交易会加剧股市波动。有关方面根据其"瀑布效应"（free fall）和"跳跃效应"（jump volatility）采取了一些防范措施，诸如"停板制度"（circuit breakers）、设置"正常波动带"（normal band）、提高保证金比率，等等。毫无疑问，这些举措有力地限制了投机活动，但是也难免压抑了期货市场的活力。

尽管如此，股票指数期货并没有因此停滞下来。近年来，股票指数期货又在稳步发展，交易量又一次达到空前的水平。此外还有迹象表明，股票指数期货交易已经在日臻完善。首先，美国已经在建立统一的清算制度，以降低交易费用和信息传播费用、更有效地跟踪和监督交易情况和降低整个市场的系统性风险。其次，各大期货交易所开始了新的经营合作。芝加哥期货交易委员会和芝加哥商品交易所共创了自动数据输入终端（AUDIT） 系统，把两大期货交易所中的公开竞价数据系统紧密联系起来。此外它们还与路透社联合建立了全球交易系统（GLOBEX）②，对于收盘后的交易进行国际性的协调。两大交易所还准备进一步在技术、营销、交易场地、清算制度等方面加强合作，以降低成本、提高效率和吸引投资者。最后，美国股票指数期货交易已开始寻求海外投资者。芝加哥商品交易所和芝加哥期货交易委员会除了大量吸收外籍会员外，还在东京和伦敦等地设立办事处以拓展业务。外国资金的注入正在使美国股票指数期货交易进入一个新的阶段。股票指数期货不仅在美国取得了成功，而且在其他国家也已经迅速发展起来。1983 年，澳大利亚的悉尼期货交易所推出了澳大利亚证券交易所一般股票指数的股票指数期货。两年之后，一般股票指数期货的成交量便迅速地超过

---

① AUDIT 为 Automatic Data Input Terminal 的缩写。
② GLOBEX 全称是全球证券交易执行系统。参见萧琛："华尔街与电子时代——论美国证券业沿革"，《美国研究》季刊 1991 年第 4 期。

了该交易所内任何其他期货的成交量。1984 年 2 月，伦敦国际金融期货交易所（LIFFE）推出了金融时报和证券交易所 100 种股票指数期货（FT－SE100）。目前 FT－SE100 交易量已占据世界第三位。1986 年 5 月，香港期货交易所（HKFE）则推出了香港恒生股票指数期货。在日本首府东京，日经股票指数期货业已经成功推出。

股票指数期货能够如此流行的原因首先在于它自身的优点。第一，股票指数期货不仅可以帮助投资者避免股票市场上单一股票涨跌带来的非系统风险，而且可以帮助投资人避免整个股市涨跌的系统风险。因为，为了避免非系统风险，投资者大多购买多种股票组成的有价证券组合。而股票指数期货的价格与股市上最具代表性和灵敏性的数十种、数百种甚至数千种股票的价格变动高度一致，因而它是有价证券最佳组合的近似物与最经济的保值手段。第二，与在股票市场上进行同等金额的股票交易所需的佣金费用相比，股票指数期货的佣金十分低廉。开立或结算一份斯坦德与普尔 500 种股票指数期货合同需要的经纪人佣金仅为 32 美元。当斯坦德与普尔 500 种股票指数为 300 点时，合同价格为 15000 美元（＝＄500×300），32 美元仅相当于它的 0.02％。而买卖 150000 美元的股票却需要付给经纪人 1500～4500 美元的佣金（佣金比例为 1％～3％）。第三，股票指数期货交易的初始保证金要求也很低。每张斯坦德与普尔 500 种股票指数期货合同的保证金要求随市场行情的变化而变化。目前仅为 8000 美元，相当于合同价格 150000 美元（当指数为 300 点时）的 5.33％。投资者可以付现金，也可以用购买美国政府债券的方式达到保证金要求。这样投资者还可以从债券上获得利息收入，从而进一步降低交易成本。而股票交易中对保证金的要求至少是股票价值的 50％，而且必须用现金支付。

电子通讯技术的发展和证券交易的现代化也为股票指数期货的蓬勃发展铺平了道路。当前各交易所普遍采用最先进的计算机网络系统来处理日常交易，大大提高了交易所的效率和交易的公开性。芝加哥期货交易委员会的报价及其他信息系统（MPRIS）现在每秒钟可以处理四五张合同的价格信息。这些信息经重新组合后，可通过壁式电子报价牌报告给交易大厅的当事人。继而通过内部闭路电视网络传递给交易所的分析家和交易监督当局。再通过各交易所的价格信息网络输送给世界各地的用户。交易所还可以提供更加及时与公开的信息服务。用户可以从芝加哥期货交易委员会的信息数据电话垂询系统（MIDIS）获得每 30 分钟重新计算一次的合同价格、交易量和合同空盘量等资料。此外，证券交易所的先进电子技术系统也已经使得股价信息的传递空前加快。目前美国主要股票指数每三分钟计算一次。有的股票指数，如英国的 FT－SE100 指数，更是每一分钟计算一次！

综上分析可知，股票指数期货所要求的各种条件与我国市场的现状相比，可能还有一段距离。但是，随着我国对外经济交往业务的迅速拓展，我国的一些金融机构、进出口厂商实际上已经相当深入地进入了国际金融期货市场，在美国市场上开展投资和筹资业务也早已不是新鲜事。股票指数期货实际上已经是我国投资人可以选择的重要的金融工具。而且，随着我国证券业的飞速成长和日益规范化，推出我们自己的股票指数期货可以说是势在必行。我国先进的证券交易中心的行情数据现在已经进入路透社的全球网络，我国的证券交易自动报价系统（STAQ）也已经接近国际先进水平并在逐步完善。因此，研究与掌握股票指数期货交易的有关知识与技能，值得引起经济学界与企业界更多的关注。

10.现代西方公司组织机制网络化与未来轮廓[*]

现代公司企业内部基本上是一个以等级为基础、以命令控制为特征的金字塔结构,横向分工始终处在以"直线组织"为支柱从而以纵向分工为基调的框架内,"参谋制"、"委员会制"和"矩阵制"也都只是从属形态的辅助结构。20 世纪 90 年代以来,长期居于主流地位的企业"金字塔"式组织结构正在逐步转向更加适应信息时代和更加民主的"网络型"结构。倚重制造业和追求产品数量的时代正在逐步成为过去,而倚重信息服务、追求生活质量和满足个性的时代正在到来。本文拟就美、日、欧大公司近年来大的组织调整与变革动向,勾画未来信息型公司组织的轮廓。

一、西方企业组织结构的两次变革与传统构架

过去一百年中,美国和其他西方工业国的企业管理方式发生过两次大的变革,从而形成了现代企业的轮廓。企业组织结构第一次大变革发生在 19 世纪后半叶和 20 世纪初,企业的管理权和所有权开始分开,明确了专业化管理人员的作用。股份公司的发展和管理科学的出现使得企业的管理工作成为一个相对独立的体系。当时,德国企业家奥尔格·西门子的表亲维尔纳创立的电器公司因继承人

---

* 本文发表于《北京大学学报》1996 年第一期,署名萧琛。

管理不善而濒于破产。西门子出面挽救了该公司。他以停止银行贷款相威胁，迫使其表亲将该公司的管理权转交给专业人员。接着美国的摩根、卡内基和洛克菲勒等家族公司也加以效仿。[①]

20世纪20年代之后，西方公司企业的管理体制又发生了一次变革：管理权进一步被分解成决策权和行政权，企业开始注重决策部门和业务管理人员的不同功能，产生了命令与控制型的巨型企业。在新的组织结构中，企业既侧重集权也注意分权；既注重作业也强调人的管理。当时，皮埃尔·杜邦改组了他的工业公司。几年后艾尔弗雷德·斯隆随之重建通用汽车公司，引入了延至今日的"命令和控制型结构"。这类公司重视中心业务部门和完整的预算控制体制，注意加强人事管理、政策和具体经营的职责界限，并且将决策权与行政权区分开来。企业内部一般都设有：1. 决策机构。最高的公司决策机构是董事会，它不管具体生产行政事务，而只是保留人事决策、预算控制和监督大权，并利用利润等指标进行控制和总的协调。2. 行政领导机构。企业一般都分为三大层面：总公司、分公司和工厂。3. 职能机构。公司各级都设有销售、采购、工程技术、研究与发展、人事、财务等职能机构。这类管理结构一般表现为直线组织和直线参谋组织。这一变革到50年代初美国通用电气公司的改组时达到高潮。通用电气公司的改组使得上述管理模式趋于完善，以至世界各国的大公司直到80年代（我国企业至今）仍在效仿。

123

二、市场新挑战呼唤企业机制"第三次变革"

20世纪60年代末以来，世界市场环境已经逐步发生了根本性变革。"地球村"已经成为人类可以共同感觉到的事实。"天涯若比邻"已经不再仅仅是诗人们的想像。"追求生活质量"的"服务经济时代"已经到来，一体化的市场正在出现一种"分众化"新趋势。"利基之争"（双方都赢）的出现和"比较利益"的易逝，一方面使得美国公司企业的生存环境变得空前严峻，另一方面也在迫使它们

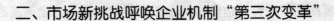

① （美）《Dialogue》季刊，1989年第一期，第13页。

进行一场组织机制的结构性变革。西方一些管理分析专家（如 Peter F. Drucker 等）已经指出：如今美国及其他西方国家的公司企业正在进入第三个变革时期。

近年来西方一些专家中还流行着一种观点，认为 20 世纪 80 年代是金融大改组的年代，当时各种"金融创新"与"金融深化"运动可谓风起云涌、弥漫全球；而 90 年代则是企业大改组的年代，经过十多年国际投资环境的动荡和以借债兼并（LBOs）为主要手段的第四次企业兼并浪潮的洗礼，企业的内部组织结构和外部竞争合作方式正在进行一场巨大的调整。传统的以命令与控制为特征的公司组织管理体制正在为能够适应信息化生产与服务的新的公司组织机制所取代。即便是个别地看，所发生的变化也可以说是已经相当惊人。综合起来，则可以说是已经"形成了一个组织、管理和策略上的新纪元"。①

124

20 世纪 70 年代后期以来，企业生产的技术基础和成长环境发生了巨大的变化。就资本市场和公司所有权而言，西方企业面临一系列非常严峻的新问题：银行业、证券业的电子化；银行业与证券业半个多世纪以来的破镜重圆；退休金、年金和各种信托投资基金的融资能力的膨胀；垃圾债券的泛滥；借债兼并和跨国兼并的盛行等。这些变革使得公司股东作为企业所有者的个人的长期责任感较多地让位于作为金融团体投资人的短期利润感，加上国内外市场一体化进程的冲击和国家宏观经济干预政策的方向性变化，使得企业面临巨大的短期利润压力，迫使企业小心翼翼地开足马力全速前进。因为公司所有人虽然还是众多的股东，但是层出不穷的规模巨大的年金和各种共同基金，已经使独立、分散的股东的意志在相当程度上变得统一、集中与步调一致。这也是各种"不友好兼并"和金融投机性兼并活动通行无忌的重要条件。团体投资人，正如一些经济专家所言，"是投资人，而不是所有人"。②

在劳工供给、劳资关系和民主管理领域，新问题也在不断出现。

---

① 新华社：《世界经济科技》1992 年 8 月 18 日，第 19 页。梅丰编译："企业联盟战略的新发展"。

② 《未来的经营管理》新书介绍见《世界经济科技》1992 年 5 月 19 日，第 26～27 页。

微电子技术不仅使蓝领、白领工人的分野变得模糊，而且使得在电脑编程生产线上的工人和接近市场与消费者的经销、开发与设计人员所拥有的资源的重要性极大地上升。这一发展必然冲击公司官僚阶层和各种纵向等级机制及其观念。为一线员工"让权"和给以"充分的掌握程序的知识"已经日益成为关键。因为企业的"成功正越来越取决于职工们积累起来的知识"和高度的"职业"意识。由于信息技术的进步，以往需要一大批职员埋头计算若干天的数据分析工作，现在利用计算机和处理分析表格的电脑程序，任何稍加训练的人都能在几个小时内完成同样的工作。因此，采取各种先进的数据处理技术之后，管理层次和管理人员的数量几乎立刻就会大幅度下降。因为传统管理层中很大一部分人的主要工作是既不决策也不领导，而只是负责那些含糊而分散的情况交流。这种功能在新技术条件下只相当于一个信息"中继站"。所谓的信息，实质是有目的有关联的数据。而将数据变成信息首先需要的是知识，而这些知识的专业性又非常强。因此，适应新技术的公司企业会需要更多的主动型的处在生产第一线的专家，而不是像传统的命令控制型企业那样需要更多的被动型的集中在总部的熟练职员。

125

在消费市场上企业面临的新挑战更是直接。第一，盛行六十多年的"自来水哲学"（即追求价廉物美）已开始过时。其鼻祖松下幸之助先生的公司已于近年提出了一反传统的"高附加值经营"的新战略。丰田公司也在改变"社是"（即基本方针），因为"物质已经非常丰富，消费者已经很富有"。在美国生活水平的极大提高也使得人们对价廉物美的观念变得淡泊，而讲究精神生活充实变得日益重要。第二，传统的"成本加成"定价模式已经需要修正。美国通用汽车、西尔斯、1BM、AT&T等大公司近些年之所以在国内外市场上频遭败绩，根源之一在于没有转变强调利润和追求"溢价"的经营思想。相反杜邦公司却因为注意了这一点而获得成功。他们敏锐地注意到："顾客不应该有确保厂商获利的义务"。传真机市场是美国公司创造的，但是却为技术上落后三年的日本公司所占领。原因之一是日本人用40％成本的低价进行初期市场争夺。另一个例子是：杜邦公司的合成纤维新产品以成本的3/5为价销售了5年，不仅避免了竞争，保住了市场，而且还意外地创造了汽车轮胎方面的尼龙新产品市场。新的定价原则，如"目标成本法"已经问世。此外，继续"收取市场能够承担得起的（专利）费用"也已经不再明智，因为"那样往往会损失更好的机会"。第三，产品中"资信密度"的急剧上升要求企业的市场反应空前灵敏。"市场空隙"和"潜伏多年"却被熟视无睹的机会往往稍纵即逝。"想法变商品"速度之快，常使"申请专利"成为不必。德国格尔斯公司老板公开指出：应付这种竞争，"我们无须使用专利"。格尔斯公司用微芯片制成世界上最小的助听器，从研制到推出产品仅仅花费 9 个月的时间，而即使西门子这样的公司也得花 3 年。如果格尔斯公司申请美国的权利，单是专利审批时间就需要 24 个月。第四，"制造"有必要向"服务"倾斜。"质量管理"，也即颇受称道的"第四代管理"已经不够。因为"耐用、规格、及时、周到"已经不言而喻，而消费者的独特性和价值感则是一块大有作为的新天地。"艺术化经营"、"色彩战略"、"裸体浴场"和各种"超迪斯尼"的度假观光产业已经在萌动和兴起。IBM 则不断公开声明自己"不是制造商，而是提供全面解决的服务业"；AT&T 一半以上的营业收入来自服务。

三、新技术条件下企业机制转型势在必行

面对上述新挑战，企业必须从全球竞争态势出发并以最新技术为后盾去寻求一种低成本、高效率、重人性、讲团队、精干、灵活、机动而又能实现"非批量的"规模经济优势的新体制。[①] "战略正在变得越来越清楚，即把市场分割开来以求取得进展。目标是建立一个全部可塑的生产系统，该系统在某种合理的范围内能使一家工厂生产任何东西。"[②] 然而传统公司的管理体制却机构臃肿，如美国前五百家大公司所设的经理阶层多达 11～14 个。[③] 这不仅意味着一项

---

① 萧琛："世界经济正在经历一场大的变革"，《效率、公平与深化改革开放》，北京大学出版社 1993 年版，第 1～13 页。

② （美）《Fortune》杂志 1992 年 9 月 21 日："准备好对付日本的新战略"。

③ Palph Lobdell：American Manufacturing in a Globsl Mariet，1990，p. 130～131.

指令由金字塔顶部传到生产线上的工人要经过漫长的路途，而且意味着人浮于事的"公司官僚"的土壤相当厚实。美国前五百家大公司的经理秘书之比高达二比一，经理工人之比为一比三点四。① 这些问题到 80 年代后期已经变得非常严重，前五百家大公司的生产人员开销比重仅占公司全部开销的 20％！80 年代美国产品的成本比 60 年代以前要增长 20 倍，而同期劳工实际工资仅增长 2.2 倍。② 美国铝业公司的董事长奥尼尔指出：美国企业必须首先革除"传统的带有官僚主义气息的指挥和命令式"的美国经营方式。③

新挑战迫使企业重新认识"规模经济"的内涵。批量生产、工序分解的时代正在成为过去。按顾客需要同步地、灵活地生产正在导致另一种规模经济。这种经济能够保持一个"不变的规模收益"，维持"伸缩性生产"和确保"稳健性设计"，并能将成本分摊到各类产品上去。新的规模经济，与其说是对块状市场的同一产品的长期批量生产，毋宁说是对全球"分众"市场的同类技术产品和服务的同时生产与提供。近年来西方厂商正加紧在灵活生产线上大量投资，如安装被称为灵活制造系统（FMS）的先进机床，推行"计算机一体化管理"、以便能"在几秒钟之内改变所加工的产品"。此外，"厂随人走"、"无国界实验室"等也蔚然成风。日产公司的一位工程设计经理曾不无感慨地说道："总有一天可能会做到，在日本建立的数据通过电话或卫星传送出去，在世界各地的工厂同时开始生产某一种新型汽车"。④ 而美国福特公司近年来已经开始研制"世界轿车"。⑤

新挑战还要求企业对"劳资关系"和"行为科学"的新内涵加以认识。加速发展的微电子技术不仅使得蓝领、白领工人的分野变得模糊，而且往往使得经理职工的关系变得蹊跷。例如，索尼公司的领导常比部下工资低；美国的卡里尔公司的工人面试他们未来的

127

---

① 参见萧琛："美国企业第四次兼并浪潮"，《世界经济》杂志 1991 年 12 月，第 57～62 页。
② 参见萧琛："美国企业第四次兼并浪潮"，《世界经济》杂志 1991 年 12 月，第 57～62 页。
③ 参见"第四代管理"，新华社：《世界经济科技》1992 年 8 月 11 日，第 24 页。
④ 新华社：《世界经济科技》1992 年 11 月 24 日，第 7 页，"灵活制造—日本企业的新战略"。
⑤ 新华社：《参考消息》1993 年 10 月 31 日，第 56 页。

上司，工厂里没有人需要搬动五公斤以上的东西；在许多公司，抓住身边的女工"请把这份东西复印一下"的情况已开始被"严格禁止"。企业民主增强的根源首先在于：灵活生产系统第一线上的工人和接近市场的经销、开发与设计人员所拥有的产出资源的重要性已经极大地上升。其次，信息技术的发展也使得中间管理阶层日益成为多余，因为生产指令可以一步到位，就好像乐队指挥和乐师们之间只需要乐谱和手势一样。近年来，美国的计算机联网率已经从10％急速上升到60％以上。此外，"职工参与管理"革命正在荡涤美国和欧洲大陆，并且已经成为工人增加对自己工作的控制权和经理提高劳动生产率以接近目标成本的新手段。这类"Z理论"新举措的加速推广对企业结构的变革可谓意义深远。

128

四、现代公司组织"金字塔"结构的"网络化"

上述变革与挑战正在震撼西方大公司的"金字塔型"组织结构。美国生产率和质量研究中心依照《幸福》杂志对一千家大企业进行调查后发现：几乎一半企业已经拟好彻底改变传统的"命令控制型"体制的计划。日本的丰田、本田、索尼、日产等著名大公司也都在进行大刀阔斧的体制改革。德国、法国的中型企业的竞争优势也已经迫使像西门子这样的世界级大公司不能不正视严峻的现实。英国残存的罗弗汽车公司和国际电子公司，早在两年前便通过跨国兼并而借助日本公司的管理优势进行了伤筋动骨的改建。

企业"金字塔"转型过程中值得注意的新动向有：第一，形形色色的纵向结构正在被拆除，"公司官僚"正在被革除。美国公司在90年代的头两年中已经迅速地将其中间管理阶层至少削减了1/3，速度显然比前几年的预计要快。3年前的预测是：90年代美国企业11～13个管理阶层将会被削减10％～40％。[①] 美国总部设在东京的美国A&I体系废除了营业、系统、管理等部门的"部长"、"副部

---

① （美）彼得·德鲁克新著：《未来的管理》（Managing for Future）1992年4月5日，美国《巴尔的摩太阳报》摘录。

长"、"科长"等普通管理头衔。本田公司于 1994 年发动了一场自创业以来最大的内部机构改革，废除了属于中间阶层的"课级"组织；日本电器公司取消了各种辅助型①头衔，创设"自由职衔制"，如"建设工程项目专任部长"、"通信系统专任部长"等，可谓具体灵活。日本电气公司有 7000 名雇员，大约 85％是普通管理人员，改革后，普通管理人员比重已经迅速下降 70％左右。

第二，为了"加强公司的根基"，国际大公司的总部正在收缩。各种后勤、服务工作，如发工资、法律事务、文书、保健等，正在尽可能甩给日益完善的社会服务业。这些工种在公司内纵向动力不足、官吏性强、效率低。美国的珀金—埃尔默公司和帕尔公司在世界各地都有 6000 名雇员，销售额分别高达 10 亿和 7 亿美元，但是他们的总部如今却都只有 50 名雇员左右。总部缩小势必要求人员素质提高，"任人唯贤"因此正益显重要。一个跨国公司总部内高层经理由多达 16 国的人才组成的案例已经不算新闻；"白色骑士"和"空降部队"②的做法也已经不鲜见。美国生育高峰中成长起来的一代人如今正 45 岁左右，他们正面临寻找自己位置和展示自己管理才能的机会。这使得美国企业面临"职位短缺"。因此，因才设岗和重视个人能力，在企业结构变革中将会被进一步强调。

第三，各国大公司的规模正在向适度或精干的方向调整。近年来，美国通用汽车公司已经关闭了它所属的 22 家大厂。A&I 体系则形成了 250 人左右的若干个平等的产业单位。帕尔公司的总裁则公开表示他喜欢使他的工厂的员工人数不超过 500 名，以确保他们都能够受到很好的管理。这种组织既有小企业容易发挥每一位"小萝卜头"才干的灵活机动能力，又不失大企业科研开发实力雄厚的优势，因为如今这类"小企业"一般地说只是本公司大网络上的一个"结"。号称"日不落"帝国的 IBM 公司的每一个产出单位的人数现在都非常有限，但是它们在全世界 105 个国家却拥有二十多万名雇员，其中超过半数受过（名牌）大学的良好教育。欧洲的电子工程巨头 ABB 公司将其数千种产品与服务部署在全世界 50 个作业

---

① 指"担当部长"、"代理"、"准"之类的头衔。
② 即留用和招聘那些被挤垮的公司中有才能的经理。

129

区，每区设一个领导小组独立经营。而总裁先生则穿梭奔波，最容易与他对话的场地是在他的"空中办公室"里。美国公司数量增加，平均企业规模缩小的趋势已经持续很长时期。1970 年、1975 年、1980 年美国的公司数目分别是 166.5 万、202.4 万和 271.1 万个；1984 年、1985 年、1986 年分别是 317.7 万、327.7 万、342.9 万个。[①] 20 世纪 90 年代这个趋势仍在继续。

近几年美国的"小巨人公司"的发展已经引起了专家的关注。同大公司相比，这些小巨人公司的销售额很有限，仅仅在 2 亿～10 亿美元，不能不谓之小。同小出口商相比，它们的活动能力可以说是非常惊人：在世界各地开设工厂、实验室和设置销售点，其出口量对于美国贸易逆差起着日益重要的冲销作用。[②] 小巨人公司的特点是："冲劲、集中和专一"，"注意力集中；保持精干；在世界到处搜罗；利用外国人才；解决顾客问题。"[③] 但就企业组织结构而言，这些小巨人公司的真正抱负是"真心消灭公司官僚"。上述珀金一埃而默公司的法律、税务、外币管理等工作已统统被甩给社会。[④] 阿兰特克公司的布兰克利更是一语中的：这样设置的目的就是"为了避免出现垂直结构"，"在公司达到 20 亿美元销售额时就必须拆散"。[⑤] 年销售额为 9.7 亿美元的能源设备制造商热电子公司，正在试图通过不断利用成功的技术另组新公司的办法来解决企业规模和公司官僚这个两难问题。

130

五、未来信息型企业组织轮廓

以上美日欧等国大公司"非纵"、"缩小总部"和"调整组织格局"的改革动向表明：20 世纪 90 年代以来美国及其他西方公司的组织结构正在从"金字塔型"向"网络型"方向转变。哈佛大学的

---

① 《美国统计摘要》1990 年，第 521 页。
② 新华社：《参考消息》1993 年 10 月 7 日，第 56 页。
③ 新华社：《参考消息》1993 年 10 月 7 日，第 58 页。
④ 新华社：《参考消息》1993 年 10 月 7 日，第 58 页。
⑤ 新华社：《参考消息》1993 年 10 月 7 日，第 60 页。

一位教授就此指出：美国企业的内部结构正在重组，垂直型（金字塔型）企业正在让位于网络型企业。[①] 如果说金字塔结构是制造业时代企业的代表性的组织，那么网络结构则是信息服务业时代的代表性结构。因为这种结构将能更加有效地实现知识的交流和才能的发挥。今天的企业正在进入第三个转变时期。企业将从命令控制型组织转向以知识型专家为主的信息协作型组织。预见这种组织形式的轮廓，指出其某些特点和要求，探讨未来企业价值观、体制和行为准则等问题，应该是现实而又迫切的课题，虽然建立与完善信息型组织无疑还有待长期努力。

根据美国专家彼得·杜鲁克（Peter F. Druker）的研究：[②] 20年以后，大企业的管理层次将比今天的企业减少一半以上，管理人员将不会超过今天的 1/3。企业结构和管理领域内的种种问题也将不同于 50 年代典型的制造业公司，虽然在一般的美国教科书里这一传统的形式仍被视为典范。将来的企业可能会很像医院、大学、交响乐团。这类组织中的信息主要是"病历"、"教材"和"乐谱"；组织协作所需要的是大量的专家，中间管理人员在这里往往多余。信息型组织中的"指令"基本上是专门技术，常常表现为电子脉冲之类。信息传输的效率将淘汰非技术人员和否定非产出性的劳动。那时企业组织的一般形式将和上述的交响乐队等组织一样，成为知识型的组织，主要由专家组成。专家们从同事、顾客和总部获得系统性反馈以指导自己的工作。这是信息型组织的基本的运作原理。

现代企业、尤其是大企业除了逐步成为信息型组织外将别无选择。因为就业中心正迅速地从普通劳工和办公人员向知识型人员转化。而后者是本能地反对命令与控制型管理方式的。更重要的是，信息技术推动了这种变革。信息技术势必使得公司王国更加透明，使得管理民主程度提高。与传统组织一样，信息型组织也需要许多中心管理部门，如法律顾问处、公共关系处和劳工关系处。但是，对于服务性职员[③]的需求量将大幅度下降。信息型组织的中心管理

---

① 新华社：《世界经济科技》1992 年 8 月 25 日，第 13 页。
② Peter F. Drucker：The Frontiers of Management，pp. 8～13.
③ 即不负营业责任而只提供建议、咨询或协调服务的人员。

部门即使需要管理专家，数量也是很有限的。

由于信息型大企业的结构较为简单，因此，这种组织很可能更像一百年前的企业，而与今天的大公司大不相同。当时的企业只有最高层领导才懂得经营业务，其余的人只是助手和劳力，不过是按照命令行事和重复相同的工作；未来信息型组织中，懂得经营业务的人将主要是基层工作人员，这些专家各自从事技术性质不同的工作，并且由于技术经验的独占性而势必拥有很大的自主权。而在当今的一般企业中，服务性职员掌管着业务知识，介于高级管理人员和基层工作人员之间，地位极不稳定。这种企业正处于过渡阶段，因为它只是从上往下传递知识，而不是从下往上收集、处理与传递信息。

信息型企业内部各职能部门的作用也与传统企业不同。它的职能部门将负责制定标准、检验质量、培训安排专家等工作；而生产任务主要由专门工作组（部门）去完成。所谓的专门工作组，很可能类似如今的委员会一类的组织；或者类似矩阵组织中的各种项目。由于企业内部平等和民主观念的强化，横向分工将替代纵向分工成为主导，因此，企业的网状化是不可避免的。企业内部结构网络的类型将会包括类似交响乐团那样的以一个协调中心的辐射式扇型网和多协调中心的矩阵型的网络。

近一二十年来，界限分明的企业的研究部门已经出现过这种变化。例如，在美国制药、电信和造纸业中，传统上研究、开发、制造和销售的先后继起现在已经趋向同步：各环节的专家们从新产品开始研究到产品推出到市场上销售的整个过程中，始终保持着密切的合作关系。至于特别工作组具体将如何处理其他商业机会和各种问题，还有待观察。建立特别工作组的必要性以及这种工作组的任务、编制和领导体制，也须按具体情况决定。不过有一点是十分清楚的：这种特别工作组将要求更高的自律性，并在处理各种关系和相互交流中更加强调个人的责任。

信息型组织还有其独特的管理问题。第一，制定措施，对专业人员提供报酬，进行表扬并给予发展的机会。第二，在专业人员组织中达成统一的见解。第三，制定特别工作组的管理体制。第四，确保对高层主管人员的接替、培养的考验。

当今企业中较受人羡慕的个人发展前景和提升途径主要集中在经理或其他高级主管、董事长之类的位置上。因为，无论从薪金、福利、支配他人意志和个人较少违心等各个方面，这些职务都是企业界人事难以超脱和等闲视之的。但是在未来信息型组织中，专家的心愿是在各自的领域建树和实现自我，第二小提琴手的愿望可能是成为第一小提琴手，或者是被更有名的乐团高聘，大夫的希求可能是对于某个不治之症的突破和提高医务技术威望等。对于这些专家，很难用乐团团长、医院院长等头衔来继续进行激励，因为到那时，这些位置的权利效应和社会效应都会有很大变化。而如果仅仅以各专业的特殊的系列职称作为替代，可能也会出现问题，因为这些特殊的职称毕竟缺少比较直接的社会可比性和通约性。美国通用电气公司曾经实行为"有贡献的专业人员"提供"平行机会"的办法，许多美国企业也都曾加以效仿，但是效果并不佳。大部分专业人员并不赞成"惟有提升到管理阶层中才具有真正的意义"。当然，现在的实验结果不佳的主要原因还是在于功利，将来这些可能不会是最主要的问题，但是一般说来激励规则必须明确才会有效率。

专业人员之间达成统一见解也将是难题。因为在没有或者很少权威的条件下，在各专业语言不能很好通约的气氛中，保证集体选择比较正确本身就是一个专业问题。特别工作组给未来企业带来的问题将是：特别工作组的领导是谁？是短期的还是长期的？是一项任务还是一个职位？是否意味着一个级别？这些问题很可能都是两难的。最后一个问题也很重要。信息型组织中由于中层管理阶层消失，很可能会使高层领导（协调中心人物）失去锻炼的机会。

11. 世界经济转型态势跟踪分析短论选萃

（1）全球性经济结构调整与当前世界经济的走向 *

（1995 年 8 月）

第一，成熟市场和新兴市场在加速融合，强劲增长的世界经济正进入一种新的调整期

世界经济 1994 年重整旗鼓，有效地扭转了 1990～1993 年的不景气局面。全球经济 1994 年增长了 3.75%，世界贸易扩张了 9.5%，势头之强始料未及。据 IMF 预测，世界经济增长速度 1995 年可保持在 3.75%，1996 年将超过 4%；在世界贸易方面，1995 年将会降至 8%，1996 年则会进一步降至 7%。

据《华尔街日报》专家估算，在 2020 年以前，"西方七强"的产值将从近期的 13 万亿美元增加到 24 万亿美元，年增长率大约在 2%；同期"非富有国家"的产值则将从 9 万亿美元增加到 34 万亿美元，年增长率为 4.5%。

世界经济增长强劲而世界贸易增势略减的一个重要原因在于：1990～1993 年全球资金向发展中国家的大规模流动已经开始缓和。

---

* 本文系萧琛受托为中国世界经济学会会长扩大会撰写的世界经济形势研讨综述，与会专家包括：浦山、洪文达、王怀宁、程极明、冯瞬华、薛敬孝、周茂荣、华民等。综述发表于中国社会科学院《世界经济》杂志 1995 年第 12 期，署名萧琛。

由于世界储蓄不足，私人部门对投资基金的需求与政府借款需求之间的矛盾正变得紧张，1994年年初以来全球经济康复已推动了实际利率的上升，加上正在一体化的世界资本市场的许多新的风险，全球投资者正变得特别谨慎。

两大阵营长期对抗的结束和世界经济增长中心的转移，导致成熟市场和新兴市场的相互依存关系变得空前紧密。西方各国要解决严峻的"军转民"、"高失业率"和"低利润率"等社会经济问题，离不开向新兴国家扩大出口和投资，从而不能没有非富有地区经济的强有力发展。

在过去的三年中，美国向其他"六强"出口的年增长率仅为0.6％，而向其他国家出口的年增长率则为7.6％。2020年以前在"非富有国家"增加25万亿美元的产值，意味着要在这个广大的地区每年增加3000亿美元的投资。就独联体、原东德和其他转轨型经济而言，外资流入则更为重要。

135

半个世纪前布雷顿森林会议召开以来，发达国家资金的流出一般都经由政府贷款、银行贷款或受援国官方金融机构在发达国家发行债券等渠道，并长期倚重世界银行和国际货币基金这两大世界性融资机制。当年的"马歇尔计划"，曾筹集相当于现今1000亿美元的援助资金分4年拨付。而如今，电子化的融资机制在直接参与资助非富有国家经济发展方面正在弥补世行和IMF的功能。

借助覆盖全球的电子网络，成熟市场对新兴市场的"直接投资"和"证券投资"正在以令人瞠目的速度增长。1994年全世界对外直接投资总额2040亿美元中，发展中国家所接受的占39.2％。在证券投资方面，1993年流入发展中国家的资金高达919亿美元，而20世纪80年代后半期仅为82亿美元。

如今亚洲、拉美和非洲等地36个主要的新兴股票市场的总值已经从670亿美元增长到7741亿美元，而且其增长势头还将长期持续下去。到20世纪末，资金在有些城市诸如上海、利马、圣彼得堡、河内、哥伦布和布拉格各股票交易所之间的流动势将同今天在纽约、伦敦、东京和法兰克福等股市之间的流动一样的方便。

日益发达的信息技术在将全球市场罗织为一体的同时，也为世界经济带来了许多新的不确定因素。例如，几乎纯系投机的"套利基金"，对于国际市场上的汇率和利率变动的作用强度，已经超过了各国中央银行的干预能力。目前"套利基金"的资本约为 500 亿到 750 亿美元左右，但因其所控资产的借贷能力，基金随时都可以急速膨胀为 5000 亿美元。这些基金不同于一般的共同基金、退休基金或其他信托基金，因为它们大部分是贷款，并且可以随时将赌注押在某种证券、货币或商品的贬值或升值之上。美日贸易谈判破裂之后，这些基金竟能使日元对美元的汇价在一天之内骤升 8%。

又如，高度电脑化的"衍生资本"交易也在加剧世界金融体系的动荡。这类"期货"、"期权"及"掉期"交易极其复杂，其资本价值由精确计算有关证券、外汇和商品等基本资产价格的（潜在）变动而产生，对于金融机构来说，它们是"资产负责表"以外的项目。这势必给普遍涉足很深的银行业和证券业带来一系列新问题。

136

近年银行所持有的衍生资本的"重置成本"已经相当于银行自有资本的 2/3，"名义价值"已高达 17 万亿美元，其中大约 2% 至少具有"信用"风险。此外，衍生资本持有率提高之后，金融机构的"经营"风险势必大增。1995 年 2 月已有两百多年历史的英国著名投资银行——巴林银行的倒闭就是一个典型的令全世界震惊的案例。

再如墨西哥危机、美日贸易关系紧张、美元汇率大滑坡、法国里昂银行巨额亏损、日本多家银行坏账、中国五矿石化公司与美国莱曼兄弟投资银行的官司，等等，也都体现了新形势下世界经济协调机制迫切需要调整的动向。剑拔弩张的美日汽车谈判说明世界贸易组织在提供"抱怨"和"仲裁"等功能方面还有很多缺陷；墨西哥问题说明 IMF 在收集信息和提供监控、预警和应急能力方面还需要进行大的改革；至于联合国，克林顿则已经提出它"没有起到应有的作用"，原意保持联合国的人"必须带头进行改革"，GATT 已经为 WTO 所取代，而 NAFTA、EU 和 APEC 等区域合作在国际经济共同体中正益显重要。

此外，全球性的穷国资金外逃且其数额高达每年 500 亿～800 亿美元左右，竟然超过工业国政府对外援助年度拨款总额，也是新形势下不可忽视的动向。它不仅说明世界经济协调机制中缺少有关种种"黑市抑制"和"回扣曝光"等功能，而且还说明这个未受重视的新问题的严重程度。为全面加强世界市场透明度，以保证资本流向和维持世界经济增长，建立"国际贸易审查"机构、"冻结朝野腐败存款"等，也势将会被提上议事日程。因为穷国经济增长正日显重要。

总之，高科技时代成熟市场和新兴市场的一体化正为新时期世界经济的持续增长和世界经济协调机制的调整提供新契机。因为各类经济贸易的增长态势、世界资本转移的渠道、规模和结构已经同原先大相径庭；早先至为强调的"国家"风险也已经让位于新的"市场"风险和"经营"风险；加强信息收集、提供预警系统、健全国际投资法规等，已经成为经济学家乃至各国财长与"首脑"们的热门话题。

第二，美国经济进入"佳境"，西欧经济紧步后尘，日本经济扑朔迷离

过去一年中，虽然西方主要工业同时进入了增长期，但是美日欧三家的经济增长势头却出现较多差别，经济增长的性质和前景也不同。对于美国经济，一种流行的观点是认为现时美国正在进入战后最佳状态，"信息高速公路"等高科技优势使得美国在新的世界经济竞争中处于牢固的优势地位；另一种观点则不乐观，认为财政赤字居高难下，资本净流入增长，美元汇价连年大幅度贬值等，都是值得忧虑的隐患。

近期乃至今后相当长的一段时期内美国经济增长情况都势将非常乐观，甚至可以断言美国经济已经进入战后以来的最佳状态。经济增长率连年居高，通货膨胀仅在2%～3%左右，失业问题也开始得到缓和。克林顿在"振兴本国经济"的口号声中入主白宫后，吸取了80年代里根一味强调"小政府"、"放松管制"和"减税"导致三大结构性问题的教训，起用了一批"反古典"经济学家，主张"加强调节"和"适度干预"，对内较好地控制了通货膨胀、扶持了高科技产业、增收节支压低了财政赤字；对外加强促进贸易和出口、致力于迅速提高美国的竞争力，推行包含着贸易保护主义的贸易自由主义政策，在促成NAFTA和结束乌拉圭谈判中较好地考虑了美

国的经济利益。

除了近期政策调整因素之外，美国企业界的长期努力也是经济持续增长的重要原因。20世纪80年代中期，美国曾就"提高国际竞争力"问题开展过一场大讨论。这场讨论使企业界普遍增强了竞争意识，更新设备技术、优化组织管理、控制工资、削减中间经理阶层、削减成本等变革之风盛行，导致美国的劳动生产率明显提高。现在美国制造业工人的每小时平均工资仅为15美元，而日本和德国分别为18美元和216美元。1994年美国的竞争能力已重新列为世界第一。

美国经济形势进入佳境的长期性质还可以从长期结构调整角度加以认识。过去的十多年既是美国走出70年代阴影并努力进行全方位调整的阶段，也是为今后若干年经济"复兴"打基础的时期。预算改革、税制改革、外贸体制改革、证券业银行业改革、劳工社会保障制度改革和"信息高速公路热"等，还有长时期的"金融创新"、"金融深化"和国内外企业兼并改组浪潮等，都标志着美国在世界经济体系中已经先走一步，这些"制度创新"在一定程度上都带有不同过去半个多世纪政策走向的性质。

西欧经济形势略逊于美国。1992年、1993年西欧经济增长率分别是1%～0.5%，1994年经济增长2.7%，同期通货膨胀为3.2%的低水平，但仍然为失业问题所困扰。西欧经济的火车头德国的经济增长势头和改造东部地区的进展情况也比较好。西德资本家用马克改造东德，每年给东德1000万马克。通常的情况是买下东德的工厂后全部换用西德机器设备，并让东德950万工人中的一半依靠失业津贴生活。这些办法导致劳动生产率明显提高。经过几年的努力，目前东德劳动生产率和工资水平已经从相当于西德的1/3上升到2/3左右。

促使西欧经济全面好转的因素中，除了周期性内需上升、经济政策调整如利率下调等之外，各国对外经贸环境的改善也很值得注意，统一大市场的建立功不可没。新形势下的欧洲联盟势将进一步紧密，因为无论是出于世界三大中心抗衡、拉拢东欧、处理美俄关系的需要，还是出于德国作用定位等问题的考虑，分裂都是不可取

138

的。"德国中心论"或"英法中心论"对于联合事态不会有实质性的影响。欧洲联盟的发展态势是:最近五年可能以"扩大"为主,经由"东扩南下"、从现在 15 个成员扩大到 25～30 个;其后"深化"问题可能会成为主流。

日本经济增长前景尚不明朗。一些学者认为日本正处于陷入低增长的转折点上,另一些学者则认为日本是惟一能以财政措施调节经济的国度,前途未可限量。从 1991 年 5 月持续到 1994 年 1 月的"平成萧条",是战后历次日本经济衰退中最为严重的一次,其复苏进程同传统模式有着明显的差别。过去的情况都是,经济增长启动设备投资,继而带动个人消费支出;而这次则是由公共投资政策进行启动,先带动个人消费,然后再促进设备投资。

日本经济复苏的前景不容乐观的迹象包括:(1)景气动向先行指标 1995 年一季度连续三个月低于 50,而且在 5 月份又再次跌到 50 以下;(2)工业生产指数第二季度里连续三个月出现下降;(3)完全失业人数自 3 月份以来一直在 100 万人以上,失业率 6 月份达 3.2%,是战后日本最高水平,虽然已在下降;(4)股市一直低迷,日经指数从 3 月份开始一直低于 1992 年平均水平。表明经济前景看好的迹象是:(1)机械订货和建筑工程订货都在增加;5、6 月份,前者分别增加 22.2% 和 10.3%,后者分别增加 25.8% 和 11.3%;(2)制造业开工指数在增加或恢复,1～5 月的平均水平为 87.7%,高于前两年的平均水平;(3)短期观测的"景况判断"调查显示:企业界的判断和信心在增强。(4)全产业的营业利益在改善,前 4 年的上半年一直呈负数,自 1994 年第三季度以来一直是正数,到 1995 年第一季度分别 10.2%、20.4% 和 13.1%。

总之,日本经济处于一种缓慢的复苏或近于停滞的状态。原来预测的 1995 年全年增长 2% 左右,现看来不能实现,估计只能在零点几左右,第一季度仅增长 0.1%。长期地看,日本经济的前景更是难以预计,不确定性较强的问题很多,包括,外贸黑字和日元升值;外需型经济向内需型经济的转化;居高不下的国内外价格差;产业结构转型和升级;日本式雇佣制度变革;还有产业的空心化等问题。

第三，东中欧转轨经济多数已闯进"阵痛难关"，中国治理转轨型通货膨胀任务艰巨

1994年东中欧经济总的趋势是复苏，但各国步伐有较大差别。波兰、捷克、匈牙利、斯洛法克四国以及斯洛文尼亚等国，均已渡过了转轨的最困难的时期，开始步入了复苏阶段；罗马尼亚相对要差一些，尽管也已实现了正增长；保加利亚、拉脱维亚属最差，至今仍在负增长。据国际金融机构的估计，波、捷、匈、斯四国将会逐步成为世界上发展最快的地区之一。

俄罗斯经济正在接近谷底，社会生产还在继续滑坡，财政状况很差、卢布更加不稳，社会两极分化、失业人数增加。因此，与上述国家相比，俄罗斯转轨的落后程度在加深。俄罗斯和其他独联体国家经济转轨成本之所以畸高的原因很多；机械搬用西方模式、强行推行私有化和"休克疗法"，其他经济政策也不当，等等。客观原因在于，俄罗斯和其他独联体国家经济转轨的初始条件是最差的。

东中欧国家虽然多数已闯过最困难的时期，但经济复苏的基础很脆弱。今后经济政策的重点可能会放在以下三个方面：（1）控制货币供应和工资不合理增长，努力提高劳动生产率；（2）改善企业环境、提高管理效率，改善财务监控机制，严格实行会计法、银行法和破产法，消除企业债务对银行的威胁；（3）不断压缩预算赤字、增加预算收入，扩大税基、增大间接税比重。

如果能够比较顺利地控制这些问题，复苏的前景应该是乐观的。中东欧国家的出口市场和外资来源主要依靠美国和西欧、尤其是美国。而西方各国经济今后几年基本看好，这无疑可以为东中欧经济转轨提供比较有利的国际环境。随着东中欧区域经济合作和经贸自由化协定的签订，以及同欧洲联盟经济联系的加强，东中欧的经济前景是看好的。

俄罗斯的经济滑坡可能还要持续两年。1995年年内生产总值可能会下降10%左右，1996年可能会到达谷底，往后也应当逐步顺利。这样，与苏联解体前1990年相比，整个国民经济将下降60%左右。若以1997年为开始回升年份，并以5%为年回升速度计算，俄罗斯要恢复到1990年的水平，大约需要7～8年。

中国改革同原东中欧各国相比，具有两个有利的宏观社会经济条件。其一是经济剩余巨大，而且基本上没有外债和内债；其二是政治体制内核稳定。这些条件使得中国改革能够明智地遵循一种"体制外改革先行"的战略，通过奖金、让利、分权等办法先调动积极性，以增长经济和逐步形成进一步改革的共识。推行这种战略时最能让各利益集团普遍接受（至少不反抗）的经济手段就是提高工资（然后是物价）水平。因为，在增量上做文章总是容易一些。

中国通货膨胀同转轨时期经济周期的特征紧密相连。改革前中国的经济周期主要表现为产出增长率的缓慢波动，其后则表现为通货膨胀和国际收支平衡的波动，产出的波动不再明显。在改革的每一阶段，但凡采取分权放权以及削弱计划作用的举措之后，都会跟随新一轮的总需求高涨（表现为过快的工资增长和投资增长）并通过信贷扩张而加以认可。关键部门资源短缺和瓶颈问题的出现，导致通货膨胀加速和（或）国际收支恶化。最后又通过行政控制来放慢速度，甚至以改革的踏步或倒退来稳定经济。近年对"开发区热"的"降温"可以说又是一个例证。

141

改革开放步伐加快之后，中国的通货膨胀显现了一些新特点：（1）高增长、高通胀，人民币汇率坚挺；（2）美元对人民币贬值，人民币对商品贬值；（3）内地的通胀率一般要高于沿海开放地区。

出现上述特点的原因同新一轮改革开放是以扩大对外开放为动力这一点紧密相关。对外开放度扩大从三个方面加剧了当前的通货膨胀。第一，引进外资会带来货币增广效应。外资进入导致货币储备增加，由于不能较好地采取冲销政策，致使货币供应增加。第二，货币贬值、出口增加所导致的收入增加与内需商品供给下降也会加剧通胀。货币贬值之后，出口会增加，收入也会增加，因而势必导致商品需求增加，然而，由于资源会从非贸易部门迅速转移到贸易部门，因此非贸易部门的商品供给非但不能增加，而且会下降，其结果是加剧通胀。弥补国内非贸易部门商品供应的缺口本来可以通过大量进口，但由于国内工业、农业都缺少国际竞争力、大量进口会导致它们崩溃，因此缺口无法填补。第三，贸易部门与非贸易部门生产率的差异也加剧了通胀。贸易部门生产率的提高，导致职工工资提高，真实成本未增，因此对物价没有影响；非贸易部门生产率低，但因同贸易部门攀比，工资也会提高，结果是真实成本增加，推动物价上涨。由于非贸易部门在整个经济中的比重较大，因此其成本的增加会推动全面的物价上升，而在贸易部门比重越小的地区，如内地，其物价上涨率也就越快。

可见，中国现阶段通胀的根源可以归结成扩大开放与体制滞后之间的矛盾。这意味着传统的宏观调控不能使当前居高不下的通胀得到有效的治理。短期的对策是相对缩小对外开放程度；长期对策则是通过加快国内体制改革来创造进一步开放的体制环境。

（2）全球金融秩序紊乱与重塑的年代[*]

（1995 年岁末）

142

第一，1995 年国际金融市场厄运叠显、险象环生

1995 年是世界金融史上不平凡的一年。冷战结束后世界两大市场的整合和全球电子高科技交易手段等向传统国际金融秩序所发起的猛烈冲击几乎达到白日化程度。

首先，1994 年 12 月 29 日，前墨西哥当局为避免国际支付危机而采取的非常措施，一度导致比索对美元急剧贬值 60％，并在 1995 年 1 月 10 日创下了一天内贬值 11％的惊人纪录！其次，1995 年 2 月 25 日，已有 233 年悠久历史的英国最古老的投资银行巴林银行，仅仅因为其一家分行的负责人出现问题，便倏而导致了这一金融帝国的权杖易手。再者，美国证券市场年初也发生动荡，3 月底股市比 1 月底下降了 342.40 点，降幅高达 8.6％；而 4 月 5 日一天又反弹 82.06 点，创下近 4 年最高纪录；到年底美国股市则突破 5000 点大关，一年竟上升 1000 多点！最后，美元对日元先贬 20％后升 30％的所谓的戏剧性波动（mis-alignment），也是外汇市场上前所未遇之事。美元兑日元的汇率在 1：104 到 1：79 之间无方向地大幅度地快速波动。

---

* 本文发表于 1995 年 12 月 12 日《人民日报》，署名萧琛。

此外，1995 年 11 月 2 日，日本大和银行（世界排名 17）也因银行违纪"丑闻"在纽约被美国联邦储备等三大政府金融机构联合责令停止一切业务、并勒令在 3 个月内撤出美国一事，更是这两个经济大国的金融关系史上的一件轰动性新闻。

在欧洲，马斯特里赫特条约所设想的秩序显然还相当遥远。今年 3 月初，继英镑和意大利里拉退出欧洲货币体系之后，西班牙、葡萄牙两国货币因其对德国马克再度贬值，也陷于去留两难的境地。法国里昂银行的巨额亏损，还有最近法国经济政治领域内出现的一些事也在引起金融专家的关注。此外，百元美元假钞泛滥全球，而美国却苦无良策，德国银行于 1995 年 9 开始不再接受俄罗斯人的美元现金等，也都说明国际货币领域问题成堆、险象环生。

第二，世界金融动荡由来已久、根源翻新

世界金融市场反复无常至少在七八年前就可以找到若干条线索。1987 年 10 月美国政府公开指责德国当局人为地保持高利率，一些投资人担心，美德长期关系濒于破裂，会导致整个金融体系不稳定，并产生不幸的后果。两天后，美国的道·琼斯工业平均数便猛降了 500 多点，竟然超过了 30 年代大危机股市崩溃时的纪录！

143

1993 年，"套利基金"（hedge funds）的经理们曾对英镑进行过大规模的投机，导致英镑大幅贬值。1994 年 2 月，在美日贸易谈判破裂之后，"套利基金"的经理们也担心美国会对日本采取报复措施：让美元贬值以促进美国的出口。结果，那些仰仗外国债券和外汇（特别是日元）的投机商立即大量抛售，债券行市骤降，利率普遍上升，日元对美元在一天之内竟跃升了 8％！

世界金融市场反复无常风波迭起的重要原因之一，在于覆盖全球的电子金融交易网络。它们在高效率地促成巨额交易时也为世界市场带来各种新风险。上述几乎纯系投机的高度电脑化的套利基金，对于世界市场上汇率和利率变动的作用如今已经超过各中央银行的干预能力。这些基金的规模约在 500 亿～750 亿美元，但因其所控资产的借贷能力，它们随时都可以膨胀到 5000 亿美元之巨。不同于传统的共同基金、退休基金和其他信托保险基金，套利基金的投资大部分是贷款，既可以"买空"也可以"卖空"，既可以将赌注押在证券、货币或商品的贬值，也可以押在这些资产的升值之上。

高度电脑化的"衍生工具"也在加剧当今全球金融市场的动荡。这类"期货"、"期权"和"掉期"交易极其复杂，其资本价值由精确计算有关资产价格的潜在变动而派生。对于银行和投资商来说，它们是"资产负债表"以外的项目。这无疑会给银行业和证券业的管理带来一系列新问题。巴林银行的失足可以说正在于此。目前衍生资本的"名义价值"已经高达 17 万亿美元，银行持有的衍生资本的"重置成本"已相当于银行自有资本的 2/3。

至于美元汇率滑坡和国际地位下降的问题，则更是源远流长。自 50 年前布雷顿森林会议召开以来，美元虽然一直是国际储备的中心货币，但最终支持该货币的美国的相对金融实力却愈来愈难以相称。多年来美国国际收支经常项目常年逆差，累计外债已超过 7500 亿美元；近年其经济扩张形势虽佳，但增长速度仍低于通货膨胀增长速度和投资人对美元通货膨胀的预期；此外美国资本外流而日本海外资产却一度大量回归等，也都是酿成美元风潮的重要因素。

第三，重建国际金融新秩序紧锣密鼓、风雨兼程

半个世纪以来世界投资的主要流向一直是成熟市场，主要渠道一直是官方借贷或其他政府担保等方式。随着冷战结束，世界金融市场的一体化过程已经启动，成熟市场和新兴市场正在整合，多元化的国际投资组合已开始流行。半个世纪前建立的世界银行和国际货币基金等国际金融协调机构，在全球融资机制电子化市场化的条件下已显得力不从心。当今国际金融领域中的种种弊端，实质上是源于"没有秩序"（non—system）。

1985 年广场协议和 1987 年卢浮宫协议只提出了一种松散的汇率联合干预机制，国际货币基金因种种原因在国际政策协调方面也显得能力薄弱，7 国集团内部的相互监控问题还一直没有解决，此外成员国所提供的财务数据的质量和及时性问题更是始料未及。因而在危机出现的时候，国际联合干预的能力及其有效性是不难推知的。

1994 年 6 月 25 日美元危机爆发之际，美国等 17 国中央银行曾联合干预以支持美元，1995 年 3 月美日等国又采取联合行动，奈何都苦于药量有限而收效甚微。又如，为挽救墨西哥比索危机，美国

144

和国际金融机构曾拟用 500 亿美元巨额贷款，但仍感速度不快、力度不足，难以"起死回生"。此外，美国还不得不兼顾美元危机，常导致其外汇平准基金捉襟见肘。

在联合国成立 50 周年的今天，应该是"回顾国际金融系统的结构性问题的时候了"。目前酝酿中的改革建议包括：（1）加强 IMF 在外汇管理和政策协调方面的功能，7 国集团应当能在 IMF 执董会上进行"集体监控"（collective surveillance）；IMF 还应该扩大资金来源和创造新的融资机制，如筹集"应急基金"（adequate funding）。（2）建立"预警系统"（early warning system）和"加强监控"（strengthened surveillance）；国际金融监控权威机构—巴塞尔银行业监控委员会已建议就资产负债表以外的科目和其他国际业务的资本要求条款进行彻底的重新设计；成员国提供的数据必须符合规范和全面及时，国际协调机构应及时公开。（3）酝酿设立"目标浮动带"（ERTZs），确立"潜力均衡汇率水平"（FEERs），成员国货币只能在其上下 10％的范围内自由浮动。（4）其他建议包括"标准宏观经济政策"、"进一步支持美元"和关于新兴市场"资本账户自由化"等问题。

（3）世界经济在持续增长 *

（1996 年 11 月）

世界经济增长还在持续，增长的速度总的说来还令人乐观，主要原因是许多新兴市场国家的经济增长势头一直强劲。主要工业化国家从总体上讲，还无法断定会出现新一轮持久而普遍的经济衰退。

1996 年全球经济的增长率预计以攀高到接近 4％的水平。1997 年世界经济的增长率可望减至 3.5％左右，相当于 1995 年的水平。世界贸易在继续扩张，贸易量/产量比率比过去提高，虽然世界贸易量的增长率在放慢。长期以来的贸易自由化趋势、近几年的"经常账户可变性趋势"（current account convertibility），还有全球经济一

---

* 本文系世界经济形势年度回顾与展望研讨会的发言，发表于中国社会科学院《世界经济》1997 年第 1 期，署名萧琛。

体化所带来的活力等，都是世界贸易继续增长的因素。预计1996年的贸易量增长率是6.4％，1997年是7.0％。

尽管如此，欧洲和北美的经济增长却在放慢，减速势头比预计的明显要快一些。经济减速在欧美许多国家不仅导致失业增加，给本来就已经很高的失业率雪上加霜，而且导致了人们普遍担心经济会出现新的衰退。其结果，欧美国家的短期利率已明显出现下降。其中一些国家已经采取了形形色色的财政手段和结构性调整政策，以便刺激经济、恢复信心和创造就业机会。就其中某些国家而言，在经济增长明显低于潜力水平时，要素随经济减速而跌价的问题，有迹象表明它并不能长期和持久。

在德国和法国，还有几个同德国马克和瑞士法郎联系密切的国家，自1995年上半年以来，其各项关于经济周期的指标从总体上看已经恶化。这些国家经济增长势头的恢复时间和程度等，现在还难以预料。不过，经济指标的确已开始显示，1996年这些国家的经济增长率应该加快。经济活力的强化，对于这些国家切实扭转失业形势和改善财政条件，以满足建立"欧洲货币联盟"的时间表的要求，应该说非常关键。相反，若经济出现滑坡，则怀疑"欧洲货币联盟"的论调势必进一步蔓延，而这一点有可能导致金融恐慌。

146

在其他一些国家和地区，经济政策摇摆不定所导致的金融市场反复无常等情况，仍然预示着一种逆转经济的风险。1996年上半年，一些区域性金融市场对世界经济和国际金融的不平衡就曾显得过于敏感。而当今世界经济组织对于国际金融市场的调控能力已经变得空前脆弱。当人们还在怀疑国际社会能否有效处理国际资本问题的时候，世界市场已经在不断地显示出强大的威力，迫使世界社会和各国政府改变政策并付出巨大代价。同"市场自律效应"不同，"市场强迫效应"往往是造成资产价格持续地倏忽不定。而这对于企业的经营和就业的创造等无疑会产生严重的负面影响。

1996年世界经济中许多积极因素和令人乐观的发展趋势仍在继续。世界经济增长的速度比1995年加快这一点就是一个证明。全球性通货膨胀已基本被制服。长期利率自今年一月份以来曾迅速地下降到80年代以来的最低时期的水平以下，原因之一，据说是由于许多工业国在减少财政赤字等宏观经济政策方面有过明确的承诺。世界股票价格还在继续趋升，这一点也可以说是对利润前景和长期利率下降的肯定。主要工业国货币之间的汇率，继 1995 年"戏剧性"地"错位"之后，1996 年已经回归或接近各国经济潜力水平。日元汇率的矫正对于日本经济康复显然有益。

继 1995 年墨西哥危机之后，1996 年流向新兴市场的国际资本已经得以较好的消化。墨西哥和阿根廷的经济增长都已经恢复。其他一些新兴市场国的经济也很有活力，"过热"的问题也基本上能得到控制。多数发展中国家在过去十年中已经显著地控制住财政不平衡问题，在贸易自由化和其他结构改革问题上也成绩显著。但也有不少国家继续通过财政赤字从生产部门转移出有限的经济资源。

此外，规模大、活力强的"准财政"或曰"预算外"资金已经影响到这些国家经济的生产性动力和持续性增长。转轨型经济在稳定宏观经济方面也取得长足进展，虽然在许多国家"干预过度"问题还没有得到解决。中东欧经济转轨国家的经济增长势头比 1995 年秋 IMF 所预计的要强劲一些。有迹象表明，俄罗斯的经济增长已开始恢复。

147

（4）世界经济增长势头可能持续到 21 世纪初[*]

（1997 年 11 月）

1996/1997 年度世界经济增长在加快。全球通货膨胀继续处于控制之下，保持价格合理稳定的努力空前有力。许多国家的结构改革强化了市场机制，为可持续的有韧劲的经济增长奠定了坚实的基础。1997 年内世界经济有望继续增长，全年增长率约为 4.5％。1998 年增长率预计会持平。这些预计要比 1996 年 10 月《世界经济前景》的数字略高一点。

近几年整个世界经济开始的新一轮扩张，是自 20 世纪 70 年代以来的第四次。其特点是平均速度较快，且可望持续到 21 世纪初。

　＊ 本文系世界经济形势年度回顾与展望研讨会的发言，发表于中国社会科学院《世界经济》1998 年第 1 期，署名萧琛。

IMF 最近数据表明会持续到 2004 年。

新一轮扩张的主要特点是：美、英经济出现低通胀的稳健的增长；加拿大经济逐渐有力地复苏；西欧大陆一些大的国家，虽未消除国内需求方面的结构性问题，但复苏面仍在扩大；大部分发展中国家，特别是中国以及其他亚洲国家的经济增长很有韧劲，尽管其中一些受到东南亚金融风波的冲击；俄罗斯等转轨经济国作为一个群体，开始结束经济的负增长并转向正增长时期的迹象已经出现。

20 世纪 70 年代以来世界经济前三次扩张中，都曾出现经济波动甚至广泛下降，许多国家经济甚至出现严重衰退。近几年世界经济的增长应该说还处在新一轮扩张周期的前一阶段。因而，值得回顾和关注的一个问题是：这一轮扩张会否夭折，会否出现新的全球性衰退？

世界经济前方的问题应该说不少。例如，各国经济运行绩效差别甚大，一系列路障尚未排除；在欧洲许多国家持续的高失业率还在加剧和蔓延，而劳工市场的改革则非常粗略和零星。在新兴市场经济国，近几年大量的增加着的资本的流入仍在呼唤健全的市场导向型经济政策和更加开放的全球金融体系。此外，一些国家的经济形势甚至开始恶化；另一些国家正在遭受挫折；还有一些国家对于投资心理的变幻反应脆弱。正如东南亚市场近期的金融风波所表现出来的那样。

尽管如此，新一轮世界经济扩张应能持续下去。因为的确出现了一系列非常有利的前所未遇的中长期因素。发达国经济增长总体看好，发展中经济和转轨型经济的增长也在接近潜在水平，加上技术进步及其所带来的劳动生产率提高，此外还有全球经济一体化的日益增强等，都在推动新一轮经济扩张。具体理由如下：

第一，导致商业周期转入衰退的常见经济问题和不平衡因素一直很难发现。全球通货膨胀依然被制服，维持价格体系稳定的信心和举措也比战后任何时期都要有力和健全。许多国家调整结构的决心日益强烈，预算不平衡问题已经减轻。这显然有利于稳定人们对通货膨胀的预期和保持适度的实际利率。此外，世界主要货币的汇率，也基本上处于中期潜在水平所允许的范围之内。

第二，由于美、英和其他众多较小的发达国经济的增长已逐步进入成熟阶段，增长率趋于平缓并保持在可持续状态，因此，今后几年内日本、西欧大陆国家的经济逐步复苏势将有助于支持全球的经济需求并增加经济活力。尽管发达国时而偏离经济扩张的情况仍值得注意，日本和大陆欧洲一些国家经济不景气的余地还相当大。

第三，新周期中，发展快要成功的国家将增多，它们会提供更多的市场，增加更多的生产能力。同期，转轨型经济的增长也会加快。这些一方面有助于减轻通货膨胀压力，另一方面也会推动国际贸易和整体世界经济增长。

几年来世界经济的持续增长已成为现实。它比石油危机后或曰20世纪70年代后期以来的前三次的扩张势头都要强劲。根据 IMF 世界经济中期预测组的测算，从 1996 年到 2002 年，世界 GDP 的趋势增长率高达 4.5%，而前几次仅为 3.75%。

149

以上分析和测算当然不应导致过分的乐观。因为影响个别国家、甚至地区和全球经济的"经济风险"和"机制脆弱"因素并没有消除。其中相关程度较大的问题包括：（1）经济增长有可能过热，特别是那些资源利用率已经非常高的国家。这会导致新一轮通货膨胀，虽然很长时间以来通货膨胀已经被制服。（2）"欧洲经济货币联盟"（EMU）的进程中也难免产生很多不确定因素。（3）国际资本是否持续流向新兴市场经济，也仍然是一个问题。

（5）新技术呼唤新型现代企业组织
——西方企业结构的网络化[*]

（1994 年 5 月）

现代西方公司组织形式的特征是注重纵向分工和强调命令控制。美国的通用汽车公司、IBM 公司、日本的丰田、索尼、德国的西门子概莫能外。20 世纪 80 年代中期，美国的大公司内部一般都设有9～13 个经理阶层，经理和工人之比为 1：34，经理和秘书之比为

---

* 本文发表于 1994 年 5 月 13 日《人民日报》，署名萧琛。

2：1。这种组织特征产生于现代产业和市场的一些斟酌特性：批量生产要求工序分解、标准规范和准确无误的信息；信息的处理传输手段比较落后，公司管理指令传达和向外透明的工作量很大；企业在竞争中不断追求价廉物美和周到的服务。这些都要求作业管理严格并坚持不懈、分级把关和现任明确。近一二十年来，西方企业的生产性质和市场环境已经发生巨大变革。

首先，由于信息技术特别是微电子技术的加速发展，以批量生产和工序分解为特征的传统生产和管理方式已为灵活编程和"有求可供、供随求止"的信息型生产所取代。"厂随人走"的灵活制造系统和"可以在几秒钟之内改变产品设计"的计算机一体化管理蔚然成风。

其次，由于国民财富的增长和追求生活质量的消费新潮，对于潜在的市场空隙的竞争正在逐步取代传统的块状市场的争夺，企业规模经济内涵已发生变化。

产业信息化和服务业化不仅冲击现代企业的公司官僚和臃肿低效率等弊病，而且为推出新型企业组织准备了条件。新技术的突飞猛进，要求管理指令的送达尽可能地减少中间环节，从而节约了中间管理人员；电子银行、电子咨询服务等使得企业有可能让劳资、文书、保健和法律等服务和后勤工种分离出去；信息交流的及时与充分使得企业有可能在更广阔的空间组织机动灵活而又协调有序的产业活动。

美国《幸福》杂志和美国生产率与质量研究中心的调研结果表明：美国最大的 1000 家公司已拟定彻底改组传统的命令控制型体制的计划。日本的丰田公司已经改变"社是"（基本方针）；本田、索尼、日产等著名大公司也在进行大刀阔斧的改变。

企业组织形式新陈代谢的新动向是：第一，形形色色的纵向结构正在被拆除。美国公司近几年已迅速地将其中间管理阶层至少 1/3。总部设在东京的美国 A&I 体系废除了营业、系统、管理等部门的"部长"、"副部长"、"科长"等普通管理头衔。第二，西方大公司的总部正在收缩。各种后勤服务工作被甩给日益完善的社会服务业。美国的珀金－埃尔默公司在世界各地有 6000 名雇员，销售额高达 10 亿美元，但它的总部却只有 50 人左右。第三，各国的大公司已经不再一味追求规模，而是向适度或精干的方向调整。近年来，美国通用汽车公司已经关闭了它所属的 22 家大厂。A&I 体系则形成了 250 人左右的若干个平等的产业单位。帕尔公司的总裁则使他的基层工厂的员工人数不超过 500 名。

上述种种改革倾向表明，西方国家企业的传统的金字塔模式正在走向"网络化"。IBM、HP、AT&T 等公司无疑都是这方面的先驱。欧洲的电子工程巨头 ABB 公司也将其数千种产品与服务部署在全世界 50 个作业区，每区设一个领导小组独立经营。而其总裁则穿梭奔波，仿佛"蜘蛛"一般。最容易与他通话的场地是在其"空中办公室"里。

（6）从"信息本位制"看东亚金融风暴 *

（1995 年 5 月）

151

东亚金融风暴也许已尘埃落定，但关于它的思考却远未结束。风暴是在套利基金等"网上经济实体"同一系列新兴经济的冲突中间产生的。其基本前提是冲击方和被冲击方之间存有"机制差"和"信息差"。

机制差主要体现在市场的出清速度方面。它取决于交易中介机构的数量和质量。信息型经济中直接融资模式一般比较有效。在一些不需要中介的电子证券市场上，供求双方更是可以直接成交，融资的杠杆（借贷）能力也十倍二十倍地膨胀。而间接融资模式倚重银行贷款、环节多、速度慢、容易出现"瓶颈"，尤其是对迅速起飞的经济来讲。

信息差主要体现在预期质量和网络意识方面。市场出清必须落实到结算，因而金融最容易首当其冲。除了一般新闻，金融信息通约性最强、最容易利用全球网络。而在新兴市场上，企业行为能见度较低，市场信息披露远不充分，很难利用先进手段收集处理信息，

---

* 本文发表于 1995 年 5 月 11 日《人民日报》，署名萧琛。

很容易系统地导致决策失误。

信息差在很长一段时间里可能会无碍于外资进入，但其风险则是外资很有可能大规模抽逃。因为丰厚的利润终究最为重要，而机制差显然会制约外资的有效使用。

就整个东亚而言，关于产业次第转移的所谓的"雁行模式"不仅会导致一种产业联动关系，而且也会导致债市、汇市、股市、期市的金融联动机制。再加上网络的加速作用，危机的传递和扩散就变得倏忽可至。新形势下东亚联动机制的滞后性表现在：由于盯住美元但倚重日元而变得僵硬；分工格局青黄不接影响央行合作实力。

国际市场多年来一直是日元坚挺美元疲弱，但 1994 年却风水倒转、天上地下，美元大升值、日元大贬值。泰国这只盯住美元而又特别仰仗日元的"雁尾"难免最容易受到夹击。网上套利基金把握了上述差距的临界点，并在泰国当局迟迟未察觉或曰心存侥幸之际深谋远虑地买断了胜局。泰铢被冲垮后，由于金融联动，东南亚各央行都迅速入场抵抗，结果也纷纷败阵，出现多米诺骨牌效应。

由于产业联动，危机进一步向东北亚扩散。韩国本来就多种问题缠身，全球游资一哄而上趁火打劫之下，其经济雪上加霜势所不免。日本这只"雁头"受到殃及带有反馈性。此外，危机还借助网络迅速影响到拉美、北美、欧洲乃至整个世界。

这场区域性世界金融危机，既不同于传统的经济危机和慢性的结构危机，也不同于一般的货币危机、债务危机和股市危机，虽然它们委实同时存在。东亚不少经济患了不同甚至是多重的病症，但这场危机只是席卷它们的又一场重流感。

就经济紧缩、货币贬值、贸易保护和危机的里程碑性质而言，这场危机也许同 1929 年那场大危机有相似之处，但随之而来的却是新兴市场的奋起直追和多边机构耐人寻味的"大救援"，而不再是那场绵延了十年的世界性"大萧条"。

这场风暴从接轨角度看，是经济全球化进程中区域金融机制的强行矫正；从当事人角度看，是一场国际财富的强行再分配；从被冲击方看，是增长奇迹的暂时中断、经济泡沫的迅速释放、"东亚模式"振聋发聩的震撼。

这场风暴告诉我们：网络经济中一国传统抗击能力很容易变成杯水车薪，而约束无国界经济实体的行为任重道远；市场制度必须彻底，才能从容地走向网络世界和"知识经济"新时代；"落后就要挨打"在冷战结束后决没有过时，谴责对手不如退而结网；"科教兴国"和"大力改革政府机构"，是现阶段最明智的选择。

（7）网络金融风暴与东亚模式变迁 *

（1998 年 6 月）

东亚金融风暴也许已经告一段落，但是"东亚模式"的调整，各国经济和政治秩序的康复，却显然需要时日。东亚模式有三点内涵：政府主导、外向驱动、产业联动。这次风暴中这三点可谓都已受到洗礼。各国对政府质量和政企银关系的反思，对 FDI 和组合投资的内省，应该说都已经相当充分。联动机制调整可能比较复杂，既包括产业分工重组，也包括金融市场机制的信息网络化。

东亚模式还有一点值得注意的外延："特定时空"，奇迹需要一定的国际环境。20 世纪 70 年代后期以后，西方经济一直走走停停；东亚的日本却有些例外，"四小"及东盟的经济增长也正好一路顺风。90 年代特别是近几年来，西方特别是美国经济已入佳境；日本经济却开始滑坡，"首雁"带动作用已近强弩之末。

另一个特定条件是中国的崛起。20 世纪 90 年代以来，中国市场对东亚群雁产生了巨大的推动力。这同日本的拉动相辅相成，导致雁群好似从"一"字形变成"人"字形。日本现已改变传统的"日本中心论"而推行新的较多横向分工的"新亚战略"。

就世界经济升级换代而言，东亚模式是传统的倚重自然资源和制造业的国别经济时代的宠儿。在追求增长数量阶段，赶超模式、模仿战略和民族团队精神生逢其时、左右逢源。而 20 世纪 90 年代以后，经济全球化已是大势所趋，倚重人力资源质量、信息资源优

---

* 本文系"东亚金融危机与东亚模式研讨会"发言，载中国社会科学院《世界经济与政治》杂志 1998 年第 7 期，署名萧琛。

势和金融网络服务的国际经济时代已经到来。

东亚金融风暴就是在国际套利基金等无国界经济实体同东亚一系列传统经济的冲突中间产生的。其基本前提是双方间存有"制度差"。网络经济中，直接融资模式一般较有效。在不需要中介的"第四市场"上，供求双方可直接补抛，衍生工具的杠杆（借贷）能力更是十倍二十倍地膨胀。而间接融资模式倚重银行，环节多、速度慢，容易出现"瓶颈"、"幕后"和"扭曲"。

就整个模式而言，产业联动会导致债市、汇市、股市、期市的金融联动。加上网络的加速效应，危机的传递和扩散就变得倏忽可至。新形势下东亚联动机制的滞后性首先表现在上述产业格局青黄不接。其次是由于盯住美元却又倚重日元，显得笨拙和僵硬。国际市场多年来一直是日元坚挺美元疲弱，但近年却风水倒转、天上地下，美元大升值、日元大贬值。泰国这只盯住美元而又仰仗日元的"尾雁"，难免容易受到夹击。

在日元不断升值的长时期内，东亚国家如泰国等逐渐将外汇储备中的美元更多地调换成日元。美元转而飙升、日元转而猛烈下沉后，这些国家的储备管理势必异常艰难。首先，由于盯美元，则美元升值势必带动本来已经高估的本币更趋上扬，增加本币资产挤换美元的压力；其次，美元和本币升值会削减本国产品国际竞争力，恶化经常账户；此外，大量日元储备的价值特别是其兑换美元的能力会骤降。这些都要求有极强的未雨绸缪的网络意识和果敢应变的市场直觉。

网上金融实体充分利用优势，及时地把握了传统经济的困难及其临界点。1997年年初，泰国当局已陷入两难：降低出口成本要求稳定泰铢，而提高利率会加剧企业内债和银行呆账；让泰铢贬值，又会加重外债。在犹豫不定或心存侥幸之际，索罗斯等套利基金深谋远虑地买断了胜局。泰铢被冲垮后，由于金融联动，东南亚各央行都迅速入场抵抗，结果也纷纷败阵，出现多米诺骨牌效应。中国香港、中国台湾、新加坡也被席卷。

由于东亚各国的产业联动机制，风暴很快向东北亚推进。韩国经济遭受冲击势所不免。日本受殃及带有一种反馈性。此外，危机还借助网络迅速影响到拉美、北美、欧洲乃至整个世界。拉美股市出现墨西哥金融危机以来的最大跌幅，美国股市在香港股灾期间也曾一度狂泄。

这种虚拟性很强的网络金融危机，既不同于传统的经济危机和慢性的结构危机，也不同于一般的货币危机、债务危机和股市危机，虽然它们委实同时存在。东亚不少经济患有或潜伏了不同甚至是多重的病症，但新危机只是席卷它们的又一场有可能导致并发症的重流感。于是，网络金融危机同传统危机交织在一起，虚拟经济危机和实际经济危机交织在一起、形成了一群形态各异的现实的国别经济危机，令人目不暇接。

从东亚模式同世界的接轨角度看，这场危机是经济全球化进程中东亚融资模式和市场出清效率的强行矫正；从当事人角度看，是一场东西方国际财富的强行再分配或曰浩劫；从被冲击方看，是增长奇迹的告一段落、经济泡沫的迅速释放、传统模式的振聋发聩的震撼。

155

（8）日元对美元戏剧性滑坡的政治经济剖析

（1998 年 6 月）

近日，东京外汇市场日元对美元的汇率竟跌到 144.75∶1。是 1990 年 8 月以来的最低点，而此前 3 年最高汇率是 79.75∶1。高低两比，日元对美元的汇率在 3 年中已经下跌了 80％还多！

日元滑坡的直接原因在于套利基金兴风作浪。投机者设置圈套，积极抛出日元和日元债券，通过加快汇市变动来获利。据说欧美套利基金已由此获利丰厚。他们年初便看好日元贬值和美元升值势头。从 3 月起，他们在 1 美元兑 120 日元左右时，动用了数千亿日元资金加速日元贬值。仅在 4 月一个月中，流出日本的外资就达 3.7378 万亿日元，创战后日本单月外资撤出最高纪录。

投机者兴风作浪的基础在于日元信心动摇，对此日美两大国的

---

* 本文发表于《光明日报》1998 年 6 月 23 日，署名萧琛。

态度很重要。日本人承认"日元疲软很难说不是日本政府的期望所在"。因为日元贬值会给大企业带来好处。短期内出口企业会因此获利。按日方预测，日元每贬1日元，丰田汽车就可获利100亿日元，东芝可获50亿日元，日立可获25亿日元。1997年日对外贸易顺差比1996年增长了79.7%，达11.4万日元！至今日外贸盈余已连续14个月增长。

美国"让日元下跌"意图在5月已见端倪。美传媒当时披露。美国财长鲁宾认为，日元兑1美元跌至150水平也可以接受；在七国副外长会上。美不仅不谈日元危机，而且在会后鲁宾还言明无意干预。炒家出身的他当然知道，这种表态等于鼓励投机者不要穷追日元。他当然还明白，日元下挫的直接后果是亚洲资金逃美避难，会降低美国债券利率；还会诱发亚洲资产进一步贬值，为美国提供更多的"价廉物美"机会。

此外，面临中期选举，政府也可利用美元升值来抑制通货膨胀，而若降低美元利息支持日元会有悖于此。美国的正面理由是："日元脆弱反映的是日本经济的实际状况"、"日本应当改革但却一直不情愿"、"花上几十亿美元来支持日元可能不会有结果。"或许，正是因为日本人洞悉了美国这一态度，所以才不做无谓抵抗。没有美国的支持，七大国及IMF绝不会帮忙，日本央行势必独力难支，虽然外汇储备世界第一。

日本当然也知道亚洲处在非常时期。作为负责任的国家，应当学中国，管住自己的货币和汇率，让出一部分市场，使邻居能渡过难关。但日本显然还不情愿，如果不说它想乘人之危并向世界摊出"无底洞"的话。

就实际经济而言，日本的确不无难处。首先，日本目前正处经济衰退。1998年第一季度，日本GDP比上季度少了0.7%，是自20世纪70年代初发生石油危机以来时隔23年后出现的首次负增长，降幅创日本战后最高纪录。其次，东亚模式正处转型期，日本显然是症结交汇处。其"间接融资"模式，政府、银行和企业之间的亲情关系，都积重难返。最后，日本产业结构的信息化更新换代也已经不容再拖。传统生产能力过剩，存货偏多，失业增加，使日本不能不特别仰仗出口。

产业结构、金融制度、经济衰退等实际经济问题造成了日元滑坡的基本态势；日、美政府及西方国家的听任态度导致了滑坡的加速；而网上炒家从中作梗进一步使这种"加速"带有了限强的戏剧色彩。

在金融风暴阴魂未散且似卷土重来的今天，日美两国首脑在通话之后，美国终于动用了 20 亿美元（据说拟动用 60 亿美元）干预日元汇市，致使日元迅速回落到 135 比 1 的价位，但近日却又徘徊在 134～139 之间。据测算，日元同美元的潜在汇率应在 110 左右。

鉴于日元不仅对亚洲而且对美国乃至全球的金融市场都干系重大，长期推来推去，全然不顾国际形象，显然不是上策。因此，联合干预很可能有望继续。但何时能完全到位？日本衰退何时能出谷底？会否出现 150、160 等新高？显然还有待关注。

（9）全球经济在亚洲危机阴影中增长步伐减缓*

（1998 年 7 月）

自 1998 年 1 月以来，东亚金融风暴已趋缓和，东亚各国经济逐渐从谷底开始回升。然而，东亚国家的货币及其他资产的价值还是远低于危机之前的水平，许多调整还未到位，该地区对全球经济增长负面影响的消除有待时日，并存在许多不确定因素。尽管如此，从中期看，今后的全球经济增长率依然可望超过 70 年代以来的平均水平。

据 IMF 预测：1998 年全球经济增长率将为 3％，而 1997 年 12 月的预测是 3.5％，10 月的预测更高，为 4.25％。IMF 大幅下调预测的主要担忧来自印度尼西亚、韩国和泰国经济。外资近乎枯竭，货币严重贬值，资产价值猛跌，正导致这些国家国内需求急剧收缩，尽管这种紧缩可以部分地为净出口的增长所抵消。马来西亚、菲律

---

* 本文系世界经济形势年度回顾与展望研讨会的发言，发表于中国社会科学院《世界经济》1998 年第 10 期，署名萧琛。

宾和东亚其他一些国家和地区 1998 年内经济增长前景也仍然无法看好。1998 年，这些国家和地区势将经历国内需求和进口的急剧下降。那些受危机侵袭严重的国家和地区的 GDP 有可能出现负增长。印度尼西亚的政局和政策前景不稳，阻碍金融市场出现转机。其他一些国家和地区的市场已开始好转，当然痛苦的调整还没有告终。

1998 年上半年，亚洲经济危机因素已经影响了新兴市场的经济增长。外资减少，对外借款利率增加，股市、物价低迷，旨在防止市场崩塌的种种政策紧缩等等，都在削弱短期经济增长势头。

在发达国家，日本经济近期已进一步恶化，问题主要源自国内。日本经济自 1997 年回升以后，当局放弃了财政刺激，延缓了结构调整，尽管改革金融部门和振兴国内需求的举措在出台，但 1998 年的经济增长，仍将难以摆脱停滞状态。

158

美国和欧洲的经济增长势头良好，持续到明年不会有大的问题。美国、加拿大和英国国内需求强劲，西欧其他大陆国家的国内需求也在增强。国内需求转好将促进经常项目调整和改善。在一些国家，这种调整将会减少北美和欧洲的净出口和对外直接投资的净流入。在贸易盈余增长从而提高国内需求的同时，国际投资的改向也会有助于降低实际利率。亚洲危机引发的出口秩序问题，国际金融机构所能感到的亚洲债务人的困难程度等因素，在多大程度上将有效地影响全球经济信心这一点，是一个值得关注和有待观察的问题。

总之，亚洲危机对于世界经济和产业似乎起着一种中度的收缩性和非通货膨胀性的作用。这有助于降低那些资源利用率过高的国家（如美国）出现经济过热的风险。

还有一些风险来自发达国家的外汇市场和金融市场。许多国家的股市近期又创新高，美元也进一步飙升。这些都有助于资金流向成熟市场国家。但是，美国 1998 年的经常项目赤字预计大幅提高，美元的未来价值很可能出现变动。如果同期世界商品价格水平回跌，劳工市场压力导致工资上涨，那么，美联储将会面临新一轮的货币紧缩，届时股市和债市有可能得到矫正。英国的货币供应也会遇到同类问题。而新兴市场经济国家和日本也将会遭遇新的问题。

（10）短期经济问题难以阻止
美国"新经济"的脚步*

（1998 年 8 月）

看世界经济形势，我们经常会遇到基本角度或者也可以说是一种方法的问题。经济形势有短期、中期和长期之分。经济统计指标有的是长期的、有的是中期的、有的则是短期的。进一步说，指标还有"领先"、"同步"和"滞后"之分。一个容易出现的问题是，不知不觉中人们就在用当前证券市场或外汇市场的短期动荡来判断世界经济的中期发展态势，甚至引申出长期的如"全球经济大萧条"之类的结论。

159

就中期而言，美国经济现在看来正处在经济周期的一次结构调整的前夕。这次经济周期已经历时 7 年多，实际经济层面累积的问题已经不少。因此，这两年对美国经济的增长势头不宜报过于乐观的态度。除非美国当局能够创造出有利于美国的意外的国际条件。而就长期而言，美国经济则处在"长周期"（假说）的上升面上，在今后的十多年中，美国经济乃至整个的世界经济应当处在一个良好的较快增长的阶段。这一点从世界范围内高新科技产业的崛起以及相应的结构重组浪潮可以得到验证。

问题在于短期经济最难以把握。无论是从美国的股票市场的滑坡情况来看，还是从世界主要货币的剧烈波动情况来看，令人担忧的问题实在很多，许多问题的不确定性和严重性，都可以说达到令人不安的程度。对此，我想说的一点是：股票市场历来都是以夸张的手法来报道现实经济的。萨谬尔逊曾经开玩笑地说过：美国的股指曾经成功地报道了 5 次经济危机中的 9 次！更值得提请注意的是，由于互联网的出现，统计信息的"夸张"成分正在空前增长。

看世界经济形势还应该注意区分"虚拟经济"和"实际经济"，

---

* 本文系四川都江堰市世界经济会长扩大会上的发言。记录稿摘要发表于世界经济学会编写的《正眼观潮看风暴》，1998 年 12 月，署名萧琛。

尤其是在当今二者已经高度脱节的新形势下。从汇市和股市等虚拟经济层面的情况看，美国经济正在令人捏一把汗。但是，如果从实际经济层面来看，美国经济的形势则应该说从来或者说很少这样地好过。

20 世纪 80 年代，美国经济经过了预算、税制、银行、证券、外贸、军转民等重大的力度空前的改革；90 年代，美国经济又经历了社会保障、科教基础设施、政府机构等方面的改革。应该说各方面的情况都已在趋向良化。劳动生产率、信息网络、财政赤字、经济增长、失业、时间工资等各方面的指标，都是历史上最好的时期。

如果说 20 世纪 80 年代经济增长时，美国劳工的实际工资还存在许多问题的话，那么 90 年代以来，这个问题也已经解决。而且，在世界范围内，它也处在一个领先的高峰时期（也许仅仅次于二战后美国登上世界盟主的那个特殊阶段）。在这种情况下，断言美国经济即将开始一场中长期的经济滑坡甚至可能出现"大崩溃"，应该说很难设想，因为已经时过境迁。

160

同样应该指出的是，美国经济的大好形势也受到虚拟经济因素的夸张，这种夸张在近期内对于美国经济是有支撑作用的。这是以往所没有的短期利好因素，尽管无疑也会潜藏风险。道琼斯股指超过 9000 点，肯定是夸张地解释了美国的实际经济情况。美国地处网络金融的中心，美国又总是世界舆论关注的焦点，一旦气候好转，信息媒介、金融中介便应者云集，资金也迅速地流向美国。美国芝加哥的贸易双塔，正在充当世界的"计委"和"经委"，全天候全方位地配置整个世界经济的资源。夸大美国经济形势的因素还包括日本及东亚的问题。日元的大滑坡、亚洲虎们的瘫痪，也导致美元地位的戏剧般上升，给人一种过度的经济信心。

（11）世界经济运行态势、问题与对策[*]

（1998 年 11 月）

自 1998 年第二季度以来，世界经济增长一直艰难，增长和贸易

* 本文系世界经济形势年度回顾与展望研讨会的发言，发表于中国社会科学院《世界经济》1999 年第 2 期，署名萧琛。

方面的指标有所恶化。日本和另外几个亚洲新兴市场经济的衰退有所加深；俄罗斯金融危机，对于国际资本普遍撤离新兴市场方面，起了不小的作用；全球股市已从此前的高峰明显下滑；世界商品价格不振的情况还在继续。世界经济增长前景有可能进一步难以乐观。许多新兴市场经济，由于外资赢利风险增大、利用外资机会减少等，正陷于特别困难的境地。

诸多不利因素的发展为国际金融体系及其有序调整带来新困难，经济增长的某些有利因素不无逆转迹象。市场条件普遍恶化，加重了新近的问题，反映日益一体化的世界经济相当强的"传染"能力。传染效应在那些政策反应能力弱、机构不健全的国度表现得最明显，不过，在那些政策机制健全的国度，情况也不可小视。

两个季度以来世界市场也出现了一些积极因素，对走出危机和早日康复应该说是个有力的支持。第一，在北美和西欧等发达工业国，较强劲的经济增长仍在继续，通货膨胀率低，财政政策正在趋向稳健。第二，欧洲的经济货币联盟，对稳定货币已开始发挥作用。经济货币联盟的成功对国际货币体系的稳定应该说意义深远。第三，中国和印度保持了经济的增长态势。同期，一些受危机冲击严重的亚洲国家，在稳定金融和强化涉外经济方面，也已经取得进展，审慎而宽松的宏观经济政策正在那里酝酿。第四，世界经济增长的基础条件近几年有明显改善，一些发展中的和转轨中的国家的潜在经济增长可望好转。第五，相当长的一段时间以来，贸易保护主义势头已经得到控制。

针对严峻的世界经济形势，IMF 认为出路在于有关国家和国际机构的通力合作，以支持那些受不利因素冲击严重的国家，还有那些正在进行大的经济政策调整的国家。为消化危机，采取有力的旨在恢复市场信心的政策举措，对那些在危机中陷得较深的国家尤其必要。

俄罗斯危机严重，其新政府应当重建卢布信心和恢复支付体系，并与其债权人密切合作以缓解债务问题。治本性的举措也很重要，特别是针对持续的财政不平衡、税收制度不完善等问题的举措。此外，银行体系问题多、法规建设亟待加强、市场竞争因素需要增进、

161

私人企业部门需要鼓励等，也值得关注。

就新兴市场经济和发展中经济而言，由于资本市场对任何政策失误都已经高度敏感，因而只有保持健全的体制，才是稳住投资人心态的关键。亚洲和其他地区的一些国家在处理危机的溢出效应方面颇有成效。中国的人民币不贬值，受到普遍欢迎。拉美过去十年在制度建设方面取得不少进展，这些国家在这次金融风暴中能基本挺住。不过，健全的财政政策和银行体系对这些国家仍然至为重要。

工业国经济增长对全球经济增长，包括在避免通货紧缩风险，创造条件平安度过危机等方面，都可谓举足轻重。这方面的问题不算很大。但日本应采取得力措施加强其金融部门，提供足够的刺激扩大其内需，并致力于恢复市场信心，直到经济康复。在大多数工业国，经济增长应该说已经相当强劲。就通货膨胀和经济增长角度看，就全球金融市场危机及其溢出效应而言，一些专家认为，美联储最近的降息，是值得欢迎和有效的举措。工业国，特别是欧洲地区利率水平的趋同并回落到较低水平，应该说是有利的进展。

162

（12）千年之交世界经济增长格局的调整与展望*

（1999 年 12 月）

1997 年和 1998 年新兴市场经济出现动荡之后，信贷紧缩和全球经济衰退问题受到日益普遍的关注。目前，全球的经济和金融的状况都已经有了明显的好转，多数危机缠身的国家其经济都已经开始复苏。但是，要确保这些国家经济的复苏进程能够持续，世界经济在下一个十年能够更为强劲和稳定地增长，显然还存在许多挑战。

大量迹象表明，主要工业国经济的增长格局是很不平衡的。而且，如果美国经济需求的下降快于人们的预期，则世界范围内的经济和金融的运作态势和后果等问题，显然也特别地需要加以关注。价格普遍稳定，固然是宏观经济政策的成功，但宏观经济本身还不

---

　* 本文是萧琛在《世界经济》杂志于 1999 年 12 月在香山饭店召开的形势研讨会上的发言，署名萧琛。

够稳定，这一直困扰着全球大多数国家。诸如此类的问题，都从各个方面要求国际经济协调机制能够寻找到新的对策。

1997年亚洲金融危机爆发、传递和扩散以来，金融风暴可谓接二连三、接踵而至。俄罗斯和巴西等国都发生了类似的金融危机。这导致1998年全球经济增长下降。泰国汇市危机爆发之后，世界经济已经经历过四个阶段的下降和调整。现在已有迹象表明它已经开始好转。多数经历危机的新兴市场经济的金融市场信心已经开始恢复，货币政策已经开始宽松，经济复苏也已经步入正轨。

在所有经历这场危机的亚洲国家，1999年的预期经济增长率都已经明显调高。在巴西和俄罗斯，同先前预期的经济下降程度相比，实际的情况也要好出一些。国际石油价格已经回升。许多国家价格水平的紧缩势头已经得到控制。这些可以为那些一度受世界经济衰退波及并倚重出口的国家带来新的机会。在日本，实际经济增长情况也比先前预期要好一些。经过1997～1998年经济急剧紧缩，1999年上半年的日本经济经历了一度显著的扩张。在美国，本轮长时期的经济扩张一直给人以强烈的印象，目前增长仍在继续，而工资物价上涨压力却并不明显。在欧洲，所预期的经济增长态势似乎正在逐步成为现实。

163

上述经济转好或者说先前经济预测高调，会导致1999年全球经济的增长率上升到3％，比起1999年5月份IMF《世界经济展望》的预测水平，要高出3/4个百分点。由此可知，全球经济增长率已经走出了1998年谷底值2.5％。IMF的预测表明，尽管在过去两年中，一些国家经历了特别严重的经济衰退，但是，从此前世界经济增长记录情况来看，这一场世界经济的衰退还是30年中4场衰退中最为温和的一次。这一点也表明，一些专家关于会出现类似30年代那样的大危机的担心是不太必要的。

尽管如此，在今后几年中，世界经济前景中还存在相当多的不确定因素。一个明显的问题是，在这次世界经济衰退中，美国经济的持续扩张发挥着有力的缓冲作用。有研究表明，如果美国经济的国内需求增长只是亦步亦趋地遵循其潜在水平，而不是1998年的实际增长的5.3％和1999年调高预期后的4.9％，则整个世界经济的增长在过去的两年中将会放慢 0.5 个百分点。

同样一个明显的问题是，为防止国内通货膨胀压力的集聚和抑制经常账户赤字，美国经济的增长率势必需要调低。IMF 预测专家的底线方案是"软着陆"，即，在几乎不为察觉的轻微的震荡和停顿的条件下，逐步放缓经济增长速度以接近潜在可持续增长水平。不过，能否达到这种效果现在还不能确定。股市高估问题，居民储蓄率剧降、近期竟落至负数水平，企业资本开支过高，高度倚赖外资，还有美元汇率高出中长期潜力水平，等等，都势必会共同导致美国经济的过热和失衡，从而进一步导致美国经济中的需求增长出现比较生硬的中断。

这种情况会提出一个问题：日本和欧洲的经济增长能否依靠自身力量维持、能否补足美国经济增长对世界经济增长所造成的下降效应？美国以外经济增长条件的改善势必有助于美国经常账户赤字问题的解决，但也会败坏国际投资者对于美元资产的胃口。而这一点有可能增加美元对于其他主要货币汇价的急剧矫正所带来的风险。这种风险说到底还是来自美国、日本和欧洲各国经常账户的种种不平衡因素。这些因素有可能加剧国际贸易摩擦。

164

若美国经济增长明显疲弱，而日本、欧洲的经济在弥补世界经济增长方面又无能为力，则有理由担心，那些开始走出危机的亚洲国家，还有拉丁美洲国家的当前的经济复苏进程将有可能变得极其脆弱。虽然巴西危机平息后新兴金融市场的状态已经康复，但是新兴经济对于市场风云变幻的反应能力还依然非常的迟钝和虚弱。事实上，同 1996 年至 1997 年，还有 1998 年的大部分时间中的情况相比，新兴市场的行情可以说已经更为不妙。许多国家证券收益率仍久居高位且变幻莫测，表明对新兴市场的国际投资还存在很高的风险。

此外，由于"千年虫"问题，世界经济的另一个风险还来自金融市场对于各种可能出现情况的潜在反应能力。控制国际资本的回流和抽逃问题，可能会因此变得更加错综复杂。为消除这类风险，关键的一点是各国在处理金融系统失灵和其他敏感性问题等方面，都能够充分遵循"透明度"原则，不论是应付事前有准备的、还是那些临时突发的事件。

　　当然还存在许多其他的问题和风险。应该说：全球经济增长的失衡及其调整，是当前最严峻的挑战。美国经济的"软着陆"，会有助于新兴市场经济和日本经济的复苏。而欧洲经济增长的持续和增强，虽然按 IMF 的底线方案应属可行，但毕竟还有另外的一面。经济预测和政策建议对实际后果举足轻重。而宏观的经济和金融的稳定态势，又势将同世界经济的网络化调整休戚相关。尽管如此，千年之交的世界经济所面对的还是新的曙光。

165

二、走向新经济

1. 世界经济正在经历一场大的变革

——兼论改革开放思想观念的调整

20 世纪 80 年代以来世界上发生了一系列惊天动地的大事。这些大事的背后是否隐藏着政治、经济和技术方面的深刻变革？世界社会风云突变与世界经济有什么联系？世界经济变革的实质内容何在？世界经济正转向何方？这场大的变革对于我们的改革开放有何启示？本文拟就这几个问题提出以下八点意见。

一、今天我们正在走向这样一个世界：全球每一个人随时随地都可以同其他人进行联系

近一二十年来信息技术的发展势头迅猛异常。美国大型计算机经过 40 年的发展才生产 10 万多台，小型机用了 20 年时间生产了 100 多万台，而微机仅在 10 年时间内便生产了 1000 万台以上。1983 年美国每人拥有计算机的数量还不到 10 台，如今不止一个国家的百人拥机量已超过 50 台。就质量而言，目前市场上出售的容量大的动存储（D—RAM）微芯片仅含 400 万只晶体管，即 4 兆字节信息。而到 1993 年、1996 年、1999 年和 2001 年，动存储容量将依

　＊ 本文发表于中国社会科学院世界经济与政治研究所、中国世界经济学会《世界经济》杂志 1992 年第 8 期，署名萧琛。

次增为 16 兆、64 兆、256 兆和 640 兆！最大容量将为今天的 1000 倍①。容量增大势必提高运算速度和增强功能。因而具有"人工智能"、"语音识别"、"视觉能力"甚至"模糊逻辑"的新一代电脑已经可望在即。

信息传输技术的进展也同样日新月异。卫星、光纤通讯、新式电话、电传网络正在覆盖全球。"天涯若比邻"已经不再仅仅是人们美好的心愿。1991 年 10 月以来 IBM 公司与苹果机器公司等联合开发一种新型芯片（RISC），它将使各种计算机语言得以沟通。这对于信息交流世界无疑是一场新的风景。曾在海湾战争中出尽风头的全球定位系统（GPS）技术也正在进入人们的生活。GPS 定位精度最高可达 15 厘米，而其接受装置如今仅重 2 磅，价格也已降为 1500 美元。1991 年 10 月，人类第一架不用地面导航的民航客机已首次成功地飞越浩瀚的太平洋。为了争夺未来制空技术优势，美"苏"两大国已分别宣布向各国免费提供 GPS 导航技术。《时代周刊》将 1991 年风云人物定于"海湾战争"和"8·19 事件"的全球闭路实况转播的成功者，意义也绝非寻常。虽然其中不乏恶意的鼓励。因为它表明我们今天正在走向这样一个世界：全球每一个人随时随地都可以同其他人进行联系。而由下文分析可见，正是这样一个简单的演变在使世界社会的各个方面发生变革。

二、新技术正在使生产力日益信息化

信息技术对于生产过程的改造主要体现在以下几个方面：

第一，智力投资、科技开发和组织运筹在生产过程中的作用已经空前重要。对于某些厂商而言，甚至制造这个概念如今已经显得不再贴切。制造（manufacture）的字面意义系手工制作。它已经不能概括创造性脑力劳动占绝对优势的生产过程。目前有些国家蓝领

---

① 参见《21 世纪的微芯片：密度更大、速度更快、成本更低》，（美）《纽约时报》1991 年 12 月 28 日。微机数量方面的数字，参见章嘉琳主编：《变化中的美国经济》一书。

劳工的开支在生产费用中的比重中已经降低到 10%[①]。这意味着在新的世界经济形势下，低工资实力未必继续是一个重要的竞争优势。因为改进技术、加快信息传递和精简机构远比削减劳工工资要节省更多的开支。

第二，"有求立供"、"供随求止"的"零仓储管理"（JIT）技术正蔚然成风。此技术较早出现在日本，近些年来迅速在美国等国推广。原因之一在于新技术已经使得生产者与消费者之间的反馈几乎是立即的。美国达拉斯市哈格服装公司如今每隔 3 天就能向其 2500个零售商按规定款式供货一次，而此前是 7 个星期。瑞士手表厂商则使流行款式的手表几乎完全做到有求立供，供随求止。据估算，"零仓储技术"已经使得发达工业国厂商的管理成本骤减 40%[②]！而这仅仅是这场革命的开始。

第三，20 世纪初的重大革新——福特制流水线生产的内涵正在发生方向性变化。福特制的实质是工序分解与批量生产。信息化生产的精髓却在于灵活组合与逐步个量化。零部件不再集中于某一固定地点，由单一型劳动进行统一的大规模的组装，而是网状地分布于全球各作业区，由综合型劳动（job mix 或 skill mix）通过灵活的电脑编程进行个量化的定制。信息技术还使得生活质量的标准大大提高，消费者个性日益鲜明。这是批量生产个量化的需求方面的现实条件。

三、信息型生产力正在改造微观产出机制

企业组织结构第一次大的变革发生在 19 世纪后半叶。当时，股份公司的出现使得企业的管理权与所有权开始分离。第二次变革发生在 20 世纪 20 年代。皮埃尔·杜邦改造了他的家族公司。接着，艾尔弗雷德·梅隆重建了通用汽车公司。这类改革开创了一直沿用

---

① 阿尔文·托夫勒和海蒂·托夫勒：《下个世纪的分水岭》，《华盛顿邮报》1991 年 1 月15 日。

② 《英国落在新工业革命的后面：新扫帚将生产线一扫而尽》，（英）《卫报》1991 年 9月 16 日。

至今的现代企业的基本框架。这种管理结构的基本特征是命令控制型体制：强调分权，重视经理人员人事、财务管理和预算控制体系完备，等等。

信息处理技术的进步正使得公司中工人与经理人员职责不再泾渭分明，蓝领工人与白领工人的职责正在消失。因为几乎每个人都是某种形式的技术管理人员，主要工作都是按键盘与看屏幕。信息传输技术和进步则使得各种决策指令趋向于一步到位。因而公司的中间管理阶层正在减少。据预测，美国现今一般公司的 11～13 个管理层 20 世纪 90 年代会减少 1/3 左右，中间管理人员将减少 10%～40%。中间管理阶层和人员的减少势将使得传统的线性管理制、线性参谋制和矩阵管理制逐步转向"医院式"或"交响乐队式"的管理指挥体制。这种新型的信息型管理体制将主要体现为一个协调功能极强且极迅速的巨大空间内的网络结构。体现各种决策与指令的信息媒介则将是如同"病历"、"乐谱"这类通用性强而重复性弱的电子脉冲一类的东西（如 Email 等）。因而"文山会海"和条条块块之间的反复权衡与"扯皮"现象将会减少。

由于较多的横向协调关系将取代较多的纵向命令关系，由于信息技术势将使得公司更为透明，因而企业管理的民主化程度也将会提高，传统公司封闭型信息交流系统的竞争优势在新形势下会削弱。公司"大"将不再是主要的甚至是惟一的追求目标。方兴未艾的发达工业国企业的第四次兼并浪潮已经表明："规模经济"的含义已经同以往三次分别以横向联合、纵向联合和混合联合的企业兼并浪潮中的含义大相径庭。"压缩"、"改组"、"关停并转"和追求"小而精"已成为制造业公司兼并的新动向。

微观产出单位的联合机制也在日益信息化。在新的技术与新的竞争条件下，许多厂商深感"20 世纪 90 年代单干是不行了"①，美国传统的"个人奋斗"的信条的含义也在变化。近年来，许多昔日竞争中的冤家对头已在携手合作。1991 年 10 月，年销售额 690 亿美元的 IBM 公司，同年销售额比它小许多倍的竞争对手苹果机公司

---

① （美）IBM 公司总裁杰克·库赫勒语。

开始合作，通过"KALEIDA"项目联合开发新芯片，成为举世瞩目的轰动性事件。微机软件（Microsoft）公司、康柏（compaq）公司和数据设备（DIC）公司也在联合开发一种 MIPS 的新软件，形成新型的 ACE 集团。服务业中的可口可乐公司与百事可乐公司也已捐弃前嫌，结成一种半持久性的联盟。至于银行业、证券业、国际采购业，也都利用电子网络日益形成新的协作形式。美国 2000 多家电脑网络如今已经联成一体，等等。显然这类联合已经不同于往常的卡特尔、辛迪加和托拉斯。其一是这类联合多着眼于研制开发中的高技术合作；其二是往昔的相对稳定的条条块块已为灵活松散的信息网络所取代；其三是不再表现为参股、收购与合并，法人数目与品格一般不再发生变动。

　　微观产出机制的另一重大变化在于"空心企业"的涌现和"无国界经济"的蔓延。20 世纪 50 年代开始成熟的金字塔式的"公司王国"已经在消失；60 年代、70 年代"联邦制"式的跨国公司也处于下坡路途之中；而新的主要表现为"全球网络"、"联邦制"式的跨国公司却正在萌生与发展。这些公司的"总部"或整个工厂往往只是一幢写字楼中的一套房间，不仅不必冒烟，而且也不必有固定的车间与仓库。"生产"就是发出协调性的指令。他们寻求的也不再是某一范围内的最低成本，而是全球范围内的"最佳低价"。他们遵循的也主要不再是某一国的"统一商法"，而是各国商法的灵活组合和国际公法。这类公司不仅表现为"空心化"，而且表现为"无国籍化"。例如，美国惠普公司的管理委员会由 6 人（非奇数!）组成，分别来自 6 个国家，而且其总部最近正在迁往法国格勒诺布尔。美国的 APV 食品设备公司也是每一项世界性业务都由某一个国家牵头。在欧洲，电子工程巨头勃朗·博维里·西电气公司则将它的数千种产品的服务项目部署到全世界 50 个作业区。每一个区的业务由一个领导小组管理。设在苏黎世的总部的作用仅在于协调各区之间的分红协议、专利权使用协议、供销协议，等等。

173

四、发达工业国宏观经济调控机制正在改弦易辙

微观产出机制的信息化正在冲击与改造传统的宏观经济调控机制。因为"需求管理"或曰总需求刺激的对象已发生上述重大变化。信息技术的进步使得生产者与消费者对于经济政策的"合理预期"能力极大增强，从而使得宏观经济干预能够奏效的余地越来越小。另一方面，凯恩斯主义的需求管理模式是 20 世纪 30 年代大危机以来逐步形成与发展起来的，其重要前提之一是国内外市场相对独立。而今天各国的利率、汇率、股价和税率等却无不带有强烈的全球性质。空心企业与无国界经济的发展则使得公司内部商品和要素的流动表现为国际贸易的重要组成部分，而这些商品要素的价格则表现为跨国公司内部调拨价格。其定价依据主要并不再是世界市场行情，而是公司的发展战略。这类公司的发展还同世界经济"区域化"、"集团化"和"一体化"相辅相成，对于民族国家的经济主权构成严峻的挑战。

在这种情况下，发达工业国曾经驾轻就熟的宏观经济调控政策的总体效益已经日益难以预期和奏效。20 世纪 80 年代中期以来，"走出需求管理模式"的供应学派的经济学已经由政治上的旗帜转为经济实践，各种"结构性政策"或"产业政策"已经出台；"跳出内生变量或扩散机制"的真实经济周期理论（Real Business Cycle Theory）也已经在美国大学生中开始流行；"告别凯恩斯时代"或"进入后凯恩斯时代"，"进入新古典时代"的呼声已经此起彼伏。

20 世纪 70 年代以来是美国经济一度走走停停的年代，也是各种金融创新风起云涌的年代："Q 条例"的突破；银行跨州经营禁令的名存实亡；商业银行与投资银行的重新融合；证券交易中固定佣金制的废除；80 年代以来的各种金融宽松与解除管制政策；还有 90年代以来的金融深化潮流，如意义重大的 1991 年 2 月财政部的改革方案和新银行法的动向，等等，都表明金融政策模式处于一个大的转变时期。

就财政政策而言，发达工业国转轨改道的趋向也十分明显。1985 年提出、1987 年修正的格郎姆·拉德曼·荷林斯法（the Gramm Ruduman Hollings Act）要求强行削减联邦政府预算赤字，标志着赤字财政开始向新的平衡财政发生历史性转变。1986 年美国税制改革法及其后席卷 60 余国的世界税制改革的浪潮，体现了鼓励导向型财税模式向市场导向型财税模式的历史性回归。

在国际贸易方面，美国 1988 年的综合贸易法，使得美国长期标榜的"自由贸易"政策走向"管理贸易"模式，标志着高技术等无形资产在政策目标中的重要性急剧上升。此外，近年来各国国民经济的非军事化与世界性的裁军、美国和欧洲等国关于科技体制和军工转产问题和全民性辩论热潮，等等，也都是宏观经济调控战略发生转折的信号。

175

五、信息型经济正在与旧有世界经济协调机制发生冲突

信息型经济与战后逐步形成的世界经济协调机制势必难以相容。"雅尔塔体系"、"布雷顿体系"、"关贸总协定"、"世界银行"与"国际货币基金组织"等国际经济协调机制的现实基础是：（1）两大阵营的利益呈板式对立，美苏两霸各在自己的阵营中占绝对优势；（2）各国市场相对独立；（3）自然资源和有形产品较受注重；（4）国际分工较多地表现为垂直型；（5）实体经济与虚拟经济的脱节不太明显。而新技术和新型经济已经使得这些现实基础从根本上发生动摇。

首先，冷战已经结束，两大利益板块内部的粘合剂已经失效，长期进行全球性军备竞赛的美苏两国都已精疲力竭，而日本、西欧却日益相对强大。其次，电子技术已经使得各国市场一体化。民族国家的作用已有所削弱。在武器的杀伤半径可以超出对手国国界而殃及他国甚至本国的高技术时代，国防这一民族国家的主要职能将受到挑战。在产出主要是谷物及其制品的农业时代，家族、庄园常常是权威性社会单位；在主要产出是钢铁及制品的工业时代，民族国家则是主要的权威单位；而在主要产出为半导体芯片及其制品的

信息时代，主要的权威将不仅是民族国家，而且是包括各类民族国家联盟在内的跨国经济实体。再者，发达工业国服务业在国民生产总值中的比重已增长到 2/3 左右。外层空间、环境保护、知识产权、技术贸易、移民及教育资源外溢问题，还有其他无形财富的国际再分配问题，正取代农产品、初级产品或石油能源等问题而日益受到全世界的关注。此外，电子银行、电子证券、"泡沫经济"的泛滥，正使得大量国际游资因倏忽可至而产生巨大的甚至灾难性的冲击。例如，1987 年惊险程度胜过 1929 年大危机的全球性"股灾"，就是实体经济与虚拟经济空前脱节的第一次大示威。最后，国际分工中较多的强制性正为较多的协作性所取代，相对稳定的垂直型分工将为相对灵活的水平型分工所取代。

由于现实条件变动，以一国为中心的以强制为主要手段的旧国际经济协调机制已经捉襟见肘，势在必变。如果说早先两次"尼克松冲击"（访华与"经济政策"）、七国首脑会议开幕和美苏军备谈判是走向"共同协调"的先兆，那么近年来乌拉圭回合的一再难产、联合国及其许多职能机构的财务危机和 1991 年 7 月的伦敦七国首脑会议就是世界经济协调机制正式开始重建的标志。这次首脑会议的政治宣言的题目是《加强国际新秩序》，经济宣言的目标则是"建立世界伙伴关系"和"一个更加强有力和更加有效的联合国系统"[1]。

六、世界经济秩序转变的基本动向

新的世界经济秩序的具体内容虽然难以把握，但其基本动向则似可初见端倪。第一，就整体而言，它将会更多地着眼于经济问题。"地缘政治学"势将让位于"地缘经济学"。军事力量作为"解决国际争端手段"的有效性将会有所下降。第二，财富流量或曰经济发展相对于财富存量或曰经济发展程度在世界政治经济权力结构中的重要性将会发生变化。第三，世界经济分工的国别性质将会有所减

---

[1] 参见新华社伦敦 1991 年 7 月 16 日英文电：《政治宣言：加强国际新秩序》和美联社伦敦 1991 年 7 月 17 日英文电：《经济宣言》。

弱。较多的纵向分工的国别性质会有所减弱。较多的纵向分工将让位于较多的水平分工。第四，全球性问题，诸如温室效应、贩毒、艾滋病，《南极条约》之类，将受到普遍关注。在国际金融方面，以黄金为基础，以特别提款权（SDR）为核心货币的国际储备货币，以及以其为中心的金汇兑本位制将会受到较多关注。在国际贸易方面，跨国公司内部贸易的管理将成为新的重大问题。

所谓的世界经济秩序，无非是由三大要素构成：即由谁、用什么手段和维护什么样的原则。战后国际秩序的维护者是以美国为首的联合国机制。美国长期以其处绝对优势的经济军事实力，在联合国的机构中一直操有最大的表决权份额和在重大事件上的几乎完全的否决权。然而，以海湾战争筹款模式来分析，美国已不再具备独立维持的能力。日本东京大学的田中明彦教授认为：新的"一三五体系"正在取代美国一国成为一个多极化的世界秩序协调人。重大事件的决定将会取决于一个军事中心，三个经济中心和五个权衡国际合法性的中心。美国既可以作为调解者位居各国之上，但又必须与各国进行协商并取得一致意见。

七、世界经济这场大的变革的时代特征

以上技术、生产过程、微观产出机制、宏观调控机制和世界经济秩序五大层面上的变革表明：现代资本主义生产力的社会化进程正突破国界而在世界范围内进入新阶段。世界经济正在从倚重自然资源和制造业的国别经济时代转向倚重信息资源和服务业的国际经济时代。

从技术角度看，"现在活着的每一个人正在经历着第二次工业革命"[①]，目前的变革之风只不过是向一个明显不同的社会秩序过渡的开始而已，这种社会秩序以独一无二的信息技术条件为基础。正在兴起的高技术和统一的全球经济改造我们目前的世界，"犹如工业革

---

① 《华尔街日报》主编罗伯特·巴特利：《第二次工业革命和 90 年代世界经济发展趋势》，《华尔街日报》1991 年 1 月 2 日。

命把农业的中世纪改造成为过去二百年的工业文明一样"①。

从"经济成长阶段"理论角度看，世界经济中的发达资本主义工业国已经相继经历了"传统阶段"、"起飞准备阶段"、"起飞阶段"和"成熟阶段"，现在其领先国家正在转入"追求生活质量"阶段。较多追求国民财富数量的增长已逐渐为较多地追求环境舒适和生活丰富多彩等质量指标的倾向所替代。追求生活质量的另一层含义是人们的眼光将从较多的政治、军事和意识形态领域转向经济建设和生活福利领域。

从历史唯物论角度看，这场变革的特征可以得到更明晰的结论。马克思一生高度重视世界经济范围内的资本主义制度的变革。马克思考察资本主义经济制度的分篇计划（总计五篇）中的后两篇分别是"国际生产关系"和"世界市场和危机"②。列宁的"国家垄断资本主义"③ 理论则表明资本的所有权在资本运动中出现过三种社会形态：个人资本形态、以股份公司为代表的集体资本形态和（一国范围内全体资本家所有的）国家资本形态。三种形态都是现代生产力的社会化要求对于资本的私人占有性的逐步否定。循此逻辑可知，"集团化"、"区域化"、"国际化"和"无国界经济"这类国际生产关系的新形式，既是现代资本主义生产力突破国界的进一步社会化，也是资本的私人占有性在西方世界的进一步被否定。同时，这些新的国际生产关系也表明资本主义的外壳对于迅速增长的现代生产力仍然有相当大的容纳能力。资本主义私有制将彻底否定的趋势是不可逆转的，但是必将经历一个相当长的历史过程。因为在国际经济时代，资本的私人占有性的渐次不断否定，直至"世界大同"，仍将有许多环节。

178

---

① （美）威廉·哈，（苏）亚历山大·尼基京：《高技术和经济一体化使美苏面临严重挑战》，（美）《未来学家》杂志 1991 年 11～12 月。

② 《马克思恩格斯选集》第 2 卷，人民出版社 1972 年版，第 111 页。

③ 列宁在总结第一次世界大战中帝国主义的动向时，开始在一系列讲话和文稿中使用"国家垄断资本主义"概念，不仅及时地指出了国家垄断这种形式的存在，而且从它在萌芽状态中就清楚地揭示了它的性质与发展趋势。

八、世界经济变革对于改革开放的启示

第一，新形势下，我们不仅应当强调斗争，而且应当强调合作。研究合作、学会合作与善于合作。经济体制改革实质是寻求一种动力大、内耗小、信息公开和尽可能保证每一成员不断选择"合作"这样一种结构。就对外经济合作而言，"互惠互利"、"和平共处"原则无疑应当进一步强调。第一次世界大战期间的壕堑战中，曾出现"自己活，也让别人活"的对阵军士不瞄准对方开火的有趣的社会现象。这表明利益原则可以使得在没有友谊甚至你死我活的条件下合作也能发生。我国新民主主义革命阶段的"统一战线"和两次"国共合作"也是有战略眼光的成功合作的范例。合作的前提是理解，因此研究各种模式将更为重要。"独联体"、"亚太地区经济合作部长会议"、"东盟"，"欧共体"乃至其"欧洲经济利益集团"（EFIG），无不既是一个矛盾体，也是一个合作体。为了更好地合作，各种国际经济法规与各民族的合作习惯，也都值得研究。此外，契约观念、时间观念和专利权观念、善于妥协让步观念，等等，也都是合作成功的要素。

179

第二，新形势下我们不但应当进一步注重有形财富，而且还应当进一步注重无形财富。邓小平同志关于科学技术是第一生产力，和依靠科技进步、发展教育与提高民族素质来促进经济发展的思想在新形势下更具指导意义。进一步树立尊重知识、尊重人才的良好风尚将更加重要。海外留学人员是国家的宝贵财富，应当吸引他们回国报效祖国。为此应进一步处理好"拉力"与"推力"的问题。国内分配机制上尚未解决好的"体脑倒挂"、"人才倒挂"和"人才流动障碍"，应放在逐步改革之列。此外要增加科技投入，在提倡奉献的同时，健全和完善知识产权保护制度，发挥专利制度在科技事业和经济建设中的作用。未来世界经济中，不仅"时间就是金钱"，而且"智慧更是金钱"。因为时间的"升值"正在加速进行，实现升值的关键却愈来愈在于智慧。

第三，新形势下我们不仅应当进一步强调平等，而且应当进一步强调效率。社会主义的优越性不仅在于能够较好地保障人民的基本生存权，而且能够较好地贯彻"各尽所能，按劳分配"的物质利益原则。平均主义的平等观似应进一步打破。坚持在共同富裕的目标下让一部分人或地区先富起来的方针将更加必要。由于各地经济发展水平不同，在进行各项改革时，各地可因地制宜地制定具体政策，不搞"一刀切"。不论是在对外经贸还是在国内预算项目中，经济效益始终应成为我们决策的出发点与落脚点。社会主义的根本任务是解放和发展生产力，各项工作都应当服务于这一中心。新的世界形势下，"弱国无外交"这一名言并未过时。因此，进一步保持安定团结，把国民经济搞活搞好，委实更富有深远的意义。未来世界民族之林中，不仅会有富国与穷国之分，而且还会有"快国"与"慢国"之分。

2. 美国税制改革及其
对各国的影响[*]

经历了战后一段所谓"顺利"发展时期以后，各发达资本主义国家先后于 20 世纪 70 年代又陷入了一个"暗淡"的时期。经过一番努力与挣扎，各国相继复苏，并努力以新的姿态重整经济和寻求出路。1979 年英国率先改革税制，开始取消各种投资优惠。美国则在连续几年大幅度减税之后，通过了 1986 年税制改革法案，扩大税基，并将所得税税率降低到 20 年来未曾有过的水平。

181

正如布雷顿森林会议和前几年高利率政策一样，美国在这次税制改革潮流中事实上又一次充当了核心的角色。由于美国税制改革的典型性及其国际影响，我们有必要对它先进行探讨，以利于与其他国家进行比较。

一、美国税制改革的历史背景

1913 年以前，美国联邦税收绝大部分来自关税或间接税。其后60 年中，间接税很快退居次要地位，而所得税很快成了最重要的税种。美国现行的不动产税开征于 1916 年，赠与税开征于 1924 年。工薪税是 1935 年"新政"的产物，这项税很快成为美国第二大税种。美国税收结构的变动情况见表1。

---

* 本文发表于中国社会科学院《世界经济与政治》杂志 1991 年第 6 期，署名萧琛。

表 1　美国税收结构的变动 （单位：%）

	1902 年	1913 年	1940 年	1960 年	1980 年	1985 年
个人所得税	—	—	16.9	44	47.2	44.1
公司所得税	—	5.3	19.8	23.2	12.5	10.2
销售和国内货物税	47.6	45.6	31.6	12.6	4.7	5.2
关税	47.4	46.8	5.8	1.25	1.4	1.3
工薪税	—	—	14.2	15.9	30.5	36.3
遗产和赠与税	1.0	—	6.3	1.7	1.0	0.8

　　美国税制结构的另一大变化是税收占国民生产总值的比重增长较快。1913 年仅占 5.8%，而 1979 年占 34.3%。

182

　　上述两大变化势必要求个人所得税税率尤其是边际税率（marginal tax rates）显著提高。初征所得税时，最高税率仅为 7%，而且规定个人收入只有超过 50 万美元者才纳此税。但从 1951 年至 1964 年肯尼迪减税，最高税率一直保持在 90%（1964 年减到 77%）以上。1981 年里根将最高税率降至 50%。个人所得税的最低税率也从 1913 年的 1% 增至 1951～1963 年期间的 20% 弱，20 世纪 80 年代初，才逐渐降为 11% 左右。80 年代以前的 40 年中，个人税前收入同生活费大致同比例增长，但在 1979～1985 年间，贫困线水平的增长快于免税水平，以至于 1985 年的免税水平大大低于贫困线。

　　过高的所得税边际税率给美国税收管理带来了一系列问题。首先是税收管理支出过高，引起社会各界不满。初征所得税时，只有为数很少的纳税人，但到 80 年代，个人所得税备案者已逾 1 亿人！根据 1977 年政府的一项统计，公众大约要使用 61300 万小时来填写税单与表格。其中半数以上的人要靠专家，他们为此支付的服务费相当于他们所纳税额的 5%～7%。

　　另一个问题是税法过于复杂。仅联邦税法即有 50 卷、180 册，其中第 26 卷国内收入法便有 14 册、达 14 英寸之厚，其中 8 册是关于所得税的规定。税法之繁，不仅使个人无所适从，而且使国内收入署也难以准确估量税负，甚至税收法庭也常常判决各异，相持不下。

　　有效的税收管理取决于纳税人的合作态度与政府有效的权威。

在人们不愿合作而政府监督能力又非常有限的条件下，会带来现金交易和"地下经济"的滋生与蔓延。据估计，1986年以前大约有1/4的劳动力和15％的国民生产总值同"地下经济"直接相关。

税率过高、税法过繁和特殊规定过多，还导致纳税人偷税漏税活动的增加。明确划分收入的概念和范畴往往相当困难，因此税法不得不反复加以修补，而修补和特殊规定越多，可供人们用以避重就轻的机会也就越多，从而要求更复杂更严密的税法。随着这种恶性循环的加剧，税基不断受到侵蚀。要保证国家财政收入，只能不断抬高税率。

美国税制的不合理和繁琐、庞杂、畸轻畸重的弊端早已引起公众的不满。1976年卡特总统曾发誓要净化税制并称其税制为人类的耻辱。里根一上台便抛出大幅度减税的法案。1985年5月里根在提交国会的关于税制改革的咨文中写道："现在我们正面临一个历史性的挑战：把我们的税制变成一个公平、简明、有效率且富有人情的典范"。他承认"长期以来我们的税制一直是各种嘲讽与怨言的根源，……很多人在工作和储蓄的积极性严遭挫伤和沉重的税负下艰苦劳作，另一些人却利用税制中日益增多的漏洞，投机钻营，逃避义不容辞的责任"。里根这番话在一定程度上反映了美国税制改革前夕的社会舆论。

二、美国 1986 年税制改革的思路与举措

（一）美国税制改革的思路与各种方案

虽然表面上一致认为税制必须改革，然而对如何改革并无一致的意见。在国会通过改革方案时，对改革方案的作用还存在很大的分歧。1976年税制改革法案就曾普遍被认为是"律师和会计师的减免法案"。对于里根1981年的"经济复兴税收法案"也是褒贬不一，有人认为会削弱税收的促进作用，有人则指责法案是为折旧、租借及各种研究课题提供优惠，有位减税专家则干脆称之为"不动产收

益法案"，理由是认为该法案可导致各种不动产税收庇护。

随着对美国税制存在的问题及其根源的认识逐步统一，美国国内出现了几种有代表性的税制改革思路。其一是建议实行综合所得税制；其二是建议实行统一比例制（The Flat—Rate Tax）；其三是建议将税基重心由收入（所得）转向消费，采用统一税率的消费税或增值税，等等。所谓综合所得税，指的是没有各种免税和扣除的所得税，要求取消各种减免优惠，扩大税基。所谓统一比例税，指的是所有纳税人的边际税率相同（由于不排除对最低收入线以下收入实行免税，因而仍然可以累进）。

184

还有一些具体建议，大多是上述三种思路不同程度的揉合。但值得一提的是，也有些人主张改良而不是改革，认为只须增补而无须大面积变动现行税制。此外值得注意的是增值税问题。美国有相当一部分人认为，由于增值税的征收是零碎的，人们不大关心他们所支付税额的总数到底有多少，因而可以给政治家提供可乘之机，容易进行增税，其结果还易引起政府部门的膨胀。

1984 年 11 月，美国财政部公布了一套税制改革方案。这些方案由行政当局做了修改之后，于 1985 年以总统税制改革提案的形式公布。里根提案是综合所得税和统一比例税两者的折衷或混合，它既不完全综合，又不完全税率单一。提案的个人所得税有三个税收等级（15％、25％、35％），而 1986 年税制改革法案修改为两个等级（15％、28％）。

里根提案经过反复讨论修改，最后于 1986 年 8 月 16 日参众两院协商委员会统一了意见，通过了 1986 年美国税制改革法案，这是自 1954 年以来对整个税制所做的一次较为广泛深入的更改。统一后的法案交回两院批准并经总统签署成为法律。

（二）1986 年税制改革法的内容

1986 年税制改革法案内容极广，根据改革主要责任机构归纳出的主要变动，有八十多页。在这本小册子中各种主要变动被划作十二个大类，包括影响个人的条款、影响投资与税收庇护的条款、影响公司的条款、影响会计方法的条款、影响外国经营者或纳税人的

条款，等等。每一大类又分成 5 至 12 个方面，以便于读者取其所
需。这一法案的基本方针和主要措施主要有：

1. 基本方针

根据 1984 年税制改革提案起草负责人（美国斯坦福大学高级研
究员）麦克鲁尔的说法，认为美国税制改革的目标，是用比较低的
税率对所有经济收入征收统一的税，并认为只有用比较低的税率才
有可能对所有经济收入征收统一的税。明确提出税收政策的含义是
对实际经济收入征统一税。认为收入包含两层意思：一是实际收入；
二是经济收入。所谓实际，指的是不给优惠，取消不必要的减税等。

根据美国财政部的文件，这次税收改革的基本方针为：（1）改
革所得税的基本结构，以实际经济收入税基：目的在于改善横向公
平，减少对市场决策和税收等的干扰，同时简化管理；（2）联邦税
收仍以所得税为主税，课征个人所得税，而不考虑实行消费税、增
值税或商品税；（3）尽可能实现税收的中立性；（4）尽可能实行分
配中立性，即不干扰不同阶层间正当的税负分布：（5）尽可能实行
投资中立性，取消税收庇护（tax shelter）；（6）将税负由个人转向
公司；（7）尽快付诸实施。

185

总之，扩大税基，降低税率，取消特惠，加强所谓公平，简化
管理，促进经济增长，这就是美国 1986 年税制改革的基本方针，也
是世界各国特别是发达资本主义各国税制改革的基本动向。

2. 主要措施

个人所得税：（1）取消 60％长期资本增益免税规定；（2）取消
失业救济金免税的规定；（3）提高个人免税额 80％，提高扶养亲属
宽减额 85％，二者均随物价指数调整；（4）提高老人及无力谋生者
的个人免税额和标准扣除额；（5）取消消费性贷款利息扣除规定；
（6）取消州及地方的销售税扣除的规定；（7）房屋抵押贷款利息扣
除以第一及第二居民为限；（8）取消夫妻二人均为勤劳所得者的特
别扣除规定；（9）对纳税人因工作而雇人照顾受扶养亲属的费用实
行扣除，并确定上限；（10）提高标准扣除额 44％，并予以指数化；
（11）提高勤劳所得的税收抵免，并予以指数化；（12）税率由以前
的 11％～50％的十四个级次简化为 15％和 28％两个级次。

　　个人所得税改革措施中最重要的是降低税率并减少级次。一次将个人所得最高税率从 50％ 降为 28％，并为单身纳税人设立 15％ 的低税率，将十四级累进制改为二级累进等等。税率级次情况见表 2。

表 2　1988 年美国个人所得税税率表

已婚（联合纳税）		未婚纳税人	
应税收入（$）	税率（%）	应税收入（$）	税率（%）
0～29750	15	0～1785	15
29750 以上	28	17850 以上	28

　　公司所得税：（1）取消 60％ 长期资本增益免税规定；（2）公司转移投资股利的免税由 85％ 降为 80％；（3）降低海外收入免税限额；（4）国外经营损失的冲销（offset）只限于国外来源所得；（5）公司所分配股息的 10％，可以作为费用列在支出项目中；（6）取消大型合作项目免税规定；（7）金融机构呆账扣除规定只适用于小银行；（8）取消呆账准备金扣除规定；（9）取消关于人寿保险公司的特别扣除规定；（10）限制人寿保险公司所提各项准备金扣除规定；（11）公司存贷金额的计算实行指数化；（12）限制现金收付的使用；（13）取消投资税收抵免；　（14）研究费用税收抵免由 25％ 降为 20％；　（15）税率由 15％～46％ 等五个级次简化为 15％、25％、34％ 三个级次。公司所得税税率变革情况见表 3。

　　税收管理：（1）简化纳税申报表；（2）对符合有关规定的某些纳税人免于申报，改由国内收入署核计税额，寄发税单通知纳税或退税。

表 3　公司所得税税率变动（1987 年 7 月 1 日执行）

应税收入（$）	改革前税率（%）	新税法税率（%）
0～25000	15	15
25000～50000	18	15
75000～100000	40	34
100000 以上	46	34

　　注释：根据新税法，对公司收入在 100000 美元和 335000 美元之间的公司要征 5％ 的附加税。因此，收入在这一级次的公司，其超过 335000 美元的收入部分的有效税率是 39％。

三、美国税制改革对世界各国的影响

据统计，新税制的实施将使年收入 20 万美元以上的超富裕阶层的所得额平均降低 16%，而全美人均税负减轻 6.4%，也使 600 万低收入者免交所得税。预计今后五年的减税总额可达 15000 亿美元。

新税法实施之后，美国经济的几项宏观指标有了显著好转。联邦支出（包括预算内和预算外）的增长在 1987 年下降了 1.4%，扣除通货膨胀因素后，是 14 年来的第一次下降。由于经济持续增长（战后时期最长的一次），据估计大约有 300 亿美元的超额收入来自税制改革。联邦总收入 1987 年上升 11.1%。1987 年联邦财政赤字降低了 1/3，为 7100 万美元，占 GNP 的 1.9%。

新税法对西方各国经济的影响是明显的。美国税收改革前，发达工业国家中只有加拿大、日本和联邦德国的所得税率高于美国（依次为 54%、58%、66%、46%）。美国把公司所得税最高税率降为 34% 以后，英国、荷兰、法国（依次为 35%、42%、45%）都高于美国。这势必导致以下变化：第一，美国跨国公司在海外的子公司将由于国外税率较高而收缩在国外的经营，把利润调回美国。第二，西方其他国家的投资者出于利润动机，势必增加在美国投资的兴趣，把资金投向美国，同前几年美国高利率政策下国际资本流向美国，为美国"输血"一样。第三，在某些产业中，美国的盟国在国际竞争中的不利因素将会增多。例如在高技术方面美国本已远远走在欧洲的前面，如果欧洲国家不步美国后尘进行减税，势必更加被动与落后。

这几种情况都是对发达工业国的打击。相比较而言，日本对资本外流的承受能力是最强的。欧洲国家则将竭力设法把资本保留在国内，否则将无法缓和失业率过高的现状。当前在欧洲每 8 个人中就有 1 个失业者的情况下，美国税制改革对他们无异于是"政治上的定时炸弹"。

　　另外，美国还竭力把自己的经验向欧洲传播，力图说服欧洲仿效美国做法，使经济较快增长，使之反过来成为促进美国增加出口和经济持续增长的条件。不过欧洲要大幅度降低所得税的余地不大，而且这种改革还需要时间和复杂的政治过程。而美国正是利用自己的国力和主导地位，利用这种改革调整的时差来达到损人利己的目的。

　　在推广美国做法方面，美国的各大基金会、美国的私人公司乃至美国政府雇员都积极参与。如美国供应学派的政治代表，税制改革的倡导者之一——杰克·肯普在同联邦德国总理科尔会晤时就积极建议联邦德国把改革税制作为振兴经济的出路；美国著名税收专家 J. A. 佩奇曼则先后出访欧洲六个大国和加拿大，并同日本专家研讨税制改革；全球性的美国著名私人财务会计公司，美国 1986 年税制改革的研制者之一——皮特·玛威克公司也大做广告，为许多国家设计税制改革；美国税制改革的功臣之一麦克鲁尔等还曾来华介绍其改革经验，等等。

3. 成熟市场经济与发达工业国税制改革

　　"税"与"死"是西方各国公民最无法逃脱的两件事。20 世纪 80 年代中期以来西方各国经历了一场空前深刻而又同步性很强的税制改革。改革的性质是全面调整滞胀出现之后生产关系的种种不适应状况，基本趋势是由以往过于强调需求刺激和依赖财政手段转向反面，由"鼓励导向型"税制走向"市场导向型"税制。就税种结构而言，各国正从依赖直接税转向直接税间接税并重甚至偏重间接税的新结构。就税率税负结构而言，各国的做法基本上是扩大税基、降低税率取消特惠、增进公平、减轻个人税负、适当增加公司的税负。由于国情有别，各国改革可谓八仙过海各显神通。为便于比较对照并做进一步研究与借鉴，本文拟就各国税制改革的背景、方针与主要措施做如下归纳与评述。

一、日本

　　日本引进所得税制度是在 1887 年，晚于德国（1871 年）而早于美国（1913 年）和法国（1914 年）。战后日本所得税制度主要进行了两次重大改革。第一次是在 20 世纪 40 年代末，由美国哥伦比亚大学夏普教授为团长的美国税制调查团前往日本帮助进行税制改

　　* 本文发表于中国社会科学院《世界经济与政治》杂志 1992 年第 1 期。美国情况可详见"美国税制改革及其影响"，发表于《世界经济与政治》杂志 1991 年第 6 期，均署名萧琛。

革，现行税制就是出于夏普先生的建议。第二次重大改革是 1986 年和 1988 年以来，总的说来，这项改革是对"夏普税制"改革的继续和深化，是一项范围广泛、影响深刻、系统性强的改革。据测算，改革后年税收入增减相抵，可净减税 2.4 万亿日元。

1. 改革背景

日本所得税过重，间接税对特定商品征收，公平性差，消费税比重下降，不能适应产业结构的变化。美国税制改革的结果之一是使其他国家的资本与人才外流，有必要采取对策。日本税制改革先后酝酿了 4 年。1984 年政府税制调查委员会就认为有必要改革。1985 年中曾根提出合理减轻个人所得税，修正公司所得税，改革间接税的方案，1987 年 7 月通过，但间接税收改革未能实施。竹下登上台后再度提出改革问题，修正了中曾根方案，重新拟订了以加强增值税（称消费税）为中心的税制改革方案，并于 1988 年 12 月通过。

2. 基本方针

（1）按照公平、合理、简化、搞活的原则，建立一套能适应 21 世纪的税收制度；（2）改革的重点是降低个人所得税和公司所得税，改革中间收入阶层中存在的税负过重和不公平状况；（3）重新认识现行税收体系，确定合理的税基；（4）提高间接税；（5）降低公司所得税，以缩小与其他工业国的差距，适应新的国际竞争环境。

3. 主要措施

个人所得税：（1）降低所得税的累进程度，把现行 10.5%～60% 的十二级累进税率简化成 10%～50% 的五级累进税率，并大幅度扩大最低税率的适用范围；（2）提高所得税的扣除额，提高配偶和抚养家属的扣除额和特别扣除额，对残疾、孤寡者的特别扣除额也作提高，还削减小额储蓄账户的利息的减免额。

公司所得税：（1）在 1989 年、1990 年这两年内，将法人税的基本税率由 42% 降到 37.5%，并使公司所得税的实际税率保持在 40%～50% 之间，最高税率为 49.98%；（2）取消有价证券转让收益原则上免税的规定。

消费税：（1）开征增值税，对象为销售金额和劳务收入，纳税人出于制造、批发零售、服务等行业，税率为 3％，于 1989 年 4 月执行；（2）废止原有的 8 种间接税。

二、英国

所得税制度作为一种新型的税制，是由英国政府于 1799 年创设的，1806 年成为永久性的国家税收。英国的税制改革早于美国，它以所得税、增值税为中心，涉及税制整体，具有战后以来税制格局根本改革的性质。除美国以外，英国的税制改革影响最大。

1. 改革背景

20 世纪 50 年代和 60 年代，财政收入占财政支出的比重是 97.07％，70 年代前 6 年降为 83.5％。由于政府支出不断膨胀，财政日益困难，加上各种税收优惠措施造成经济严重扭曲。边际税率的提高对工作、投资和消费的影响日益扩大，控制了经济增长，使失业问题愈加严重。此外，税基侵蚀也是重要动因。改革大体以 1979 年、1984 年、1988 年为界，分为三个阶段。第一阶段是 1979 年保守党撒切尔夫人一上台便着手改革税制，中心是直接税减税和间接税增税。第二阶段是以公司所得税大幅度变革为中心。第三阶段是大型减税并实行所得税率彻底规范化。

191

2. 基本方针

第一，降低直接税比重，提高工作、投资和风险承担的积极性，促进经济增长；第二，改善经济环境，除了控制政府支出、降低税负以外，还减少各种减免优惠，以扩大税基，降低税率，减轻经济扭曲；第三，强化市场经济作用，减少政府对经济的干预，鼓励私人企业发展，缓和严重的失业问题；第四，简化税收管理，降低征税成本。

3. 主要措施

个人所得税：（1）最高税率从 1979 年的 83％降为 60％；（2）税率档次 1979 年由 11 级降为 6 级，1988 年进一步规范化为 25％和40％两级；（3）基本税率由 33％降为 30％，1986 年和 1987 年又降为 29％，1987 年和 1988 年降为 27％，最后预定降为 25％；（4）改革夫妻联合纳税制，取消性别歧视，试行"可转移扣除额"制；（5）1988 年规定，将 1982 年以前的所得税从课税对象中扣除并将"个人股票拥有计划"的所得税部分从 2400 英镑增加到 3000 英镑。

公司所得税：（1）税率由 52％降为 45％（1984 年）、40％（1985 年）和 35％（1986 年）；（2）废止机械设备及生产性建筑物特别折旧（1984 年以前，这类情况在头几年可折 75％，1984 年开始缩减）；（3）废止选存转换制，扩大税基；（4）取消国民保险费附加税，减轻企业负担；（5）废止投资所得加重税。

消费税：（1）将增值税率由 8％分别提高到 12.5％和 15％；（2）努力扩大增值税的税基。

财产税：（1）1982 年实行资本转移税免税额指数化；（2）废止开发用地税和土地开发税。

三、加拿大

加拿大分别于 1916 年和 1917 年开征公司所得税和个人所得税。第一次世界大战结束后开征销售税。战后加拿大已有过两次大的税制改革，第一次是 1949 年全面修订与颁布新的联邦所得税法。第二次是 1962 年成立皇家税收委员会，并于 1972 年公布所得税修订法。加拿大这一次税制改革的特色在于直接税比美国更接近于西欧国家，但个人所得税税基拓宽幅度小于美国。

1. 改革背景

20 世纪 70 年代，由于所得税逐渐成为鼓励资本投资、地区发展、研究与发展等经济政策的主要工具，所得税税基的侵蚀现象日益严重。其次，80 年代初，经济不景气，企业纷纷要求以税收奖励的方式给以临时性扶助，使税制更趋恶化。由于租税奖励和优惠办法的滥用，造成严重的税基侵蚀和高收入者所得税负偏低的不公平问题。因此 80 年代初即酝酿改革，并陆续展开。1985 年、1986 年分两次减少和取消个人所得税中的某些特别优惠，增加个人与公司附加税。1987 年 6 月公布"综合改革方案"。受美国税制改革法影响之后，更进一步制定和执行 1988～1992 年五年税制改革计划。

2. 基本方针

(1) 不以税制改革作为增加税收的手段；(2) 强调税负分布的公平；(3) 简化税制及管理；(4) 降低个人所得税，提高公司，所得税和销售税，以维持税制平衡；(5) 保证联邦税收稳定可靠；(6) 强化国际竞争能力；(7) 建立中性税制、促进经济增长；(8) 配合经济部门、地区经济政策和社会发展的需要；(9) 循序渐进分两步走：第一步主要是改革所得税，1988 年执行；第二步是消费税改革。

3. 主要措施

个人所得税：(1) 最高税率由 43% 降为 34%，以后再降为 29%；(2) 税率档次由 6%～34% 十个级次改为 17%、26% 和 29% 三个档次；(3) 降低或取消一部分原有的"扣除"项目，扩大税基；(4) 将"个人减免"与部分"扣除"全部改为抵免，对收入不同者规定统一固定抵免额（1988 年为 1020 加元）；(5) 如通货膨胀率超过 3%，个人的免税额和扣除额予以指数化。

公司所得税：(1) 取消特别税收优惠：如公司成本扣除及应酬支出扣除；(2) 扩大公司已实现的资本应税额；(3) 改变资本折扣制度的计算方法；(4) 对大公司规定关于投资税收抵免的限额；(5) 一般公司[①]所得税率 52% 左右改为 48%（1988 年），1989 年以后继续降为 44%。

消费税：(1) 实行消费者"销售税负抵免"，将某些产品的征税环节移向批发乃至零售阶段；(2) 在第二阶段改革中，力争实施增值税性质的"经营转移税"或全国性的销售税，取代联邦制造税。

四、西德

1968 年曾对消费税实行重大改革，将销售税改为增值税。1970

---

① 指非制造公司的税率，同时假定各省为 15.5%。

年进一步改成根据价格而非销售额计征，使之趋于合理与完善。1985 年增值税占到税收总额的 11.8％。1977 年对公司所得税做了较大改动，对企业未分配利润课征税率为 56％，对付给持股人的那部分公司利润是 36％的税率。西德 1990 年生效的税收改革减税定额将高达 372 亿西德马克，扣除新税和所取消的优惠，减税额为 191 亿马克。西德政府称之为具有"世纪意义"的计划。

1. 改革背景

由于担心通货膨胀，西德个人税收减免和个人所得税档次长期没有实行指数化，致使个人所得税免税线增长慢于通货膨胀。对于广大中层阶级，边际税率也已明显偏高。此外，20 世纪 50 年代实行的夫妇收入分别计税制，有利于单身而不利于一方无业的夫妇和单亲已婚家庭。公司所得税也存在一系列问题，如 1977 年对于公司未分配利润和拟分配给股东作为股息收入的利润分别采取 56％和 36％的税率，显然有利于后者而不利于企业进行积累。在投资税和投资收入税方面，特别税收折让和听任投资税收偏好等使经济扭曲较大，利息扣减不当，平均边际税率过高，等等。1988 年 10 月联盟党一上台便着手控制物价和税制改革。到 1986 年物价控制基本成功，1986 年美国的杰克·肯普建议西德总理科尔改革税制时，西德开始曾担心预算不平衡和通货膨胀问题，后经努力，终于在 1988 年 7 月通过了税制改革方案。

2. 基本方针

减轻个人所得税税负，取消不合理的扣减和优惠，扩大公司所得税的税基，增进公平。以收入型增值税取代地方经营税，在不造成政府负担过重的条件下，努力提高个人购买力和企业自身活力，促进投资与就业，追求没有通货膨胀的经济增长。第一阶段从 1985 年开始，主要任务是减税；第二阶段从 1988 年 1 月开始，重点是降低高收入阶层的累进税率。

3. 主要措施

个人所得税：(1) 减税 110 亿马克，重点对象是中低收入阶层；(2) 降低所得税边际税率，最高税率从 56％降为 53％，最低个人所得税税率从 22％降到 19％；(3) 扩大个人收入中的免税部分，例

如，未婚和已婚者个人收入中的基本免税额分别提高到 5616 和
11232 马克，免税额部分再一次提高了 540 马克；（4）采行线性累
进税制，降低中产阶级的纳税额；（5）调整税收优惠，简化计税手
续；（6）对国内长期存款、有价证券及人寿保险的利息收入征收
10％的利息税，由银行直接扣除上缴国库。

公司所得税：（1）对未分配利润的税率从 56％改为 50％；（2）
由（1）减少的收入的一部分将由开征 10％的利息预提税来弥补；
（3）减少某些折旧，扩大税基，特别是在附加福利方面。

消费税：税收顾问委员会建议财政部用收入型增值税取代地方
政府经营税。

五、法国

法国是世界上惟一一个个人所得税不用扣交办法征收的国家，
法国于 1948 年将在生产最后环节一次征收的生产税改为分段征收，
同时允许企业扣除购进生产用原材料所支付的税款。1954 年扣税范
围扩大到购置固定资产所支付的税款，并由工业制造扩大到商业批
发，从而形成增值税。1968 年以后，又将增值税扩大到零售、农业
和服务业以及自由职业者。1979 年根据欧洲共同体的要求，对增值
税进行了进一步的修改。法国是最早采行和最为重视增值税的西方
国家。

1. 改革背景

法国税制的主要缺陷是：个人所得税率偏高，最高税率达
65％。但个人所得税收入仅占税收收入的 12％，发达国家中最低，
原因在于无数的扣减和抵免侵蚀了税基。1981 年法国开始对免税额
和税率档次全面实行指数化并开征附加税。附加税是老办法，阻力
较大，因此不得不停征。但纳税人希望指数化不至于因此停止。早
年实行的个人所得份额制因非婚家庭增加而已显荒唐。公司所得税
似较受欢迎，但股息的抵免偏高。在投资和资本所得方面，法国税
制的非中性比较强且似"故意设计"，公司所得税税负却很轻，仅占

税收收入的 16％，个人所得税更轻，占 4.5％，工薪税税率过高，达 58％，导致资本替代劳工和高失业率。尽管问题很多，但法国人在这场税制改革潮流中却似乎在庆幸自己的税制。因为法国主要的税收收入依仗增值税与工薪税，加上没有社会运动，因此改革力度不大，甚至还增设了一些税收优惠。尽管如此，法国的学术界对美国的税制改革仍反响强烈。

2. 基本方针

在所得税方面主要是降低税率，增值税方面，将努力同欧洲共同体国家达成一致。此外有必要简化税制管理，刺激需求，抑制通货膨胀。

3. 主要措施

个人所得税：(1) 最高税率从 65％降到 56.8％，除最低税率以外其他各级税率都相应降低；(2) 最高个人所得税税率减至 50％；(3) 增加个人所得税优惠，减轻税负。

公司所得税：(1) 最高税率由 50％降为 42％；(2) 由于对股息的税收抵免未变，公司所得税税率的降低会自动减轻对股息的双重征税问题；(3) 减轻不受欢迎的"特别税"(对企业租金收入和支付工资的会计征税)；(4) 视预算情况进一步降低所得税税率。

消费税：(1) 降低增值税税率；(2) 简化计税方法和管理；(3) 同欧洲共同体国家达成一致：标准税率是 14％和 20％，低税率是 4％～9％，为 1993 年欧洲共同体各国消除关税壁垒和统一市场创造条件。

六、澳大利亚

澳大利亚税收收入在国内生产总值中比重较低，但增加支出特别是社会保障支出的压力较大，且随人口增长（移民较多）而加剧。但国内反对所得税的情绪较强，随着经济稳健增长和所得税工薪税的可行性税源的增收殆尽，寻求基础更广泛的弹性税收是改革的中心议题。澳大利亚税制改革幅度较小。但它将个人所得税和公司所得税的某些部分合并征收，采行非现金附加福利税的做法，极富特色。此外，提高公司所得税税率，也是它与丹麦两国仅有的改革措施。

1. 改革背景

主要税制问题有：（1）税法不明确、资本收入被排除在所得税之外，减免又多，使税基收缩；（2）税负分布不公平，税率过高，妨碍工作和投资积极性，经济扭曲较严重，逃税避税诱因较大；（3）鼓励所得重复课税；（4）收入档次没有指数化，导致档次爬升（bracket creep），实际税率高于名义税率；（5）税制过于复杂、混乱。自 1979 年即陆续酝酿改革，到 1984～1983 年对税制改革必要性的认识逐步统一，于是积极拟订改革方案，1985 年 6 月提出三个改革方案，经协商于 1985 年 9 月通过了其中对现行税制修正最小的一个方案。

2. 基本方针

全盘反思各项减免优惠措施；减轻通货膨胀对税制的干扰；使税制与社会保障制度紧密配合；健全税制使之简明、公平、有效率；阻止逃税、偷税，扩大税基；降低税率，减轻税负，鼓励工作与投资的积极性。

197

3. 主要措施

个人所得税：（1）最高税率由 60％降为 49％，税率档次由 6 级降为 4 级；（2）纳税人于 1985 年 9 月 16 日以后购置资产实际取得的资本所得，一律视为一般收入征税；（3）由于降低税率而减少的税收将通过各种扩大税基的办法弥补。例如，对雇员的非现金附加福利按公司所得税税率向雇主征税，等等。

公司所得税：（1）取消公司交际费和娱乐费扣除；（2）公司汇兑损益必须申报；（3）公司所得税率由 46％提高到 49％（高于个人所得税）；（4）对公司用作股息分配实行设算抵免（imputation credit）以减轻税率提高的影响。

七、其他西方国家

意大利税制问题不少，如税基受到严重侵蚀等，但由于联合政府的力量不足以克服政治障碍，税制改革力度较小，主要的改革有：个人免税额和对工薪收入者的特殊扣除有所增加；个人所得税的边际税率略有降低；最高税率从 62％降低到 60％；为扩大税基，政府对公债利息收入开征税率为 12.5％的预提税，为准确地计算折旧对资本资产进行重新评估；等等。政府债券利息预扣，是意大利的一出奇招。

瑞典改革方向主要是扩大所得税税基和降低税率，个人所得税税率降幅最大，达 75％。改革方案已经贯彻执行。现在适用于 90％的纳税人的最高边际税率是 50％，而过去中央和地方税率合计通常要超过 70％，从 1987 年开始，瑞典已经采行一项新的评估和确定税金的制度，政府将根据雇主、财经机构和公司的记录为纳税人计算税金，只要纳税人事先表示愿意。瑞典的公司所得税税率不变，这是发达国家中少见的。

198

挪威在个人所得税方面改革措施较多，主要是扩大税基，取消大量税收刺激，降低税率。最高税率从 74％降为 41％左右，并实行通货膨胀调整，削减利息支出的扣减额，将业主收入分成薪资经营、利润两个部分分别课税，以求公平。逐步削减并废除扶养亲属宽减额，加强对福利性支出的课税。挪威还进行了财产税改革，如加重对房屋、游艇等财产的课税，增进纵向公平。此外还简化纳税手续，力求节省时间。

丹麦的改革较为大胆，新税制下，个人所得税包括对个人的收入和资本收入课税。个人所得税税率有三个，50％～68％。而改革前最高税率是 73％。资本收入按 50％的税率课征，利息可完全从资本收入中扣除。但是利息支出超过资本收入的部分不能从个人收入中扣除。新税法的另一特点是对个体经营者实行特殊征税办法，纳税人的经营净收入分成资本收入和劳动收入两个部分，资本收入按50％税率，劳动收入则按累进税率。对于资本收入，大多数补贴可以扣除。丹麦的公司税率 1990 年已从 40％提高到 50％。

芬兰个人所得税的劳动收入一律分别课征，其他收入则以家庭为单位合并课征，可享有 25％的扣除。失业和扶养小孩支付不再予以扣除。公司所得税税率由 43％降为 33％，并实行部分合并，即计算所得税时，60％分配利润可以扣除。消费税方面采行增值税，税率为 16％。最近又对能源由征收特别消费税改征增值税。

荷兰税收改革委员会 1986 年 5 月底，建议合并所得税与社会保险税，以 40％的统一税率对最高收入档次纳税人征税，然后累进为 65％或 70％。40％的统一税率将对 88％的纳税人生效。这一改革委员会使已在进行的退税工作搁置。为不影响纳税人实际收入，将增加工资。增加额与雇主代交的社会保险税金额相等（这样可以不增加雇主开支）。其次是取消所有的个人扣除额而以标准扣除额代之。公司所得税的税率也于 1986 年由 46％降为 42％，并削减资本折让和存货折让。由此而减少的税收收入，将由提高增值税税率一个百分点来弥补。

比利时已对个人所得税实行了指数化。政府委托皇家税制协调与简化委员会筹划税制改革。1987 年 2 月通过改革建议：（1）简化个人所得税税率结构，最高税率由 81％降为 60％；（2）改变现行税收结构，减少个人所得税，增加特别消费税和公司所得税。

199

爱尔兰根据"赋税委员会"的建议，将个人所得税纳税单位由家庭改为可以选择单独申报，取消所得税个人免税扣除额，以标准个人税额扣除代之。实行税率级次和扣除等指数化，最高边际税率由 65％降为 58％，税率为 35％、48％和 58％三个级次。对资本利润单独课税，根据资产持有时间的长短，按 60％、50％、35％或 30％的税率征收。公司所得税税率改为 50％，对利润较少的公司征 40％，并决定在 2000 年以前，对所有制造业实行 10％的税率。消费税方面仍以增值税和特别货物税为主，税率由以前的六种改为 0％、10％和 25％三种。

新西兰于 1984 年进行了改革。个人所得税税率由 17.85％至 57％降为 15％～30％，税率档次由六级减为三级，最高税率与公司所得税相同。开征福利性所得税，对公司资本利润或资本基金用作股息分配的部分征税。公司所得税采行比例税率，本国公司税率为 45％，外国公司为 50％。取消出口产品和农业方面的一些优惠，逐年废止加速折旧。1990 年至 1991 年取消征税抵免优惠，公司税率分别提高到 48％和 53％。消费税方面，1986 年 10 月 1 日开始实行"商品劳务税"，（goods and services tax），近似于增值税。这是各国从未见过的新税种。

4. 新兴市场经济与
发展中国家税制改革[*]

美国税制改革在世界各国引起了连锁反应。迄今为止，发达资本主义国家中挪威、加拿大、瑞典、日本、澳大利亚、比利时、英国、意大利、新西兰、爱尔兰、西班牙都先后进行了税制改革。发展中国家和地区中，新加坡、中国香港、以色列、韩国、墨西哥、哥伦比亚、牙买加、印度尼西亚、肯尼亚和马拉维等二十多个国家和地区也都先后进行了税制改革。在社会主义国家中，中国、朝鲜和过去的匈牙利等国的税制改革也相当引人注目。若将所有推行或完善新型税种——增值税的国家考虑在内，则全世界目前至少有 60 个国家或地区卷入了这股世界性税制改革潮流。

一、中上等收入国家（地区）的税制改革

（一）新加坡

1986 年新加坡人均国民生产总值 7410 美元，居世界第 26 位。财政经常收入占国民生产总值的比重为 27％，所得税占经常收入的 27％，消费税占 17.4％。

自 1960 年以来，新加坡的经济增长率一直很高，保持在 8％左

---

* 本文发表于中国财经出版社 1992 年出版的《比较财政管理学》，署名萧琛。

右。但 1985 年后经济开始衰退,年增长率骤降为 2.1%,同期制造业投资也降了 1/3。对此,政府成立了"经济改革委员会"。该委员会认为阻碍增长的基本因素是:炼油、造船等制造业产生结构性转变;高工资造成成本的增加;中央公积金制度促成了国内总储蓄的升高,减弱了国内需求;住宅计划和基建的完成使经济趋向成熟;邻近的东盟国家对新加坡的依赖程度降低。因此,新加坡必须重新制定发展战略,其中税制改革是至关重要的一环。因此"经革会"提出了全盘税收改革的建议,并于 1986 年通过后陆续实施。

新加坡税制改革的基本方针是:(1)改革以直接税为重心的税制,对个人和公司所得税实行减税,所损失的税收以间接税和其他财源税弥补;(2)加强对服务业和新科技事业的税收鼓励,鼓励研究与发展,减轻厂商的各种税收负担。主要措施包括:

个人所得税:(1)受到高等教育的妇女所生子女可享受额外的特别扶养亲属宽减额;(2)税率由 4%～40% 15 个级次简化为 3.5%～33% 14 个级次,最高税率降低 7 个百分点。

公司所得税:(1)对于特别规定的重要产业实行免税。免税期满之后的头 5 年,享受 10% 的优惠税率;(2)购买电脑及现代办公设备支出可列在当年开支费用中;(3)税前盈余的 20% 可以列入研究发展准备金,享受免税优惠,但必须 3 年以内用完;(4)投资扣除范围扩大到出版、医药、娱乐、金融等服务业;(5)投资新科技公司所造成的损失可以完全扣除;(6)跨国公司总公司在新加坡境内可享受 10% 的优惠税率;(7)公司所得税税率由 40% 降为 33%。

其他改革:(1)停征工薪税;(2)正在考虑采用包括增值税在内的一般性消费税,以扩大间接税收入弥补直接税收入的降低。

(二)韩国

1986 年韩国人均国民生产总值 2370 美元,居世界第 35 位。财政经常收入占国民生产总值的 18.8%。所得税和消费税占经常收入的比重分别为 25.2% 和 57.6%,国际贸易税和交易税占消费税的 14.9%。

韩国是一个后起的发展速度举世瞩目的国家。20 世纪 50 年代年平均经济增长率仅为 4.49％，而 20 世纪 60 年代为 8.8％，20 世纪 70 年代提高为 10.8％，1976 年竟高达 15.5％。由于经济增长速度很快，人均国民生产总值由 60 年代初的 82 美元上升到 1986 年的 2370 美元，增长 28 倍。为适应经济增长，韩国于 70 年代末以来进行了一系列的体制改革和经济调整。在税制改革方面，1977 年 7 月实行增值税，取消了营业税、货物税、石油产品税、旅游税等 8 种消费税，只剩下酒类、电话和印花税实行非增值税形式。

20 世纪 80 年代以来，韩国的税制改革主要有两个方面：第一是改进与完善增值税；第二是改革所得税。1981 年韩国就实施增值税中的问题进行了一些调整，到 1985～1986 年，增值税的标准税率为 10％，其他税率有 0％、2％、3％和 5％四种。增值税收入占国

民生产总值的比重达 4.03％，占税收收入的比重达 25.07％

202

所得税改革比增值税改革迟 4 年，于 1985 年进行。改革内容主要有：（1）缩小免税程度。（2）实行最低限度税以扩大税基，实现人人纳税。（3）加强税收减免管理；公司所得税在减免之后，必须在分配利润时将等于减免税款的资金用作企业储备金，以鼓励积累与发展。这种储备金只能用作以后填补亏损或转入资本，如果随意动用则要追征减免税并征 36.5％的利息税。（4）制定人力资源开发的特别税收措施，以提高劳动生产率，加强国际竞争能力。

韩国税制改革有以下几个特点：（1）主动进取的成分比较大，而大部分国家的税制改革是在较为被动的经济情况下进行的。（2）起步比较早。1960 年就彻底取消出口税而实行零税率。1977 年便推行增值税，在亚洲国家中是最早的。（3）间接税与直接税的改革分开进行，先改间接税，后改所得税。

（三）匈牙利

1986 年匈牙利人均国民生产总值 2020 美元，居世界第 41 位。财政经常收入在国民生产总值中的比重为 59.4％，所得税和消费税在经常收入中的比重分别为 15.9％和 35.2％。

匈牙利 20 世纪 80 年代的税制改革第一个特点是全面推行欧洲共同体式的增值税，第二个特点是在个人所得税和公司所得税方面

借鉴和运用西方资本主义国家做法的程度比较高。

匈牙利自1968年实行经济改革以来曾经对税制做过重大改革，主要内容有：（1）将原来由企业缴纳的周转税改为商业批发环节向零售企业出售商品时缴纳的消费品流通税，目的是使纳税环节接近最终消费，财政收入比较真实；（2）1980年在实行国内价格与国际价格挂钩的办法时开征生产者价差流通税；（3）将上缴利润制度改为国家征税（利改税）。

20世纪80年代中期匈牙利又分阶段进行全面的税制改革。1987年税制改革方案的主要内容是：（1）取消工资税；（2）利润税税率降低10％～15％，同时缩小城乡发展税的征税幅度；（3）改征普通流通税、个人所得税和营业税。普通流通税是对企业征收的，征税后，使生产价格与消费价格的比率关系趋于合理，财政补贴大大减少。普通流通税实行三种基本税率：一是基本食品、基本消费品、基本服务采用零税率；二是非基本服务的税率为10％～12％；三是大部分工业品、非基本商品和生产性服务税率为20％左右。

个人所得税是对居民普遍征收的，居民来自第一职业和第二职业的收入都要纳税。年收入在4.8万福林以下者免税；60万福林年收入以上者的税率是60％；银行储蓄、购买债券和股票所得收入征10％～20％的税。发明奖、改革奖每人每年不超过5万～7万福林者免税。经营税根据个人和经营合伙人的总收入征收。

1988年，匈牙利税制又做了重大改革，修订或取消了一些税种，开设了一些新的税种。取消的税种有：对农产品和食品加工业征收的所得税、城乡发展税、奖金税、建筑税和周转税，以降低生产过程中的税收负担，建立最终在消费方面征税的制度并简化税制。

改革的主要措施有：

1. 全面推行增值税。增值税的性质与征收方法和欧洲共同体国家相同，在生产、批发和零售三个环节全面开征。但金融业、服务业、房产业、保险业、医疗卫生业、教育体育事业不征增值税。增值税税率分为三档：0％；15％；25％。基本税率为25％。对农产品、食品与公共教育用品实行零税率。对零售企业征收增值税采用的是平均税率和不扣除的办法，以简化征收手续。开征增值税以后，

1988年增值税收入扣除通货膨胀因素以后，比上年包括周转税的消费税的收入增加了1％。匈牙利税收收入中，增值税收入比重已占40％左右。

2. 对烟、酒、含酒精饮料、化妆品、小汽车和矿产品还要征收消费税。

3. 取消投资税与建筑税（税率分别是10％和15％），不再控制投资，而是鼓励投资。

（四）墨西哥

1986年墨西哥人均国民生产总值1793美元，居世界第43位。财政经常收入占国民生产总值的比重是18.1％，是中上等收入国中最低的。所得税和消费税占经常收入的比重为24.3％和71％。墨西哥同美国、加拿大等国一样，实行的也是财政联邦制，75％～80％的收入由联邦政府控制，主要税种有公司所得税、个人所得税、预提所得税、增值税及货物税。

墨西哥增值税始于1980年，是对生产、批发、零售三个环节征收的，一般用品税率为15％，奢侈品为20％，农产品及特别规定商品采用零税率。药品和大多数食品税率为6％。墨西哥80年代的特色在于1987年起推行一套新的税收管理办法。新措施主要有以下四个方面：

1. 建立分权制度，加强税收管理，密切税收管理人员同纳税人员之间的关系。1987年以前，墨西哥全境仅有16个税务局，现增至40个税务局，分布于各大城市，直属联邦财政领导，负责所得税与消费税的征管。各州税务机构则负责增值税和州、地方税的征管工作。

2. 强化现代化的管理手段，扩大计算机的开发应用。1987年税务部门购置了2400台计算机，并积极组织人员开发运用，逐步形成电脑化管理网络。

3. 严格控制逃税，确保财政收入。税务部门聘请会计师，在各地对纳税人的申报及纳税情况加以审核。过去每年仅能对1％的纳税人申报进行审核，加强管理之后每年可审5％，有效程度大大增强。

4. 简化征管工作。墨西哥税法不统一，如公司税的征收办法就有两种，加上通货膨胀等因素，处理方法不当，给征管工作带来很多不便。针对这种情况，改革、简化了征管办法和征管程序，包括通过银行直接对纳税人应付税款进行扣缴，等等。

二、中下等收入国家（地区）的税制改革

（一）哥伦比亚

1986 年哥伦比亚人均国民生产总值 1230 美元，居世界第 52 位。财政经常收入占国民生产总值的比重为 10.6%，所得税和消费税在经常收入中的比重分别为 37.2%和 36.3%。

哥伦比亚税制的基本结构是在 20 世纪 30 年代国际贸易危机之后形成的。在那以前，哥伦比亚几乎全靠关税。危机触发了一场改革，奠定了包括正式的所得税、增值税和遗产税在内的现行税制的基础。战后，哥伦比亚分别于 1953 年、1960 年、1974 年和 1986 年进行了重大的税制改革。1953 年改革的目标主要是巩固、调整 20 世纪 30 年代的改革成果。1960 年的改革旨在提高收入，同时对资本所得实行征税。1963 年改革是引入具有普遍性的销售税（该税于 1965 年实施），但由于征管问题较多，这一税种不久转而形成一种制造环节的增值税，并成为仅次于所得税的第二大税种。1974 年改革否定了先前用税收作为社会政策手段的办法，大大减少无效的税收鼓励措施，并引入最低设定税以保证财政收入。这一措施使 1974 年以后所得税收入大大提高。70 年代后期为抵消通货膨胀影响而采取的降低税率和税收豁免的做法，不仅侵蚀了所得税收入与通货膨胀同步增长的能力，而且实际上取消了资本利得税。1983 年政府就此采取一些比较规范化的针对性办法，同时对销售税进行了相当大的改进，使之实际上成为完全的直至零售环节的增值税，并于 1984 年实行，标准税率是 10%，其他税率为 0%、4%、6%、20%、35%。当年增值税收入占国民生产总值的 2.08%，占税收收入的 27.13%。

1986 年改革的目的是统一各种档次的边际实际税率，是为调整税制结构而不是提高财政收入。具体内容是降低经营所得税的税率；废止股息作为个人收入免税额的规定；废止遗产税。1986 年改革反映了哥伦比亚由"鼓励导向"转向"市场导向"税制的倾向，这也是 20 世纪 80 年代世界税制改革潮流的一大趋势。

（二）土耳其

1986 年土耳其人均国民生产总值 1110 美元，居世界第 56 位。财政经常收入在国民生产总值中的比重是 18.5%，所得税、消费税在经常收入中的比重分别为 43.5% 和 37.6%。土耳其从 1980 年对经济体制进行全面改革，税制改革是其中最主要的内容。1980 年以后，土耳其对所有税法几乎都做了修改，是其中最重要的改革且推行增值税。

土耳其是欧洲共同市场的联系国，早在 1970 年便开始研究增值税（欧洲共同体成员国通行税种，税率正趋于统一）。经过各种努力，土耳其于 1985 年 1 月 1 日实行增值税，同时取消了 8 种消费税，取得很大成功。1985 年、1986 年、1987 年和 1988 年的税收收入分别比前一年增加 119.8%、62.4%、63.2% 和 71.80% 左右。

20 世纪 80 年代土耳其税制改革的一大目标是使其税制结构更加平衡，特别是要减少对于个人所得税的高度依赖，现行增值税税率有 6 个级次，标准税率为 12%，低税率有 1%、3%、5%、8%4 级，高税率为 15%。基本设计思想是：保证财政收入不减少，注意一般价格水平和消费者的承受能力，避免价格全面波动；纳税人计算方便，标准税率先定为 10%，等人们适应之后再调到 12%。土耳其增值税税基的设计也有三个原则：货物转移过程中所发生的各种费用都应包括在税基内；包装、保险、佣金等也都计入税基；由于时间价差而取得的利益也算入税基。

土耳其增值税的管理机构分成三级，全国共设 753 个税务所，每个所管理两万左右的纳税人。

（三）牙买加

1986 年牙买加人均国民生产总值 840 美元，居世界第 62 位。

牙买加于 1985 年进行了一次全面的税制改革，修改了个人所得税、公司所得税和间接税。牙买加对个人所得税的改革是独具特色的。改革前根据累进税率对复杂而狭窄的税基征税，1986 年改为单一税率和宽税基的个人所得税结构。

改革前 60％的最高边际税率（包括工薪税）适用于年收入水平较低的纳税人。税法条款非常复杂；没有标准扣除额；纳税人可享受 16 种不同的抵免；免税津贴占应税工资的比例为 40％。这种税很难管理而且成本很高。此外还有许多消极影响，如对正式劳动部门实际税负偏高，鼓励偷税漏税，造成不公平与经济扭曲等后果。

改革的目标是简化税制，同时减少不必要的刺激。主要措施有：用标准扣除额取代 16 种税收抵免；用 33.33％的单一税率取代改革前的多级次累进税率；大多数免税津贴都被纳入税基，利息收入也被计入税基。

207

改革方案公布之前，当局还组织私营部门的公民委员会，用几个月的时间对各种提议进行评估、讨论与修正。工会、企业界和公共利益集团也参加修改工作。

实行改革后的 12 个月内，来自公司和个人所得税的财政收入增加了 18％，而公众对改革方案并未表示不满。不过还是有不少问题，如标准扣除额的指数化等亟待解决和改进。

（四）印度尼西亚

1986 年印度尼西亚人均国民生产总值 490 美元，居世界第 78 位。财政经常收入在国民生产总值中的比重为 23.1％，所得税和消费税占经常收入的 40.4％和 28.2％。

印度尼西亚的税制改革有两个特点：其一是投资鼓励制度的改革比较成功；其二是推行增值税，成为东南亚国家中仅后于韩国的第二个实行增值税的国家。

1983 年下半年，印度尼西亚实行一项重大的税制改革。其中值得注意的是全面取消对投资的税收鼓励措施。1983 年以前税制非常复杂，费解之处很多，造成许多人投机取巧等不公平现象与经济扭曲。这次改革的原则是简化管理，增加透明度，尽可能减少经济扭曲。主要措施是取消所有的特别税收优惠，包括免税期规定、投资减免、各种加速折旧办法。改革后财政收入的增加可以使税率得以降低，并使税制引起的部门偏好减至最低限度。

印度尼西亚的增值税是经两年多准备后于 1985 年 4 月正式实行的，主要征管措施是建立大批的税收档案和推行纳税人身份证制度，以利于及时查阅和随时审核，防止偷税漏税。

印度尼西亚增值税是"产地"原则的增值税，税率有三种：对出口产品采用零税率；其他货物征 10% 的增值税；奢侈品的税率为 20%。实行增值税以后，财政收入有所增长，间接税的比重在税收收入中上升。

三、低收入国家（地区）的税制改革

（一）马拉维

1986 年马拉维人均国民生产总值 160 美元，居世界第 114 位（不包括世界银行未报告国）。财政经常收入在国民生产总值中的比重为 22.3%，所得税和消费税在税收收入中的比重为 34.6% 和 50%（其中 21.5% 是国际贸易税和交易税）。

马拉维的对外贸易税主要是对消费者使用的进口物品征收。20世纪 70 年代以后，由于依靠外国援助的国家项目享受商品进口优先权并免纳关税，对外贸易税应税商品和税基大为缩小。为保证财政收入，只能提高进口税税率，甚至开征出口关税。这种短期办法造成了一系列不良后果，扭曲了经济，削弱了出口商品的国际竞争能力，特别是出口的农产品受到较大影响。对于奢侈品不断加重的税率和对必需品免税的政策，酿成了一个与工业发展不相适应的保护性结构。此外由于中间产品税率提高，间接税有限的累进性遭到削减。

1986 年马拉维针对上述问题进行了一次全面的改革，基本方针是扩大税基并简化税收程度。改革的第一阶段旨在取消出口税并降低对中间产品的税收，由此造成的税收收入减少用提高附加税税率来弥补。这种附加税是对制造商和出口商所征的消费税，它对生产和流通决策没有扭曲作用，但是为弥补进口税基缩小和出口税的取消带来的财政收入损失，附加税率不得不提高到 35％，把税基扩大到更多的生产商和流通商，需要几年时间，并且需要采取一些措施，如在附加税中引进抵扣等办法，以缓和由于对生产投入征税而给出口造成的压力。为解决改革后附加税税负分布上的问题，新税制还设立了 2～3 个奢侈品税率。

（二）印度

1986 年印度人均国民生产总值 290 美元，居世界倒数第 20 位。印度主要的经济问题是缓解贫困与增加就业，其次是努力提高竞争能力和生产能力。印度 1985～1990 年的第七个五年计划的主要目标就是要解决上述问题。计划强调要更多地发挥私营部门的作用，并许诺为鼓励私人工业投资制定必要的奖励办法。根据七五计划，印度将降低出口税。

印度在货物税改革方面比较成功并具有特色。

1986 年以前印度采用范围很广的货物税制。这种货物税适用于许多商品，包括中间产品。由于税收层层加码，出口产品的价格包含 5％～7％的税收，其中只有一部分通过退税得到抵消。另外，诸如谷物和食用油这样的必需品（对穷人尤为重要），虽然名义上免税，但实际上也包含了 5％～10％的税。1986 年，印度通过在制造环节中实施一种修改过的增值税的办法，大大减少了对中间产品征收的货物税。这个新税种对生产决策和贸易决策的干扰也减少了。

四、发展中国家推行增值税的情况

增值税是许多国家在改革中采用并行之有效的新税种。30 几年前世界上还根本没有完整型的增值税，只有两个国家——巴西和法国试行过一种有限制的增值税。今天，已有大约 60 个国家实行了增值税，其中一半以上属于发展中国家。而在实行增值税的发展中国家中，又有一半以上是在 20 世纪 80 年代推行或做了重大改进的。值得注意和较有特色的国家是匈牙利、突尼斯（1988 年）、中国台湾（1986 年）、尼日尔（1986 年）。此外，哥伦比亚（1985 年）、马达加斯加（1984 年）、土耳其（1984 年）、墨西哥、海地、多米尼加、印度尼西亚也都于 20 世纪 80 年代推行增值税。表 1 是 25 个发展中国家推行增值税的基本情况对照表。

表 1   25 个发展中国家推行增值税的情况

（以改革迟早为序，中国大陆情况本表略）

（国家）地区	1986 年人均GNP（美元）	实行年份	税率（%）		收入占 GNP比重（%）	收入占税收比重（%）
			标准	其他		
匈牙利	2020	1988	25	0,15,25	—	40
突尼斯	1140	1988	—	—	—	—
中国台湾	—	1986	5	—	—	—
葡萄牙	2250	1986	16	0,8,30	—	—
尼日尔	260	1986	25	15,35	—	—
土耳其	1110	1985	12	1,3,5,8,15	3.1	21
印度尼西亚	490	1985	—	0,10,20	—	—
哥伦比亚	1230	1984	10	0,4,6,20,35	2.08	27.13
马达加斯加	230	1984	15	—	2.93	25.66
多米尼加	710	1984	6	—	0.92	9.89
危地马拉	930	1986	7	—	1.56	24.76
秘鲁	1090	1982	6	—	4.37	21.22
海地	330	1982	10	25	1.07	11.48
墨西哥	1001	1980	15	0,6,20	3.18	19.71
巴拿马	2330	1977	5	—	1.86	9.08
洪都拉斯	740	1976	6	—	1.48	12.23
智利	1320	1975	20	0,5,33,35,50,90	8.12	37.43
哥斯达黎加	1540	1975	10	—3.69	17.42	
阿根廷	2350	1975	18	5,23	1.88	14.89
尼加拉瓜	790	1975	10	—	2.84	10.42
玻利维亚	1099	1973	5	—	0.28	6.83
厄瓜多尔	1160	1970	10	—	1.33	12.35
乌拉圭	1900	1968	20	12	4.35	23.49
巴西	1810	1967	17	—	4.37	31.22

五、中国特色的税制改革

根据世界银行公布的数字，我国 1986 年人均国民生产总值是 300 美元。但若根据美国兰缎（Blue－Satin）公司的统计（不以汇价而以 PPP 即购买力平价或货币的实际购买力折算），我国的人均国民生产总值是在 500～1000 美元之间。该公司认为，我国因希求贷款而默认偏低的统计，还认为我国在 21 世纪会成为世界第三四位的经济大国。

（一）改革背景

尽管 20 世纪 70 年代末 80 年代初世界经济不景气，我国经济的增长却强劲有力，1973～1980 年平均增长速度是 5.4%，1980～1987 年大幅度上升至 10%，1985 年更高达 12.7%。我国经济的另一大特点是国内积累总额占国民生产总值的比重高达 34%（1986 年），而国情较为接近的印度其可比数字仅为 21%（1987 年）。还有一个特点是长期外债占国内生产总值的比重仅为 7%（1987 年），而印度却为 15%。这说明我国经济及其改革有相当强的独立性。

211

我国税收最主要的职能是调节经济关系和为政府筹集资金。但是近几年来我国财政收入占国民生产总值的比重不断下降，中央财政对地方和企事业的控制能力有所减弱。主要原因是：国家财力分散，开支降不下来，基建项目过多，增加工资的压力较大，补贴过多，等等。就税制而言，我国税制和其他国家相比，存在以下几个有待改进的主要问题：（1）较为繁杂，不够规范；（2）利税区分和征缴办法欠妥；（3）稳定性不够，大增大减税种的频度较大；（4）通货膨胀指数化方面困难较多；（5）个人所得税税基过窄；（6）没有工薪税。1986 年以前我国税制变革情况可见图 1。

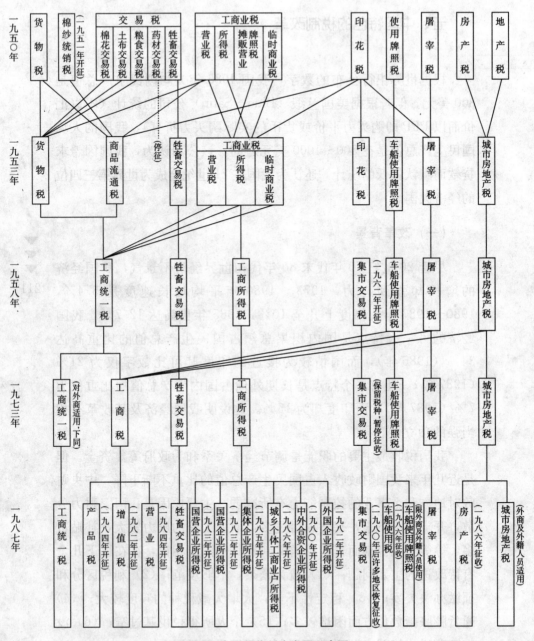

图1 中国税收制度发展示意图

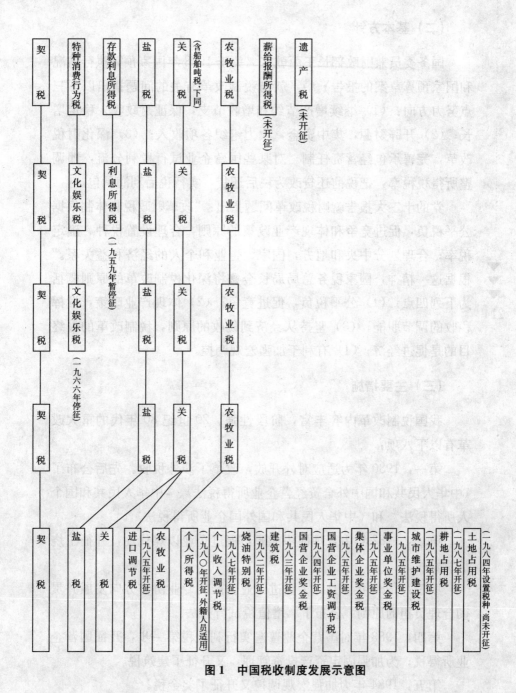

图 1 中国税收制度发展示意图

（二）基本方针

国务委员兼财政部长王丙乾在《关于 1988 年国家预算执行情况和国家预算草案的报告》中，就与税制改革有关的问题指出以下三点努力方向：（1）继续增产节约和增收节支，保证财政收入稳定增长；（2）开辟财源，集中资金，大力组织各项收入；（3）深化财税改革，完善承包经营责任制。对某些国营企业试行税利分流，即调整所得税税率，把税前还贷改为税后还贷，实行税后利润承包。

党的十三大报告就财税改革问题指出："改革财政税收体制根据公平税负，促进竞争和体现产业政策的原则，合理设置税种、确定税率；合理划分中央和地方，国家、企业和个人的经济利益关系。"根据这一精神，国家税务总局局长金鑫将深化税制改革的原则概括为下列四点：（1）公平税负，促进竞争；（2）体现产业政策，发挥税收的调节职能；（3）坚持从经济到税收的原则，税制改革的最终目的是促进经济；（4）有利于加强宏观调控。

214

（三）主要措施

我国税制改革内容丰富，阶段性强。20 世纪 80 年代的重大改革有以下八项：

第一，1980 年为适应对外开放，改革了涉外税收。先后公布了《中华人民共和国中外合资经营企业所得税法》、《中华人民共和国个人所得税法》和《中华人民共和国外国企业所得税法》。

第二，1982 年为合理使用能源，促进企业以煤代油，开征了烧油特别税。

第三，1982 年 4 月，为促进工业生产向专业协作方向发展并贯彻合理负担的原则，公布了《增值税试行办法》。

第四，1983 年对国营企业普遍实行利改税第一步，开征国营企业所得税；为加强固定资产投资管理，又开征了建筑税。

第五，1984 年为加强宏观调控又开征了奖金税。

第六，1984 年下半年，对国营企业普遍实行利改税第二步。基本内容为：将工商税按照征税对象分解为产品税、增值税、盐税和营业税；将利改税第一步设置的国营企业所得税和调节税普遍推行并加以改进。利改税第二步改革从税制建设上说，是工商税制的一次全面改革。

第七，1988 年改革内容很广，主要体现在下列税制改革文件中：《关于私人企业管理的暂行条例》、《关于对私人企业投资开征个人所得调节税的规定》、《关于鼓励台胞投资的规定》、《关于对外开放、鼓励外商投资、减免公司所得税和联合工商税的规定》。

第八，1989 年准备选择一些地区和企业，对同类企业试行税利分流的办法，调整所得税税率，把税前还贷改为税后还贷，实行利润承包。

5. 美国布什总统
"世界新秩序"纵横谈[*]

1991 年 1 月美国总统布什在国情咨文中曾宣称美国在海湾作战的目的是要建立"世界新秩序"。而同年 7 月伦敦七国首脑会议的政治宣言的标题也是《加强国际秩序》。为了理解这一"新"口号的实际内容，把握这一"新"东西的未来，我们有必要了解它的历史与现状。本文拟分析美国对外战略思想的演变，解剖美国影响当今世界政治与经济的核心机制。

一、觊觎整个美洲的"门罗主义"

"弱国无外交"曾经是美国人的由衷之叹。美国主宰世界的欲望是随着其经济实力的迅速增长而逐渐滋生膨胀起来的。

早在 1776 年美国人争取独立时，他们曾经向全世界呼吁：他们应该是自由和独立的国家，应当取消效忠英国王室的一切义务，断绝和大不列颠国家之间的一切政治关系。他们还曾旗帜鲜明地向全世界宣告："和我们作战的，就是我们的敌人；和我们友好的，就是我们的朋友。"[①]

然而在 47 年之后，美国变了，其腔调也变了。"我们"与"故

---

　　* 本文发表于中国社会科学院《经济文献信息》1992 年第 3 期，署名萧琛。
　　① 摘自美国《独立宣言》，康马杰编《美国历史文献选萃》，今日世界出版社 1979 年版，第 13 页。

友"这两个早已再明确不过的概念在门罗总统那里却被赋予了"新"的历史含义。1823 年 12 月 2 日，门罗总统在给国会的国情咨文中宣称："美洲大陆""从今以后不能再被视为任何欧洲国家未来的殖民地"，"如果他们企图把他们的制度扩展到我们这半球的任何区域来，我们便认为那是危及我们的和平与安全"，"是对美国不友好的表现。"①

22 年后的同一天，波尔克总统曾郑重地重申了这一国际关系史上第一个属于美国的"主义"："我们必当永远维护这项原则，即惟有本洲人民有权决定自己的命运。"②

门罗主义出现的背景条件之一，是俄国正在争取北美大陆西北沿岸地区的主权，另一个条件是拉丁美洲国家政治争取独立。美国政府"精明地"利用了这两个机会，开始并逐步将美国政府的这一"主义"强加给了整个的美洲乃至全世界的人们。

217

二、走向世界的"十四点计划"

美国著名作家亨利·R. 普斯在 1941 年曾写道，"二十世纪来到了！二十世纪是我们的，不只是因为我们正好生活在二十世纪，而且是因为二十世纪是美国作为世界强国的一个世纪。"③

1918 年 1 月 8 日，当第一次世界大战即将结束之时，大学教授出身的威尔逊总统在美国国会上发表了一个著名的演说，深谋远虑地提出了一项被认为是"促进世界和平的惟一可行的十四点计划"。该计划认为：第一次世界大战的根源首先在于协约国不能及时有效地达成制止战争的协议；其次在于俄国向德国乞求和平。为了确保世界和平，必须采取他们提出的措施：公开缔约，反对秘密协议；外交活动公开透明；航海绝对自由；消除经济合作障碍，建立平等的贸易条件；维护最低限度的军备；等等。而其中至为重要、影响

---

① 摘自美国总统门罗 1823 年 12 月 2 日致国会的第七年度国情咨文。
② 摘自美国总统波尔克 1845 年 12 月 2 日致国会的第一年度国情咨文。
③ 摘自亨利·R. 普斯 1941 年出版的《美国世纪》。

最为深远的一项计划是建立"国际联盟"。"一个普遍性的国际联合会，必须遵照具体的公约组成，以便各国不分大小都能同样地确保其政治独立和领土完整。"[1]

也许是偏安一隅的"门罗主义"在作祟的原因，威尔逊总统对于世界新秩序的满腔热衷未能像他的名为"新自由"的国内改革计划那样，得到美国国会方面的大力支持。以至于 20 年后，亨利·R. 普斯无限感慨地写道："美国在 1919 年放过了一个担负世界领导权的绝好机会，放过了一个前所未有的大好机会！"[2]

三、"联合国宪章"与确立霸权

218

第二次世界大战给了美国人又一个大发横财的机会。战争结束后，美国的黄金外汇储备占到了世界的 3/4，国民生产总值几乎占到了全世界的一半，而工业生产总值也占到 57％的绝对优势比重！战争又一次给了美国人实现其世界霸权的机会。严酷的反法西斯战争的历程，使得渴望和平的人们又一次反思二十几年前的"国际联盟"问题。1944 年，在美国新罕布什尔州召开的敦巴顿橡树园会议勾画了战后国际关系的基本框架。1945 年 4 月 29 日，世界上 50 个国家的代表在美国的旧金山举行盛会，通过了著名的《联合国宪章》，建立了联合国常设组织机构。

《联合国宪章》的基本宗旨是调解各种争端与冲突、维持国际秩序，"必要时可以动用会员国所提供的武装力量"。这一原则可谓意义重大而深远。在那以后的半个世纪中，美国之所以能够在朝鲜、越南、海湾、科索沃、阿富汗、伊拉克等战争中耀武扬威，靠的就是这一上方宝剑。

联合国的最高权力属于联合国大会。而在决议执行过程中，拥有广泛权力的则是安全理事会。安理会常务理事会是由美、英、苏、法和中国 5 个"常任理事国"组成。此外每年选举 10 个（1966 年

---

① 摘自 1918 年 1 月 8 日美国总统威尔逊对国会的演说。
② 摘自亨利·R. 普斯 1941 年出版的《美国世纪》。

以前为 6 个)"非常任理事国"。鉴于在常务理事会中美、英、法已经占去了 3 票,因而美国凭借其实力基本上可以左右联合国的重大决议。到 1980 年,美国仅行使过否决权 21 次,而前苏联则否决过 114 次!近年来,由于苏联的解体,美国等发达工业国的意志更是容易通过这一世界性的公共事务中心而得以实现。

四、联合国专职机构与世界经济

恩格斯指出:"政治统治到处都是以执行某种社会职能为基础,而且政治统治只有在它执行了它的这种社会职能时才能继续下去。"[1] 战后世界范围内的情况也是如此。联合国设有世界银行、国际货币基金、贸发会议、工业开发组织,开发计划署、世界卫生组织、联合国教科文组织,等等,分别在各个领域作为世界性公共事务领导机构向各国提供各种服务,而美国等资本主义大国则正是利用这一合法的、公开的、普遍认可的组织形式来维持有利于他们的世界秩序。

219

世界银行最高权力属于理事会,理事会由各会员国代表组成,一国委派一名。执行董事会设执行董事 20 名,其中 5 名由认缴股份最多的美、英、法、日、德 5 国委派,其余 15 名由各国推选产生。执行董事会对银行的政策事宜和日常业务负有全责。世界银行投票权的分配原则是每一会员国拥有 250 票基本投票权。此外,每认缴 10 万美元股本增加一票。银行初创时的核定资本为 100 亿美元,美国一国就占了 31.75 亿美元,掌握着最大的表决权。对于来自各国的巨额的世界储蓄的资金贷放,美国操有全面的生杀大权。

国际货币基金的组织原则与投票权分配原则基本上等同于世界银行。美国同样占有基金的最大份额,因而也同样操有最大的表决权,达 20%～25%,由于一般问题的表决原则是超过半数即可通过,但重大问题为 4/5 甚至 85%,因此美国实质上可以决定任何可称之为"重大"的议案。也就是说,有关世界经济的任一重大问题,

---

① 《马克思恩格斯选集》第 3 卷,人民出版社 1972 年版,第 219 页。

没有美国点头认可便不能解决。

五、联合国外围机制与利益集团内部协调能力

联合国为和平解决世界经济利益分配提供了一整套协商机制，而协商能力与成败关键则往往取决于各利益集团的组织效率和内部协调能力。这方面发展中国家也曾有过辉煌的成绩（例如，1974 年 4 月 9 日至 5 月 2 日在纽约举行的联合国大会第六届特别会议上，由于发展中国家的共同努力，会议通过了《建立国际经济新秩序宣言》这一重要文件）。然而从总体说来，由于发达国为数较少、利益较为集中，因而在南北关系中占上风的时候较多，其中重要的原因在于他们设有较多的协调机制。例如，西方七国首脑会议、七国财长会议、关税与贸易总协定，还有已经成为历史但却十分重要的"布雷顿森林体制"。

西方七国首脑会议自 1975 年以来每年举行一次。参加者有美国、日本、西德、英国、法国、意大利、加拿大七个最大的发达工业国以及欧共体委员会主席。由于苏联发生巨大变化，前领导戈尔巴乔夫也"出席"了会议，成为举世瞩目的新闻。七国首脑会议的议题很广，主要是当年最为重大的国际政治经济问题，如贸易谈判、外汇干预、科技合作、稳定经济增长与反对通货膨胀、对苏战略和世界新秩序，等等。

"关税与贸易总协定"（GATT）协调的范围超过 80 多个国家或地区。但其实质主要是调解美日、美欧等各大贸易集团之间日益加剧的贸易摩擦。早在第二次世界大战以前，帝国主义国家为争夺和瓜分世界市场，曾企图建立一个国际贸易机构。战后美国重新提出这一问题并由联合国有关机构负责筹备。1947 年 4 月关贸总协定在日内瓦成立，总协定与联合国联系密切，但不是联合国的专门机构。总协定成立以来举行了肯尼迪回合、东京回合、乌拉圭回合等多次重大的多边贸易谈判，为缓和国际市场的紧张关系起了巨大作用。然而由于总协定的控制权掌握在少数发达工业国手中，因而往往难

免成为他们推行贸易歧视政策的工具。例如，中国加入世界贸易组织（WTO，1996年由GATT升格而成）之前，在最惠国待遇问上，美国一直对中国采取围而不堵和压而不断的战略。

六、"历史突然加速前进"之后

20世纪80年代与90年代之交，世界再一次出现了大动荡大改组的"乱云飞渡"的局面，苏联东欧剧变、两德统一、海湾战争，等等，今人目不暇接，也使得美国的对外战略模式首次出现了一个大的重塑的时期。因为美苏对抗这一外交的中心问题突然不复存在，使得美国当局仿佛中了彩票却不知如何去开销它们，所谓的要"建立世界新秩序"，[①] 不过是一个应急的空洞的政治口号，不过是两次世界大战以来苦心经营的美国秩序的老调翻新，不过是对发展中国家当年"建立国际经济新秩序"的一种鹦鹉学舌。

美国"世界新秩序"在海湾战争前夕还比较含糊，其表述是把不同的国家吸引到一起从事共同的事业以实现人类共同的愿望：和平和安全，自由以及法制，云云。而现在这一"新"秩序却明确宣告"应加强以联合国及其宪章为中心的'国际体系'"，"应支持苏联建立一个开放的社会、多元的民主政体及市场经济所做的努力"[②]。可见，"新"秩序的核心仍旧是以美国为中心的联合国体系，"新"秩序的目标不过是将当年门罗总统所反对过的那种"强加制度"之企图实施到苏联、东欧等帝国扩张的新边疆，以便在新形势下突出美国的地位与利益，让21世纪继续成为"美国的世纪"。

然而，海湾战争与第一、第二次世界大战毕竟有很大的不同。这不仅表现在美国经济实力，由于长期冷战而已经严重地削弱，而且表现在美国经济的稳定增长如今已经越来越多地取决于外部的世界。美国普林斯顿大学教授罗伯特·吉尔平写道："我们仍在高谈阔论，好像我国仍然是一种自治的经济。但是我们的利率现在是由世

221

---

① 摘自美国总统布什1991年2月29日在国会发表的国情咨文。
② 参见"西方七国首脑会议"1991年7月16日发表的《加强国际秩序》的政治宣言。

界上其他国家来确定的。"而由于美国、日本、欧洲三大经济力量的抗衡，由于因为"东西矛盾"缓和而日益加剧的"西西矛盾"，美国独霸世界的时代似乎已经过去。在这种时过境迁的情况下刻舟求剑，建立一种新的稳定的格局和秩序是相当困难的。这一点只要注视美国因实力下降而在世界银行、国际货币基金中投票权份额的减少趋势，我们便不难推知。当然，美国经济增长能否出现奇迹，能否在联合国机制之上重新构建更符合美国口味的新机制，也未尝不是一个可以考虑的问题。

222

6. 法国里昂七国
首脑会议的"光"和"影"[*]

223

　　第 22 届七国首脑会议已经于 1996 年 6 月 29 日在法国里昂降下帷幕。为时三天的会议议题很多，通过的文件也很多。里昂会议的特色何在？为何能就一些问题取得进展？哪些问题被回避、掩饰和延宕？七国集团的困境与出路何在？本文将就这些问题做如下评论。

一、里昂会议公报中达成妥协和共识数量不少步伐不大

　　1995 年在加拿大哈利法克斯举行七国首脑会议时，波黑冲突已经进入关键阶段。1996 年的首脑会议不同，没有压倒一切的全球性政治危机来吸引与会者的注意力。为此，东道主法国努力将会议焦点放在经济问题上。但"全球化"这个主题含量显然有些笼统。

　　会议先后通过了题为"为大众利益取得全球化成功"的《经济声明》和题为"在更加团结的世界上争取更多的安全与稳定"的《主席声明》等一系列文件。首脑会议的助手们说，"七国集团这次会议实际上只是弹去前一个月经合组织巴黎部长级会议通过的文本的灰尘而已。"^①尽管如此，会谈还是在一些问题上有所进展。

　　* 本文发表于中国社会科学院《世界经济与政治》杂志 1996 年第 10 期，署名萧琛。
　　① 简·克里斯蒂安森："七国集团要求实现公正的经济全球化"法新社里昂 1996 年 6 月 28 日英文电，新华社《参考资料》1996 年 6 月 30 日，第 11 页。

1. 在债务多边安排问题上，比"那不勒斯模式"艰难地前进了一步

一个时期以来，不管是为国际开发署还是为欧洲开发基金以及为刚刚建立起来的非洲开发基金出资，欧美国家都表现得非常吝啬。希拉克曾经抱怨说："现在的趋势是大国都在往后退，特别是美国。这是不可以接受的。"在1994年那不勒斯首脑会议上，一些双边债权国曾承诺在某些情况下它们可取消最贫困国家所欠债务的67%。而这次，世界银行要求它们取消的债务是90%，这一要求遭到了七国的拒绝。但由于法国的调和，七国终于达成妥协，承诺可以取消到80%。

法国在与此紧密相关的出售 IMF 的黄金问题上的态度很有意思。里昂会议之前，法国曾经同德国一样反对出售。理由是 IMF 的最高安全保障不能削减，更不应当以出售黄金来弥补某些国家不愿出钱的漏洞。而在会上，法国则转而同意出售5%的黄金，并提议将款项用来充实专为最贫困国家设立的"深化结构调整基金"。

IMF 则更进一步地要求这个基金能够长期存在下去。而这一点只有在该基金拥有更加足够的捐赠并改善其贷款的利率时才能做到。从现在起到1999年年末，该基金的运转在资金方面已不成问题；2005年之后，受惠国归还的钱也将使基金能够自给自足；但在2000年到2005年期间，该基金大约短少30亿美元。法国、日本和比利时等已经准备出钱，但美国和英国却不愿意掏腰包。他们提出将 IMF 的10%的黄金储备拿来出售，将所得的钱进行投资以便使深化结构调整基金能够运转下去。IMF 现拥有黄金储备1.03亿盎司。

IMF 总裁米康德苏最后找到了一个折衷办法：将 IMF 在1990年筹集的一笔150亿美元的预备款项转入深化结构调整基金。这样一来，只需要出售 IMF 5%的黄金储备就足够了。[①] 世界银行早已同意从其利润中提出5亿美元用于减轻最贫困国家的债务。这一次，它答应总共拿出20亿美元（包括在7年中每年提供2亿美元的赠款）。

---

① 法国《回声报》："以更少的钱更好地援助那些贫困国家"，1996年6月27日英文电，新华社《参考资料》1996年6月30日，第13页。

224

从理论上讲，IMF、世界银行和七国集团共同做出的这一努力可以使那些最贫穷国家，主要是撒哈拉南部的最贫困国家在 6 年内的偿债额减少 60 亿～70 亿美元。①

2. 坚持并重申了"多边主义"贸易原则，美国在强大的压力下做了妥协

会上，克林顿对来自其他 6 国的强大压力做了让步，七国领导人一道在一项联合声明上签了字。该声明规定 WTO 的成员国"有义务避免采取违背 WTO 规则和经合组织会议上通过的行为准则的措施"。这显然是针对美国最近单方面提出的贸易倡议而进行的明确指责。这些领导人强调他们对美国《赫尔姆斯·伯顿法》及美国国会批准美国制裁在伊朗和利比亚投资的公司这种举措感到不安。欧盟认为该法违背了 WTO 规则，"七国集团发出了一种含混不清的信号：认为单干不是解决贸易问题的办法"，尽管"措辞含糊，但对美国来说是一个严厉的批评"②。

225

加拿大多伦多大学七国集团研究小组的负责人约翰·柯顿教授认为会议在反对美国制裁问题上取得了成绩："应当反对双边主义，反对针对在古巴、伊朗和利比亚投资的外国企业的《赫尔姆斯·伯顿法》。应当让美国人明白，如果不停止这种做法，他们就不可能就保护在国外直接投资等问题上达成多边协议"③。

美国现在是世界上首要的出口大国，目前它的经济比日本更依赖于出口。虽然美国对外贸易连年逆差，每年都超过 1 千亿美元。但这个事实毕竟只是就制成品来说的。美国从银行服务费、专利权使用费、许可证费等项目中获得的盈余已经日益重要，1995 年这个盈余数额已经高达 800 亿美元。④ 此外，美国在海外拥有的工厂在全球制成品出口中占有的比例已经大于美国本土的工厂。这些事

---

① S. M.："里昂首脑会议"，法国《世界报》1996 年 6 月 30 日—7 月 1 日；新华社《参考资料》1996 年 7 月 1 日，第 12 页。

② 伊·戒基埃尔和达维德·巴肯："克林顿在世界贸易规则问题上向七国集团其他国家让步"；新华社《参考资料》1996 年 7 月 9 日，第 28 页。

③ 让一弗朗索瓦·库拉夫："一次得分为 B⁺ 的首脑会议"，法国《论坛报》，新华社《参考资料》1996 年 7 月 4 日，第 40 页。

④ 新华社《参考资料》1996 年 7 月 9 日，第 31 页。

实一方面意味着美国实际上能够从"无国界经济"中获得巨额利润；另一方面也意味着美国必须谨慎地考虑其他贸易和投资伙伴的意见。像在传统的布雷顿体系那样地独断专行的时代已经开始成为过去。

3. 就宏观经济政策和外汇市场管理等领域中的合作问题进行了一些反思

经济声明中写道："应当说利率不应当再提高了，但消除预算赤字的工作应当继续进行。"对此，一些专家认为：在宏观经济问题上这次会议应当给"高分"①。

在过去的几年中，七国集团的总体协调办法已有所革新。第一，协调的重点转而侧重各国基本经济政策和基本经济要素，而不再是明确的和正式的汇率安排。第二，在干预外汇市场的手段方面增强了选择性。第三，设法降低七国集团总体部署的公开性和正式性，以减少人为的精力耗费和由于辩论联合公报措辞而导致的精力分散。

IMF 曾酝酿建立关于主要货币的比较正式的汇率安排机制。但近年七国首脑不得不承认，更有效的管理并不是需要进行更多的计划，也不应意味着要有更正式的政策协调机制和汇率安排制度。更正式的安排不仅不可取，而且也行不通。首先，将汇率固定在某个范围内的计划，在全球资本市场上已无法让人相信它能够取得成功，这同局部市场有别。其次，使各国经济政策有利于达到某个具体目标的主张，即使可取，也难以实现。因为汇率变化速度太快，而宏观政策和经济立法总是需要时间。因此，使货币政策达到或接近既定汇率目标的代价是双重的。其一是导致宏观经济政策扭曲；其二是失去对意外冲击进行反应的灵活性。

这些反思使美国和七国集团的其他成员感到有必要积极促成一种新的能稳定金融形势的宏观政策，以解决控制资本流动这样一种"好事做过头"的问题。这方面的新共识可以理解成三点：其一，强调稳健的政策极为重要。货币政策、财政政策的目的应当是维持经济持续增长，同时要保持低的通货膨胀率，并设法应用更多的微观

226

---

① 让一弗朗索瓦·库拉夫："一次得分为 B⁺ 的首脑会议"，法国《论坛报》，新华社《参考资料》1996 年 7 月 4 日，第 40 页。

政策降低失业率和解决结构性问题；其二，汇率可以浮动是好事；其三，对资本的控制不能替代好的政策。

4. 在其他全球性问题上拟就了一些意向性的联合行动举措

鉴于会前发生在沙特阿拉伯的爆炸事件造成了 19 名美国军人丧生，克林顿在七国首脑会议上做的第一件事就是说服他的伙伴同意发表一项声明谴责恐怖活动。七国集团的其他领导人接受了克林顿的提议，批准了打击政治暴力和国际有组织犯罪活动的 40 项具体措施。

环境问题是最典型的全球公共问题之一。会议在这个问题上也取得进展。七国集团已准备：在 1997 年召开关于"缔结气候变化公约"方面的国际会议，1997 年是里约热内卢讨论地球问题的首脑会议 5 周年；就促进持续管理森林的行动达成协议；谈判关于约束某些作用持久的有机的污染物质的全球法律问题；加速实施生物多样性和防止荒漠化的公约；等等。

227

会议还强调了建设全球信息社会的重要性："我们呼吁采取合作态度，这将促使全球普遍获得（信息和通信）技术。我们强调充分保护知识产权的重要性。我们准备考虑世界范围内的通信网络所引起的道德和犯罪问题。"

二、七国协调意愿减弱，许多重大问题被回避、掩饰和延宕

1. 七国集团协调的能力和意愿已经减弱，分道扬镳情况已经抬头[①]

在财政政策方面，七国几乎都公开声明放弃利用财政刺激来加速经济的做法，削减赤字已经成了时尚。近年这种趋势在欧洲更为显著，那里要求建立货币同盟的呼声正迫使各国大幅度削减赤字，使赤字在国内生产总值的比重降到 3% 以下。因此，财政政策协调的必要性已经淡化，这使得七国首脑会议越来越像一个情况交流会。

---

① 关于七国集团协调的能力和意愿问题，美国华盛顿经济战略研究所首席经济学家劳伦斯·奇默林有一个相当尖锐的观点："近几年来，它们分道扬镳的情况日益严重。"

在货币和汇率政策方面，七国首脑也面临类似问题。过去，七国集团经常协调它们的金融政策，调整利率和抛售货币来稳定汇率。不少专家认为，最近各国领导人在这方面已经停止履行职责。为此他们①强烈主张要努力恢复这方面的合作，甚至主张恢复到有些像以往那种固定汇率制那样的体制。他们认为现有的货币和金融体系正受到从墨西哥比索危机到巴林银行倒闭和最近住友商事公司亏损丑闻等风波的冲击，而七国集团对于这些令人震惊的问题并没有任何有效的对策。不过，七国财政部长及中央银行行长们对这类提议并不热心，尽管法国东道主催促大家讨论这个问题。

由于财政和金融这两个重要的宏观政策领域的协调余地已大为缩小，七国首脑会议的公报，正如一些专家事前所预计的，只能"充其量不过是发表一些有关七国集团内部经济政策的一些冠冕堂皇的意向声明。"② 就里昂会议的具体情况而言，"克林顿总统和梅杰首相年内都面临竞选连任，这些领导人不可能给对方制造麻烦"③。

2. 里昂七国首脑会议的公报掩盖了许多严重分歧

里昂会议未能就这样一项建议达成协议：出售 IMF 的黄金，并将所筹措的资金直接用于帮助穷国。在这个问题上，有关协议的许多环节都带有伸缩性。虽然，七国集团再次做出承诺要"提供大量官方援助"，敦促"新捐助国"也尽自己的责任，同时要求建立有效的新"全球发展伙伴关系"。但七国首脑并无真正具体的措施。大多数分歧都被非常笼统和抽象的声明削弱，任何国家都无法表示反对。

与会者在是否要在 1996 年 12 月 WTO 部长级会议上提出劳动标准问题也存在分歧。但声明只是说，与会各国领导人"认识到人们有一种意愿，即要解决贸易与国际工人的核心劳动标准之间的关系问题"。在提高发展中国家劳动标准这个焦点问题上，法国和美国主张："从维护人权的角度出发，进行讨论是不可缺少的。"果真如

---

① 美国经济学家伯格斯滕和亨宁就公开主张确定目标汇率，以建立一个比较稳定的货币和金融体系。

② 华盛顿经济战略研究所首席经济学家劳伦斯·奇默林语。新华社《参考资料》1996年6月25日，第55页。

③ 布鲁金斯学会的对外政策专家赫尔穆特·索南费尔特语。新华社《参考资料》1996年6月25日，第55页。

此的话，为什么非要将劳动标准同国际贸易拴在一起讨论呢？对此，公报的读者得不到下文。

很多欧美国家的人认为：他们的失业是因为发展中国家出口廉价物品而造成的。因此他们要将这两个问题联系在一起。这种论调的实质是企图剥夺劳动力价值低的国家的竞争力，是一种贸易保护主义行为，同国际贸易中道貌岸然地大谈"环境问题"和"人权问题"没有什么两样。

至于打击恐怖主义的 40 项措施，目前看来多半都还是口头上的。因为它们都取决于制定一系列后续措施，而这些措施很可能得不到落实。例如，要求各国建立一个"中央机构"以协助外国政府，等等。还有一些措施实际上只是规劝。例如，七国要保证引渡"及时和有效"，要"敦促所有的国际组织进行协调"，等等。

229

日本《读卖新闻》有篇文章一针见血地批评公报："要加深对经济国际化主题的讨论，七国首脑不应该在宣言的遣词造句上下功夫，而应该将对立的观点包容在内，并诚实地加以表述。"①

3. 美国不支持加利连任，预示着可能会同联合国压倒多数的成员国对抗

联合国改革问题，在公报中可谓风平浪静，因为加利连任问题被回避了。而这个问题的火药味异常浓烈，正在导致联合国 51 年历史上未遇的大难题。

近几年美国经常公开指责联合国浪费和管理不善。华盛顿曾指责加利迟迟不进行改革，这成了美国不同意加利连任的一个理由。联合国官员的对立意见也很强烈。他们认为美国政府不了解情况或者别有用心。他们还指责美国拖欠会费并累积达 15 亿美元之巨，且常搞特权，给联合国维和工作造成麻烦。联合国官员还发表文章驳斥美国不实之词。②

现任联合国秘书长加利的任期还剩下半年，加利已表示再次参

① 参见新华社《参考资料》1996 年 6 月 30 日，第 11～13 页；1996 年 7 月 4 日，第 37 页。

② 巴巴拉·克罗西特写的一篇报道，题为《联合国缺乏效率吗？美国批评者遭到驳斥》，美国《纽约时报》；新华社《参考资料》1996 年 7 月 9 日，第 25 页。

选。对此美国以联合国改革和"维和"问题为由，公开反对加利连任。美国推荐的候选人是联合国难民署高级专员方贞子（日本籍）。为防不测，美国还提名了爱尔兰总统鲁滨逊和挪威首相布伦特兰（均为女性）等人，以便看风使舵。

据联合国发言人宣布，加利参选是考虑了 185 个成员国，包括安理会成员国中的大多数国家支持他连任这样一个背景的。联合国秘书长的选举办法是先由安理会提名候选人，再交联合国大会以无记名投票方式通过。迄今为止大会都对安理会 15 个成员国做出的决定表示同意。但问题不仅到此为止。根据联合国章程，安理会在所有问题上做出的决定均需 9 个成员国，包括所有常任理事国的赞成票。

美国要想如愿，必须将它的候选人强加给其他 4 个常任理事国和至少 4 个非常任理事国，即使能够如此，也仍有可能在联合国全体大会上遭到拒绝。据联合国秘书处披露，加利几乎肯定能够得到非洲、拉美和很多亚洲国家的一致支持。如情况确凿，而美国又不随风转舵的话，那就很可能出现 185 个成员国中的压倒性多数与美国正面冲突的局面。①

三、"富国俱乐部"的一次"政变"与"世界政府"的前景

1. 七国集团的历史作用已经开始告一段落

历史地看，七国首脑会议的成绩已经明显今不如昔。七国首脑会议在它 22 年历史上曾有一些"辉煌"。1978 年的波恩会议制定了一项协调一致的全球增长战略，各国做了明确具体的承诺。七国合作还在 1985～1987 年达到高峰，当时在纠正美元汇率变动趋势方面起到了关键作用。其他几项成功包括对 20 世纪 80 年代的债务危机处理以及分摊 1991 年海湾战争费用之类。

七国集团的作用下降的原因也许并不在于该集团在世界经济中

---

① 参见新华社《参考资料》1996 年 6 月 25 日，第 56 页；1996 年 7 月 3 日，第 41 页；1996 年 7 月 9 日，第 24 页。

的份额已经有所下降。七国目前在世界产量中的份额大致同 1960 年相同。[①] 真正的原因在于七国内部的老摩擦日益明显和剧烈。此外更难应付的新挑战是：行政式的协调在全球经济市场化的条件下，是否还有必要并越来越可取？七国首脑会议还是不是一个恰当的机制？例如，确定目标汇率是否还有意义？这一点显然比七国集团能起多大作用更加重要！债务情况也是如此。危机是否得到平息，处理是否妥善，这也许是说不清楚的。但是有一点却很清楚：很少有人将它归功于七国集团，而毋宁归功于世界银行和 IMF。

七国集团只能是一种论坛：与会代表首先阐述本国政府所希求的政策，然后寻求有可能进行合作的地方。典型的做法是迅速采取引人注目的联合行动。不过近几年来联合行动的数量和有效性已经明显减少。区域集团化趋势日益明显，"多极化"和"新列强"时代已经到来，也许是七国共同利益减少、七国政府更加不足以影响世界，从而使为首者感到有必要退缩的深层次原因。

231

七国首脑会议已经到了需要彻底改造的时候了。如果说 1991 年前苏联首脑开始出席年会是一个转机，那么，这次里昂会议上"八国（政治）集团"和世界四大国际组织负责人联席会议的安排就算得上是一场变革。[②]

2. 里昂七国首脑会议的"变通"是"富国的一次政变"

前法国总统密特朗曾长期强调，七国首脑不应履行世界政府的使命。1994 年，美国在那不勒斯七国首脑会议上曾提议建立"世界事务所"，但未能成功。密特朗总统逝世后，禁忌已被打破，法国的信条也发生了变化。里昂会议可谓一个证明。这次会议议题很广，"全球化"这个主题实际上是让全世界几乎所有人都头疼的问题。

"全球化"主题还体现了七国俱乐部的某种"野心"。筹备阶段的某些做法也说明了这一点。希拉克坚持派出一些特使去世界各地收集其他各国的意见，一些国家的大使在爱丽舍宫受到召见。此外，将会议分成七国经济会谈和八国政治会谈，会后又同世界四大机构

---

① 英国《经济学家》1996 年 6 月 22 日文章："七国集团能恢复活力吗？"新华社《参考资料》1996 年 6 月 28 日，第 40 页。

② 这次首脑会议在结束时邀请了联合国、世界银行、IMF 和 WTO 四个国际机构参会。

负责人①会谈等，都是值得关注的新动向。

法国《解放报》在一篇由皮矣尔·纳斯基和帕斯卡尔·里什撰写的题为《一个世界政府的志向》的文章指出，里昂会议是"富国的一次政变"，它努力以变通的办法将七国集团转为"世界政府"。他们认为这是响应世界经济变革的好办法，是在市场力量已经变得很大的情况下使七国首脑能继续存在下去的新途径。然而，现在的关键问题是，七国集团除了财富之外，几乎什么也代表不了。很长时期以来，它已经不能带动世界经济的增长，相反却愈益依赖新兴市场；它的居民只占世界的11％，而人力资源却从来没有像当今世界这样变得如此重要。

3. "世界政府"必须体现发展中国家利益和面向 21 世纪

七国首脑会议最初意图是作为主要的"民主"国家、最大的"自由"市场经济国家和最"先进"社会的领导人的聚会。但今天该集团的成员已经不再名副其实。1991 年曾以苏联名义在有限的条件下被吸收的俄罗斯已经使七国集团的概念打了折扣。美国前国家安全顾问布热津斯基已经指出："仅仅由于这个原因，中国、印度和巴西也应当像俄罗斯一样有权参加，从一些方面讲，它们的这种权力要大得多。"②

1975 年首创的西方七国首脑会议是战后西欧和日本复兴、世界经济格局改变的产物。当时这七个毛遂自荐的国家在应付经济不景气、国际经济秩序紊乱和债务危机等方面也许具备某种资格。22 年以后，这种每年一度的会议已经演变成一种"特权"，而它应该担负的责任和完成者的资格等要害问题却被淡化了。日本《产经新闻》文章评论说，里昂会议"是一次痛苦的会议"，"它强烈地提出了一项新的课题，即人们要重新审查在 21 世纪即将到来之时发达国家首脑会议究竟还具有什么意义"③。

七国首脑会议要想适应变化了的世界并使自己能继续发挥应有作用。承认新兴市场的现实和尊重发展中国家对世界经济的带动作

---

① 世界银行行长、IMF 总裁、WTO 总干事、联合国秘书长。

② 布热津斯基："让我们给七国集团增添 4 个国家吧"，美国《纽约时报》；新华社《参考资料》1996 年 6 月 28 日，第 38 页。

③ 日本《产经新闻》："发达国家首脑会议更加形式化"，新华社《参考资料》1996 年 7 月 2 日，第 40 页。

用将是先决条件。"七国集团应当增为 11 国集团","只有中国、俄罗斯、印度和巴西加入，才能解决全球的政治经济问题。……也许五年之后，也可能考虑韩国和墨西哥。"① "这次与会的主角与其说是 7 个发达国家，不如说是没有与会的以发展中国家为主的 100 个国家更为贴切。最终各国首脑肯定会再次痛切感到只靠 7 个发达国家必将一事无成。"②

里昂会议期间，虽然还没有人公然提出"首脑会议无用论"，但对其有效性和与会国家的偏见已经提出了质疑。欧洲经济虽然持续不景气，但仍有 4 个国家参加，而作为 21 世纪世界经济主角的亚洲，却只有日本一国参加。偏向欧美的会议成员构成，反映的是 20世纪 70 年代和 80 年代中期以前的，而不是冷战后新的世界经济的现实。③ 进入 90 年代以后，世界性的社会问题变得日益重要，环境、劳动、福利、犯罪、教育，等等，这些任务绝对不是 70 年代那种"经济型"首脑会议和 80 年代那种"政治型"首脑会议所能胜任的。

与会首脑似乎也感到这个问题的严重性。在公报中他们对新兴市场评价很高。在接纳新成员问题上七国也有反应。德国总理科尔认为应当接纳俄罗斯成为正式成员，使七国集团真正成为八国集团。但英国、加拿大、日本和美国对这件事"有强烈的保留"④。据说明年在美国丹佛召开的七国首脑会议可能要回答这类问题。

233

---

① 布热津斯基："让我们给七国集团增添 4 个国家吧"，美国《纽约时报》；新华社《参考资料》1996 年 6 月 28 日，第 38 页。

② 日本《产经新闻》："发达国家首脑会议更加形式化"，新华社《参考资料》1996 年 7 月 2 日，第 41 页。

③ 岩田："力不从心的首脑会议象征着过渡时期不稳定的世界"，共同社《参考资料》1996 年 7 月 1 日，第 11 页。

④ 珍尼特·诺斯科特："科尔说俄罗斯正走向通向加入七国集团的道路上但其他人持怀疑态度"，路透社；新华社《参考资料》1996 年 7 月 1 日，第 10 页。

7. "网络金融冲击危机"
与东亚金融风暴[*]

东亚金融风暴[①]也许已尘埃落定，但关于这场新型危机的理论探讨却远未告一段落。本文拟从全球网络经济角度提出关于"网络金融危机"的管见。

一、理论上必须提出"新型危机"范畴

鉴于这场危机的深刻而广泛的影响，国外有的学者甚至将它同 1929 年的大危机相提并论，认为它在"经济紧缩"、"货币贬值"和"贸易保护"三个方面与那场大危机有惊人的相似之处。国内也有学者认为这是现代资本主义的另一场"总危机"。

就这场危机的里程碑性质、部分表现形式和严重程度等而言，上述论断也许不无道理。但更值得关注的问题应是：随这场危机而来的肯定不再是一场绵延十年的令人谈虎色变的"大萧条"，而只是一场时间不会很长而且会比较平和的市场清理过程，虽然它难免会触发一些国家的政治和社会问题。

---

* 本文发表于中国社会科学院《世界经济与政治》杂志 1998 年第 9 期，同年《新华文摘》12 期全文转载。发表和转载时七个部分都无标题，题目是："从全球网络经济看东亚金融风暴——关于新型金融危机的思考"。

① 鉴于日元滑坡问题严重，此也可谓之"第一波"。同墨西哥金融危机等类似，这类金融风暴是一种值得进一步探讨的新型危机。我称之为"网络金融危机"，频繁和快捷是其区别于传统经济危机的显著特点。

如果说20世纪30年代大危机开创了倚重自然资源和制造业的国民经济时代，那么，1987年股灾、墨西哥金融危机、东亚金融风暴等则在开创倚重信息资源和金融服务业的全球网络经济时代。如果说过去的经济危机主要是国别的，那么现在则主要是国际的；如果说过去的经济危机主要是实际经济的，那么现在则主要是虚拟经济的。

传统经济危机理论主要是从（封闭的）国民经济出发的。遵循传统，理应将东亚各国的共同问题抽象成一种经济体，然后分析它的银行呆账、房地产泡沫、政府融资非效率、比较优势产品不当等因素，还有资本如何外逃，从而触发这场危机。否则，就只能是国别比较分析，结果也只能是形态各异的一群"新"危机。

应当指出，这样抽象是很困难的。因为一些国家或地区的银行和政府效率原本并无（甚）问题，但它们的经济却惨遭厄运。例如，中国香港、中国台湾和新加坡等。相反还有一些国家或地区，如中国（东南沿海地区），潜在问题并不逊色，但却由于其他原因而岿然不动。可见，这些爆发危机的国家不仅是制度环境和经济成长阶段不同，而且爆发危机的条件也迥然不同。

235

上述抽象难以成立的另一理由是：按传统分析，这些国家的"东亚金融风暴"应该说是早已爆发且远未平息，而这显然与事实和普通的观念不合。传统危机因素在东亚国家可谓由来已久。日本自20世纪90年代初以来，经济走走停停，泡沫经济破灭、银行体系破产动荡，1998年一季度又出现23年以来最严重的经济衰退，日元在3年中对美元居然贬值了80%还多，等等，早已是公开的现实。直到目前为止，经济还没有见到转机，日元更是一个世界性的"无底洞"。韩国、泰国也如此。韩国大企业集团的问题绝非到金融风暴爆发前夕才开始严重。可见，危机的"阵发性"必须得到解释。

二、"制度差"和"信息差"的作用与特征

东亚金融风暴既是在冷战结束、自由企业思想大传播、世界经济一体化进程加速、信息网络（金融）覆盖全球、FDI和组合投资

重点大转移、衍生资本广为流行、套利基金到处兴风作浪、全球金融险象环生的背景下爆发的，也是在东亚"奇迹"持续多年、"政府驱动型"新兴市场空前活跃、泡沫经济愈演愈烈、银行呆账积重难返、虚拟经济和实际经济过度脱节、区域联动机制青黄不接的条件下出现的。

显然这是世界经济史上一场前所未有的更为典型的新型危机。除了传统要素以外，"制度"和"信息"因素已经在发生重大作用。新危机是在"网上金融实体"同一系列新兴经济体（实质是非网络经济体）的冲突中间发生的。全球网络的"加速效应"，使得各国的"制度差"和"信息差"成了危机的必要条件。危机的冲击波来自网上"无国界经济实体"促成的"国际融资制度效率崩溃"，而不再（主要）是传统国民经济的"资本边际效率"问题。

衡量"网上经济实体"同一系列"被冲击国"之间的"制度差"的一个依据是"市场出清速度"；另一个依据是"政治（裙带）勾结程度"①。

"市场出清速度"取决于市场机制和政治机制的透明度或曰可观测度。鉴于"出清"必须落实到结算，因此，金融机制的效率便成了关键。除了一般新闻之外，金融信息的通约性显然最强，最容易利用全球网络。世界经济现实中金融市场的国际化程度是最高的。十多年前，路透社等就已经开始努力。如今 GLOBEX（全球交易执行系统）已经在全天候地在配置全球经济资源。芝加哥的证券双塔，已经确保无虞地运行多年，号称"除非受到核攻击，才可能发生差错"。

在全球网络经济中，倚重银行贷款的"间接融资"同倚重证券市场的"直接融资"的出清效率大相径庭。间接融资中介环节较多，主要中介容易成为"瓶颈"，信息传递速度较慢。直接融资中介环节较少，"第四市场"更属无中介的电子证券融资，双方补抛可以直接在网上进行。过去这些自动执行系统主要是增值网，且多限于（美国）国内，如今它们都已经跨上了 INTERNET！

---

① 可参阅有关 crony capitalism 的论述。该术语译法较多，亲情资本主义、裙带资本主义、任人唯亲的资本主义等。

供、需、中介三方当事人的质量也不可忽视。纵向合作、裙带勾结多的国度，政、企、银更容易不分，"包装"、"幕后"和"腐败"现象容易偏多。这势必直接影响信息显示的客观、全面和及时程度并最终影响市场出清速度。

"裙带"或任人唯亲（Crony）还容易导致政府干预的系统性失误。而在外资驱动型经济增长模式中，政权的作用又举足轻重。在东亚社会中，政府的中介功能和"瓶颈效应"等问题比较突出。这虽然有利于引导外资盲入，但其风险则是有朝一日势必"盲"出。因为外资能否被"效率地使用"这一点终究最为重要。

三、美元日元错位加速"雁行模式"陷于困境

237

就整个区域而言，基于产业次第转移的"雁行模式"的"产业联动机制"也导致了债市、汇市、股市、期市（含商品期货和金融期货期权等）的"金融联动机制"。加上网络加速效应，对危机的蔓延作用很大。新条件下，东亚的金融联动机制的滞后性表现在：第一，由于盯住美元和仰仗日元而缺少灵活性；第二，区域国际分工和产业联动机制处于转型时期，影响该区域的央行合作的效率和实力。

过去十几年中，日本对外投资大幅转向东亚，投资中日元贷款比重很重。在日元长期升值的背景下这会加重偿债负担。为此，东亚各国开始将外汇储备中的美元多调换成日元。日元升值还会引起这些国家进口物价上升，宏观经济容易过热。为维持本币与美元的比价，东亚国家必须不断在汇市上收购美元，被动地扩大储备，并以外汇占款形式增发本币，从而引发国际收支型通货膨胀。为此，东亚有关国家不得不借助提高本币的美元汇价来缓释这种压力。

国际市场美元下沉日元坚挺现象已持续十多年。但近年却风水倒转、天上地下，美元大升值、日元大贬值。这难免会给在机制上、信息上输人一筹的东亚国家带来新困难，使得"尾雁"们容易受到夹击。美元升值，一方面会导致盯住美元的已经高估了的本币更趋

上扬，增加本币迫切要求转换成美元资产的压力；另一方面也会导致出口产品价格上升，降低出口竞争力和恶化经常账户。而日元大幅度贬值的不利结果是：外汇储备兑换美元的能力灾难性降低。

东亚模式的另一个问题是：在日本经济不景气，而东亚各国经济紧追日本的新形势下，日本对外战略已经改变，过去明显地推行"日本中心主义"，即只是将简单技术和生产零部件的企业转移到东亚其他国家，以维系"中心与边缘"的合作框架；而近年却提出了"全亚分工新战略"。导致东亚产业合作格局调整的另一个新因素是中国市场的崛起，而这一点非常重要。

东亚模式中纵向化分工减少、横向化分工增加的趋势无疑值得欢迎。但在它青黄不接之际，这种高速运行了数十年的区域合作模式的抗金融风险力难免会受到影响。

238

四、新型危机的爆发、传递、扩散与平息机制

除了区域联动因素，这次危机同上次墨西哥金融危机可谓无独有偶。此外，1994 年英镑里拉危机、甚至 1987 年的"股灾"等，也有类似因素。尽管样本特别是典型的样本还很少，新型危机的一般展开机制还是可以划分成爆发、传递、扩散、平息四大阶段。就这次情况看：

第一阶段是爆发。"套利基金"等无国界实体选中泰国进行突击。1996 年年底，泰国金融当局已陷入两难：降低出口产品成本要求稳定泰铢，但提高利率会加重企业内债和银行呆账；听任泰铢贬值，又会加剧外债偿还困难。1997 年年初，索罗斯通过远期合同做空数月后的泰铢，初步买下了胜局。泰国银行并未警觉，继续大开绿灯出售这类合同。到 5 月泰国当局发现这一毁灭性失误后，抛售泰铢已经成风。但泰国当局还心存侥幸，并徒劳地消耗了几乎全部的外汇储备来平抑市场，损失惨重。结果不得不宣布撒手让泰铢自由浮动。

第二阶段是传递。泰铢浮动并大幅度贬值后，由于区域联动和

全球网络的共同作用，东南亚各国央行都纷纷入场干预，结果是一场多米诺骨牌效应。菲律宾紧步泰国后尘成为第二个宣布货币浮动东南亚国家；缅元和马币也对美元大幅度贬值；印尼于7月14日不得不放弃固定汇率。7月18日风暴再起，泰铢、菲律宾比索、新元、马币、印尼盾等，均成为国际投机的全方位突击的对象。8月中旬，套利基金等又瞄准中国香港，造成港元下跌和股市地震。值得一提的是中国台湾及时地见风使舵、主动贬值，才幸免劫难。当然，前一年台海危机也给了中国台湾一次提前应付资本外逃的实习机会。

第三阶段是扩散。首先，由于产业联动，危机向东北亚蔓延。韩国政府大力扶植大企业集团，导致一系列的非效率。韩国和日本的"主办银行"制度，也导致大企业和银行的预算软约束和不良债券多。加上短期外债太多，国际游资一哄而上、趁火打劫，韩国经济雪上加霜势所不免。日本受波及带有反馈性，日本经济和日元问题是这场危机的一个关键。其次，危机还殃及区域以外的拉美、北美，乃至整个世界经济。拉美股市出现了墨西哥金融危机以来的最大动荡，美国股市在香港遭全方位突击时期也曾一度狂泻。

第四阶段是平息。主要力量应该说还是市场。货币贬值、股市暴跌、投资转向、破产倒闭等带来一系列利益调整，从而迫使和加速市场出清。值得关注的新问题是国际多边机构的救援，不仅力度空前，动辄数百亿美元，而且还附加了一系列直接插手一国结构改革苛刻的条件。此外，救援方针和时点的选择也耐人寻味。最后也是最近的一个值得关注的问题是，在汇市、股市逐渐恢复之时，印尼的政局已发生了巨大变动。最近日元对美元曾跌到145左右，会否继续酿成第二场风暴？这显然需要解决"网络金融危机"的预测问题。

五、"新型危机"要求经济学者加以解释和进行预测

上述分析表明，对于新的因素和新的危机，传统的三部门宏观

经济学和国际经济学似乎都有点鞭长莫及，尽管仍很重要。因为，危机恰恰是在无国界经济实体与一系列不同的制度、不同的成长阶段的国民经济之间发生的，而网络投资或曰投机也已经导致国际贸易和金融的国别界限变得模糊。如今世界贸易的 3/5 以上是跨国公司的内部活动。

上述分析还表明，传统经济周期模型中，不仅应当增加"信息"和"预期"（这一点已实现），而且应当增加"制度"这个变量。制度的效率不同、信息利用的效率就不同、市场出清的速度也就不同。正是这种差距，导致各国或各区域对网络经济的适应能力不同，而网上投机者正是利用了自己的优势把握了这类差距的"临界点"。近几年的英镑危机、比索危机和这次的泰铢等危机，根源大同小异。

240

上文提及，新型危机还要求经济学能回答这类危机的预测问题。当 IMF 的经济学家们还在摸索的时候，少数杰出的学者专家已经先行一步。索罗斯的决策是否出于"天才的直觉"也许我们不得而知。

1995 年 9 月 26 日上午 11 时，在南非共和国首都比勒陀利亚大学召开了联合国世界经济预测项目秋季会议。斯坦福大学的美籍华人刘遵义教授在会上做了题为"下一个墨西哥在东亚吗？"的报告。他明确地得出结论：菲律宾、泰国、韩国、印尼和马来西亚是东亚地区要发生金融危机的国家。

刘先生的预测方法有突破。他采用历史的、实证的、比较的数量分析，并使用"综合模糊评价法"，判断制度"缺口"（差）和把握临界点。以墨西哥为参照，他分析了东亚发生金融危机的可能性。所比较的 10 个国家和地区是：墨西哥、中国大陆、中国香港、印尼、韩国、马来西亚、菲律宾、新加坡、中国台湾和泰国；所选用的 10 项经济和金融指标是：实际汇率、实际 GDP 增长率、相对通货膨胀率、国际国内利率差、国际国内利率差变化、实际利率、国内储蓄率、国际贸易平衡、国际经常项目平衡，以及外国组合投资与外商直接投资比重。

根据 10 国在 10 年中的经济发展和金融情况，将上述指标中表现较好的视为"优"，较差的视为"缺"，则经过分析和判断，刘先生得到如下结果：1. 墨西哥：十缺零优；2. 中国大陆：一缺九优；

3. 中国香港：十优；4. 印尼：四缺五优（一待判断）；5. 韩国：五缺五优；6. 马来西亚：四缺六优；7. 菲律宾：八缺二优；8. 新加坡：二缺八优；9. 中国台湾：十优；10. 泰国：六缺四优。由此他最后断言泰国等将爆发危机。

可见，虚拟经济的风暴并非不可能从外部压迫一国实际经济陷入危机。以上统计也可表明，实际上出现了危机的国家和地区中，至少一部分并不是由于自身经济"缺口多"。中国台湾和中国香港都是"十优"。这也本文开始就提过的传统思路的一个死结。当然新型分析也需要深入。

六、"网络金融冲击危机"与传统的实体的和虚体的经济危机的复合

新型危机是"信息本位制"和"超国界权威"对区域金融机制的猛烈矫正。其冲击直接发生在虚拟经济层面，对不同种的经济产生不同种的震荡效应，有的主要限于虚拟经济层面，或汇市、或股市、或债市，有的则侵入到实际经济层面，失业、倒闭、衰退、滞销等。

这些，既不同于传统的"经济危机"和中长期"结构危机"，也不同于一般的"货币危机"、"股市危机"和"债务危机"，虽然它们委实同时存在。东亚许多经济患了不同的病，有的还一身多病，但新危机毕竟只是席卷它们的又一场寒气凌厉的重流感，如果我们不否认新危机应该有个较为纯粹的统一的理论形态的话。否则，我们见到的必将是一例例的永远谈不清楚的综合症和并发症。理论界对于东亚金融危机至今还众说纷纭莫衷一是，根源也许正在没有将理论上的新命题（网络金融危机）从复杂纷繁的多种成分混合着的现实形态的危机中提炼出来。

从制度接轨角度看，新危机是全球经济网络化进程中有关"差距"的缩减；从当事人角度看，新危机似可表述为一场"国际金融财富的再分配"；从被冲击方看，新危机则是增长"奇迹"的突然中

断、经济"泡沫"的急剧释放、东亚模式的振聋发聩的震撼。

理论形态的新危机并不说明现实形态的混合危机不再需要借助传统理论武器。日本经济进行中长期结构调整已历时多年，其产业升级换代任重道远。韩国长期以来急于赶超的"民族精神"这次也在网络经济中受到洗礼，其相当被动的结构改造显然需要时日。泰国危机的传统因素分析基本上已经成为共识。至于东亚模式的前景，也许要视中国改革开放的前景、"日元区"和国际货币制度的动向。

"日元区"在未来世界经济中将占一席之地是没有问题的。随着"欧元"的启动，美元、欧元和日元三分天下的大格局也初见端倪。一些专家甚至认为，美元区、欧元区、日元区的实力比重大约为4：4：2。尽管这些区域性货币制度终归是一种过渡状态，但会影响未来很长时间。值得注意的一点是，东亚已经告诉我们，区域汇率制度的稳定始终是个难题。

242

这次 IMF 的表现可以说是见仁见智。目前国际货币制度的改革已出现 8 种方案，可分成两类。一类主张加强和改善干预，另一类主张取消干预。前者较现实，包括：将 IMF 由消防队变成防火队，将网络投机行为变成货币供应的稳定器，重新让美国领导新的布雷顿，发行统一的世界货币，形成若干货币区等。后者较极端，要撤销 IMF，实行完全的私有化和自由化。

七、东亚网络金融冲击危机的教训与启示

东亚金融危机首先给了欧洲一个极好的教训：有管理的区域货币联动很容易不稳定和遭受攻击。很难找到能够持续地协调各国实力消长的办法。这场危机也给了美国一个教训：亚洲的日本不再可靠，而中国则成了该地区最重要的稳定因素。危机还给了日本一个教训："脱亚入欧"并不容易，以政府企业银行之间任人唯亲关系为基础的日本式间接融资模式的奇迹在网络经济中已经宣告终结。

东亚危机也告诉新兴经济：网络经济改造各国机制的要求是任何开放经济所无法回避的。如果说，日本、韩国面临的任务主要是

网络化，泰国等面临的主要是网络化和现代化，那么我们则面临三重任务：除了现代化和网络化，还有市场化！三大任务对于计划经济传统深厚的转轨经济，蕴涵着许多现实的难题。

从全球网络看东亚金融风暴，要求我们全方位地更新观念，彻底地反思我国改革开放战略和政策。

第一，新形势下民族国家的传统的干预能力正变得脆弱，更加充分的国际信息合作正变得越来越重要。按"信息本位制"行事的超国界权威们煽风点火之后，一国有限的外汇储备和局部联动机制的作用很容易变成杯水车薪。而在约束、规范和预测网上"超国界经济实体"的经济行为等方面，单个国家特别是发展中国家还几乎无能为力。

第二，市场制度必须彻底才能从容地走向网络世界和知识经济新时代。制度不到位时，开放切忌过速。追求经济增长时，制度发展必须放在首位。东亚传统文化中，纵向合作意识一直比较强，"裙带"或任人唯亲成分一直比较多，这对于支持高度透明的市场决不是一个长处。而只要市场不透明和不彻底，其出清速度从而稳定金融的能力就很难不发生问题。责怪对手"缺德"不如退而结网。

243

第三，"落后就要挨打"在冷战结束后并没有过时，国际利益集团的再分配努力并没有丝毫地放松。西方有学者认为东亚危机是西方价值运用不当的产物，然而又是谁起劲地急于打开新兴市场的大门呢？股市、汇市猛亏之日，正是套利基金等"超国界权威"巨赢之时，而这些基金的头目正是当今西方社会的大慈善家！纵观世界经济史，"廉价石油"、"美元体系"，"高利率政策"，"美元日元大错位"，"毁灭性地创造"，乃至"网络金融"，哪一项不是落后者遭殃？正视差距实在重要！

第四，改革开放中许多重大举措值得重新彻底反思。东亚危机这免费的一课坦诚地告诉我们："学韩国组建大企业集团"、"酝酿在近期打开资本账户这最后一道防线"、"对外资实行国民待遇原则"、"加速放开国内金融服务市场"，等等，都值得重新权衡。"人民币汇率"在中长期内也将是一个难题。仰仗外汇储备是不够的，关注制度差和信息差的"警戒线"应当常备不懈,"千万不要忘记"。美国的外汇储备并不多,中国香港、中国台湾、日本的外汇储备却不少。由此,"科教兴国"和"大力改革政府机构",还有探索新时期中国的"新政"等,都是现阶段最明智的选择。

8. "新经济"应该也只能
是指"网络经济"[*]

到 2000 年 2 月,美国经济已经超出常规周期增长,且今后五年还看不到衰退迹象。半个世纪以来,高增长势必导致通货膨胀抬头,而现在传统信条已被打破。为此,一些敏锐的专家早在前两年就提出了"新经济"问题。另一方面,日本、欧洲,乃至广大的发展国经济和转轨国经济,也纷纷感到了"新经济"的冲击波。本文拟从网络经济角度,就新的世界经济作若干思考。

一、"新经济"概念的来龙去脉

"新经济"是什么?不同的人也许有不同的理解。技术工程出身的人,可能会感慨信息网络的"神奇";金融业人士,可能容易困惑于"网络股"疯长和风险投资的魔力;政策智囊们更多关注的可能是"新经济周期"调控和新的增长点;而经济学教授和社科研究人士,则可能首先有责任界定"新经济"的概念。

在美国,较早谈论"新经济"的学者是商业周刊的主编斯蒂芬·谢波德。他于 1997 年 11 月提出了"新经济"概念,^① 指出新经

---

* 本文发表于中国社会科学院世界经济与政治所《国际经济评论》杂志(双月刊)2000 年 5～6 期,署名萧琛。

① Stephen B. Shepard:"The New Economy:What It Really Means?" Business WeeK,Nov. 17,1997,p. 38.

济具有六个特征：实际 GDP 大幅度增长，公司运营利润上涨，失业率低，通货膨胀率低，进出口之和占 GDP 的比例上升，GDP 增长中高科技的贡献度比重上升。

更早的争论是"新周期"问题，1997 年 8 月由迈克尔·曼德尔首次提出。[①] 1998 年 6 月，MIT 教授多恩·布什进一步讨论了周期消失问题。[②] 同年，《美国新闻与世界报道》董事长兼主编莫蒂默·朱克曼发表"第二个美国世纪"，认为新型繁荣源于一系列制度结构优势，并非不可持续。[③]

不同的声音包括：美国《前景》杂志主编罗伯特·库特纳就撰文认为"商业周期消失论"是夸大其辞。[④] 加州大学伯克利分校行为科学高级研究中心研究员斯蒂芬·韦伯则提出"减幅论"，认为商业周期波动将变得轻微，经济周期正在变成一种"涟漪"（ripples）。[⑤] 更对立的观点来自克鲁格曼，他认为美国经济并没有发生什么根本性的变革，"新周期"看上去更像"老周期"，只是失业率低一点。[⑥]

国内学者较早探讨"新经济"的论文见于《世界经济》杂志。"论美国新经济"发表于 1998 年 6 月号。长篇访谈"美国新经济给东亚带来什么？"见于同年 7 月的《东亚经贸新闻》。就"新经济"的提法，国内学者也各有系统著述，有的称它"知识经济"（如清华吴季松），有的冠以"信息经济"（如世经所王怀宁），还有的命名"网络经济"（如北大萧琛）。至于更早地勾画新经济的探索，《人民日报》等早在 1992 年即有论点鲜明的文章。

246

---

① 迈克尔·曼德尔："新经济周期"，《商业周刊》（Business Week）中译版，1997 年第 8 期。

② Rudi Dombusch："Growth Forever"，The Wall Street Journal，July 30，1998.

③ Mortimer B Zucherman："A Second American Century"，Foreign Affairs，July/August 1997，p. 65.

④ 可参见 1997 年 2 月 3 日期美国《商业周刊》。

⑤ Steven Weber："The End of the Business Cycle"，Foreign Affairs，July/August，1997，p. 65.

⑥ Paul Krugman："America the Boastful"，Foreign Affairs，May/June 1998，p. 30、p. 40.

二、"新经济"实质是"信息化"和"全球化"

"新经济"当然明显区别于传统经济。然而传统经济是什么呢？诺贝尔经济学奖得主哈耶克曾认为：世界上的经济有两种，一种是有了"权"才能买"钱"的经济；另一种是有了"钱"才能买"权"的经济。

现在世界上已经出现了第三种经济。在这种经济中，有了"智能"，就能去"买钱"和"买权"；在这种经济中，"经济剩余"的瓜分权威已经不再是"达官"和"富豪"，而是"智士"和"仁人"。其代表人物，在国外，可包括世界首富比尔·盖茨、萨马兰奇和索罗斯。在国内，张瑞敏、王选、柳传至、张朝阳等，也许可以参选。如不考虑目的正当与否，不妨也可琢磨一下牟其中，他的"鬼点子"中似乎不无"新东西"。

247

"新经济"的驱动要素不再首先强调"权力"和"金钱"，而是"智慧"、"主意"和"点子"等知识或曰信息。这是"知识经济"和"信息经济"广为流传的注脚。不过严格地说，"知识"可以分为能够带来"产出效益"的"生产性知识"，和只能带来"分配实惠"的"分配性知识"（其极端是剽窃和偷盗）。经济学所强调的不言而喻的是"生产性知识"，也即那些"旨在扩大而不是瓜分蛋糕的有机联系着的数据"，这才是要说的"信息"。

以"农业经济"和"工业经济"为参照，"信息经济"似乎要比"知识经济"更能胜任于界定新的时代。因为，在汽车这个工业经济时代的主导产业中，甚至在美国和法国的农业中，"知识"的含量也都是非常高的。尽管如此，"知识经济"的不胫而走毕竟是一个事实。究其原因，似在于它更容易唤醒工农大众"尊重知识"的优良传统，更容易引起各界人士的共鸣。

"知识经济"和"信息经济"更多体现的，只是经济的内在驱动要素，并不能较好地同时反映出"新经济"在地缘空间上的突飞猛进，也即当代最引人瞩目的经济全球化和"无国界经济"等问题。

欲同时涵盖二者、而又能比"信息"更为鲜明的一种表述，应该说非"网络经济"莫属。"新经济"实质有二："信息化"和"全球化"。谢波德的"新经济"六特征虽有些表层，但他认为"新经济"的根源在于全球化和信息化，却无疑很具洞察力。

"网络经济"的内涵是驱动要素"信息化"，而外延则是合作机制"全球化"。"网络"的灵魂是信息，使命是覆盖全球、消除或缩小时空差别，使得每个人随时随地都能同另一个人进行联系。这似乎是个很简单的事实，但恰恰就是这一点，导致整个世界天翻地覆。20世纪90年代初美国《时代》周刊的"封面人物"曾选中成功转播了"柏林墙"和"8·19"事件的CNN总裁，当时许多人感到费解。而今天，感叹《时代》的伟大已经不言而喻。《时代》不仅大胆预见，而且勇敢投身，已经同AOL（"美国在线"）合并。

248

三、"网络经济"既产生冲击又送来希望

"网络经济"提法的欠缺也许在于：容易让人敬而远之。但随着时间推移和"新经济"的渗透，它倒是成了走红最快的术语。如果哪位语言学家在找寻近年使用频率最高而又最能标新立异的术语，那么他一定很难找得到比"网络"更合适的。

较快流行的一个原因，恐在于对"网络（概念）股"的疯涨和泡沫竟然能够长此以往的困惑。另一原因，也许是"网站"确如雨后春笋、层出不穷，几乎所有的新潮事都同网络密切相关。而说到底，这一切又根源于网络这种新媒体。一般说来，"新闻"首先容易触网，其次便轮到"金融"和"经济"。

网络已掀起了第三次通信革命，前两次是文字和印刷术。每次新媒体问世，都不仅有冲击波，而且也有阵痛。早先，文字出现后，要求分享特权的社会压力曾经引发过一段攻击"文字"的奇谈怪论，认为"文字的罪过在于制造健忘。它使得人类变得好像无所不知，但其实却一无所知！"① 如今，网络出现后，也并非无人将它同邪

---

① 柏拉图的《裴多篇》。

恶、性紊乱和艾滋病等搅和在一起。在中东,"碟型天线"曾几何时竟是射手们赶时髦的靶子。

"两岸猿声啼不住,轻舟已过万重山。"网络经济在一二十年中,不仅在日夜穿透各民族国家的边界、魔术般地呼唤出各种目不暇接的信息产业(包括"信息技术产业"和"信息商品化产业"),而且使得这些新主导产业群已经将传统上作为发达国工业象征的汽车产业群远远地抛在身后。在美国,信息产业今天已经占到整个经济的1/4以上,而汽车工业产值只占4%左右。信息产业的年增长速度高达28.6%,而汽车产业只有1.8%。而这也是美国"新经济周期"超长的一个注脚(另一个是利用网络实施"全球超宏观调控")。

网络经济还到处兴风作浪。形形色色的"无国界经济",到处迫使那些网络化程度不够、或者还没有起步的经济不断地捉襟见肘,并疲于弥补自己的各种制度漏洞。英镑、(意大利)里拉、日元都曾发生汇市"错位",(墨西哥)比索、泰铢、韩元、卢布、(巴西)雷亚尔等新兴市场经济体的货币,也都曾遭遇冲击和饱受外资抽逃而又缺乏反馈机制的金融恐慌之苦。

249

网络经济已经给我们送来了新的世纪。地球已经带上了一条又一条卫星"项链",国内信息高速公路已经初具规模,"电子商务"已经孕育了一代新人,城市的年轮正在继续推向远郊,企业的总部正逐渐迁离喧嚣的都市,"纯洁利润"势将成为新的时尚。而新一代汽车,也正载着整个的世界工业社会,开进我们成千上万的工薪阶层之家。

四、"网络经济"要求横向合作和直接经济

从制度经济学角度看,网络经济似在呼唤两个东西:其一是"横向合作";其二是"直接经济"。网络经济倚重的是信息资源、网络服务和世界社会,而传统工业经济倚重的则是自然资源、制造产业和民族政府。

人类的合作模式,可分成两个理论形态:一个是纵向合作,诸

如"三纲五常","军、师、旅、团、营"及其军事化经济等，此外也包括计划指令型经济和（准）新兴市场经济。这类经济主要依靠权力（镜像是服从）去驱动。另一个理论形态是横向合作：最充分地体现在完全竞争的市场经济中。这种经济主要依靠金钱来进行驱动，其镜像是包罗万象的商品交易。其实质是要求等价交换，至少是在（法律等）形式上。

倚重横向合作，对于作业体系，意味着福特制流水线的解体，劳力者"蓝领"和劳心者"白领"的界线正在消失，监工或工头制度正在为各种"特别作业班组"所取代；对于企业组织，横向合作意味着传统的公司"金字塔"结构正在变得扁平，中层经理和参谋班子正在深入到科研、管理、生产、营销一体化的市场前线去；对于民族国家，横向合作意味着"无国界经济"蔚然成风，国际化、诸侯化、民间化的趋向也已渐成气候。例如，我国对外贸易从过去的几个口岸嬗变成数百上千个对外合作实体，就是一种写照。

250

至于直接经济，目前主要表现为"直接融资"和"非中介交易"方面。直接融资有两层含义，其一是"非中介"，其二是"非亲情"。

"非中介"也有两层意思。一是倚重证券融资而非银行融资。银行本身就是投资人和集资人之间的中介。二是网络融资。网络融资的前身是电子证券市场融资。美国 1965 年之后曾经出现"The Third Market"（第三市场）。美国证券市场包括大厅交易和"场外市场"（非挂牌）。第三市场是"在场外"而"又挂牌"的电子市场。电子市场早期也有中介机构和相应费用。随着执行系统或曰网络技术的进步，无中介直接融资已经出现和流行，形成"第四市场"。其扩张速度和现存规模，世界经济已经强烈感知。

"非亲情"主要指新兴市场经济中政府、银行和企业的"剪不断理还乱"的幕后关系。一些学者称之为"Crony Capitalism"（直译为裙带资本主义），认为这种勾结是东亚模式不再稳定有效的制度根源。市场经济、特别是网络化了市场经济要求透明、公开和可预见。否则，资本的流出入就势必大起大落。而这对金融制度不健全的国度，往往是灾难。东亚国家辛苦经营和积累的贸易利润，一场金融风暴就可以化为乌有。

日本经济危机，也可由此理解为一种从"间接融资"转向"直接融资"的阵痛。银行中介功能过度，证券融资比重过低，无中介的高效率的电子融资起步太迟，等等，此外，日本政府、银行和企业的勾结关系，也是改革的难点。当然这些问题在泰国、韩国乃至整个的东亚模式中也许更严重。政府、银行、企业之间关系暧昧、中介投资功能过度，等等，势必容易在诱导外资流入的同时，埋下金融危机的种子。

五、"网络经济"距离我们既贴近又遥远

"网络经济"已经走近国门。1997年金融风暴起后，套利基金曾向刚回归的香港通货发起猛攻。中港当局同心协力奋起抵抗，"联系汇率制"得以保全。但进攻是全方位的，稳住汇率的手段，容易构成股市冲击。稳定汇率的重要手段是"加息"，而"加息"对股市是一个诱导信号。何况在当时条件下，稳住股市信心异常困难。结果，恒生指数狂跌过半，中国香港股东损失惨重。若再考虑"保卫战"成本，则这次撞击国门应当说很沉重。

随后是一场艰苦的调整。1998年外贸增长率陷于停滞，沿海经济受到极大影响。国内实际上发起了一场"新政"。巨额"特别国债"，大幅度政府机构调整和企事业单位下岗分流，连续七次降低利率，等等，总算让国民经济得以康复。如今，新的经济增长点正在形成和扩大，教育、环保、信息网络、假日经济等，都在以惊人的速度递增。教育这几年的增速超过20％。更令人振奋的一点是近期提出的"西部大开发"。一场规模空前的筑道路、铺管道、铺光缆的经济热潮正在兴起。

就网络产业而言，中国也已初具规模。中国网民的上升速度和绝对规模，在全世界已经名列前茅。中国光缆网的铺设已经遍布全国，连青藏高原也已跨上了 INTERNET。中国的教育科研网，其覆盖面之广，足可同任何国际水平匹敌。目前，国外许多风险投资基金，都看好中国的电信网络市场。入世后，必将更如虎添翼。

　　"网络经济"上述两大原则势必会加速制度变迁。事实上，网络经济已在不断地消除各民族国家之间的经济制度的差距。世界各国经济制度的变迁正在为一种新的技术要素及其新理念所驱动。就此而言，我们距"网络经济"应该说还相当遥远。

　　市场制度是横向合作的一种体现。而在中国建成世界标准的市场制度，显然还需要时间。市场体系有三个系统，运作系统是容易模仿的，干预系统也容易引进。但是法规的可执行性的提高、公共经济的社会化嬗变，都是改革的难点。"重点突破"有时难以"全面推进"。至于"支持系统"，一般都需要二三代人的时间。保尔和盖茨，显然是不同的英雄。没有新一代的人力资本，高科技难以放出光彩。

252

　　即使就运作系统而言，网络经济也需要几个前提：一是完成交通革命，二是推出现代支付系统。这对赶着大车拉着钞票进城买电器的众多村民来说，显然难以企及。更何况，市场制度还分作新兴市场和成熟市场。而成熟市场又分作网络化的和尚未网络化的。

9. 论美国的"新经济" 与"新周期"*

美国经济增长到 2000 年 2 月已超过 106 个月，成为自 1854 年以来美国经济史上 32 个周期中最长的一次。其间出现的一系列新的问题非常值得关注。这轮超长"繁荣"究竟能持续到何时，是几个月还是几年？目前学术界困惑很多。在提出问题之后，本文先考察"新经济周期"的制度背景，接着探讨调控机制的创新和分析超长扩张的原因，然后就周期何时告结、会否消失等疑难问题，从现实和理论方面加以回答。

253

一、为什么提出"新经济"和"新周期"问题

战后美国经济增长曾经于 1948 年、1957 年、1974 年、1980 年和 1990 年陷入低谷，也曾于 1961～1969 年，1982～1990 年，还有1990 年到现在，出现过三轮持续时间较长的经济扩张。本轮经济扩张周期成为美国经济增长史上 146 年来最长的一次，看来已成事实。扩张时间长、何时终结、会否终结等困惑，当然都蕴涵着新的情况。例如，一个新的课题，即，本轮经济扩张在保持高增长率的同时，已经不再伴随通货膨胀。这显然是对传统经济学的严峻挑战。

自 20 世纪 60 年代末通货膨胀成为美国经济头号问题以来，只

* 本文发表于中国社会科学院《世界经济与政治》2000 年第 4 期，署名萧琛。曾为《中国证券报》全文刊登。

要经济年增长率保持在 2.25％～2.5％，"充分就业的失业率"就会保持在5.5％～6％。而若经济增长超过 2.3％，失业率又下降到5.5％以下时，则工资和物价就会急剧上涨。然而现今情况却是：虽然经济增长持续高居于 3％～4％之间，失业率已降到仅为 4.2％左右，但是这通货膨胀率却还是能够降低到仅仅略高于 1.5％的超低水平，甚至还能出现通货紧缩！

鉴于此，美国学者提出了"新经济"和"新周期"等问题。1997 年 8 月，迈克尔·曼德尔首先提出了"新经济周期"问题。[①] 1997 年 11 月，美国商业周刊主编斯蒂芬·谢波德界定了"新经济"概念，[②] 指出新经济所具有的六大特征：实际 GDP 大幅度增长，公司运营利润上涨，失业率低，通货膨胀率低，进出口之和占 GDP 的比例上升，GDP 增长中高科技的贡献度比重上升。

254

1998 年 6 月，美国麻省理工学院的教授多恩·布什提出了周期消失问题，[③] 认为只要政策得当，经济就可以摆脱商业循环。同年，《美国新闻与世界报道》董事长兼主编，《纽约新闻日报》发言人和波士顿房地产公司董事长莫蒂默·朱克曼发表《第二个美国世纪》，认为美国的繁荣源于它的一系列结构性优势，并指出这种繁荣不仅是非暂时性的，而且是由美国独享的。[④]

当然也有不同的声音。美国《前景》杂志主编罗伯特·库特纳就曾撰文认为"商业周期消失论"是夸大其辞。[⑤] 加州大学伯克利分校政治学副教授和行为科学高级研究中心研究员斯蒂芬·韦伯则提出了"减幅论"，认为商业周期波动将变得轻微，更像一种"涟漪"（ripples）。[⑥] 而站在持"新经济周期"论点的学者的对立面的著

---

① 迈克尔·曼德尔："新经济周期"，《商业周刊》（Business Week）中译版，1997 年第8 期。

② Stephen B. Shepard："The New Economy：What It Really Means？"，Business WeeK，November，17，1997，p. 38.

③ Rudi Dombusch："Growth Forever"，The Wall Street Journal，July 30，1998.

④ Mortimer B Zucherman："A Second American Century"，Foreign Affairs，July/August 1997，p. 65.

⑤ 可参见 1997 年 2 月 3 日期美国《商业周刊》。

⑥ Steven Weber：The End of the Business Cycle，Foreign Affairs，July/August，1997，p. 65.

名经济学家克鲁格曼则认为，美国经济并没有发生什么根本性的变革，"新周期"看上去更像"老周期"，只是失业率低一点。其社会学结论是，21世纪将会被历史学家认为并不属于美国。[①]

二、美国经济基本制度究竟"新"在哪里

谢波德的"新经济"概念，应该说是较为表层的。但他认为"新经济"的根源在于全球化和信息化，却无疑很具洞察力。自20世纪70年代后期信息技术产业和信息服务产业加速发展以来，美国的经济运作机制应该说已经发生了根本性的变革。其作业管理、企业结构、政企合作、国家本体、对外经贸等层面上的组织和运作机制，都已经在日益倚重横向合作，一种"直接经济"和"直接金融"已经初具规模。而由于网络因素日益重要，美国的确是在独享着这种"制度优势资源"。因而我们可以认为克鲁格曼的观点是过于保守的。

第一，在作业管理方面，"平等合作"已蔚然成风，智能资本受到空前重视

传统工业经济的基本作业模式是"福特制"流水线。其精髓是工序分解和批量生产。在这种模式中，人际关系平等程度较低。"白领""蓝领"有别，"监工""工人"不同；实验、生产和营销三个环节是分割的，投入、产出与消费在时空上是不一致的（仓库当然断不可缺）；多数人用体力，少数人用脑力。多数员工的创造力得不到深入和及时的挖掘，尤其是就女工、非技术工种或其他"不在其位者"而言。

而在早已完成交通革命的今日美国，通信革命正在彻底地根除上述非效率问题。灵活组装流水线（FMS）甚至已经无须劳工搬动5公斤以上的东西；"某某小姐，请将这份东西拿去打（或印）一下"的传统现象，已经会遭来"白眼"（这样的经理未免已经太落

---

① Paul Krugman："America the Boastful"，Foreign Affairs，May/June 1998，p. 30，p. 40.

伍）；实验室、装配线和营销部（当然包括相应工种）已经混合在一起，作业结构已从强调作业加工的"橄榄型"转化成强调科研开发和市场营销的"哑铃型"。而"有求立供、供随求止"的"零仓储"（JIT）已经将原材料和（半）成品的保存成本降低了一半！[①]

第二，在企业组织方面，"金字塔"结构已在网状化，组织成本已经极大降低

企业内部结构传统上可以说是一座金字塔。从董事长、董事会、总裁、高级、中级、低级经理班子直到监工和工人，纵向层次很多。20世纪80年代的美国公司平均的层次超过13层，最多达27层。这意味着：信息上下往返要走很长路径，存有许多扭曲和滞宕的机会；滋生公司官僚的土壤相当厚实，"公司飞机"和高档开销防不胜防；各级职能机构，如会计、律师和工程师等，缺乏纵向进取动力；一线能人很容易被误导至非生产性的岗位，去从事他们实际上并不擅长的"行政"工作，结果是中层人才浪费和基层人才镂空。

信息革命正在推倒这些等级制"金字塔"。网络信息传递要求一步到位，中层大量信息"中继站"已渐成多余。网络信息还使得企业日益透明，带军事色彩的纵向保密系统也始显苍白。网络信息还使得公司间的"合作"（说到底是"利益瓜分"）变得更为精确，时间一维、空间弱化和责任明晰等新技术因素，导致纵向结构漏洞百出、相形见绌。会计、律师为什么不转而去依靠会计、法律等服务公司？公司间合作也变得"非硬件化"。美国一千家大公司几乎都发生了这种变革，而这些显然都在成倍地提高效率。因为人际合作效率遵循的是"乘法"而并非"加法"。[②]

第三，在政企合作方面，"新纽带"已经建立，人力资本已得到充分强调

传统经济以民族为阵、营垒分明，企业和民族国家利益高度一致。公司提高股东收益就等于支撑国家繁荣。而兼容信息化和全球化的经济的网络化，却在导致一种"无国界经济"。各种网上经济实体四海为家，注册国（原国籍）在哪并不需要特别在意，重要的是

---

① 见萧琛著：《全球网络经济》第二章，华夏出版社1998年版。
② 见萧琛著：《全球网络经济》第三章，华夏出版社1998年版。

国际法规组合的是否最佳化。民族利益对它们是模糊不清的，"我们"和"他们"很难辨认。带头解雇美国雇员以推行"当地化"政策的，很可能是设在东京的美国（注册）的 IBM（分）公司；而帮助美国汽车业起死回生、并在美国当地口碑极佳的，很可能是投资到美国的日本（注册）的丰田（分）公司。

新条件下，公司不仅在法律上而且在实际运行中已经没有效忠民族利益的义务。传统"利益（强调控股权和原国籍）纽带"实际上已经虚化，寻找新纽带是一个迫切的现实任务。在这方面，美国人又一次捷足先登。这个新纽带是：将"人力资本"及相应的科研开发经费的归宿问题放在生死攸关的首要地位。只要本国公民增值世界经济能力的相对优势能够得到维持和扩大，本民族的利益才能得到根本性的保证。因为，控股权以及各种补贴等所能带来的收益，已不再是最实惠的一块，"原国籍"在网状经济中更是缺少现实基础。说到底，"信息本位"或"知识本位"已经取代金钱本位和权力本位。[①] 新的战略眼光使日本人自愧不如。20 世纪 80 年代日资对美国市场曾经是何等地咄咄逼人！[②]

第四，在国际合作方面，充分利用信息网络优势，挖掘"域外配置"效益

美国善于利用全球资源由来已久。从"路易斯安那购买"、两战军火供应到战后世界银行、IMF、GATT、美元体系、廉价石油到里根"高利率政策"，乃至 20 世纪 80 年代中期后的"新纽带"战略，都给美国经济带来了巨大收益。而在网络服务时代，美国人又再次利用自己的"直接融资模式"等优势，在国际经济各领域，美国实际上成了世界的"计委"、"经委"，甚至是"最高法院"。纽约的股票、芝加哥的期货，影响都是世界范围、全天候和举足轻重的。EDI、TP、EC（电子商务）也都是美国首先推出的。[③] 域外法权也非常明显。

新形势下，美国不仅要求各国保护知识产权（301 条款之类）

257

---

① 见萧琛著：《全球网络经济》第五章，华夏出版社 1998 年版。
② 见萧琛著：《全球网络经济》第四章，华夏出版社 1998 年版。
③ 见萧琛著：《全球网络经济》第六章和第七章，华夏出版社 1998 年版。

等，而且觊觎和敲开各国基础电信市场，充分及时获取经济信息。这些压力当然无可厚非，但对那些非网络化的市场体系、对新兴市场和转轨型经济，这种"毁灭性创造"（熊彼特语）的短期后果往往是灾难性的。泰国遭受网络金融冲击之时，正是"套利基金"在美弹冠相庆并慷慨捐助之时，也是美不忌增加贸易逆差，大量吞进廉价资产的良机。此外，"局部战争"也可以带动传统产业。

三、美国经济周期波动和调控机制究竟"新"在哪里

第一，率先顺应"信息化产业升级"和"全球化管理调控"

基本经济制度信息化不仅提高了劳动生产率，使美国连续多年在全球遥遥领先，而且导致了国民经济中新的主导产业群，如信息技术产业和信息商品化产业。20世纪50年代传统资本要素的经济贡献度为80%，科技要素仅为20%；70年代，二者大约持平；而到90年代，科技贡献度已达70%左右。1995年到1997年，传统主导产业汽车仅占GDP的4%左右，而高新技术产业已占27%以上，高的年份这个比重竟然高达33%！[①]

另一方面，在全球化条件下，由于制度变迁和产业更新方面的主动领先地位，美国经济在世界范围内的调控回旋余地的确已经空前好转。20年前，美国进出口在经济中的比重为17%，现在已超过25%；20世纪80年代末，美国对外资和进口的依存度为10%，如今已经超过16%；1990年到1996年美国出口年递增9%。亚洲金融危机爆发后，1997年8月到1998年年底，美国从东亚"四小龙"进口产品的美元价格被压低了10.8%。[②] 美国还充分扬长避短，集中精力生产高附加值的高新技术产品（包括其农产品），而从东南亚进口元器件，从中国进口鞋、玩具和包箱，从墨西哥进口纺织品。

---

① 迈克尔·曼德尔："新经济周期"，《商业周刊》（Business Week）中译版，1997年第8期，第8页。

② 参见 http://www. bea. doc. goc/bea/newsrel/gdp199a. htm。

第二，告别凯恩斯，推行平衡财政和中性金融政策

内在活力增强和外在地位提高为财政转向平衡的长期美梦提供了现实基础。将个人所得税从 31％提高到 36％，对 25 万元年收入以上的富人加征 10％的附加税，减少对于大公司及其经理人员的若干项税收优惠，等等，无不需要持续增长和良好氛围。节支方面也如此，福利改革法案通过，减少军费和削减政府开支，都需要经济手段和对于经济前景的十足信心。

1992 年美国联邦财政赤字高达 2900 亿美元，国债高达 4 万亿美元。而到 1998 年，美国财政预算竟达到 1969 年以来的首次平衡，且盈余高达 690 亿美元。据测算，从 1992 年到 1998 年，财政状况改善因素的贡献度，占到 GDP 的 5.5％，对本轮经济扩张功不可没。

财政转型的直接效果是经济持续高速增长的同时有可能不再伴随通货膨胀。此外，它也为货币政策转型提供了现实基础。如果说财政政策是由鼓励型转向市场型，或者说从歧视型转向平等型，那么，货币政策的转型目标便是相应的"中性化"。"如何实施"货币政策问题，已经为"要不要积极地实施"问题所取代。本轮经济扩张中，货币政策相当成功。但美联储的基本倾向却是努力让货币政策保持中性和稳定，只是在不得已时才果断微调，一般情况下调幅只在 0.125％～0.25％。而对货币供应量则基本稳定在 2.5％左右，依据是劳工投入年增 1.5％，加上劳动生产率年增 1％。[1]

第三，走向新古典、力循"真实经济周期理论"的调控模式

本轮经济扩张曾三度企高。第一次是 1993 年第三季度，第二次是 1995 年第二季度，第三次是 1998 年第二季度。第一次高涨时，宏观调控应该说基本上还是传统需求管理中的"松紧搭配"。但后两次则明显的是就信息化全球化动向因势利导，且主要遵循的是"真实经济周期"调控原理[2]，重视和强调的是培育经济"周期以外"的新的增长因素。

---

① 参见 Economic Report of the President 1999.，p. 45。
② 参见萧琛："现代西方经济周期理论的成熟扬弃与回归"，《北京大学学报》1993 年第4 期。

259

1993 年到 1995 年的经济扩张，主要依靠货币政策同财政政策的较好配合。1993 年财政上推出增收节支政策时，美联储为减轻这一紧缩政策在短期内可能产生的消极影响，及时地降低了利率以刺激企业投资。这些货币政策包括：将 30 年期的国债利率由 1992 年的 7.6％降到 1993 年的 6％；1994 年，又决定将贴现率降到 3％，一方面扩大 M_1 供应以刺激经济，另一方面又控制 M_2 和 M_3 的供应以保证经济稳定。

到 1995 年第二季度，经济增长态势已经很好，速度高达 5％，失业率已大幅降到 4.8％。按传统，失业率低于 5％，通货膨胀就会抬头，因此有必要提高利率防止经济过热。但宏观调控当局并没有因循守旧，而是决定暂不加息。理由是：在那以前对高新技术年复一年的巨额投资刚开始取得回报，随便刹车势必使之受挫。这个决定后来被证明非常有利：1996 年第一季度增长率为 4.7％，1997 年第一季度更高达 5.8％，创 10 年来纪录。

260

第四，乘机吞进亚洲廉价资产，利用全球网络优势重新刺激军工产业

1998 年第二季度以前，美国经济已有所紧缩，增速减缓已势在必行。在亚洲金融危机的阴影下，美国两种国债利率下调，并连续三次降息，以维持经济扩张态势，但货币政策作用此时已非常有限。

持续增长得以维持的一个重要原因在于大力吞进亚洲廉价资产。1998 年和 1999 年美国贸易逆差猛增至 2 千亿～3 千亿美元，占 GDP 的 3％，创 20 世纪 80 年代中期以来历史峰值。由于美元汇率有利，美国经济获益很多：国内替代品涨价从而通货膨胀压力得到缓解，物美价廉的亚洲资产刺激了美国的消费和投资，降低了成本。

另一个重要的新因素（增长点）是扩大军备、在国际干预方面大杀"回马枪"。1998 年以前 10 年中，冷战后美国"大裁军"已导致军费在 GDP 中的比重由 8％下降到 5％以下。但由于需要新的增长点，"鸽派"外交形象已不再有必要维持，于是，1998 年第二季度的"伊拉克查核"，乃至"第二次海湾战争"阴影，1998 年 12 月"沙漠之狐"行动，1999 年 3 月后对南联盟长时间的"空中打击"，等等，都接踵呈现于世。

国民经济军事化当然并非新手段，但现在的条件和范围已经迥异。全球化导致其规模今非昔比；信息化导致它对全球资本已经是振臂一呼应者云集。据测算，单是"空中打击"一项，对美国GDP增长的贡献就高达0.21％；屯兵海湾的日费用高达7000万～1亿美元；1998年第二季度，美国经济"借劲"后立即开始攀升，道琼斯股票指数从当年9月的8000点左右竟然迅速地飙升到11000点！[1]

四、美国新经济周期前景与当今经济学"空白"

以上关于美国新经济前沿现实的剖析，实际上已经向经济学家提出了严峻挑战，首当其冲的也许是：

第一，经济超长扩张何时才能告结

半年前人们更多关注的也许是美国经济过热及如何"着陆"问题。而现在，美国经济表现实在是更加让人难以捉摸。1999年经济增长率高居3.6％，近两个月消费物价涨幅为0.1％，失业率是4.1％，而劳动生产率增长率上两季度高达4.9％左右。就领先指标来看，衰退警报还没有拉响。说明至少在一两个季度之内，经济将会继续增长。有关专家对2000年增长的预测，低的是2.1％，高的则是4％！[2]

不过增长放慢的可能性还是比较大。从真实经济方面看，似存在某种疲劳迹象。从劳工市场情况看，不仅失业率持续降到历史最低水平，而且可供扩充的劳工，如失业者、求职受挫者和临时工之类的存量也已经降到历史的最低点，大约在7％左右。这种过热情况很可能会导致工资上涨。即使名义工资能维持不变，变相补贴和附加福利也一定会层出不穷。而如果工资增长超过劳动生产率增长，那么企业利润就会受压，投资积极性就会受挫。或者，如果企业利润压力被转嫁，则会出现物价上涨。

从虚拟经济角度看，为弥补先前降息和稳定国际金融市场，美

261

---

① 1999年5月11日《南方周末》第7版"道琼斯指数日线图"。
② 陈宝森："明年仍是好时光"，《国际经贸消息》1999年12月29日，第二版。

国已提高短期利率。同时，美联储也提了长期利率，以放慢国内需求增长。2000 年下半年以来，美联储已三次加息，目前似再次加息 0.125％个百分点。加息对住房销售会产生直接作用，对投资和消费也会有所影响。由于企业负债率和居民负债率都已很高，降温是难免的。

难以预计的是网络化了的股市和汇市。目前美国网络股的市值已占 1/5，而 1995 年还仅为 1/20！由于世界资金流动的同步效应，网络股的动荡从而股市波动肯定难免。美国专家认为他们的市场能承受可能发生的波动，并认为幅度不大会超过 25％。考虑到美国财政的实力，1999 年财政盈余进一步上升到 1227 亿美元；还有其他方面的有利因素，股市崩盘的可能性应该说是极小的。

第二，本轮经济周期会否完结

262

多恩·布什"永远增长"一文认为，只要政策运用得当，美国经济就可以摆脱周期循环。他的依据是：美国已经没有通货膨胀，利率运作空间很大；美国已经有了良好的财政预算，政府支出和税收的运作空间也非常大；对于世界经济的突发事件，如亚洲金融危机等，政府也有足够的手段。多恩·布什也承认美国股市存在泡沫，但不会出现崩盘。因为美国经济基本制度变革已经完成。

世界经济波动史表明，战后二十多年，美国经济基本上处于上行阶段；而到 20 世纪 70 年代，经济转入下行和调整过程，直到 90 年代初才告一段落。80 年代美国经济虽然持续增长，但是劳动生产率和实际工资增长并不明显，结构调整并未完成。半个多世纪的美国经济波动，可以粗略地说它确实已经完成了一大循环：30～40 年代，是停滞；50～60 年代，是膨胀；70～80 年代，是停滞膨胀；而 90 年代乃至今，则是不停滞又不膨胀。

若允许将这个循环定义成"凯恩斯长波"，则下一波该是什么？目前，当然还找不出可与凯恩斯相媲美的经济学革命，但还是有理由就下一波的轮廓做如下推断：以汽车制造为核心的主导产业群，势必要让位于以网络服务为核心的主导产业群。而这又会进一步导致：以实物资本为核心的经济波动周期，势必要让位于以人力资本为核心的波动周期。而后者将是以"一代人"或者"一代科技突破"

（几十年）为时间单位的。

通常人们谈的经济周期是指中期波动，即 8 年左右的固定资本更新周期。但如今固定资本已主要不是大型厂房器械，甚至也主要不是"硬件"，而是人力资本范畴中的各种智能，是"软件"和无形资产。

经济周期会延长，这一轮扩张应该说已不是战后首次。不同的是出现了网络等新情况。就波动幅度而言，"涟漪论"可能成立。网络化势必会更多地降低盲目性，从而更加有助于避免经济决策主体的系统性的重大失误，至少就美国而言是这样的。

至于 3 年左右的短期波动，可以说它还主要体现在虚拟经济层面。因而其波幅的进一步夸张和频率的加快应该说很难避免。网络经济初具规模以来，世界股市、汇市和债市的波动"奇迹"已经有目共睹。美国这轮扩张中，实际上也已有过三次起伏。

至于周期会否消失的问题，美国前财政部长鲁宾有一段意味深长的话："经历了亚洲金融危机之后，全球经济看来都很不错。但繁荣和萧条是市场经济史的一部分，谁也不能担保下一次衰退不会伴随好时光一起到来。作为市场经济和人类身心的本能，人们似乎总是容易倾向于低估风险而高估希望"。也许是出于同一心态，多恩·布什也只敢断言："5 年之内美国经济没有任何衰退的可能性。"

第三，新的经济学、周期理论和调控模式该为何样

分析新经济深感力不从心这一点，令人感叹当代经济学实在是处在一场大革命的前夕。下一个经济学会是什么样的？不妨允许笔者借美国经济前沿现实，在此抛砖引玉。

首先，下一个经济学肯定是"超三部门"的经济学。在居民户、企业和政府三大部门之外，全球经济这个变量在经济模型中肯定会"内生化"。其次，就生产函数而言，"制度"和"信息"肯定会成为相对独立甚至是主要的变量。因为，在超宏观经济学中，经济学的对象将不再是制度信息环境既定的独立经济体，而恰恰是制度信息环境不同的相互影响的一群经济体。

---

① 参见萧琛："从网络经济看东亚金融风暴——关于新型金融危机的思考"，载《新华文摘》1998 年第 12 期和《世界经济与政治》1998 年第 9 期。

　　知识、信息或曰网络的经济，将复合着"真实经济"和"虚拟经济"，成为经济学的核心对象。"广度规模经济"、"合作式竞争模式"、"无国界经济"和各种网上经济实体的行为函数、"剩余索取权威的接替"，"资本供应优势和市场供应优势的易位"，都将成为经济学的"新边疆"。在虚拟经济层面上首先发难的"网络金融冲击危机"等问题，已经使得经济学家们在亚洲金融危机面前至今还莫衷一是。

　　在管理和调控方面，"智能资本"管理将是一个没有航标的新海域。当今那些以实物资本为主要对象的 MBA 课程，势将逐渐地陈旧和过时。而就政企合作和国家本体而言，"知识型政府"和"智能型政策"将日益重要。全球调控和国际调控在对付危机方面将进一步上升为主要的手段。

10. 论美国的"新周期"
与"准衰退"*

    美国经济持续增长已逾十年，近年正经历一场举世瞩目的"经济下滑"或曰"增长减速"。基于网络经济研究，本文提出"准衰退"范畴，并就其背景成因、展开机制和动向前景提出如下意见，试图回答业界、政界和学界这方面所关心的一系列现实和理论问题。

265

一、"网络（成本）节约"及其所导致的劳动生产率空前提高，为"经济持续扩张而同期又没有通货膨胀"的新局面的出现开创前提条件

    因特网使得产品设计成本惊人低廉，空前减少了大量库存的必要性，提供了同时针对千百万顾客并同他们及时沟通的便捷途径，削减了提供各种服务和娱乐的成本，并帮助公司组织机制本身成功地进行了"减肥"，缓解了公司间传统"零和博弈竞争"的"相克性"，使得"合作竞争"蔚然成风；信息将"契约曲线"上的"均衡点"送回到合作回旋余地巨大的"潜在的帕累托改善点"上。网络还将生产可能性曲线图像的两轴由 I 国推向 n 国，形形色色的"无国界经济"和"网上经营实体"都创造了前所未有的效益。

    所有这些首先都会构成相当可观的成本节约。美国布鲁金斯学

* 本文发表于中国社会科学院《经济学动态》2001 年第 9 期，署名萧琛。

会一项研究成果表明：因特网给美国人带来的成本节约，每年高达2000亿美元，相当于国民生产总值的2％，每年可以提高劳动生产率0.4％！这个递增率在10年中能为普通美国人年增加4％收入。[1]

从20世纪70年代到80年代，美国劳动生产率一直趋于滑坡，徘徊在年增1.5％的水平；而90年代以来年递增速度一直保持在3％左右。即使是2000年第四季度国民生产总值仅增1％时，劳动生产率仍在以2.2％的速度增长。[2]

二、"信息型乘数加速数"导致"股市持续攀升"，"财富效应"和"消费加速"相互推动，虚体经济与实体经济渐显脱节

266

劳动生产率提高增强投资"信心"，信心又借助因特网成倍放大。"因特网乘数"的一个因子是"同步传递效应"，一个人和另一个人随时随地都能及时沟通；另一个因子是"同目标反馈效应"，"投资机会"等信息能辐射状地"点对点"直达，从而能在全球范围内引起同目标的投资等各项决策。例如，NAVIGATOR导览器一上市，就一度连涨好几个"停版"。而在传统条件下，由于信息传达的非及时性和分布的非均质性，投资对策往往先后不一、偏好各异，从而容易相互抵消，"大数定律"容易发挥作用。

"投资信心倍增机制"促成美国的投资在很长时期内超高速增长。1992年以后，美国信息技术投资按实际数字算，每年都以两位数的速度增长。1997年以后增长更是急速，高达20％以上。[3] 这其中，因特网乘数作用很大。投资急剧增长带来股市长期"牛市"和经济高速增长。1991年春以后美国开始出现"经济持续繁荣"和"股市持续攀升"并存的局面。股市看好导致"财富效应"，刺激个

　　① 布鲁金斯学会经济研究所计划主任罗伯特·利坦：《因特网经济》，美国《外交季刊》2001年第3～4期。
　　② "美报说美经济尚不足以证明有关技术进步将避免衰退的看法"，美国《今日美国报》2001年3月7日。
　　③ 记者逸见义行："美国经济进入下滑时代"，日本《每日新闻》2001年2月5日。

人消费，反过来又促进经济扩张，形成一种"良性"循环。[①] 这其中，传统经济学所谈的"一般加速数"，也为因特网所放大。

因特网还导致美国证券投资空前民主化，并酿成"全民炒股"热潮。网络深入千家万户，股票、期货、期权，乃至各种跨时空信息期货等复杂交易，如股票指数期货、远期外汇交易等，普通投资人都可以借助网络，业务操作变得简单轻松。同时，高新技术企业为争夺和挽留人才，往往也采取分享期权的办法。所有这些，导致美国股民人数由 20 世纪 90 年代前的 3500 万人猛升到近年的 8000 万人。[②]

2000 年 3 月股市高峰时期，美国股市市值已占国民生产总值的181%，远高于 90 年代初的 60%，增加了 2 倍；股票投资收益也由1992 年的 1270 亿美元，激增为 1999 年的 5350 亿美元，[③] 上升了3.2 倍；道琼斯股指由 3000 点冲破了 10000 点大关，有人甚至预计能冲到 30000 点；而同期国民生产总值只上升了 1 倍。

三、（包涵信息化和全球化的）"网络化调控"推出新型激励举措和"借劲全球经济"，为宏观经济连续升级和"股指冲破万点"推波助澜

美国"新经济"10 年扩张中曾三度企高。在这三轮扩张中，信息化和全球化调控的作用已发挥重要作用。与"新经济周期"相伴随的是新型的调控机制。[④]

第一轮扩张是在 1993 年到 1995 年，宏观当局主要的调控手段应该说还是货币政策同财政政策松紧搭配，虽然主要是盯住利率而不再是货币总量。1993 年财政上推出了"增收节支"政策。为减轻该紧缩政策短期内可能产生的消极影响，美联储及时降低了利率以

---

① 香港《经济导报》，2001 年 2 月 19 日，第 16 页。
② 香港《经济导报》2001 年 2 月 19 日，第 16 页；20 世纪 90 年代前数字参见萧琛著：《美国微观经济运行机制》，北京大学出版社 1995 年版。
③ 香港《经济导报》2001 年 2 月 19 日，第 16 页。
④ 萧琛："论美国的新经济与新周期"，中国社会科学院《世界经济与政治》2000 年第4 期，第 7～8 页。

刺激企业投资。

第二轮扩张始于 1995 年第二季度。当时经济增长态势很好、速度高达 5％，失业率已大幅降到 4.8％。按传统"需求管理模式"，只要失业率低于 5％，通货膨胀就会抬头，因此就有必要提高利率防止经济过热。然而这一次调控当局不仅不再因循守旧，而且决定"不"加息。理由是：在那以前对高新技术（主要是信息网络产业）年复一年的巨额投资刚开始取得回报，随便刹车势必使之受挫。这个决定意味着当局重视"实体经济周期"理论、着眼点已经不再是"虚体经济"。这一"形变"后来被证明非常的明智。

第三轮是 1998 年第二季度前。当时经济已有所紧缩，增速减缓已势在必行。在亚洲金融危机阴影下美国两种国债利率下调，并连续三次降息以维持经济扩张。但货币政策作用此时已非常有限。持续增长得以维持的一个重要原因，是利用外贸赤字大力吞进亚洲廉价资产，以缓释通货膨胀压力。价廉物美的进口资产刺激了美国的消费和投资，实现了没有通货膨胀的增长。

另一个"全球化"举措是重振武器出口。冷战后美国"大裁军"已导致军费在 GDP 中的比重由 8％下降到 5％以下。但因需要新增长点，"鸽派"形象已不再明智，于是 1998 年第二季度的"伊拉克查核"，乃至"第二次海湾战争"，12 月的"沙漠之狐"行动，1999 年 3 月后对南联盟长时间"空中打击"等，都接踵呈现于世。1998 年第二季度，美国经济"借劲"后立即开始攀升，道琼斯股指从 9 月的 8000 点迅速地飙升到 11000 点！[①]

四、"网络亢进"和"石油冲击"从经济体系内部和外部共同扭转"乘数－加速数"的方向，进而导致一场举世瞩目的"准衰退"

新型调控模式、股市过度兴旺、高新技术幻觉、网络媒体炒作、

---

① 1999 年 5 月 11 日《南方周末》第 7 版"道琼斯指数日线图"。

利润预期高度乐观和接踵而来的财富效应，使得人们对于网络等高科技股的投资几近痴迷。结果之一是"虚拟财富"迅猛飙升。据估计，从 1995 年到 2000 年初，美国股票价格的上涨使美国社会的总财富陡增了 14 万亿美元。纳指一跌再跌后，市值仍是实际利润的 172 倍。[①]

在投资扩张过程中，信息型"乘数－加速数"的微观作用值得注意。例如，投资人同时从网上了解到：在新发现的风景点投资，肯定有奇迹般的赢利前景。于是趋之若鹜到那里去开办旅馆（或其他）。地皮和其他要素瞬间被哄抬到难以置信的高度。本可作为抑制信号的价格，在被网络炒作等扭曲了的"投资信号"和"财富效应"热浪中也被雾化。雅虎股票的市盈率高达 1000 倍，按说早已物超所值，但却仍旧为投资人所追逐。

这种情况在网站业等信息服务领域尤其明显。（机构）投资者（如风险投资公司）等，通常都不忌用"金娃娃"价去买一组"泥娃娃"，深信其中必有一个日后可长成金娃娃，尽管泥娃娃在成长期内无不"烧钱"如纸和挥金如土（媒体和注意力是生命线）。然而，这种风险投资者的数目终究有多少？恐怕是至关重要的问题。未来可能中的"金娃娃"的分享人愈多，高回报预期就愈容易受挫。风险组合投资者喂出的"钱"，毕竟要源于真实产业利润，且最终需（跨时空）回报。

劳动生产率高速增长在很长时间内解决了"喂养利润"问题。但如果新的类似"导览器"的"技术/商业赢利模式"迟迟不能跟进，如果实体经济遭遇国际冲击（如石油涨价），则风险投资继续喂养的底气、信心和热度就都会逆转。于是网络乘数加速数就同样会在相反的方向上，成倍地为投资减速和经济降温发挥作用。"无网不胜"便成了"谈网色变"。可能的金娃娃也就会被当做泥娃娃抛来抛去。"搜虎"等中国网络股在美国面临摘牌的窘境是典型一例。

新型衰退的外在引爆因素是国际石油价格冲击。1998 年全年，欧佩克原油的平均价格为 11.8 美元；1999 年全年，平均价格为每

269

---

① "华尔街寒流与美国新经济前景"，《人民网》2001 年 3 月 19 日。

桶 17.27 美元，而 2000 年则上升到 27.17 美元，升幅高达 57.3%。1998 年最低价格曾跌破每桶 10 美元以下，[①] 而 2000 年，最高每桶竟为 38 美元！这对美国整个工业体系和消费体系是一个沉重打击。

五、"准衰退"界于虚体经济和实体经济之间。它始于投资信息动摇，继后是（网络）股市泻落，再逐步由新经济成分较多的产业向其他（包括劳动生产率并未减速）的（传统）产业渗透

270

鉴于资源成本激增而赢利模式还在磨合，人们对信息网络技术投资的过高期望便开始矫枉过正。联邦当局没有也难以及时补救。2000 年信息技术投资只比上年增长 10%，比那以前约减速 1 倍。从第二季度开始，国民生产总值增长速度也显著放缓，增长率已从半年前的 8.3% 峰值下降到 5.6%，第三季度为 2.2%，[②] 第四季度进一步下降为 1.0%。[③]

按既定指标规范，美国经济当然还没有陷于衰退。最低增长率一直不曾为负，更不用说连续两个季度。然而，由于投资锐减速度和经济增长减速落差太大，也由于股市等虚体经济层面的加倍反应，这种"增长减速"对经济的冲击，正如我们近几个月所见，的确是异常强烈，绝不亚于一般经济衰退，甚至有所过之。

不妨看落差情况。1999 年年底，美国国民生产总值（实际）增长率高达 8.3%，名义增长率更高达 9.7%！[④] 比 1% 要高出许多倍。就股市而言，纳指一年中下跌了 60% 还要多，标准普尔指数跌了 20%，道琼斯股指也跌了 10%。这些应该说都令人谈虎色变。

就经济非负增长但速度减缓的周期现象，国内外一些学者提出"增长性衰退"概念。含义是：经济波动跌离长期增长趋势，虽然还

① "欧佩克石油收入达 20 年来最高水平"，《人民网》2001 年 1 月 17 日。
② Economic Report of the President，February 2001，p. 278.
③ "美去年第四季度经济增速仅为 1%"，《人民网》2001 年 3 月 20 日。
④ Economic Report of the President，February 2001，p. 278.

不至于为负增长。在分析新经济周期时，这个概念应当说很重要。但鉴于新的情况，不妨补充和强调三点：1. "新经济"背景；2. (虚体经济波动) 落差显著、震动巨大；3. 不应排除负增长。为此，本文认为有必要提出"准衰退"范畴。

"准衰退"是新型经济下开始出现的一种介于虚体经济和实体经济之间的新型衰退。其展开机制以"网络投资信心"等为中心，震源并非不能脱离实体经济。1987 "股灾"，就曾先在股市、债市、汇市等虚体经济层面爆发，然后迅速地向实体经济渗透，引发了一轮技术、市场和政府的经济调整。但结果却有惊无险。道琼斯股指日降幅虽然远超过 30 年代大危机"黑色的星期一"，但经济却安然无恙。不过，当前"准衰退"倒是同实体经济关系较密，房地产这个重要领域是例外。

271

"新经济周期"从某个角度看是以信息网络投资信心为发动机的。网络业、电脑业、通信业以及其他 IT 行业在新周期中所得到的投资份额明显备受青睐。信息型乘数加速数对这类投资的作用也特别显著。因而，当经济逆转的时候，这些过剩较重的行业备遭冲击这一点，应该说不难推知。信息网络服务业在这场"准衰退"中首当其冲。

从股市看情况非常严峻。与各自历史高位相比，"新型衰退"前后一年左右时间里，道指已下跌 16.2%，标准普尔股指下降 25%，而比较集中地体现高新企业、中小型创新企业和风险投资情况的纳斯达克股指则下降了 62.5%。据统计，股市抛售浪潮已经使美国股市市值减少了 7724 亿美元。[①] 随着纳斯达克股市全线下挫、新股发行锐减、传统企业削减广告开支，许多网络服务型的新型公司其赢利模式几乎全线崩溃。

---

① "美国股市跌不停，七年老牛变成熊"，《人民网》2001 年 3 月 19 日。

六、"准衰退"系"供应过剩型"而非"通货膨胀型"。这表明它同过去几十年"凯恩斯长波"中的"需求管理模式"所竭力要反的那种"衰退"或曰"危机"有实质差别

过去 50 年中经济周期大体似曾相识：数年增长期过后，总需求超过总供给、通货膨胀（加速）上扬。于是联储提高利率压缩总需求。需求被紧缩后，企业库存会积压，于是减产裁员、经济随即衰退。接下来，联储又会转而降低利率，于是需求又回升、产出增长，新一轮增长重新开张。

不过当前这场"准衰退"却是由于供给过剩而非需求过大（通货膨胀过高）所致。得益于信息化和全球化，新经济周期中持续高速的扩张一直没有引起明显的通货膨胀。从 1999 年年初到 2000 年年中，消费价格指数上涨幅度还不到 1.5 个百分点；粮食和能源开支以外的基本商品价格指数上升幅度更低。因此，面对经济"过热"联储并未也无须重视提高利率。从 1998 年到 2000 年两年中，美国短期利率仅提高了 1%。[①] 根据经验，这种非常温和的紧缩根本不该对股市（经济）的地震式反应负主要责任。

当前美国"准衰退"主要由于供给方过度所引起。投资，尤其是对网络信息等新产业的投资，过剩程度的确非常严重。全美网站如雨后春笋、争先恐后欲红杏出墙，应该说是一种写照。不适当地追求高新技术含量，企业往往以超过其生产能力提高所实际需要的幅度增加投资；网络炒作和股市哄抬，也促使投资容易超过潜在增长能力。结果是信息网络等高新技术产业孤军挺进，而那些最终需要实体经济来加以支撑的风险投资基金，终究会因财源渐疏而忍痛扔掉养不起的期待中的"金娃娃"。

美国风险经济学公司和全国风险投资协会近期公布的一个调查报告表明：2000 年第四季度美国风险投资为 195.9 亿美元，比上个

① 杰勒德·贝克："一次不同的衰退"，英国《金融时报》2001 年 3 月 2 日。

季度 282.2 亿美元下降了 31%。这是 1998 年以来的首次下降，[1] 幅度之大、影响之深，可以推知。

过去 50 年，经济周期属于"凯恩斯（长波）时代"，而现在的"新经济周期"则属于另一个时代。经济"不滞又不胀"，[2] 是上一波几十年不敢奢望的局面。由此看"准衰退"，着眼点似乎应该更多地放在实体经济方面，技术创新、投资配置、利润机制，可能要比联储当局的需求管理更为深层。摩根斯坦利公司首席经济学家斯蒂芬·罗奇认为，这次周期同 50 年前的周期非常相似：那时"通货膨胀还不是问题，货币政策在需求管理方面的作用也极其有限"。事实上，当时全球只有 18 家中央银行。

七、"需求管理"（联储 6 次降息）未能扭转经济下滑态势。目前，投资、生产、销售的增长率年中几乎都陷于低谷。摆脱"准衰退"还是要靠（实体经济）"供给管理"。其难度需充分估计

273

2001 年以来，美联储已经连续 6 次下调利率，总计 2.75 个百分点。仅次于 1984 年年底上任主席沃尔克的纪录，是 16 年来力度最大的降息举措。降息的目的，如格林斯潘所言：扭转衰退态势、振兴华尔街股市和恢复消费者信心。

历史资料表明，从 1921 年至今，美联储共计连续（3 次以上）降息 13 次。一般说来，道琼斯股指在一年内平均涨幅为 21%，纳指平均上升 39.8%。最高纪录包括 1982 年 7 月以后飙升的 81.6% 和 1998 年的 74%。[3] 应该说非常灵验。

相比之下，这次连续降息的效应目前看来可谓有点例外。头两

---

① "美国第四季度风险投资大减"，《人民网》2001 年 1 月 30 日。
② 萧琛："论美国的新经济和新周期"，《世界经济与政治》杂志 2000 年第 4 期，第 9 页。
③ 胡建国、李凡、吴庆晏："美国三降息真能救世吗?"，《国际金融时报》2001 年 3 月 20 日第一版。

次降息中间的 28 天中，纳指微弱反弹了 6%，第二次降息之后，反跌了 31%。第三次降息后当天，道指创下两年半来最低纪录，纳指则跌了 4.80%，收盘 1857.44 点。[①] 不过 4 月 18 日联储第四次降息 15 分钟后道指即飙升了 407 点，涨幅 3.91%；纳指也暴涨 176 点，涨幅 8.12%；标准普尔指数上涨 46.35 点，似乎已经灵验。[②] 那以后纳指似显止跌、预测已非常看好。然而好景不长，年中以后，股市又再度回落并处于一种胶着状态。到 7 月 20 日，纳指为 2029.37 点，[③] 虽比 3 月最悲观时的 1800 点有所进步，但比 2000 年 3 月的峰值却还要低 59.8%。

一些分析家认为，美国央行已经不能挽救股市。结论虽早，但不可忽视。有识之士明白，只靠降息是不能挽救经济衰退的。日本的利率是零，但经济和股市增长却是 16 年来最低。

首先，长期债券利率坚挺。在美联储"干预空间"逐步局促之际，这意味着经济很难走出困境。高新产业投资需要更宽松的中长期融资。降息虽然会刺激短期经济，但也会推高长期债券利率。其次，美国已经出现经济疲弱而美元却一直坚挺这种新情况。这意味着美国的出口、从而企业的赢利水平都会受影响，降息的"净作用"需要重新权衡。2000 年美元升值 5%，2001 年头 5 个月又升值 4.5%。[④] 当前美元汇价比 1995 年要高 30%。[⑤] 最后，公共财政盈余已经同巨额私人预算赤字（债务）并存。私人债务已占到 GDP 的 7%。在这种条件下降息，对私人消费的刺激有限，对私人储蓄（从而投资）却不无抑制作用。更何况，公共投资毕竟很难完全替补私人资本形成的不足。

到目前为止，美国企业对设备和软件投资的锐减情况仍然令人堪忧。2000 年上半年按年率计算这一指标高达 20%，第三、第四季度下降到 5.6% 和 3.3%；2001 年第一季度仅为 2.3%，第二季度情

① 胡建国、李凡、吴庆晏："美国三降息真能救世吗？"，《国际金融时报》2001 年 3 月 20 日第一版。
② 张齐智："防止经济大船沉没，美国该出手时就出手"，《人民网》2001 年 4 月 20 日。
③ 王建生："美国技术产业陷入困境"，《人民网》2001 年 7 月 27 日。
④ "IMF 认为美国经济近期前景仍不确定"，《人民网》2001 年 8 月 14 日。
⑤ 沈禹钧："美联储降息并不万能"，《国际金融报》2001 年 8 月 3 日，第 6 版。

况更差。7月27日公布的第二季度最新投资数据表明，美国第二季度投资锐减13.6%，这是在今年第一季度出现小幅下降后的再度下降。[①]

投资下降无疑要影响工业产值、销售和经济增长率，美国各项指标几乎都进入低谷。联储2001年8月15日统计显示：今年7月份美国的工业生产比6月份下降了0.1%，为连续10个月下滑。同去年7月相比，工业生产已经下降3.2%。7月份工业企业的设备利用率从6月份的77.2%下降到77%，为1983年以来的最低水平。据商务部统计，美国6月份企业销售额下降了1.4%，为1992年8月以来的最大降幅。[②] 美国经济今年第二季度增长率为0.7%，低于上季度的1%，为近8年来最低水平。

275

八、实体经济调整，如出清存货、并购重组、推出新型赢利模式、稳定油价等，意义更为深远。若无意外，新经济扩张纪录很有可能被进一步刷新。这对现存周期理论无异于釜底抽薪

"准衰退"不仅在时序上是新经济周期的接踵之物，而且在逻辑上也是顺理之章。值得反思的是：这其中新的逻辑联系实际上非常像19世纪和20世纪初的古典供应型周期。因而值得担忧的一个问题是，在低通货膨胀的条件下，这种衰退很有可能影响深远，虽然实体经济能自我调节。然而时代毕竟不同，新经济条件下的"准衰退"已超越传统境界。增长绝对下降、甚至陷入（如早先西方和今天日本）慢性萧条，看来很难重现。

首先，技术、生产率、组织机制、主导产业群、干预能力和国际联系等等，都已发生大的变革。当年的钢铁、石油化工等主导产业，如今都已退居二线三线。战后美国"三大支柱"产业中，钢铁

---

① 钱跃编译："美国经济会硬着陆吗？"，《人民网》2001年8月3日。
② "美国工业生产连续10个月下滑"，《人民网》2001年8月16日。

似乎不再显赫。第一大支柱汽车业的作业和管理已经完全今非昔比。汽车的信息化、全球化程度已经非常惊人。

第二，"第三大支柱"建筑业和楼市一直不曾下滑，相反却保持新高纪录。战后美国经济历次衰退的迹象有二：一是楼市不景气；二是减少货币供应以紧缩通货膨胀（前文已分析）。而"准衰退"中，楼市却创保持了历史上第二高的销售纪录。[①] 今年 3 月份美国新房销售经季节调整之后，比 2 月份增加了 4.2%，创造了新的月销售纪录。[②] 今年 6 月，美国新房销售增长 1.6%，大大超过预期。第一、第二季度住宅建设投资分别增长 8.5% 和 7.8%。[③] 其中原因与新经济有关，信贷制度和新型抵押贷款时空跨度空前增大，抵押贷款利率已是 30 年来最低水平。[④]

第三，存货调整也开始网络化。有求立供、供随求止的"零仓储"作业管理，已在消除 19 世纪福特制流水线遗留下来的"批量生产"的弊端。积压程度和出清能力都已经高出若干量级。存货销售之比，已经由 10 年前的 1.50，下降到目前 1.31。[⑤] 而在 IT 产业，或其他信息服务业，"产品积压"已经为"能力闲置"取代。"零仓储"技术已经相当可观。先进的公司平均产品批量仅为 10 个左右，而供货反应速度却在 24 小时之内。至于服务类产品，生产和消费本来就同步。这些不仅会带来（仓储）成本节约，而且也会增强抗衰退能力。据商务部统计，今年 6 月份企业库存经季节调整后为 11896 亿美元，比 5 月份下降了 0.4%，为连续 5 个月下降。[⑥]

第四，新型技术商业赢利模式正在萌动。"美国在线"（典型的网络服务巨头）和"时代华纳"（典型的传统媒体巨头）今年年初完成合并。据说下一步并购计划包括迪斯尼（典型的娱乐服务巨头）。今年 7 月 23 日，迪斯尼公司已经宣布以 53 亿美元巨资，收购新闻集团和萨班娱乐公司拥有的福克斯家庭全球公司。到 8 月 14 日，受

① 香港《经济导报》2001 年 3 月 19 日，第 45 页。
② 记者王建生："美国住房市场升温"，《人民网》2001 年 4 月 26 日。
③ 王如君："美国经济还有戏没戏"，《人民网》2001 年 8 月 7 日。
④ 王建生："美国住房市场升温"，《人民网》2001 年 4 月 26 日。
⑤ 香港《经济导报》2001 年 3 月 26 日，第 6 页。
⑥ "美国工业生产连续 10 个月下滑"，《人民网》2001 年 8 月 16 日。

广告收入大幅度下降的影响，全球最大媒体公司和 ISP，"美国在线时代华纳集团"决定裁员千人，等等。世界最大零售商的沃尔玛已连续两季度赢利，"家用商店"今年年底将增聘雇员 5 万，增设新店 204 家。①

最后，小布什政府的"减税"计划已经实施，对中长期繁荣富有建设性意义。从经济上看，减税计划有助于调整供给和重组资源，促进美国经济由倚重制造业向倚重信息服务业的新格局过渡。对布什演讲当天，不知是否巧合，道指和纳指分别上升了 2.7％和 2.8％。②

值得关注的不确定因素是国际石油价格。去年 8 月国际石油价格开始攀升，最高时曾突破每桶 38 美元，导致美国经济下滑。今年年初以来，油价已经回落，最低价曾跌破 22 美元。③ 于是美国经济在其后 4 个月里便明显趋好，消费者信心和支出水平都明显上扬。但到今年 6 月初，由于伊拉克停止石油出口，油价又回升到 4 个月来的最高点 29.70 美元。相应，美国消费者信心指数 7 月份便重新回落。可见，在新经济条件下，美国的经济周期已经同南北油价之争这个国际政治问题息息相关。

277

新经济已经对周期理论提出严峻挑战。对此，美国一些学者曾乐观地提出过"经济周期消失论"和"涟漪论"等。"永远消失"④看来很难。但美国经济继续增长、实体经济波幅变小的可能性还是比较大。基本信心在于劳动生产率的增长情况一直乐观，非农业部门的劳动生产率在第二季度仍增长 2.5％，为一年来增长最快纪录。⑤ 这个先行指标非常重要。另外，占到 GDP 2/3 的个人消费开支势头也不悲观，第一季度增长 3.2％，第二季度又增长 2.1％。⑥

美联储 7 月份预测今年全年的经济增长率在 1.25％到 2％之间，

① 香港《经济导报》2001 年 3 月 19 日，第 45 页。
② 张兴慧："小布什表决心，华尔街大反弹"，《人民网》2001 年 3 月 29 日。
③ "油价下跌，美国也急"，《人民网》2001 年 1 月 17 日。
④ 萧琛："论美国的新经济与新周期"，中国社会科学院《世界经济与政治》2000 年第 4 期，第 5～6 页。
⑤ "美第二季度劳动生产率上升 2.5％"，《人民网》2001 年 8 月 8 日。
⑥ 香港《经济导报》2001 年 3 月 19 日，第 45 页。

明年可以达到 3% 和 3.25%。[1] 尽管到 8 月份又降了调子。IMF 8 月 14 日关于美国经济年度评估报告也认为：今年下半年美国经济能否走向复苏目前还难以确定。[2] 不过，8 月 10 日接受调查的 53 位美国著名经济学家还是大胆地预测，今年第三和第四季度经济增长率将分别为 1.7% 和 2.8%。[3] 果如此，则美国这一轮经济的超长扩张纪录将会被进一步刷新到 128 个月以上！"准衰退"的负增长将可能被排除。这将意味着：现代宏观经济学的核心地带应当发生剧烈的震荡。

278

① "格林斯潘认为美国经济还没有摆脱困境"，《人民网》2001 年 7 月 19 日。
② "IMF 认为美国经济近期前景仍不确定"，《人民网》2001 年 8 月 15 日。
③ "经济学家调低对下半年美国经济增长的预测"，《人民网》2001 年 8 月 11 日。

11. 论美国的"准衰退"
与"新型复苏"*

当前美国经济乃至整个世界经济中一系列前所未遇的新现象给经济学界带来了许多困惑。"股市泡沫"破灭，是否表明前几年连篇累牍的"新经济"和"新周期""纯系杜撰"？"新型衰退"和"新型复苏"中是否真的蕴涵着某种新的机理？半个多世纪以来的"经济周期模型"和反危机理论，在人力资本空前举足轻重的今天是否需要彻底反思？会计学、审计学、咨询业，还有媒体，在倚重无形资产和"高度跨时空能力"的美国经济中是否需要全面反省？"9·11事件"、"财务丑闻"和"南北石油之争"等，在何种程度上会影响美国经济制度结构调整和企业赢利模式的康复？美国经济的增长前景该如何判断？本文拟就这方面问题做理论探讨。

一、"新经济奇迹"中的"信息、信任机制"隐患

20世纪90年代以来，美国经济长期持续扩张，出现了举世瞩目的"新经济奇迹"。近年美国经济又动荡起伏、险情叠出：IT裁员、股市狂跌、"9·11事件"、企业财务造假、反恐开战，等等。"奇迹"之所以未能继续，是因为一系列支撑点出现了不稳定。技术创新、成本节约和劳动生产率的提高，直到今天应该说仍然强劲。

---

* 本文发表于中国社会科学院《世界经济与政治》2003年第7期，署名萧琛。

279

但风险投资、期权激励、信息化和全球化的新型调控等，却显然已经发生逆转。逆转的原因在于："信息、信心和信任"方面早就存在若干制度隐患。

其一是微观财务机制隐患。投资信息披露不仅模糊、而且有系统误导。许多网络金融创新产品，连业内专家恐怕都很难搞懂，更何况普通的投资人。安然破产案就是一个很好的注脚。美国企业的外部会计本该向社会和向投资人负责，但由于新经济中无形资产较多、会计技术比较模糊等，外部会计不仅染指到企业内部，而且担负起咨询设计工作。这种机制，再加上"股票不断涨价"的共同需求（否则期权收入就是一纸空文），审计业（"查伪查弊查不法行为"）的初衷就不再能够落实。更何况美国的会计业和审计业从人力资源上讲本来就未实行分业。半个多世纪来美国人对会计审计和股市监控的信任应该说具有惯性，很容易缺少警惕和过于乐观。

其二是期权机制隐患。新经济扩张中的"期权"，事实上已不仅是一种激励，而且是一种无风险的"特权"：持有人在股市上涨时可兑现暴利，而在股市下跌时则并无损失。特权当然容易鼓励投机，结果是财务丑闻接踵而出。1/3以上的美国企业都不同程度地卷入，无疑不应仅归咎于CEO或CFO的个人道德水准。只要在公司财务报表上动几个字，财源就会滚滚而来。这种"点金术"当然诱导"经济人"乐于共谋和攫取"新经济剩余"。美国前总统经济顾问斯蒂格里茨就曾指出：企业股票期权不正式入账是不对的。如果CEO的首要任务不是发展企业而只是增值股票，则不出问题是不可能的。不过，当时华尔街的金融家们正得势，加上财政部的压力，正确的意见未能得到采纳。①

其三是宏观统计信息机制也存在隐患。数据不客观、弹性太大，当然会误导投资。美国统计机制和数据质量现已存有不少问题，对此官方已经供认不讳。由于统计方法不同，美国GDP的各项支出之和同收入之和的差距，在新经济运行中、特别是在近几年，已经不断显著扩大。改善经济统计的客观性要求提高原始调查数据质量。

---

① Joseph Stiglitz："美国金融体制需要更有约束力的法律框架"，法国《新观察家》周刊，香港《经济导报》2002年7月29日，第37页。

但在新的现实中，提高质量存在难以克服的困难。电子商务、风险投资、基金业绩，还有期权、衍生资本、外汇等，都是跨时空程度高而可变性强的资产。其定价和统计都是经济学和会计学的难题。美国现行政府有关机制也存在问题。联邦统计机构各自拥有的信息本应当进行共享，但它们却相互封锁。解除封锁对改进统计非常必要，但相应问题是缺乏统一的信息保密法。而该法的制定也有很多两难。此外，从 1995 年到 2000 年，高科技产品在实际 GDP 增长（每年 3.8%）中占三成，但是按现行统计方法，根本无法算出含有高科技的服务行业的劳动生产率的增长率。这一不足会使该指标低估 0.2%到 0.4%甚至更多。[①]

新经济扩张特别是衰退开始后，美国重要统计数据就曾多次大幅度地修改。例如，2000 年第三季度实际 GDP 增长率最早是2.7%，后调到 2.4%，再后又调至 2.2%。更费解的是，7 个月之后，该指标竟然又被进一步下调到 1.3%。又如，2002 年第一季度经济增长率就先后有三个数字：6.1%、5.8%和 5%；相应第二季度也有两个增长率：1.1%和 1.3%。再如，劳动生产率的测定也存在问题。1995～2000 年平均劳动生产率，按克林顿总统经济报告是3%，而在布什总统经济报告中，却是 2.4%。

281

这些隐患对于"全民炒股"、"（风险）投资"当然会有误导。经验数据表明，2000 年就已出现"资本过度"。也许就整体平均水平而言压力还不算太大。但由于"过剩"主要分布在诸如服务器、路由器、转换器、光线网和大型卡车等 IT 类资本品之上，因而其"压强"显然就非同寻常。

二、"长、短周期复合"导致这场衰退难以判定

规范的指标体系认为：经济增长必须连续两个季度下降才能判定为衰退。由此看，美国经济应该说至今还没有陷于衰退。美国财政部长奥尼尔 2002 年 3 月 5 日就曾声明：美国经济从未在 2001 年

---

① Economic Report of the President，2002.

衰退过。奥尼尔还说，2001 年第 3 季度，美国国民生产总值的确出现紧缩，但是第四季度又恢复扩张势头。这就意味着，美国并未达到经济持续 6 个月下滑的衰退标准，因此不能说美国经济出现了衰退。[①]

就 GDP 增长情况看，这场衰退的确处于是非之间。一方面增长并不算慢，另一方面波动又的确剧烈、且相对显著滞缓。2000 年第二季度，美国 GDP 增长速度开始放缓，增长率已从半年前的 8.3％峰值下降到 5.6％；第三、第四季度进一步下降到 2.2％和 1.0％。[②]到 2001 年，前两个季度实际 GDP 增长率也能维持在正增长水平；只是到第三季度才跌到－1.3％，然而第四季度又回升到 2.7％[③]。2002 年第一季度又跃升到 5％，第二季度再次滑落到 1.3％[④]，第三季度为 4％，第四季度是 0.5％。

282

按照美国的商业周期专门研究机构 NBER 的裁定：尽管美国经济在 2000 年上半年就已经显现疲软迹象，但是"经济衰退"还是从 2001 年 3 月才明确开始。NBER 的依据是 4 个重要指标：工业生产总值、制造业和商业的实际销售额、就业率，还有扣除转移支付后的实际个人收入。工业生产是在 2000 年 1 月达到高峰，制造业和商业的实际销售额是在 2000 年 8 月达到高峰，就业率是在 2001 年 3 月达到高峰，而实际个人收入则至今还没有达到峰值。上述指标峰值如此松散这一点表明：衰退时间的裁定在很大程度上取决于主观因素。

从现实看，"衰退"主要问题是出在"短周期"（3 年左右的基钦周期）和数十年的长期的结构性制度周期的调整方面。首先，主要发生在 IT 产业，主要是人力资源结构性过剩。这也是 NBER 强调"失业"[⑤]的注脚。裁员风潮中首当其冲的已经是 IT 白领。其

---

① 奥尼尔称："美国的经济基本要素正在恢复正常。"他同时预计，2002 年，美国的经济增长率将会再度提高，从而在年终达到 3％至 3.5％的增长率。他还指出，2003 年"美国经济将出现实质性增长"，但他没有预测增长率。

② Economic Report of the President，February 2001，p. 278.

③ 2001 年第 4 季度及以后的数字来源于 Economic Report of the President 2003，Chart 1—1.

④ 折合年率，《亚洲华尔街》网络版，2002 年 8 月 9 日。

⑤ 生计有保障时失业也许可以视为一种闲暇。

次，企业赢利模式康复等制度调整是新型调整的主要任务。最后，传统的 8 年左右的中周期的经济增长指标，由于所累积的"新经济剩余"和信息化全球化新型调控，并不曾表现出连续的中断。也就是说：中周期的增长中断实际上并不曾表现出来，传统的判定尺度当然无法施展。因此，"衰退"才如此难以判断，以至于 NBER 也不得不"偷换（传统的衰退）概念"。

三、"准衰退"：新旧经济转型中新型产业的急剧动荡

新型衰退不仅在时间上是新经济和新周期的接踵之物，而且在逻辑上也是顺理之章。当代世界经济正在从一种倚重自然资源、制造产业和民族政府的传统的国别经济转向一种倚重信息资源、网络服务和世界社会的全球经济。在这个过渡期，一方面"网络成本节约"导致劳动生产率提高和"经济剩余"累积。另一方面"金融创新"则要求更多地加以攫取，于是"信息和信任机制"难免容易扭曲，以至于"投资预期"不断偏高直至无以为继，其结果是"网络产业亢进"和"财务制度危机"。

既然新经济扩张的主要原因是劳动生产率的结构性提高，那么这场经济调整的主要任务也就应该是产业和制度的结构性调整。具体地说，新型企业和产业的赢利模式必须康复才能融入整体经济并能够持久下去。本轮经济扩张中，企业赢利离不开几大支点，即"生产率高"、"信息模糊"、"预期乐观"、"长期牛市"和"监控不力"。而除了劳动生产率外，其余的都已不复（同时）存在。通常在危机期间，劳动生产率每年仅能上升 0.8%。上一次（也即 1990 年到 1991 年）经济衰退期间，劳动生产率是下降 0.6%。而这次，即使是在 2000 年第四季度国民生产总值仅增 1% 时，劳动生产率却仍在以 2.2% 的速度增长。[①] 到 2001 年年底，也即经济"衰退"差不

283

---

① "美报说美经济尚不足以证明有关技术进步将避免衰退的看法"，新华社《参考资料》2001 年 3 月 16 日，第 7 页。"格林斯潘的魔药——生产率"，美国《今日美国报》2001 年 3 月 7 日。

多已持续一年之久时，美国政府的一项调低了的预计也表明：非农业部门的劳动生产率仍能以 2.1‰ 的平均水平在上升。[①]

这就提出一个新问题：为什么在劳动生产率增长很好、国民经济增长也并未中断（仅有一个季度负增长）的条件下，却爆发了公认的社会经济地震，以至于官方不得不宣布衰退？逻辑的回答是："制度结构转型"和"信息网络金融服务产业剧烈波动"的新经济结构因素的冲击力，已经开始超出传统周期增长波动的影响力。

由于经济增长趋势水平已处在"高原"地段，而不是像早先"滞胀"时期所处的那种"盆地"，因而即使出现周期性波动，其低谷也很难陷入负增长水平。于是周期性的不景气势必难以继续表现成首要的问题。美国学者曾提出过危机的"消失论"和"涟漪论"，应该说并非空穴来风。20 世纪 90 年代前十几年和后十几年劳动生产率平均水平几乎相差 1 倍，有力地说明"高原"的出现主要是归功于经济的网络化[②]这种结构性变革。与此相应的是：结构性冲击也主要集中在新型产业大量裁员、新型资产急剧缩水等方面。由于所影响的主要是人力资源，加之网络传播速度空前，因而这些冲击对社会心理的震撼力就空前沉重。新型衰退之所以需要新判别体系，是因为"人力资本"这项资源的重要性已经开始超过（传统的倚重制造产业的时代的）"实物资本"。事实上，NBER 最强调"失业"这一点，表明"开始以人力资源为首"这一点必须得到重视。

针对经济非负增长但速度又明显减缓的（周期）现象，国外一些学者曾提出"增长性衰退"概念。其含义是：经济波动虽跌离长期增长趋势，但还不至于呈负数增长。分析新经济周期时，这个概念显然非常重要，不过需要做若干修正和改造：（1）"新经济"背景（劳动生产率和增长趋势水平已显著提高）；（2）信息网络金融服务产业波动显著、落差悬殊；（3）不排除负增长，也不要求连续两个季度，"衰退"未必是"增长性"的；（4）是否都发生在结构转型期，还需要更多的样本。

---

① 按照该保守预测：从 1995 年到 2001 年劳动生产率年均增长水平也应该从 3‰ 调低 2.6‰。

② 也可分解成信息化全球化。

　　由此笔者毋宁提出"准衰退"范畴，目的不仅是为（美国当局）自圆其说，而且更是为了探讨和剖析"准衰退"中的新型调整机制。

四、"新经济"促成"实体经济繁荣"冲销"虚体经济危机"

　　"准衰退"从虚体经济发难，然后向实体经济渗透。金融产业、IT产业的资产和产值的虚拟程度很高，价值和价格的跨时空程度也很高。在长期"牛市"阶段，虚体经济能充分甚至是过分地配置经济（剩余）资源，而在持续"熊市"阶段，它又能过分地挫伤投资人信心和抑制劳动生产率的潜能。网络传媒革命基本完成后，镜像经济扭曲信号、挫伤信心的能力已空前倍增，[①] 已有可能"指鹿为马"和"反宾为主"，从而压迫实体经济衰退，即使是在劳动生产率增长迅速的时期。东亚金融风暴中，香港、新加坡经济的瘫痪，显然不是由于自身实体经济出了问题。当镜像经济粉碎了市场信心时，投资预期会全面同步急转直下，从而导致经济系统陷于踌躇、动荡和窒息。特别是在实体经济的真实冲击，如"石油涨价"和"反恐战争"等因素也同时存在的条件下。

285

　　尽管虚体经济对实体经济压力很大，但由于新经济前一阶段扩张中已经累积了大量剩余，且新经济已具备新型的网络调控手段，因而，这次"准衰退"中出现了一系列有悖传统理论的新现象：一方面，虚体经济，如信息咨询、网络金融、服务代理等行业的失业裁员、股市下跌等情况的确异常严重；另一方面，实体经济却并未曾或者说还没有衰退。汽车、房地产等业绩非凡，甚至连年开创新纪录，成为衰退中支撑经济增长的中流砥柱。美国家庭在准衰退中从房地产所获得的收益，竟然高达7万亿美元，几乎赶上股票资产

---

　　① 成思危："就虚拟经济给几位博士生的一封信"，《人民网》观点2003年1月14日。很大程度上就是根据国际货币基金组织和世界银行的数据计算，1997年年底全世界虚拟经济总量是140万亿美元，到2000年年底是160万亿美元（其中金融衍生品年末余额约95万亿美元，股票市值36万亿美元，债券余额29万亿美元），大体相当于全世界GNP的总和（约30万亿美元）的5倍。

缩水的价值！①

实体经济繁荣弥补虚体经济危机，消费增长替代投资下降，应该说都离不开新经济剩余。这又提出一个新问题：过去反衰退举措都在赤字财政条件下，而现在却在"盈余财政"之中（尽管由于反恐等意外因素，1年多后情况已出现逆转）；过去需求管理中消费需求和投资需求基本"同向变动"，而现在已出现"反向变动"，消费能替代投资，并能填补投资需求的空缺。

消费需求替代投资需求的一个原因，是"准衰退"中消费者时间偏好已发生变动。影响消费支出的因素有二：一是名义利率；二是时间偏好。"准衰退"前，美国名义利率趋于上升，消费者时间偏好也近乎稳定，结果是消费稳定和储蓄增加。储蓄主要通过股票投资转化成企业资本，进而推动经济持续扩张。"准衰退"后，一方面，利率被连续下调且幅度很大，另一方面，由于"储蓄规模可观"而"股市渠道投资堵塞"，再加上"9·11事件"的震撼（含企业和居民户的爱国热情），美国消费者的消费心理便容易趋于"即时（实物）消费"，从而导致消费持久趋热。

信息网络在这方面显然具有强大的促成和加速的功能。住房、汽车等消费支出迅猛增长，直接原因当然是利率有利，贷款利率降到40年来的最低水平。② 但中介技术原因却在于网络融资效率空前提高、贷款的时空跨度空前增大、网络促销的信息披露和交流更加及时和有效。例如，在下列融资机制中就不难发现网络的关键作用：购房热导致"房地产牛市"和"房价节节上升"；居民允许用房产升值部分作担保进一步向银行申请"房产权贷款（home equity loan）"，利息享受免税；所获贷款又可以用来购买汽车、家具、家用电器等耐用消费品。又如在促销方面网络的效率也是传统手段难以比拟的。汽车性能、房型结构，从来没有能够像今天这样全方位地及时地呈现在潜在买主的面前。

联邦当局不遗余力、因势利导是上述"需求替代"的保证。准衰退中前后已经12次降息，联邦基金利率由6.5%降到了1.25%；

---

① 李向阳："美国经济增长的前景"，《国际借鉴》2002年9月5日，第23页。

② 记者王建生："美国住房市场升温"，《人民网》新华社4月26日。

"9·11事件"后一次特别拨款就是400百亿美元；减税规模更高达1.35万亿美元，其中近年到位的已超过1400亿美元。不遗余力的结果是，"新经济"剩余很快被耗竭，"财政盈余"很快逆转为"财政赤字"。布什上台时继承了5.6万亿美元的财政盈余，很快用光不说，还欠下1.6万亿美元。[1] 据报道，2002年财政赤字是1590亿美元[2]。短短两年布什就动用掉7万多亿美元。

五、"不稳定复苏"有望加速、"高增长""高赤字"有望并行

287

动用"新经济剩余"进行"需求管理"和"需求替代"维持了经济增长，为走向复苏和高涨赢得了时间。如果没有"9·11事件"，则"准衰退"完全有可能早已摆脱，复苏的过程也不会如此漫长和曲折。2001年年底，许多经济学家和投资人士都一致看好，如果那时市场信心能得到扭转，则"财务丑闻"等雪上加霜式的冲击就有可能被缓释，"新经济周期"也很可能是另一番景象。

由于促成"实体经济繁荣"冲销"虚体经济危机"的"财政盈余"现已耗尽，因而今后一个时期将需要重新仰仗凯恩斯传统反衰退模式。就此而言，新经济周期中当局新型调控机制已经回潮，可以说已经出现复辟。尽管如此，通货膨胀率低、劳动生产率高、经济增长点新、人力资源观念新等等"新经济遗产"，无疑还会进一步发挥作用。

根据现有材料，有理由预期2003年的增长会逐步加速。在短期刺激方面凯恩斯需求管理是非常灵验的，这是对美国经济短期增长无须抱悲观态度的基本依据。"反恐"、"伊战"的刺激效果都不可低估；"减税"从需求角度追加支付能力的功能也毋庸置疑。近期出台的赤字财政预算规模惊人，刺激举措力度空前。2003年2月3日，总统向国会提交了数额庞大的2004财政年度预算，创造了美国历史

---

① 美国参院民主党领袖达施勒语。
② 文艳：《美国财政赤字要到2004年》，《中华工商时报》2002年10月29日。

上最大的年度赤字，是数 10 年来美国总统提出的关于政府职能变化最大的预算方案，建议支出 6950 亿美元刺激经济。而从 2003 年 10 月 1 日开始的 2004 财年里，布什也已经建议开支总额高达 2.23 万亿美元。"减税"步伐也将进一步加快和拓宽，2001 年和 2002 年的税制改革已经使税收减免分别高达 570 亿美元和 690 亿美元。

可以相信，高增长和高赤字并行的新时期正在到来。按照布什政府的预计：今年美国经济将增长 2.6％，明年的增长率是 3.6％。与此相应，2003 年财政赤字将高达 3040 亿美元，2004 财年将进一步达到创纪录的 3070 亿美元，今后 5 年内总计达到 1.08 万亿美元。①

短期增长有望加速的依据还在于：劳动生产率情况一直乐观，更新 IT 设备投资有望出现高潮。2002 年第三季度劳动生产率仍增长 5.1％，其中 2/3 受 IT 行业驱动。目前的增长主要集中在批发零售等传统服务及金融服务产业，都是新经济扩张时期利用信息网络技术力度最大的部门。"准衰退"以来，这些部门的新设备投资已经受到压抑②。目前这种累积了的压抑正在创造新投资机会：一般说来美国公司为职工每 3 年左右更换一次电脑设备；这个常规周期因为衰退已经延到 4 年多。因此，这些部门公司企业的电信设备更新潮有望很快到来。

短期增长乐观的理由还在于通货膨胀率一直比较低。在赤字财政下，短期刺激成效的克星就在于通货膨胀的上扬和加速。2002 年以来，美国的通货膨胀率几乎不超过 1％；近期即使由于战争和石油涨价，也不过处于 1.5％左右。这份新经济遗产，既可以为赤字财政提供空间，也可以为刺激消费创造条件。目前美国私人消费增长率仍然维持在 5％的高水平③上，利率仍然很低，而房价也还在升值④。因此，"低利率"和"分期付款"两大杠杆仍可发挥作用，住房和汽车消费需求仍可能继续增长。2002 年 12 月，汽车销售又恢复增长势头，房地产样板间门前也再度排起了长队，表明美国消费

288

① 人民日报驻美国记者王如君："再打减税反恐牌：布什提出新预算"，《人民网》2003 年 2 月 5 日，人民日报华盛顿 2003 年 2 月 3 日电，《人民日报》2003 年 2 月 5 日第 2 版。
② 经济学家斯坦伯格语。
③ 《导报》2002 年第 47 期第 10 页。
④ 据悲观估计 2003 年也会上升 4％左右。

者仍抱有信心。

六、美国"新经济"所要求的制度环境正在逐步形成

短期经济增长乐观并不意味着"信息－信任机制"的变革可以避免，也不说明"期权"等激励机制无须改造、企业赢利模式不需要康复，世界石油价格控制机制和国际经济新秩序能够和平到来。增长态势不错只是表明，制度结构调整的社会震荡有可能不再同经济衰退相伴随。剧烈的激进式改革很有可能转变成温和的渐进式改革。历史已经表明，社会制度变迁未必长期伴有经济衰退。美国19世纪末、20世纪初的"进步运动"，就曾延绵数十年。

制度结构调整任务可分解成国内国际两个方面。就国内而言，"减税"能否真的改善供应方经济？企业财务规制调整能否康复企业赢利模式？就国际而言，"反恐"和"伊战"能否更新"油价控制模式"？战后国际合作秩序调整能在何种程度上推进各国的信息化和全球化进程。

"减税"毕竟是政治妥协的产物，在调整经济结构方面难免存在局限。其一，减税法案是"9·11事件"之前颁布，酝酿时间甚至早于衰退，而当时财政盈余令人振奋。其二，减税虽能改善供应方经济，但毕竟要取决于受惠人反馈。而这种反馈要受信息、信任和预期的左右。其三，ATM（纳税最低限额）的存在（按比例减税等），实际是劫贫济富，对于小企业开创和成长的扶持作用有限。此外，就康复企业赢利模式和优化调整产业结构而言，布什减税方案应该说也错过了一些机会。中小企业，特别是新兴的IT企业，对于税收的调整从来都非常敏感，尽管这些企业在增进投资需求方面举足轻重。布什改革侧重的是个人所得税、鼓励的主要是消费需求，在大幅度降低个人所得税税率的同时并没有对公司所得税进行大的调整。其结果将是美国企业中"S型公司企业"[①] 迅速增加。[②] 理论

289

---

① 一种享受公司待遇却不需要缴纳公司所得税的公司法律形式。
② S型企业（还有合伙制企业）在税收上可以享受不少优惠。

上讲，S 型企业对于中小企业创业是有利的，但其信誉等级和稳定能力却比较弱，因而对重建企业信任链条难有大的贡献。

企业财务规制改革应该说已经取得进展。2002 年 7 月布什已经签署《公司改革法案》①，应该说是 20 世纪 30 年代以来美国金融业一次最深刻的变革。该法主要内容包括：1. 锁定 CEO/CFO 个人责任，公司定期报告必须经过 CEO/CFO 认证；2. 堵住依赖董事责任保险或申请破产逃避经济责任的退路；3. 禁止向 CEO/CFO 提供贷款，公司财务报告如果有重大违规，管理者将丧失业绩报酬；4. 设立"保护举报制度"和 SEC 解职令；5. 设立公司审计委员会并要求全部由独立董事组成，并严格界定了"独立"的含义；6. 强化外部审计，创设"公众公司财会监管委员会"（PCAOB），一种可由 SEC 控制的自律组织；7. PCAOB 负责对注册审计事务所进行年检，并有权调查和处罚；8. 禁止外部审计向上市公司提供与审计无关的服务。

"股票期权"激励机制的改革比较复杂。这方面现已出现许多共识，并开始成为建设性举措。鉴于期权买卖双方的基本问题是信息不对称，因此可以借助布莱克—斯科尔斯的期权定价模型，用到期时间、当前股价、执行价格、股价预期波动范围、市场利率以及预期的股票红利等变量来测定期权的价格。有了定价方法和确定的价格，会计就可能合理操作，将它计入公司成本，并从当年营业收入中扣除。此外，在执行过程中，还可以考虑让获得股票期权的经理人员也负担部分成本。此外还有一些值得注意的改革思路：1. 提高使用期权进行激励的代价，控制对期权的滥用；2. 扩大员工保留退休金的权利和增加对欺骗行为的惩罚，降低企业扭曲会计信息的诱因；3. 降低经理人员的权力，可以分离董事长和 CEO 这两个职位，并使每个董事都更加重要，等等。②

就油价控制机制和国际秩序重建而言，目前"对伊战争"势必会带来许多不确定因素。但就中长期角度看，战争应该是美国"新经济"重新扩张的"海外加速器"。1991 年的海湾战争后，紧跟着就是美国经济的 10 年高速持续的扩张。1998 年第二次屯兵海湾的

① 即，《Sarbanes—Oxley Act》，简称《萨巴尼·奥克斯勒法案》。
② 建议和动向。例如，哈佛大学商学院 Brian Hall 教授就指出了这方面。

日军费开支高达 7000 万美元，加上科索沃战事，道琼斯指数才从 8000 点飙升到 11000 点。这次对伊开战战幕已经拉开，战事应该不会拖久，成本估计在 400 亿～1000 亿美元之间，[①] 不过美国 GDP 的 1%。美国参加第二次世界大战的成本是 GDP 的 38%，朝战是 14%，越战是 9.4%，1991 年海湾战争是 1.5%。[②]

　　战争对人类是一场灾难。但对复苏中的美国经济却可谓"福音"。至少，美国军工及相关产业都可立即改观。"9·11 事件"后，美国多数产业都受到严重打击，道琼斯指数一路下滑；但军工产业却一枝独秀。事件发生后几个月内，与军火工业相关的公司的股价全都"牛"气冲天、一路攀升，即刻由"衰退产业"变为"繁荣产业"。生产导弹的雷锡昂公司的股价很快上涨了 105%，而洛克希德·马丁公司的股价更是上涨了 190%。[③]

　　除了加速经济增长外，战争还能扩大美国武器出口份额，展示军火武器优势并起到促销作用。1986 年，美国在国际武器市场的份额是 30%；到 2002 年已经接近 60%，几乎翻了一番。[④] 战争在经济资源配置上的副作用，显然也可以直接地分摊或间接地转嫁出去。例如，用战利品"石油（价格控制权）""买单"，推行战后新"马歇尔计划"，等等。最后，石油价格控制权是重建世界经济秩序的关键，美国完全可以加以利用，出口更多的美国"制度产品"。

①　萨缪尔森对战争成本的估计是 400 亿美元。
②　席雪莲："布什'倒萨'的经济效应"，《工商时报》2002 年 9 月 18 日，第 8 版。
③　王崛生："大炮一响　黄金万两"，《人民网》2003 年 2 月 18 日。
④　王崛生："大炮一响　黄金万两"，《人民网》2003 年 2 月 18 日。

12.新时期美国经济
运行机制变革短论

（1）经济衰退迫使当局寻求新的调控机制*

292

　　美国经济这次经济衰退中值得注意的问题主要有三：其一是房地产萎缩和其他三产过剩；其二是金融"梗阻"；其三是美国当局传统调节手段失灵。

　　战后美国第三产业迅速发展并曾经长盛不衰。20 世纪 80 年代服务业也曾有辉煌的表现。1982 年年底以来长达 92 个月的经济扩张中曾出现两大高潮：一次是 1984 年，国民生产总值年增长率高达 6.77％；另一次是 1988 年，增长率也达到 4.46％。第一次增长高潮中工业生产增长曾绝对下降，只是由于同期服务业始终强劲有力，才使得工业的负增长得以冲销，整个经济增长势头得以保持。服务业在整个美国经济中占到 2/3 以上的比重，其出口比重比较小，抗外资冲击能力比较强，因而它的兴旺对于整个经济增长可谓举足轻重。

　　但是，在这次经济衰退中，美国的服务业却很不景气。实际情况是，衰退一开始服务业便遭遇挫折。从 1990 年 8 月到 1991 年年初，零售业、金融业、服务业等产业所解雇的"白领"人士，就曾

---

　　* 本文系萧琛参加中国社会科学院世界经济与政治研究所和美国研究所召开的"西方国家经济发展周期理论问题讨论会"的发言，发表于中国社会科学院《世界经济》杂志 1991 年第 8 期。

达 20 多万人；夫妇双双失业者不再鲜见。

服务业中衰退最早最严重的是房地产业。房地产业曾长期享有种种税收优惠，加上各种福利措施和推销技术，这一产业实际上早已吸收投资过度。1986 年税制改革法实施之后，不动产投资中的种种"税收庇护"已经被扫荡殆尽，加上市场趋于饱和，房地产当然难以振兴。衰退出现前的两年中，房地产实际上已经很不景气。房地产业的萎缩，势必要殃及建筑、建材及其他相关产业，并导致房价下跌，房主资产缩水，从而进一步导致消费支出缩减，引致与加剧经济的"衰退"。

可见，第三产业在整个经济中占有绝对优势地位，而其本身增长势头又趋于饱和之际，在由传统的需求管理转向供给经济学的进程中，如何维持充分就业和低通货膨胀下的经济增长，是美国当局不能不严肃对待的新课题。

293

这次衰退暴露出的另一个重大问题是：美国几乎几十年未变的金融管理体制，已经不再适合于当今的经济周期现实调控的需要。在某种意义上，金融危机乃至金融管理体制的危机，是这次经济衰退的罪魁祸首。20 世纪 70 年代以来国际金融市场上至少已经刮过四次"台风"。西方专家称之为"四不"："不通货膨胀"、"不通过金融中介"、"不规则"和"不再限制信贷"。

"四不"冲击使得美国银行逐渐处于风雨飘摇之中。加之 20 世纪 80 年代巨额外资汹涌流入美国和高科技、电子化所带来的融资手段的变革，美国金融管理体制实际上已经捉襟见肘、穷于应付。Q 条例的废除、国民银行借助电子手段跨州经营、险情胜过 1929 年和 1987 年"股灾"、以"借债兼并"为特征的企业兼并浪潮，等等，无不向传统金融管理体制提出了强有力的挑战。

1987 年"股灾"之后，"总统市场机制调查团"（即布雷迪委员会）曾建议应当更具体、更密切地干预金融市场；授权某一联邦机构制定交叉市场（cross－marketplace）管理办法；扩大"期权"交易的"垫头"；等等。但时至 1991 年年初，联邦当局对这一系列涉及到 30 年代重大基本立法的问题，基本上是仍然处于观望或曰心有余而力不足的状态。在这次经济衰退中，政府当局曾花费巨资，解救因营私作弊而大量倒闭的美国储贷业。为此联邦不得不接管价值几百亿美元的房地产。而这又不免要进一步压低房价，使得萎缩中的房地产业雪上加霜。

此外，由于新的有效的管理机制迟迟不能出台，金融业投机作弊、快快发财之风猖獗。联邦政府当局对此当然不能不加强监控。严加监控的结果又导致各大商业银行及其分支机构纷纷限制贷款，造成工商业资金紧缺、投资税减。当然，信贷收缩也有银行业内在的原因：其一是银行呆账增多；其二是国际清算银行提高资本充足比率。

这次经济衰退还表明：联邦储备当局往常的调节手段已不再奏效。1991年以来，尽管联邦储备降低贴现率、联邦基金目标利率和存款准备金比率，商业银行仍然谨小慎微、明哲保身，不愿放松银根。甚至在联邦放松了7年以来没有更动过的商业银行储备条例，取消了以往将短期定期存款3％作为储备的要求，将110亿美元的存款解冻之后，商业银行仍如古井之水不起波澜。

传统调节机制不灵的原因很多。例如，联邦财政赤字及巨额债务，使得联邦政府干预经济的规模和力度有限，等等。布什总统甚至公开表示，不打算采取"反衰退"措施，而是强调要依靠"美国经济自身的活力"。这一点，一方面说明当局正在摒弃"需求管理"模式，另一方面也反映政府已经力不从心、有难言苦衷。

为了应付积重难返的金融困难，为了较好地适应产业结构"软化"以后的新形势，美国当局寻求新的调节机制已经迫在眉睫。今年2月5日，美国财政部提出一项内容广泛、意义深远的改革方案。内容包括：（1）允许银行介入证券业、保险业和互惠基金业务；（2）允许工商业机构和证券业机构持有银行；（3）三年内取消对国民银行的限制，允许到各州设立分行；（4）调整银行管理体制，将目前的四个管理机构（联邦储备、通货总监、联邦存款保险公司和存款总监）精简成两个。由联邦储备监控州银行及其控股公司；由财政部的联邦银行局负责监督国民银行及其控股公司；等等。

银行业与证券业的分离是"1933年证券法"的重大成就，也是战后经济长期顺利的重要原因之一。允许银行业与证券业破镜重圆，无疑是对传统的基本金融立法釜底抽薪。无论这一立法在执行过程中的命运如何，新的金融格局都势必逐渐成型，并在立法层次上最终得以稳定这一点，应该是没有疑问的。

20 世纪 80 年代中期以来，供应经济学已经由政治上的旗帜转化为经济实践，1986 年的税制改革、1988 年的外贸改革、1989 年的美国加拿大自由贸易区，等等，已经令人目不暇接。预计 90 年代这次经济衰退过后，金融改革、科教改革、人力资本政策调整，乃至跨国公司的监控与管理等问题，都将被提上当局重要的议事日程。

（2）20 世纪 90 年代初 "新型失业潮" 与就业前景*

295

美国经济率先 "进入持续温和的增长时期" 已经 3 年，但就业前景依然暗淡，许多专家称之为 "没有工作机会的复苏"。

1993 年美国公司共裁员 61.5 万人，创历史最高纪录；1994 年前 7 个月又有 31.9 万名劳工被解雇。职员不足百人的公司在 1994 年 6 月之前约有 15％的裁员，而职员超过 1 万人的公司的裁员率为 37％，预计 1994 年的失业率仍将高居 6.5％左右。实际情况更严重，美国劳工部估计，全国至少有 120 万人因为屡屡碰壁、灰心丧气而不再去职业介绍所登记，大约 620 万人在长期打零工，使实际失业人数达到 1620 万人，实际失业率高达 12％。

失业潮绵延不绝、性质迥异、非同凡响。《时代》周刊认为 "就业的黄金时代已经结束"。经济复苏几年后解雇潮仍然一波未平一波又起的情况，可谓史无前例。战后六次失业潮中，经济复苏 3 个月后失业率都有显著增长，而这次却是在 16 个月之后才开始缓慢回升。过去服务业和白领阶层就业一直看好，而这次技术人员、经理人员、高级工程师和资深科员等，都统统被无情卷入。

1994 年裁员最多的部门是电讯与电脑业，其次是航空航天、运

---

* 本文系世界经济形势年度回顾展望的发言，发表于《人民日报》1994 年 12 月 6 日和中国社会科学院《世界经济》杂志 1995 年第 2 期。

输、石油、医疗保健、金融服务等。1987～1994 年，IBM 公司所裁减的职工已超过原有职工人数的一半，达 19.2 万人，AT&T 公司则解雇 10 万左右。更棘手的问题是再就业变得非常的困难，能够找到的工作往往也都是一些工资很低的粗杂活，而就是这些工作也很不好找。例如，底特律邮局要招聘一些营业员、分拣员和邮递员，名额只有数百，但报名应试者却超过两万。

严峻的形势给大学毕业生和其他劳工的就业前景也蒙上了一层阴影。劳工部认为从现在起到 2005 年，美国的大学毕业生将至少有 30% 的人找不到对口的工作。就业困难还势必影响社会治安。联邦《武器法案》和《打击犯罪法案》，以及个别州的《禁止携带攻击性武器法案》等，之所以能够在近年得以通过，甚至"午夜篮球俱乐部"等活动也遭比较一致的非议等，都与就业和治安问题不无关联。

296

长期地看，新型失业潮更是不同寻常。新型失业的根源在于微电子技术正在将劳工市场推到一个新的十字路口。所谓的"第二次产业革命"，正在加速度地用高技术替代劳工。应用计算机控制生产流程以后，美国普通小钢厂生产 1 吨钢只需 10 年前所需劳力的 1/12。信息技术还被广泛用于现代办公，导致中间管理层日益成为累赘。90 年代前 4 年，美国中层经理已经减少了 1/3。据统计，美国因此永久性失去的工作机会已高达 130 万人，此外，还有大约 500 多万的劳工被迫减少工作时数。

冷战结束无疑也在为失业潮推波助澜。1986 年美国军事开支占国民生产总值的 6.5%，而到 1997 年将逐步降到 3.7%；军事采购在 1987 年曾达到 1060 亿美元，到 1997 年将减为 500 亿美元。军事开支减少使军工企业被迫大量裁员以应付订货下降。美国国防工业 1986 年高峰时雇佣工人 670 万人，近年已降到 250 万左右。

克林顿总统的增税和医疗保健等改革动议，也导致企业尽可能多用新技术替代劳工。克林顿改革旨在扩大福利受益面而同时减少政府的负担，这势必导致企业的劳工费用支出增加。去年 9 月克林顿公布的精简政府计划，无疑会进一步加剧就业的恐慌。该计划决定在 5 年内进一步裁员 25.5 万人。1994 年以来，劳工部长里奇已向国会提交了《劳动保障法案》。这是对 30 年代以来的失业保险制度所做的全面修订。其宗旨正如里奇所言，"我们需要的是一个重新就业的制度，而不是（过去那样）一种失业（救济）制度"。这表明美国劳工市场机制正处在一场半个世纪以来的大调整中，现阶段的新型失业很有可能不过是历史长河中的几波初潮。

根据美国劳工部的预测，从 1990 年到 2005 年，美国新增的就业将为 246 万个，增长率仅为前 15 年的一半。就制造业劳工人数在就业总人数中的比重来看，半个世纪以前超过 27％，目前已经下降到 17％左右，预计到 2005 年将会进一步下降到 12％。

新型失业潮已经使得美国乃至整个西方许多传统的就业观念在发生变化，"职业择一而终"，已成昨日之梦，"终身饭碗"已变得摇摇欲坠，"去海外谋生"开始成为新的选择，"一技之长"也被注入了新的内容，软件专家、推销专家、公关专家和企业医生等，都是综合性的新型技工（skill mix）。此外，工作和生活的分野也在变得模糊，集中在都市的劳工正在回归郊区和大自然，"到一片绿色中去（工作）"已开始成为时尚。

297

（3）经济转轨运动正在向纵深推进[*]

尽管今后 10 年势将进一步出现大量"和平红利"，尽管"返回被遗忘了的美国"的呼声很高，但将大量资源由军工转向民用仍是一项空前艰难的任务。因为，经济转轨（Economic Conversion）的障碍不仅来自技术领域，而且来自政治权力、既得利益和习惯势力方面。转产实质上是"对于政府特别经营权的深层次的挑战"，并意味着长期庆幸于从事低风险高利润的军火承包商们巨额财富的丧失。因此，他们往往宁肯听凭设备闲置直到工厂关闭，也不愿意改造生产线以转向民用生产。官方情况也大致如此。国防部下为处理军事基地关闭遗留问题而设立的经济调整局（OEA）长期以来竭尽敷衍塞责之能事，"与其说他们是在帮助社区摆脱对军事订货的依赖，不

* 本短文源自萧琛、王直、杨悦的合作研究，萧琛执笔压缩提炼，发表在中国社会科学院《世界经济与政治》杂志 1992 年第 12 期上，署名萧直悦。

如说他们是在怂恿社区向五角大楼要钞票"。此外，国防部一直试图使军火生产尽可能分布到较多选区，以增加更多选区的议员们投票反对新武器研制项目的难度。

尽管有上述阻力，转产运动的社会基础仍然非常深厚。全国435个选区中有321个实际上每年都在缴纳"准五角大楼税"，他们承担的国防税金总是（大大）高于他们的军事薪俸和订货等项目的收益之和。因此，一个旨在推动经济转轨（Economic Conversion）的广泛的"转产联盟（Coalation）"业已很快地初步形成，一场全国性的军转民问题、科技体制与政府干预程度的大辩论也已经全面展开。

通过解放资源并形成一个新的有效的军转民计划管理机制，实质是重建美国工业，为新形势下的竞争与繁荣铺平道路。其次，转产运动还能有助于提高工人在投资、生产、停产、自动化和解雇等方面的民主管理权，因为成功的转产其各个环节都离不开工人与工会的配合。再者，转产对于地方市镇、区域和社会经济的复兴，特别是城市中心地带居民生活条件的改善也将产生巨大影响。20世纪80年代联邦政府这方面的拨款因对外强硬路线等因素而急剧下降，市政府面对日积月累并堆积如山的社会问题日益无能为力。而据近期一项为全国市长会议（USCM）所做的研究报告表明，今后5年将至少有300亿美元军费会转用于市镇建设。

298

迄今为止，州一级政府中已经完成转产立法者至少已包括科罗拉多、康涅狄格、马萨诸塞、明尼苏达、新墨西哥、纽约、宾夕法尼亚和华盛顿等九个州。市政一级官员与管理人员也纷纷卷入了转产辩论热潮。区域性、地方性经济转轨评估也都已指定了专门机构负责。在首府华盛顿，一个由国会议员、地方官员、工会领导和经济学家所组成的倡导转产的私人组织——全国经济转轨和裁军委员会（NCFECAD）已经成立；在加州硅谷，一个作为全国转产技术情报交流与咨询的机构——经济转轨中心（ECC）也已经组建；在基层，著名的工会下属组织"和平与就业共促会"已经说服并组织了近百个城市中心地带的贫民举行转产请愿，要求政府当局就裁军对地方经济的影响进行权衡，并向住宅、医疗、教育和其他社会福利项目增加拨款。

地方转产运动声势浩大，但转产的成功还是要取决于联邦当局能否制定一项通盘筹划的全国性立法，而且这些立法又能够胜任于建立一套行之有效的资源再配置的指导与调控机制。目前国会已提出的转产议案已经有三个。其中一个由纽约州众议员泰德·威斯（Ted Weiss）提出。该议案已经引起各国的关注，并正在成为各国效仿的样板。

《威斯议案》主要内容包括：（1）设立全国国防经济转轨委员会，负责制定指导转产的文件；（2）要求军事基地、实验基地和百人以上的军工企业建立转产委员会，违者将不能获得有效的军事订货；（3）建立全国性就业网络以帮助重新就业，并为此设立一项"经济转轨基金"；（4）转轨基金的重要来源是军火销售额的 1.25% 的提存。今后军事订货合同上将对承包商附加这一条款。《威斯议案》还提请公共经济政策制定者注意：创造一个有利于经济转轨的政策环境；对于那些社会影子价格较高但缺少市场需求的转产项目实行倾斜；扶持非污染产业的发展；提高能源利用能力与开发新能源；鼓励多样化经营企业维持适度的规模；改善公共交通；兴建价格可行的住宅和卫生防疫设施；提高教育质量等等。

（4）零仓储管理技术与企业经营机制变革[*]

近 10 年来，零仓储管理技术在美国制造业中已经广为流行。这一新型管理制度也被称为"准时制"（Just－In－Time，简称 JIT）或"恰逢其时"的生产。因为它将进料、生产与交货环节紧密衔接起来，"只在消费者需要的时候按所需数量与品种规格生产与交货"。从而能够基本消除零部件与制成品等各种库存，节约资金占用和仓储管理费用。

JIT 系 20 世纪 60 年代由日本丰田公司首创，其后很快被日本企业广泛接受。80 年代以来，美国制造业在国际竞争中频频遭挫，

---

* 本短文源自萧琛指导的北大国际经济系苏迎同学的本科毕业论文。由萧琛执笔压缩提炼，发表在中国社会科学院《世界经济与政治》杂志 1992 年第 12 期上，署名苏迎。

并且易受到来自日本的日益强有力的挑战。美国一些专家认为生产管理技术落后是美国企业失利的重要根源。为此美国企业开始注意研究与移植JIT等日本管理技术。

美国率先采用JIT的企业主要是在那些面临日本企业竞争压力的产业，如汽车、计算机与办公设备等等。福特、通用、克莱斯勒、惠普、IBM、NCR、施乐等著名美国公司都是移植JIT的先驱。这些公司引入JIT之后的经营实践证明，新型管理方式在美国非常适用。据估算，美国实行JIT的企业其生产成本要比传统管理方式下低40％！而且这还仅仅是这场变革的开始。到80年代中期之后，这一技术在美国进一步迅速推广。1990年美国采用JIT的制造业公司已经开始超过一半。另一个值得注意的动向是，JIT目前已经不再主要限于生产性产业，而且日益在销售性产业甚至服务业中迅速广泛流行。JIT正在引发一场美国企业经营机制的变革。因为，为了适应这一新管理技术的各种要求，美国企业特别是创造业的经营管理方式已经发生以下重大变化。

300

第一，传统的原材料采购方式正在消失。传统采购行为是：原材料和零部件的订购通常都是大宗的、不确定的，并且交货前必须履行许多手续，如填写各种单据之类。JIT认为"物资滞留和贮存都是浪费"，要求公司与供应厂商建立长期的固定的采购关系。采购成为确定的、小批量的、频繁的，不再需要履行繁琐的手续，而且通过电话，电传等随时都可以改变采购数量。例如，惠普公司就将供几个小时生产使用的物资的采购分为几批，由机动卡车直接分送各生产线。

第二，工序分解粗线条件，工种的概念甚至趋于消失。传统的流水线生产分工极细。如美国钢铁厂工种多达300～400个。而如今工种数已下降5/6左右。如美国钢铁公司的一个分厂就已经将原来的86个工种减至16个；而（与日本合资）沃特钢铁公司的一个下属工厂则完全取消了工种，每个人都要求成为多面手。

第三，批量生产的内涵改变。传统批量生产的基本特点是品种规格标准统一，批量地产出与检验，并始终保持一定的库存。JIT则要求"有求立供、供随求止"；认为库存应当为零。由于电脑编程技术，品种规格能够很快适应市场日益个性化的消费者需求。例如小汽车生产，几乎很少有完全相同的车。这对信息、生产的及时性与灵活性必然提出很高的要求。通用汽车公司的"土星牌"汽车车间，设有101扇门。前生产线上的某几辆汽车需要安装某种座椅时，座椅厂商便按事先接到的电脑指令，立即用机动车将该种座椅运到装配车间的某一段，相应的那扇门也会按指令及时打开。

第四，流水线的固定性已被否定。JIT 要求企业同一流水线能够灵活变换功能以生产不同规格与品种的产品。为此许多厂商已经开始采行一种新的生产布局，不再将机器设备固定于车间的某一空间，而是使用快释钳，使机器设备能够快速移位，灵活组合。

第五，呼唤新型劳工。传统生产管理体制下，脑力劳动与体力劳动分工比较明显。工人一般只是按图纸办事。JIT 要求工人能够灵活运用电脑编辑各种生产程序，密切同设计人员配合以确定新的方案。这就要求工人的生产技术素质和采购、营销素质都比较高，即有"Skill Mix"（混合技术），否则便不能胜任 JIT 下的种种"Job Mix"（混合工种）。

（5）高技术投资比重上升之后固定资本
投资势头的再评估[*]

经济学家与有关统计学专家们对于 20 世纪 80 年代以来美国资本投资势头的强度等问题，一直众说纷纭。分歧的症结主要在于高技术产业的兴起及相应投资的衡量方面的困难。传统的投资强度的判断指标体系主要是：（1）作为 GNP 份额的总投资；（2）作为 GNP 份额的净投资。两套标准的差别在于对折旧的取舍。鉴于高科技条件下的资本设备折旧问题日益复杂，而传统的统计指标尚不能正确反映，因而学者们难以胜任新时期投资势头的判断任务。

计算机总投资属于全部资本支出，而净投资则要扣除折旧部分。

---

* 本短文源自萧琛指导的北大国际经济系邵装同学的本科毕业论文。由萧琛执笔压缩提炼，发表在中国社会科学院《世界经济与政治》杂志 1992 年第 12 期上，署名邵装。

这一全部扣除或全部保留不论在理论上还是在现实运用中都存有明显的缺陷。折旧衡量的可行性和投资是否只被简单地用以替代已消耗的资本等等，都是不确定的和难以客观衡量的问题。从经验数据方面看二者对新时期投资势头的判定结论也不仅大相径庭，而且可以说是尖锐对立。1975 年以前，用两套指标建立的两条投资势头曲线基本上是随时间同向起伏；1975 年之后，两曲线则常常冲突，甚至反向波动。总投资份额到 1989 年上升了 164%，而净投资比重却下降了 5%！

302

两标准对立的根源在于折旧部分的增长率较快。20 世纪 70 年代中期以来，美国高技术产业迅猛发展，在总投资中的比重迅速大幅度上升。然而高技术区的资产使用年限很短，更新淘汰速度可谓传统产业难以相比，因此这些资本品折旧率很高导致全部投资的性质发生变化。净投资无视这种变化，而总投资则仍旧使用老办法，未能考虑高技术投资在传统统计标准下会造成下列错觉：（1）资本品使用期短意味着生产率提高；（2）资本品使用期短意味着长期实际资本减少；（3）高技术资本品价格下降意味着生产率下降等等。

高技术对传统指标体系的扭曲迫使经济学家与统计专家们寻求一套新的投资判断标准：资本投入指数（capital input indexes）。该指数以高技术投资比重增长为背景，先测量与计算每类资产净储量的增长率，再进行加权、综合并予以指数化。权数可随时间等因素及时进行合理调整，以便能客观体现每一种资本品的生产率及其变动。

运用资本投入指数可以矫正高技术对投资统计的扭曲。例如，为高技术确定一个较大的权数，可以调整"高技术投资代表高生产率"问题；直接计算各类资产的增长率可以调整"高技术"投资对实际投资增长的长期作用减弱问题；而每年计算新的权数则可以调整"下降的价格意味着下降的生产率"这一扭曲；等等。

利用资本投入指数和相应统计数据还可以进一步建立 HT 指数和 BLS 指数。HT 指数主要是利用高技术统计数据库数据，而 BLS指数则指利用美国劳工部统计数据。二者资料来源虽然有别，但两种指数都表明美国投资势头的强度在 20 世纪 80 年代既不是如总投资标准所反映的增长较快趋势，也不是如净投资标准所体现的下降趋势，而是基本持平，既不更强，也不更弱。

根据新的指标体系，美国 20 世纪 90 年代投资势头可望乐观。这方面的专家认为："90 年代美国很可能成为世界上其他国家开始对美国经济实力感到担忧的 10 年。"不过也有一些经济学家认为最好不要对未来先抱如此厚望。

（6）第四次企业兼并浪潮近期动向刍议 *

美国企业第四次兼并浪潮近期动向在于：它正从制造业波及金融业和服务业；一种新的半持久性联盟正在出现，而且这种联盟的参加人往往又是那些长期以来争夺激烈的生死冤家。

303

20 世纪 70 年代美国银行业兼并事件每年为 143 起，而到 80 年代后期，每年迅速上升到 500 起以上，1987 年和 1988 年分别都接近 60 起。近年来，美国十大银行中的五家，化学银行、汉华实业银行、美洲银行、太平洋国民证券公司和大通曼哈顿银行都宣布了大兼并、合并或联合的轰动性消息。

银行业改组动荡的根源在于 20 世纪 80 年代逐步积累起来的各种矛盾在这次服务业型的经济危机中已经空前尖锐。由于 10 多年来的风起云涌的金融创新活动，80 年代银行业的"四不"台风、制造业等大举借债兼并及相应的垃圾债券投机风潮，再加上国内外银行管理法规与竞争态势等因素，美国银行业倒闭数量激增且高得惊人，而联邦存款保险与储贷保险系统对此又已经力不从心甚至无能为力，因而通过市场办法，扬长避短，互济余缺，维持竞争能力并力图振兴与发展，显然是势所必至的。而联邦当局的各类宽松与鼓励政策显然也是推波助澜的因素。

近期银行业兼并的趋势与特点是：（1）银行破产率在各州差别比较大，且与各州经济状况与政策差异直接相关。这说明联邦当局

* 本短文源自萧琛指导的北大国际经济系高少波同学的本科毕业论文。由萧琛执笔压缩提炼，发表在中国社会科学院《世界经济与政治》杂志 1992 年第 12 期上，署名高少波。

的调控能力有所减弱。（2）经济较为单一的那些州往往对银行的跨州经营和多样化经营提供较多机会；而经济较为多样化的那些州的情况则正好相反。（3）银行兼并中目标银行投价上升幅度往往高于投标银行股价下降幅度，导致股东财富的净增长。（4）目标银行的不正常利润与投标银行的资产规模相关程度较高。（5）银行经营战略正偏向注重高收益率的业务与市场而往往有欠稳健。为此不少专家颇为担忧。但从目前情况看，美国银行业的兼并还不失为一种有助于健全管理和提高效率的较为有效而健康的机制。

　　第四次企业兼并浪潮近年来进一步在其他服务行业中引起动荡。菲利普·莫里斯公司已购进美国食品业巨头克拉夫特公司，成为当今全美最大的食品公司。而在此之前 3 年，克拉夫特公司购入了通用食品公司。此外，这次浪潮中值得注意的新动向还有：一些多年的冤家死敌如今竟"携手拥抱"、结成一种新型的半持久性联盟。例如，苹果机和 IBM 一反美国个人奋斗传统而联手对付来自日本和其他区域的竞争。通过"KALEIDA"项目，IBM 出"环境"、苹果机出"智慧"，外加一个摩托罗拉公司补足新芯片开发所缺少的技术力量。又如服务业中举世闻名的可口可乐公司与百事可乐公司，如今也已进行联合。

304

　　对于上述兼并活动及其动向，美国学术界说法不一。"效率论"者认为企业间的经济效率差别是兼并的基本动因；"合作论"者则强调各取所长与相互补充的必要性；"纯多样化经营论者"着眼的又是经营风险与产业转移的灵活性；"战略论"者则主张兼并活动起因于经济环境今非昔比。尽管如此，争议焦点实质上还是集中在"代理与管理"和"税收"问题上。"代理"问题产生于经理与股东（及其他债权人）之间的冲突。产权所有者在新形势下需要新的机制来制约经理的"自我服务"。"接管"显然是达此目的的最新的机制来制约经理的"自我服务"。"接管"显然是达此目的的最后也最有力的手段。"管理"问题产生于另一角度。它强调公司企业的适度规模与效率经营。"税收"在解释兼并活动中并非主要因素，但却不可忽视。"纯操作损失"、"税收信用"、"累积财富"以及其他资产的税率变动，都可以影响兼并活动。遗产税问题就曾导致许多老人出售企业。因此，新税法与兼并的关系也值得研究。

（7）股票指数期货交易的推出与流行

近十年来美国证券市场上迅速广为流行的新型金融工具是股票指数期货（Stock Index Futures），其交易对象不是一般的（包括黄金在内的）商品，也不是一般的（包括外汇在内）货币与其他金融资产，并且也不是一般的期限（options），而是对于一揽子股票价格指数变动的把握能力与补抛勇气。交易通过买卖期货合同的方式在美国各大正式的有组织的交易场所合理合法地进行。股票指数期货交易合同以指数水平（以"点"为单位）为基础折算成现金来作价买卖。通常每一"点"代表 500 美元。股票指数为 300 点时，股票指数合同的价格即为 $500 \times 300 = 150000$（美元）。由于股票指数期货交易是一种保证金交易，因此在 300 点时取得上述合同并不需要真的支付 15 万美元，而只是一小笔保证金。交易者在合同到期之前可以随时在有利时点买卖或对冲合同，收取买卖差价。交易者也可以在合同到期交割日按交易清算所的结算价格确定盈亏，进行现金收取或支付，并不需要真的出纳一揽子股票。

SIF，交易方式于 1982 年 2 月 24 日最早由美国堪萨斯城交易所推出，所采用的是股票价值线综合指数。当时利率、汇率和通货膨胀率都居高不下，股票资产拥有人纷纷惶然寻求有效保值途径。因此，这一新式期货合同当天便成交 1800 份。其后影响迅速扩大，如今美国证券市场上已有十种股票指数期货。其中最有名的是斯坦德与普尔 500 种股票价格综合指数期货。它的交易量已经上升到美国所有期货的交易量排名的第二位。而各种 SIF，期货交易总额如今也已成为仅次于利率期货和农产品期货的第三大期货。此外，伦敦、东京、香港、悉尼等世界性金融中心也都已推出了自己的 SIF，期货。

---

* 本短文源自萧琛指导的北大国际经济系于江淳同学的本科毕业论文。由萧琛执笔压缩提炼，发表在中国社会科学院《世界经济与政治》杂志 1992 年第 12 期上，署名于江淳。

SIF，交易的迅速广泛流行的原因可以归纳为以下几个方面。首先，SIF 的交易费用很低，可以"小本搏大利"。因为：（1）保证金水平很低，仅为交易额的 5.5％ 左右，而股票市场相应费用为 50％；（2）佣金水平也比较低，每次每份（S&P）SIF 合同仅收费 32 美元，仅为合同价格的 0.02％，而股票交易的相应佣金比率为 1％～3％。其次，SIF 交易在股票资产保值方面有不少长处：（1）可以避免股票单一风险。SIF 采用的是一揽子股票，可以成为通常的有价证券投资组合的替身。而且其价格又同股市上最具代表性和灵敏性的多种股票价格直接相关；（2）由于 SIF 交易可以灵活补抛与对冲，也可以灵活选择作多头（先买后卖 SIF）或空头（先卖后买 SIF），或随意组合二者，因而这种交易也是股票持有人为其资产保值的良好工具。

除了交易方式自身的优越性之外，外部条件成熟与有利也是不可忽视的因素：证券业、银行业的电子化，市场信息的充分与透明，政策宽松等等。值得注意的新动向是美国各大期货交易所正在筹备建立统一清算制度，并加强在技术、营销、时间和场地等各方面的合作，这无疑会进一步增加 SIF 交易的吸引力。

（8）两次"布雷迪报告"与"金融深化"*

1987 年股灾之后，美国人对于股市机制的信心有所动摇，20 世纪 30 年代大萧条的阴影似有再度笼罩之势。为此，美国各证券交易所和其他机构纷纷组织或资助研究股灾的原因与预防手段。前后约有七个独立的研究小组提交了自己的研究报告。其中包括证券交易委员会 1988 年 2 月 2 日的报告和商品期货交易委员会 1988 年 2 月 1 日的报告，等等。但影响最大的是《布雷迪报告》，全称《总统特别小组关于市场机制的调研报告》。报告由迪龙—里德公司总裁尼吉拉·F. 布雷迪主持。

---

　* 本短文源自萧琛指导的北大国际经济系陈有钢同学的本科毕业论文。由萧琛执笔压缩提炼，发表在中国社会科学院《世界经济与政治》杂志 1992 年第 12 期上，署名陈有钢。

这份报告建议：（1）设立一权威机构（暗指联邦储备委员会）统一管理金融市场，股票市场、期货期权市场和银行市场等等；（2）通过垫头严格控制证券市场上的大宗交易，特别是针对期货和期权交易；（3）采行价格限制和停板机制（Ciruit breakers）以便为股市波动提供一个安全阀；（4）建立统一的清算结算系统以利于管理与跟踪大宗交易；（5）建立新的信息系统以加强交易监控。

《布雷迪报告》的显著特点是对美国金融，特别是证券业机制的许多弊病进行了毫不留情的抨击。《报告》一发表便受到美国证券界的高度重视，但各方评价不一，毁誉参半。主要批评集中在上述建议的可行性方面。例如，认为停板制度虽然有许多长处，但会对交易人心理产生消极影响。因为当价格水平接近限制点时，投资者会因为害怕停板"被锁"（locked in）而竭力随行就市地补抛，其结果反而会加剧股市动荡，等等。值得关注的是国会对这份报告并不特别热心，甚至一向以鼓吹加强管制著称的民主党众议员约翰·丁格尔也认为此类改革须谨慎从事。由于报告未能在国会得到广泛支持，当然不能形成立法。这导致近几年来证券业机制基本上是小修小补。

如果说第一次《布雷迪报告》是证券业危机的产物，则第二次《布雷迪报告》就是银行业危机的产物。1985年至1990年短短五年中，在联邦存款保险公司投保的美国商业银行的倒闭数远远超过了该公司成立51年（到1985年）里的倒闭数。据统计，到1993年该公司至少要为倒闭支付280亿美元！严峻的现实要求金融改革特别是银行业的结构性调整加快步伐。为此已担任财政部长的布雷迪于1991年2月5日公布了又一次由他主持的第二次报告。

第二次《布雷迪报告》是美国政府自20世纪30年代大危机以来的一个最富突破性的改革计划，其范围与力度远远超过了80年代初以来解除管制和放宽政策为核心的金融改革。这份报告分三大部分。第一部分是存款保险与银行业改革；第二部分是重建金融管理体制；第三部分是调整银行保险基金。布什总统对这份报告十分重视，并于同年4月份以这份报告为基础，向国会提交了一份总统提案。提案涉及了五大问题：银行业务改革、提高资本要求、州际银行业务、管制机构的重建和存款保险改革。

报告与提案提出允许工商企业拥有金融服务持股公司。这是自1933年《格拉斯·斯蒂格尔法》以来的一项革命性改革。其实质是打破统治美国金融半个世纪之久的"分业制"。为避免出现不测，布什政府不得不建议设立"火墙"（firewalls），来分隔工商企业和银行业，前者只能通过建立金融服务公司来间接拥有银行。这项突破对于工商业特别是许多跨国企业，如汽车业厂商，无疑似久旱逢雨。飞机、电脑等高科技产业，也可以因此大大增强其国际竞争能力。

关于银行资本要求也是一项重大而紧迫的改革。1990年12月31日生效的，由11个工业国中央银行行长签署的《巴塞尔组织关于根据信贷风险衡量资本充足程度并要求达到最低标准的协定》，将在短短两年内迫使美国相当一部分商业银行或者是缩小业务规模，或者是增加资本。就国内因素而言，限制银行投机，注重经营效益与稳定银行系统、健全管理与鼓励竞争也是亟待解决的问题。布什提案将银行按资本资产状况分成五类，分别规定其经营制约条件，应该说也是相当明智的。若能通过，势将有助于重建联邦储备对银行业乃至整个金融业的监控体系。

尽管美国国会自1987年以来已经连续4年没有实质性银行立法行动，但从两院关键人物对布雷迪报告的态度来看，布什改革提案仍然难以顺利过关。去年11月4日提交众院表决的编号为"HR6"的提案，已将布什提案修改得面目全非，改革气息所剩无几。因此，尽管金融改革势头强劲，但是近年内很难有关键性突破。20世纪90年代将是"金融深化"白热化的年代。

（9）税制改革之后第十联储区的增税*

1987年实施的空前广泛深刻的税制改革，取得了引人瞩目的成就：取消了税收特惠，恢复了市场功能；重视通货膨胀调整，一定程度上恢复了1970年以来税制所丧失税负的累进性；调动了劳动者

---

* 本短文源自萧琛指导的北大国际经济系高松同学的本科毕业论文。由萧琛执笔压缩提炼，发表在中国社会科学院《世界经济与政治》杂志1992年第12期上，署名高松。

的积极性与创造性，改善了自由竞争秩序。改革的成功还为区域经济的发展创造了许多新机会，但也引起一些新问题。现就第十联储区的情况加以分析。

几年来，税制改革已经使得第十联储区的几个州及其地方政府不得不相应调整其税收结构。面对 20 世纪 90 年代公共支出日益增长趋势，这些州和地方政府很难不通过增税来扩大财政收入。而其中关键的问题是收入源。

20 世纪 80 年代这 10 年中第十联储区单位资本收益率持续稳定增长，但仍低于全美平均水平。区内几个州的政府其主要收入源中，税收的重要性不如联邦政府。此外，区内各州及地方政府还较为倚重销售税，较少倚重财产税和个人所得税。

309

根据"代表性收入制度"的两大指标来衡量该区内各级政府财政收入的特征，我们不难发现：该区州与地方政府的收入能力普遍低于全美平均水平；而该区州与地方政府的收入努力却普遍高于全美平均水平。所谓的收入能力，指的是某政府经税收和非税收渠道增加收入的能力；收入努力则指某一政府在何种程度上动用其收入源。收入能力和收入努力都按人均数额进行指数化。就联储区内 7 个州的具体情况而言，收入能力与收入努力也存在相当大的差别。科罗拉多州和怀俄明州的总收入能力指数分别居全美第十位和第九位，而其他 5 个州在 50 州中则排名很低。科罗拉多州收入能力指数达 100 以上的主要收入源有 5 项，怀俄明的资源税收入能力指数则竟然高达 23241（联邦平均指数为 100）。从三种主要的收入源看，该区各州的销售税的税收努力指数普遍较高，全美排名也比较靠前；财产税努力指数各州落差较大；而个人所得税努力指数虽然较为集中在 100 左右，但是在全美的排名却都比较靠后。值得注意的是怀俄明州甚至根本就不征个人所得税（努力指数为零）。总之，该区个人所得税的增收潜力相当大。

用税收努力指数衡量各收入源的相对利用程度，有助于政府权衡增加收入的新途径。个人所得税努力指数相对低这一点意味着该税种是增加收入的较好的渠道。鉴于大多数联储区的各级政府对于使用费和销售税的收取与保证强度都已经比较高，而且也并非所有州都有巨大的资源税潜力，因此，第十联储区各级政府乃至全美各联储区会较多利用个人所得税来增加财政收入的趋势是可以预计的。

增加个人所得税作为新收入源对于州与地方政府富于吸引力的另一原因在于该税对于经济增长比较敏感。这一特征使个人所得税有可能成为一个理想的收入源，并且有助于适应 20 世纪 90 年代经济增长态势和平衡公共支出的增长。当然，这也有可能增加财政收入对经济景气的依赖，此外高税率也可以能挫伤生产者的积极性。不过这种情况应指那些个人所得税过重的情况。而这在第十联储区和相当多的州与地方政府都不成问题。回旋余地应该说还是相当大的，原因之一在于新税法下个人所得税的降幅已经比较大。

（10）农业"黄金时期"的消逝与再现迹象[*]

20 世纪 70 年代是美国农业的"黄金时期"，繁华的原因很多。苏联 1972 年开始大量进口粮食；世界其他主要产粮区连年歉收造成的粮食短缺；OPEC（欧佩克）收入剧增，国际金融市场游资增加，农业贷款比较容易获得，提高了第三世界国家农产品进口的支付能力；这段时期美元汇价不断下跌，美国农产品出口的价格竞争能力大大提高；联邦政府的农业政策也转向鼓励扩大生产与增加出口；等等。

20 世纪 80 年代上述因素发生逆转，国际供求关系急剧恶化；高利率、高汇率和信贷紧缩等也使得政策环境、金融条件十分不利，因此从 1980 年到 1987 年，美国农业陷入了战后最严重的一次农业危机。危机的导火索是 1980 年苏联出兵阿富汗之后美国的"对苏粮食禁运"。这无异于将一个庞大的市场拱手让给竞争对手。其次，西方发达国因农产品转向过剩，开始一方面限制外国农产品进口，另一方面则补贴本国农产品向外倾销。再者，这段时期内许多发展中国家已经提高了农产品的自给能力，其他发展中国家则因债务过重

---

[*] 本短文源自萧琛指导的北大国际经济系段蕾同学的本科毕业论文。由萧琛执笔压缩提炼，发表在中国社会科学院《世界经济与政治》杂志 1992 年第 12 期上，署名段蕾。

而不得不压缩进口。

　　这场危机的严重性在于它不仅仅是生产过剩危机，而且迸发着农业金融与债务危机。危机中农场破产数目占农场数的比重高达15％；农业信贷机构也有5％左右破产。为走出危机，联邦政府采取降低利率、调低美元汇率等宏观经济政策。在农业政策方面，联邦政府则增加了农业贷款和援助，并降低信贷支持价格以提高经营效益和产品竞争能力。

　　经过5年之久的严重的农业萧条和痛苦的政策调整之后，美国农业于1987年开始复苏。1988年、1989年干旱造成的农业减产，使美国农业从库存严重过剩的困境中摆脱出来。1990年全国大部分地区年景很好，农业喜获丰收。由于美元汇率转趋下降，使农产品的国际竞争能力变强。而同期欧共体国家、加拿大和南美的农业则歉收。这无疑为美国农产品出口锦上添花。1986年谷底年的美国农产品出口值为263亿美元，1988年、1989年迅速分别上升为353亿美元和790亿美元，1990年以来出口势头仍进一步看好。

311

　　农业恢复势头还表现在农业部门财务状况的好转方面。由于出口大幅度上升和牲畜贸易的高利润等因素，美国农业收入几年来创纪录地增长。1990年农业净现金收入高达590亿美元。农业资产的价值自1987年起也直线上升，由1986年每英亩400美元很快上升到500美元。由于收入、资产的增加，农业债务资产比率几年来已降为15.7％，是20世纪70年代中期以来的最低水平。

　　农业复兴势头还可以从以下几项进展得到说明。第一，国会两院已于1990年10月通过了《食品、农业、资源保护与贸易法》。该法使农户在15％的灵活耕作面积上拥有经营自主权；法案还授权制定扩大出口计划，规定联邦为该计划拨款的最低额度；扶助农场维持收入的增长；等等。另一个有利于农业稳定发展的因素是乌拉圭回合结束在望。在这一回合中，美国提出了国际农业政策方面的一系列改革。如10年内取消所有的农业生产补贴、价格支持、进口壁垒和各种限制；限制并在10年内取消出口补贴；等等。这些建议已获得包括加拿大、澳大利亚、新西兰等13国联盟——"凯恩斯集团"的支持。谈判中美国的态度也表明它努力将国际国内农业政策联系起来并转向市场导向型农业竞争格局的决心很大。尽管这场谈判进展艰难，但是走向更为自由的农产品贸易的国际政策环境这一趋势，对于得天独厚的美国农业生产者虽然较为有利。

（11）乌拉圭回合难产根源及其前景[*]

自 1986 年 1 月《埃斯特角部长会议宣言》发表以来，乌拉圭回合的谈判已历时 6 年之久。近年来曾计划在 1990 年 12 月布鲁塞尔部长会议上结束，去年七国首脑会议经济宣言也强调要在年内结束谈判，但时至今日仍旧不能突破僵持状态。

这场谈判难产的根源可以从以下几方面寻找。

第一，谈判内容广泛，议题复杂，远非前七次可比。它不但要解决几十年来通常不属于 GATT 管理范围的农产品问题，而且要解决劳务、知识产权和技术投资等"新问题"，还要解决前七轮一系列遗留难题。如控制 GATT 在 70 年代和 80 年代的反倾销贸易补偿法和对补贴的反倾销政策作用过度问题；加强 GATT 作为一种契约和机构，与 IMF 和世界银行在政策制定方面的一致性问题；改进 GATT 规则和完善仲裁机制；等等。

第二，农业生产力特殊的地缘性使得区域利益的对抗性难以化解。农产品与一般的工业制成品不同，其投入要素、产出周期、流动半径、仓储运输、消费弹性等各个方面都有其特殊的规律。农产品的这些特征使得一定的地域内部的利益比较集中。而这种内部公共性较强往往容易导致外部对抗性较强。而这种利益的板块式对立比起"你中有我我中有你"的利益交错的情况显然更加难以调解。这也是美国及凯恩斯集团与欧共体各不相让的一个深刻原因。

第三，劳务、科技、知识产权等"软财富"的重要性及其界定与管理的不确切性也会增加谈判的难度。由于这类"软财富"的"有利外在性"，使得因"自由骑士"心理而导致的国际性公共决策

* 本短文源自萧琛指导的北大国际经济系于畅同学的本科毕业论文。由萧琛执笔压缩提炼，发表在中国社会科学院《世界经济与政治》杂志 1992 年第 12 期上，署名于畅。

的难度空前增大。

第四，世界经济秩序"超然的协调人与负责人"已不复存在。前七轮谈判较为顺利的重要原因之一在于美国及其联合国机制的权威性与责任心。然而时至 20 世纪 80 年代后期，美、日、欧三强实力对比远非战后"黄金时期"可比，苏联东欧的变化也使得西方世界的冷战黏合剂迅速失效。出于经济大战的需要，美国再也不能不"斤斤计较"。而联合国和 GATT 机制本身也遇到许多问题。

近年来乌拉圭回合的进展是：欧共体于去年在日内瓦接受了与"幽灵建议"相似的议案，各方已经就争议问题努力做出有约束性的承诺。美国的"快轨通道"方案虽应于 1991 年 6 月终止，但因布什总统提前提出了延长两年的要求，因此从道理上说，乌拉圭回合最多还能持续一年。至于劳务贸易总协定、知识产权协定，甚至有关国际农业的新规定等怎样能够有效地与处于目前状态的 GATT 融为一体，看来还很难设想。农业问题的解决很可能是折衷的产物。美国应当考虑到其主要盟国几乎全是谈判对手，过于执拗恐非明智，欧共体不再做些让步也会于己不利。其他可能达到的关于 GATT 的规则，如劳务、知识产权、投资等等，其折衷性协议很有可能含糊不清令人失望。尽管上述可能性不小，但是不断小步前进的合作与妥协，终将会给世界带来一个新的、有效的贸易体制这一点，应该是没有疑问的。

313

（12）知识产权保护与中美经贸关系[*]

中美经贸关系 10 年来发展迅速。虽然一度出现风波，但因我方政策明智，近年来很快又稳定下来。其中正确认识与处理知识产权问题这一点，值得我们从经济角度加以研究。因为这个问题不仅有助于改善中美经贸关系，而且事关及早重返 GATT 和深化经济改革。

---

* 本短文源自萧琛指导的北大国际经济系黄晓燕同学的本科毕业论文。由萧琛执笔压缩提炼，发表在中国社会科学院《世界经济与政治》杂志 1992 年第 12 期上，署名黄晓燕。

中美经贸关系中敏感问题之一是"年度豁免"问题。这一问题的要害，从经济利益上看，在于知识产权。美方列举的不给优惠的五大理由中，贸易逆差与两国统计口径关系很大，美方夸大其辞的动机主要在于寻找借口；"劳改产品"对巨额经贸活动微不足道，美方的目的主要是做"人权"问题的文章；"核扩散"、"人权"压根就不是经济问题，况且根据美国 1974 年贸易法案，"人权"问题根本不能构成理由。由此所剩下的理由且真正有关美国长远利益的还是知识产权保护问题。平心而论，鉴于我国开放不久，这方面认识与有效保护机制在 1992 年以前难免存在不少有待改进之处。虽然这给美方造成的损失未必很大（1991 年美方声称他们这方面在华损失 4 亿美元），但从经贸前景看，这对双方都不失为一个重要问题。因为高科技时代已经到来，而美国的国际竞争优势与巨大潜在利益却正在于此。事实上，对于我国改革开放进程来说，这一问题的解决也

314

是巨大利益之所在，加强创造性劳动的保护实质是科技立国之本。

就早日重返 GATT 问题而言，知识产权保护问题的进展也举足轻重。美国鉴于中国经济发展潜力巨大，一直试图对中国加以控制，主张在中国价格改革及其他市场条件来达到"国际"标准之前，应将"选择性保障条款"作为我们重返 GATT 的先决条件。这无疑给我们出了一道难题。因为对于市场机制刚刚发育的发展中的经济底子不厚的大国，短期内要达到"国际"保护标准的确是极为艰巨的。但是如果不能积极解决好这个问题，在重返 GATT 和进一步打入美国市场方面都必将难以有所作为。

今年 1 月我国政府代表在做了明智而慎重的权衡之后与美方达成了关于知识产权保护的协议。7 月份我国又正式加入了世界版权公约。此外，《专利法》、《著作权法》业已颁布，"软件法""种子法"与"物种法"也正在制定过程之中。这些可喜的进展表明我国人民振兴中华走向世界的决心，同时也意味着中美两国经贸关系的改善正在进入一个新的时期。

（13）美商证券组合转而重视"新兴市场"*

20 世纪 90 年代以来，美商证券投资组合正在由较为均质的种类型组合转向较为异质的地区（甚至国别）型组合。海外证券在美商证券投资组合中的比重在上升，美商海外证券投资组合中新兴市场的比重也在上升，同时重视成熟市场和新兴市场、重视股票和债券的投资策略正在取代传统上只倚重成熟市场和倚重股市的策略。1993 年，美国海外股票投资额高达 664 亿美元，约占世界外国股票投资总额的 42％，比上年增长了 58％。加上对外国债券等金融资产购买，单是美国共同基金当年在海外的投资就已超过 1000 亿美元。美国现已成为新兴证券市场上的最大户，取代了英国和日本这两个传统的带头人。

315

证券投资组合理论认为：构建投资组合时应尽可能选择那些相关性小的证券，否则总风险就会比较高。对于两个具有较强经济货币联系的国家，如美国和加拿大，它们的股票和债券的相关系数都比较大，所以美商不宜看重加拿大，而应将重点转向非美国化的市场。过去 20 年中美国投资者在国内股票市场和全球股票市场上的经营实绩表明：分散地投资于不同国家的世界股票组合比单一地投资于美国国内的股票组合具有更低的风险。后者的风险比前者在 1980～1990 年这 10 年中要高出 4.5％；而在 1970～1990 年这 20 年中则更要高出 8％。美国国内市场股票投资组合（英、德、日、荷也是如此）的收益也不如美国国际性股票投资组合。统计分析表明，在风险为 16.2％的条件下，美国国际股票投资组合的年收益率高于 19％，而美国国内市场股票投资组合的年收益率只有 13.3％。

新兴市场证券投资备受青睐的另一个重要原因是：外汇风险并不可怕而且可以防范。分析过去 20 年中就美国投资者而言的日、英、德股票债券市场上的总风险和外汇风险的数据可以表明：外汇风险在股票投资总风险中比重很小；外汇风险在债券投资总风险中

---

* 本文发表于 1995 年 7 月 15 日《经济日报》，署名萧琛。

的比重较大，但债市总风险低于股市；20 世纪 80 年代外汇风险比 70 年代略有增加，但增幅不大。且这些风险大多可以通过外汇期货合约或远期外汇交易进行防范。

1987 年以前，一些有眼光的专家曾经鼓吹对发展中国家市场的股票投资会带来高收益。当时一般人都不以为然。随着苏东解体、冷战结束和自由市场观念的广泛传播，国际证券投资的"政治"风险可谓已经微不足道，因此西方投资专家对新兴市场的成见已发生根本性变化。美国商务部副部长加藤认为："有过好长的日子，我们把贸易利益置于外交政策之下，现在该是倒转过来的时候了"；"在庞大的新兴市场里，我们相信我们的投资将得到最大的回报"；"未来 20 年的好戏将在这些地方上演，所以我们必须进入那里"。美国开出的十大新兴市场的名单中中国被列为榜首。

316

据估计，新兴股市上海外机构投资现已从 1985 年的 5 亿美元上升到 600 亿美元以上，虽然这种郊外转向"仅仅是刚刚开始"。由于美国等海外投资的迅速流入，亚洲、拉美、非洲和欧洲 36 个主要的新兴市场的总值已经从 670 亿美元猛增到 7741 亿美元。有关专家预测还指出：这种增长势头还会保持下去。到本世纪末，资金在有些城市诸如上海、利马、圣彼得堡、河内、哥伦布和布拉格各股票交易所之间的流动将会如同今天在纽约、伦敦、东京和法兰克福等股市之间的流动一样的容易。

三、"入世"与"入市"

1. 论中国经济转轨程序：第四条道路 *

经过十六年"翻天覆地的创举、实验、学习和调整"，"中国已经踏在（一种）市场经济的门槛上"。[①] 而鉴于冷战结束、苏东剧变和即将（或势将）来临的香港回归、两岸统一等重大事件的推进，中国社会似乎也处在一个新的十字路口，"一国两制"、"社会主义市场经济"目标和"全面推进、重点突破"战略的提出等，无疑具有丰富的现实蕴涵。中国能否彻底转向市场经济？改革开放是否会"逆转"？"转轨"的逻辑步骤和现实战略的关系如何？当前的"通货膨胀"、"腐败"等一系列问题能否中断经济增长的"可持续性"？本文拟就这类问题做如下探讨。

一、经济转轨根源于基期模式与目标模式的优劣

中国经济改革虽然是"摸着石头过河"，但是它的大方向，即由倚重计划转向倚重市场、由较多强调"平等"甚至均等转向较多强调效率、由更多关注政治集中转向更多关注经济民主等，却始终明白无误。简言之，改革趋向无非是更注重"钱"而不是"权"。诺贝尔经济学奖获得者哈耶克曾有一名言：世界上有两种社会制度，一种是有了"权"才能有"钱"，另一种是有了"钱"才能有"权"。

＊ 本文发表于中国社会科学院《太平洋学报》1995 年第 3 期，署名萧琛。

① 国际货币基金：Michael W. Bell，Hoe Ee Khor，and Kalpana Kochhar 语。

虽然两者都不理想，但却有"哪一种更坏"的问题。

传统计划体制的不治之症导致市场机制必然再生。计划体制的隐含前提是领导者能够"指导私人产业，使之最适合于社会利益的义务"，殊不知"要履行这种义务"并"行之得当"，"恐怕不是人间智慧或知识所能做到的"。[1] 因为，"关于可以把资本用在什么种类的国内产业上面，其生产物能有最大价值这一问题，每个人处在他自己的地位，显然能判断得比政治家或立法家好得多。如果政治家企图指导私人应如何运用他们的资本，那不仅是自寻烦恼地去注意最不需要注意的问题，而且是僭取一种不能放心地委托给任何个人，也不能放心地委托给任何委员会或参议院的权力。"[2]

传统计划体制最突出的两大弊病是"生产性动力不足"和"信息资源无效"，而这些只有依靠市场机制才能加以弥补。

320

"党政不分"和"政企不分"导致一系列名利双收的位置，一方面诱使许多人不辞辛劳地去争取这样的位置加以利用，从而导致大量的（非生产性）"寻租"、"避租"和"租的消散"。[3] 另一方面，这些位置又使得人们经济活动的目标函数带上一种间接色彩。因为各种利益直接相关于"位置"，"努力"必须借助于获取"位置"才能得到名利和其他待遇。而市场机制的精髓是"等价交换"，这势必要求否定各种特权和"位差"，势必要求"名""利"分流，事业企业分流和政治经济分流。"等价交换"还势必要求努力与报酬直接挂钩且公开透明，否则将无所谓市场。因此在市场机制正常运作时生产性动力一般是不成问题的。相反，由于利润机制的驱动，值得担心的倒很可能是"动力"过大而市场又并非万能。

"信息资源无效"也表现在两个方面。一是"供应不足"。由于投入产出关系模糊、不适当地强调"集体努力"和平均主义大锅饭，"不求有功但求无过"心理势必长期盛行。这会导致各种（带风险的）信息的显示，如"技术发明"和"管理创新"等长期供应不足。

---

① 亚当·斯密：《国富论》下卷，商务印书馆 1974 年版，第 27～28 页。

② 亚当·斯密：《国富论》下卷，商务印书馆 1974 年版，第 252 页。

③ 关于这几个概念可参见陆丁"寻租理论"，《现代经济学前沿专题》第二集，商务印书馆 1993 年版，第 139～167 页。

此外，由于"私有信息"和"无形投入"的存在，企业对于上级主管都有"信息保留"动机，这不仅影响信息供应，而且导致"（计划指标）监控无效"。二是"利用不足"。计划经济条件下，信息传播的制约因素比较多，"位置"的"条条"或"块块"差别，或其他各种"位差"，都会影响信息的有效利用。此外计划经济条件下信息空间的"维度"很多，缺少哪一项批准手续都不行，这也会导致其他信息的搁置与闲置。而市场机制的突出优点就在于它所要求的信息通约性极强，种类极少，主要信息种类只是"价格"和"总供求"。这些信息的显示、传播和利用的障碍比较少，政治性比较弱。

二、先"退够"的转轨战略与"第四条道路"

321

上述基期机制和目标机制的差别可以表明：中国（乃至苏联、东欧）转向市场经济不仅是不可避免的，而且势必包含一个"先退后进"的过程。因为，不撤除传统计划体制的藩篱，市场因素不可能系统地开始其累积的过程。而由于改革又必须依靠计划体系的行政能力，因此撤除藩篱应当有一个过程，这也是激进的改革（the big bang）欲速不达的重要原因。[①]

中国渐进式改革表现在"不断更改方向和对未曾预计到的后果做出一系列临时性反应"。[②] 尽管如此，改革措施的有效推出顺序仍然从几个角度显示出一定的规律性。首先，改革重点先是在农村"退够"，然后转入城市，继而转入整体；其次，改革重点先在乡镇企业，然后转入其他非国有企业（如涉外领域中大量三资企业），继而才是传统国有企业；再者，体制性改革先是全面推行责任制，然后转入承包制、租赁制，继而实验与推广股份制；最后，改革先注重市场价格，然后转入财税，继而注重金融体制；此外，改革先采用恢复20世纪50年代早期的某些做法，然后较多采用放权让利，

① Yijiang Wang：Eastern Europe and China：Institutional Development as a Resource Allocation Problem，China Economic Review，Spring 1993，p. 45.

② 中共中央编译局：《国外理论动态》1994年11月1日第31期，第246页。

继而注重立法和建立相应设施；等等；这些顺序都可以说明中国改革的"先退后进"、"先易后难"或"体制外改革先行"的渐进性质，而体制外改革的主要手段则是从计划集权体制回归到"不干预"或"少干预"的状态。

迄今为止，人类走向市场的道路可以分成四条：第一条是欧美式的，通过先确立私人产权和资本原始积累逐步建成当今最为典型的发达工业国的市场；第二条是东亚道路，借助集权力量和国际交换，模仿、借鉴发达市场，逐步建立现代化经济，然后再进行社会政治的全方位改造；第三条道路是苏联、东欧诸国的"激进式"改革，在命令控制型经济濒于崩溃时，全面引进发达市场经济的社会权力机制，比较彻底地打破原先的经济分工格局，然后摸索恢复与振兴经济的出路；第四条道路是如上所述的中国特色的"社会主义市场经济道路"。

322

前两条道路的共同点在于它们都是私有制经济，不同点在于经济机制的支持系统，第一条道路主要是基督教文化，第二条主要是儒家文化，第三、第四条道路的共同点是借助行政集权"先退后进"：先从原先的计划经济回归到发展市场经济的起点上，然后再逐步转向市场机制；不同点在于：（1）前者通过大规模的私有化，后者则通过市场因素的逐步累积来改变计划成分和市场成分的对比；（2）前者政治体制上先退够，后者经济体制上先退够；（3）前者是基督教文化为主，后者则主要是儒家文化，儒家文化与市场观念的兼容性较弱。

前两条道路尤其是第一条道路能否行得通已经不成为问题。这也许表明：不论是先分权还是集权、不论是西方文化还是东亚文化，只要是以私有制为主，建立市场经济都可以成功，而且不必采取迂回的方式。第三、第四条道路则必须先完成"回归"任务。就"回归"过程而言，激进的办法显然很不顺利，而中国道路则不然。尽管如此，目前的顺利能否说明整个转轨过程仍然是一个问题。

三、中国经济"转轨"系统工程的逻辑顺序

构建市场经济无疑是一个系统工程。第一，它需要一定规模的可供配置的自由流动的经济资源，如土地、劳动、资本和管理技术等；第二，它需要从事配置活动的市场主体，如企业、个人、（政府）机构等；第三，它需要交换活动赖以进行的"场"或"空间"，如劳工市场、商品市场和资本市场；第四，这个"场"还需要一些辅助性机制，如实施法规、帮助融资、提供信息、分散风险和提供基础设施的有威信的实体或功能。前三部分可称为"运作系统"，第四部分可谓之"干预系统"。除了这些之外，市场机制的运行环境或曰"支持系统"也非常关键，例如民主法治传统、文化、伦理、道德乃至宗教等。

323

中国市场经济的特殊性在于市场的运作系统与干预系统（相当于应用软件）的政治法律运行环境，即"支持系统"（相当于 DOS）有别于西方成熟市场。首先，后者的"代议制"、"联邦制"和"私有制"（相当于 config. sys）同我们的"民主集中制"、"条块制"及所有制结构相去甚远。就此而言，"照搬"决不可行。其次，后者的"硬件资源"，如自然资源、国民基本素质（实质是民族文化和伦理传统等）也不同于西方，而社会的硬件环境改造也决非能一蹴而就。此外，中国市场经济构建只能首先借助行政计划体制而不是通过传统的漫长的原始积累。因此，中国经济市场化只能在"回归"的过程中，先从尝试性地模拟"市场运作系统"开始，然后通过立法努力消除其模拟性质，继而推进到"市场干预系统"的构建，最后才能彻底改造"支持系统"。现实中，三个逻辑环节很难分开，此外"运作系统"也应该有狭义和广义之分。广义的运作系统应当不言而喻地包括干预系统和支持系统。

现阶段的"立法高潮"虽然不时触及深层次问题，但主攻方向显然首先是在构建"市场运作系统"本身，因为该系统本身还很不完善、努力空间还非常之大，而全面改革"干预系统"和"支持系

统"的条件还不成熟。现阶段构建市场运作系统的基本任务可以归结为两点：其一是借鉴、引进成熟市场的竞争规则，其二是尽可能逐步消除这些规则的行政色彩。1992 年市场经济作为改革目标被写进宪法和党章之后，改革的"设计"倾向已明显增强。两年来，税制、会计、证券、进出口、外汇、劳工等多达五十多项经济法令或重要法规已经推出，此外还有百余项有关市场经济的立法，也将在1997 年之前出台。[①]"全面推进"的主要领域还是在于市场操作规则层面，深层次的"突破"，如在宪法层面上涉及到"党政分开"、"政企分开"等有关政体构建的改革还有待逐步地创造条件。至于现代市场观念和企业文化的培育和确立，更是需要一个自然历史过程。

四、必须赋予"市场运作系统"四项使命

324

"市场运作系统"不可能单独行使功能，但是只有在由它出面执行并能够胜任以下四项使命的时候，市场经济机制才能够确立。

第一，必须保证四大投入要素"自由流动"。市场配置资源功能发挥的前提是要素资源能充分流动，否则市场经济只能是无米之炊。计划经济低效率的根源首先表现为要素供应、分配方式僵硬，"条条""块块"层层把关，人、财、物不能及时有机地结合。因此，改革开放首先必须"搞活经济"。十几年改革的成果之一在于要素已经基本流动起来。新时期改革中要素自由流动问题仍应当进一步强调。例如，土地的流动还主要局限于经营权范畴，而且地区限制非常大。联产承包之后，由于土地过于分割影响规模经营和向种田能手集中，近年一些地方已经出现"土地折股合作"制度，实质是加以弥补和矫正这种表层流动，土地所有权的长期深层次问题是土地所有权的归宿。又如，人才（劳工与管理技术）的流动障碍也有待努力排除。户籍制度应当进一步打破，劳工"合同制"的采行也富有建设意义，但是如何进一步推广与完善问题尚多。真正影响人才流动的住房制度、医疗、离退休等社会福利保障体系的问题显然是亟待解决的难

---

① China Daily，December 30，1993.

题。除此之外，调整事业、企业分野、重建"社会地位通约依据"也相当重要，"官本位"显然不能适应市场建设需要。设计要素流动促进机制的基本思路应当是：尽可能减少要素中"权"的含量，尽可能增加要素中公开标价的"钱"的含量，因为只有通约性强，才能流通性强。这一点在户籍制的打破过程中体现得非常明显。

第二，必须保证三大经济主体的"有效动力"。改革过程实际上是不断追加动力的过程。各种奖金制度和责任制度解决的是生产者的努力报酬直观对应的问题；"向企业放权"旨在增加企业的生产积极性；"向地方分权"为的是调动地方的生产积极性；增加货币供应、恢复举借国债和外债在某种意义上是向经济改革进程注入利益润滑剂；等等。虽然这种追加对于冲击传统计划体制和启动市场经济发育无疑很有成效，但是其负面影响也到了应当重视的时候。应当指出：上述举措基本上仍属于经济机制的外生因素，虽然对于进一步形成效率机制和持续提高产出能力必不可少。此外，这些举措已经带来大量"短期行为"、"离心倾向"和"通货膨胀"等一系列棘手问题。更有甚者，由于这些改革举措未能深入到"动力分流"层面，因此，"官商"现象必然伴随。因为在行政立法权和经济管理权合为一体的条件下，每一项改革在某种程度上都势必意味着一个新的"钱权交换"或曰"官商"机会。

325

解决动力问题的根本措施无疑是将事业与企业分开，将人们追求"名"的动力与追求"利"的动力分开。计划体制转向市场体制的关键一环是必须形成一个钱权交易的灰色地带，权力逐步受制约的进程必须经过这个缓冲地带。就此而言，"官商"、"法商"、"教育商"、"文化商"等无疑都是一种进步，舍此不能形成新的事业—企业分工格局和政治—经济分工格局，不通过"交换"（合作）的改革只能意味着"冲突"。尽管如此，"官商"等对于改革果实的侵吞、销蚀作用仍然绝对不可低估。

第三，必须能保证体制的"可算度"。现代市场经济的特征之一是特别重视对（长期）利润作精细而有系统的计算，而不是通过简单的短期的投机行为来获取暴利。"这一制度的运作，至少在原则上，可能通过其确定的一般原则而进行理性的预期，就像能够对机

器运行进行观测一样。"① 在传统体制下，虽然关于由下而上的逐层
负责体系的信息是不（完全）公开的、决策过程的信息是不（完全）
透明的，但计划体系内部隐含的权责体系还是相当稳定和森严的。
而在改革过程中，计划体系约束的宽松或解除往往不能被市场约束
（及时）取代，导致界于计划和市场之间的经济实体可能集事业和企
业于一身，集政府与企业于一身。表面上它们是身兼双重责任，但
是由于约束信息不清楚、不公开，实际责任反而可能一重也没有。
这种"位置"的诱惑力还使得改革容易趋于创造这种机会。责任体
系不明，或者说没有实际约束力（"可算度"低）的根源，还在于长
期的"抽象负责"（如"向人民负责"）原则在市场经济兴起的过程
中，已经在许多领域很难不显得无力。此外规范的企业行为也是保
证"可算度"的基本条件。

326

　　第四，必须能有效供应和利用两类基本信息。除了上述"软信
息"应当透明和"可算"之外，市场经济中经济单位的决策还需要
两类向量：一是宏观资源配置信息向量，如总供给和总需求等；二
是微观价格向量，如利率、股价、汇率、税率，会计、审计、评级、
保险、商检收费率等等。在消费、投资和劳工三大交易空间，必须
形成三对相互制衡的利益集团：投资人与筹资人，消费者（用户）
与厂商，劳工协会与雇主协会。信息质量只有在不停息的相互申辩
和权力平衡中才有可能得到保证。市场干预才能事半功倍，信息中
"权力"的含量也才会系统地趋于减低。

五、"市场干预系统"和"市场支持系统"的建设任重道远

　　现实中的市场经济都只是以市场为主的混合经济，纯粹的市场
经济只存在于理论形态。因此，市场经济机制除了其运作系统本身
之外，还应当包括市场干预系统，也即公共经济和政府经济同市场
界面的衔接部分。此外市场经济机制还不言而喻地应当包括一个社

---

① 韦伯：《经济和社会：解释性社会学大纲》，加利福尼亚大学出版社 1978 年英文版，
第 853 页。

会的"支持系统"，也即市场经济机制同社会基础设施界面相衔接的部分。

市场干预系统包括四类功能：实施法规、帮助融资、提供信息和分散风险。体现这四类功能的载体除各种法规、政策、协定和契约之外，还包括法庭、律师、银行、信贷、证券公司、信托公司、保险公司、会计审计公司、统计、评级、反托拉斯、小企业扶持、农业管理、通讯管理、不动产抵押贷款、消费信贷、进出口信贷、广告公司、质量检测、质量标准、公共电台、专利商标、特许经销、消费者协会，等等。没有这样一整套的市场干预或曰辅助设施，现代企业（家）就不可能顺利成长，市场机制也不可能进入良性运转。市场干预机制不仅有数量和配套的问题，而且应当有质量和性质的问题。质量主要指其成熟程度；性质则主要指其权威的公共性和政府性，而政府的性质又取决于更深层次的利益格局。

327

这一环节的任务应该说已经提出。而早在它们被正式提出之前，自发性的前期铺垫工作已经有一定的积累。但是，无论就上述功能机制的种类、配套情况，还是就其成熟程度和巩固程度，今后的路可以说还很长。如果说中国传统的计划经济是一个厂房，那么，前十余年的改革就好比在这个车间里挪空了相当一块地盘；近两三年的改革则好比是搬来了市场经济这部机器的许多大零件并且进行了初步拼接，由于小零件、螺丝、传动装置不全，市场机器的（局部）运转还噪音极大、精度很差，等等。因此，继续积累资金、采购和配全零件、掌握装配调试技术等是第二个环节的初期任务。近几年的"立法高潮"可谓在面对这一任务。

第三个环节，即构筑"市场支持系统"，在上面的比喻中，应当说是巩固市场机器的地基甚至突破旧厂房，此外应更新供电供水和排污系统，使它不能继续倚赖或仰仗原先的计划系统。此外，市场机器的操作工的价值观念、质量检查员的评判标准等也都应当加以改变。"市场支持系统"包括两大层面，其一是（基本）法律、政治和政府系统；其二是更为基础的自然、社会和伦理系统。根据当代已经成熟或比较成熟的市场经济来看，其政法支持系统的主要内容是："代议制"宪法，"分权制"、"制衡制"的政体和"联邦制"共和国；社会伦理系统则包括：法治观念、契约观念、私有产权观念，此外还有个人主义、实用主义。

市场支持系统的质量主要体现为"法治"质量。关于"法"的质量，韦伯的见解有一定的代表性。他认为法（律体系）有两种：一种是"形式理性"的，注重法律的内在逻辑关系和整体关系；另一种是"实质非理性"的，注重直接的具体的案例的结果和公正是非，而不注意总体上的"合理"，也即注重解决具体纠纷而非抽象的原则和对原则的概括和系统化。"形式理性"的法律同市场经济的要求较为一致。相反，在"实质非理性"流行的国度，市场要素虽屡屡出现，但却难以导致市场经济机制的确立。因为不注重总体的法律的"可算度"较低，取决于这类法律的经济人容易急功好利和短期行为。[①] 至于"治"的质量，应当说取决于执法体系对于市场原则的相容程度。现存的成熟市场的执法体系的基本特征是鼓励多元化（分权、制衡、个人主义、私有制等）。这使得"等价交换"原则比较容易落实、"无形的手"的作用比较容易发挥，而市场的精髓可以说正在于此。

就中国经济转轨而言，即使在完成第二逻辑阶段的全部任务之后，"市场运作系统"的"模拟"性质也应该说还没有消除。而现时中国第二逻辑环节毕竟只是刚刚启动，虽然立法速度的确惊人。

此外第三环节的任务可以说更是困难，"党政分开"、"政企分开"，改变东方式合作与嫉妒方式、重新认识"个人主义"、"实用主义"和"重商主义"，培养民族的"契约观念"、"时间观念"和"忠诚观念"，形成现代化的中国特色的"企业文化"和"物质文明"，等等，无一不是需要一代人以上的时间。中国传统的"三纲五常"着眼的是纵向关系、忽视市场的平等原则和横向合作；"君子言义不言利"、"仕农工商"、"为商要奸"等有违实用主义与重商主义；"难得糊涂"、"吃亏是福"、"人怕出名猪怕壮"有违契约观念和自强不息的积极的"个人主义"，不利于形成企业家阶层，等等。儒家文化中这类不适应民主原则和市场精神的东西，自五四运动以来虽经过

328

多次批判，但是其许多影响仍然存在。本应限于社会伦理范畴的"敬老"、"尊师"原则长期被过分地理所当然地用在管理经济方面，从而使一个民族的"经济年龄"老化近一代人的现象长期存在，这就是一个司空见惯的例子。

六、转轨必须经过一段彷徨和两难地带

中国改革部署的"先易后难"还可以说是表现在以下两个方面：其一，改革是先创造条件，借鉴、模仿发达工业国成熟市场机制的某些"应用软件"部分，然后再进入"基本操作系统软件"改造，最后是"硬件"升档或更换，简言之，改革是先模拟市场，然后再设法去掉模拟性质。其二，改革先是在计划经济的空白或薄弱部分引入市场机制，然后再对计划经济的边缘部分进行试探性改革，继而准备对计划经济的核心部分做较彻底的改造。

329

到目前为止，改革的影响最为显著的部门是：农业、乡镇企业和外经部门尤其是进出口产业。这些非国有部门的经济发展速度是国有部门的两倍。改革成效不显著的部门中，改革措施一般都带有不彻底性。在这些领域中，不是因为涉及的问题比较复杂，就是因为该领域中有坚定的力量在维护现存的体制。在国营企业中，这一特征最为明显。许多部门至今仍旧按计划办事，不接受市场价格；保证就业和社会稳定的政治目标使企业继续实行软预算约束而避开市场力量。金融领域的改革也很不彻底，因为企业改革步伐缓慢，而且（商业）银行本身毕竟也属于企业范畴；财政地位脆弱及缺少法律和规范的调控框架，因而改革进程也受到阻碍。

十四届三中全会以后改革步伐已经明显加快、力度也明显增大。这些努力包括：第一，加速法律框架建设，专利法、版权法、税收管理法、进出口商品检验法、商标法、劳工法、广告法等等都已经颁布，公司法、（中央）银行法、证券法、房地产法、合同法、票据法等也在积极推出。国务院还颁布了几个影响现存法律的重要规定，包括《关于转换企业经营机制的规定》、《关于成立股份公司的规定》

和《股票发行和交易的暂行条例》。为实施上述法规，"证券交易委员会"和"证券监管委员会"已经成立，此外还推出了"新会计制度"及相应的会计师事务所、律师事务所等。第二，重新定义政府在经济中的作用和职能，主张政府应该放松对于企业的严密控制，集中精力建立一套有效的宏观经济管理体系，发展和改善经济的基础设施以便使市场有效运行，致力于建立并改进社会保障制度；此外还要改变地方政府的狭隘态度，打破商品要素流动的国内壁垒，建立全国性市场。第三，引入间接调控工具，改变很大程度上倚赖行政手段的宏观调控体制。在货币信贷方面，人民银行已宣布将贷款计划转向更多的依靠包括公开市场业务、利率和准备金率的间接货币政策工具；在财政税收方面，所得税、增值税及新的分税制等已经推出。第四，加快市场和相关基础设施的建设。地方市场、城市自由市场、全国性或区域性商品期货市场也已经普遍建立。第五，加快价格改革的步伐。取消价格双轨制的时限将由十年缩短为三五年，指令性价格控制的生产性商品的数量将从 737 项降至 89 项，生产性商品价格控制比例 1992 年已降为 20％，消费性商品价格控制比例则降为 10％。

尽管有以上诸多努力，而且企业的外部竞争环境也的确有很多改善，但是国有企业本身的改革仍然举步维艰、成效甚少。企业改革的目标是将国有企业转化成独立自主的、有竞争力的法人实体。但是这个目标看来很难达到。为了使企业真正自主，政府必须分割国有企业和它们的主管监督部门之间的联系，使企业拥有自主权并对盈亏等问题负责。1992 年的企业经营机制转换条例列出了企业应当拥有的 14 项权力，但在实施过程中已遇到许多难以克服的阻力。由于企业在获得这些权力的同时必须对经营效率负责，缺乏效率的应当改组或按《破产法》关闭。但是，国有企业 40％以上都是亏损企业，而其中 70％都是政策性亏损，此外，国有企业 1.4 亿名职工中过剩劳力大约 2000 万名，因此，在缺少关于破产、失业的一系列安排的条件下，企业可以说仍然无法按效率要求运行，而国家或代表国家作为企业所有者的"国有资产管理局"也左右为难。

"股份制"和"企业集团"两大实验也是近年企业改革的重大举

措。按照改革设计人的观点，股份制是重建企业的有效手段，不仅能够使企业的所有权和经营权明显分离，而且能够改变政府同企业之间的传统关系。通过股份制化，大部分国有企业最终都能够转换为股份制公司，国家只对其保持大部分或者部分比重的股份。这可以使国家既能保持对企业的有效控制，又能使企业按照效率机制运营。但是，由于国有比重股份的抽象所有人和具体所有人的责任和利益敏感程度有区别，而且"国家作为股东"这一事物本身显然兼有事业企业二重性质，而这会使股权使用的标准既要源自微观"效率"，又要源自于宏观"公平"和"稳定"。对于公共性强的国防、高科技、天然垄断等产业，这也许不成问题；但对于当前中国大多数的（国有）企业，无疑存在两难。股份制化的速度、规模有限，证券法难以出台等，显然与此相关。鼓励企业集团改革的成功显然首先取决于企业改革本身，虽然规模经济对于竞争能力，尤其是国际竞争能力非常重要。

331

总之，（国营）企业改革显然已经既是焦点也是难点。困难首先在于它的性质：势必从深层次上触及既定利益格局。破产、失业、失去"主管权"的实际社会经济含义非常丰富。其次，这方面的困难还在于改革者对于"社会主义市场经济目标"的把握存有两难。实践证明，中国的改革必须借助行政权力来向前推进，但是行政权力（至少在微观产出领域）显然又容易成为提高效率的阻力。从理论上说，早期的改革是"顺利的帕累托改善"，总体利益增进时无一个利益集团受损；后来的改革虽然有一些人利益受损，但是可以通过"补偿"或"赎买"等使之转为"顺利的帕累托改善"；而现在的改革不仅是"契约曲线"上的"双方"利益此增彼减的问题，而且是一个内在的两难困境：不能确定哪一种更合理和更明智。

七、"转轨不可逆"与"增长可持续"交互推进的条件

过去16年中改革与发展的相互推动，除了改革设计者非常明智以外，还离不开两个有利条件。第一，改革初始宏观经济条件比较

有利（尤其是同前苏联和东欧国家启动改革时相比），如"经济剩余"巨大，几乎没有任何外债等。这使得改革能够借助发行国债、增加货币供应、利用各种外资来支持改革。第二，改革的政治环境一直是比较稳定的（苏东情况相反）。20世纪80年代初以来，虽然出现多起社会不安事件，高层领导人也有过一些大变动，但政治格局从根本上说始终没有发生实质性动荡。

这些条件使得改革的设计者有可能选择那些暂时能避开重大敏感问题的改革战略，在实现经济持续增长的同时保持住能够容忍的通货膨胀水平。但随着改革的顺利进展，上述两大有利条件已经逐渐发生了较大变化。首先，继续主要依靠经济要素投入（而不是主要依靠要素生产率提高）来维持经济持续高速增长的余地已经明显收缩，迄今为止经济增长中大约一半左右来自要素投入的增加，1985年以前更高达60％。[1] 1988年年底通货膨胀率超过10％时曾经引起过社会不安，而1994年年底，通货膨胀率（与前一年比）已经高达24％！[2]

即使通货膨胀水平还能够"容忍"（1994年工资水平上涨也很快）投资规模的进一步较快扩张，投资的效益也已经成为问题的主要方面。由于体制弊端，现行投资需求扩张中很大一部分并不能形成生产能力。倚赖预算资金的企业，不论效益好坏，都在大发奖金。据测算，在投资规模需求扩张时，投资中转为工资、社会集团消费等部分约占40％。[3] 如此巨额资金的扣除不仅使得名义投资和实际投资之间出现很大差距从而导致信息误导，而且会进入消费领域从而直接加剧通货膨胀。现阶段经济学家的一个共识是：与其说投资规模过大，不如说投资结构不合理和效益太差。[4] 结构太差的突出表现有二：一是重点投资缺钱，1992年固定资产投资增加37％，规模很大，但是重点投资中竟出现27亿元"打白条"现象；二是开发

---

① Perkins 1988，IMF：Occasional Paper 107. p. 58.

② 吴敬琏：在"港澳中心"诺曼基金会1995年春节招待会上的讲演"九四年经济改革形势的回顾与展望"。

③ 高尚全：1995年1月9日在北京大学"临湖轩"经济学院国际经济系主办的"中国市场经济机制的演进、设计与前途暨当前通货膨胀问题"座谈会上的讲话。

④ 吴敬琏：在"港澳中心"诺曼基金会1995年春节招待会上的讲演"九四年经济改革形势的回顾与展望"。

区规模严重失控，实际开发率极低。到 1993 年 4 月，全国各类开发区有 1990 个，总面积竟然超过全国现有 517 个城市 1.34 万平方公里的总面积![1] 而实际开发率仅为 5％～10％。[2]

投资效益低下的深层原因显然在于国有企业。国有企业投入产出比例严重低下，亏损面大至 49％[3]，资产负债率高达 68％，不合理积压占用资金约为 1500 亿元之巨[4]。国有企业这种状态使它不仅消化不了结构性价格上升和农产品涨价因素，而且还要搭车涨价，并将大量预算投资或补贴资金以及银行贷款转化为消费基金，此外还使银行利率不至于上调、负利率局面不能扭转，进而使过高的投资需求难以抑制、货币总量难以控制。因此，要真正缓解以至解决通货膨胀问题，不从根本上搞好国有企业改革，将国有企业的高投入、低产出转为低投入、高产出，就很难实现整个经济的良性循环，甚至会导致整个经济的"滞胀"，[5] 从而使改革处于险境。

333

要保持经济改革和经济增长相互推动的局面，必须将主要精力转向微观产出效率。这表明国有企业的实质性改革已经迫在眉睫，继续回避全面的利益格局调整的可能性已经不复存在。因此，上述改革启动以来的较为有利的政治局面也已经发生变化。

国有企业的改革涉及到"党政分开"、"政企分开"、"破产"、"失业"等难题，而这些又进一步涉及一系列具体利益。这不仅使改革的决心比以前难下，而且使改革举措共识更难达成。据报道，1994 年下半年全国的失业率约为 2.7％，比上年增长 0.5 个百分点。[6] 但实际情况更严重，因为这个数字很难统计半停工或虽然停工但未关闭的企业的实际失业，此外也未包括虽未停工但是由于产品滞销而一连几个月发不了工资的情况。潜在困难更多，单是全国

---

① IMF：Occasional Paper 107. p. 80.

② 1994 年 6 月 9 日在人大传达的朱镕基同志在中国工程院成立大会上的报告。

③ 1994 年 6 月 9 日在人大传达的朱镕基同志在中国工程院成立大会上的报告。

④ 黄范章：1994 年 11 月 23 日在海口"国际研讨会"上的论文："中国当前的通货膨胀：转轨型通货膨胀"。

⑤ 高尚全：1995 年 1 月 9 日在北京大学"临湖轩"经济学院国际经济系主办的"中国市场经济机制的演进、设计与前途暨当前通货膨胀问题"座谈会上的讲话。

⑥ 黄范章：1994 年 11 月 23 日在海口"国际研讨会"上的论文："中国当前的通货膨胀：转轨型通货膨胀"。

的（国营）煤矿，就应当有 260 万人需要转行，兵器工业中一个工人已经要养两个离退休人员。[①] 据 IMF 专家估计，在中国政府部门和国有企业的人员过剩率约为 19%。[②]

改革的形势和任务及其相互关系说明维持改革和增长的良性关系将取决于两点：其一是推动改革的决心和恒心；其二是经济的持续增长。改革开放后社会经济进步的现实，使得接受改革的社会意愿已经相当深厚；回到闭关锁国和"穷过渡"时代显然已经不可能；改革基本取向的逆转目前看来也不可能，因为"倒退"意味着向多数人"夺钱"而不是像过去那样向少数人"收权"。多年来，在"寻租"、"下海"等活动的背后，更多的是"官"、"干部"等变成了"商"而不是相反，"钱"的诱惑力和"权"的诱惑力相比，前者的增长率已经逐步超过后者，这导致一个新的、利益比较一致的社会阶层的出现并日益壮大，这对于"官本位"盛行的中国无疑是一个巨大的进步。尽管如此，推进改革仍然需要百倍的勇气。因为国有大中型企业及其干部职工队伍，虽然人数有限，但平均素质却比较高，而且基本上集中在重要的城市、产业和岗位；其次，虽然国有企业困难重重，但是仍不失为影响整个国民经济和政治形势的主力，"政治职能到处都是以执行某种社会职能为基础，而且政治职能只有在它执行了这种社会职能时才能继续下去"[③]；再者，即使当局下了决心"分开"，选择"分开"的时点也是极为困难的事情。因为，两种经济秩序（计划和市场）的切换不可能在真空中进行，轻易地撒手未必就不意味着一场灾难。

维持经济持续增长之所以成为关键，是因为：（1）改革只有在不断地"给予"之中才能平稳推进。理顺价格、工资、社会福利等各种关系，在既非独裁又非完全竞争的现实条件下，只能（至少在形式上）采取"大家都有好处"的办法，在利益的增量上做文章比在存量上做文章可行。（2）只有在经济持续增长的过程中，非国有

334

---

① 1994 年 6 月 9 日在人大传达的朱镕基同志在中国工程院成立大会上的报告。

② 1.04 亿劳工中有过剩劳工 2000 万，而在广大的农村地区，在 4.3 亿居民中估计剩余劳力为 1/4。IMF: Occasional Paper 107. p.30.

③ 《马克思恩格斯选集》第三卷，人民出版社 1972 年版，第 219 页。

经济成分才能进一步壮大，这不仅能弥补国有企业的增长不足，而且为进一步缩小国有企业在整个经济中的比重从而进一步创造从根本上改造它们的物质条件。（3）只有在经济实力不断增强的背景上，政治、社会和文化传统的变革才能有必要的物质基础，当消费者无力支付保护消费者的"成本"时，消费者不可能真的成为"上帝"。当然，持续增长并不意味着经济不再短期波动，而只是应当警惕"停滞膨胀"这种中长期问题。

改革开放已经使得国有经济成分在整个国民经济中的比重有了实质性的下降，非国有经济的比重已经上升到 60％以上。[①] 据 IMF 和世界银行估计，2000 年，中国的非国有经济在工业产值中的比值将会达到 2/3。[②] 正是这样一个事实和趋势，才使得以上关于宏观经济困难及潜在"滞胀"问题的分析不致影响整个经济的增长态势。1994 年经济增长率仍高达 11.8％；而且据专家测算，1995 年经济增长势头仍然可以维持，只是速度有可能慢一点。[③] 从经济发展的基本条件来看，我国经济的持续增长应该说是可以实现的，不仅劳动力资源丰富，土地资源同东亚新兴国相比也是丰富的，技术储备如果考虑到国内外两个来源也不算逊色，即使是资本，国内的高储蓄率和国际资本的跃跃欲试也说明中国经济增长的环境比较有利。因此，只要坚定不移地合理深化改革，成功地实现转轨的前景应该是乐观的，这一点从人类社会进步的大势来看更是如此。

---

① IMF：Occasional Paper 107. p. 145.

② IMF：Occasional Paper 107. p. 145.

③ 吴敬琏：在"港澳中心"诺曼基金会 1995 年春节招待会上的讲演"九四年经济改革形势的回顾与展望"。

2. 中国国内经济体制
转轨进程分析[*]

从传统中央计划经济转向市场经济，中国自 1978 年以来已经历 16 年的转轨实践。这一历程大致可分为四个阶段：即 1978～1984 年以农村改革为主的阶段；1984～1988 年价格、企业改革和扩大对外开放阶段；1988～1991 年的治理整顿阶段；以及 1992 年至今推进和深化市场导向改革的阶段。

前三个阶段中，改革的力量主要集中于恢复经济活力和克服长期"左"倾政策影响，其实质是大胆解放思想让市场因素不断冲破藩篱而在计划体系内成长壮大，基本手段是利用巨大的经济潜力（如几乎没有外债）和系统而有效率的行政集权，并通过大量增加总需求（如借外债和追加货币等，实质是"制造"或曰"追加"市场）和"让利"、"分权"等办法来维持经济长期持续的高速增长。在经济持续增长的过程中，一方面酌情引入市场机制，如强化努力与报酬的联系，赋予微观产出单位较多的自主权和比较硬的预算约束等；另一方面则主要是拆除障碍，打破条条块块的割据封锁，是"退够"，如撤销人民公社、允许农民"进城"、取消"粮油关系"乃至户籍制度、鼓励人才交流、采用（党委领导下的）厂长负责制、解除计划价格管制、打开国门允许外商进入等等。因此，基本政策倾向可以说是对传统计划体制一系列明显不适应部分逐步否定。而在

---

* 本文发表于《论中国经济改革：道路、转轨、接轨——从世界经济看中国》，作者萧琛，北京大学出版社 1996 年版。

第四阶段，即 1992 年邓小平"南巡讲话"之后，改革开放随着意识形态领域的大突破而转向高潮，加速建设完全以市场为基础的经济体系的热潮正方兴未艾。

本文拟分阶段、多角度地对中国国内经济改革十六年的主要进展作系统考察，以便如实显示出中国改革的客观进程和基本特征。考察结果表明：国内改革的渐进性既表现在先地方试点，后全国推广的地区规划上，又表现在运用过渡性政策缓解转轨矛盾、避免过早突变的战略设计上。这与其他处于转轨中的原中央计划国家有许多差别。考察还表明中国改革的另一特点：政府力图保留国民经济的社会主义性质，因而没有像东欧和前苏联的一些转型经济那样采取大规模的私有化战略。文末我们还将讨论国内改革对中国增长和通货膨胀等经济指标的影响，并就此作若干国际比较。

337

一、国内经济转轨第一阶段：以农业为重点的以退为进的改革

从 1978 年到 1984 年，改革主要以恢复农村经济，特别是农业部门的活力为目标。这一时期改革的目的不是要推翻计划体制，而是改善它的经济功能，包括适当运用物质刺激，鼓励个人和地方的积极性，应用市场信息改善资源配置等，其中许多改革措施又回到了"大跃进"后 20 世纪 60 年代初期的经济复苏政策。农业生产的组织形式由人民公社制转变为家庭责任制，土地使用权下放给个人，农产品价格管制松动。这些变化表面上好像是社会化大生产的集体农庄向小规模自给自足经济的倒退，但实际上却创造了适合中国国情的农业发展道路，产业增长与劳动力节余证实了农业改革的成功，乡镇企业的意外崛起又为消除城乡差别问题提供了新思路。

（一）在农业生产组织和土地使用制度方面"退够"[①]

1978 年以前，农业生产一直在公社、大队、生产队的组织下进

---

① 邓小平语。

行。最基本的生产单位是生产队，由大约 20 个到 30 个农户组成，生产队组成生产大队，进而组成公社，平均每个公社管辖 4000 户至 5000 户。这就是传统的中国社会主义的象征之一：人民公社制度。与此相应，集体所有制下的土地也分别由这三个层次统一管理使用。生产决策由上级主管部门下达，常常不能考虑当地的具体情况。虽然农户可以在小块自留地上生产供自己消费或到农贸市场上出售的农产品，但农民的劳动报酬主要依生产队的收入水平而定，并不能反映个人产出能力。在这种体制下，改革前的农业生产几乎停滞，非粮食作物长期短缺，农业增长仅够维持人口增长。

　　1978 年，中国农村开始实行"家庭联产承包责任制"试点。在这种制度下，可耕地按农户家庭大小及劳动力多少分配到户，农户与代表集体的乡镇组织签订土地承包合同，内容包括：土地使用期限（起先为 5 年），农户应上缴产品和农业税的比例，应向集体提供劳务的数量，等等。值得注意的是，土地的集体所有制仍然是基础，原有的生产队、大队和公社虽然被取消，但这些实体却又构成乡或镇组织，负责土地管理及与家庭签订承包合同。因此，农业生产的社会主义性质并未发生根本改变，只是经营方式更加灵活自主。生产决策主要由农户负责，决策受家庭与集体所签订的合同约束，农户在完成上缴任务之后可以将剩余产品拿到自由市场上出售，或者按协议价格卖给国家。

338

　　承包制将土地的使用权还给农民，使农户收入与其劳动产出相联系。这有效地调动了农民的生产积极性，导致农业生产增长率达到六七十年代的两倍多；农业的多样化和专业化经营程度也有明显提高；改革前"农民太苦"，改革后城市居民的副食品供应改善，因此通过改革提高农民生活水平不会引起城里人的"嫉妒"；对农村原来的"公社干部"而言，因为很容易转变为乡镇领导，收入也能大大提高，因此也不大会抵制改革。总之，农村改革可以使大多数人都从中获益而几乎没有人受损，因此这种改革推行起来比较顺利。

　　到 1983 年，"家庭联产承包责任制"已经成了农业生产和土地管理的基本组织形式。1984 年，土地承包的期限由 5 年延长为 15 年（年生作物）或 50 年（乔木作物）。1988 年，为鼓励私人进行农业投资，家庭土地使用权获得了法律保证。[①]

20 世纪 80 年代中期，农业增长势头有所减弱，反映出承包制可能导致土地过于分割，从而丧失原体制下的规模经济效益等问题。1989 年以后，土地制度又有了一些调整，许多地方出现了双重管理体制：一方面将土地公平地分给各家私用以继续维持原来的承包制框架；另一方面则通过公开招标与私人签订土地使用合同，将一些土地收回到集体管辖之下，以实行较为集中化的管理、为农业生产提供更好的服务。总之，调整的目的是要提高土地的使用效率。

另外，还有一些地方出现了集体所有制下的"土地股份制"试点，也即，在集体控制下将土地等资产进行价值评估并化作股份，一部分股继续由集体拥有，其余股在农户间分配。这些股份不能交易但可获取红利。集体管理权由选举产生的董事会执掌，董事不论股份多少只能有一票表决权，表决时少数服从多数。这种方法力图使农民不再耕作小块土地，而是把他们承包的土地交给集体换回股票取利；集体统筹使用这些土地时，可耕种，也可以建厂，还可以雇佣有合作关系的农业劳工。这显然有助于解决小块土地过于分割经营带来的一些问题。

339

（二）提高农产品价格和建立农产品期货市场

1979 年的改革大幅度提高了农产品的收购价，对农村市场和非农业经营的限制有所放松。到 1983 年以前，国家主要通过三种方式收购农产品，即承包合同配额价、协议价和市场价。部分农产品投入要素仍由国家按计划或合同价供应。零售农产品逐渐按市场定价。这期间，农民收入不断增加，生产积极性已经提高。但是，由于政府不愿将提高了的农产品收购价转嫁到城市消费者身上，使国家财政补贴大幅度增加，1984 年的农业丰收使补贴额达到高峰。1985 年政府遂将指令性配额收购体制改为收购合同制，以减轻财政负担。到 1987 年，除了城市配给制下供应的粮油等农产品，市场价格已成为农产品零售价的主要形式。

---

① 1988 年 12 月修订的《土地管理法》规定由地方政府颁发土地使用许可证，土地使用权可以转让或出租。

收购合同制也产生了某些消极影响。农民转而生产更加有利可图的（经济）作物，使粮食生产锐减；用于农业基础建设的投资也随公社解体而缩减。此后几年内，国家增加了对农业部门的投资，又将农产品价格在20世纪80年代后期和90年代早期提高了两次。结果，1990～1991年粮食产量又大量增加，1990年粮食产量达4.46亿吨。[①] 1991年5月和1992年4月，城市居民配给粮油价格大幅度提高，使城市中农产品的销售价超过了收购价，不过仍需财政支出来弥补农产品分销和加工成本。1992年，广东和福建两省放开了谷物价格。到1993年5月，全国80％地区约2000个市县的谷物价格都已放开，粮票和粮油配给制被取消，全国、省、地区级的批发市场管理开始逐步加强。

340

1989年以后，政府的农业财政政策主要是用支持价格来保证高产增收，以农产品价格的普遍上涨来逐渐缓解财政补贴负担。同时，政府比以往更重视发展农业的批发市场，从而减少国家在农业生产和农产品收购上的作用，使财政"淡出"农业。为此，不仅省际农产品交易壁垒被取消，一些地区还建立了农作物的远期或期货交易市场，公开买卖一定数额的农产品合约，合约到期后再进行实物货币交割。1990年5月，河南省郑州市建成了第一个全国性的谷物交易中心，可以进行期货交易。随后，江西九江和安徽芜湖建成了大米市场。1992年1月，糖料批发市场又在天津和广州开张。由全国交易中心、区域批发市场和地方开放市场组成的三级市场体系正在全国逐步建立。

（三）乡镇企业崛起和农村面貌焕然一新

农业改革的主要结果之一是乡镇企业的意外繁荣。随着对非农业经营限制的放松，乡镇企业迅速发展起来，吸收了大量农村剩余劳动力，并对全国外汇收入的增长做出了贡献。乡镇企业起步时就被允许保留利润，进而可以将收益再投资以提高劳动生产率。另外，乡镇企业一开始就享有税收方面的优惠，并允许从农村信用社直接

---

① IMF：China at the Threshold of a Market Economy，September，1993，p. 76.

取得贷款。与过去社队副业不同的是，乡镇企业可以自由地按市场价格出售产品；另一个不同是相应工资制度的变化。从前，劳动报酬先付给生产队再分到个人，新兴的乡镇企业则直接向个人发工资；工资奖金数额与个人工作成绩紧密联系，这大大提高了个人生产积极性和劳动生产率。

乡镇企业的早期成功并不是由于所有制变革，事实上它们大多数仍是"集体所有"，也可以说是属于公有制。乡镇企业的成功只是由于它允许市场力量起较多作用。由于不受工业部（局）或其代表机构的管理，乡镇企业主要在市场环境中运营，几乎完全不受国家计划、定价限制或其他形式的干预；当然也不享有信贷或原料供应方面的优先权，不能从中央政府取得投资或由政府担保购买其产品，乡镇政府没有能力支撑失败的企业；这些因素导致乡镇企业面临着高度竞争的市场环境和硬预算约束，因而只能努力提高经营效率。此外，乡镇企业不像国有企业那样必须承担许多社会福利义务，它们可以根据需要雇佣工人并决定工资，从而掌握了生产过程劳动力投入方面的自主权。最后，乡镇企业的行政主管部门一般都有动力支持它们的发展和成功，因为所辖企业是他们收入的主要来源。这显然为企业的自主经营活动提供很多便利，至少是阻力较小。

341

乡镇企业的迅速成长使农村经济的面貌焕然一新。据统计，1992 年农村中共有 1900 万个企业，雇佣了 1 亿多职工，占该年农村劳动力总数的近 1/4，而乡镇企业的产出约占农村 GDP 的一半，农村收入的 1/3，其工业总产值约为 1992 年全国工业总产值的 1/3。[①]

乡镇企业的发展也出现一些问题。例如，采用落后技术生产的产品往往依靠高"回扣"手段去抢占国营企业的市场，环境污染严重失控，产权不明，扩大再生产投资不足，等等。这说明乡镇企业还只是一种不完善的过渡形式，需要产权的进一步明确，以及国家宏观经济管理的加强。

---

① IMF：China at the Threshold of a Market Economy，September，1993，p. 17.

二、经济转轨第二阶段：以城市企业为重点的胶着状态的改革

农村改革的成功使政府果断地在 20 世纪 80 年代中期采取了一揽子涉及面更宽的措施来改造城市工业部门。城市改革因种种复杂原因而遭遇许多持久性困难。这首先体现为理论界激烈的意见分歧。早期主要问题有：要计划还是要市场？是以价格改革为主还是以企业改革为主？企业改革的目标是承包制还是股份制？而在这一系列问题未能搞清除之前，改革已经启动。因此，可以说改革并没有一张详尽的蓝图，而只是在一些亟待解决的问题（如价格扭曲、国有企业效益低下等）的推拥之下，在各利益集团不断协作、抗衡和妥协过程之中摸索进行的。这势必导致改革先易后难、先局部后整体和先外围后核心的所谓的"渐进式"战略，另一方面则势必造成宏观经济波动、经济增长失调和体制漏洞百出等问题。

342

（一）削弱指令计划和引进市场价格机制

城市企业的改革是从计划体制的松动开始的。1979 年以前，国家以指令性计划规定企业必须按规定额度上缴利润。国家还控制着多数产品的价格，这种价格既不能反映资源的相对稀缺性，更不能体现国际市场价格。总起来看，农产品和基本消费品的价格是偏低的，利润主要集中于生产最终产品的工业部门。因为这样可以增加财政收入和支持国家预算。但是，由于工业品和原材料都按指令性计划分配，因而相对价格对资源有效配置的作用极小。要改变价格扭曲引起的资源非效率配置，必须大幅度削减指令性计划，引进市场自由价格机制，让供求关系决定价格。

20 世纪 80 年代初，企业产出必须上缴的比重已经显著减少。到 1987 年，只有大约 1/3 的商品（按零售价计算）是在计划控制下

出售，而此前的 1980 年则为 2/3。[1] 但值得注意的是：许多中间产品、大部分的钢材以及几乎全部石油仍然处于直接控制之下。这种情况经过"治理整顿"后已有所改变。近年国家计划管辖范围又进一步缩小，这个趋势还在继续。

价格改革的第一步包括农产品收购价的大幅度调整以及随之而来的许多副食品提价，某些国营企业还进行了用协议价出售部分产品的试点。走向较自由价格机制的第二步是采用"价格双轨制"，即生产者按国家定价出售给国家一定数量的产品，超过配额的产品可以在公开市场上出售或按协议价卖给国家。

1984 年，越来越多的日用品实行了价格双轨制，计划定价的商品种类不断减少。截止到 1988 年，53％的零售商品以市场价格成交，28％的商品仍由国家计划定价，[2] 其余商品大体遵守国家统一安排，部分工业原料的价格也放开了，尽管与零售消费品相比放开的程度较低。

343

价格双轨制比计划价格体制为生产决策提供了更准确更清晰的信息参照，因而提高了资源配置效率。但这种体制依然复杂僵化，不能确切地衡量企业的真实投入产出，而且容易导致政府管理部门的腐败和企业的"寻租"。此外，对消费者和企业的价格补贴成了财政的沉重负担。这些扭曲表明价格双轨制只能是一种过渡形式。

1991 年，原料市场价格已接近计划价格。政府便抓住这一有利时机，对部分工业原材料价格实行并轨，使由国务院定价的产品减少到只有 5 种，并取消了国家对市场价格的直接控制，改为主要通过存货管理等间接手段来实现价格目标。

1992 年，政府进一步宣布加快价格改革步伐，将取消价格双轨制的时限由 10 年改为 3 至 5 年。调价的商品主要包括谷物、面粉、煤、钢、水泥、天然气和交通服务，由指令性价格控制的生产性商品的种类从 737 项降至 89 项。政府还减少了对煤炭等产品的指令性计划产量。结果到 1992 年，原来受计划控制的 4/5 工业投入品的价格都全部放开，且只有 1/10 的消费性商品继续受计划控制。目前，

① IMF：China at the Threshold of a Market Economy，September，1993，p. 78.
② IMF：China at the Threshold of a Market Economy，September，1993，p. 18.

只有 7 种农产品，包括谷物、棉花和烟草等价格还由国家控制。1993 年，配给计划几乎完全被取消，90％的商品价格已经由市场决定，各种工业投入品的批发市场、远期或期货市场也纷纷建立起来，如全国金属交易中心、有色金属批发市场等。其后，政府除继续加强以统一的自由价格体系为主的市场建设以外，还准备公布《价格法》，以防止市场环境滋生投机行为。

（二）从"承包制"到"股份制"：逐步转换国有企业经营机制

虽然私人企业和外资企业随改革进程不断有所增加，但大部分企业仍为国家所有并分别向相应的中央、省、市或县级政府负责。这些国有企业能否自负盈亏和自主经营，不仅决定着它们能否对价格等市场调节手段作合理反应和资源配置能否趋向效率水平，而且也决定着中国经济改革的命运。

改革前国有企业几乎完全没有自主权，生产、定价、投资决策等全都由国家计划控制，所有剩余资金全部上缴国家财政，完全依靠预算支出弥补亏损并取得投资；工资标准和额度也全由中央统一制定，对工人和管理者都缺乏物质刺激，经理的主要责任就是完成定额。严重的政企不分导致国有企业的生产能力被长期养成的惰性所淹没，企业内部从上到下实际上都在"混日子"。

改变这种状态的努力是从旧体制的松动开始的。早期的改革以增加企业的自主权和财务责任为目标，进行了一些以企业所得税取代向财政直接上缴利润的试点。从 1986 年开始，大中型国营企业正式采用了类似于农村责任制的承包合同制。国家通过承包合同将企业交给承包人管理，不再干预企业日常决策。承包人须按照合同规定，向国家上缴一定数额的产品和税金。到 1988 年，90％的国有企业已经被实行了不同形式的租赁安排，还有一小部分企业被改造成合股公司。

这些改革一方面使国有企业产出状况有所好转。另一方面也造成机器设备过度损耗和企业急功近利等短期行为。因为企业仍要按合同把一定量的产品卖给国家，产品价格仍不能由市场决定，生产什么、生产多少仍不能由企业自主决策，国家作为发包方，仍保留着设置和诠释承包合同的权力，对企业行为仍然具有约束力；承包人实际上是在上级行政管理、市场同业竞争、内部职工不理解的夹缝中求生存。此外，在承包制下企业事实上负盈不负亏，致使国家不得不用大量预算支持亏损企业，因为优胜劣汰机制并未出现。

改革的不完全性使宏观经济陷于危机。20世纪80年代后期和90年代早期国有企业的困难加剧了全国性信贷膨胀，国家需要用大量预算资金来弥补企业的亏损和缓解低收入弹性、存货积压（由于过量产出或质量低劣）和企业之间"三角债"增长等一系列问题。为此政府在1991年颁布了20项措施，其中有12项用于改善国有企业的经营状况和外部环境，其他则为国有企业利用市场机制创造条件。80年代后期由开始尝试新型承包合同，将税利分开，用于贷款抵押的资产不再纳税，企业所得税率由55％降至33％。但由于企业融资问题难以解决，新承包合同的期限被迫缩短为仅仅1至2年。

345

承包制及其改进等努力显然都不能解决政企不分、产权不明等根本问题。这使人们逐渐认为：只有股份制才可能使企业的所有权与经营权分离，才能改变政府与企业之间的传统关系，使企业拥有更大的财务和决策自主权，从而对市场变化做出更有效的反应。

自20世纪80年代中期以来，国有企业开始试行股份制改造。改造后的股份公司具有法人地位，可以通过发行股票集资，股东的财务责任以其在公司的持股份额为限。上市公司可向公众发行股票，在上海或深圳的股票市场挂牌上市。其他公司的股票不能公开上市，但可通过证券公司、经纪行或该公司的雇员出售。

股份公司和股票市场的出现，标志着中国改革在意识形态上的重大变化：股份制不再与社会主义经济的基础（公有制）相矛盾。由于国家、个人及其他经济实体都可以成为企业股东，因此股份制可以不改变企业的所有制性质，而只是将经营权交给了企业的经理，并使企业有了持续获取最大利润的动力和外部监督的压力。除了国防、高科技等经济战略部门中的大型企业以外，大部分国有企业最终都能转换为股份公司，国家在其中持有适当比重的股份以保证对企业的有效控制。

至于股份公司中政府参与程度，可以分为四个层次。在某些优先性部门，即市场不灵或其产品对国家有战略意义的部门，企业完全由政府所有；第二层次是主要由政府所有的企业；第三层次是政府在企业中持有少数股份。最后，一些主要从事商业的小企业被拍卖或出租给个人，政府不占有份额。总之，政府只能按其占有的股份参与企业决策，同时负责国有企业股份制改造的审批工作。政府有关机构要在独立的评估部门指导下审核企业的资产价值，监督股票的价格，决定哪个国家机构将实际持有"国有股"，等等。

股份制有助于社会闲散资金投入生产过程，符合社会化大生产的要求。起初，上市公司只向国内居民发行股票（"A 股"），但从1991 年起，一些公司开始发行"B 股"，即以人民币计值，允许外国人以外汇购买股票，从而开辟利用证券市场吸引外资的新渠道。1992 年，1 家原国有企业在纽约股票交易所挂牌上市；1993 年，有9 家企业的股票在香港股票交易所上市。国内股票市场发展更迅速，上市的股票种数从 15 种增加到 1993 年中期的 113 种，其中有 21 种"B 股"，1993 年股市交易规模达到 3300 亿元。其中上海交易所交易总额为 2000 亿元，深圳交易所为 1200 亿元，分别比上年增长300％和 173％。

（三）推出新会计制度改造企业微观经济环境

股份制的有效运作要求企业资产评估和会计方法标准化，从而使企业的财务状况能够真实、准确地呈现在公众监督之下。1992 年5 月 23 日，财政部和国家经济体制改革委员会共同签发了股份制企业的新会计制度，7 月 10 日正式宣布改革中国会计制度，并将尽快制定《基本会计准则指导》。1993 年 6 月 1 日新会计制度开始正式实施。新制度将企业视为独立核算的经济主体，参照西方财务会计原则设置记账科目，计算企业的赢利或亏损，规定让那些同企业不存在利益关系的非官方的会计师事务所来负责审核企业账目和公布上市公司的财务状况等。

新会计制度的实施标志着中国经济改革已由宏观框架设计转入微观层次的建设，显示了中国经济向国际商务惯例靠拢的决心。这方面的改革还包括 1994 年年初开始实施的新税制，它统一了企业税率，在所有行业征收增值税，并实行税后还贷、利润分流，使税率结构趋于合理；至此早在 1986 年前后出台的《破产法》开始得到广泛运用，1992 年上半年共有 66 家工业企业宣告破产；为使《破产法》生效，1992 年 7 月，政府颁布了《关于转换国有企业经营机制的条例》，通过把企业转变为自负盈亏的法律实体来加强对国有企业的预算控制。企业条例列出了企业应当拥有的 14 项权利，包括决定生产什么、价格多少、如何推销、如何投资、雇佣和解雇工人以及工资制定与改革等权力。与此相应，企业必须对它们的经营效果负责，缺乏效率的企业必须重组或根据《破产法》关闭。国家作为企业所有者的权利授予国有资产管理局。

国有企业改革无疑是一项长期的综合工程。国有企业，特别是国营大中型企业是传统计划经济体制的产物，它们从成立之初开始就不是按照效率原则建立的，其目标函数决不是利润最大化，而是完成计划主管单位的各项指令。为服从全社会利益，这些经济实体不仅提供就业，而且提供住房、医疗、保险、教育等各种社会福利。要使国有企业按效率原则运营，必须撤除价格、预算和银行信贷等各方面的特惠和其他保护措施，并使《破产法》不再形同虚设，否则不可能形成硬预算环境从而借助竞争使之焕发活力。为此，"失业"以及各种社会保障制度、住房制度、新的劳工就业制度、发展第三产业等都必须提上日程并卓有成效地付诸实施。近几年来这方面的改革已经启动，但是要完成这些任务决不是短期内能够奏效的。

三、进一步深化改革呼唤"全面推进、重点突破"

国民经济是一个有机整体，改革越是深化，经济机制各环节之间的联动性越强。例如，不解决交通通信等瓶颈问题，经济就无法高速发展；不建立社会保障体系，企业依法破产的后果便不堪想像；金融制度、政府宏观调控机制等更是事关全局。本小节拟分别回顾一下与经济改革主线相辅相成的配套改革。

（一）将变革社会福利保障体系提上日程

企业改革冲击了原有就业、社会福利和住房制度。在旧体制下，企业必须雇佣国家分配给他们的工人，雇员享有终身就业保证和住房、公费医疗和退休金待遇。这种体系使国有企业普遍人员超载，劳动力几乎无法流动。20世纪80年代后半期，政府开始尝试改变这种状态从而使企业不再为社会责任所累，但由于种种困难进展缓慢。

1986年，国家对所有进入国有企业的新员工首次采行劳工合同制。合同的有效期一般为1～10年，其间双方责任、权利依合同内容而定，合同到期后企业和职工都有权选择是否续签。1992年，政府为加快就业体制改革，修改了劳工合同制，规定企业所有雇员，包括经理、技术人员和操作人员都必须和他们的企业签订合同以确定他们的责任、权利和福利，雇员之间诸如固定工和合同工、干部和工人之间的区别也将随之消失。此外企业还准备采用专业评级制度，所有雇员都必须通过考试才能应聘。为落实这些改革政府还准备建立劳动仲裁体系以调解劳资纠纷。尽管如此，劳工合同制依然进展缓慢。据估计，到1992年年底仅有1600万职工遵循了这种制度，约占国有企业职工总数的21%。①

为了对企业实行硬预算约束并能避免社会负效应，全面的社会保障体系必须建立。1986年，失业保险计划开始实施，为那些因下列原因而失业的人提供资助：（1）企业破产；（2）企业重组；（3）劳工合同终结；（4）由于违反规定而被解雇。失业保险计划除现金补助外，还为失业者提供就业培训并协助他们建立自己的企业。目前这个制度已覆盖国有企业中大约7000万以上的雇员，且覆盖面在进一步扩大。失业"救济"则不计原因而向所有非自愿失业者提供，并推广到集体企业和外资企业。此外国家还积极鼓励发展劳动密集型的第三产业，以增加就业机会和吸收剩余劳动力。

传统体制下职工的退休金由企业从现金收入中支付。近年来大

---

① IMF: China at the Threshold of a Market Economy, September, 1993, p. 20.

部分市县和 12 个省已经建立市级或省级退休基金，职工必须把工资收入的一定比例存入基金，不受职业流动影响。这些措施可减轻退休工人对企业的负担。值得注意的是：一种全国范围内通用的退休基金制度已经在加紧酝酿之中。

为了促进住房市场发展和减少政府住房补贴，1991 年起各大城市纷纷提高房租并促进住房的商品化。过去几年中许多房地产公司纷纷成立，并按照市价出售套房。但购买者多为海外居民，国内居民由于工资低和住房贷款缺乏而无力买房。为此，一些市级政府建立了住房基金，通过发行储蓄债券和出售现有的住房得到资金，建筑低价格的住房以扩大买房比例。还有一些城市成立了特种金融机构发展抵押融资，其资金的一个主要来源是退休基金。

（二）加快银行和非银行金融体制的配套改革

1984 年以来，中国金融体系开始多样化。中国人民银行保留了中央银行的职能，其余职能被移交给新成立的中国工商银行。原有的分管农业、国家建设和外汇管理的三家专业银行被允许逐步从事普通商业银行业务，包括从 1986 年起允许进行外汇交易。非银行金融机构也有显著发展。从事国内货币贷款、直接投资和企业借贷中介业务的投资公司迅速扩张，进行租赁、保险、证券交易的金融机构相继成立。这些发展使客户开始得到多样化的金融工具和金融服务，一种金融业竞争环境基本格局开始出现。然而，国有银行毕竟基本上还是被看做国家的行政机关，负责吸收和提供资金，为国家机关和国有企业等进行融资。结果，专业银行被迫提供不按商业原则决策的政策性贷款。而且，银行系统结构分散，容易受地方政府的行政影响而不得不给某些投资项目或亏损企业提供贷款。

1992 年年底，政府宣布了银行体系改革计划，要把各专业银行转变为有竞争力、有自主权、自负盈亏的经济实体。改革的主要内容有：把商业贷款和政策性贷款分开；把准财政活动和商业经营活动分开，所有的贷款都按市场利率发放，所有的利息补贴都通过预算提供；设立长期基金为长期项目提供长期贷款；鼓励银行改进贷款评估方法和债券管理，按照国家法规建立新的会计制度；中国人民银行的监督职能要集中于审慎的银行风险管理上。后又增设了开发银行和进出口银行两大国有专业银行。银行改革的基本内容将体现在正在起草的《银行法》中。

银行改革的另一重要内容是建立现代化的支付系统，发展全国性的银行间货币市场（同业市场），使人民银行的货币政策工具能够发挥作用。长期以来，银行间市场过于分散，地方性较强，由人民银行的地方分支行组织，不便实行公开市场业务。大部分银行是首先依赖人民银行融资，最后才求助于银行同业市场。这在一定程度上反映了利率的扭曲。由于管理落后，1992 年迅速发展的银行同业市场上出现了许多不规范的借贷行为。1993 年年初，人民银行颁布管理银行同业市场的 16 条规定以加强监督和提高利率的灵活性创造条件，并引入短期债券作为公开市场业务的金融工具。

在非银行金融部门，政府提倡建立中长期融资机构。随着股份制的推行，上海和深圳成立了两大股票交易所，全国电子交易系统 STAQ（1991 年）和 NETS（1993 年）相继在北京建成，金融机构开始发行国债，证券市场蓬勃发展。监管证券业的机制随后逐步建立。1992 年后期，政府设置了"全国证券委员会"和"证券监管委员会"。近年来《证券法》正在加紧起草、完善和推出。

（三）逐步将行政手段改为稳定而有效的间接调控

随着改革的深化，政府在经济中的职能应予重新定义。政府不应继续对企业实行严密控制，而应当集中力量建立一种有效的宏观经济管理体系，制定并实施法律法规，推动经济的基础设施建设，打破劳动力、资本和商品流动的国内壁垒，完善社会保障制度，从而使市场有效运行。

1992 年，政府宣布三年内将对行政体系做重大改组，以符合社会主义市场经济的要求。总体来看，那些负责指令性计划和监管企业的政府部门将被改组或取消。1993 年 3 月，全国人大批准了一个精简政府机构计划，国务院下属机构由 86 个减到 59 个。国家公务员制度也被改革，政府官员将减少 1/3，被精简的人员按市场经济需要重新安排工作。国家计划委员会的工作重点将由传统的具体计划制定转为负责制定宏观经济计划和长期经济发展规划。

在宏观经济管理方面，政府已开始将行政手段转为间接调控。财政体制改革以税收管理为重点，修订了预算制定程序，货币政策工具随着银行同业市场的发展也将逐渐发挥作用。政府的目标在于能间接而有效地保证宏观经济环境稳定。

在社会经济基础设施建设方面，政府不仅积极支持交通、通讯、现代支付体系以及全国和区域一级的批发市场建设，而且加强了对法律基础设施的建设，努力为市场经济设置"游戏规则"，使当事人能够自由平等的竞争。1992 年，政府宣布加快立法速度，一年半内通过了几个重要的经济法，包括专利法、商标法、版权法、税收管理法和进出口商标检验法。国务院还颁布了几个影响现存法律的主要规定，包括《关于转换企业经营机制的规定》、《关于成立股份公司的规定》和《股票发行和交易的暂行条例》等。其他正在起草或修订的重要经济法有中央银行法、银行法、证券法、保险法、企业和个人所得税法、合同法、房地产法、公司法等。1992 年 6 月，为加速立法建设，中央政府授权深圳特区市政府制定并批准新的法律以促进市场经济改革。

351

四、经济转轨对宏观经济增长与稳定的影响

（一）经济改革已经为经济增长和社会发展的实绩所肯定

改革以来国民经济的高速增长对于经济转轨的指导方针和具体政策可以说是一种最好的肯定。1953～1978 年全国净实物产出的年均增长率为 6%，而 1979～1994 年上升到 9% 以上。[①] 经济增长加速推进归功于所有要素生产率迅速增长和资本存量增长率的提高。西方专家伯金斯（1988）估计中国 1975～1985 年的实际净实物产出增长中约有 40% 是由于生产力增长，其余部分则归功于劳动力和资本

---

① IMF：China at the Threshold of a Market Economy，September，1993，p. 58.

存量的增加。[①]

改革初期农业增长对生产力和产出的增长曾起过明显的推动作用。1978～1984年，农业产出平均每年增长8.8％。[②] 这种高速增长主要由于"家庭联产承包责任制"激发了农民的生产积极性，其次是因为政府提高了农产品的收购价格。从1985年到1991年，由于农产品的价格升幅减小，农业投资又转向兴建住房或乡镇企业，加上农村劳动力外流和土地占有日益分散等原因，农业总产出的年均增长率很快降至约4％的水平，失去了增长主力的地位。

经济体制转轨也使工业生产有了迅速增长。但是进一步分析表明：工业的增长主要来源于非国有企业，包括乡镇企业、私人和外商投资企业。国有企业的产出增长率最初虽有所提高，从1980～1983年间以平均6％的速度上升，1984到1988年间达10％。[③] 尽管如此，国有企业总体上远未表现出与农业或非国有企业相同的推动力，其产出在工业总产出中的比重从1978年的80％逐年降至1992年的50％以下。[④] 这说明国有企业在软预算约束和重社会负担下生产效率低下，无法与更具活力的非国有企业竞争等问题。

随着生产增长，居民收入水平也明显提高，20世纪80年代上半期贫困面急剧缩小。根据世界银行1992年的统计，产出的提高使农村贫困发生率由1978年的33％降至1984年的11％。[⑤] 但1984年以后，贫困率变化很小。这可能是由于农村改革的好处已被一次性吸收，作为农村增长源的乡镇企业也没有在偏远贫困地区发展。农村居民的基尼系数从1980年到1990年略有增加，表明收入分配的不平等在加强。对不同地区增长率的研究也表明收入差距在明显扩大。经济增长给国内多数居民带来的影响是在绝对收入水平的提高的同时相对收入差距拉大。

---

① IMF：China at the Threshold of a Market Economy，September，1993，p. 58.
② IMF：China at the Threshold of a Market Economy，September，1993，p. 58.
③ IMF：China at the Threshold of a Market Economy，September，1993，p. 58.
④ IMF：China at the Threshold of a Market Economy，September，1993，p. 59.
⑤ IMF：China at the Threshold of a Market Economy，September，1993，p. 60.

（二）改革过程中宏观经济波动与周期特征

自从 1978 年开始改革以来，国民经济已经经历了四个以通货膨胀率和国际收支平衡的波动为特征的经济周期，暴露了经济增长的阶段性不稳定。

1979～1982 年的第一个周期以农业改革为发端。国家对农产品的价格补贴大大增加，同时企业利润留成取代了向国家上缴利润的做法，国家财税收入减少。于是，农民收入的增长以及国家财政收入的全面恶化引发了总需求的上涨。国内投资增长迅速，信贷大幅扩张。从 1979 年中期到 1979 年年底，按季度调整的年信贷增长率由 12.5％升至 25％，1980 年全年则持续偏高。1979 年第四季度，通货膨胀年率高达 20％，[①] 国际贸易收支急剧恶化。1980 年政府通过价格控制推行紧缩政策，1981 年又加紧控制直接信贷和贸易并削减投资预算，结果使通货膨胀率下跌，产业增长率得到修正，进口增长受到抑制，贸易收支于 1981 年第三季度开始出现盈余。

1984 年价格双轨制开始实行，经济进入了第二个周期，直到 1986 年年初才告一段落。这一时期，企业在决定工资水平方面获得更多自主权，两级银行体系建立，外贸体制开始走向自由化。由于企业在软预算约束下大幅提高工资和投资支出，人民银行在新型宽松的银行体系中没有运用控制信贷扩张的有效工具，导致总需求再次膨胀。信贷增长率从 1984 年第一季度的 9％升至第四季度的 76％。[②] 另一方面，外贸决策权下放导致了大量超额进口，国际收支严重恶化。1985 年，通货膨胀和进口增长急剧加速。面对这种形势，政府不得不再一次紧缩信贷和加强外贸外汇管制，从而导致利率提高和人民币贬值。

1986 年中期到 1988 年年末是宏观经济的第三个周期。这段时间内企业开始实行承包制，银行体系也已多样化。总需求的急速扩张主要表现为预算收支恶化。1988 年年初，几种计划管制的价格上调，恶化了通货膨胀心理预期，通货膨胀年率从 1988 年第一季度的

---

① IMF：China at the Threshold of a Market Economy，September，1993，p. 67.

② IMF：China at the Threshold of a Market Economy，September，1993，p. 67.

14% 上升至第二季度的 21%，到第三季度又飞涨至 43%。政府立即采取体制性紧缩，1988 年年末开始治理整顿，用行政手段压缩进口和信贷，削减国家的投资支出，收回部分价格控制权。1989 年年中又提高了利率、人民币贬值 21%。①

一揽子政策的结果是通货膨胀率下降、国际收支转亏为盈，但是工业生产和进口增长率都明显降低。

在经济停滞近三年之后，1991 年年末改革步伐再次加快，宏观经济进入第四个周期。伴随着价格自由化和国有企业市场化进程，投资浪潮再度涌起。1992 年固定资产投资增长 24%，1993 年上半年增幅达 40%。信贷增长也突破计划指标，不受计划管辖的非银行金融机构的贷款发放量迅速增长。交通、能源和工业原料等瓶颈部门出现短缺，通货膨胀加剧。1993 年上半年全国零售物价指数 12 个月的变化率高达 10%，城市生活费用指数几乎升至 20%。同时，进口增长超过 25%，出口增长降至 10% 以下，贸易账户上出现了 1989 年以来的第一次逆差。官方外汇储备大量减少，1992 年 4 月到 1993 年 6 月人民币贬值近 75%。② 居民储蓄存款减少的同时对不动产需求高涨。种种迹象表明，经济已扩张到极限。

为缓解需求压力，政府多次提高利率，削减支出 20%，并推迟价格改革计划，强化中央银行职能，希望实现过热经济的"软着陆"。但这次紧缩措施仅有一半见效：GNP 增长率由近 14% 降至近 12%，通货膨胀率却没有下降，反而在 1994 年 7 月升至 24.4%。③ 这表明提高劳动生产率，从投入型增长转向效益型增长是一项紧迫而艰巨的任务。但是由于种种原因，经济投入偏高已难以控制，20 世纪 50 年代我国投资规模每年约为几十亿（最多百亿）元，1978 年改革启动时达 500 亿元，而 1993 年以来，投资规模已经连年超过 1 万亿元；④ 高投入除导致货币供应迅速增长和通货膨胀问题之外，硬财政赤字和外债的增加也已经值得关注。硬赤字在 1984～1993 年

① IMF：China at the Threshold of a Market Economy，September，1993，p. 67.
② IMF：China at the Threshold of a Market Economy，September，1993，p. 67.
③ IMF：China at the Threshold of a Market Economy，September，1993，p. 27.
④ 王梦奎："在 1993 年世界经济形势研讨会"上的报告。

间累积达 1128.9 亿元[1]，1994 年 11 月累积外债也已达到 1025 亿美元，使偿债率达到 15%～20% 的高水平；[2] 货币供应在 1949～1979 年的 30 年中，人民币发行总额是 212 亿元，1979～1982 年三年共发行 230 亿元，1983～1987 年四年共发行 1015 亿元，1988 年一年发行 680 亿元，1992 年为 1152 亿元，1993 年超过 1700 亿元，[3] 1994 年据估计应超过 2500 亿元[4]。总需求连年急剧增加对于通货膨胀压力显然非常直接。

（三）关于转轨经济"膨胀收缩循环"的比较分析

改革过程中出现的上述几个宏观经济周期有很多共同之处：第一，凡是集中地采取了一些分权或者削弱计划体制作用的措施总是会导致总需求的新一轮高涨，而需求膨胀又主要体现为投资增加、信贷扩张和工资增长，通货膨胀既来自成本推进也来自需求拉上；第二，国际收支失衡，关键部门的短缺和瓶颈问题出现，经济"过热"。第三，总是由政府放慢或逆转改革进程，重新依赖行政控制来稳定经济。这个规律性的事实容易使人得出一种结论：改革加速与宏观经济不稳定两者之间存在着某种内在联系，而行政手段在经济失衡时是有效的控制器。

当然，许多市场经济国家也的确都存在着某种"膨胀收缩"循环，但显然不是由于分权或市场因素阶段性加强而引致。如果说宏观经济不稳定是市场经济的痼疾，那么市场经济国家理应比中国遭受更严重的经济波动，但现实情况正好相反。市场经济国家的不稳定不仅程度上比中国轻，而且并不非要依靠行政干预才能恢复稳定，而且每次膨胀收缩循环通常都可导致固定资本更新和刺激新技术应用，从而推动经济继续发展。比中国宏观经济波动剧烈的国家的确存在，它们是经济转轨过程中的原苏联和东欧国家，与这些国家相

---

① 王梦奎："在 1993 年世界经济形势研讨会"上的报告。
② 陶湘：在北京大学经济学院国际经济系主办的"中国市场经济机制的演进、设计与前途暨当前通货膨胀问题"研讨会上的讲话，1995 年 1 月 9 日。
③ 王梦奎："在 1993 年世界经济形势研讨会"上的报告。
④ 吴敬琏：在诺曼基金 1995 年春节招待会上关于"中国经济改革形势的回顾与展望"的讲演。

比，中国的行政手段显然发挥了积极而重要的作用。尽管如此，遗留下来或曰暂时隐蔽下来的不稳定因素在一轮又一轮的经济循环中仍会累积乃至膨胀，从而使宏观经济波幅增大；而一时由相应政策导致的众多既得利益集团很可能又会成为进一步改善经济运行机制的新阻力。

就某种意义而言，中国改革的渐进式转轨战略并非出于人为设计，甚至可以说是不得已而为之。每一轮新改革举措出台都会引致过度需求增加，要求该一轮改革配有相应的财政货币紧缩政策。然而实际上这种配套机制并未建立，即便后来初具雏形，也会由于国有企业产权的模糊以及金融机构的双重角色而无法真正发挥作用。于是宏观经济的稳定目标只能重新求助于本应被市场经济所摒弃的行政手段而得以实现，于是便陷入了"放、乱、收、死"的怪圈。因此，宏观经济失衡的根源并不是由于改革速度过快，而毋宁说是由于改革还不够彻底和全面。

356

16 年之后，改革应该说已经到了一个再也无法回避全面改革的地步。因为，只有对国有企业实行硬预算约束，实现金融机构的赢利性业务与政策性业务的彻底分离，国家对绝大多数经济实体而言都不再是惟一的利润享有者，政府意图必须通过法律程序才能影响经济活动，才能使各种宏观经济调控手段有效实施，社会主义市场经济才能摆脱人为扭曲而按照经济规律比较平稳地增长。

3. 中国对外经贸体制
接轨进程分析[*]

在当代世界经济现实背景上，对于 20 世纪 70 年代末才进行实质性奋起直追的发展中国家，其对外实行经济开放政策的目标应当是：广泛参与国际分工和国际交换，在更深的层次上投入国际竞争；积极利用国际资源，引进国外资金、先进技术、科学知识和管理经验，优化生产要素组合，提高企业素质，调整产业结构和经济结构；兴办"三资企业"，逐步将传统的封闭经济转变为开放经济。而对于一个力图摆脱传统计划经济困境而逐步转向市场经济的大国和穷国，对外开放的目标还包括：在不断扩大引进交流技术的过程中借鉴、模仿成熟市场，完善本国的对外经济贸易体制，增加传统体制中国际通约化成分，为完成经济体制转轨接轨任务创造条件。为实现这些目标，15 年来中国进行了一系列努力并取得了举世瞩目的成功。本文拟就中国现行对外开放的格局的形成和涉外经济制度改革进程做一点比较系统的考察。

一、全方位、阶梯式对外开放格局的形成

中国对外经济开放过程于 1979 年启动。15 年来，依循分步骤、多层次的渐进式战略，经过以下四个阶段，中国已经形成"经济特

357

---

[*] 本文发表于《论中国经济改革：道路、转轨、接轨——从世界经济看中国》，作者萧琛，北京大学出版社 1996 年版。

区—沿海开放城市—沿边开放城市—沿江城市—内陆开放城市和省会城市"这样一个全方位阶梯式的开放格局,这不仅对促进出口、吸引外资、引进技术意义重大,而且从经济体制上为内向型经济转变为外向型经济、逐步实现与国际经济全面接轨提供了实验、借鉴和模仿的缓冲地带。

(一) 首批四个"经济特区"的创建

1979~1980 年,中央在广东、福建两省设立了四个经济特区:深圳、珠海、汕头和厦门。建立特区具体目的是为了更加有效地鼓励吸收国外资金、引进先进技术和管理经验,不断扩大进出口贸易和增加创汇能力。

首批四个经济特区中,深圳靠近香港,珠海靠近澳门,汕头位于广东沿海,厦门则与台湾遥遥相对。特区设立之前,这些地区经济发展水平有限、几乎没有什么优势。20 世纪 70 年代末广东的发展也只属于全国中等水平,人均国民收入接近全国平均水平。福建省在改革开放前更是几个最贫穷地区之一,人均国民收入在全国 29 个省区中排名第 25 位。

特区企业主要可分四类:(1)地方政府和其他省区政府管辖的国有企业;(2)外商独资企业;(3)中外合资企业;(4)中外合作经营企业。独资企业在组织结构、人事制度、工资制度、聘用和解雇职员等问题上都可以独立决策;在得到政府批准后也可以在国内市场出售部分产品。

特区和国内其他地区的重要区别之一在于管理上分权。特区的经济决策可以不受中央计划约束,特区地方政府可以比较自由地用优惠政策吸引外国投资,而且只要能从税收、利润或从特区银行获得资金,就能发展自己的基础设施建设或进行其他投资。特区企业有权就投资、生产和市场等一系列问题自行决策。这些相对自主的特权成为吸引内地和国外投资的基本因素。

特区的吸引力还来自对外国投资者的税收优惠。特区外资企业利润的征税率仅为 15%,而特区之外企业税率为 33%;而且在头两个获利年份的豁免期过后,特区外资企业在随后的三年中只要缴纳其利润的 7.5％。特区外资企业在进口机器设备等投入品时可免除进口许可证和关税等手续，出口方面也类似。除烟、酒和石油产品之外，其他在特区内销售的产品免征间接税。但是，如果外资企业所进口的产品不在特区进一步加工，则必须支付全部关税和 50％ 间接税。在一定条件下特区产品只要交齐进口税和间接税也可以在国内其他市场销售。至于到特区经营的国内企业，则必须经过政府审批之后才能享受上述优惠。

首批四个经济特区经过 15 年发展取得了令人瞩目的成就。深圳国内生产总值到 1993 年已高达 413 亿元，人均国内生产总值为全国水平的 6 倍，在工业产值方面，深圳 15 年平均增长 60.4％ 左右。[①] 其他三个经济特区虽没有深圳这么突出，但同样也出现国民经济快速发展、外向型经济高速增长、外商投资踊跃、项目质量显著提高、投资环境进一步改善的局面。这对于推动全国的改革开放作用巨大。1993 年，四个经济特区加上海南进出口总额达 420 亿美元，比上年增长 81％，大大高于全国的增长速度，其中外贸出口超过 200 亿美元，增幅近 70％，占全国外贸出口额的 21％。1993 年这几个特区全年新签外商投资项目近 9100 个，比上年增长近 70％，协议外商投资金额 144 亿美元。[②]

（二）进一步开放沿海 14 个工商业城市

设立经济特区不到 4 年，中央于 1984 年 4 月决定进一步开放沿海 14 个城市：大连、秦皇岛、天津、烟台、青岛、连云港、南通、上海、宁波、温州、福州、广州、湛江、北海。这 14 个城市由北到南跨越 10 个省、市和自治区，面积大、人口多，经济文化发达、工业基础雄厚，并有一定的技术和管理基础。

沿海城市开放政策的主要内容包括：第一，扩大这些城市对外经济活动的自主权，具体内容是：（1）采取优惠政策和灵活措施，

---

① 马洪、孙尚清：《经济白皮书 1993—1994 中国经济形势与展望》，中国发展出版社 1993 年版，第 346～351 页。

② 马洪、孙尚清：《经济白皮书 1993—1994 中国经济形势与展望》，中国发展出版社 1993 年版，第 346～351 页。

引进先进技术加快老企业改造和新厂建设，放宽利用外资项目审批权限；（2）兴办经济技术开发区，开发区的利用外资项目审批从宽，可参照特区办法；（3）增加外汇使用额度和外汇贷款，以保证引进先进技术和关键设备、仪器仪表的进口。第二，对前来投资办厂的海外客商给予优惠，主要包括：（1）在开放城市老市区开办的"三资企业"，凡属技术、知识密集型项目，或外商投资额在3000万美元以上，或属能源、交通、港口建设方面的项目，经财政部批准，按15％的税率征收企业所得税；（2）开放城市的老市区的"三资企业"因生产直接需要而进口的生产建设设备、原材料、交通工具办公用品等一律免征工商统一税，企业出口产品，除国家限制品外，免征工商统一税；（3）开放城市开发区内的"三资企业"，除享受老市区的一切优惠待遇外，企业所得税一律按15％的税率征收。[1]

14个沿海城市开放以来，这些城市发挥工业基础好，科学技术力量比较强、对外经济技术交流经验比较多的优势，利用国家优惠政策，在利用外资、引进技术和建设开发区等方面已取得了巨大成就。到1993年，开放城市（还包括后建的昆山和温州开发区）新批准外商投资项目2496个，投资总额67.85亿美元，实际利用外资15.36亿美元，1991年14个沿海开放城市外商直接投资增长率35％，吸收了全国外商投资的1/4，产品出口占产值的比率超过100％。[2]

（三）海南特区和浦东新区的新开放模式

对外开放的第三步是在广东设立海南经济特区和在上海建立浦东新区。海南是一个区域辽阔的落后地区，浦东则是已经开放了的全国最大工商业城市的一个组成部分，这些特殊条件使这两种开放模式与以前差别较大。

海南岛在20世纪80年代中期是中国最贫困的地区之一。它以农业经济占主导，社会经济基础设施严重不足。早在1983年海南即

---

① 方生：《走向开放的中国经济》，经济日报出版社1994年版，第250页。

② 马洪、孙尚清：《经济白皮书1993—1994中国经济形势与展望》，中国发展出版社1993年版，第346～351页。

被指定为"外商投资区",但由于基础设施落后无法吸引外资。广东经济发展、劳动力逐渐变得昂贵之后,海南逐渐成了华南地区廉价劳动力的重要来源。新形势下海南的劳工优势,加上它的土地自然资源,使得它在劳动密集型产业方面对外商特具吸引力。

1988 年,海南被指定为中国最大的经济特区(省级)。地价、劳工便宜及资本商品流动自由使海南受益匪浅。海南是国内迄今为止政策最优惠的经济特区。例如,对于从事基础设施建设或农业建设的企业,且其合同期限超过 15 年的,头 5 个获利年份免税,第六年到第十年减税 50%。此外,对生产出口产品(占总产出 70% 或更多)的企业或高科技企业,在 3 年免税之后可以减所得税 30%。[1] 1992 年,国务院批准了海南杨浦港发展规划,允许出租土地用于经济开发,一次出租面积可大至 30 平方公里,期限可长达 70 年。土地使用权允许出租、抵押或作为权益股参与合作。当年 8 月,海南省政府便批准一家日本公司(Kumagai Gumi)使用与开发杨浦区内 30 平方公里土地的权力,价格为 180 亿港币(23 亿美元)。[2]

海南还是国内最大的行政分权自治和经济管理市场化的实验区。海南省政府有权批准符合既定条件且投资总额在 3000 万美元以下的投资项目[3],并且在经国务院批准之后可以发行债券。创建早期,海南特区还是外汇收入可以不计所有权而实行现金留成、外商可以购买股票和债券的少数几个地区之一。此外海南还是全国首次被允许交易土地使用权的场所,只要所交易的土地租用期限不超过 70 年。

从 1988 年到 1991 年,海南特区的经济发展明显加快,人均收入很快赶上了国内其他地区。到 1991 年年底,海南已批准建立了 2000 多家外资企业,合同投资金额达 3.94 亿美元,实际投资额达 1.7 亿美元;来自其他省份的投资达人民币 42 亿元。同期贸易发展也很快,出口从 2.81 亿美元增加到 67 亿美元,但是在 GNP 中所占比例仍然低于全国平均水平,且集中于初级产品。[4] 1993 年海南保

361

---

① IMF:China at the Threshold of a Market Economy,September,1993,p.33~57.
② IMF:China at the Threshold of a Market Economy,September,1993,p.33~57.
③ IMF:China at the Threshold of a Market Economy,September,1993,p.33~57.
④ IMF:China at the Threshold of a Market Economy,September,1993,p.33~57.

持了快速增长势头，工业增长步伐进一步加快，完成工业产值 93 亿元，增长近 29％，工业产值第一次超过了农业产值，工业在海南特区也开始成为主导。1993 年海南人均国内生产总值增幅达 19％，高出全国平均水平 6 个百分点。①

浦东新区是另一个值得关注的新模式。

1990 年 4 月，上海浦东被指定为开放区，采取"金融先行，基础设施先行，高科技产业先行"的开发战略，享受比首批四个经济特区更为灵活的政策。中央希望浦东从一开始就与周围的地区结合在一起，带动整个长江流域的发展和开放，并使上海成为全国乃至整个亚洲地区的经济、贸易和金融中心。

362

浦东新区一开放就有别于原先的四个特区。它并非在一片处女地上起步，而是得天独厚地拥有上海市（浦西地区）强有力的支持。浦东的发展目标是建立一个金融贸易区、一个出口加工区、一个自由贸易区和一个高科技园区。它的优惠政策在范围上比其他经济特区更加广泛（海南情况例外）。

授权浦东新区从事的经济活动主要有：（1）外商可以从事零售业；（2）所有外资企业都可以自由进行交易外汇；（3）可以建立外国保险公司；（4）外资企业可以建设和经营港口设施；（5）官方批准建立外高桥自由贸易区，企业经过批准可以在此进行自由贸易；（6）经中国人民银行批准建立并开放一个证券市场。在其他方面，浦东的优惠政策与海南以及前四个经济特区相似。但是，在海南享受政策优惠的既包括外资企业也包括国内企业，而在浦东优惠只给外资企业。1992 年 3 月，中央进一步给了上海更多的优惠政策。授权上海市政府可以批准国内企业和合资企业进入外高桥自由贸易区，批准权限于 2 亿元人民币以内项目。此外，上海每年可签发 5 亿元人民币的浦东建设债券和 1 亿美元的"B 股"股票。

为迅速改善投资环境，中央还拨给上海市 150 亿"八五"计划

---

① 马洪、孙尚清：《经济白皮书 1993—1994 中国经济形势与展望》，中国发展出版社 1993 年版，第 346～351 页。

投资,[1] 用以建设新区十大工程。迄今为止，南浦大桥、杨浦大桥、杨高路内环线浦东段、外高桥港区、浦东煤气厂、合流污水工程等已经竣工投入使用，外高桥电厂、凌桥水厂、上海浦东电视塔等工程进展顺利。外高桥保税区、陆家嘴金融贸易区和金桥出口加工区等重点小区开发目标正在实现。外高桥保税区前期开发的 2 平方公里已经封关起用，全国最大的保税生产资料交易市场已经建成开业，国际金融、转口贸易、保税仓储等业务迅速发展，进出口贸易成倍增长。

尽管浦东新区仍处摇篮时期，但它的早期成就还是令人鼓舞的。这个地区吸引了大量外商，其中许多人投资于高科技产业而不是较为基础性的轻工业，这是同其他经济特区不同的。从 1990 年到 1992 年，浦东批准了 704 个外资项目，项目主要集中在电子、化工、电子通讯、精密仪器、微生物工程和汽车零配件等行业。在金融领域，11 个外国银行的分行已经在浦东建立，30 多家其他的银行也已申请在浦东建立分行。国内投资也在迅速增加。到 1992 年年底，被批准的中央、省、市辖企业达 1000 多家，投资总额达 85 亿元人民币。随着浦东投资环境的逐步改善，海内外客商向浦东投资的热潮更加高涨。到 1993 年 9 月底，浦东新区已累计批准外商投资企业 1404 家，投资总额超过 30 亿美元；已批准的内联企业达 1728 家，总投资 272 亿多元。[2] 1993 年浦东新区的国内生产总值达到 160 亿元，比 1990 年翻了一番以上，比上年增长 30%，高于全市国内生产总值增幅 15 个百分点。现有 28 家中外金融企业在浦江两岸落户。新区银行存款余额达 250 亿元，贷款余额 240 亿元，是 1990 年的 12 倍。

（四）将开放前沿全面推向沿边、沿江和其他内地城市

从 1978 年到 1991 年，外商在内地省份的投资项目较少，主要

---

① 马洪、孙尚清：《经济白皮书 1993—1994 中国经济形势与展望》，中国发展出版社 1993 年版，第 353～354 页。

② 马洪、孙尚清：《经济白皮书 1993—1994 中国经济形势与展望》，中国发展出版社 1993 年版，第 353～354 页。

是资源型产业，集中在北京、山西和四川的少数几个城市。内地省份对外贸易也远远落后于沿海省份尤其是沿海开放城市。1990年内地省份的出口和进口分别只占全国总量的29％和10％，贸易占GNP比重在1990年只有12.3％，而沿海省份达到40％。[①]

内地省份外商投资少的一个重要原因是内地省份在税收方面处于不利地位。地方政府批准投资项目的权力有限，开放区可批准的项目投资额最高达3000万美元，而内地省份政府可批准的项目投资最高只能为500万美元。此外，阻碍外商投资的不利因素还有：基础设施太差（尤其是运输和交通设施），缺乏管理人才和熟练劳工，研究和开发水平也比较落后。

1992年，中国对外开放战略进入了内地开放的新阶段。这一进展可分为"沿边开放"、"沿江开放"和其他城市开放。沿边开放始于1992年黑河等13个边境城市。虽然这13个边境城市总面积只有4.1万平方公里，所辖边境线长约1700公里，人口近140万，分别只占全部边境市（县）的2％、7.5％和6.4％，但是其辐射和示范效应很大。在这以后，沿边省区纷纷以边境城市开放为契机，打破"封锁"和"内陆"意识，促进各类口岸的开通，积极恢复和发展边境经贸合作，努力培植参与国际竞争的能力。

364

自沿边开放以来，地方边境贸易已取得突破性进展。1993年，8个边境省区易货贸易进出口总额达55.47亿美元，比上年增长36％，其中黑河等13个边境开放城市的边贸额约占全部边境贸易额的1/3以上，成为我国对外贸易的重要组成部分。沿边开放地区的对外经济技术合作也迅速活跃起来。截至1992年年底，13个边境开放城市共签订对外经济技术合作项目150多个，占所在省区同期新签项目的三成以上，使沿边省区对外经济技术合作规模扩大近1倍，达7.1亿美元，增幅高于全国平均发展速度15个百分点。其中近1/3的项目已开始实施。[②] 此外，经济合作区的国内外投资也十分踊跃。自1992年9月批准边境开放城市举办经济合作区以来，在13个合作区72.15平方公里范围内招商引资势头明显看好。已签订

① IMF：China at the Threshold of a Market Economy，September，1993，p. 33～57.
② 中国统计出版社：《1993年中国发展报告》1993年版，第193页。

的国内外意向性投资协议 1200 多项，协议额超过 75 亿元。①

沿边开放战略实施几年来，有力地促进了边疆省区的经济繁荣和社会进步。一个以边境开放城市为"窗口"、以边境县市为前沿、以省会等中心城市为依托的面向东北亚、中亚和东南亚市场的多层次的沿边开放格局已经初步形成。

沿江和内陆城市的开放也进展较快。沿江地区和内陆城市主要位于国内中部地区，拥有丰富的能源、有色金属、黑色金属和化工矿产等资源。此外，中部地区无论是在人力资源还是在技术基础方面都比西部省区更为优越。1992 年，中央决定对南京、武汉、重庆等十个大城市实施优惠政策，并在长江流域建立六个开发区，使长江流域的发展和浦东新区相衔接。当年 6 月国务院又宣布开放内地28 个城市。开放城市可以自主进行对外贸易和吸引外资，与 14 个沿海城市享有同等的优惠政策。

沿江和内陆城市的对外开放都取得长足进展。外商投资增长迅速，外资流向长江流域和内陆城市的势头明显。据长江九市的调查，1991 年以前九市共批准外商投资企业 801 家，总投资 20.5 亿美元，协议外资额 6.4 亿美元；1992 年九市新批准外商投资企业 2450 家，总投资 43.7 亿美元，协议外资额 22 亿美元，分别是前十年总和的3 倍、2.1 倍和 3.4 倍。此外，沿江和内陆城市基础设施建设和技术改造步伐加快、出口结构优化、对外贸易猛增。

二、外汇体制和外贸体制的国际接轨态势

同特区实验和改革开放实践相辅相成，涉外经济贸易体制十几年来也发生了深刻变革。尽管这类改革情况复杂，限制较多且缺乏透明度，但它们已经在逐步向国际经济接轨的趋向却明白无误。以下主要分析外汇和外贸体制的变革态势。

---

① 马洪、孙尚清：《经济白皮书 1993—1994 中国经济形势与展望》，中国发展出版社1993 年版，第 356～360 页。

（一）中国外汇留成和汇率管理制度的演变

中国外汇管理体制可分成外汇分配留成制度和外汇汇率管理制度。

最初改革外汇分配制度的目的是使外汇制度能够刺激出口，为此曾进行过多次试验。1984年，中央和地方政府之间达成协议，外汇分配制度逐渐成形。1985年，企业开始获得外汇留成权，不同行业、类别和地理位置企业的不同的留成比例和额度都有具体规定。

1991年2月公布的新规定基本上统一了外汇留成制度。它取代了先前由商品种类和地理位置决定的留成额度等规定。普通商品出口商（不包括外商，特区外资企业可保留100％的出口外汇收入）必须以官方汇率向国家上缴所有的外汇收入并能得到收入的80％作为留成，机械和电子产品的出口可留成100％。这80％的留成额度应分配给外贸公司60％、工业生产企业10％、当地政府10％。国家也有权决定是否从外贸公司购买20％的留成额度。同期现汇留成制度也开始在海南、深圳等地试验，以便企业能获得现汇以清偿债务等。

1986年"外汇调剂中心"建立。企业经审批后能从"外汇调剂中心"买卖外汇额度。起初进入"外汇调剂中心"的只限于外资企业，1988年以后放宽到所有持有外汇留成额度的企业。1992年12月这个政策又进一步放宽，所有的国内居民都可以进入外汇调剂中心交易外汇。但是，购买调剂中心的外汇仍需通过审批，且仅限于以下两类企业：一是需要外汇进口那些与产业政策相符合商品的企业，二是必须偿还外债的企业。因此，实际上购买外汇者通常还是限于外资企业。

"国家外汇管理局"把需要进口的企业分为两类：对持有许可证办理进口的企业，经"国家对外经济贸易委员会"认可之后即可从调剂中心购汇；对于不需要许可证的进口，"国家外汇管理局"按照"优先名单"首先考虑那些外汇使用较为符合国家产业政策的企业。对于化肥或其他农业投入品、大中型国有企业先进设备等的进口，一般都给予优先，而对于消费品和奢侈品的进口通常不予优先考虑。

"外汇调剂中心"交易活动的电脑化进程也值得注意。到 20 世纪 90 年代初，全国近 100 个"外汇调剂中心"至少已经有 20 多联网加入了"电子市场报价系统"，各调剂中心通过这个电子交易网络，由政府批准的自营商和经纪人就外汇留成额度和美元进行公开交易。其他调剂中心至今仍是"国家外汇管理局"的普通办公室，负责处理买卖留成额度的书面报告的审批。

汇率管理制度改革也逐步铺开，基本趋向是汇率并轨和人民币自由兑换，但经历比较曲折。

中国对外开放早期，国有外贸公司和国内企业之间进行交易时长期使用好几种外汇汇率。1982 年，这些交易开始使用对外贸易"内部结算汇率"。这一汇率中人民币汇价大大低于官方汇价。随后三年中人民币的官方汇价被逐渐调低，1984 年两个汇率统一。

1986 年再次使用双重汇率，即官方汇率和"外汇调剂中心汇率"。官方汇率事实上采取盯住美元的办法。1989 年和 1990 年发生了两次人民币贬值，分别贬 21% 和 9%，因此官方汇率 1991 年进行了一系列小的调整，到 1993 年 4 月，有效的官方汇率已比 1986 年贬值了 33% 还多，比 1980 年贬值了 70% 还强。[①]

1988 年中央放宽政策后外汇交易进一步自由化，"外汇调剂中心"的人民币价格涨到了官方价格的 80%，这表明有更多的人同时加入交易从而使外汇调剂需求急剧膨胀。1989 年因公众察觉官方汇率贬值，调剂中心的人民币价格急剧下跌，此后两种价格的差距缩小到 8% 左右。从 1992 年 4 月开始，调剂中心的人民币又急剧贬值。尽管官方汇率不断有所调整，官方汇率和调剂中心汇率的差距还是不断拉大，到 1993 年年初达到 45%。当时中央曾尝试用汇率封顶的办法干预市场，但因该措施只能把大部分交易从调剂中心赶到"黑市"去，因此封顶政策 1993 年 6 月又被取消，为此又有一点调整，1993 年调剂中心的人民币价格回升到官方汇率的 80%，但此后官方汇率变化缓慢。[②] 这次人民币贬值的背景是由于经济过热，投资需求膨胀和贸易自由化引起的进口猛增。

---

① IMF：China at the Threshold of a Market Economy，September，1993，p. 33~57.
② IMF：China at the Threshold of a Market Economy，September，1993，p. 33~57.

上述情况表明外汇体制在走向自由化的同时，仍然存在着不少扭曲和缺少透明度。外汇调剂市场的建立显然已经为进口外汇的筹措提供了一个在外汇计划之外的市场导向机制。它为打算在中国投资的外商减少了外汇方面的计划限制，外商可以通过调剂中心换汇。调剂中心在1993年以前曾经促进了大量外国资本流入中国市场。然而，1993年汇率发展情况表明：所有汇率都应该由市场因素决定。为此，政府也已经宣布了汇率制度改革的目标最终是实现货币的自由兑换。改革计划包括建立全国统一的外汇调剂市场；变外汇额度留成为外汇现金留成；官方汇率和调剂市场利率并轨。

1994年汇率并轨改革被推出，以市场供求为基础的、单一的、有管理的人民币浮动汇率制度被实行。具体措施包括：建立银行间外汇市场，改进汇率形成机制，保持合理的、相对稳定的人民币汇率；实行外汇收入结汇制，取消现行的各类外汇留成，取消出口企业外汇上缴和额度管理制度；实行银行售汇制，实现人民币在经常项目下的有条件可兑换。

从多年来外贸发展和改革的经验和实践看，在当前形势下改革汇率制度，是真正抓住了关键，必将促进中国对外贸易的发展。外汇体制改革将为各类出口企业创造平等竞争的良好环境；有助于企业出口成本的合理补偿；提高中国出口商品的竞争力；大大加速外贸企业经营机制的转换，更有效地发挥汇率作为经济杠杆调节对外贸易的功能。这样，也促进中国外汇、外贸体制更加符合国际经济贸易规范，对推动中国经济与国际经济接轨也具有积极的作用。

（二）外贸体制改革进程

中国传统外贸体制的主要问题是：第一，对外贸易由12个国家级外贸公司垄断经营。这些公司按照中央计划进行采办和贸易，各公司享有某些方面的外贸垄断权。这种情况导致贸易和工业、农业、科技结合得不紧密，不能调动各经济部门发展对外贸易的积极性。第二，实行由国家统收统支、统负盈亏的外贸财务体制，一切都由国家包起来。这种"吃大锅饭"的体制，使外贸企业在市场经济条件下难以生存和发展。

从 1979 年到 1993 年，中国传统外贸体制改革大体经历了四个阶段：

第一，1979～1987 年为外贸体制改革的探索阶段，主要改革措施有：下放外贸经营权，广开贸易渠道；改革高度集中的经营体制，实行指令性计划、指导性计划和市场调节相结合；完善外贸管理，重新实行进出口许可证制度；建立外贸经营权审批制度，采取鼓励出口政策；建立进出口关税制度。改革后，外贸公司得到了更大的自主权。各省可以建立自己的外贸公司。到 20 世纪 80 年代中期，全国大约有 700 家外贸公司。它们大部分已成为独立的经济实体，而且就经营成果只对当地政府负责。此外，越来越多的企业也能够独自进行外贸。

第二，1988 年到 1990 年的外贸体改主要是实行外贸承包经营责任制。外贸公司的地区分支机构纷纷独立，新的外贸公司也建立起来。1988 年外贸公司的总数扩大到 5000 家，1989 年开始整顿，使之减少到 4000 家左右。在这一时期，允许进口的商品从 45 种增加到 53 种，须持许可证出口的商品品种从 221 种减少到 159 种；进口关税税率为 3%～150%；对特定进口需求进行了阶段性的调整。总之，这些改革进一步发挥了工、贸企业的积极性。

第三，1991 年到 1993 年外贸体改的主攻方向是取消国家对外贸出口的财政补贴，按照国际通例让外贸企业自负盈亏。1991 年所有外贸公司都实行了承包责任制，指令性计划下的出口和进口分别只占各自总额的 20% 和 30%。这一改革打破了"大锅饭"体制，减轻了国家负担。到 1991 年年底，大约 400 家生产企业可自行直接贸易，特许出口品稳步增至 234 种，由许可证覆盖的贸易比重出口为 55%、进口为 40%。1991 年有 40 种商品的关税被降低；1992 年多至 225 种商品的关税被降低。这些举措使得许可证制度和外贸税对进出口贸易的影响和作用增强。1992 年中国在复关的谈判中与美国达成谅解备忘录。中国宣布到 1994 年年底取消 2/3 的进口许可证，减少其他非关税措施。到 1997 年取消所有的进口限制、配额许可证以及对大量商品的控制，其中 2/3 的限制在近两年内就要取消。

第四，1994 年开始的新一轮外贸体制改革是以汇率并轨为核心的。我国外贸体制改革的目标是建立适应国际经济通行规则，与国际惯例接轨的新型外贸管理体制。新一轮改革的核心是对外贸企业实行统一的结汇制度，经常项目下的用汇凭有效凭证兑换，资本项目下的用汇仍实行审批。此外还要完善对进出口的宏观调控体制，从宏观上运用汇率、关税、税收、利率等调节对外贸易，有秩序地进一步放开进出口商品经营；保持对外经贸政策在全国的统一性；提高政策的透明度，只实施正式公布过的法律、法规和政策。这些改革在统一政策、放开经营、自负盈亏、平等竞争等方面都有较大突破。

最后是多年来中国一直在努力恢复它在"关税和贸易总协定"（GATT）的缔约国地位，近年来又在努力加入世界贸易组织（WTO）。这些努力也加速了中国对外经济贸易体制的改革。尽管这一进程比较曲折，但是中国对外经贸体制的国际化趋势是难以逆转的。

三、关于中国经济融入全球经济态势的评价

以经济特区为主线的全方位多层次开放格局的形成，外汇外贸体制改革的逐步推进等，迅速地增大了中国对外经济贸易活动的规模和提高了中国国际经济活动的效率。中国对外经济贸易活动的令人瞩目的成就已经相当明显地体现了这一点。中国对外经济活动在整个国民经济中比重的提高和在世界经济中影响力的增强这些事实反映着中国经济与世界经济一体化程度已经迅速提高。

（一）对外经济贸易体制整体进步评价

由上分析可知，中国在改革对外经贸体制方面存在着两大层面的政策：全国性（外汇、外贸等）的和地区（特区，开放城市、开发区等）性的。通过这种也可谓之"条条"和"块块"的改革，中国逐渐向全世界开放它的经济。这些改革中几乎每一项政策都包含某种过渡性因素，这些因素无不预示着改革的持续推进会使政策在

某种条件下进一步发生实质性的变革。

1978 年改革之前中国对外经贸体制是高度一元化的，国家被当做一个整体，进出口水平在政府计划框架内由中央一手制定，国家指定 12 个外贸公司在"对外经济关系和贸易部"① 的领导下全面负责中国的对外贸易；外资的借入或直接投资也被集中控制在很低的水平。十几年来，政府下放了对进出口和外商直接投资的决策权，受制于中央计划的外贸领域大大缩小，目前政府主要运用进出口许可证制度和进出口关税影响贸易流量。这显然是走向多元化的重要一步。

政府同时还运用外汇汇率和外汇留成制度来鼓励出口品的生产。影响中国贸易流量的其他措施还包括减少受配额和各种出口税以及出口优惠融资管制或影响的出口品数量。为使进口自由化，中国大幅度降低了中国对某些进口品，尤其是资本品和设备的平均关税税率。结果是中国工业进出口品的关税结构发生变化，对制成品提供了比对中间品更多的保护。中间品和资本品的关税率多在 20%～40%之间，而大多数消费制成品的税率在 60%以上。②这一政策旨在抑制非必需品或奢侈品的消费，同时有效保护国内工业生产。其他值得注意的努力包括：早在 1979 年出台的一部关于在中国设立合资企业的法规，根据该法在指定的开放经济区发展项目的外国投资者可享受税收鼓励等一系列优惠条件；价格改革使许多可贸易商品的国内外价格差距逐步缩小等。而最近几年中国又进一步为利用外资创造了一个宽松的环境，汇率并轨和人民币兑换的逐步自由化，服务领域和内地省份的贸易投资的放开，会计法规、海关管理和宏观调控框架的国际化等，都是富有意义的改进。

从地区政策看，尽管开放地区的数量和宏观经济上的重要性都在不断增加，但随之而来的有两个问题已经越来越突出。现存的国内政策使各省之间互相竞争，竞相向投资者提供更多优惠政策，而不考虑对整个国民经济可能造成的副作用。而且，开发区的激增将会使农用土地减少，而可耕地本来就严重不足，这也是一个严峻的

371

① 现为商务部。

② IMF：China at the Threshold of a Market Economy，September，1993，p. 61.

问题。部分地出于这个原因，政府不得不已经放慢了开发区建立。长远地看，政府有必要重新审核这些地区向外商提供的优惠政策。

且不论开放经济区的未来，这些地区在中国转向市场经济的进程中无疑已经起到了重要作用。虽然它们最初的目标只是吸引外国资金和技术、赚取外汇、获得进口等，以使经济现代化，但现在它们显然都已经远远超越了这个目标。作为试行市场导向和传播开放经验的各种类型的实验基地，它们如今已经成为经济发展的核心力量，对推动全国其他地区的经济发展和体制变革起着日益重大的影响。

（二）国际贸易和国际投资的流量和集中度

在过去 10 年中，由于开放政策的影响，中国的国际贸易和国际投资都取得了前所未有的扩展，以不变价格计算，1980 年到 1991 年间出口年增长率为 12％，使中国 1993 年成为世界第 11 大出口国，而 1980 年它仅排名第 26 位。1993 年中国进出口总额已超过 2000 亿美元，而 1978 年以前不过 200 亿美元。1992 年五个经济特区进出口总额达 283.78 亿美元，占全国总额的 14％，[①]其他开放区，如边境贸易等也都取得相当突出的成绩。中国商品贸易额占按当年价格计算的 GNP 之比重从 1980 年的 12.8％上升到 1992 年的 38％。[②]在开拓市场多元化方面也取得了较大进展，截止到 1992 年，中国已与世界上 221 个国家和地区建立了经贸关系，市场多元化的格局已经相当可观。

贸易在中国经济中重要性的增长在很大程度上表明沿海地区出口主导型经济发展势头日益旺盛，随着外资企业接踵而至，这些地区经济中的出口比重大幅度增长。香港厂商长期以来一直积极利用中国廉价劳动力和土地，在对外开放的地区努力发展劳动密集型产业。这使得中国出口商品的生产迅速走向多样化和现代化。工业制成品在出口商品总额中比重，从 1980 年 50％上升到 1988 年 69.6％（331.1 亿美元），1993 年进一步增为 81.8％（750.8 亿美元），其中

---

① "China 1994"，Business Monitor International Ltd.，June 1994，p. 107.

② IMF：China at the Threshold of a Market Economy，September，1993，p. 62.

机电产品占出口总额的 24.7%。[1]

中国出口制成品的出口一直以轻工业产品为主，如纺织、服装、通讯设备、艺术品和手工制品等占据很大比重。以赫希曼集中度指数（the Hirchman concerntration index）衡量的中国出口品构成在 1980～1991 年间没有明显变化。中国出口中商品的集中度仅从 1980 年 41.4 降到 1991 年的 40。[2]

同时，中国的外贸也相对集中在几个有限的市场上。中国的直接贸易伙伴几乎全是亚洲国家，对他们的出口占中国出口的 65%。在这些国家中，香港首屈一指（广义统计口径）。从亚洲（主要是中国香港和日本）进口中间品和资本品，而制成消费品主要出口到美国和欧洲。

外资流入量因政府的优惠政策而迅猛增长。这些政策（特别是合资）吸引了香港许多投资商。到 1992 年年底，中国批准成立的外资企业达 8 万多家，约 1/3 集中在旅游和服务业，其他投资于石油的勘探、设备和加工产业；大约 2/3 外国投资来自香港，但值得注意的动向是来自美国、欧洲和日本的投资也在迅速增长。

373

（三）中国经济与世界经济整合程度评价

评价中国介入全球经济的深度，必须既考虑它的贸易和投资流量，又考虑它的生产力和国际竞争能力。首先值得指出的一点是：中国出口（作为改革的一个"目标"）的增长可以说是国内减少消费，或者说是以前闲置生产力从而潜在出口能力被开发利用的结果。就这两种情况而言，中国的出口即便在生产力没有提高的条件下也可能增长。而这种出口扩张很可能难以持久，因为它会随现有能力被利用殆尽或国内对可出口品的吸收不能再减少而很快结束。因此，深化卓有成效的改革将始终成为关键。

推动生产力和出口快速增长的因素还包括：劳动生产率的提高、实际有效汇率的变动、廉价劳动力等等。所有上述努力导致中国占

---

① 马洪、孙尚清：《经济白皮书 1993—1994 中国经济形势与展望》，中国发展出版社 1993 年版，第 321～323 页。

② 《中国海关统计》，《中国统计年鉴》，IMF 估计。

世界贸易的份额在短短的十几年中几乎翻了一倍，从 1980 年的 1％升到 1991 年的 1.9％；进口所占份额也从 1980 年的 1％升到 1991 年的 1.8％。这一段时间内中国出口商品生产 GNP 中的比重已迅速增加两倍多，从 1980 年的 6.1％上升到 1991 年的 19.3％。

中国外贸商品和贸易伙伴的高度集中表明中国仍有相当大的潜力来提高它在世界贸易中的相对地位。1980～1991 年间中国外贸商品的"赫希曼商品集中指数"清楚地表明全国的出口多样化程度曾略有提高。同期，尽管外资企业增加导致"赫希曼集中指数"下降，但是进口商品和产地的高度集中情况并没有改变。

除了鼓励出口、吸引外商直接投资政策之外，中国政府还采用了加快中国同世界其他地区间资金流动的措施。20 世纪 80 年代下半期来自中国大陆的企业开始在香港的证券市场筹资，1981～1986 年间中国代理商在不同的海外市场发行的债券数量有巨大增长。尽管这一数字在 1987～1991 年间有所下降。但 1992 年它又再一次高涨。反映债券发行和利用借入外资的指标，即"中国外债"估计在 1982～1992 年间迅速增加。国债以及由国家担保的债务从 1980 年的 45 亿美元上升到 1992 年的 580 亿美元；1994 年年初中国外债进一步增为 835 亿美元。外债中向国外商业银行的借款从 1980 年的 15 亿美元上升到 1992 年的 180 亿美元。这些使得外债在商品和非要素服务的出口总额中的比重几乎翻了三倍，从 1980 年 22.4％上升到 1992 年 78.4％。[1]

中国经济在世界经济中地位的显著上升还表现为中国国际储备占世界总储备（不含黄金）的比重不断提高。该比重从 1978 年的不到 1％上升到 1991 年年底的 5％，绝对额排名从世界第 40 名迅速上升到第 7 名。[2]

总之，无论是贸易的规模和结构的变化，还是投资融资流量的增长，都可以表明中国经济正在迅速地加入世界经济；而随着对外经济贸易体制的不断多元化与国际化，维持中国加入世界经济过程

---

① IMF：China at the Threshold of a Market Economy，September，1993，p. 64.

② 陶湘：在北京大学经济学院国际经济系主办的"中国市场经济机制的演进、设计与前途暨当前通货膨胀问题"研讨会上的讲话，1995 年 1 月 9 日。

的持续性的困难势必逐渐减少，因为出口的增长已经逐步更多地依靠改革后的组织机制和增长起来的经济实力而不再是主要仰仗直接的行政刺激。

4. 中国经济管理"分权"
与区域经济分析*

改革开放以前，尽管中央曾经对于"条条"和"块块"有过几轮"放权"和"收权"循环，地方政府和大型国有产业的经济自主权应该说有所增加，但是地方上的发展战略、产业结构和经济增长速度等还是由中央控制并通过国家计划统筹安排。1978 年中国共产党的第十一届三中全会决议明确指出："现在我国经济管理体制的一个严重缺点是权力过于集中，应该有领导的大胆下放，让地方有更多的经济管理自主权……"。此后，随着经济管理体制的"分权化"或"地方化"进程，地方政府和企业在预算金分配、投资、生产和贸易方面迅速获得了较多的自主权，各省开始能够将自己的经济发展与本地资源优势和政策优惠等密切地结合起来。实践证明，管理"分权"导致的这种"结合"对于区域经济开发意义重大。

本文拟具体分析这场"分权"影响地方经济发展的几个大的渠道中的变革成分，包括中央政策倾向，所有制结构以及中央地方经济的其他传动纽带，如财政、信贷、外贸和投资政策等。这些变革对于现今中央由直接控制经济转为倚重间接手段进行调控这一新形势，从而对于中国完成向市场经济机制的转轨无疑是必不可少的一环。鉴于这场新的分权运动的特征，如步子大、倾斜性强和经济环境不再封闭等等，地方（企业）在同中央进行"信息博弈"过程中

---

* 本文发表于《论中国经济改革：道路、转轨、接轨——从世界经济看中国》，作者萧琛，北京大学出版社 1996 年版。

的传统优势已经进一步扩大，这也许是这场分权的"可逆性"难以继续存在的重要依据之一。

一、"地区性放权"与"产业性放权"的交替

自 1978 年改革启动以来中央就在政策倾向问题上有过很多争论。政府的心情难免矛盾：既想开放经济、调动地方（企业）的积极性，又想保证经济增长成果以稳妥的方式平均分配，同时还要保证政府保持不断优化产业结构的能力；而传统经验多次告诉人们："一放就活、一活就乱、一乱就收、一收就死"。

在 20 世纪 80 年代末以前，政府只需注意少数几个特定的出口带动型经济，给予这些地区极大的自主权和政策优惠，这种分权通常被称做"地区倾斜政策"。1989 年以前，这种地区性倾斜政策（"块块"分权）还未能同产业性倾斜政策（"条条"分权）明显分离，区域性政策中往往包含着扶持或调整某些产业的考虑。直到1989 年官方开始正式使用"产业政策"这个术语之后，"产业性分权"才开始成为改革的一个重要范畴。

377

改革开始时，由于传统的大一统经济，中央的政策只能是"条条"考虑和"块块"考虑的混合物，其目标只能在于先鼓励和帮助某些沿海省份顺利发展某些国家需要的新产业，同时也开始着眼探索一套适合于这些省份的区域经济发展模式。面对一个积重难返的僵化了的经济，中央既迫切需要纠正轻工业、农业与重工业之间的严重失衡，迅速地优先发展农业和轻工业，又需要优先向出口导向型产业和技术先进企业进行较多的政策倾斜以吸引更多的外商投资，从而使开放政策得以贯彻落实。后者在国务院 1986 年 10 月公布的法规中已经开始得到强调。

1988 年到 1990 年，各地区在绝对收入和增长速度方面的差异已经越拉越大，关于政策倾向的争论也变得激烈。此外，各地区之间的贸易关卡和其他垄断行为愈演愈烈，也使人们更多地关注"地区倾斜政策"的扭曲性影响。

1989 年国务院第一次颁布"产业政策",开出了一系列受优惠和受限制的产业部门的名单。起初,政府贯彻产业政策的主要手段是通过投资审批程序和信贷计划等行政办法,偶尔才间接地利用市场机制,如利率和税率等。1990 年,国务院将建设税转变为投资方向调节税。原先,基建投资缴纳的是税率统一的建设税,税种改变之后,不同投资项目具有不同等的优先权,因而缴纳的税率也不同。在诸如此类的改革中,尽管通常情况是"产业不同,政策也不同",但至少还是有一个例外或曰突破,那就是简化外汇留成和汇率管理制度的改革。[1] 这项改革不仅大大消除了出口收入留成的地区差异,同时也大大消除了其产业差异,因此使投资者能享有更大的更立体的"活动空间"。1992 年沿边、沿江和其他内地城市纷纷开放之后,地区倾斜政策的强化已经开始失去社会基础。

尽管分权进程中出现上述"产业性倾斜"替代"地区性倾斜"现象,但这些进展对于产业结构的调整和地区资源的配置的影响实际上非常有限。因为,中央政府在将发展重点由重工业转向社会基础设施的同时,其本身在资源配置过程中的地位和作用也在发生根本性变动,指令性计划已经逐步为间接调控所替代,而且直接受国家调控的国有经济的比重已经迅速减少。其结果是中央的政策重点逐步为自治化的省一级实权势力(特别是沿海省份)所左右。此外,1988 年以后,海南省、浦东新区、沿边和内地城市的开放过程中又不断推出了新的地区倾斜模式,这些对于国家产业政策的实际效果都难免有一定的影响。

二、国有企业的"比重缩减"与"地方化"

随着分权化进程的推进,中国经济的所有制结构正在发生变化,而所有制结构中国有企业的比重正是改革深化的一项重要指标。在分权的早期阶段,许多中央级国有企业甚至更重要的产业部门都被

---

[1] 详见本书"中国对外经贸体制接轨进程分析"一文。

放权而转由省一级政府管辖，[①] 各省因此都有更大的自主权来决定自己的发展和影响本省企业的经营活动，包括促进集体企业（特别是充满活力的乡镇企业）和私营企业的经营活动。

放权之后中央政府至少还能通过两个途径影响国民经济的所有制结构。第一，许多国有企业仍然受中央直接控制，因而其本身的任何改革仍然都必须经由中央批准。第二，由于原材料丰富或由于传统上就是重工业中心，一些省份仍然集中着大量的国有企业，这些省份的改革和发展仍受中央政策左右。

尽管在改革期间国家所有制已经大量减少，但所有制结构的变化在各省之间仍然有差异。例如，1981 年到 1991 年，国有企业产出占整个工业总产出的比例在沿海省份浙江从 58% 降到 29%，而在内陆省份，这一比例仍然一直保持在 83%。不断增长的多样性在统计分析中可以表现为：国有企业的产出占工业总产出的比例的"变化系数"从 0.097（反映了高度统一的所有制结构变化微小）上升到 1991 年的 0.24。[②]

增长最快的省，如浙江、江苏、广东、福建和山东，都是那些国有企业比重下降最快的省。到 1991 年为止，这五个省的国有企业份额几乎缩减一半，降到了 30%～40%，从而出现所有制结构中"国有制企业长期占主导地位"的情况逆转这一新现象。相比之下，边远（特别的西部）省份的变化速度就慢得多。例如，青海、贵州、宁夏、内蒙古和黑龙江的国有企业产出占总产出的比例仍然超过75%，其下降幅度还不到 10 个百分点。[③]

尽管国有企业比重一般都在缩减，但是不同省份非国有企业发展的企业形式并不完全一致，江苏和浙江的"乡镇企业"发展比较突出，广东较多倚重"外资企业"，此外浙江的"私营企业"也比较引人注目，等等。就非国有企业的发展速度看，沿海省份乡镇企业

---

① 国有部门包括中央和各省政府拥有的国有企业，而非国有部门包括集体企业、私营企业和外资企业。

② 变化系数即用来测定两个或更多的有不同平均值的观察值数列的发散程度的标准差/平均值。较低的值表明一列观察值变化较少或较为单一。

③ IMF Occasional Paper 107，Sep. 1993，"China at the Threshold of a Market Economy" p. 48.

的增长比较迅速。1978 年到 1991 年，全国范围内的乡镇企业的年平均增长率为 22%，比国有企业的年平均增长率高 14%。[①] 1991 年，乡镇企业销售收入的 70% 来自 12 个沿海省份和直辖市，而只有 8% 来自西部 8 个省或自治区。乡镇企业不仅产出增长额超过了国有企业，而且其高速增长率还反映了乡镇企业的巨大增长潜力[②]。

国有企业管理的"地方化"还体现在地方上获得了更多的计划和物资分配权方面。计划物资管理体制改革的主要内容是：除少数重要短缺物资外，国家将尽量减少计划分配物资的品种，缩小计划分配范围，让市场自行调剂余缺。中央的意图是让权利逐步下放到地方，最终落实到企业。1987 年由地方政府计划管理的工业产品已经占其工业总产值的 80%；地方生产的 65% 以上的水泥、43%～50% 的煤炭、30% 的钢材和 20%～30% 的木材都归地方支配；地方政府管理的物资增加了 200 余种，而中央控制的物资却下降到只有 20 余种，并继续在逐步放松。[③] 到 20 世纪 90 年代初，有资料表明中央直接计划管理的物资只剩下不到 5%，统配物资品种只有原来的 10% 左右，商业部的计划商品只有原来的 12%，但实权落到企业的仍不到 40%。可见，地方本身的分权进展要缓慢得多，中央下放给企业的自主权大部分地方政府和主管部门截留。[④]

计划和物资管理权限扩大，使地方可以对（国营）企业进行更多的行政干预。在贷款指标和控制比例等方面将企业纳入地方政府的物资计划内。这一方面有利于发挥各地经济优势，另一方面也在一定程度上加剧了"政企不分"的状况。由于企业在物资方面的自主权也有所扩大，因此经常和地方政府争夺物资，影响企业的正常

380

---

① 在其他非国有企业中也可以观察到类似的现象。1991 年，12 个沿海省市的私营企业和其他企业（主要是外资企业）的产出占工业总产出的 70% 多，而西部的 9 个省、自治区的这一比例只有 8%。.

② Ma & Kim 用 Tomqvist—Theil. TFP 指数（该指数中基期和报告期的投入量都用数据平均）来比较国有企业和乡镇企业的经营效果。在 1978 年和 1990 年之间，乡镇企业的 TFP 平均年增长率为 9.1%，而国有企业只有 1.0%。IMF Occasional Paper 107，Sep. 1993，"China at the Threshold of a Market Economy" p. 48.

③ 关山、姜洪主编：《块块经济学：中国地方政府经济行为分析》，海洋出版社 1993 年版。

④ 沈立人、戴园晨：《我国"诸侯经济"的形成及其弊端和根源》，《经济研究》杂志，1990 年 7 月。

运转。在物资管理上，地方违反中央政策和纪律的行为增加。例如地方分成物资随意超过国家规定的比例和范围，使国家计划资源不断"泄漏"，地方不按中央的生产和物资分配计划上报和供应国家订货，任意动用和截留自销物资等。中央在这方面发布的纪律和命令最多，但地方政府的反应也最强烈，仍然要求有更多的自主权，因此违纪行为也不断。至今地方政府截留物资问题仍然没有得到很好解决。

三、中央地方财税信贷关系的变动

（一）财政税收关系

财税关系长期以来一直是中央地方关系经常濒于紧张的重要因素之一，在改革和分权过程中更是如此。1980 年以前，地方政府所有的财政收入全部都上缴中央，中央政府再根据各省情况和全国财力等审批和确定各省的支出需求，并根据这些需求向各省转移财政收入。从 1980 年年初以来，这种关系已经经历了四次大的变化。[①]

1980 年，中央与地方建立了收入分享计划，该计划划分了三种基本税收，上缴给中央的收入，留给地方的收入和按照商定办法由中央、地方共享的收入。1980～1984 年，共享收入的 80％左右上缴中央，其余 20％留给地方政府。这种安排使富裕的省份出现财政盈余，而贫困的省份出现财政赤字。

1985 年确立了一种新方案，以激励各省努力增加财税收入。新办法以各地前一年预算收支余额为基础对各省酌情进行不同的安排，在这个办法下，中央对于地方的控制比以前有所宽松。不过对于财政收入最高的几个地区，包括上海、北京、天津、辽宁、江苏和浙江等，中央仍然严格控制。

---

① Li, Li & Ma (1989)，Oksenberg and Tong (1991) 和世界银行 (1993 b) 都已详细描述了中国从 1980 年以来的中央地方财政关系的演变。IMF Occasional Paper 107, Sep. 1993，"China at the Threshold of a MarketEconomy" p. 48。

　　1988 年中央决定实行"财税包干制"，在全国 37 个省、直辖市、自治区，计划单列市分别实行了六种不同形式的财政包干办法：一是"收入递增包干法"。确定地方收入递增率和留成上缴比例。在递增率以内的收入中央和地方按比例分成；超过递增率的收入全部留给地方，收入达不到递增率影响上缴中央的部分由地方用自有财力补足。北京、河北、辽宁、沈阳、哈尔滨、江苏、浙江、宁波、河南、重庆适用这种办法。二是"总额分成包干法"。根据前两年的财政收支情况核定收支基数，以地方财政支出占总收入的比重确定地方的留成和上缴比例。天津、陕西、安徽适用这种办法。三是"总额分成加增长分成法"。在"总额分成"体制的基础之上，收入比上年增长的部分另加分成比例。大连、青岛、武汉适用这种办法。四是"上缴额递增包干法"。以 1987 年上缴中央的收入为基数，每年按一定比例递增上缴。广东、湖南适用这种办法。五是"定额上缴法"。按原来核定的财政收支基数和财政收入大于支出的部分来确定固定的上缴数额。上海、山东、黑龙江适用这种办法。六是"定额补助的包干办法"。按原来核定的财政收支基数，支出大于收入的部分实行固定数额补助。有 16 个地区实行这种办法：吉林、江西、山西、福建、内蒙古、广西、西藏、宁夏、新疆、贵州、云南、青海、海南。湖北和四川划出武汉和重庆后，由上缴省变成补助省，其支出大于收入的差额分别由两市收入划拨本省，作为中央对地方的补助。

　　根据这个制度，中央要求各地包盈和包亏由地方自己负责，自求平衡。这种体制安排进一步增强了地方财力，尤其有利于中央财政贡献大户地区的财政收入。这说明在中央地方的讨价还价中，中央对地方做出了更多的让步。

　　1990 年，最初的三年包干合约到期，事实证明不可能很快确定更令人满意的替代方案，于是中央决定在替代方案产生之前仍旧沿用第一代合约。实际上，继续对财政包干合约进行商讨只能对中央政府更加不利。1990 年只有 6 个省的账面上有财政节余，而按照合约计算应该是 16 个省有节余。河南省是典型的一个例子。1990 年，按包干合约河南应该把所征收的 8.4 亿元收入中的 1.4 亿元上缴给中央，但同样也根据规定，这一数额要扣除"对企业亏损（包括外资企业）和农作物的额外补贴"、"灾害救济"和"基建配套费"，结果，中央政府反而应当拨给河南省 0.4 亿元。[①] 为此，中央对于如何在中央和地方政府之间分配和安排财政收入、支出问题非常关心，对于如何进一步有效地控制地方政府的财政支出和保证税收征管等问题也感到忧虑。

1992 年，一种分税制在九个省市（浙江、辽宁、新疆、天津、武汉、青岛、大连、沈阳、重庆）实行改革试点，力求通过以税种划分中央地方收入来源，规范和理顺中央地方财政分配关系。1993 年财政体制改革又有新的发展，直到 1994 年中国开始在大范围内实行分税制，其宗旨是统一税法、公平税负、简化税制、合理分权。以中央地方事权关系划分为基础，划分中央地方税种来源，以立法形式确立彼此的税收界限，保证中央和地方都有稳定的收入来源。这无疑是对财政包干制的否定，也是对中央地方财政关系彻底改组的重大举措。

由于大部分财政收入由地方机构征收，因此至少是在原则上，分税制有利于适应由于企业的所有制归属已经随着改革进程而发生较多变更这种新情况，因为企业毕竟是创造财政收入的主体。前财政部长王丙乾先生在 1991 年曾指出：整个 20 世纪 80 年代中央政府对预算收入的占有份额的增加的方法是：对一些最赢利的企业（例如汽车、烟草、石油化工和造船）长期由中央政府所有；对预算外资金征收各种平衡税；1985 年对四个重要的部门（煤炭、有色金属、石油和电力）进行收权。然而，这些增加中央财政收入的办法还是被分权化的影响所抵消。因为地方现在"拥有"许多新建企业，可以从这些企业得到大量的预算外资金。更令人深思的是：国有、特别是"中央级"国有的产出比重已经收缩到非主体地位。

尽管地方财政所得收入增长，但它们对国家预算支出的要求还是有增无减，甚至可以说是很不相称地在增长，其结果是地方政府不断试图挪用其他收入去清偿各种债务。在 20 世纪 80 年代的大部

383

---

① 参见《世界银行》1993 年统计的付算值。

分时间里，中央财政向地方财政提供的资金在地方政府支出中的比重一直在下降，而各省对社会支出、医疗保健和教育支出及各种补贴的拨款所承担的份额则越来越大。新形势下，中央虽然不再明确规定各项预算支出的详细的具体的用途，但是中央和地方的收支格局还是基本上决定了地方政府的支出行为的性质。

1992 年分税制以前中央财政和地方财政的收入变动趋势可以归纳如下[①]：第一，财政总收入在 GNP 中的比重逐渐下降，中央财政收入在 GNP 中的比重也同步下降；第二，20 世纪 80 年代中期地方财政收入在 GNP 中的比重先是上升，而后下降；第三，通过地方税务和其他机构获得的财政收入比重显著下降（"分税制"以前），同时地方财政所保留的收入增加。正是这最后一点，致使由地方财政上缴中央财政的税收收入的相对规模锐减，而这也是中央所关注的问题之所在。通过 1994 年全面的税制改革，这些问题已经进一步得到较好解决。

1994 年税制改革比较彻底地改变了中央地方财政分配关系。推行这次改革时中央遇到了地方的很大阻力。新税制实行后，中央地方直接组织财政收入的格局会发生较大变化。据估算，中央财政直接组织收入可占全国财政收入的 60％左右；地方组织的收入加上中央返还的可用于支出的财力也将占全国财政支出的 60％。[②] 从短期看，地方财政将受到很大影响：作为地方收入的税种较少、税源零散、不易征收；共享税中的主要而方便的税种（增值税）仅占分给地方收入的 25％；沿海省份也由过去的"税收上缴省"变成"税收返还省"；地方自有收入下降，弱化了地方财政的经济调控手段。从长期看，地方财税潜力又有新的增加，因为营业税和各类所得税依赖于第三产业发展，而第三产业增长的潜力巨大；新税制还授予地方一定的税收立法权，地方政府在地方税的开征、停征、税目税率的确定、减免税管理等方面将享有更多的自主权，使地方可以建立自己的地方税收体系。对中央来说，它无疑得到了财政收入的"大

---

① IMF Occasional Paper 107，Sep. 1993，"China at the Threshold of a Market Economy" p. 51. Table 13.

② 杨之刚：在北大经济学院"九四中国经济改革论坛"上的讲话，1994 年 4 月 27 日。

头"和财政的主动权，为强化宏观经济调控职能提供了保证；同时分税制有助于打破所谓的"诸侯经济"格局，消费税和增值税的大部分归中央，营业税和地方企业所得税归地方，这会有助于改变地方盲目上马建设税高、利润大的投资项目，缓解地区封锁和淡化地方利益。

新体制不仅是重组中央地方关系的一个新的契机，而且对于迈向市场经济和规范税制、逐步与国际税收制度接轨等都具有重要的意义。

（二）银行体制和信贷政策

20世纪80年代中期在金融改革的第一阶段，中国人民银行（直到那时还是单一银行体制）划分出几家专业银行，由自己保留中央银行的职能。[①] 各主要银行，包括人民银行，都采取行政靠级的组织结构，全国总行在最上层，省和直辖市分行在中间，市或县支行在最底部。

385

目前，人民银行的权力受"双重领导"体制制约。在国家一级水平上，它和其他部委类似，直接向国务院负责；在省一级水平上，它的分行与省政府行政机构平级；县市一级的情况也类似。人民银行总行的权力在1988年得到加强，中央授权其总行可以任命各省分行的行长。

中国人民银行对各专业银行的贷款同各省信贷分配计划之间有密切联系，这种联系体现着国家对各地区资源配置的调节、干预和优先重点的确定。实际上，信贷政策和财政政策的界限通常很可能被"国家计划委员会"的各种决定弄得模糊不清，因为"计委"可以决定项目投资中的预算出资比例和信贷计划融资比例。正是通过这类信贷分配，中央政府才基本上能够保证大量的资金从为数较少的资金过剩的省份（通常是高收入省份）流向其他为数众多的资金相对不足的省份，这些资金不足的省份的积累速度通常赶不上它们

---

① 此外，不断增加的两类非银行金融机构，大量的农村信用合作社（由中国农业银行监督）和城市信用合作社也日益重要。

的信贷扩张速度①。国家通过这种手段也能使信贷在全国较为平衡地增长，至少在诸如 1990 年国内需求受限制时能够收到预期效果。1988 年，全国信贷计划的监督和控制工作因种种原因被相对放松，其结果是各省乃至全国的信贷猛增，导致 1988～1989 年的"经济超高速"和严重失衡。治理整顿中，中央加强信贷计划的管理，收回了大量权力。1991 年，由于地方要求扩大自主权的压力越来越大，中央再次妥协，允许地方银行通过非常规信贷计划扩张信贷。

　　1993 年严重的"乱拆借"行为还是提出了一系列严峻的新问题。信贷政策虽然是中央为在全国范围内实现经济增长和抑制通货膨胀等宏观经济目标而制定，然而，由于它的执行权是高度地方化的，因此，地方政府有条件通过各种方式与地方银行进行"合作"，甚至采取施加行政压力的手段来争取多发贷款。由于地方银行切身利益与地方政府及本地经济比较密切，银行对地方政府的命令一般难以违抗，因此帮助地方政府挪用专项贷款，或先发行超额贷款、后向中央银行争取更多信贷额度，用既定事实迫使中央银行多发贷款的情况可谓屡见不鲜。其结果是每年的信贷规模一般说来都被突破，这种地方倒逼中央的行为经常是产生通货膨胀的一个基本原因。② 而在银行同业资金市场没有确立和统计不全面、不规范的条件下，"乱拆借"显然是一种隐蔽而有效的好办法。

386

　　1994 年由于外资连年大量流入，国家外汇储备激增。③ 利用外资数额增长需要大量人民币配套资金，外汇储备增加意味着基础货币增长从而货币供应能力增强。这些因素不仅给 1994 年严重的通货膨胀带来压力，也给货币发行和信贷管理体制提出了严峻的新挑战。

　　省银行的财税信贷额度可以通过其他方式突破中央地方财政包干合约的某些规定。例如，1991 年上海向中央上缴了大量财政收入，同时被授权以快于其积累的速度扩张信贷。相反，广东则被迫

---

　　① IMF Occasional Paper 107，Sep. 1993，"China at the Threshold of a Market Economy" p. 52 表 4 中的金融余额是指这一年中存款和信贷扩张之间的绝对差额。北京例外地出现大量剩余表明许多企业把资金留在各自的总部。

　　② 樊刚："软预算约束竞争与中国近年来的通货膨胀"，《金融研究》1994 年 9 月。

　　③ 1993 年年底的 212 亿美元，1994 年年底已经超过 500 亿美元。中国人民大学陶湘教授估算，1995 年 1 月 9 日，北京大学"当前通货膨胀研讨会"。

实施紧缩得多的信贷政策，也许可能是因为它向中央上缴的财政收入较少，虽然充满活力的广东经济也需要迅速地扩张信贷。也许正是由于这类约束并非没有弹性，所以人们可以发现一些可能让市场经济专家们震惊的事情。例如，尽管广东的投资速度比上海快80％，但是它的信贷扩张竟然只高出 26％，[①] 因为投资毕竟是信贷扩张的最重要的因素。

（三）对外经贸政策优惠

在中国宏观经济的三大领域中，对外经济贸易所表现出来的地区差异是最显著的。根据现有的资料分析各省的对外经济贸易融资的头寸也许是很困难的；大量的对外贸易（尤其是进口）并不是记在最终使用产品的省份之账上的。但是，现有的资料能够表明对外贸易的顺差只是集中在少数几个沿海省市：出口/GNP 比率最高的是上海、天津、辽宁、广东、江苏和山东；由于前两个直辖市的进口量特别大，因而对外贸易的顺差实际上毋宁说是集中在其他的四省。外国直接投资的流入主要集中于广东一省，1990 年广东吸收了全国外资流入量的 1/3；而广东省的出口只是总出口的 1/5。广东省比较有条件从国外得到大量的财力、物力，这也是中央强迫广东实施紧缩信贷政策的原因之一，当然另一个目的是更好地保证中央向其他省份转移资金。

至于对外经济政策的实施，中国有一套等级森严的机构分工网络。改革以来，这些机构分工几乎无不有很大变化，许多地方机构的自主权都有了增强。具体分工和权限如下[②]：第一，贸易政策和贸易计划的制定是由"对外贸易和经济合作部"和它在各省的"对外经贸委"等负责。第二，实际进行外贸的只包括中央和地方的外贸公司以及数目不断增长的通过批准获得外贸权的生产企业（包括外资企业）。一个能非常鲜明地反映分权化程度的数据是：1978 年中国的对外贸易只有 12 个国有的外贸公司执行，而到 1991 年已经

---

① IMF Occasional Paper 107，Sep. 1993，"China at the Threshold of a Market Economy"，p. 51.

② 关于中国外贸体制演变的详尽描述见 Lafgy（1992）和 Paragariya（1991）。

上升到 4000 家，这其中大部分是由各省管辖。第三，外汇控制和外债管理工作由"国家外汇管理局"负责，它接受中国人民银行的监督，在大部分省市都设有分支机构，国家外汇管理局还控制着大约100 个"外汇调剂中心"，通过这些调剂中心可以形成市场导向的外汇汇率。第四，大宗外汇交易和外汇储备管理由"中国银行"担任，它在国内外有一个非常密集的分支机构网络。

直到 1991 年中国的外贸收入还是通过合同在中央和地方之间分配，地方得到的外汇汇款按计划内和计划外的数额采用不同的汇率。企业的外汇留成比率也因产品不同而有所差别，经济对外开放地区比其他地区的外汇留成比率优惠，例如，开放初期，经济特区是100％，广东、福建是 30％，其他地区只有 25％，等等。到 1991年，外汇留成制度被大大简化，形成了一个较为统一的汇率管理制度，中央、地方和企业之间分配外汇收入按照新规定进行。

企业外汇留成可以在调剂中心进行交易。不过，由于地方保护主义抬头，省际的外汇流动往往受到限制，其结果是各地调剂中心的外汇汇率出现差别过大的倾向。例如，1992 年 8 月，全国的调剂中心贴水率（在官方汇率之上的差额）从 24％～36％不等。[①] 1992年，中央宣布建立全国外汇市场，统一外汇汇率，政府还同时宣布了严格禁止地方限制外汇流动的做法。此外，为加速外汇流动，政府还鼓励使用电子通讯设备和积极推动支付清算系统现代化。

由于中央对地方的直接控制还未能被处于健全的法规环境中的间接手段所取代，因而各省自治权不断增长对于实施全国性政策来说，势必意味着较多的风险。例如，缺乏足够的控制系统，国际贸易协定就很容易被正在和外商直接谈判的其他的中国企业所破坏，导致自相竞争、"肥水外流"；同样，国家外汇管理分支机构在各省政府的指挥下也很难胜任于外汇储备和外债管理工作，因为有些省政府在面临较松的预算控制时，往往未经中央批准就借入外债和进行其他各种对外贸易（包括境外投资）活动，这势必给省外汇管理机构造成一定的压力。

---

① 参见本书"中国对外经贸体制接轨进程分析"一文。

尽管地方自主权不断增大，但各省仍然受到中央的相当程度的控制。这表现在：第一，"对外贸易和经济合作部"通过各省的"经贸委"，可以在全国按统一的标准实施贸易许可证制度和其他规章制度。所以在1988年治理整顿期间，尽管需要许可证的商品种类没有增加，但所有地区现存的管制却明显收紧，导致1990年进口急剧减少。第二，很大一部分商品的进口（大约46％）须经由中央政府所有的外贸公司办理，出口的比例（大约20％）则要小得多，这使中央在实施进出口政策时有一定的控制能力。[①] 第三，在许多情况下，分权化看起来仅仅是把中央政府的直接干预转变为低一级的政府的直接干预。例如，在江苏省，尽管中央仅对少数项目规定产量和出口数量等指令性指标，但是省政府还是能够在外贸公司和生产企业之间签订约束性的合同，而这可以与指令性指标起同样效果。

389

四、分权与地方经济发展：广东案例分析

广东的面积18万平方公里，人口6300万（世界上只有14个国家的人口比它多）。1978年，广东的人均收入313元，接近全国平均水平315元，在29个省市自治区中排名第10位。到1991年，它的人均国民收入上升2144元，在全国排名第五。[②]

广东经常被列为全中国、全亚洲或者是全世界增长最快的地区。许多专家、学者和党政领导人都在总结广东经验以便推广。尽管现有资料可以表明广东在经济发展的各项指标上确实连续保持名列前茅，但它并不总是第一，更不是遥遥领先。实际上，在过去的10年中，它的增长率与其他沿海省市如福建、江苏、浙江和山东相差并不多。这是因为广东幅员辽阔、经济具有多样性：除了是一个中外有名的出口导向型轻工业基地之外，广东农业部门比重也相当大，而农业的经营效率低，与国内其他条件较好省份没有大的分别。

---

① IMF Occasional Paper 107，Sep. 1993，"China at the Threshold of a Market Economy" p. 53. 图5，1990年中国各省外贸发展情况。

② IMF Occasional Paper 107，Sep. 1993，"China at the Threshold of a Market Economy" p. 54.

　　因此准确地说，广东不应该是整个省，而应该说只是广东南部或曰珠江三角洲地区的经济发展飞快。非官方的估计表明在过去的10年中珠江三角洲的许多县市的平均增长率为20％或略强，而三角洲中的三个经济特区的平均增长率超过30％。[①] 尽管总结南部广东的经验是很有建设意义的，但凭现有资料却难以分析整个省的情况。此外，分析中央政策对各省的作用以及地方政府所采用的政策的作用也是困难的。这不仅因为中国经济十分复杂而且规模巨大，而且因为改革开放政策变化的速度太快，尤其是1992年以来。

（一）广东经济发展的几个特征

　　第一，出口的地位。在广东的所有经济部门中，增长最快的是出口部门。从1978年到1990年，广东的出口平均增长率为29％，是广东省GNP增长率（12.4％）的两倍多，到1990年，出口总值为106亿美元，占全国出口总值的17％。出口/GNP的比率从1978年的13％大幅度上升到1990年的34％，是全国平均水平的两倍。贸易盈余持续保持在出口值的30％以上，或GNP的10％以上；即使除去香港公司产品加工委托部分，广东的贸易仍然一直保持盈余。[②]

　　分析广东的经济增长率[③]可知：过去的10年中广东的GNP增长率超过其他省3.64个百分点，出口的增长对广东GDP增长的贡献度是37.2％，而这些指标的全国平均水平仅为19.9％；非出口的其他部门的增长的贡献度对于广东GDP的贡献度为7.76％，而这项指标的全国平均水平只是略为偏低一点，为7.02％。[④]

　　第二，外国投资正在促进广东和香港、澳门经济的一体化。广东省与香港、澳门地缘的近似性和文化语言的一致性有利于广东同

390

　　① IMF Occasional Paper 107，Sep. 1993，"China at the Threshold of a Market Economy" p. 54.

　　② IMF Occasional Paper 107，Sep. 1993，"China at the Threshold of a Market Economy" p. 54.

　　③ IMF Occasional Paper 107，Sep. 1993，"China at the Threshold of a Market Economy" IMF, p. 82～85 附录 II.

　　④ IMF Occasional Paper 107，p. 54，p. 84.

香港、澳门资金技术和企业文化的交流，加速了广东和香港、澳门在经济上的一体化。在过去的 10 年中，广东的外国投资者中，香港和澳门一直是最大的资金来源。在大部分时间，香港和澳门的投资约占广东外商实际投资总额的 2/3；在 1991 年，来自这两个地区的投资合同总额占了广东外商协议投资总额的 90％，广东吸收了香港和澳门在华总投资的 68％。① 广东省是中国其他地区正在竞相效仿的一个最典型的例子。

香港和澳门还为广东企业与世界市场的联系提供了许多渠道。除了外商直接投资以外，其他形式的经济一体化也在迅速发展，如贸易、租赁、加工和装配等。许多国内企业也通过香港的公司出口产品，它们将生产安排在珠江三角洲地区而将市场瞄准香港，也即所谓的"前店后场"的分工模式已经相当流行。这也使广东和香港之间的劳工流动变得错综复杂。据统计，广东现有 300 多万人直接或间接地在为总部在香港的企业工作，许多人需要常年越过边界到香港去上班或者越过边界到大陆来工作。

第三，广东与中央的财政关系的作用值得进一步分析。许多人一直认为广东的迅速发展主要是源于中央政府所给的财政优惠政策。因为，在事实上，过去的 10 年中中央让广东省在同等条件下比其他省要上缴较少的财政收入，以便给广东更多的财务自主权，加速对广东省分权和推动改革开放的试验进程。诚然，中央对广东的财政政策的确很优惠，从 1980 年到 1987 年，广东向中央上缴的收入几乎为零。在 1988 年到 1991 年的财政包干合约中，规定的广东的"基础承包金额"是 14 亿元，年增长率定为 9％。而条件类似的上海每年却要固定上缴 105 亿元。但是，根据进一步的深入分析，② 广东同中央的有利的财政关系并不是解释广东迅速发展的最重要的原因。广东省 GDP 的增长率比全国 GDP 平均水平高出 3.64 个百分点，其中 2.90 个百分点（差距的 79.6％）是由于出口增长率的差

① IMF Occasional Paper 107，Sep. 1993，"China at the Threshold of a Market Economy" p. 54.

② IMF Occasional Paper 107，Sep. 1993，"China at the Threshold of a Market Economy" IMF，p. 82～85 附录 Ⅱ.

别，只有 0.74 个百分点（差距的 20.4%）可以让非出口生产因素解释。[①] 因此，中央给予广东的各种优惠中，只有出口及直接有关出口的开放政策才应该是更加值得注重的。

第四，广东省在改革试验过程中的大胆开拓精神比较突出。广东已经成为各种改革的试验基地，在开放经济的过程中广东的确走在其他省份前列。首批经济特区中有三个位于广东；珠江三角洲经济开发区建于 20 世纪 80 年代中期；而且 1988 年 3 月，广东省又被指定为一个"综合改革试验区"，同时进行十个方面的改革，包括金融、财政和贸易等，目的是进一步开放本区经济；此外，广东省在开放零售价格、消除指令性计划等方面的许多做法也在全国领先。

广东省政府的首创精神还表现在：不仅已经使得本省的自主权几乎扩大到中央所能接受的最高限，而且还在继续努力获取中央更多的让步。令人刮目相看的一个做法是，广东往往是在得到中央"某种默许"以后，及时地"上马"一些已经超越省政府权限而又未能够经中央批准的投资项目或改革举措；而且与其他省不同，广东省政府通常不是将从中央得到的权利牢牢掌握甚至扣留在省一级，而是尽可能地将它下放到基层地方政府（县和市）。这种进一步放权的办法能使许多效益高而又时效强的项目不受或者较少受到官僚主义的影响。

392

（二）广东经验的带动作用

广东的成功来自于一系列改革开放举措和特有的地缘优势（尤其是靠近香港和澳门），因此，广东的成功经验能否向全国推广问题很值得研究。显然，根据各地的地理位置和自然资源以及中央政策倾向，对于这个问题的回答是不会相同的。

第一，广东经验对于内陆省份不无借鉴和示范意义。[②] 许多内陆地区，除了一些边疆省份以外，都缺乏邻近的国际贸易和投资伙伴，基础设施落后、管理技能不足、劳动力训练也不够。这些因素

---

① IMF Occasional Paper 107，Sep. 1993，"China at the Threshold of a Market Economy"，IMF，p. 82~85 附录 II。

② 有 13 个省既不沿海也不与别国毗邻。

会抵消它们所能提供的任何鼓励经济发展的政策优惠。然而，在1992年中央还是首次开放了长江流域的许多内陆地区，此后更多的地区紧跟其后，有的甚至在未经中央批准的情况下就向外商提供优惠条件。这些地区和其他内陆地区的优惠条件中的许多成分显然来自对广东经验的效仿，如允许由市场力量决定资源分配、利用比较优势、鼓励非国有企业、减少政府干预，以及消除省与省之间的经济贸易障碍和促进区域经济的一体化等等。

第二，广东经验对沿边省份的借鉴意义比较大。中国有7个省区位于内陆边疆，[①] 其中许多省区就国际贸易和与周边国家进行经济合作的条件而言，同广东等沿海省份有类似的优越条件。例如，云南省（与缅甸、老挝和越南接壤）边境的州或县的国际贸易近些年来发展就非常迅速，据说是中国边境发展迅速最快的地区之一。中国北部的省份与前苏联进行各种贸易商务活动，由于后者消费品严重短缺，因而中方大大获利。尽管中国的边境省份与内陆省份相比在技术和生产力方面通常也有较多的比较优势，但外部因素一般说来毕竟都不如广东。因为这些边境省份的邻近国家经济发展比较落后、市场规模也很有限，而广东等省份所邻近的东亚和东南亚地区却比东南沿海省份提供充裕得多的贸易市场和资金来源，也是当今世界经济增长白热化的地区之一。

393

第三，广东经验向沿海省份推广比较容易。广东出口的迅速增长和大量使用外资得助于它和香港、澳门的经济一体化。对于大部分沿海省份来说，地区位置接近或具有比较优势的自然贸易伙伴的存在将会直接影响它们的增长速度。

福建三角洲地区已经和中国台湾发展了密切的联系。后者的工业面临着劳动力价格和土地价格飞涨的问题，而福建劳动力的单位价格比珠江三角洲地区的一半还少，因而是一个强烈吸引台资的地方。[②] 当然，由于政治上的考虑，闽台之间的贸易不如广东与香港

---

① 吉林、黑龙江、内蒙古、新疆、甘肃、西藏、云南和广东。尽管辽宁与朝鲜相邻，由于它的海岸线比国境线长，因而此处把它列为沿海省份。

② 见 Zou, Ma & Wang (1990)。IMF Occasional Paper 107, Sep. 1993, "China at the Threshold of a Market Economy", p. 56。

之间的贸易活跃，但显然潜力巨大，特别是在注意到海峡两岸的关系正在迅速改善这一情况。

东北的辽宁省有大规模的石油、冶金、煤炭、化工和建筑材料工业，接近日本和朝鲜，并有前苏联和朝鲜的广大市场，因而潜力也很大。

长江三角洲拥有中国最先进的工业化城市，是上海和两个经济高度市场化的省份（江苏和浙江）的所在地。这两省虽然没有像香港那样的邻近的外贸伙伴，却能够发展得和广东一样迅速。与浦东新区的开放相联系的正在迅速增长的外资势必会加速整个三角洲地区的起飞。

394

总之，中国的许多地区经济发展虽然不能照搬广东模式，但是许多省份有潜力以类似广东的方式发展。值得注意的一点是，广东和其他沿海省份的经济增长正在受到来自中国其他地区的投资的强有力推动，这些投资旨在利用广东和其他沿海省份的较为宽松的经济环境。随着市场化进程在全国范围内的进一步推广，中国各省的经济增长速度可能会趋向平均。中国的幅员辽阔、经济发展不平衡，因而在过去的15年中中国政府把刺激经济和推动改革的试验放到各省去进行。中央政府容忍甚至鼓励各省的开拓精神和进行市场化的改革。这种分权化的地区性政策在促进几个沿海省份的经济迅速增长方面已经取得了巨大成功。统计分析已表明：在最成功的几个沿海省份，经济的迅速增长中有几个重要因素：本省的开放程度高，国家所有权的比重低，微观经济中政府干预少，财政包干和外汇留成等比较优惠，此外是比较容易得到外商直接投资。

5. 中国转轨型经济周期与宏观调控机制分析[*]

自 1978 年改革开放以来，中国经济一直以惊人的速度增长和加速。虽然增长率难免会有波动，但是由于经济过程的转轨性质或曰改革色彩，产出波动的性质发生了变化。更值得注意的是：几次阶段性的宏观经济不稳定，主要表现在货币金融领域并与改革政策的贯彻执行直接高度相关，而且还显示出一种快节奏的、不完全连续的"周期"现象。当然，这种宏观经济"周期"也许并不只是在改革以后才有，但其特点随改革的来临的确发生了变化。在改革以前，由于对价格和贸易的全国性控制，经济"周期"主要表现为产出增长率缓慢宽泛的波动。改革后则明显表现在通货膨胀率和国际收支水平的波动上，而产出增长的波动变得没有明显的规律。尽管很难评价哪一种不稳定对经济的危害更大，但也许是鉴于 40 年代国民党政府的超级通货膨胀的历史，中国的政府和国民都认为稳定价格更为重要。人们担心改革步伐太快会引致通货膨胀加速，因此设法避免当年社会动荡和保持稳定的愿望使得防止通货膨胀成为头号任务。

本文先就 15 年来的四次"周期"的表现、特征和原因作若干分析，然后就宏观调控机制的改进提出一些对策性意见。

395

---

* 本文发表于《论中国经济改革：道路、转轨、接轨——从世界经济看中国》，作者萧琛，北京大学出版社 1996 年版。

一、转轨型经济"周期"同改革开放部署相互推进

中国转轨型经济的宏观经济"周期"的基本特征是：总需求总是上升，特别是伴随着新一轮改革和（或）改革深化而出现的投资需求高涨；扩张信贷对高涨了的总需求加以认可，反映了经济生活中将加速改革同高速增长等同起来的趋势；关键部门的短缺和瓶颈问题的出现，导致通货膨胀加速和（或）国际收支恶化或"过热"；最后，再通过行政部门控制和放慢速度，或者说，在某种情况下是改革进程的部分倒退，来稳定经济。显然，这种"周期"带有很强烈的政治性质，或者更准确地说是直接体现改革政策的驱动作用；就其波长而言，这种"周期"很像为期三年左右的"基钦"周期。[1]

（一）第一个"周期"：1979～1984年

这一阶段的改革以农业改革为发端，基本政策倾向是"退够"。1979年年初开始贯彻执行的改革政策很像20世纪60年代早期为大跃进和三年自然灾害之后复苏经济而采取的那种政策。这些政策重新侧重于物质刺激，并允许"市场"发生较大的作用。农村改革中主要举措是提高农业产品的收购价格，鼓励农作物的多样化和专业化经营，开始放松对农村市场（集贸市场）的限制，从事农业劳动的组织也由集体为单位分散到以家庭为单位，作为传统社会主义的象征之一的"人民公社"制度被撤销，"家庭联产承包责任制"开始推广等。在工业中，奖金制度重新建立，允许折旧留成，国有企业开始尝试利润留成政策。在对外经济关系方面，对首批经济特区实行了一些优惠政策，用以吸引外国的资本和技术，促进出口，也为更大胆的以市场为导向的改革做实验。

农业改革，特别是农副产品涨价、企业利润留成取代向国家上

---

① 1923年由美国经济学家约瑟夫·基钦提出的一种平均约40个月的短周期（Kitchin-Cycle）。战后美国于1948年、1953年、1957年、1960年、1969年、1974年、1980年、1984年、1987年、1990年都曾处于这种周期的波谷。

缴利润、恢复奖金制度等做法，导致农村、市民家庭收入的增长，但是国家财政收入却全面恶化，这引发了第一轮总需求的上涨。国家财政收支恶化一方面是因为国家税入减少，另一方面也是由于过高的农业收购价格未能转移给消费者，从而使国家的财政补贴支出大大增加。同期，国内投资增长迅猛，1982 年固定资本投资总额比 1981 年增长 28%!① 为适应需求增加，信贷被大量扩张；按季度调整的年信贷增长率从 1979 年年中的 12.5% 升至 1979 年年底的 25%，并且在整个 80 年持续居高不下。② 就货币供应的绝对数额而言，1979～1982 年三年中货币供应总量高达 230 亿元，而 1949～1979 年 30 年中仅 212 亿元。③ 在 1979 年第四季度，按年率计算，通货膨胀率升至近 20%，贸易收支急剧恶化。1980 年政府又采取控制价格等紧缩措施，1981 年又加紧控制直接信贷和贸易政策，并削减政府投资预算。结果，通货膨胀率回跌，产出增长率的滑坡被稳住，1980 年、1981 年、1982 年的实际 GNP 增长率分别为 7.9%、4.4%、8.8%，经过一个短时间的政策滞后，进口增长也受到抑制，贸易收支在 1981 年第三季度开始出现盈余。

其后两年是一个过渡期。1983 年第一步"利改税"开始对国营企业开征企业所得税，为加强固定资产投资管理，又开征了建筑税。但是，直到 1984 年下半年"利改税"第二步政策推出时，这些政策才对经济产生新的较全面的冲击。

（二）第二个"周期"：1984～1986 年年初

农村改革的成功使当局敢于在 1984 年采取一套涉及面更宽的改革举措改革城市的工商业部门，这些举措包括建立"价格双轨制"；全面开征国营企业所得税和调节税；改革工资制度，使报酬和产出联系更紧密，并开征奖金税；打破单一银行体系，向建立中央银行过渡；改革投资体制，鼓励企业用银行贷款为工程项目筹资，而不

397

---

① 1980 年、1981 年分别为＋2.9 和－12.5。IMF Occasional Paper 107，p. 66. Table18。
② IMF, Occasional Paper 107, p. 68. Table 19, p. 67. Chart 12.
③ 见于国务院研究室经济学家王梦奎同志在"1993 年度世界经济形势研讨会"上的报告。

再像从前那样依靠国家财政拨款；改革中央与地方之间的收入分配机制，允许地方保留更多的税入。为了吸引更多的资本和技术，沿海 14 个主要城市在投资和贸易上采取对外开放政策。

"价格双轨制"于 1984 年年初开始实行，企业在决定工资水平上获得更大自主权，政策性银行和商业银行的分工体系开始建立起来，外贸体制上开始初步实行阶段性的自由化。这些使总需求又一次膨胀起来，习惯于"软预算"约束的企业大幅度提高工资和投资支出水平。同时，在这个新的、更宽松的银行体系中，政策性的中国人民银行并没有被给予任何有效的操作性或（/和）制度性的工具来有效控制信贷的迅速扩张。信贷增长从 1984 年第一季度的年率 9％升至第四季度的年率 76％。1983 年到 1987 年，货币供应总量为 1015 亿美元。[①] 外贸决策放权导致大量超额进口需求，国际收支严重恶化。1985 年年中，通货膨胀的进口增长急剧加速。政府又一次紧缩信贷、加强外贸外汇管制，并提高利率，人民币被贬值。

398

（三）第三个"周期"：1986 年中～1991 年

1986 年，以上一揽子改革举措中有许多又被修正和扩展，如通过成立地方上的外贸公司下放贸易权限，放松外汇交易管制，对企业实行类似于农业中的承包责任制，等等。

在这一段时间内，企业还开始实行"承包经营责任制"，专业银行经营限制有所放松，并且成立了各种非银行金融机构和第一批"外汇调剂交易中心"。这段时间中总需求的急剧扩张主要表现在预算收支的恶化。1988 年年初，几种管制价格上调，向已经过热的经济又注入一个刺激因素，从而加剧了人们对通货膨胀的预期，季度性通货膨胀率从 1988 年第一季度的年率 14％，上升到第二季度的 21％，到第三季度又飞涨至 43％。1988 年货币供应总量高达 680 亿元。[②] 政府的反应是进行体制性紧缩，于 1988 年年末开始治理整

---

① 见于国务院研究室经济学家王梦奎同志在"1993 年度世界经济形势研讨会"上的报告。

② 见于国务院研究室经济学家王梦奎同志在"1993 年度世界经济形势研讨会"上的报告。

顿，对进口和信贷采取行政性收缩，使一些价格控制权又回到中央手中，国家的投资支出也被削减。到 1989 年，利率提高，人民币贬值 21％；通货膨胀，工业生产率和进口都有所降低，国际收支又迅速转为盈余。

这次体制性紧缩因为伴随着国家领导层内部关于改革进程的新一轮争论而显得尤其突出，许多深层次问题被提到台面上来，诸如所有权以及更广泛意义上的政治问题。从 1988 年中期到 1991 年是一个紧缩期。过去的改革成功地刺激了需求和生产，也导致了通货膨胀，到 1988 年早期，年通货膨胀率已经达到两位数水平，并且继续在上升。面对这种形势，新一轮价格改革的计划不得不延迟，许多改革甚至有所倒退。在"治理整顿"的方针下集权式的价格控制重新启用，中央采取强硬措施迫使过热的经济降温。紧缩手段成功地稳住了价格，但使经济迅速滑坡，特别是对工业部门的冲击较大。结果，国有企业的亏损严重，"三角债"上升，库存积压，这些都危及到宏观经济的稳定。为扭转经济危机的趋势，1990 年后期，中央凭借刺激性的货币和投资政策使经济恢复活力，并于 1991 年开始复苏。在这以后的一段时期里，政府利用总体稳定的价格使一些相关价格重新组合，并放开了某些商品的价格。经过近三年的停步，1991 年改革的步伐再次加快。

399

（四）第四个周期：1992 年～现在

1992 年早期，中央宣布"治理整顿"已经结束并表明将加速改革开放的进程。1992 年 10 月，党的十四大正式接受邓小平同志关于市场体系不违背社会主义理想的观点，并号召建立社会主义的市场经济，改革达到高潮。新观念是意识形态上的重大突破，它为政府建立完全以市场为基础的经济体系开辟了道路。1992 年 3 月，国家宪法被修改，删除了其中关于计划经济的规定，并写进了建立市场体系的新目标。其他重要的新改革措施包括加快支持市场经济的法制法规建设，转变政府职能，以及加速企业、金融和社会保障体制等改革。

1992 年，中国经济的改革和开放迎来了一个新阶段。此前经济开放主要限于沿海特定地区、经济特区和内陆少数地区以及边境地区，现在开放的范围扩大了；意义深远的价格改革也开始实行，向来被认为是改革禁区的"配给商品价格"，如对城市供应的粮食和各种能源产品统一价格等都得到调整。1993年以后，一些省份的粮食价格已经完全放开，使价格体系走向合理化的同时，也开始采取一些措施把国营企业进一步推向市场，让他们自负盈亏。在立法建设方面，全国人大两年中实际立法54个，平均一个月诞生两部法律。① 改革的推进，以及很大程度上国内财政政策的扩张又一次激发了新的投资浪潮。1992年固定资产投资增加24%并且继续加速，到1993年上半年高达40%。信贷增长超过计划指标，不受信贷计划管辖的非中介性融资创造的贷款大量增加，国内信贷增长率和净国内资产增长率的背道而驰就是一种表现。1992年、1993年货币供应量分别为1152亿元和1700亿元以上。②

经济已扩张到极限的迹象在1992年就已经显示出来，表现在关键领域如交通、能源和工业原材料的短缺。通货膨胀加剧，尤其是1993年上半年，全国零售价格指数12个月的变化率达10%，城市生活费用指数几乎升至20%③同时，进口增长超过25%，出口增长逐渐降低到10%以下，因为商品被国内市场吸收了。结果，贸易账户上出现1989年以来第一次逆差。由于同1992年中期相比，官方外汇储备大量减少，以及1992年4月到1993年6月交易市场上人民币近75%的大幅度贬值，外汇交易市场的压力很大。非中介性融资不断增加的迹象也进一步表现出来，居民储蓄存款下降，而对黄金和房地产的需求高涨。

出于对需求压力不断加强的担心，政府于1993年5月和7月小幅度提高存款贷款利息率。紧缩的其他几个措施还包括减少政府支出20%，延期原定在1993年下半年进行价格改革计划，控制兴办开发区的数量，加强中央银行的地位以保证信贷计划得到贯彻并控

---

① 《中国青年报》1995年3月5日，袁德文，《文摘报》1995年3月12日第1版。
② 见于国务院研究室经济学家王梦奎同志在"1993年度世界经济形势研讨会"上的报告。
③ IMF, Occasional Paper 107, p. 70. Table 20.

制通过非中介金融（如"乱拆借"等）而进行的信贷扩张，取消对农民的打白条现象，加强对房地产交易征收资本利得税，要求偿还为进行房地产投机而发放的贷款，以及通过向国营职工义务摊派完成国库券发行，等等。这些措施的目的是对付过热的经济，以保证中国经济软着陆，不致使改革步伐受到不利影响。

1994年，中央又进行了税制和外汇两项重大改革。人民币汇率并轨，加上其他因素，使当年外汇存底出现异常猛增，基础货币增加，货币供应量再创新记录，但是引进的外资的人民币配套金额就应在2000亿元以上。1994年全年零售价格指数高达21.7%，部分城市超过30%以上。[①] 这些情况表明，"结构性"而不是"总量性"改革已经迫在眉睫。

二、关于转轨型经济"周期"特征的剖析

401

（一）关于波动频繁和幅度大的解释

在改革进程的每一个阶段，但凡采取分散放权以及削减计划的措施都会跟随着一轮总需求的高涨，表现在过热的投资增长和工资增长。总的来说，改革步骤的加快一直被当做是一种引致更快的国有部门和非国有部门的投资增长的信号或"动员令"。

同时，以市场为基础的宏观经济管理由于改革的不彻底而受到阻碍。这里的问题并不是因为缺少市场导向性工具，而是缺少将这些政策工具的作用传达到真实经济活动（利率、相对商品价格、汇率）中去的媒介机制，因此宏观调控信号往往不能反映潜在的供求条件及其要求。而且，许多经济实体并没有诉诸于市场规律，因此对价格信号就不能像在完全的市场经济环境中那样做出反应。这些，连同缺乏足够的规范的法规制度和基本观念等一起，导致政府只能诉诸于行政手段才能比较有效地控制经济活动的程度。

---

① 国家体改委经济学家高尚全同志1995年1月9日在北京大学"临湖轩"北大国际经济系主办的"中国市场经济机制的演进、设计与前途"研讨会上的报告。

另外，改革中某些举措的实施也导致一种错误的"自动稳定器"。税收体制就是明显的一例，"承包经营责任制"的引入，就减少了税收体制内所得税税率的弹性。理论上，"承包基数"以内的利润应按一种统一的税率纳税，超出这个基数的利润则应以低得多的税率纳税，然而，大部分企业所得税却按一种名义上的专门关于纳税的协议合同缴纳。为减少企业因不断投资而增大的债务负担而采取的分期支付办法又使得税收得到减免。

在这样的安排下，随着产出和利润的扩张，企业开始倾向将更大部分的利润保留在企业内部，从而使所得弹性较之于统一考虑企业利润税收时要小。同样，只要企业继续面对"软预算"约束，那么，税基就不会被拓宽且得到合理改进，因而财政政策将不得不继续依靠削减支出来控制总需求。由于价格改革不彻底，随之而来的便是政府给予消费者和企业的大量补贴，这意味着政府支出的削减只能集中在投资支出的削减上，而其实际结果往往只能是取消基础设施的建设。

（二）关于"周期"的非产出性质的解释

转轨型"周期"的非产出性波动的性质首先来自改革政策所呼唤起来的农业、工业特别是非国有企业的轮番推动作用，这些推动因素起到了熨平产出的波动的作用。

第一，改革以来，实际经济一直以惊人的速度增长和加速。实际净实物产出增长率在改革之前 25 年中平均每年增长 6％，而在改革之后的 15 年中，这一平均比率上升到 9％以上。1992 年、1993年和 1994 年增长率分别高达 12.8％、13.4％和 11.8％。这种增长和加速的推动力主要还是来自全部要素生产力的增长，当然资本存量增长率的提高也起了很大的作用。农业部门的生产在改革的头几个年头中起了很显著的作用，1978 年到 1984 年农业产出的年平均增长率高达 8.8％。这个惊人的速度主要依靠"家庭联产承包责任制"，同时也因为政府提高了农产品收购价格。1985 年到 1989 年中，农业总产出的年平均增长率下降到 4％左右，对整个经济的推动作用基本上让给了工业。1984 年到 1988 年期间，工业年平均增长率从 1980~1983 年的 6％左右上升到 10％之多。但是，国营企业并没有像非国有企业那样表现出巨大的能量。乡镇企业、私营经济和合资企业的发展速度是国有企业的两倍。作为一个事实，国有企业产值在工业总产值中的比重由 1978 年的 80％下降到不足 50％，而非国有企业中的乡镇企业目前在国民经济中已经是"三分天下有其一"的举足轻重的地位。

　　第二，既然自改革以来国民经济一直保持着很高的增长率，那么宏观经济（主要是财政金融）的不稳定为何如此受到关注呢？这是因为改革"走走停停"的性质及其对于生产和资源配置的严重影响。这种影响在以增长率指标衡量经济增长时掩盖了严重的宏观不稳定因素，即便是在"周期"的波谷，增长情况也仍然可以使人乐观。（1）增长率即使在经济衰退时期也可以通过优惠的信贷政策人为地维持着增长并保障就业。（2）所统计和公布的增长率并没有反映出国营企业所持续生产的产品的低质量和没有市场的性质，而这又导致企业间的"三角债"及银行的呆账、坏账损失。（3）由于政策方向频繁变化，投资决策倾向于短期化，对资源有效配置存在长远的不利影响。（4）由于缺乏以市场为导向的宏观经济管理工具，政府依靠直接信贷控制，但又不能对有效率和无效率的借款者加以区分。资源配置的无效率随着一些亏损企业依靠优惠信贷生存而日益严重。1988~1989 年"治理整顿"时期一方面出现产出增长，另一方面乡镇企业就业又大幅度收缩，这种情况很能说明问题。又如，1993 年经济增长率高达 13.4％，但是失业率却在增长，全国国有企业的资产负债比率为 68％。①

（三）短期剧烈波动中的中长期因素

　　以上经济"周期"所重视的是短期总量因素，而其中所包含的中长期结构因素则容易被忽视，至少是在前 15 年的改革进程中，结构性问题通常总是努力被回避着的。同西方经济周期相比，中国经

---

　　① 国家计委研究中心经济学家黄范章同志："中国当前的新型通货膨胀——'转轨型'通货膨胀"，1994 年 11 月 23 日。在中国（海口）改革发展研究院主办的国际研讨会上的发言。

济的"周期"振幅之大是罕见的。这种"大起大落"是阵发式的短期刺激和中长期结构改革滞后两者的共同作用所造成的。事实证明，只要谨慎及时地把握货币政策和财政政策，维持总量平衡并不十分困难，然而解决结构性问题就不是靠一时一事就能取得效果，更不是政策的"松""紧"搭配所能奏效的。但是，由于改革措施的先难后易的顺序和实际的"体制外改革先行"战略，政策的短期总量性质过强，导致宏观经济波动一直在"冷""热"或"松""紧"之间兜圈子，经济"周期"同固定资本投资或实际投产周期的关系变得非常模糊。

迄今为止的中国经济转轨过程中，财政和信贷的扩张政策一直是作为一种基本的手段来推动改革、加速增长和防止"停滞"的。这其中的一个认识误区是将高速增长和改革成功相混同，其结果是以短期总量调节代替中长期结构重建。

贯彻这个方针的前提是改革启动时宏观经济条件比较有利。第一，在改革前，尽管是通过高投入的方式，但经济一直保持着增长，而通货膨胀和国际收支一直处于严格的控制之下；另外，中国实际上是在没有外债的情况下开始改革的，因而能够最大限度地利用外国官方援助，商业信贷和外商直接投资的流入来支持改革。而就外商直接投资而言，大陆同香港、台湾的特殊关系在促进实物、资本和其他无形资源的流动方面也起了重要的作用。第二，改革前的政治秩序基本上没有被触动，虽然有不少内部争论甚至冲突，但是政治体制的基础从未动摇过。因此，只要舆论能够就某个改革目标和轻重缓急达成共识，领导层就能够集中精力启动新一轮改革。第三，虽然所有权结构没有发生根本变化，但是让市场力量发挥作用和调节经济的观念已经被普遍接受，这导致大量非国有企业的涌现和发展，还导致大量模拟市场经济的制度安排频频出台，这些在很大程度上使经济突破了传统计划经济中的那种"一放就活、一活就乱、一乱就收、一收就死"的窠臼。第四，改革措施中的实用主义鼓励各省、各地大胆实验，并推行"让一部分地区先富起来"的政策，这一方面有利于全面调动各种积极因素，另一方面，由于政策配套不够，预算约束很软等，也导致各地争先恐后地上项目、争投资、争（一直是负利率的）贷款等。这些显然也会加剧短期波动。第五，改革期间，国内居民相当高并且相当快地在增长储蓄率，是一个能实现高速度投资而又不造成通货膨胀的融资手段。城镇储蓄存款余额和农村存款余额之和在 1979 年为 406.27 亿元，1992 年为 10087.50 亿元，[①] 1994 年更高达 2 万亿元。[②]

三、"周期"的体制性根源和调控机制改革

从改革出现阶段性通货膨胀和外部收支不平衡的经历可以推出两个结论：第一，改革的不彻底提高了宏观经济不稳定因素出现的可能性，因此改革必须尽可能广泛彻底，而且必须尽早建立利用间接调控的机制。第二，（宏观经济）不稳定与其说是根之于改革步伐太快，还不如说是源于新改革举措出台而引致的过度需求增加。这说明在改革分阶段进行的条件下每个新阶段的改革必须有相应的紧缩性财政金融政策与之相配套。

现在的关键问题是国家必须采取步骤建立间接调控经济的机制。这个要求变得越来越紧迫，因为随着改革不断深入，分权和分散决策的进程在加快，行政手段势将变得越来越软弱。除非是不想摆脱这种周期的短期剧烈波动，否则政府只能依靠更加市场化的调控工具来控制宏观经济，此外别无选择。然而，这些工具在某些关键部门的结构性改革没有完成之前，不可能良好地运作。

（一）财政政策与财税体制改革

在财政方面，中央与地方政府之间的合同包干关系是引发各项支出连年突破预算计划的重要原因。因为地方政府一般说来不允许搞赤字财政。[③] 对此地方的对策有三类：第一，通过讨价还价向中央要求更多的优惠财税政策，如扩大预算盘子等；第二，向本地区

---

① 《中国改革发展报告（1992～1993）》，中国财政经济出版社 1992 年版，第 205 页。
② 中央电视台，1995 年 3 月 10 日。
③ 1992 年上海被允许为浦东新区发行债券。

的国营企业索取庞大的"预算外资金",从而绕过常规预算程序;第三,通过加速地区经济增长以图扩大本地区的税源,也许还可以加一个;第四类,它在 20 世纪 90 年代变得越来越普遍:用各种方式绕开在发行债券或向银行借款方面的禁令。例如,许多地区政府和国营企业发行各种债券等,1992~1993 年这些债券又大量增加。这些债券多数是为地方基础设施筹资,有些是出于企业自身的需要。

　　这些对策的作用虽然各不相同,但是都表明财政体制具有很强的扩张性质,因为它们都导致这些支出来自直接或间接的借款;此外,这些对策还表明无效重复的投资的风险很强,因为各省利用各自管辖的企业预算外资金来进行投资,很难考虑全局的协调问题。而预算外资金的规模几乎同预算内资金平分秋色这一事实,又增加了问题的严重性。1987 年(高峰年),预算外资金占 GNP 的 18%,其中中央、地方分别占 7.3%、10.6%;同年中央地方预算资金和预算内资金的之和占 GNP 的 37.5%,其中中央、地方各为 16.7% 和 20.7%。① 更值得注意的是:大部分预算外资金都不受(中央)政府直接控制,而且,由于地方政府已经被允许向产业或商业进行直接投资,地方政府为增加收入弥补开支也已经这样做了,因此增加收入的需要很有可能刺激许多省的经济增长。显然,这既是导致来自中央的改革信号很快转变为增长的一个渠道,也是造成宏观经济压力的源泉之一。既然地方财政支出不能被控制在统一的全部经济的框架内,经济过热的危险当然会增大。特别是在某些场合,受地方政府的压力,银行发放额外贷款或者在未授权的情况下发行债券,使信贷扩张的危险变得更大。

　　为加强预算在宏观经济中的地位,有必要处理因为缺少税收支持、中央政府财政收入被侵蚀,以及巨额财政补贴支出等问题。第一,要放弃现行的在征税上的合同包干制度,转向统一的企业所得税。这样不仅会拓宽税基,增加税收体制的灵活性,而且还会使税收体制发挥积极的自动稳定器的功能。引入其他直接、间接税种也会有助于这一作用。第二,必须更清楚地划分中央和地方政府的税

---

① IMF,Occasional Paper 107,p. 51,Table 13.

收源泉，以取代现有的中央、各省之间的税收分配契约。第三，更进一步推进价格改革，特别是能源和交通领域的价格改革，以减少沉重的预算补贴负担。

1994 年新税法的执行是一项涉及面很广、意义重大的改革举措。它不仅会对中国经济的发展产生许多积极影响，而且对于经济体制改革也具有重要意义。首先，新税制改变了过去那种以产值为主的流转税的重复课征等问题，消除了一些部门和一些地方长期不愿放弃的既得利益。其次，财税改革有利于国有资产管理体制的改革。过去税利合一时国有资产的管理可以说无关紧要。今后，国有资产将按股分红，企业国家直接从中提取利润，还有的采取税后利润上缴的办法。税利分流的时代已经开始。

税制改革与金融体制、投资体制的改革也密切相连。新税制不允许中央财政赤字向银行透支，而只能借债。大量国债的发行，对于促进二级市场的发育成长、改变国库券结构单一的现状、便利中央银行运用公开市场业务这个重要的间接的宏观调控工具等，都具有非常积极的意义。至于投资体制，中国现时最大的问题在于投资者不承担风险，这当然导致投资的无效和重复。财税改革旨在建立独立的国家财政和相对独立的投资体系，今后国有资产将以投资、参股和控股的办法介入投资体系，"拨改投"、"拨改贷"之后，各地、各部门的非赢利项目必将减少。此外，实行复式预算制度后，经常性收支和建设性收支可以一目了然，显然有助于对投资效益的把握。

407

财税改革的难点与风险在于：第一，新税制可以使中央财政的直接收入增加、扭转前十多年财力分散的趋势，这有助于对文教、卫生及各种社会基础设施等投资能力的加强。但是一些地方政府出于既得利益，对于分税制是有看法的。有政策就有对策，中央实际上拿不到钱的情况可能会出现。第二，新税制统一了企业所得税税率、有助于改进企业竞争环境，但是对于外资企业的投资的吸引力可能会下降，因为从税收的角度看外商得到的好处没有过去那么多。部分国有企业也很可能留恋承包制，搞"一厂两制"以进行抵制的可能性是存在的。第三，新税制对于个人收入分配的协调可能也会产生新的问题：短期看征税成本难免增大；个人积极性会因新税而有所影响；遗产税的征收也会产生新问题，如，个人存款没有身份证，珠宝等财产也不便统计，房产多数是农民拥有，等等。第四，新税制减少了地方财政的直接收入，对于地方的积极性也可能有消极影响。[①]

（二）货币政策与金融体制改革

同财政政策一样，在信贷政策上省政府也追求本地区目标。这些目标有的可能与国家政策不相符，从而会给该省的银行系统带来有损中央政策目标的行政压力。随着二级银行体系的建立，新的调控手段在货币政策的实行中变得越来越重要，它们包括各级银行向中国人民银行借款、准备金比率以及影响范围不断扩大的利率等。然而，信贷计划仍然是主要的货币政策工具。尽管它是为在全国范围内配合增长和抑制通胀等宏观目标而制定的，但是它的实施权却是高度下放了的，结果每年信贷规模一般说来都被突破。

1988 年以前，信贷计划的监督和控制比较宽松。1989 年，在"治理整顿"中，它曾被收紧，大量权力被中央收回。其后信贷计划控制又随货币政策的再次宽松而放松。1991 年，各省获得有限的自治权，能在信贷计划下对信贷扩张的结构做小幅调整。1992 年和 1993 年，各省在信贷分配上要求更多自主权的呼声越来越高，实际上，在投资基金承受地方压力的背景下，银行通过非常规信贷计划扩张信贷几乎是难免的。

为改善金融市场的功能，必须采取的步骤有：第一，在银行部门内部加强竞争，特别是，降低主要银行的专业化程度，在决定存贷比率上给他们以更大的灵活性；第二，采取措施促进运行良好的金融市场的形成和发展，如银行间交易市场和短期债券市场等。必须建立一个适宜的法律规范框架。这方面改革成功的关键是将专业银行从承担"政策性借贷"的义务中解脱出来。

在为发展间接工具而进行准备工作的过程中，毫无疑问，政府

408

---

① 基本观点参照了北京大学厉以宁教授在"渔阳饭店"诺曼基金 1994 年春节招待会上关于税制改革的讲演。

在相当长的一段时间内，仍需要将直接的和间接的工具结合在一起使用。即便如此，某些直接手段也可以做一些改变，以最小化其负面影响并增加其有效率的一面。在有必要依靠信贷计划这一过渡阶段中，必须采取几个关键步骤：（1）扩大信贷计划的覆盖范围，直至包括政府的借贷。（2）在整个信贷计划内开始逐步取消各种"条条"、"块块"专用的指令性方案。（3）在制度上巩固中国人民银行的地位，以便通过提高总部对各省分支机构的控制能力来执行信贷计划。鉴于目前融资的非中介化和非银行中介机构发展，信贷计划的实际效用已经被大大削弱。

　　到目前为止，这类改革措施有的已经开始实施：第一，中央银行要建立在法治的基础上，其主要的目标是维护通货的稳定。第二，中央银行不能向财政透支以弥补财政赤字。第三，近年通过的《预算法》已经否定了地方政府在自己的预算中保持赤字的做法，这是财政政策发挥宏观调节作用的重要条件。第四，取消信贷计划和直接控制信贷的做法，代之以公开市场业务，并计划用两年的时间过渡。第五，最新成立的政策性银行，不接受储蓄，为政府项目融资，这是增加政府资产的体现。中央银行不能随意购买或抵押政策银行的债券以发放贷款，除非是公开市场业务或货币政策操作的需要。第六，实现人民币有条件可兑换，初期对经常账户实行可兑换，实际上可兑换的定义是任何公司或个人不受任何限制的兑换，中国离此尚远。另外建立了有管理的浮动汇率制，使汇率在有规律的外汇市场上形成。

　　最后是促进专业银行向商业银行的转化。银行商业化是对金融体系大胆而全面的概括。目前改革的重点也在此。在中国专业银行商业化面临许多挑战及困难。（1）商业银行应当是有竞争性的，受利润驱动的最大化收益的银行，同时也是让股东信赖的银行。在市场经济体制下银行是中央银行政策的传导机构，但是银行政策必须与政府政策分开，银行业务不应受各级政府、党的影响。（2）要有现代化的完善的支付体系。银行之间应该每天结算。这在部分意义上是一个技术性问题。（3）企业要成为自主负责的实体，这是最基本的条件。企业的问题就是责任机制的问题。核心是要明确产权，银行不能被迫向亏损企业贷款。（4）利率自由化，建立有弹性的利率机制。汇率、利率是两个基本价格，利率是关键的政策工具，解放利率，即解决了对企业的补贴问题。（5）应有完善的银行财务报告统计制度。国家政府的机密作用不应发挥过大过重。[①]

（三）企业、社会和涉外经济管理方面的改革

国营大中型企业的主要问题是其目标函数并不局限于"利润最大化"，它还包括其他一系列社会的和经济的目标。国营企业不仅是提供就业机会的主要源泉，而且还具有供应社会福利的功能，诸如提供住房、医疗以及职员培训等。其结果，尽管《破产法》已经制定，但是只能极少应用。国家不得不通过价格政策、预算和银行体制（如长期提供负利率的贷款）保护国有企业。而且，这些企业几乎没有硬化了的预算约束。更重要的是，国有工业部门至今仍旧充斥着人员过剩、效率低下的企业，生产着不合格、无市场的产品，同时由于价格政策引致的扭曲和因为缺乏竞争导致的无效率的双重作用，它们的"亏损"和"三角债"情况严重，无法与富有活力的非国有企业竞争。尽管如此，不合理的投资和提高工资仍在不断进行。

410

以市场为基础的货币和财政政策工具只有在企业是按市场规律办事的条件下才可能具有效力。因此企业改革应集中在尽快消除经营性亏损的两个关键来源：一是持续的价格控制下产生的价格扭曲，二是面临"软预算"约束的单个企业的缺少效率。对于第一点，应进一步加速能源和交通运输价格调整的时间进程，因为国营企业亏损的绝大部分集中在这些领域。对于第二点，应强化国有企业的预算约束，同时给予他们更大的自主权。这一方法有助于银行拒绝向信誉不好的客户贷款，并且减少对亏损国营企业的补贴。另外，政府必须接受因这些改革而带来的一些企业的关门倒闭从而劳工队伍缩减的后果。创造条件提供适当的社会保险、便利劳动力流动，尤其是应借助于建立年金、医疗保险、住房等独立于各工作单位之外

---

① 这些对策参照了国际货币基金 Douglas A. Scott 先生 1994 年 6 月 3 日在华都饭店北京大学国际经济系主办的"中德经济转轨接轨问题研讨会"上的讲话。

的制度，也就是说，应当同时加快社会保障制度的改革。

在涉外经济管理方面，政府一直力图建立一个统一的以市场为导向的汇率制度，但这一战略由于地方对外汇自由流动加以限制以及缺乏全国统一的市场而受到阻碍。在这样的环境中，没有统一的有保证的进入市场的条件，因为进入市场的途径由设在各省的"国家外汇管理局"的分支机构来决定，而这些分支机构受到当地的强大影响。而且，有证据表明各省或各地区对贸易的限制和约束方式也很不相同。

一个更加开放和自由的贸易和外汇体制将会给经济增加一个安全阀门，也就是一种自动调节经济的机制，因而就不需要阶段性地采用行政手段以控制进口及汇率。例如，进口自由化将缓解关键部门的瓶颈压力。现在外汇储备可观，正是考虑推进这一自由化政策的有利时机。同样，放松外汇管制也会加强汇率对总需求的调节作用。这方面的重要做法包括：允许经常项目下的交易进入外汇市场，将外汇留成比率提高至 100%，逐步减少出口商在现行汇率下向政府出售外汇留成额度，用现金留成取代额度留成，发展外汇的银行市场。1994 年外汇开始并轨之后，这方面的情况已经有所改变，资本项目中的外汇自由交易问题也应该及时地加以解决。汇率并轨目前着眼的仅仅是国内企业的经常项目，对于"外企"仍然是采取调剂的办法，未能同金融体制的改革相配套，而且金融体制改革也严重滞后或者说远未完成。这种局面导致一些两难问题，例如 1994 年外汇储备猛增之后，应当是限制外资流入呢，还是应当鼓励用汇？分析结果表明两者都不可行。而这其中的关键是体制未理顺，货币管理当局和发行钞票当局未能分开，因此不能控制高能货币的强大派生作用。[1]

411

---

① 这一观点参照了国务院发展研究中心经济学家吴敬琏先生在"港澳中心"诺曼基金1995 年春节招待会上关于"中国经济改革形势的回顾与展望"的讲演。

6. 港资动向、华南经济圈与
海峡两岸经济融合[*]

随着 1997 年香港回归大陆的临近，港资投资广东和整个大陆的格局和态势出现了许多新的情况，"华南经济圈"，一些外国专家也称之为"大中国经济带"（The Grand Chinese Economic Zone）或狭义的"大中华经济圈"（The Greater China）的雏形已经初现端倪。影响这个经济带成长的第二大积极因素是海峡两岸经济的融合。1988 年以来，台资在大陆的发展比香港以外的任何国家或地区都要快，并于 1992 年成为仅次于香港而远远超过日本和美国的大陆第二大外商。本文首先考察大陆港资的基本格局和新的动向，并就华南经济圈的建设和广东发展融资问题提出若干建议，然后分析经济圈形成过程中海峡两岸经济关系因素和国际经济共同体的影响。

一、港资投资广东与大陆的基本格局与动向

（一）港商投资大陆与广东的基本格局

20 世纪 80 年代以来，香港厂商逐渐将劳工密集型产业转到人力、土地资源充裕的珠江三角洲。到目前为止，港商已成为中国大陆最大的外来投资者，以外资协议金额或实际利用额衡量，港资均

---

　* 本文发表于《论中国经济改革：道路、转轨、接轨——从世界经济看中国》，作者萧琛，北京大学出版社 1996 年版。

占六成，若以项目数量衡量，港资约占七成。仅在广东一省，港资企业即已经超过 25 万家，雇佣劳工超过 300 万人，几乎相当于香港制造业劳工人数的五倍。香港已在海外投资的厂商中，90％投资集中在中国大陆。而在中国境内的港资几乎高达 90％的资金集中在广东一省。[①]

港商投资除了集中在广东及其他华南省市之外，还开始向北和内陆地区推进：如北京、上海、天津、黑龙江、四川和内蒙古等。就国别而言，港资除中国大陆以外，美国、加拿大、新加坡、马来西亚也为港商投资地区。

港资在广东省首先分布在制造业。香港工业总会最近几年的调查报告显示：1990 年，42％的会员在珠江三角洲已有投资或打算投资；1991 年同一指标增长为 46.2％；1993 年更进一步大幅度增长为 68.9％。更值得注意的是他们（计划）投资的 90％一直集中在广东省。[②] 虽然土地、劳工和环保成本的逐年上升势必削弱广东吸引外资的势头，但是调查报告仍然指明："就中短期而言，广东仍然是香港制造业投资的主要目的地。"

413

由于劳工优势，投在广东制造业中的港资主要分布在劳动密集型行业。1993 年香港工业总会的调查表明：皮革、橡胶行业的会员将其总投资的 82.4％投资在广东及中国其他地区；电子产品加工业的同一指标为 77.8％；钟表业占 71.4％；电器及光学制品占 72.7％；玩具占 68.9％；相反，人力需求较少的化工制药只占 29％，食品饮料占 43.3％。[③]

非制造业中港资最为倚重的是房地产业。首先，港资房地产投资的重点仍在珠江三角洲地区，近年来有逐渐沿海北上的趋势。近年来，实力雄厚的长江实业、新鸿基地产、新世界集团、信和集团等大型房地产集团争相在珠江三角洲的一些大中型城市投资开发房

---

① （香港）梁志明："香港资金在国内投资的发展趋势"，北大经济学院内部交流论文，1994 年 7 月，第 27 页、第 2 页、第 12 页、第 14 页。

② （香港）梁志明："香港资金在国内投资的发展趋势"，北大经济学院内部交流论文，1994 年 7 月，第 27 页、第 2 页、第 12 页、第 14 页。

③ （香港）梁志明："香港资金在国内投资的发展趋势"，北大经济学院内部交流论文，1994 年 7 月，第 27 页、第 2 页、第 12 页、第 14 页。

地产。天安中国公司、粤海投资公司、合和实业公司、至祥置业和协兴等上市公司也先后在深圳、厦门、武汉等地购地兴业。

其次，港资房地产投资的规模相当大。据统计，1992 年上半年广东在港推出的楼盘已经有 159 个，共 21289 单元，销楼收入达 60 多亿港元。新世界到 1992 年年底投入国内的资金估计达到 14 亿～16 亿港元，占该集团总产值的 10％。近两年来，港商投资超过亿港元，甚至超过 10 亿港元的巨资项目接连出台。丽新集团投资 10 亿港元参与上海、广州三项地产开发计划；建壳电器工业有限公司集团也与广州厂商商谈了十多项房地产投资计划，并将对大陆的房地产投资的资金运用比重定为 1/4。[①]

再者，近年来港商更加着眼于长线大型投资，大面积地兴建商业城、工业村和保税区等，而不再是单纯地投资住宅楼以图短期利润。新世界拟建的大型开发项目包括广州二沙头的大型度假村和游乐场、惠州的大型商业城和顺德的大型商业区等。恒基兆业地产、新鸿基地产、信和置业和港澳控股等多家专业公司也开始在广东、福建和北京等地着手城区住宅、高级别墅和综合商厦等项目。和记黄埔、海晖国际及正大（香港）有限公司也先后与广州、深圳、江苏等地达成协议开发工业仓库、商厦和住宅。

港资在大陆金融投资领域也占有重要地位。经由香港银行转介或融通的资金，最初集中在第二产业，现今主要集中在第三产业。香港银行业是国内外集资的重要渠道，中国商业贷款 70％ 左右为银行贷款，而其中超过 60％ 的部分是在香港筹集。

港资流入广东和大陆其他地区主要通过间接融资和直接融资两个途径。间接融资包括中港贸易融资、港商在华直接投资、大陆在港组织银行团贷款和租赁。直接融资包括港民购买各种"中国概念股"、购买中国发行的"B"股或投资于专营中国股票的基金。邓小平南方谈话之后，香港各投资公司纷纷推出各种中国基金。目前这些基金已经多达三十多个，资产总值为十多亿美元。这些基金主要投资于大陆的"B"股、"H"股、在港上市的中国概念股以及其他在港上

414

---

① （香港）梁志明："香港资金在国内投资的发展趋势"，北大经济学院内部交流论文，1994 年 7 月，第 27 页、第 2 页、第 12 页、第 14 页。

市的大陆企业的股票。到 1993 年年底，深圳发行"B"股的公司已经从 1992 年 9 家增加到 19 家。年底总市值超过 80 亿元人民币。[①]

港资在其他领域也日益重要。1993 年中国开放第三产业之后，港资开始收购某些大的消费性企业的股权，兴建服装、珠宝等批发零售中心，开设米厂、快餐店，甚至设立股票研究分析机构等。

除了上述的房地产和金融业，港资在投资国内零售业中又一次扮演了捷足先登的角色。港商在珠江三角洲兴办超级市场、购物中心和成片开发综合性商业区以及大型旅游项目。如，由新鸿基公司与和兴集团组成的香港直邦有限公司和南方大厦共同开发广州市西堤商业区项目；又如直邦公司和越秀香港有限公司合作续建广州百货大厦加层项目等。值得注意的是出现不少超过一亿元的大项目，如南湖旅游度假区、东方游乐城、永兴街水产基地以及芳村粮仓建设项目等。此外，香港英资怡和集团公司属下的牛奶公司"SEVEN—ELEVEN"也决定在广州建立 10 家连锁商店。

415

（二）港商对广东及整个大陆投资态势分析

港商投资大陆开始于 1979 年中国政府颁布的《中外合资经营企业法》。当时只有一些微小的投资，"三来一补企业"占主导地位，直接投资集中于旅游酒店和商业大厦，工业投资很少，大部分是劳动密集型项目，而且进展比较慢。

1985 年至 1989 年上半年，港商因本地劳工短缺和生产成本不断上升，开始到国内办外发加工项目，香港制造业的大部分工序逐渐转移到国内，尤其是电子、玩具、钟表等主要行业有 80% 左右的生产业务比较集中地转移到珠江三角洲一带的乡镇企业，广东及华南地区因此成为香港的巨大生产加工地。这段时间内港商国内投资增长速度比较迅速。到了 1989 年下半年，港商国内投资热受到"六四风波"和"治理整顿"的影响冷却了一段时间。

1992 年中国经济改革开放步伐加快以来，房地产业和零售业也开始真正对港资开放。这给港商带来了一系列新的投资机会，港商

---

① 陈昌华："中国证券市场：成绩、问题与展望"，《世界金融》杂志 1994 年第 3 期，第 4 页。

投资广东和大陆其他地区再度掀起热潮。仅 1993 年前 5 个月，香港上市公司在国内的投资项目即超过 800 个，投入资金 5200 亿港元，[①]势头之猛、规模之大，由此可见一斑。与前两次热潮相比，这次投资浪潮无论在投资区域、投资范围、投资方式等方面都已经发生了令人瞩目的变化。

首先，港商投资区域已经由南向北、由沿海向内地发展。港商内地投资中心已经由广东、华南向华东、华北、华中和东北转移，上海浦东、辽东半岛、山东半岛和内地一些大城市也开始成为港商投资热点。新鸿基地产除了在深圳投资房地产外，还投资 20 亿港元参与北京东安市场改造工程，香港正大集团在上海投资兴办年产二十万辆摩托车的项目等。

其次，港商投资重点已经从一般加工工业向房地产、零售业和金融证券方面转移，第三产业已经成为新的热点。1993 年香港 15 家较大的公司共同斥资 100 亿港元购买内地三千万平方米土地；香港大型百货公司先施、永安等也于 1993 年开始向北发展，八百伴与上海第一百货公司合组上海第一八百伴有限公司，太平协和集团打算未来 5 年内在内地兴办 30 家连锁百货商场；内地股票市场、"B" 股也是港人兴趣很大的投资目标，香港证券商和商业银行包揽了大部分 "B" 股的海外特许承销和特许证券商业务，香港中小投资者也踊跃购买内地驻港中资企业和具有中国概念的华资企业在香港上市的股票。

再者，直接参与内地大型基础设施也开始成为热潮。1993 年以来，合和、新世界、新鸿基、恒基、九龙仓和和黄等积极投资于内地的高速公路、桥梁、港口、机场、电厂等长远而大型项目。新世界投资约 16 亿元人民币兴建广州北环高速公路和珠江电厂；合和实业的主力投资广、深、珠高速公路项目已进入施工阶段，兴建深圳沙角 A、B、C 电厂的巨型投资项目也已经上马；和黄在上海三个货柜码头的投资项目已经签约，现又投资东莞市深水港口建设；九龙仓投资 60 亿港元的广州至珠海、广州至惠州的公路项目已经于 1993 年 10 月动工，并已决定在武汉投资 140 亿港元参与货柜码头、

---

① （香港）梁志明："香港资金在国内投资的发展趋势"，北大经济学院内部交流论文，1994 年 7 月，第 3 页。

轻轨铁路、武汉发电厂等基础设施项目；新鸿基则已经计划对深圳至黄岗口岸架空铁路系统投资 10 亿～15 亿港元。①

最后，投资方式已经高级化、大型化和多元化。早先的旨在利用廉价土地和劳工的"三来一补"和其他劳动密集型的加工类投资为主的地位已经逐渐为第三产业、金融科技服务业和大型社会基础设施投资所取代。早先只注意直接投资的情形也逐渐转为同时注意证券投资的潮流所改变。参与大陆投资发港商中大财团的比重已经显著增加，李嘉诚家族控制的长江实业、和记黄埔等企业及九龙仓、合和、新鸿基、恒基、新世界等大财团近年来对大陆投资都有大的动作。除了上述有关内容以外，投资多元化还表现在港商内地投资已经打破了行业的界限，形成了跨行业投资。长江实业集团在深圳成立长和实业公司，经营范围涉及零售、房地产、交通、金融等等。

出现上述港商大陆投资迅速进展态势的背景比较复杂，主要原因可以从以下几方面认识。

417

第一，香港经济实力雄厚、集资能力强、投资地位优越。香港外汇储备总额 2250 亿港元，即 290 亿美元，居世界第 12 位，人均外汇储备 5000 美元，远高于经合组织国的平均数 740 美元。香港是特殊的世界金融中心之一，港资的吞吐能力非同寻常。香港当局一直认为，港资的外流不会影响港资的投资潜力，因为港资一直在吸纳世界各国资金。1981 年香港制造业中外资约为 70 亿港元，1990 年则上升到 390 亿港元。流入外资中，美国曾长期居领先地位，但到 20 世纪 80 年代后期已经被日资超过，近几年大陆投资开始涌入香港，有凌驾诸国之势。香港的特殊地位在于它同广东及整个大陆已经有不可分割的社会、经济、文化联系，是各国资本、贸易、技术进入内地的最重要的缓冲地带。港资的特殊地位还来自香港独特的经济类型，它几乎是一个没有第一产业的、第二产业空心化程度极高的从而第三产业高度发达的城市经济，高质量的金融服务和优越的对大陆投资地位使得它能够在广东及整个大陆经济起飞期间扮演最重要的角色。1997 年香港回归更是使得其国际投资地位带有更多的挑战性和吸引力。

---

① 毕金华："港商投资内地新浪潮的特点"，《港澳经济》杂志 1993 年 3 月，第 13 页。

第二，香港经济转型驱动港资积极投资内地。20 世纪 80 年代以来，香港同许多发达工业国一样，经济正处于转向高科技的服务业主导和追求生活质量的新时期。1980 年香港制造业占香港生产总值 24％，到 1985 年、1990 年已经渐次降为 22％和 17％。同期服务业则从 63％上升到 64％和 69％。这 10 年的经济转型过程中，制造业吸纳的劳工下降了 11％，而服务业吸纳的劳工则上升了 21％。[①]香港制造业外移的原因在于国际竞争日益激烈和香港经济资源的特征。香港的劣势是地少、人工贵、本地资源贫乏，高科技人才密度也不如韩国和中国台湾等；香港的优势是贸易转口、金融服务、投资管理和信息集散能力很强。这些特点决定港资看中中国大陆，而历史文化传统的纽带则使港资进展迅速。

第三，改革开放战略和广东华南地区特惠政策对港资的吸引力巨大。特区、广东鼓励引进外资的财政留成政策、责任制解放的农业劳工的流入城市、乡镇企业的大发展、奖金制度的恢复、银行贷款作用的加强等等，为港资顺利在深圳、广东及其他地区的发展提供了非常有利的机会。1986 年之后，中国政府又进一步直接投资改善广东华南等地的投资环境，通讯、能源、交通等基础设施都因得到巨额资金而迅速改善。《对于外商投资的规定》（简称 22 条）进一步扩大了港资的活动空间。1988 年下半年"治理整顿"开始后，经济结构的调整政策更加有利于外资流入。通货膨胀的控制、电、煤、石油、钢材等基础原材料供应的缓和及其在自由市场上价格的回落等，都为港资等外资提供了难逢的机会。近几年来改革开放步伐的明显加快和经济持续高速增长又进一步提高了消费需求和投资需求。而中国年轻证券业的崛起则为港资提供了另一条日益重要的投资途径。

二、进一步吸引港资和促进"华南经济圈"的形成

以上港资在广东、华南乃至整个大陆的基本格局、进展态势和

---

① 梁志明："香港资金在国内投资的发展趋势"，北大经济学院内部交流论文，1994 年 7 月，第 6 页。

推动因素分析表明，港资在广东乃至全国的地位势必长期保持领先地位。中国经济的发展态势和九七香港回归，虽然有若干不确定因素，但是香港的国际金融中心和国际商贸中心的地位是不会改变的，香港经济同大陆经济的一体化趋势是不可逆转的。

随着中国开放程度的加深，外商在中国的竞争已经从贸易竞争逐步转向投资竞争。中国香港、日本、美国等长期领先的投资者，正在同迎头赶上的中国台湾资本、韩国资本在中国大陆展开角逐。美欧日资本，如杜邦、惠普、西门子、皮尔金顿、道格拉斯、福特、野村、松下、三菱等在长江中下游建立了基地，多数日本财团、企业和韩国的现代、三星、大宇等财团也大举在山东半岛投资，而香港的资本主要集中在广东和沿海地区，不过近年来港资已经向各地大幅度延伸。由于港资的独特优势，港资一枝独秀的景况虽会有所变化，但领先地位不会变化，至少在很长一段时期内。以美日欧资本比较集中的上海为例，6571 家外商企业中，有一半是香港资本，更不用说在华南地区。因此，重视港资、顺应潮流、加速和完善华南投资环境，率先形成高度现代化的华南经济圈，对于广东发展融资和推动全国改革开放进程，意义是不可低估的。

为完善广东投资环境和迅速形成高科技化的华南经济圈以更多吸引港资等外资，有必要在基础设施、管理人才和金融服务等几个方面做如下努力。

（一）进一步完善华南地区的交通、电讯等投资基础设施

华南地区过去几十年中因受"备战"思路的影响，铁路、公路和水路建设较为滞后，改革开放以来，其不适应状况愈益严重，成为引进外资和发展高科技产业的主要障碍之一。近年来基础设施建设得到了喜人的重视。1993 年全国铁路建设投资约 210 亿元，相当于 1992 年的 2.5 倍。[1] 尽管如此，对于经济迅速起飞的广东，所能得到的资金毕竟是有限的，因为急需改观的铁路交通问题实在很多。

---

① Rolf Langhammer："The Formation of Greater China and the Future of EU—China Relations"，International Symposium "China：A New Growth Center in the World Economy?" July 1994，p. 9，p. 10.

广—梅—汕铁路的建设及其向闽西漳州、厦门和泉州的延伸，可以使香港、广州通过陇海线新欧亚大陆桥同欧洲阿姆斯特丹甚至伦敦直接相连的九龙—香港葵涌集装箱码头的地下铁道，联系四个特区的广州—珠海、澳门铁路，等等，都需要大笔投资和高效率的建设。在铁路建设方面，除了国家投资以外，外资、港资的近几年的新动向是喜人的，应当进一步制定鼓励政策，更多吸引基础设施投资。公路建设的主要任务是高速化和网络化，以车油路一体化带动高速公路两旁的新型工商业区和生活区，是国外值得注意的经验。随着跨国公司的网络化 JIT 管理方式的流行，航空业发达的意义日益重大。目前广东境内已有大小十余个机场通航国外，对于这样重要的经济区显然是不够的。如能使广州像北京和上海一样直接同美国加州和纽约通航，局面将可能有大的改观。

420

现代通讯技术是高科技产业和现代企业的神经和血管。目前世界各国都在大力兴建信息高速公路，多媒体技术、电脑编程生产线正在改造现代化生产和管理的各个环节。粤港两地合作层次的升级，很大程度上取决于信息条件的接轨。香港经济转型在今后一段时期内势必带动广东经济的升级，电子化的服务业势必首先在广东兴盛，因此，如何"退而结网"和未雨绸缪是一项值得高度重视的任务。

（二）培育和吸引现代化管理人才是保证投资效益的最根本的保证

现代新型产业对传统的熟练劳动的需求，正在为日益自动化、电子化的生产线所急剧缩减，而智力投资、产品设计和软件编程正日益重要。在香港制造业大部分生产工序转移到珠江三角洲一带之后，粤港两地已经形成了"前店后厂"的局面。对于吸收国外先进技术来说，这种合作层次需要提高。问题的症结在于广东吸引高技术资本的配套行业水平很低，优势只能在于廉价劳工和土地。现在的情况已经开始变化，高技术、高附加值产业正在珠江三角洲兴起，劳工工资和土地价格也已经提高，因此"前店后厂"局面的维持已经成为问题。确立新时期广东华南地区的人才优势的任务已经迫在眉睫。应该指出的是，即便是香港，人力资源的状况也是需要大力改善的。虽然香港在科技、教育和文化上拥有一定的实力，但比起

新加坡、中国台湾和韩国还是较为逊色。韩国 10 万人中有大学生
2400 人，而中国香港只有 400 人。

迅速提高广东和香港的劳工质量和科技文化素质是一项艰巨、
长远但又极为迫切的问题。因为，这不仅仅是一个受过高等教育的
人数在劳工人数中的比例问题（这可以通过中国式的"成人教育"
等途径解决），而且还是一个所受到的教育的现代化和国际化的程度
的问题。目前，广东的大学生主要来自本地培养和内地的大量流入，
应该说这两个渠道都有非常大的贡献。但是，鉴于国内培育经济管
理等现代化人才的师资力量和教学设施的现金问题，短期内似很难
有大的改善。因为，多年来大学教育中"重理轻商"的传统和至少
一代师资缺少市场经济经验的情况很难在几年时间内改观。可喜的
是，目前留学生回归的潮头已经波及港澳乃至整个大陆，但是其中
商科的比重仍然有限，而且积累一整套来自中国工商企业管理实践
而又同国际商务原则比较兼容的"教学案例"决不是一件容易的事，
教育界观念的突破同其一整套激励机制、激励机制和融资机制的变
革是紧密相连的。

421

（三）迅速建立健全高度现代化金融服务网络

现代金融服务对于投资的重要性已经不言而喻。值得关注的是，
目前华南地区除了香港、澳门之外，现代化的银行业以及金融资本、
证券市场等都还很不发达，深圳虽然有了很大进步，但是差距仍然
不小。这方面值得努力的工作包括：（1）积极推动国内银行体制的
改革，大力完善现有国家银行的各项功能，如人民银行、建设银行、
工商银行、农业银行和中国银行等，应当进一步地商业化；（2）应
当考虑私人银行和外国银行的开业与发展问题，近年广州已有外国
银行开业，应当说是好的开端，下一步应当创造条件让这类银行到
珠海、汕头、佛山、中山、东莞和厦门等地开展业务；（3）创造条
件让港币在广州、珠江三角洲、经济特区和华南其他重要城市适当
流通。中国银行应当采取适当方式和步骤在港币发行上逐步发挥应
有的作用，但不应排挤香港汇丰、渣打银行原有的发行地位。大陆
参与港币发行和让港币在华南地区适度流通，不但能推动粤港澳及

华南其他地区经济一体化的进程和档次，而且也可以为人民币的自由化起到许多积极作用。目前台币在中国对外营业机构中已经可以收受流通。1994 年 5 月中国银行香港分行已经在港发钞，这一行动已经受到普遍欢迎，其意义是深远的。（4）努力促进完善和规范证券市场的上市审批、法律环境和会计制度，形成合理的风险、收益分配链条的各项改革，迅速扩大"B"股的流通量。

三、华南经济圈形成过程中的台湾因素及国际经济共同体的影响

（一）台湾同大陆经贸关系的升格有利于华南经济圈

影响华南经济圈内部关系的第二个决定性因素是稍后才出现的，中台经济关系在 20 世纪 80 年代中期才开始受到重视，而且从那以后还有起伏。但是由于两地经济联系受政治阻碍由来已久，因而直接援用统计数据进行证实是很困难的。现有资料表明大陆已成为台湾的一个重要出口市场，台湾也成为大陆的一个主要的资金来源地。1992 年，双方贸易额占各自总额的 8%。结果，在这一年中台湾对大陆的出口（根据台湾的官方统计资料）首次超过对美国的出口。然而，大陆还未成为台湾的主要投资者，台湾也没能成为大陆的重要出口市场。就此而言，台湾还是不能与具有特殊的转口贸易港地位的香港相比，对台贸易的增长主要得益于台湾对进口限制的废除和大陆产品竞争力的提高。

至于双边贸易中的商品构成问题，值得注意并有趣的一点是：大陆的出口产品结构与它的专业分工情况很不相符。中国现已成为世界上一个主要的制成品出口国，但它对台湾的出口却依旧为农产品和工业原材料所垄断（如中国的草药、谷类和调味品、海产品、矿产品以及纺织业的原料）。台湾向大陆则出口工业制成品和半制成品，主要是中间产品和资本品，而在国际贸易中它却是一个传统的制成品出口商。形成这种商品结构的原因在于政策干预（台湾对制

成品进口的关税很高），另一个原因是两地收入水平的差异导致了较多的产业间的专业化而不是产业内的专业化。随着贸易关系的专业化和市场的开放，产业内部的专业分工会变得更为重要。在这种条件下，大陆将会比过去能够更加充分地利用它向高弹性的台湾市场出口廉价制成品的潜力。

在投资方面，根据官方记录，台湾对大陆的投资开始于1983年，但在1988年以前几乎一直是停滞不前。1988年以后，台湾在大陆的投资比任何外资的增长速度都要快（除了香港）。1992年，中国的统计表明台湾在国（地区）别投资者中名列第二，仅次于香港，但远远超过日本和美国。推动台湾对华投资的政策上和经济上的首要因素是台湾的居民开始获准探望在大陆的亲戚，这样就可以直接寻找投资机会而不需要通过香港的中间人。于是，以家庭为基础的关系代替了政府的产权保护和其他的担保。其次一个因素是台湾内部储蓄超过投资、实际工资增长、经合组织对台湾出口限制等几个因素也进一步刺激和推动了台湾对劳动力丰富的大陆的投资。所以，投资集中在技术水平低的劳动密集型生产线和加工型产业。这种投资有助于保护台湾制成品在国际市场上的竞争力，因为产品的一部分价值是源于台湾公司在大陆的子公司；也有利于打开新的市场。第三个重要的推动因素是大陆鼓励投资的政策。这些政策优惠加上政策实施时的市场机会和资源丰富等条件，吸引了大量外资。

近期台湾投资在产业分布、投资规模和地理位置上的新动向是：投资酝酿筹备期变长，工厂规模变大，资本密集程度提高，地区分布也更加平衡，开始向沿海省份的偏僻地区推广；在投资形式上注重合伙投资而不再是单独投资；最后，倾向于台湾独资而不是台中合资。这种变化与正在形成的华南经济圈的中期前景是相吻合的，因为这些投资不是短期行为，而且较少局限于某些地区和某些部门。

423

---

① Rolf Langhammer："The Formation of Greater China and the Future of EU—China Relations", International Symposium "China：A New Growth Center in the World Economy?" July, 1994，p. 10，Table 2.

（二）关于三地经济一体化的政治经济分析

从经济上说，香港与中国的融合实际上早已先行。尽管这样，中国政府还是三令五申地要保持香港完全自由的开放市场政策在1997年之后继续有效，以便使港人免于忧心忡忡。从政治上说，在"89动乱事件"以后英国政府已采取了更严格的措施保持香港现有的西方民主制度的稳定，这时常会酿成中港关系的紧张气氛。双方公开的争论对于整个经济系统是一种不稳定因素，香港股市的波动也难免受其影响。尽管如此，双方对政治上敏感的项目，如新机场问题的态度已经变得不很重要，重要的倒是在于：期望关于政治原则的争论最后能用实用主义的办法加以解决。为此双方似应在经济学上证明：在1997年之前和之后，保持经济稳定和双方福利增进的决策都符合"帕累托最优"标准。否则，经济融合进程将难以加快。

424

海峡两岸统一问题当然是后一个问题。台湾很长一段时间同大陆之间没有官方关系，大陆和台湾的家族或非家族之间的商业联系要经由香港中转。台湾当局曾严辞拒绝中国政府提供任何方便，执意依靠香港，其次是日本、新加坡、关岛等地进行中转贸易，不过事实上还是有一些经由大陆海港的所谓的"小额交易"。[①] 即使在官方关系改进，并于1993年新加坡政府代表团会议中达到前一个最佳状态之后，双方的直接贸易仍处于次要地位。只要中国继续坚持"四项基本原则"和"一国两制"，台湾人就会关注两种经济和政治体制的原则区别，强烈反对任何形式的地区一体化组织。一些专家认为：从静态的观点看，大陆、香港和台湾三地之间制度方面的一体化不仅不可能对贸易产生积极影响，而且还会引起贸易的转向。除了这些悲观论调之外，也还有一些别的看法，如认为三地产品结构互补、经济发展有别等；还有，与国家之间贸易水平相比，区域内贸易水平还偏低，据他们估算，1990年仅为5％。这些专家还分析了在各地区的经济中为保持一些产品的生产而采取的优惠政策，认为在三地贸易自由化条件下，这些生产将难以维持，例如香港和

---

① Charng Kao 1993 年估计台湾和大陆之间不通过香港的直接贸易和大陆沿岸贸易在总贸易额中占 25％～33％。

台湾的劳动密集型生产，中国的资本密集型和技术密集型产业。对于这个看法已有一些争议，因为地区一体化的试验已经显示出三地产品结构具有替代性而不是互补性，而且贸易额降低会使收入水平降低。此外，根据经验数据还可以推知：在华南经济圈高速增长的背景下，目前的产业结构并不合理。在这些争论背后，台湾当局在政治上还根深蒂固地反对与大陆发生制度上的联系。他们害怕一体化将导致利益分配更加不公平和对大陆更有利，因为大陆比台湾更少依赖对方市场，此外一体化还势必使中国政府向其最终目标，也即"台湾回归大陆"前进了一大步。这是台湾主张"松散联系"的一个基本原因，另一个原因是台湾学者已经从近年来大陆逐渐增多的市场机会之间的联系中看到了一种战略意图。这些机会，包括取消对台湾的汇率控制，新台币升值，劳动力价格提高，大陆劳动力廉价而丰富，地缘优势等，导致台湾私人厂商积极地与大陆做生意，只是未包括官方的经济联系。

425

尽管有政治上的担心，但是加强中台关系对台湾经济非常有利这一点却是事实。大陆、台湾经济规模悬殊，因而相比较而言，大陆台湾经济关系对于台湾经济更为重要。台湾当局已经意识到自己对大陆经济的依赖，因而设置了一个监控程序，以警示那种对大陆政治不恰当地过分依赖的倾向。借助香港统计数据和进出口分析方法衡量其出口对其产业的后向和前向影响，一些专家发现台湾因对中国出口的扩大而使其工业产出水平提高，因为台湾出口中制成品重要性的增强使得出口的连锁推动作用在 1986 年到 1990 年之间增强。据他们估计，1986 年到 1990 年，台湾工业产出的年增长率高达 40％，是那以前的 4 倍。由此可以断定：台湾从对大陆的出口中已经获得巨大利益。[①] 台湾的专家还评估了这一增长所产生的乘数作用的另一个方面，即对于大陆经济的依赖在日益增长，研究表明大陆采用紧缩政策会导致台湾对大陆的出口减少 30％～40％。[②]

① 但是，必须考虑固定技术投入系数下进出口分析的局限性。这种方法忽略机会成本，即假定如果台湾没有机会向大陆出口，则台湾资本系保持闲置状态。

② Rolf Langhammer："The Formation of Greater China and the Future of EU—China Relations"，International Symposium "China：A New Growth Center in the World Economy?"，July，1994，p. 8.

关于大陆台资作用的各种评估一般都集中在出口效应方面。台湾人的分析表明：如果大陆台资企业从台湾进口所有的投入品，则台湾在 1990 年对大陆的出口值会比实际出口值扩大 22%。而且，连锁反应将会使其影响波及其他产业，因而最终将会使台湾的 GNP 提高 1 个百分点。此外，这一结果虽然只是从进出口分析中得到，但它在国内资本形成分析中同样也适用。研究者假定台湾对大陆投资的增加会导致台湾内部投资的同等数量的减少，资本流动对台湾产出的影响是负的。根据这些研究者的计算，对大陆投资导致的出口增加和国内产出减少相抵后，台湾 1990 年的工业产出净损失为 GNP 的 1.7%。然而，关于资本流动的假定是不可信的，因为它无视对外投资和对内投资在资本产出比率方面的差异。实际上，如果对大陆的投资不是比国内投资具有更高的边际产出的话，则对外投资根本就不会发生。因此，这两种投资是不能简单地相互替代的。如果投资预期实现的话，那么对外投资的收入将会超过国内投资的收入，台湾的 GNP 水平也将会因此比仅在国内投资要高。况且，还应该考虑台湾向大陆投资对增加台湾内部投资的利润的影响。有分析表明对大陆的投资已经实现了向台湾出口的回流，这会提高台湾居民的实际收入和台湾企业的竞争力。[①] 由于这些原因，只要投资决策不受诸如外国投资者的垄断权或对资本流入的其他形式的补贴等干预政策的过度影响，加速大陆和台湾之间贸易和投资的大中华经济圈的出现对两地经济都具有积极的影响。

（三）国际经济共同体影响三地经贸政策的途径

即使台湾和大陆都不愿意使他们的关系制度化，国际经济组织也可能通过几个途径对三地经济政策的一体化进行一些影响。

第一，从严掌握进入"经合组织"的条件将迫使台湾将注意力更多集中于对中国市场的贸易。第二，在中国成为"世界贸易组织"成员之前，"经合组织"国能够通过拒绝给予中国最惠国待遇、或认定中国经济是非市场经济从而使得对中国的一致行动合法化，以抑

---

① 1990 年台湾对大陆投资引起的大陆对台湾的出口占台湾从大陆进口的 1/3 强。

制或刺激对中国的投资。这个方法对美国尤其重要。如果美国拒绝给予中国最惠国待遇，其影响势必超出中国而波及三地乃至更广大的地区。这显然也能强烈地抑制台资在大陆的出口导向型企业。第三，大陆、台湾成为国际多边贸易组织的成员会促进两地补贴价格体系的协调，而两地价格体系的差距是一体化的一个障碍。第四，最重要的是，允许中国加入国际经济共同体，对于西方工业国来说，一方面能促进中国内部产品市场和要素市场的自由化，巩固现已取得的"成果"，约束中国的行为，尤其是倾销行为，另一方面也能保护中国免受其主要贸易伙伴的不公平待遇。

国际社会打算让台湾加入国际多边贸易体系对于华南经济圈的形成也有重要意义。台湾愿意作为发达国家并且在有自主关税权的条件下加入该组织。作为"台湾、澎湖、金门和马祖关税领土"，台湾能够避开关贸总协定（GATT）第四部分和第 38 条条款。这样，它就比中国的贸易地位更高，因为中国是作为发展中国家加入的（适用于这些条款）。当然中国不会接受这种安排，中国先是要求"恢复"席位，然后再提议台湾按"26 条/5（C）"条款入关。这一条款同样适用于香港、澳门等政治上不自治而经济上自治的关税区。尽管台湾拒绝接受按"26 条/5（C）"入关，因为那样等于直接承认中国的统治，但是，在"乌拉圭回合"决定成立"世界贸易组织（WTO）"并接管原先 GATT 的执法功能之后，这种入关途径已经不复存在。WTO 章程的第 12 条与 GATT 的第 33 条相似，也没有指明城市领土和单独海关领土的区别，城市领土作为免责的缔约国必须进行申明（如 26 条/5CW）。因此，中国显然会更愿意通过WTO加入国际多边贸易体系（需要经过三分之二以上的成员国同意），通过这个途径可以回避美国从中作梗。

最后，要求国民待遇的压力不仅在多边关系中出现，而且也会在地区经济合作中发生作用。1990 年在新加坡举行的亚太经济合作第二次部长级会议中，台湾和香港也受到邀请加入这一外向型的经济合作组织，因此可以说第一步已经开始。1991 年 11 月，[①] 三个国

427

---

① 台湾作为中国台北参加，以经济事务部部长为代表。

家或地区又都参加了在汉城举行的亚太经济合作第三次部长级会议。从那以后，三地还都参加了有关的国际会议以寻找共同合作的领域，如在 1993 年 11 月于西雅图举行的亚太经济合作会议。

　　总之，由于中国对外政策的改革以及加入国际经济共同体的坚定的决心，大陆、香港和台湾三地的经济政策差别实际上已经在缩小而非相反。

7. 世界各国税制改革的
特征、趋势和启示[*]

由前面的介绍与初步比较[①]可以看到，发达资本主义国家税制改革的中心问题、基本方针和主要措施，各国较为接近，时间上比较集中，可比性也较大。而发展中国家的税制改革则差别较大，改革的主题同发达资本主义国家也很不一样。因此，这里仍分为发达资本主义国家与发展中国家两组进行比较研究。

一、发达资本主义国家税制改革的异同

发达资本主义国家税制改革的大方向，是对过去一段时间过于强调凯恩斯需求理论和倚仗财政手段干预经济出现的问题进行改革，是由所谓"鼓励导向"的税制走向"市场导向"的税制。但各国税制改革的深度、广度和力度则因国情不同而富有自己的特色。

（一）发达资本主义各国税制改革的特点

上面重点介绍了美国等七个最主要的发达资本主义国家，还介绍了八个较为次要的发达资本主义国家的基本税收情况。这里主要就代表性较强的几个国家或地区进行一些评析。

---

* 本文是《80年代各国税制改革比较》一文的第四节，署名萧琛。发表于《比较财政管理学》第四章，中国财经出版社 1992 年版。
① 见本书第 2 篇第 2、第 3 和第 4 章。

在太平洋国家中，澳大利亚、新西兰、日本和加拿大建立了基础更广的消费税（一般采取某种增值税形式）是改革的中心问题。加拿大和日本把增加消费税看成是减少财政赤字的一种手段，而澳大利亚和新西兰则视其为降低所得税率的关键。直到现在，新西兰已开征商品劳务税。加拿大很有可能开征经营转移税，这是增值税的一种形式。加拿大还在研究降低公司所得税率，澳大利亚计划将个人和公司所得税的某些部分加以合并，以减少对已分配利润的征税。这两个国家最近都已降低了个人所得税的边际税率，并以取消或减少税收支出（tax expenditure，一种税收补贴和预算支出形式）的办法来扩大所得税税基。

430

北欧的瑞典、丹麦、挪威、芬兰的税制改革方案的共同主题，是要求减少所得税的边际税率。这几个国家都削减了各自的所得税最高税率，丹麦个人所得税的最高边际税率从73％降到68％，对资本收入按50％的统一税率征税。瑞典的个人所得税降幅较大，最高税率从70％降为50％，而且适用于90％的纳税人。挪威取消了大量的税收特权，降低税率，并使个人和公司所得税级次的确定随通货膨胀自动调整。芬兰在个人所得税方面将劳动收入和资本收入一律分开计征。

英国和爱尔兰的税制改革主要是解决两个问题：

（1）提高个人所得税和公司所得税的中性作用。

（2）加强有利于间接税的混合税制。两国税制改革的基本方针，主要是减少政府干预和强化市场作用，英国采取提高增值税税率的做法，爱尔兰也对增值税和特别货物税做了较大改动。

美国税收的特色有四点：（1）在由所得税为主的税制，转向间接税为主或二者并重税制的世界性税制改革方向上，步子迈得最小，而在所得税的改革方面，步子却迈得特别大；（2）在重视实际税负累进的公平性与革除形式上的累进方面，做得比较彻底；（3）是几个大国中惟一不准备实行增值税的国家；（4）全球战略意识最强，把改革作为调整国际经济关系的工具。

在法国、联邦德国和意大利，法国在强化公司所得税的中性方面最为明显，以至于有人认为其非中性是"故意设计"的，其次在实行附加税方面缺少策略，走了弯路。但总体看，法国的税制改革有一定的深度。相比之下意大利的改革幅度较小，尽管税制问题很多，但看不出有彻底改革的要求。联邦德国在对家庭重新实行税款减免调整方面，如对中产阶级实行累进税方面较有特点。

发达资本主义国家税制改革的特点还表现在各国对主要税种进行变动的幅度不同。例如，尽管绝大多数国家（包括英国在内）都步美国后尘，降低了个人所得税税率特别是最高税率，并减少级次，但尚无一国能像美国那样将联邦个人所得税的最高税率降低 22 个百分点。澳大利亚是 11 个百分点，日本是 12 个百分点[1]，其他多数国家一般都在 2~8 个百分点之间，见表 1。

表 1　1984～1990 年最高的个人所得税的税率

（包括全国性的和地方性的％）

年份　　国　家	1984	1985	1986	1987	1988	1989[1]	1990[2]
瑞　典[2]	82	80	80	77	75	75	75
丹　麦	73	73	73	68	68	68	68
法　国	65	65	58	57	57	57	57
荷　兰	72	72	72	72	70	70	70
英　国	60	60	60	60	60	60	60
联邦德国[3]	56	56	56	56	56	56	53
意大利	65	62	62	62	60	60	60
加拿大[4,5]	51	52	55	53	45	45	45
澳大利亚	60	60	55	49	49	49	49
美　国[4]	55	55	55	43	33	33	33
日　本	88	88	88	88	76	76	76

431

注：1　假定现行税法条款没有意外的变化，另有指明者除外。

　　2　假定地方税率为 30％。

　　3　假定计划中的改革方案将被通过。

　　4　考虑到计征联邦税时，地方税作为扣除项目这一因素。

　　5　以安大略省的税率为例，并包括联邦和省的附加税。

各国公司所得税税率的变化也不同。英国 1984 年最先取消对厂

---

① 包括地方税，日本所得税税率改革前后分别是 88％和 76％。

房设备投资的税收补贴，将公司税税率降低 15 个百分点；美国于 1986 年削减各种投资优惠，并将公司税税率降了 16 个百分点（考虑州一级 5％的公司税，降了 11 个百分点）；加拿大降了 7 个百分点（制造业达 12 个百分点）；法国、联邦德国、荷兰和日本减幅较小，瑞典和意大利未做变动，澳大利亚和丹麦则提高公司所得税税率。1990 年，澳大利亚、丹麦、瑞典、意大利公司税税率约为 50％或更高些，其他五国则在 40％～50％之间，只有英国、美国在 40％以下。见表 2。

在扩大税基方面，最广泛的要数美国，最独特的要数澳大利亚的非现金附加福利税。加拿大将"个人减免"和其他"扣除"改为税收抵免；日本大幅度削减小额储蓄账户的利息的减免额；意大利对原来免税的政府债券利息征收 12.5％的预扣税；联邦德国对所有的利息支付征 10％的预扣税。这些改革也都有其特色。

432

表 2　1984～1990 年公司所得税的税率

（包括全国性的地方性的％）

年份 国家	1984	1985	1986	1987	1988	1989[1]	1990[1]
瑞　　典	52	52	52	52	52	52	52
丹　　麦	40	50	50	50	50	50	50
法　　国	50	50	45	45	42	42	42
荷　　兰	43	43	43	42	42	42	42
英　　国	45	40	35	35	35	35	35
联邦德国[2]	56	56	56	56	56	56	50
意 大 利	36	46	46	46	46	46	46
加 拿 大[3]	51	52	53	52	48	44	44
澳大利亚	46	46	46	49	49	49	49
美　　国[4]	51	51	51	45	39	39	39
日　　本[2,4]	53	53	53	52	52	52	52

注：1　假定现行税法条款没有意外的变化，另有指明者除外。

　　2　仅指对未分配利润的课税。未分配利润的税率联邦德国为 36.0％，日本为 33.3％。

　　3　系指对非制造业公司的税率；对制造业公司的税率要低一些。同时，假定省公司税率为 15.5％。

　　4　考虑到计征联邦税时，地方税作为扣除项目这一因素。

就资本税（涉及个人所得税、公司所得税、财产税、遗产和赠予税）而言，征资本所得税的有澳大利亚、加拿大、瑞典和英国，其中澳大利亚仿效美国对资本所得按一般收入征税。其他多数国家只对出售不动产所得的资本所得征税，对出售证券所得的资本所得不征税（专营证券商例外）。这些欧洲国家长期认为资本利得不应视为实际收入。各国还在实行通货膨胀调整方面采取不尽相同的做法，如美国对扣除额和税率级次实行年度的自动指数化；加拿大有一个3％的限度；瑞典和英国准许调整不动产的购进价，以从宽计算应税资本所得。

法国是最早实行增值税的国家，也是最重视增值税的国家之一。增值税是欧洲共同体成员国的必行税种，并将于 1992 年实际统一协调计划。因此，欧洲国家增值税的改革都是向着统一、简化与协调的方向进行的。澳大利亚、加拿大和日本都正式提议开征增值税，但阻力较大。

433

（二）发达资本主义各国税制改革的共同趋势

尽管各国改革的重点和深度、广度差别很大，但还是存在一些一般的基本趋势。根据 J. A. 佩奇曼的归纳，其共同趋势有以下几点：

1. 个人所得税改革的基本趋势可以归纳为以下三点：（1）扩大税基。主要通过两个途径。一是将过去未列入税基的收入来源包括进来，如社会福利（特别是疾病和社会补助）和资本收益等。另一个办法是取消对某些特种收入的优惠征收待遇，特别是对一些次要的福利收入的优惠税收待遇，以此降低可扣除的开支和税收体制提供的补贴。许多改革措施集中于调整利息支出的免税待遇，国家把可免税利息支付的限额做了大幅度的削减，但仍保持了对自有住房的税收补贴。许多国家已建立起复杂的立法来防止纳税人利用税收漏洞。（2）调整税率结构。尽管大多数国家适于最高税率的纳税人不超过 0.2％，但是几乎所有的税制改革都是降低最高税率。一般看来，在整个税制改革中，边际税率的变动远远大于平均税率的变动。（3）对各种收入的处理进一步缩小差别。在许多原有的税制中，体现了纳税同收入来源相联系，对劳动收入和非劳动收入区别对待，导致使用不同的税率和补贴，资本收益通常比其他收入享受更优惠的税收待遇等。各国税收改革的趋向，是缩小而不是扩大这些差别，表面上倾向于一视同仁而不是特殊照顾。

2. 公司所得税的改革也具有三个共同特征：（1）取消那些鼓励投资行为的税收刺激。以往大多数公司税收制度都包括各种鼓励投资政策，如几乎在所有的税制中，折旧的税收优惠都大大超过实际折旧应得的优惠。改革是趋于取消那些特殊的鼓励措施。（2）调整税率。绝大多数国家一般都是降低公司所得税税率，并同时扩大税基。（3）保护已分配（作股息的）利润的利益。采取的措施是允许公司从应纳税收收入中扣除股息支付部分，或者允许公司将应支付的公司税部分或全部转由股东负担，或者采取区别税率（a spirit rate system）

434

3. 直接税与间接税比重的变动趋势。税收结构改革的主要问题是实行增值税或加大增值税的比重。总的趋势是由以所得税为核心的税制转向直接税、间接税并重或间接税为主的税制。

4. 改革部署的阶段性。各国税制改革大多经过减税、所得税改革、间接税改革三个阶段。英国在这方面较为典型，美国至少经历了前两个阶段。从各级政府税制改革顺序来看，各国一般是先改中央税、国税或联邦税，由上而下地逐步推广。从时间上看，一般都需要 5 年左右，如从酝酿总结到全面落实，则大体要 5～10 年。

二、发展中国家税制改革的趋势

发展中国家为数众多，发展程度、历史文化背景差别很大。高收入者的年人均收入达 7400 美元以上，而最贫穷者（埃塞俄比亚）仅为 120 美元。历史文化背景及经济联系（特别是直接的联系）过于松散，财经体制各种指标的可比性非常少。本书第二篇第 4 章已着重评介了四个有代表性的中等收入国家、四个中下等收入国家和两个低收入国家 20 世纪 80 年代税制改革的主要特点。这里将发展中国家放在世界经济中分析其改革趋势与前景，所涉及的面更广泛些，论述也只能更概括些。

（一）发展中国家税制改革的主题

由于各国税种概念上的差别和缺少数据，很难直接比较各国的税收格局。但有两个问题是比较明确的。第一，和发达资本主义国家不同，发展中国家的贸易税很不重要，如 1975 年仅占税收收入的 4％，1985 年降为 2％。而发展中国家对消费税的依赖程度却很大，低收入国 1975 年和 1985 年分别占税收收入的 66％和 68％，中等收入国是 51％和 49％。第二，发展中国家个人所得税和其他直接税占税收总收入的 69％，而发展中国家仅占 10％左右。

发展中国家税制改革的目标不像发达资本主义国家那样比较集中，限于条件，改革不能不着重考虑增加财政收入和增加外汇收入问题，不能不重视应付经济增长问题的压力。由于各国国情各异，经济联系范围不同，因此对于税制改革的一揽子目标的考虑也不同。例如，前面分析的牙买加、哥伦比亚、马拉维、印度、印度尼西亚、中国、匈牙利与韩国等，实际改革内容差别较大。尽管如此，下列几个目标却是所有发展中国家一致力图达到的：

435

1. 保证财政收入的目标。由于许多国家财政赤字很高，财政收入有限，因而税收在国内生产总值中的比重必然要受到重视，关键是考虑如何提高这一比重。从短期看，如急于减少赤字，通常会导致使用见效快的税种，这往往使许多发展中国家增加国际贸易税（政治阻力小），如阿根廷、肯尼亚、菲律宾和泰国，在 20 世纪 80 年代初期和中期就曾经这样做过。仅这种短期行为的不断重复势必扭曲税制，要求进行改革。如牙买加、马拉维和菲律宾在 80 年代中期的改革都重视了这一问题。

2. 效率目标。征税成本的增长，一般都快于税率的提高。同样的财政收入，采用低税率、广税基比采用高税率、窄税基的征税成本要低一些。因此，如何有效和经济地设计税制（税率与税基）对于发展中国家是很重要的。20 世纪 80 年代初，印度、肯尼亚和巴基斯坦的经验表明，增加国际贸易税的征税成本比增加国内税的相应成本要高；这些国家的经验还说明，增加各环节销售税（即周转税）的征税成本要高于仅向最终环节产品征税（即零售销售税）和各种增值税的相应成本。

3. 公平目标。发展中国家税收在横向公平方面往往更需要改革，因为征税手段的有效范围很不规则，并往往带强制性。例如，对非正规部门的征税能力一般都非常弱，这有损于税制信誉和纳税人的合作态度。从纵向公平上看，由于种种原因，发展中国家的实际税负累进性很低，而收入两极分化却相当严重。

4. 权衡征税成本与经济成本。发展中国家数据库及其处理能力都较低，缺乏训练有素的征税人员，加之纳税人账目很不规范，使发展中国家的税制设计受到很多限制，因此，很难采用税基很广的个人所得税或消费税，而只能主要依靠贸易税、商品税和公司所得税。但是征税成本低的税种，其经济成本（即不以财务成本而按照社会影响价格计算的成本）却往往较高，如贸易税、货物税的经济成本就往往大于所得税和增值税。因此，税制改革要求对这两种成本加以权衡。发展中国家的贸易税和货物税的管理成本约占其收入的 1%～3%，增值税约占 5%，个人所得税约占 10%。如巴布亚新几内亚的贸易税的税负很轻，改革时考虑增加贸易税。而泰国的情况相反，人们建议将贸易税改为增值税。

436

（二）增值税越来越为发展中国家所重视和采用

如前所述，到 1988 年为止，大约有 60 个国家实行了增值税，而其中近 40 个属于发展中国家，单是 1989 年以后就至少有 7 个国家采用了增值税。泰国和巴基斯坦也正在考虑把增值税纳入改革方案。目前，加勒比海地区已至少有 16 个国家实行了增值税，而且几乎都是全面型的增值税。非洲国家中，尼日尔和马达加斯加实行了全面型的增值税，其他 16 国实行的是类似增值税的税种。亚洲国家和地区中，韩国、中国台湾、印度尼西亚和土耳其实行了增值税，其中韩国和中国台湾是全面型的。中东地区的以色列也实行了增值税。

到 1988 年为止，大约一半发展中国家实行了全面型的增值税，其他的是局部型的增值税（限于制造业、进口业和采掘业）。大多数国家可望最终模仿法国和哥伦比亚（1983年）的做法，这两个国家在实行全面型增值税以前曾实行过15年的零售前环节的增值税。总之，鉴于增值税的行之有效和间接税改革的重要性，有迹象表明发展中国家增值税改革的浪潮很有可能持续下去。

在已经实行增值税的国家中，重视加强税收管理的措施也是值得重视的。有的国家（如葡萄牙）正在考虑建立单独管理增值税的机构，以消除分别计税和有关手续的僵硬性。还有的国家利用注册登记、编号、建立纳税人档案、现金记录机、数据库等手段来管理增值税（如墨西哥大批购进电脑建立各种网络等），使税收管理有了很大改进。但与发达资本主义国家相比，发展中国家税收管理还有很大差距。例如在增值税普及方面，纳税人占人口的比重，发达资本主义国家基本上处在 2.42%（英国）到 8.17%（意大利）之间，法国是 4.45%。而发展中国家则处在 0.01%（海地）和 3.42%（智利）之间，韩国是 2.92%。

437

（三）发展中国家所得税改革的趋势

发展中国家的公司所得税约占税收收入的1/3，因此这方面的改革也比较重要。各国改革的主要方面是调整税基、税率结构和鼓励投资。发展中国家的公司所得税基通常是会计账户上的净利润，税率通常是单一的法定税率。危地马拉和墨西哥采用了三个级次以上的累进税率，1987年税率为 5%～42%。巴西则规定了有差别的附加税，属于一种不确定的累进税率。为了使实际边际税率趋向合理，不少发展中国家在折旧、债务和通货膨胀处理等方面进行了改革和调整。发展中国家的投资鼓励措施包括免税、税收扣除、税收抵免或为帮助特定行业或地区的特别企业机构专门设计的规定，主要是减少税收或推迟纳税。后者等于提供一笔无息贷款，但这些措施非常具体而且不稳定，难以长期影响税制结构。

个人所得税大约占发展中国家全部税收收入的1/10。在发展中国家中，80%～90%的人口，作为最低收入阶层和从事半正式和非正式就业的人，都在个人所得税缴纳范围之外，这同发达资本主义国家形成鲜明的对照。在税率、税基结构方面，发展中国家之间的差别也比较大。有些国家（如加纳）在 1984 年通过立法规定，对很低的收入水平也要征税，而在另一些国家（如印度）免税水平却往往相当高；还有一些国家（如改革前的牙买加）边际税率增长非常陡峭，但有的国家（如科特迪瓦）则较为平缓。由于必须适应管理能力，改革的方向基本上是由起征水平低、边际税率增长陡快、最高税率相当高这类结构转向起征水平高、边际税率增长平缓、最高税率较低这种结构发展。

尽管发展中国家的个人所得税比重在缓慢提高，但管理上的困难仍然较多。许多国家的纳税人数占人口的比重仍在 35% 以下。而在南亚和撒哈拉以南非洲甚至低于 5%。此外，征收率低和不合理的状况仍未改观。例如，玻利维亚的劳动收入征收率是 75%，但资本收入的征收率只有 20%。故而玻利维亚在这方面并不算最落后的。

438

当前在国际上比较有代表性的看法，是认为发展中国家的所得税可以从简化税制、改进管理和避免对贫困者征税三个方面来进行改革。调整公司所得税，主要是通过对年折旧率的更精确的推算；取消对特定行业和资产的免税规定；降低规定税率；进行必要的通货膨胀调整；力争取消对个人收入的双重扣税，并改进公司所得税与个人所得税之间的关系。在调整个人所得税结构方面，应考虑降低最高税率、减少税收级次、提高免税额，同时取消现有的大部分扣除，并进行必要的通货膨胀调整。

三、世界税制改革对我们的启示

世界税制改革给我们提出了如下几个新课题。

各国税制沿革历史特别是 20 世纪 80 年代的改革表明：各国税制结构一般先从依靠关税等间接税转向依赖所得税等直接税，进而又从依赖直接税转向直接税与间接税并重（或偏向间接税）的税制结构。80 年代以前，较流行的税收理论认为所得税（特别是个人所得税）在税收中的比重是衡量税制现代化与否的标志。80 年代税制改革的方向表明，对这一传统观点必须加以修正，这对于发展中国家（包括中国）有相当的现实意义。由于发展中国家今天所面临的世界经济环境同当年发达资本主义国家经济"起飞"时已大不相同，因此，发展中国家是否必须走发达资本主义国家税制变革曾经走过的道路，已是一个值得研究的课题。其中特别是要认真研究在发展中国家是否存在这样一种机会和条件，即不必经过提高直接税比重的阶段，而直接实行现代的以间接税为主或并重的税制结构。

我国虽然于 20 世纪 80 年代开征了个人所得税，但其影响和作用还无法同一些实行较早的国家相比，主要原因在于我国的税前个人收入（主要是工资、奖金和名义补贴）不仅水平较低，而且不包括失业保险、医疗保险、住宅基金、文化娱乐乃至公共交通基金等内容。而这些实际上都是属于个人享用的收入，只是不直接由个人支配，并不采取个人所得税、工薪税等直接税的形式，而是在确定工资标准和全国工资基金之前，自动留存于国库或企事业及集体单位的公益基金中，由公共部门统筹使用。对于一个大而穷并迅速发展的我国，这样做的必要性与优越性是非常明显的，只是在满足不同消费偏好和调动个人积极性方面存有一定的局限性。如果只着眼于我国个人所得税低，而不适当地宣传仿效外国个人所得税等直接税的比重，停留在西方传统的现代化税制标准上，就有可能导致要求增加我国的个人所得税，使我国的税制改革走弯路。实际上由于种种客观条件，我国发展个人所得税和工薪税，在相当长的一段时期内几乎是不具有可行性的。因此，如何避免走外国的老路而坚持中国特色的税制改革，并使之提高现代化水平，是摆在我们面前的一项富有挑战性的艰巨课题。

就公司所得税的改革而言，世界税制改革一般趋势是不断强化市场导向，而不是国家鼓励导向型。各种通过税收进行的刺激、优惠、抵免和扣减等行政和经济干预手段的适用，经过改革已明显缩小。在市场调节较强的发展中国家，追随这种潮流似无较大障碍，但对于实行计划管理为主和市场发育程度较低的社会主义国家，似乎存在一个亟待解决的先决条件，即公司的所有人与征税人的一体化问题，使征纳双方的税率之争失去实质性的财务意义，不能产生

439

持久性的经济激励作用。尤其是在价格机制不能独立发挥主导作用的条件下，情况更是如此。因此，必须结合研究，切实解决企业的动力与压力问题，探讨公司所得税税率和税基的变动，这样才有实质性变革的意义。当前市场导向型税制在我国现阶段还不可能充分发挥功效，而鼓励导向型（奖金、优惠、补贴、税前还贷、利润承包）也还存在一些急需改进完善的问题。如何在二者的适当结合中选取适合我国国情的公司所得税，并使之在整个税制中占据合理的地位，这是摆在我们面前的另一个重要新课题。

　　各国税制改革表明，增值税在越来越多的国家（包括某些社会主义国家）得到成功的试行。我国也于 20 世纪 80 年代初试行了增值税。随着我国增值税征收范围的逐步扩大，增值税税负变化对财政收入的影响正日益引起财经界的重视。几年来的试行实践表明，这种税的确能较好地解决重复征税问题，有利于促进横向经济联合，平衡进出口商品的税负，也有利于保证国家的财政收入。但同时也带来计算上的一些困难，如影响税负下降，批零难分，以及亦工亦商企业难以处理等一系列问题。如何总结吸取国内外实践经验，有计划地扩大试点，推广使用，应是我国税制改革的重要课题之一。其中关于增值税与我国国情的关系，增值税在发展我国间接税战略中的地位，推行增值税的配套改革等问题，都迫切需要深入探讨考察。在实现直接税现代化的条件尚未成熟之前，集中力量改革间接税，推行中性较强的增值税，应具比较稳妥的步骤。

8. 中国社会保障体系
"金融化"与美国"IRA"*

　　转轨进程中，我国养老保障改革弊端一直比较多，进展也不尽如人意。近二十多年来，美国政府推行了个人退休账户（IRA）计划。该计划既能集储蓄与保险于一身，又能集宏观干预和微观决策于一体，因而有可能是一种比较新颖和值得我们借鉴的好的改革举措。IRA 的基本思想是通过逐步实行养老基金的金融化来推动它的社会化。本文拟分析 IRA 的金融创新点和推行过程中的不足之处，此外就如何借鉴等问题提出一己之见，供政策机构和有关人士参考。

一、考察美国 IRA 的目的

　　改革开放以来，我国政府很早就注意到了社会保障制度的改革问题，方向就是把养老问题变成社会问题，对养老者采取社会化措施，使养老与企业脱离开来。目前推行情况有下列几种：一种是国有企业。全国市县国有企业有 99％都不同形式地采取了职工养老保险的社会统筹。另一种情况是非国有企业。其参加养老保险社会统筹项目与否由各地自行决定，没有统一的规定，所以各地情况很不一样。

　　目前养老基金方面的问题主要是来自政府方面。经总结，普遍

　　* 本文发表于中国社会科学院《世界经济与政治》杂志 1996 年第 2 期，署名萧琛。IRA 是 "Individual Retirement Account"，译作"个人退休账户"，以下统简称"IRA"。

认为两个方面的问题比较突出。其一是养老保险社会化程度低，表现在养老基金虽然是统筹，但是相当部分还没有筹集上来；筹资项目过少，而开支项目很多；老职工老办法，新职工新办法等。其二是多家筹集，标准不一，地区之间有差别，行业之间也有差别，很不利于职工的自由流动和建立统一的劳工市场，而且造成了各自为政的局面。虽然各地方、各部门都来关心养老保险未尝不是一件好事，但由于倚重的是行政办法，因此比较容易出现一些通病。一些地区、部门将筹集养老基金当做资金来源、生财之道。特别是在新开发地区，年轻人多，可以热衷于收钱，而无须或很少考虑以后的支付问题，因为退休太遥远。此外在资金管理方面，弊病也难免很多，一些地方、部门将养老基金用作盖宾馆、高尔夫球场等非生产性投资。

442

养老保障改革弊端较多、进展不尽如人意的原因非常广泛。体制转轨时期的国有企业改革、国有银行改革、会计审计财务制度等项改革都有一个滞后或未到位问题。就此而言，上述问题是非常自然的，无须大惊小怪。但是，随着各项改革的全面推进，切实解决养老保险的社会化问题应该被提上目前的议事日程，至少，个人所得税和个人财力预算问题势将并正在变得突出。而既能够集储蓄与保险于一身、又能够集宏观干预和微观决策于一身的"个人退休账户"（简称 IRA），可能就是一种比较新颖可供选择的办法。IRA 的基本思想是通过逐步实行养老基金的金融化来推动它的社会化。当然，由于我国国情同成熟市场国度差别甚大，因此，如何合理借鉴也是一个值得研究的问题。

二、IRA 在美国的推行与改进

"个人退休账户"是一种养老储蓄计划，在美国，它与养老金制度、政府老年福利救济制度共同支撑美国退休保障体系。IRA 与养老金的区别在于：没有国家的强行干预，也不要求雇主提供资金，而是完全由个人选择参加并完全由个人支配或享用的一种退休计划或特别金融安排。参加者自愿将在岗工作时每年所得工资的一部分专项储蓄起来以备日后退休时享用。

　　IRA 是一种比较新的退休计划，系美国政府于 1974 年为照顾没有参加养老金计划者的退休生活而开始建立的。由于不允许已经享有其他养老金计划者参加，因此参加者人数有限，发展一直缓慢，每年该账户税收免税总额不过 3 亿美元左右。[1] 1981 年，里根政府为振兴经济、鼓励储蓄和扩大投资颁布了《经济复兴法》，放宽了参加者的范围，允许所有的人都可以自愿参加，从而形成了参加该账户的热潮。1985 年申报 IRA 的税单高达 1620 万，IRA 的税收减免总额达到 38.2 亿美元[2]。这导致政府税收支出急剧上升，而国民储蓄率却无明显提高。1986 年税制改革法公布以后，对于 IRA 的参加者又做了比较具体和严格的规定。其后，IRA 的推行速度明显减缓，出现了一些新的退休计划，如布什政府的"FIRA"[3]，"参议员 Bentsen 和 Roth 的计划"[4]，等等，此外还有几项重要的改革方案。20 世纪 90 年代，IRA 又一次走到前台，成为经济学专家讨论的一个热门话题，许多关于 IRA 的改进方案又引起了政策制定者的重视。

　　新的改进方案可以归纳为五点。其一是提高收入上限（Raise the income ceiling），允许较高收入的已有养老计划的纳税人参加 IRA。其二是提高账户的金额限制（Raise the contribution limit），允许储蓄能力较强的纳税人进一步利用 IRA。其三是对提前取款者不再罚款（Allow penalty—free with drawal），允许有正当理由而提前取款者免予罚金，例如买房子和缴学费。其四是创建一种"back—loaded"的 IRA，最初的交款（initial contributions）不享受减免，

---

　　① C. Alan Garner："Gan IRAs cure the low national saving rate?" Economic Review, 2nd Quarter 1993，p. 7.

　　② Economic Review, 2nd Quarter 1993，p. 7.

　　③ 布什政府曾提出一种新的 IRA 计划：the Flexible Individual Retirement Accounts，灵活的 IRAs，规定参加者每年存入账户的不超过 2500 美元的款额（Contribution）不再有任何基本的税收减免，但是也不再要求提前支取者纳税或罚款，只要支取是在设立账户 6 年之后。结果，FIRAs 对于那些为实现中短期融资目的的储户是有利的，例如，为孩子上学或购房的融资。

　　④ Bentsen 和 Roth 计划允许纳税人每年可以将 2000 美元储蓄转入 IRA，而不论其收入高低或者是否已经进入养老金计划。此外，最初的缴款不享受减免，而提款时实现的投资增益也不必纳税。

但以后实现投资增益（distributions）也不再纳税。这种方案可能不仅要求入账的款项必须达到一定的年限，否则便不能实现税收优惠（像布什计划那样），而且可能进一步要求对入账款项的提取达到59.5岁（同现行 IRA 一样）。其五是设立"定额浮动储蓄账户"（Premium Saving Accounts，以下简称 PSA）。PSA 是一种新的可以提供较强边际储蓄刺激的 IRA。这种账户的参加者必须事先根据其收入情况确定一种固定储蓄额底线（save some fixed "Floor" amount），超过这个底线但又不超过上限（同样系根据收入事先确定）的储蓄才可以纳入 PSA。

三、IRA 的"金融创新"之处

444

　　IRA 之所以在近二十年中能够一直成为人们关注的退休举措，离不开它的几个长处，也可以说是它的几点创新之处。

　　第一，IRA 是一种通过政府适当干预来使得退休保障更加社会化和更加市场化的途径。IRA 的特征之一是"税收延期和优惠"和"总额和提款限制"。政府允许参加该账户的纳税人通过将某年度的部分或全部（总额有限制）入账款额从该年度的应税收入中加以扣除。当参加者在若干年之后提用这笔款项时，政府允许该纳税人以低于其在岗工作时的个人所得税税率纳税。如果参加者在规定年龄之前提取，则除了要求缴纳被延迟的所得税之外，还要缴纳一笔10％的罚金。也就是说，政府的税收延期和优惠并不是无条件，只有那些的确属政府应当鼓励的有利于推进退休保障社会化的行为才能受到鼓励。这种做法也为个人提供了一种新的选择，也即在"固化部分收入"与"获取税收实惠"的交换过程中进行自我权衡。

　　第二，IRA 推进社会保障（个人退休保险）的基本途径是借助日益发达的金融业和现代化的个人所得税制度。金融业的社会通约性比较强，而税收制度的法治色彩则比较强，因此，IRA 能够与各行各业的纳税人直接见面，无论是被人雇佣者还是自我雇佣者，无论是企业单位还是事业单位（如美国的政府文官），都可以直接参与。法治化和货币化势必推动交换过程的民主化和基金管理的透明程度，从而可以减少上述许多通病（包括我国已经存在的一些问题）。

第三，IRA 不仅能够将宏观干预和微观决策结合起来，而且能够将储蓄与保险结合起来。国家以财政作为信誉和担保，有关规则以法规形式加以表明，在保险产业中，国家的经营往往是更有效率的，因为它的规模效益最强，平均操作成本在正常情况下都比较低。根据美国的情况，IRA 关于收益人（beneficiaries）选定的规定完全能够同普通保险、遗产税、赠予税等原则很好相容。就宏观干预效益而言，在正常条件下，IRA 对于提高一个国家的国民储蓄率和控制不适当的消费显然有所助益。此外，作为一个副产品，IRA 还可以借助固化大量收入来抑制通货膨胀，而这一点对于我国目前的经济调控无疑也相当重要。

445

四、IRA 在美国的波折及其根本弱点

IRA 的弱点也比较清楚，这也是 IRA 的发展在美国出现上述波折的重要原因。自从进入 20 世纪 80 年代之后，政府一直期望 IRA 能够提高美国的日益严重滑坡的国民储蓄率。从理论上说，IRA 的确能够在某些方面约束潜在的消费和提高储蓄率，但是众多现实的原因使得这种作用变得非常微弱，远不能达到政府的预期。首先，80 年代美国人对于各种 IRA 提供的税后回报率反应迟钝，所提供的要在未来实现的税收优惠的数额往往为追求现时高消费的美国人所忽略。其次，在 80 年代 IRA 顺利发展的时期，IRA 的上限使得它对于储户的边际储蓄的刺激作用变得非常微弱，因为参加人数和其中一些人比较容易接近该账户的上限。再者，美国高收入者资本转移现象严重也是 IRA 难以提高国民储蓄率的一个原因。

IRA 的根本弱点在于：政府建立 IRA 时的目标不仅是多重的，而且是冲突的。政府建立 IRA 的初衷主要是帮助未受保障者以增进福利公平，但是提高国民储蓄率的目标势必要求放宽对该账户的各

种限制，如提高上限、允许已经有养老金的人加入等，而这些显然都会有利于富人，使该账户实际上成为富人的避税港，从而损伤公平。

就借鉴和利用而言，IRA 的缺点也比较明显，因为它对于一国的市场环境、金融环境、纳税人素质乃至公共权威的质量等等，都有非常严格的要求。

五、借鉴 IRA 与深化中国经济改革

IRA 的长处和短处可以表明：IRA 对于深化我国退休保险体系改革具有一定的借鉴意义。

首先，IRA 的隐含前提是现代化的税收体系，特别是个人所得税以及其他个人预算制度的现代化。因此，在部分市场机制比较成熟的地区试行 IRA，可以摸索一条推动税制改革的途径，将税收调节与个人经济行为比较好地结合来。因为，在现金交易过多流行的国度，个人所得税往往是最难统计的。而 IRA 的税收优惠有可能成为一个完善个人收入申报制度的缓冲地带。

其次，我国政府引进 IRA 的目标可以比较单一，不会出现美国政府的目标冲突问题。改革开放以来，我国的居民存款余额一直在迅速增长，目前已经达到相当可观的程度（超过 2 万亿元）。这样的宏观经济环境完全可以使得政府的税收优惠政策集中在关注退休养老的社会福利公平问题上。

再者，我国的非国有企业，如乡镇企业、合资企业的职工的退休保险，长远地看，是一个很大的问题，因为该领域比例相当高的一部分人没有合适的退休养老保险的实现途径。在银行储蓄回报率长期低于通货膨胀率的条件下，这部分人手中的巨额储蓄很容易对房地产炒卖以及其他"分配性"比较强的经济活动推波助澜。如果能以国家的信誉对这笔巨款加以吸引和"固化"，可能是一件有利于抑制通货膨胀和改善现实宏观经济环境的好事。

最后，IRA 对于国有企业现行的退休制度完善也会产生革新性

影响。国企职工现行退休制度基本上是政府规定的，职工本人很少关心和参与，因而可以说退休计划参与人基本上是被动的。通过有选择地试行 IRA，可以使职工增强权衡现时消费和未来消费的意识，增强缴纳税金和合理减免的意识，还可以使国家能够进一步评估和影响职工非工资收入的流向。这些对于现行的退休养老制度未尝不是一种补充。

　　总之，由于 IRA 的基本方法是在提供政府干预的过程中鼓励"个人"选择，而且"金融账户"的通约性又是最强的，因此试行 IRA，很可能为我国退休养老乃至整个社会保障制度的统一和完善提供一条新的途径。因为"金融化"的实质是"市场化"，而只有不离开"市场化"的东西，才能更好地"社会化"，也才能有助于消除前文所述的我国社会保障资金筹集和使用过程的一些通病。

9. 论 WTO 对中国市场制度的

成熟效应与升级效应[*]

中国"入世"的总体效果也许还有待观察，但它对于转轨经济市场制度的"成熟"和"升级"，却无疑具有显著的"正向作用"。本文试就世界贸易组织（WTO）的经济法律原则，借助作者的"中国经济转轨模型"等基本工具，探讨"入世"后已经发生并势将逐步成型的制度变革框架，并就"全球网络经济"在其中的作用和影响做若干分析预测。

一、"入世"促进中国市场制度成长的"正向效应"

经典经济学在关贸总协定（GATT）的经济学分析方面已有突破性进展，可提供好的借鉴和分析工具。[①] 但论述中国"入世"的制度变迁效应，却需要剖析中国体制文化特征，从转轨经济学角度另辟蹊径。

---

* 本文发表于中国社会科学院《世界经济与政治》杂志 2002 年第 4 期，署名萧琛。

① 美国经济学家 Kyle Bagwell 和 Robert W. Staiger1999 年曾经在《美国经济评论》发表论文，力图用经典经济学解释和评价 GATT 的一系列基本原则，并据此建立了一个统一的理论分析体系。论文以一般均衡贸易模型为例，强调政府偏好和国民收入最大化，兼顾分配政策问题。论文在讨论互惠贸易和非歧视贸易等法则时，归纳和选取了有关变量，并以联立方程来确定有关变量的数学关系（Kyle Bagwell and Robert W. Staiger An Economic Theory of GATT，American Economic Review，March，1999）。

（一）WTO 基本原则正好弥补转轨经济文化的制度弱点

WTO 基本原则可归为 9 点："自由市场"、"非歧视"（含最惠国待遇原则和国民待遇原则）、"取消数量限制"（含关税中心问题）、"互惠互利"、"市场准入"、"促进公平竞争"、"法规透明"、"照顾发展中国家"、"允许例外和实施保障"。法律上以上各原则都有独立含义，但在经济学上却可归纳成三大原则："透明公开"、"平等竞争"和"合作互利"。

马克思·韦伯曾指出，亚细亚"市场文化"的突出弱点就在于规则不透明、"可预见性"弱、职责体系模糊。改革开放前，"集体负责"很容易流于"实际上没有任何一个人负责"，"向大家负责"很容易流于"不向具体监管人负责"。这种职责规制不仅很难透明和可预期，而且容易朝令夕改。结果不仅是当事人无所适从，而且很容易走向极端：不是遵循"程序"去"选举""结果"，而是按照"结果"去选"程序"！

这些显然蹊跷的"局部理性"（"实质非理性"）的制度安排，曾长期提供"寻租"和"腐败"的土壤。"规制信息"不稳定，"实施信息"不透明，势必加剧信息分布不对称、"机会平等"无从保障、"竞争"不能自由、决策不可能接近效率水平、交易双方的"合作"动机不可能持续下去。国内公司、机构设置变动频繁，商品品牌"打一枪换一个地方"，许多公司品牌不能有效估价交易等，都是常见的例证。"朝令夕改"的经济学恶果是规则无法"连续"、文明无法积累、当事人无法从长计议；而"非连续规则"势必导致互不信任和不失时机地作弊。

"信誉"是市场经济的"通行证"，缺少信誉使市场经济制度无法良性变迁。这也是前计划经济和现今转轨经济的合作行为中"容易对抗"和"难以妥协"的文化根源。10 年前"冷战"垂下帷幕时，美国当局曾披露并发表过几十年前的一份内部报告。当年，美国当局在考虑是否应该对苏联采取"遏制战略"的时候，该报告曾经建议：苏联这个国家只教会其国民如何"奉献"和"斗争"，却不曾教会他们如何"交易"和"合作"。因此，这个体系势必既刚健又脆弱，其政权交替等一系列冲突问题势必难以"长期合作"的方式解决。因而，可以预见，在若干年后的某一个夜晚，这个巨人终究会坍塌下来。

（二）"入世"带来"成本节约"和"学习利得"

WTO更深刻的制度精髓在于以"对话"代替"对抗"。WTO既是反思两次世界大战的产物，也是反思近半个世纪"冷战"和近十余年"新兴市场"和"新经济"初潮的产物。国际多边协定的"谈判成本"、"调解成本"尽管通常都非常之高。但同"冲突"特别是"战争"的成本相比，它毕竟可以说微不足道。

WTO是国际经济法律的对话场所、规制谈判框架和争端调停机制。半个世纪来，各种"回合"此起彼伏，各种"战事"狼烟相连，各种"协定"不断涌现，各种"案例"层出不穷。单就影响最大的"协定"的英文简称[1]而言，恐怕让人目不暇接。真要弄清要义，实在需要巨大的精力。尤其是就那些国民长期不流行英语和传统的法治意识又比较薄弱的国度而言。公布入世文件后立即收回的原因之一就是翻译困难。

尽管WTO是"法山律海"，尽管学习成本的确非常之高，但加入WTO的效益还是要大出许多。第一，后来者"模仿"总比前行者"开创"省力。第二，"对话"总比"对抗"来得经济。第三，WTO的"一国一票制"，比世界银行和IMF等联合国机构的投票制度[2]的"扭曲"程度要低。

毋庸讳言，WTO当然只是欧美法律传统的延伸，是欧美制度产品的"出口"，甚至是市场制度先行国的一种"域外法权"。然而，一国霸权和一国传统决非同一概念。美国恃强凌弱等可恶之处很多，但美国人民传统上却不无许多长处。美国人最引以自豪的一点，并非地理上得天独厚、地大物博，而是制度上"拥有一部合理而灵活

---

① 主要协定的缩略语包括 ADP（反倾销）、ATC（纺织品服装）、GATS（服务贸易）、ILP（进口许可证）、ITA（信息技术）、MEAs（多边环境）、MFA（多纤维）、MIA（多边投资）、SPS（植物卫生）、TBT（贸易技术障碍）、TRIMs（贸易投资）、TRIPS（知识产场所权贸易）等等。

② Voting power 主要是"基本票"加"购买票"制。

的宪法"。尽管该法的原创性思想财富几乎全都来自欧洲。

美国传统上不仅重经济，而且重法律。当年"西进运动"中，移民们每新到一处，别的事都可以不做，但有两件事却绝对必须：一是修教堂，二是设法庭。美国的《专利法》几乎与建国同步；《反限制贸易法》、《反垄断法》等，也已有百多年历史。二次世界大战之后，欧洲和日本几乎是一片废墟，但美国却推出了一系列支撑现代市场制度的"立法"。诸如《投资人保护法》、《消费者保护法》和《劳工集体谈判法》等等，可谓不厌其详。更值得借鉴的一点是，美国的这些法律始终能够在不影响灵活性的同时保持其连续性。"只许修正不许推翻"是一个非常值得重视的原则。

二战后美国之所以倡导 GATT，直接目的就在于：扩大美国（等西方世界乃至整个世界的）的贸易与就业的水平。当然，这并不能遮掩美国要领导世界的"政治欲望"，也不能遮掩美国实施"域外法权"为本民族攫取世界财富的"经济欲望"。尽管如此，"互惠"毕竟是主流，否则不可能为绝大多数成员接受。

451

（三）"入世"提供"硬约束"、变革政法等"干预系统"

WTO 是欧美"出口"的制度产品，加入 WTO 的实质是接受这个"舶来品"，接受新的国际分工、更多发挥比较优势。从体制转型角度看，"入世"则是加速政府法律体制的国际接轨。

"入世"首先要约束的"对象"是政府及其干预功能和监控效率，这种约束具有刚性。很难设想，一个国家特别是我们这样的国家，有可能蓄意违背国际约定并能长期持续下去。就现代社会经济成长历程看，市场制度的成熟和升级是不可逾越的阶段。市场制度成熟的关键在于政府体制改革。这也是最困难的环节，根源在于政府约束系统缺少刚性。

"入世"的硬约束效应，已经不是理论预期问题，而是随处可见的事实。入世后的第一个月中，行政法规的接轨任务就不仅早已提上议事日程，而且是在日夜兼程。

国务院法制局组织起草的《行政许可法》征求意见稿已经出台。该稿强调要设定行政干预的范围，明确指出在几种情况下不得设立

"行政许可"。根据新的原则，1000 多项中央行政审批制度正待解除。全国人大已经通过新修订的 3 部外资法。国务院有关部门已经修改清理了 2300 多份相关法规。国家经贸委已在四大方面（观念、规则、施政、知识储备）积极改进，已经宣布第一批取消 30 项行政审批手续。财政部也已经取消 7 项涉及企业资产和财务的行政审批手续。

由上分析可知，加入 WTO 不仅在支持系统上可以弥补亚洲市场文化的"不透明"、"非预期"、"非规则"等弱点，而且在直接改变干预系统的决策原则和施政机制，导致整个经济体制更富有竞争性和合作性。

二、加入 WTO 对中国市场制度的"成熟效应"

452

走向市场经济的一般逻辑步骤是：先引入运作系统，再建设干预系统，最后是更新支持系统。就难度而言，运作系统相对容易见效，干预系统次之，支持系统通常需要几代人的时间。

（一）加入 WTO 势必加速中国市场制度成熟

中国建设社会主义市场经济体制的现实顺序，同上述逻辑顺序基本一致。1992 年以前，首要任务是引进运作系统，推出商品、资金、劳工三大要素交易空间。1992 年以来，首要任务转向综合改革和法治建设，到 1997 年以前，出台的经济立法就多达五十余项。1997 年以后政府体制的改革也提上日程，"下岗分流"成效显著。

中国经济转轨的特殊逻辑步骤在于：首先必须"退够"。长期"中央命令型经济"制度环境势必抑制市场因素发育和成长。要启动转轨，必须撤除一系列计划经济制度藩篱。"撤销人民公社"、松动"户籍"制度、"允许农民进城"、实行"厂长经理负责制"等，都属于"退够"的范畴。此外，以上讨论的干预系统的变革情况，诸如解除审批制度、放松出入境管理制度，也都含有从特殊的计划经济中"退"的成分。可见"入世"的促进非常显著。

"退"的实质是释放权力。"权力"的交替通常有几种形式：强制的形式包括冲突与战争；和平的形式包括"钱权交换"和"名权交换"等。在计划经济体制下，放权目的通常是为摆脱困境，即以"让权"换"摆脱困境"。而由于那时"权力"不像现在这样"值钱"，因此"放权"一般不会遭遇系统性抵抗，但却一直不曾摆脱"一放就活，一活就乱，一乱就收，一收就死"的循环。而且长期看，权力并未真的让出（存在回收）。

改革开放以来，让权方式可分两种。一种是国家正式改革开放，是"真的让出"，不再回收。另一种是实施中实际存在的各种寻租行为。

"入世"后让权性质又进一步发生变革。其一，让权具有直接性和可预期性。"入世"本身就是按规则调整，而且主要是政府体制。其二，经济权力让渡带有国际交换性质。让权的目的是交换国际经济合作的"公共品"和具有国际性的正"外在效应"。其三，让权带有世界市场制度的规范性。

453

上述三重放权，特别是后一种已经在加速进行，对于中国市场制度的成熟正在发挥积极作用。从逻辑上讲，市场制度的成长和成熟必须在可以"自由放任"的制度环境中起步。

（二）加入 WTO 势必促进三对利益集团制衡

市场制度"成熟"的含义是：市场制度变迁达到一种不可逆转而只可能持续发展下去的境界。而欲达此境界，市场系统的各交易空间上各对立利益集团必须能相互制衡。

就消费市场而言，"入世"势必促进买卖双方有效审视。为此，保护消费者组织、机制及其政治代表和附属媒介，维护市场秩序的"公共性强而政治性弱的组织"（也许可以类似国外的 FTC、FDA、商品检测等"独立机构"）等必须出现且持续活动。而"入世"后竞争因素和新管理机制势必涌进，导致双方势力的磨合和均衡。

首先，消费者保护的行政性举措，势必要为公共性举措所替代。行业自律机制、消费者协会、BBB（抱怨机制）、新的广告、销售和服务模式等都将接踵问世。多年来，国内消费者保护主要仰仗"国优"、"部优"、"打假"、"质量万里行"等办法。这种办法特征有二：

一是组织机制上只能靠行政中介；二是在时间上只能是回合式或曰阵发式。就第一个特征而言，行政中介同买卖双方并非利益对立，难以出于切身利益考虑去审视监督，"非效率"肯定难免。此外，"寻租"也势必难免。就第二个特征看，阵发式或曰"搞运动"的办法通常都无法抑制持续的暴利动机（包括假冒和伪劣）。

其次，消费者声势会强大起来并持续下去。厂商竞争加剧会导致消费者权力增长，新型媒体将会应运而生并传播消费者的声音。商业电台、消费者报刊、网络园地、"企业形象指数"、"商品质量、销售量排名"等，都在可期待之列。目前，保护消费者的功能基本上附属于国有媒体的若干栏目，距离真能"明明白白地消费"和"用户第一主义"的"买方市场"还有很长距离。例如，私人小汽车市场的信息不对称等现象的长期存在，重要原因就是中国的消费者还没有同等影响力的信息传播渠道。CCTV黄金时段同网上"发帖子"不可同日而语。

就资本市场而言，"入世"也会促进投资人和集资人双方势均力敌。根据《中美协议》，美国财政部将有义务帮助中国设计资本市场。这一点应该说意义深远。早在1989年，纽约股票交易所的总裁就曾在中南海赠送邓小平同志一枚该所的所徽；不久，中国人民银行行长陈慕华同志也"回赠"过美方一枚红色中国的第一张股票："上海真空飞乐"。

"入世"后，外资流入中国市场势必从较多的直接投资（各类FDI等）转向较多的间接投资如证券投资等。可以肯定，已经推出的《证券法》的可行性势必会迅速加强，国际化程度也势必会迅速提高。"证监会"的"公共性质"将会增强。"独立会计师"、"审计师"的全国性协会和相关的自律机制将会普遍推出并富有实效。"独立董事"将不再"不独立"或"不懂事"。上市公司的内部会计和外部会计的分工将不可避免；会计和审计等财务标准将会趋向稳定、公开和连续；评级公司、保险公司、投资银行所追溯的公司的经营信息和金融资信等信息，将会跨更大的空间和更长的时间。此外，投资环境、投资工具也会有大的改进。目前我国第一市场（场内交易）、第二市场（场外交易）和第三市场（电子市场）的规模都非常有限，交易品种也非常之少，加上国有企业这种特殊现象，资本市场的国际接轨可谓任重道远。

就劳工市场而言，"入世"也会加速劳工组织和社会保障机制的成熟。"入世"意味着我们接受新的国际分工，需要在劳动密集型和民族文化型等方面更多发挥比较优势。这无疑会引发产业结构大调整。据研究，汽车产业、农业和机械仪器产业的就业人数将分别减少 14.5％、3.6％和 2.5％；而食品工业、建筑业、服装业、服务业将分别增加就业 23.6％、2.2％、52.3％和 2.6％。[①] 劳工流动的新格局要求新的人事工资制度、保险保障制度、工会制度、教育培训制度、技术专家评估制度，而外资及其人力资源管理方式的流入势必会催生新的制度，从而使得目前的雇主方的系统优势得到劳工方的制衡。

"入世"后的劳工流动机制，同改革开放以来的"下海"、"人才交流中心"、"孔雀东南飞"、"能工巧匠走西口"等，应该说有实质差别。如果说过去侧重转轨，则现在是侧重接轨。在这两重变迁中，劳工组织（工会、行业自律组织、其他民间组织等）在评估劳动、评定工资、安全保障等各方面都将独立发挥更大作用。在法律、外贸、金融、证券、IT 等专业知识含量比较高的行业，人才争夺战实际上已经拉开战幕。

工资只有在竞争和流动中才能够趋向合理。一系列新的劳工服务机制，培训、职业介绍、资格测试和认定，社会保险等，都会迅速涌现并在一开始就可能具有国际水平。法制的健全和律师业的发展，也会使工会等劳工组织发挥更好的作用。劳工保险、社会保险等，将不仅会从坑蒙走向诚实，而且会从诚实走向公平。"入世"以来轿车保险费率的"跳水"现象，对于某些公司，应该说是一片"报秋的落叶"。

三、加入 WTO 对中国市场制度的"升级效应"

以上我们已经讨论了加入 WTO 对市场制度的"正向效应"和

455

---

① 阳夏：《WTO 给我们带来什么？》，载《中国经济时报》1999 年 11 月 17 日。

"成熟效应",现在考察"升级效应"。市场制度的"升级效应"(网络化效应),在理论上可以理解成"信息化"加"全球化";从现实层面也可以理解成:促进"物流"、"钱流"和"信誉流"有关机制发生变革,内在要求是"直接经济"和"横向合作"。

(一)"物流"模式将更多体现"直接经济"原则

现代物流同传统物流的根本区别在于:现代物流能将供应商、销售商、消费者之间的物质供应链的各个环节,由现代物流企业应用现代信息网络技术,按照客户的时间、数量要求,为满足客户需求提供最佳物流解决方案,将供应链中的运输、仓储、包装、搬运、配送等各环节流畅、无缝地连接起来,并包含可预见、可依赖的综合服务。

"入世"要求我们在 3 年左右时间陆续取消对外商在中国国内开办流通企业种种限制。国外服务供应商可建立百分之百的全资拥有的分支机构或经营机构。模式先进、经验丰富、资金雄厚的外商的迅速涌入对我国现行物流制度势必产生深远影响。近年来,国际著名的物流公司已经在中国合资或独资,还在零售业和快餐业开办了许多连锁经营企业。外资物流企业大部分都成功地利用了 EDI(电子数据交换)、互联网、GPS(全球定位系统)等高科技。"特许经销"跨越国界和民族的态势已经相当明显。"21 世纪房地产"就在走这样的路。

未来几年,中国进出口贸易规模将可能超过 1 万亿美元!贸易保护的平抑,平等竞争的强化,将会充分认识到改善物流效益的关键性作用。国有大中型企业将会"减肥",逐步剥离掉原材料采购、运输、仓储和制成品的加工、整理、配送等物流业务。而中小企业则因为缺少规模而又特别需要灵活及时的特点,势必日益需求和仰仗新型物流体系。

"入世"后,行业标准、产品质量标准、检验标准、环保要求、价格协调规则等非关税手段将在国际贸易中占重要地位,我国这方面可以说还是空白。建立一个全国性的物流行业协会的任务已经提上议事日程。该组织将致力于实现企业间信息共享、经验交流、商业往来。物流行业协会将承担设定物流行业质量标准、检验条件、劳工标准、价格协调等非关税手段的作用。贸易纠纷、应诉事件将不再仰仗政府干预，而转由这种民间行业协会直接出面解决。这种组织势必会与国际标准逐步相一致。

在当今全球化、信息化大潮中，"无国界物流"已成为各国共识。在推进物流管理国际标准化进程中，侧重于规范产品质量认证和质量体系认证的 ISO9000，侧重于规范组织活动、产品服务的环境影响的 ISO14000 等国际标准，都将直接融入中国物流业运营体制。

（二）畅通"钱流"渠道事实上就是金融市场机制"网络化"

457

在市场机制已经成熟的国度，特别是在美国这样的网络化的成熟市场上，"钱流"机制已经跨进网络时代。除了新闻流，钱流最容易触网。美元一直是国际自由兑换货币，"带现金的美国人早已是消失中的美国人"，"第三市场"也早已同第一、第二市场的总和势均力敌，更甚者，"第四市场"（网络证券市场）、"电子出纳"、"在线收付"、"电子黄金"、"网络货币"等也已蔚然成风。

相比之下，中国金融制度距上述境界似乎还相差很远。现金交易在中国还是最主要的支付方式。消除广义的"地下经济"（现金交易）在中国还非常困难，因为收入差距太大。人民币纸币最大面额一直没有突破"百元"，可谓就是出于相关考虑。现金交易一般无法同步纳入现代收支体系，现代化个人所得税当然无法有效征收。目前有些地方还在实施个人所得税"代表纳税"办法，应该说是一种无奈。而"村民赶着大车，用麻袋装着钞票，进城去买电器"[①] 还是一种相当普遍的现象。

"钱流"支票化任务应属市场制度"成熟效应"范畴。然而由于中国网络化的速度和规模，ATM、信用卡及各种短期消费信贷，在都市中高收入层中，却已经相当普遍。这说明中国的支票化与电子化二者同步。"入世"后，由于"中介融资业务"在"入世"首年即

---

① 萧琛：《论网络经济与新经济》，载《国际经济评论》2000 年第 5～6 期。

启动，因而可以预见，国外网络化管理模式势必迅速渗入，其加速制度升级作用不可低估。

国内"钱流"一大症结是"呆坏账"，镜像之一也许可以说是"持币待购"。目前城乡居民储蓄余额高居 7 万多亿，呆坏账据说高达 30％。产品库存不能出清，企业投资（债务）不能回收（还贷），银行不良资产当然会累积，"三角债"等问题也就无法根治。持币待购根源有二：一是等待国内房地产、小汽车等大宗商品价格中高得畸形的"交易成本"迅速下降；二是期待银行利率"市场化"。解决第一点需要部分行政中介退出，"层层剥皮"、"处处设卡"现象必须制止和消除。随着"入世"后竞争加剧，应该说这已是可预期之物。在利率市场化方面，"分期付款"、"抵押贷款"等，都势必要同长期存款利率相匹配；几乎"负利率"的政策性贷款也将得到反思。"外资银行竞争"是严峻的，而且这是一场经济"血液"质量的保卫战。

至于国际金融层面中国"钱流"制度的升级问题，应该说主要同"人民币自由兑换"也即开放"资本账户"及"B 股"和"H 股"等直接相关。目前中国外汇存底已高居 2000 亿美元左右。这在"钱畅其流"方面已是个"奇迹"，表明我国维持现有国际钱流机制成本畸高。"入世"后，金融制度接轨速度势必加快，上述问题也将会提供非常广阔的改革空间。5 年内开放资本账户，并非不可以相信。[①]

（三）"信誉流"的"质量"与"效率"势将"制度化"和"国际化"

市场制度网络化进程中最困难的一项任务，是当事人信誉的"沟通效率"。电子流的速度和节奏，要求一场"确保无虞"革命。这与其说是一场重新做人的文化革命，不如说是一场制度的成熟和升级的历史变迁。人的本质是各种社会制度加总。

很长时间以来中国人之间存在着相当严重的信任危机。很多中国人（特别是中年以上）遇事的第一反应，都是先问"真的假的"？甚至在"公章"、"签字"、"合同"和"人格担保"面前也绝对不敢深信不疑。信任危机根源当然不在于国人不可教化，而在于体制安

---

① 胡祖六 "资本市场正在改变中国"，《国际经济评论》2001 年第 9～10 期。

排中长期的"后规则"和"不透明"原则。而"入世"所要做的恰好是：将长期以来被颠倒的原则再颠倒过来。

"入世"就是合作规则体系向国际规范靠拢。先定规则，不得朝令夕改。制度透明、确保可预见，无疑会减少"纵向合作"而增加"横向合作"。纵向合作是当事人意志权数不等的合作。而横向合作则更多体现交换意愿也即市场原则。市场机制的精髓在于等价交换。方兴未艾的"新经济"所要求的就是"横向合作"和"直接经济"。[1]

新经济原则当然会导致信誉质量监控机制巨变。"真情披露法"、"避嫌法"、"冷却法"、资信评级、"职业道德立法"乃至"民意调查"、"企业形象指数"等工具，都会逐步确立。这方面的进步也许不像物流钱流层面那样直观，且过程可能曲折和漫长。观察泰国、韩国等新兴市场"入世"以后历程可以发现，"亲情资本主义"（crony capitalism）很难根除。即使就是发达的日本市场，升级（到直接经济和横向合作）的任务也举步维艰。日本长期的"护卫舰体制"仍然相当顽固。

459

尽管如此，"入世"对市场制度的升级效应仍然持续发生作用。信誉质量监控链条的形成，对于市场当事人的改造和规范意义深远。这也是大陆人同港澳人文化有别的制度根源。独立董事、独立会计审计、还有评级、保险、各种排名和舆论机制等，实质是依照市场原则按劳分配的链条。好的分配才能有好的合作。"好的篱笆，好的邻居"。"你可以欺骗某些人于永远，也可以欺骗全部人于一时，但你却不可以欺骗全部人于永远。"更令人欣喜的是，新的信誉质量保障机制，还势必会渗透到公共经济领域，并最终升华为民族的精神财富，更加久远地支撑民族的繁荣。

---

① 萧琛：《论网络经济与新经济》，《国际经济评论》2000 年第 5 期。

10. "入世"对我国农业的
影响及有关政策建议[*]

农业是我国国民经济的重要部门，八五期间农业总产值占全国 GDP 的 20.9％，从就业情况看，农业是国民经济中就业人口最多的部门。农业调整涉及新时期的农业发展战略，也取决于对 WTO 及世界农产品贸易自由化态势的较好把握。本文力图就这些问题做一系统的评价、分析和建议。

一、我国农业现状与"入世"要求

中国农业是一个以消耗较多自然资源为主的产业，并不具备明显的国际比较优势。我国的人均耕地面积只有世界平均水平的 1/3，人均水资源的占有量只有世界平均水平的 1/4。改革开放以来中国农业的国际比较优势已经发生了很大变化。大宗农产品的比较优势正在丧失。这种变化可以从三个方面看。

从出口竞争力方面看。不妨以 1995 年的出口竞争力系数来衡量。该系数为出口值减去进口值，除以进出口总值。统计结果表明，在 7 类农产品中，除了谷物的出口竞争力系数为负数以外，其余的 6 类均为正值，而且都比较高。6 类农产品依次是活动物，肉及食品杂碎，水产品，食用蔬菜、根及块茎，食用水果、坚果及甜瓜，咖

* 本文发表于中国社会科学院《太平洋学报》2000 年第 2 期，署名萧琛，王锦标。萧琛系北京大学国际经济贸易系教授，王锦标系中国农业部国际合作司高级项目官员。

啡、茶及调味香料。呈负值的 1 类是谷物,但其负出口量较大,为
35.81 亿美元,接近于两个大类(水产,食用蔬菜等)的正出口额。
从各国关税调整角度看,初级产品出口前景是看跌的,因而不仅是
谷物类,而且其他 6 类的非加工出口也难言有大的优势。

从国内资源成本(赚取单位外汇所耗费的国内资源的机会成本)
方面看。不妨以 1990～1995 年的数据为参照,到 1995 年,中国的
棉花已经失去了比较优势,且在短期内无改观迹象;大豆还有一定
的比较优势,但有利程度在下降;甘蔗、苹果、烤烟、生猪(散养)
有明显的比较优势,但能否长期保持,也有待政策调整和实际效果。

从国际价格行情看。1994 年以来,中国国内市场主要农产品价
格尤其是粮食价格已经普遍高于国际市场价格。大致情况是:大米
高出 50%,小麦高出 10%,玉米高出 60%,食用植物油高出 50%,
大豆高出 40%,生猪高出 30%。但是,如果以国家收购价格为参
照,则大米和大豆持平,小麦低出 10%,玉米高出 10%,棉花低出
30% 左右。肉类情况不同。就最近的情况看,国内市场的猪肉价格
要比国际市场低 57%,牛肉价格低 84%,羊肉价格低 54%。

461

中美 1999 年 11 月 15 日的协议详细内容尚未公开,中国同欧盟
等国家或地区的谈判还需也还要一段时间。因此,中国入世的具体
要求还没有完全明确。不过应该说,1994 年 4 月美国单方面公布的
"市场准入协议",实际上已经提供了中国方面有可能让步的一个极
限值。根据这些协议的精神和发展态势来看,中国"入世"的基本
要求及中国方面有可能做出的主要的让步,大致可以归纳如下:

在关税减让方面。美方要求中国将平均关税率由目前的 22.1%
削减到 17%,其中,要求中国农产品关税的平均税率削减到更低的
水平,为 14.5%～15% 之间。时间表是 2004 年以前完成。值得一
提的是大豆。鉴于中国过去没有对大豆实行非关税措施,美方所提
出的市场准入的税率水平为 3%,应该说是非常低的。

在大宗农产品的关税配额方面。美方要求中国在入世时实行关
税配额的进口量要明显高于目前的进口量,而且配额要逐年增加;
进口配额要尽可能用完;要保证私营进口商能够参与进口,一开始
就分配予一定的额度,年末要将该企业当年未用满的配额重新结转

到来年的配额之上。但是，根据新近的协议，美方未提出将一部分粮食进口配额分配给非国有贸易企业，而且只是提"国家将逐步退出食用油贸易"。

从其他方面看。对大麦不实行关税配额，但是关税减让至 9%；对其他的农产品，如羊毛、糖料、棕榈油和菜籽油也实行关税配额。

二、"入世"对农业和主要农产品的影响

（一）入世对我国农业市场开放程度和农业产业保护机制的影响

中国自 1986 年 7 月 16 日正式申请恢复关贸总协定缔约国地位以来，历经 13 年，其间进行了几十次多边工作组会议和数百场的双边谈判，谈判的难点主要集中在农业及服务业市场准入的双边磋商上。特别值得注意的是，我国已于 1994 年签署了乌拉圭回合农业协议，因此，开放农业市场实际上一直是脱弦之箭。

目前我国主要采取进口计划、配额和许可证等措施来控制农产品的进口数量，对主要农产品实行指定公司经营。这些非关税措施有效地限制了外国农产品的进入。从 1980 年到 1994 年乌拉圭回合签署，我国农产品出口增长了 2.08 倍，而进口只增长了 84%[①]。

而根据乌拉圭回合农业协议，中国承诺了对农产品进口采取约束关税的方式，实行关税配额管理。而如何实施关税配额管理，恰恰是中国与各方谈判的焦点。关税配额本意是提供市场准入机会，但目前谈判中却已逐步转化为应履行之义务。几个主要谈判方虽已基本接受了中国国营贸易参与配额的分配与管理，但同时也提出在放开外贸经营权的基础上，非国营企业也应参与关税配额的分配，以保证关税配额的充分使用。许多谈判方认为，如果只有国营贸易企业参与关税配额分配，将不能保证配额的充分使用从而减少市场准入机会。

农产品市场准入问题是乌拉圭回合农产品贸易谈判所要解决的

① . 参见中国农业部：《农产品消息》1998 年版。

主要问题之一，在这个问题上，我国距离乌拉圭回合谈判最后协议文本的差距并不大。根据农业协议，对于进口量较少的农产品，应承诺"最低市场准入量"的进口义务，履约第一年，发展中国家农产品的关税配额最低不得少于该产品基期（1986～1988年）国内消费总量的3％，履约期末应提高到5％；而对那些进口量已超过国内消费总量3％的农产品，则应按"现行市场准入量"（即协议签署时最近3年的平均进口量）承诺关税配额。

　　粮食是世界主要农产品生产和出口大国最关心的贸易品种。我国在"八五"期间每年分别进口1345、1175、752、920、2081万吨粮食，同期国内粮食产量分别为43529、44266、45649、44510、46662万吨，即使不扣除粮食出口，粮食的最小市场准入机会也分别达到3.1％、2.7％、1.7％、2.1％、4.5％。1996年和1997两年因国内粮食丰收，产量分别达到50450万吨和49417万吨。粮食总产量的增加，国内粮食自给能力提高，从而使进口有所下降，1996年和1997年每年的进口量分别为1200万吨和705万吨，进口量占生产量的比例分别为2.4％和1.4％[①]

463

　　如果按照市场准入机会为5％来要求，当我国国内粮食消费量达到5亿吨时，我国进口粮食要求达到2500万吨，这说明我国在粮食市场开放问题上，存在相当大的压力。而如果我国要在2020年完全开放农产品市场（也是对APEC的承诺5），那么，在今后若干年内仍需显著降低农产品的进口关税。

　　当然，在我国农产品进口关税制定中，也的确存在不少不合理之处。大宗进口的粮棉产品税率均在3％以下，其中小麦、大米、玉米全部免税，而许多小额商品关税税率却很高，大多在50％～70％之间，有的甚至高达150％～180％。在1996年4月1日之前，我国农产品的平均关税税率为40.3％，1996年4月1日我国大幅度降低关税税率后，农产品的平均关税税率仍然高达32.6％，与其他国家相比，我国农产品关税税率明显偏高。日本农产品的关税税率为7.0％，美国农产品的关税税率为2.9％，欧盟农产品的关税税率

---

① 中国农业部：《中国农业发展报告：1998》，农业出版社1999年版，第119页。

为 12.3%，发展中国家的农产品关税税率虽较高，但平均关税税率一般在 20%～25% 之间。

开放农产品市场还体现在减少国内农业保护或者说政策扶持力度等方面。改革开放以前，过去我国长期采行人为压低农产品价格以便为工业生产积累资金的政策，因此基本上不存在补贴农业生产问题。改革开放以来，为使农业生产稳定发展，我国实行了一系列支持和保护农业的措施。这些政策包括以下六项：（1）对农业生产资料的补贴；（2）中央对农业基本建设的直接投资；（3）支援农村生产支出和各项农业事业费；（4）粮棉油价格补贴及粮食储备补贴；（5）粮食收购企业亏损补贴；（6）主要农产品价格支持制度。

同发达国相比，这些举措可以表明我国对农业的保护程度很低。据测算，发达国家一般都在 30% 以上，个别国家如日本甚至高达 70%。在上述我国农业保护措施中，对农用生产资料的补贴、粮棉油价格补贴、粮食储备补贴、粮食收购企业亏损补贴及农产品价格支持政策，是属于 WTO 所要求的减让项目，其余，如对农业生产的支持等，均在 WTO 制度框架所允许的范围内，符合农业协议所规定的"绿箱"政策，可以免于减让。而有关市场支持政策，如收购政策，则属于负的保护政策。

因此，入世对于我国农产品国内支持减让问题冲击不大。但由于透明度原则，我们需要向各方说明或澄清有关农业政策措施的执行程序与运作过程，特别是在要求免于减让的"绿箱"政策措施时。

作为一个发展中的人口大国，中国农产品供给长期处于紧平衡的状态。农业国际化不仅给我们带来新机遇，而且也带来新挑战。但无论是从短期效果还是从长期趋势看，入世对我国农业产业都是有利的。从制度安排角度看，有利的影响主要表现在以下几点：

1. 可以享受 GATT 缔约国在开放贸易尤其是降低关税方面所取得的成果，并可以获得大多数成员国无条件贸易最惠国待遇。尤其是对发展中国家的优惠，可以为中国农业国际化创造条件，以便进一步利用国际市场。例如，在乌拉圭回合谈判中，日、韩两国曾迫于各方压力，终于承诺有限度地开放其大米市场。而中国大米在日、韩市场具有相当的竞争力。而这种好处只有 WTO 成员才能分享。此外，乌拉圭回合之后，发达国也削减了农业保护水平、增加了市场准入量。这当然也有利于我们。

2. 可灵活运用WTO有关条款和争端解决机制来保护我国的利益，使国内农业生产和农产品市场免受国外农产品大量进口的冲击，且能以成员国的身份参与国际农业多边贸易安排，维护国际农产品贸易秩序和广大发展中国家的利益，遏制少数发达国家的单边贸易行动和农业贸易保护主义。

3. 可以减少其他国家对我国农产品出口的非关税限制措施等不公平待遇，促进我国农产品进入国际市场。乌拉圭回合后，无论是发达国家还是发展中国家都取消了非关税措施，均以关税及关税配额的形式来管理农产品贸易，大大改善了农产品国际贸易的环境。然而，中国出口到欧盟的红薯，却遭到欧盟歧视性的数量限制。这显然不符合WTO农业框架规定，但中国不是WTO成员，因此欧盟歧视性措施可以不受WTO规则约束。

465

另一方面，入世也要求迅速开放国内市场和减少贸易保护。对于改革开放任重道远的中国，这一点毫无疑问会产生一定的冲击。

1. 国内农产品市场将直接面对开放的巨大压力。过去国内农产品市场价格长期低于国际价格，农产品关税保护措施并未有效发挥作用，对农产品进口的限制主要借助许可证、配额等非关税措施。而根据WTO农业协议的规定，各成员只能通过关税措施对农产品进口进行限制，不能再使用非关税措施。因此，我国必须按照国际规则转变进口保护方式，在逐步开放市场的同时，要兑现"最低市场准入量"的承诺。

2. 国内农业生产的组织也将面临直接冲击。主要反映在两个方面：一是在贸易保护相对减少的同时，低价优势会随着农产品成本日益增加而逐步消失。目前国内主要农产品价格（尤其是粮食价格）已接近或高于国际市场价格，将面临国际市场低价农产品的冲击。如处理不当，有可能引起国内市场农产品价格下跌和大幅度波动，进一步加剧农产品"卖难"的矛盾，引起流通渠道混乱，影响农民收入，挫伤农民的生产积极性。二是对农业生产的国内支持措施也必须符合WTO规定，这会使我国农业调控的自由度有所限制。尽管目前所实施的农业政策措施大多符合"绿箱"规定，不需做减让承诺，但农产品价格保护和生产资料价格补贴等举措将明显难以为继。

3. 发达国在乌拉圭回合农业谈判中削减了农业补贴，过去被压低的农产品市场价格尤其是粮食价格正在出现上涨态势，这会增加我国进口粮油的外汇开支，尤其是在进口逐渐成为义务的时候。

总之，尽管中国入世必将促使经济体制尤其是外贸体制的转变，加快中国农业的国际化进程，但鉴于我国的现有条件，应该说入世的冲击还是相当严峻的。经济发展水平低，经济结构落后，科技水平、劳动生产率、产品质量、运行机制、管理水平等与发达国差距很大，农业市场化改革还没有完成，等等，都不应当被忽视。在国际化条件尚不成熟的背景下，中国农业部门还不具备与发达国相抗衡的实力。

466

（二）入世基本条件对我国主要农产品进出口前景的影响

近年来，我国农产品贸易在整个外贸中的比重虽有下降趋势，但仍不失为对外贸易的重要组成部分。更何况它还一直保持着出超的地位。1997 年农产品贸易总额达 247.3 亿美元，占全部贸易的 7.6%，顺差达 43.7 亿美元，比 1996 年还增加 16 亿美元[1][2]，1997 年农业外贸顺差占我国外贸顺差总额 403.4 亿美元[3]的 10.8%。鉴于这种重要地位，这里就乌拉圭回合农业协议的执行和入世的影响做一较系统的讨论。

对粮食的影响。粮食是我国传统的贸易产品，既有进口也有出口，但进口大于出口。进口主要来源为加拿大、美国、巴西、泰国和澳大利亚，主要品种是小麦和大豆，1995 年至 1998 年 8 月的累计进口量分别为 2295 万吨和 590 万吨；出口主要是韩国和菲律宾，

---

[1] 亚太经合组织，成立于 1989 年 11 月，中国于 1991 年汉城部长级会议时加入该组织。1994 年雅加达会议明确规定了实现贸易和投资自由化的时间表，并通过了《茂物宣言》，提出 APEC 发达成员不晚于 2010 年、发展中成员不晚于 2020 年实现亚太地区贸易和投资自由化的时间表。

[2] 农业部：《中国农业发展报告：1998》，农业出版社 1999 年版，第 5 页、第 39 页。

[3] 陈锦华：《1998 年中国国民经济和社会发展报告》，1998 年，第 197 页。

主要品种为玉米和大米，1995 年至 1998 年 8 月的累计出口量分别
为 989 万吨和 326 万吨。从 1995 年至 1998 年 8 月，我国累计进口
粮食 4390 万吨，约 93 亿美元；出口 1643 万吨，约 30 亿美元，净
进口 2747 万吨，逆差 63 亿美元。粮食进口量约占国内同期产量的
2％，约占世界粮食进口量的 5％（按联合国粮农组织统计数计算）。
近年来，由于受生产资料价格上涨、活劳动成本上升及粮食购销体
制改革等因素的影响，中国国内粮食价格已接近或高于国际市场价
格，价格竞争优势已逐渐消失，随着农产品市场的开放，国内大米、
小麦、玉米等主要粮食市场将面临国际市场冲击的巨大压力。

　　大米。在 WTO 农业协议框架下，世界大米市场价格呈上升趋
势，大米进出口也将有所扩大，因此，对中国的大米生产、出口将
产生积极的影响。在国内生产上，随着市场化的推进，对农业不利
的政策措施将会被逐步纠正，政府在考虑粮食安全和提高农民收入
水平的前提下，加大农业投资份额，特别是加强符合"绿箱"政策
范围的措施，将会使粮食生产在未来几年内得到进一步增长（不考
虑严重自然灾害等不可预见因素）。尤其值得注意的是，上述日本和
韩国承诺在一定程度上开放其国内大米市场，欧盟和美国也承诺削
减其大米支持与保护水平，这些都将有利于我国大米的出口。此外，
许多亚洲大米生产国在乌拉圭回合谈判中也承诺不扩大使用有可能
扭曲大米贸易的国内农业支持政策。因此，尽管中国大米正在失去
价格竞争优势，但世界大米贸易自由化趋势仍然会促进中国大米的
出口。

　　不过，随着贸易环境的改善，大米的品质及消费国的口味偏好
将逐渐成为贸易竞争的主要因素。因此，中国大米出口除了需要面
对泰国等传统出口国竞争外，还面临品质改良和结构调整的压力。

　　小麦。中国是世界小麦市场的主要买主之一。由于人口增长和
经济发展的压力，中国在今后若干年内仍将是世界小麦的主要进口
国。在 WTO 农业协议框架下，美国、欧盟将按照乌拉圭回合谈判
达成协议，削减小麦出口补贴，使得世界小麦价格上升，这对中国
小麦贸易将产生两方面影响：一是将促进国内生产，一定程度上增
加国内自给能力；二是将加重小麦进口的外汇支出负担，减少国家

外汇储备，从而抑制小麦的进口。

就粮食贸易区域结构而言，中国小麦进口的主要来源是欧美市场，随着其出口补贴的削减，中国已不可能从这些市场上进口过去价格相对较低的小麦，从而有可能将进口逐步转向从补贴本来就比较少、价格变动又不大的小麦出口国，如澳大利亚、阿根廷等。这对世界小麦贸易的流向、价格将产生深远的影响，在一定程度上可能会改变世界小麦的贸易格局。当然，中国是否保持美国、加拿大小麦的进口份额，在很大程度上还取决于双边贸易关系的发展和小麦的品质及品种。

玉米。乌拉圭回合农业协议对玉米等粗粮贸易的影响也十分显著，一方面可增加中国玉米进入日本、韩国等市场的机会，另一方面，随着欧美削减补贴、减少支持的进程，中国玉米在世界市场上的竞争能力有可能进一步提高，玉米等粗粮将可能成为中国粮食贸易中最富潜力的出口产品。这一点主要体现在下列世界主要进出口国的有关承诺之上。

468

日本增加其工业用玉米的进口准入机会；韩国承诺对饲料用玉米的配额内关税，在 10 年执行期间，由 3％降到 1.8％；欧盟承诺出口补贴减让，到 2000 年最高允许补贴的粗粮出口量为 997.3 万吨，比 1986～1990 年的平均水平减少 265.1 万吨，并承诺保持市场准入机会；美国承诺削减其饲料用谷物的关税 55％～75％，并承诺对其有补贴的出口量以及出口补贴预算开支确立上限，直到执行期的最后一年，有补贴的粗粮出口量及预算开支将分别比其 1986～1990 年基期的水平削减 21％和 36％。此外，瑞典、芬兰、菲律宾等一些国家也承诺在协议执行期间维持最低准入水平。

对棉花的影响。自 20 世纪 50 年代初以来，中国棉花生产已经取得突破性进展，1984 年产量达到 625 万吨的历史最高记录，成为世界第一大产棉国，产量占世界 1/4，并由此改变了中国棉花长期依赖进口的局面，促进了中国棉纺业的快速发展，使中国逐渐成为国际纺织品市场的最大出口国。但近年来，棉花生产徘徊，供求关系紧张，国内棉价上涨，已接近并超过国际价格。从 1995 年至 1998 年 8 月，我国累计进口棉花 241 万吨，约 44 亿美元；出口 4 万吨,仅约 0.8 亿美元,净进口 237 万吨,逆差 43 亿美元,持续呈大量净进口态势,进口量约占国内同期产量的 13%,约占世界棉花进口量的 10%(按国际棉花咨询委员会统计数字计算)。

加入 WTO 将可能在三个方面对中国的棉花生产和贸易产生影响:第一,乌拉圭回合谈判成果将促进中国纺织品出口增长,由此会导致国内对棉花需求的增加,从而使国内棉花供需缺口进一步拉大。因此,中国今后将会扩大棉花进口。第二,乌拉圭回合农业协议及纺织品协议在促进世界棉花贸易增长的同时,也有可能使世界棉花市场价格上涨,因此,中国须支付更多的外汇来进口棉花。外汇负担增加有可能成为抑制棉花进口和扩大自给能力的动因。第三,世界棉花价格的上涨将促进中国国内棉花生产的发展,价格的传递,将会刺激农民生产棉花的积极性。如能有效地改革棉花价格体制和购销体制,矫正国内棉花市场的扭曲,则中国棉花供需缺口的扩大趋势有可能得到抑制。

世界主要棉花贸易国家和地区在乌拉圭回合谈判中都做出了相应的承诺,马来西亚承诺将永久性地把棉花关税约束在零水平;泰国承诺将棉花关税由 5% 降低到 4.5%;香港也已正式承诺把棉花关税约束在零水平;韩国承诺将其棉花关税从 10% 削减到 2%;美国自 1995 年起的 6 年中,每年最少削减 15% 的关税并增加关税配额。另外,乌拉圭回合谈判还达成了纺织品贸易自由化的协议。这些都意味着,发达国的纺织品市场准入条件将随着协议的生效而逐步放宽,包括中国在内的发展中国家的纺织品出口条件将得到改善,因此,在未来几年里,世界纺织品贸易将有较大发展,从而增加棉花需求。

对油籽和食用植物油的影响。虽然我国是油料生产大国,主要油料品种在世界上都名列前茅,且目前油料的国内价格仍低于国际市场价格,但是,由于加工工艺落后,设备陈旧、出油率低、成本高,使得我国长期以来食用植物油的生产远远不能满足消费需要,一直为净进口国。1994～1997 年每年的进口量分别为 163 万吨、353 万吨、264 万吨、286 万吨[①]。主要进口品种为豆油和棕榈油,

---

① 农业部:《中国农业发展报告:1998》,农业出版社 1999 年版,第 119 页。

二者约占进口食用植物油的 90％，主要来源是马来西亚、巴西、美国、印度尼西亚和阿根廷。今后若干年内国内食用植物油的供需缺口仍然难于缩小，主要进口国的地位很难变化。

在乌拉圭回合农业贸易谈判中，油籽曾经是欧美双方争论的焦点，最后，各方就油籽做出了改善市场准入、削减关税的承诺。据联合国粮农组织估计，由于农业协议的影响，到 2000 年食用油脂的价格有可能上涨 4％，世界贸易量将增加 3.4％。因此，在农业协议框架下，中国的油籽和食用油将面临两方面的影响：一是食用植物油进口价格上涨、外汇负担加大；二是由于国内食用植物油加工成本日趋上升，成品油的国内价格高于国际价格的情况仍将继续。随着中国承诺改革和削减食用植物油的进口控制措施的逐步实现，国际市场的食用植物油有可能冲击国内市场，进而对国内油籽生产产生负面影响。由此可见，中国一方面是食用植物油供应不足，另一方面国内油籽生产却可能呈萎缩趋势。而这又会加大中国对世界食用植物油市场的依赖程度。

对食糖的影响。市场准入的改善及世界经济的增长、收入水平的提高，将会使世界食糖需求量有一定的增长，由此也会导致世界食糖价格有所上涨。世界主要食糖进出口国在乌拉圭回合谈判中都相应地做出了承诺。欧盟将在基础水平上削减其补贴出口的数量及出口补贴预算开支；南非在执行期结束时将削减其有补贴的食糖出口量 20 万吨；日本将把糖果、焦糖等糖制品的关税由 35％降到 25％；菲律宾将其加糖可可粉的关税由 50％降到 35％，糖果制品的关税从 50％降到 45％；泰国拟削减 1/3 的巧克力、巧克力制品及糖果的关税；美国在 6 年内降低食糖及浓缩糖制品的关税不少于 15％。

长期以来，中国食糖生产只能满足国内消费需求的 70％～80％，是世界食糖市场的主要进口国之一。近几年我国食糖进出口均趋减，主要原因是产量逐年增加，人们对食糖的直接消费需求减弱及糖精等替代品的大量使用。但我国食糖的产糖率低、成本高，在国际市场上缺乏竞争力。世界食糖市场的变动将会对中国产生几个方面的影响。其一，世界食糖价格上涨将增加中国食糖进口的外汇负担；其二，国内糖料生产与制糖业在中国加入 WTO 后，极有可能受到成本及价格均具优势的进口糖的冲击，由此影响食糖自给能力提高，供需缺口有可能拉大；其三，世界食糖市场的不稳定性有可能传递到国内市场，从而引起国内市场频繁波动。

对水果的影响。自 20 世纪 80 年代以来，中国果品生产发展迅速，现已成为世界水果生产大国。水果也成了我国农产品贸易的一大优势，1997 年水果类出口量达 91 万吨，约 5.4 亿美元，比 1996 年和 1995 年分别增长 42％和 15％；进口量达 65 万吨，约 2.1 亿美元，比 1996 年和 1995 年分别增长 195％和 183％，进口增速明显快于出口。目前国内主要水果价格大多低于国际市场价格，按统一口径计算，苹果比国际市场低 41％，鸭梨低 79％，柑橘低 47％。加入 WTO 后，适度引进国际竞争，将有利于我国加快果品质量的提高，增强我国水果的竞争能力，扩大国际市场份额。

471

对畜产品的影响。近年来，我国畜产品的进出口比较平稳，进出口一直在 37 亿美元左右。出口品种主要有生猪、猪肉、鸡肉等，进口主要有皮革、羊毛、冻鸡块及杂碎等。我国是世界上肉产品大国，优势明显，价格均低于国际市场价格，猪肉及猪肉制品是我国对外贸易中大宗传统出口创汇产品之一，出口额一直相对稳定。在市场方面，除中国港澳台地区外，日本、独联体国家、印尼及中东地区国家都有较大的市场。鸡肉有进口也有出口，受东南亚金融危机的影响，泰国鸡肉由于货币大幅度贬值更具价格优势，挤占了我国的一部分国际市场，使我国鸡肉出口下降幅度较大。加入 WTO 后，可以充分利用有利的国际市场环境，促进我国肉类生产和贸易的发展。

中国绵羊饲养量和羊毛产量分别居世界第三位和第四位，绵羊饲养业是 4500 万牧民赖以生存的主要行业。同时，羊毛又是我国畜产品进口量最大的产品之一，目前进口量已占国内羊毛产量的 2/3，成为世界上最大的羊毛进口国之一，主要来源是澳大利亚和新西兰。国产羊毛无论在质量上还是价格上与进口羊毛比都处于劣势（进口羊毛关税降低，而国产羊毛要承担 10％的特产税和 5％的畜产税），受国际市场的冲击十分严重。1984 年和 1988 年由于羊毛进口过多，导致国内羊毛积压 2～3 年。前几年出现的国内价格低迷也与进口羊毛的冲击有较大的关系。在入世谈判中，澳大利亚和新西兰要求中国对羊毛进口实行单一关税管理。无论结果如何，可以预料今后羊毛的进口保护会相对削弱。这意味着中国的绵羊饲养业和羊毛产业将会受到更大的冲击。

对水产品的影响。我国水产品进出口近年来比较稳定，出口大于进口，持续保持顺差，1995 年至 1997 年水产品出口额分别为32.9 亿美元、30.4 亿美元、31.4 亿美元，进口额分别为 9.6 亿美元、12 亿美元、12.1 亿美元，贸易顺差分别为 23.3 亿美元、18.4亿美元、19.3 亿美元。我国水产品进口的是低附加值产品，而出口的是高附加值产品，创汇能力较强。入世会有利于进一步扩大我国水产品的出口市场，实现出口市场多元化。

472

三、"入世"在即与农业政策的调整建议

（一）中美协议及中国入世的经济影响

中国和美国是世界上的两个农业大国，保持两国农产品正常贸易十分重要。据国内权威统计，1995～1998 年我国每年从美国进口的农产品分别占农产品进口总额的 29％、22％、24％、22％，远远超过其他国家，在中国农产品进口总额中美国始终占居首位，中国是美国农产品出口的重要市场之一。中国出口到美国的农产品在我国农产品出口总值中所占的份额约为 6％～8％。比例虽然不大，但从近年出口值看，却一直呈稳步增长趋势，即使在 1998 年我国农产品出口面临东亚金融危机的困难局势下，我国对美国的农产品出口仍然从 1997 年的 8.27 亿美元增加到 1998 年的 8.76 亿美元，增长6％。

根据美国农业部统计，1998 年美国从中国进口农产品总值为8.14 亿美元，占其农产品进口总额的 2.2％，中国居第 8 位。贸易额比 1997 年增长 6.4％，比 1995 年增长 39.8％。1998 年美国对中

国出口农产品的总额为 2.82 亿美元，占其农产品出口总额的 5.5%，中国居第四。贸易额比 1997 年下降 14.6%，比 1995 年下降 31.8%。

可见，中美双方尽早削减农产品贸易的非关税壁垒，促进农产品双向正常贸易，符合中美两国的利益。中美农业合作协议具有特别重要的战略意义。

两国本着"加强技术合作与科技交流、开展具体科技交流以发展两国农业、解决贸易争端"的三项目标，于 1999 年 4 月 10 日在美国华盛顿签署了建立 21 世纪农业伙伴关系的"中美农业合作协议"[①]，中国将为美国 7 个 TCK 疫区州的小麦、4 个州的柑橘和美国的肉类进入中国市场打开大门[②]。主要内容和一系列条款涉及"技术合作与交流"、"具体技术合作与援助项目"和"贸易争端的解决"等重要方面。农业一直是中美两国关于中国入世谈判的焦点和难点之一。中美两国签署的"中美农业合作协议"是中国加入 WTO 协议最重要的组成部分，意味着中美两国在农业领域的双边谈判已基本完成。中国为此做出了重大的让步，美国也因此承诺支持中国入世。

473

1999 年 11 月 15 日达成的关于中国入世问题的中美双边协定，看来主要是巩固前一阶段的成果。根据美方披露的协议内容，农业方面的共识主要包括：中国将对涉及美国利益的农产品做出更多的（关税）减让；随着私人贸易正在成为中国主要的贸易方式（国有经济比重缩小），中国将给予美国的小麦、玉米、大米、棉花更多的进口配额；中国国有部门将退出豆油贸易；中国将放弃出口补贴。这些协议所遵循的基本上还是乌拉圭回合农业协议的精神，因此，我

①　Agreement on U. S. —China Agricultural Cooperation.

②　矮星黑穗病（TCK）是小麦的重要危险性病害，从 TCK 的适生性试验结果已经证明，TCK 确能在我国大部分小麦产区生存传播，是我国的重点检疫对象。美国太平洋西北部地区的 7 个州（华盛顿、俄勒冈、爱达荷、犹他、蒙大拿、科罗拉多、怀俄明州）是 TCK 疫情高发区。为保护我国农业生产安全，根据我国的检疫规定，禁止上述 7 个州的小麦进入我国。多年来，美国小麦产区间由于在出口贸易中所占份额的不平衡，并将这种平衡的原因归结为我国对 TCK 小麦进口的限制。20 世纪 90 年代初起，由于美国内政治斗争的需要，美国政府开始大造舆论声势，并通过各种渠道向我国施压，要求我国放宽对 TCK 疫麦的进口限制，以缓解其国内政治矛盾。因此，对美国来说，争取到中国在这方面的重大让步，实现多年来一直苦苦追求的目标，无疑是政治上的胜利。

们上述的分析在此也基本适用。

小麦等主要农产品的市场准入问题是农业领域谈判中最棘手的问题之一。美国的小麦无论在品质上还是在价格上都对国产小麦具有优势，因此，美方一直要求我方放弃数量控制，由市场来决定两国的粮食贸易量。"中美农业合作协议"的签署，中国将对美国开放小麦市场，同时也表明美国在农业领域降低了为中国进入WTO所设立的门槛，但其最终目标仍是致力于全面打开中国农产品市场。目前，中国同其他WTO成员国的双边谈判还正在进行，尽管具体细节还会有很多变动，但是乌拉圭回合和中美协议的精神显然是决定性的。同服务业和制造业相比，中国农业的入世所产生的经济震动应当说相对较轻。比起非农业部门，入世的冲击或曰不利影响也相对比较小。

474

这首先是因为，中国农业的自给自足性比较强，具有比较强的稳定能力，难以遭受外部的全面冲击。具专家估计，中国粮食的自给率很难下降到70%～80%以下，而中国目前粮食的商品化程度不过在35%左右，65%是农民自产自消（费）的。其次，中国的农产品需求规模巨大，中国进口比重的变动对于世界市场的价格影响比较明显，从而能导致一种相当于自动稳定器的东西：进口导致涨价，而涨价又会抑制进口和促进自给。再者，农产品国际走私近年来已经相当猖獗，如食用油、食糖和畜禽肉等。加入WTO之后，进口关税会下调，走私会因为利润消失或降低而倾向于步入正常进口。这会导致入世的实际冲击明显低于名义冲击。

中国农业入世的经济影响非常广泛。根据美国高盛研究所最近的模拟计算，加入WTO对于中国GDP每年产量的贡献为0.5%～0.6%。这显然是有利的一面。而按照中国信息中心的一份报告，中国经济每增长一个百分点，大约只能吸纳60万名劳动力就业。这样算来，过渡期内种粮农民将会减少386万人，而在过渡期结束之后，还将会进一步减少700万人。就业冲击应该说是非常严峻的。

（二）关于中国"入世"农业政策调整的建议

以上分析表明，中美协议及最近其他有关双边协议的签署，不仅是对乌拉圭回合农产品贸易框架精神的重大补充，而且也使中国迫切面临一系列重大的战略选择。加入WTO不仅会在中国的产业结构方面产生重大影响，而且也会在中国的市场制度的升级与完善方面产生深远影响。就农业部门而言，需要做出的政策调整是多方面的，值得提出的新课题也比较多。在调研了实际部门专家们的建议之后，我们认为以下几点尤为值得关注。

1. 发展农业的思路应当做较大调整

面对入世的新形势和中国农业发展的新阶段，中国农业的战略任务也应当升级。过去那种以解决温饱、调节余缺、积累资金和换取外汇的传统的计划性政策，应当让位于转轨接轨型农业政策，建立农业现代化、市场化和国际化的运行机制应是新战略的宗旨。农业改革的基本任务业应当是从过去的强调平均和控制，转向强调效益和提高国际竞争力。

为此，需要创造的条件包括：（1）加强农业市场体系的建设。农业市场体系包括农产品消费市场、农业劳动力市场和农业投资市场。在每个市场空间，都需要进一步呼唤和培植市场的主体，如农业企业、高技术时代新农民，还有农业企业家和投资基金乃至土地开发银行。市场体系的运作还需要提供信息、帮助融资、分散风险和实施仲裁，而这些市场经济功能又都有一个国际规范化的任务。（2）建立农民合作体系，如农业专业技术协会、农产品合作社，实行农业产业化经营乃至农工一体化的产业链条等。这样不但能够降低农产品、生产资料等的流通成本，而且也能为执行国家农业转型政策提供社会组织基础。此外，这些社团还能代表农民就WTO有关谈判向政府和国际对手表达农民意愿。（3）加快农业科技进步，积极从国外引进优质高产、适应性强、抗逆性强的农作物品种和畜禽品种，并做好技术推广和技术服务工作。

2. 农产品生产、流通和调控体制应当变革

反思我国农业政策体制，不难发现存在着许多制约农业国际化的因素：一是在生产领域对一些重要农产品的生产还行政干预过多，如"粮袋子省长负责制"等强调实行区域粮食自给的政策等。这些政策在很大程度上抑制了各地资源的有效配置，不利于各地区发挥

比较优势。二是在国内市场上对农产品自由流通的限制，包括对农民参与粮食、棉花等主要农产品流通的限制，各地在地方保护主义思想的支配下对农产品的跨区域流通进行限制。三是在农产品国际贸易方面的限制，尤其是对一些大宗产品实行专营、经营许可证和配额管理制度等。

为适应贸易自由化的客观要求，国有粮食企业对粮食市场近乎垄断的局面势必需要打破，私营组织将会允许与国有粮食经营企业进行公平合理的竞争，因此国有粮食企业的改革显得更为迫切。另一方面，国家对粮食市场的调控也将转向倚重农产品储备手段，且随着进口量的增加和进口结构的变化，储备量及其结构也应该做相应调整。为保持产量和增强抗风险的能力，还应鼓励各方面将靠粮食进口置换出的农地，尽可能地用于农业生产。

476

在实现生产专业化的同时，要加大农业科技投入。发达国家农业科技进步在农业增长中的贡献率已经达到80％左右，而在"八五"期间，中国的这一份额仅为34％，到本世纪末要提高到50％[①]，即使实现了这一目标，与发达国家仍有很大的差距。今后，农业领域的国际竞争同其他领域一样，将在很大程度上取决于各国科技进步因素。从国际贸易自由化发展的趋势看，各国原来实行的一些支持农业的传统手段，如生产者补贴、价格支持、贸易保护等，因不同程度地制约着国际贸易的自由发展而受到限制和约束。而在现有的各种国际性贸易规则中，政府支持科技这一点一直是被允许和受鼓励的。因此，加大政府对农业科技的投入不仅必要，而且合理可行。

农业政策当然还应包括建立必要的保护机制。保护手段当然也要符合WTO规则。可选择的政策包括：建立政策性的农业保险机制；充分运用WTO的有关条款，如技术标准和环境标准等。

3. 稳步调整农业部门的产品结构和地区结构

随着入世所要求的制度结构的调整，农业生产的结构调整也势必难免。就产品结构而言，注重资源密集型产品的传统办法，将会

① 《中共中央、国务院关于加速科学技术进步的决定》，1995年。

转向注重劳动密集型产品和劳动—资金密集型产品。重点农产品将是发展畜产品和水产品、蔬菜、水果、花卉、农产品加工品。在粮食作物中，适当扩大大米、玉米的生产，而有步骤的缩减小麦的生产，可能是明智的。拳头出口产品不仅要强调经营的绝对规模和相对规模，而且必须不断强调提高农产品的质量和品质。

就农业的地区结构而言，调整农业的区域格局，充分发挥各地区的比较优势，将会日益显得重要。我国地域广阔，各地区资源禀赋差异极大，因而农业生产的比较优势也相去甚远。在过去特别是在计划经济体制下，国内一直没有能够很好地利用这一点。调整区域布局，不仅能充分利用资源，而且还能形成地区专业化的生产格局，从而降低成本、增进规模效益和产品质量，增强我国农业综合生产能力和增强对外竞争能力。为此，扩大生产经营者的经营自主权，减少或消除地区间、国际间产品流通的壁垒，使之符合市场化、国际化的需要，也非常值得注意。

477

就结构调整进程中应当注意的事项而言，制定相应政策，保证调整平稳过渡，不至于对农民利益产生大的冲击等，应该说不可忽视。这些政策包括：（1）设立结构调整基金。可以由政府有关部门设立，也可以由银行设立，专门用于扶植农民、发展畜牧业、发展农产品加工业。（2）建立对受影响的农民的利益的补偿机制。目前情况下，只要放宽和落实某些政策，就能起到这种作用。比如，取消对农民进入城市就业的限制，切实减轻农民的负担等，就能弥补调整过程中可能造成的农民收入的减少。

11.镇江市经济和城市发展
考察报告与规划建议[*]

应镇江市委和市政府约请，北京大学专家组于 1999 年 10 月 27 日对镇江进行了为期 3 天的考察。专家组由北大经济学院的党委书记丁国香、副院长刘伟和郑学益、国际经济贸易系主任萧琛四位教授（博导）组成。调研期间，专家们依次听取了市委、市政府领导同志及计委、经委、统计局、规划局等职能部门对镇江市有关情况的系统介绍，并实地参观了老城区、经济开发区、规划中的旅游风景区，江苏索普集团有限公司、奇美化工有限公司、金东纸业公司等著名企业。考察结束前，几位专家同市委市政府领导进行了座谈和交流，初步提出了专家组的意见。现进一步书面整理汇报如下。

一、关于镇江 1993 年以来发展成就的简单评估

1993 年，北京大学专家组曾经考察过镇江，并就改革开放和发展态势提出过一些建设性意见。这次故地重"游"，镇江市日新月异的发展成就，委实令人刮目相看，给了我们非常深刻的印象。由于事前有所准备，加之所见所闻相当充实，因此，请允许我们不忌

---

* 1999 年 10 月底，应镇江市委和市政府约请，北京大学专家组一行四人由经济学院党委书记丁国香教授带队，考察了新形势下镇江市改革开放发展形势，就新时期该市所拟发展规划等问题提出了若干意见和建议，并最终形成了这份报告。本报告起草过程中，专家组方面由萧琛教授执笔统稿。报告以中文和英文两种文字印发。

"走马观花"，在此坦率地发表几点不尽成熟的意见。

专家组一致认为，镇江市能够在短短的几年中迅速地从低谷中崛起，不仅得力于富有前瞻性的"大推进方略"的制定，而且关键在于实施过程中能够一以贯之，保持了高度的稳定性和灵活性。同温州等模式有别，"镇江模式"的一个显著特点是，政府主导得力，在"掌舵"和"划桨"两个方面都发挥了较多和较强的作用。市委市政府境界较高，团结奋进，表现出高度的集体领导才智。

在一系列重大成就中，我们感到以下几点比较突出。

第一，全市经济实力水平有了显著提高。1993年，全市国内生产总值158亿元，人均6057元，而1998年，全市国内生产总值就达到391亿元，人均1.472万元，其中市区人均2.044万元。在全国人均国内生产总值超过2万元的地级城市中排名第33位，城市综合实力进入全国50强，跨入首批"全国一类城市"行列。而在1993年以前，镇江的城市综合实力还只能排在全国50强之外。

479

第二，新区建设成效显著，在经济总量上基本实现了再造一个新镇江的战略设想。在经济总量迅速增长的情况下，镇江新区（即开发区）已经占到全市国内生产总值的半壁江山，达到50%左右。如今，在方圆45平方公里的镇江老城的东侧，一座规划面积达82平方公里的新城区正在崛起。新城区具有"一区三业"的新格局，即以造纸、石化等基础产业为主的大港开发区，以精密电子等高科技产业为主的丁卯新区，以醋酸等化工产业为主的化工新区。这些企业和产业沿江次第排开，有的规模巨大，仅超千万美元的大项目就有16个。镇江市所辖的四县（市）的沿江地带，也崛起了一批有相当规模的企业，与新区东西呼应，形成一个现代化的产业带。

第三，形成了四大产业支柱。上次考察镇江，也即1993年时，镇江市还是以中小企业为主，并没有明显的支柱产业。而今经过6年的培育，已经形成了化工、造纸、铝制品、建材四大支柱产业。调查中，限于时间，我们重点参观了金东纸业公司、索普有限公司、奇美化工公司等大企业。在项目施工现场，只见一条条新路贯通厂区，一块块空地披上新装，一排排厂房拔地而起，一台台先进设备正由技术人员紧张地调试，一个个自备电厂展示着规模经济的雄姿，一座座万吨级码头的栈桥伸向江中。在那些已经投产的车间,新型员工正紧张有序地工作,电脑化的流水线和现代化的管理,显示了镇江人民的效率和智慧,既可以同泰国、韩国等东亚地区的企业相竞争,也可以同美日欧等发达地区的企业相媲美。

第四,对外开放成绩显著,利用外资规模巨大。1995年镇江全市外贸出口供货总值为172.2亿元,比1990年增长16倍,自营出口5.06亿美元,比1990年增长35倍。5年实际利用外资5.9亿美元,比前五年增长10倍多;到1998年,全市外贸进出口总额上升到13.2亿美元,实际利用外资7.57亿美元。"九五"前三年,全市实际利用外资总计达到14.63亿美元,是"八五"期间的近3倍。截止到1998年年底,全市共有50多个国家和地区1000多家公司、财团落户镇江,累计批准外资投资项目1827个,协议外资47亿美元,实际利用外资24亿美元。总投资超过1亿美元的大项目就有6个,其中江苏金东纸业有限公司135万吨造纸项目总投资高达18.23亿美元,是1997年的"全国之最"。

480

镇江6年中所取得的成绩有目共睹、发人深省。从经济管理角度看,我们认为,镇江市委市政府的几点做法值得有关方面借鉴。其一,重视领导人员素质,强调人力资源开发。用镇江的话说,即重视"人气"、"激励",讲求科学和民主。这说明镇江人的"知识经济"意识较强和较早。其二,因地制宜,注重"规划-项目-预算"的一体化,这是"大推进战略"的经济管理学注脚。其三,同开放度高的(沿海)城市相比,镇江在国际金融风暴中表现出了较强的抗击能力。其原因不应简单理解成经济发展阶段问题。镇江的改革开放格局本身也具有一定的优越性。

二、关于镇江总体发展思路的建议

几年来,镇江总体发展思路和城市定位基本战略等应当充分肯定。如果需要提出新的思路和战略,我们认为似应进一步强调以下五点,也可以说是"五个结合"。

第一，引进外资与发展地方经济要进一步加强融合度。镇江原先工业基础薄弱，经过不断扩大对外开放，大批外资项目落户镇江，特别是一批大的项目，不仅技术水平、管理水平较为先进，而且产业集中度也比较高。对镇江工业实力的增强和经济增长起到了直接的推动作用。镇江提出加快构筑"产业链"这项构想是正确的。今后，还应进一步加强这方面的工作，注意内资企业与外资项目的配套，充分发挥外资项目的龙头带动作用，将产品优势逐步转化为产业优势，提高经济的协同效应与规模效益。

第二，招商引资与招才引智相结合。镇江这几年外资项目接踵而至，比较充分地利用了镇江丰富的"岸线资源"和其他资源，初步形成了对外开放的比较优势，如注重"港口型产业"等。在招商引资工作方面，镇江也卓有成效。如果说，在工业化初期，为了解决经济起飞的瓶颈"资金"问题，对外开放的工作重心应当侧重在"引资"方面，那么，下一阶段则应强调推进产业升级，而发展高新技术则应把重心放在"引智"方面。在知识经济时代，人力资本是第一资源，人才竞争至关重要。没有高层次人才，项目也不易引进，引进后也不容易操作好。要结合项目招才引智，不仅注意引进技术人才、管理人才，还要引进旅游、教育等方面的镇江所紧缺的人才。同时，也要建立适当的机制，充分调动和发挥本市高校和科研机构的人才的潜力。

第三，企业营销与"城市营销"相结合。目前落户镇江的外资企业如金东、奇美等产品主要是进口替代型产品，销售基本上不存在问题。这对于镇江知名度的扩大显然能起到一定的作用。但由于这类产品本身的特殊性，重要的影响是发生在同产业的上下游用户之中，不大可能像青岛海尔、泰州春兰和无锡小天鹅等名牌产品那样能够走进为数众多的本地乃至中国老百姓的家中。因此，镇江除了要积极实施产品名牌战略，继续争创名牌和加强名牌之外，还应该向更高的层次进军，更加自觉地在"城市营销"上下功夫，进一步设计和树立城市的形象，不断提高城市知名度和美誉度。下一阶段宜更加充分发挥历史文化名城的优势，通过一系列活动，进一步将城市品位提升上去，把城市影响扩散开去。

第四，进一步将巩固发展现有优势产业与寻找培育新增长点和爆发点二者结合起来。镇江纸业、化工等四大支柱产业虽然已经初具规模，但还没有完全进入较为成熟的产出期，要继续推动这些产业尽快成长壮大，巩固已有的产业优势。同时要寻找新的经济增长点。发展高新技术是一个方向，但又不能脱离现实基础，完全另起炉灶。而应当立足现有产业的基础和优势，就镇江来说，应该用高新技术武装现有的产业，这是一个很现实的选择。另一个新的增长方向是大力发展旅游业。镇江发展旅游业蕴藏着极大的潜力。旅游业发展起来，不仅能带动三产，还可以支持第一、第二产业，对未来经济的发展能起到搞活全局的作用。目前，增强这方面的共识，看到这个新增长点，并不断努力创造条件加以实现，应该是当务之急。

第五，政府力量和市场民间力量要加强结合。在一定的历史阶段和社会结构条件下，一个经济的"有形的手"和"无形的手"发挥作用的范围存在一个优化的问题，不能越界，更不能错位。就镇江发展旅游业而言，政府显然应当起主导的作用，倚仗民间力量，很难协调诸多方面事宜。例如，搞"北湖"这样的大手笔文章，离开政府的主导、组织和推动，肯定搞不好也搞不快。就发展高新技术产业而言，鉴于这些产业的风险性、独立性、创意性比较强，且知识和技术在产权上都具有一定的排他性，因此，发展高新技术产业，政府的力量也许应当侧重在引导而不是主导方面，更稳妥的原则是强调支持而不是主持。政府多提供政策环境，多提供风险融资担保，多为企业家牵线搭桥，可能是较为明智的选择。尽管如此，在网络和通信领域，政府的宏观作用还是有特殊的地方，需要因地制宜。

三、关于近期改革与发展中需要把握的几个问题

在考察结束之前，市委市政府领导曾召集专家组就近期问题交换了意见，提出了几个需要权衡和进一步把握的问题。其中有些问题很不容易，我们确有心有余而力不足的地方。好在毕竟只是当参

谋，我们还是大胆地提出如下参考性意见，为镇江的进一步繁荣尽力。

第一，对发展阶段要有一个科学的客观的判断。一个地区要发展，提出切合实际的发展思路，前提是要对自己的发展阶段有一个清醒的认识。按照工业化发展阶段的分期指标，镇江人均国内生产总值1.5万元，正处在工业化中期并向后中期过渡的阶段。与全国工业化水平相比，处于略微超前的状态。而按照市场化程度的一系列判断指标，诸如商品市场、资产多元化、贷款自主性等机制的成熟情况，则可以认为镇江处于市场化的中期，只相当于全国的平均水平。市场化程度相对滞后于工业化程度，这可以说是镇江目前在发展定位方面的一个需要认识的特征。

鉴于镇江目前所处的发展阶段，我们认为：城市化进程应当加快，乃至适当地优先发展，从而形成城市化与工业化双重拉动经济的格局和态势，应当说是非常重要的。同时，我们还要看到在这个阶段，农业正在从种植业向综合开发型农业转移；而在工业方面，纺织产业正在向钢铁产业向石化产业等较高级形态升级；与此同时，汽车、电器、信息等新的主导产业，也在酝酿和萌发之中。鉴于国有企业等传统机制的市场化和国际化等一系列现实问题，这个时期的一个难以避免的经济伴随物是容易产生比较多的失业。而另一方面，一些新兴的工作岗位很可能没有适合的人去胜任。缺位与失业并存的现象，需要通过人力资本开发等一系列宏观微观的举措来加以因势利导。此外，这个阶段还应该注意社会分化、贫富差距拉大等所带来的社会矛盾尖锐化的问题。

483

第二，关于发展旅游业问题。镇江在现阶段提出旅游业方面要用大手笔书写大文章，这个选择非常正确，其良好的前景也非常令人鼓舞。如果决心大、措施得力，三到五年一定能够成型。开发"南山北湖"，不能靠像以往那样仅仅当做一个旅游点来搞，而应当将它作为一个产业来开发，要开创多方位融资，要搞商业化和企业化的运作。另一方面，大手笔的旅游业也决不只是一个增长点，它还是镇江的城市规划发展大课题中的重要篇章。对改造城市格局，拉开全新城市框架，这个手笔的意义非常之大。

当前，宜将"南山北湖"开发与镇江的城市规划更紧密地联系起来。镇江目前城市规模偏小，如果不向较大城市方向发展，在沪宁线城市带中不仅没有地位，而且很可能会被淘汰，因此，应该从城市兴亡的高度来看待这个问题。镇江是第一批国家历史文化名城，目前就景点而言，只有小指头，没有大拳头，现有旅游开发水平、影响，比之丰厚的旅游资源来说，是不相称的。当然，开发旅游资源，除了需要强烈的意识之外，还要有运作上的考虑。市委市政府关于融资渠道的想法，是富有创意的，应当创造条件付诸实践。此外，政府预算同民间资金（包括外资）如何相辅相成，政府、市场在各规划阶段各应起什么样的作用，也很值得研究。北湖的题目很大，做好"利用土地"这篇文章，做好"资本运作"这篇文章，都是富有挑战性的任务。我们的直觉是，不启用资本市场，不启动民间投资，而主要仰仗政府预算，肯定很难做好。还有一个重要的文章是，应结合"北湖"开发，将房地产业也带动起来。

第三，关于发展高新技术产业。高新技术产业天然地是和"资本多元化"、"私有制"等问题联系在一起的。发展高新技术产业一定要和所有制结构调整结合起来，一般说来应该以民营化为主。北京的高科技人才应该说相当密集，但其高新技术企业的规模并没有做得很大，这其中最主要的原因是制度、体制、机制等问题，没有能够很好地解决。就镇江情况看，高科技产业的前提条件，如无形资产保护、知识产权的实际法规环境的建设，可能比较重要。机制环境往往是人才的土壤。

另外一个值得注意的问题是：发展高新技术产业，应当以现有的实业为依托，不能贸然离开已有的工业基础和技术发展水平。这包括：加强现有企业的高科技化的改造，和不冷待传统产业甚至劳动密集型产业。在任何条件下，"适度先进"和"高度先进"二者，都需要权衡和把握。镇江的产业优势和比较利益，显然是同其"岸线资源"千丝万缕。这种优势和利益，不仅是在沪宁线城市带，而且是在全国的经济史和现实经济中，都可谓十分宝贵。目前，三产启动和发展成熟之前，二产终归是积累资金的举足轻重的渠道。因此，在传统产业技术改造和更新换代的同时，继续引入有比较优势的（国内外）传统产业，如造船、新型建材、汽车配件等，仍然不可忽视。

第四，镇江城市面向 21 世纪的规划问题。首先，要准确进行城市基本功能的定位。在华东乃至全国，镇江到底应当扮演什么样的角色，能够扮演什么样的角色，这些问题一定要进一步明确并形成共识。其次，应着眼于强化中心城市的带动作用，并加快城市的市场化进程。"城"和"市"是相连的，城市不是城堡，注意发育和完善各类要素市场，通过市场辐射、技术辐射和资金辐射等渠道，发挥中心城市的核心和带动作用。

从国内外城市演进基本线索来看，城市的年轮是随着市民活动半径的增长而扩大的。自行车、摩托车、轿车、地铁、运河等交通工具，都对城市的变迁产生革命性的作用。"摩托化"、"市郊化"、"准都市化"和"城市带状化"，迟早会在苏南和镇江发生。从现实看，镇扬大桥和南北铁路新干线的完工，势必加强镇江在沪宁线城市带中的战略地位。这一点，不仅对于镇江的城市规划，而且对于形成开拓新型房地产和新型旅游圈的思路，都有着比较深远的意义。相对于南京省会大都市，接受"准都市"分工，可能是有利的；相对于华东旅游大产业，相对于扬州这另一个历史文化名城，注重并突出镇江的比较优势；相对于沪宁线其他城市，发挥自己天然带状城市的优势等，都值得规划部门高度重视。

485

第五，关于中小型企业发展问题。镇江在发展中小企业方面搞了不少创新，风险担保基金在全国都有一定影响。镇江市委和市政府在改革开放过程中，已经借鉴了成熟市场的经验。在成熟市场，如美国，中小企业和大公司，不仅有规模差别，而且主要是法律形式不同，公司和企业，往往不是同一个概念。而在中国，大中企业往往是同国有、公有等体制相连，而小企业则同个体、集体经营相连。或者说，前者是同政府（审批）相连，而后者则同市场（竞争）相连。镇江引入风险担保机制，是国外已经被证明成功的政府扶持小企业的举措。除此之外，动员社会的"技术支持"，也是有利的举措。

加快中小企业的发展，还需要借鉴国外的"系列结构"和一定程度的"反垄断措施"。系列结构包括大中企业的上下游合作体系，它可以一直延伸到老百姓的家庭工场之内。反垄断体系的核心是鼓励竞争，发挥小企业灵活可塑的长处。在三产领域，特别是技术风险和经营风险都比较高的信息通信等新兴产业部门，推而广之，在信息商品的产业和信息服务商品的产业，小企业都是最能创造新的市场和新的就业机会的形式。可以考虑，鼓励有关院校的师生，利用业余能量，多投入到小企业的设计、扶持、发展等各个环节。应当进一步鼓励学校的旅游专业身体力行地到镇江旅游产业中创业。

　　总之，在中小企业方面，镇江的开拓余地和后发优势非常之大，这也许是其他城市非常羡慕的地方。随着城市化、高科技化、信息服务化（旅游业的实质）的进一步迅速发展，大企业、中小企业各占半壁江山的镇江特色的"二元结构"必将逐步显现。

12.加入 WTO 与走向成熟
市场的思路与对策

（1）深化改革开放必须进一步
大胆借鉴国外市场机制[*]

487

　　中国经济改革的实质是在计划体制内逐步增加市场成分，真正把企业推向市场。而对于市场经济我们又并不熟悉。因此，进一步大胆借鉴、洋为中用显得更为必要与紧迫。为此我想就当代最成熟的市场谈以下三点意见。

　　第一，市场机制也是人类社会创造的杰出的文明成果

　　长期以来，由于种种原因，相当一部分人士对于市场经济缺乏全面的了解，很容易将"尔虞我诈"、"以邻为壑"、"破产、失业、跳黄浦江"等可怕现象同市场经济等同起来。其实，现代市场经济同《百万英镑》、《镀金时代》、《子夜》或《上海滩》的景象已经大相径庭。理解不全面的理论根源恐在于长期以来我们很少将"资本"与"市场"这两个概念明确地加以区分。"资本"从头到尾每根毛孔都流着血与肮脏的东西，而"市场"却未必。"市场"只是资本增值的一个必要条件，其本质只是要求"等价"交换。与此相悖的并不是"市场"与"活劳动"的非分与贪婪，而只是资本的欺诈与虚伪，抑或其

---

　　* 本文是在中国社会科学院《世界经济》杂志编辑部召开的"小平同志《南巡讲话》座谈会"上的发言。发表于《世界经济》杂志 1992 年第 7 期，署名萧琛。

他不完备不适当的制度安排。

市场机制发展与成熟过程实质上是市场本性（即等价交换）不断得到社会承认的过程，是资本的欺诈虚伪不断被否定与削弱的过程。这一历史进程的推动力主要是来自劳工大众而不是少数资本家和百万富翁。"黑奴制"的废除、"八小时工作制"的提出、消费者保护、投资人保护、劳资关系法、社会保险法、乃至战后的最低工资法，还有直接决定市场框架的统一商法（Uniform Commercial Code）、会计、审计、银行、保险、专利等大量交易法规，无一不是在轰轰烈烈的社会运动，如上世纪的南北战争、"进步运动"和 20 世纪 30 年代震撼整个资本主义世界的工人运动等社会背景上通过的，没有劳工大众长期不屈不挠的斗争，现代资本主义市场秩序决不可能趋向公平与效率，按"劳"（包括风险与稀缺）取酬（利息、利润、股息、薪资、保险费、评级费、会计费、审计费等）的精细的分配链条决不可能形成并相对稳定下来。

488

第二，国外市场经济的四大机制都值得我们借鉴

国外市场机制有许多模式，但是都可以划分出四类机制：动力机制、信息机制、压力机制和监控机制。

动力机制旨在解决经济单位的积极性问题。其主要手段是充分利用人们的利己心，将人们的努力同他们所追求的名利等挂钩。这同我们所说的"物质利益"原则有些相似。值得注意的是，成熟市场的动力机制往往十分注意将人们追求"名"的动力和追求"利"的动力相区分；十分注意将人们的"生产性努力"与"分配性努力"相区分。股份制解决的是投资风险收益与个人动力责任方面的问题；专利制度解决的是"创造性劳动"的鼓励和诸如"自由骑士"之类的分配性努力的抑制问题；文官制度解决的则是"政企分开"和公共雇员工作效率方面的问题。就企业管理层面而言，"马斯洛理论"、"霍桑效应"、"X、Y、Z 理论"等也都是我们借鉴时应当注意的课题。

信息机制指的是信息的收集、处理、传递与利用层面的一切设施与功能。成熟的市场经济中，信息机制一般都有以下几个特征：（1）信息量大、比较全面；（2）客观性、连贯性与稳定性比较强；（3）收集传递速度快、方式简单、比较及时；（4）注意主观信息

（主要是公共产品偏好）的如实显示；（5）努力于单位信息的最大化利用和经济单位决策时所需信息的最小化。现代经济机制设计理论认为：信息机制的优劣取决于信息空间的维数（dimensions），即既能达到一定的社会目标，又能使所需信息的种类最小化（维数尽可能少）。据此可以证明：没有一种机制能够比市场机制在利用信息方面具有更高的效率。在市场经济中，经济单位的决策只需要两种向量：一是价格；二是总供求。由于这类信息的政治性低，其传播较少有横向、纵向障碍，因此有助于减少文山会海和各种扯皮内耗现象。

压力机制可谓负面的动力机制。它力图否定的是各种分配性努力，如惰怠、无能和损人利己之类。"破产"、"解雇"和"舆论"是其常见形态。破产是社会对于经济资源配置能力的最低容忍线，是存优淘劣、保证效率的自动阀。解雇的作用类似破产。从社会伦理角度看，由于原雇主的"推荐"对于再次求职影响极大，因而解雇制度会增加无业可从者（jobless）和无家可归者（homeless）。"朱门酒肉臭，路有冻死骨"在发达资本主义社会中，至今仍不鲜见。因此，这方面社会主义国家应当如何借鉴，是一个值得权衡的问题。罚款制度（反面是"小费"等奖励制度）打击的则是肇事者的侥幸过关动机。它在考虑"成功"概率之后可以施加得足够沉重。

489

监控机制主要包括微观裁判与宏观调控。其中微观机制首先值得我们借鉴。美国在证券交易所注册的挂牌公司，或者虽然未注册但是资产超过规定的公司每年都应向证券交易所呈递各种报表（包括股东大会记录）。这些报表的格式与资产处理原则全应遵循财务会计委员会（FASB）的公认会计原则（GAAP），否则便不能得到审计师的认可。FASB 是民间权威机构，权威性和竞争力来自其公证程度。注册会计师、审计师都要求资格考核，并遵循 203 条职业道德，违者不得开业。评级机构的权威性也来自其工作质量。评级要经过十多个环节，每一步都有具体的要求和相应的程序。从宏观经济监控方面看，发达工业国的经济法庭、各种"独立机构"等也值得特别研究。国会的国家审计署、专利局、预算局的设置和对行政的制衡功能，也是值得先加考虑的问题。美国的国家审计署同国有资产管理的关系至为密切。

第三，解放思想借鉴国外时应特别注意中国国情和时代变迁

市场机制的形成、发展与顺利运行至少取决于它与整个经济体制和社会环境的相容性。西方发达工业国的市场机制的社会先决条件是私有制、代议制、联邦制等，技术先决条件是发达的经济技术和高度的要素流动。例如，零仓储（JIT）要求交通与信息网络精确高效，一方"社会保险号"（social security number）可代替"户口"等大量组织关系，等等。这些同我国国情显然都相去甚远。因此，任何简单急躁的移植都有可能陷于欲速不达之境。所谓的简单的移植，还有一层含义，即不能刻舟求剑。例如，国外现代税收制度通常以所得税的现代化为标志，但是近一二十年的动向则是转向增值税。在新的条件下，我们是亦步亦趋还是适当靠前？又如，国外股份制的合作方式正由金字塔转向网络型，我们对现代企业制度的概念是否需要修正？等等。

（2）市场经济与计划经济影响企业行为的税收财务机制比较*

"税"是应当缴还给社会的产品劳务中的私人成本与社会成本间的差额。"税"与"利"的性质是不同的："利"是经济主体的创造物，"税"则是社会为该经济过程提供条件和环境的已有和将有的成本。因此，"税"的强制性上缴无疑是有法理可依的。现实中，由于税收管理、经济形势、国家政局等具体因素，"税"的内涵总是变得有很大的伸缩性，一些该课征的税源没有设税，一些不该课征的税源（包括真正的"利"）可能纳了（重）税。历史上，"苛政"与"暴税"实质上是同一个概念。传统计划经济中，由于企业国有，而国家又代表社会，必然导致"利"和"税"的归属和性质变得模糊。"利改税"的出现就是一例。

计划经济和市场经济在利用税收机制影响企业行为时似存在以下几点差别。

---

* 本文是在辽河油田召开的全国世界经济中青年学会年会上的讲话。

第一，两种经济的征税宗旨有别，导致政府和企业行为方式有别。计划经济中政府首先面临的是财政拨款的压力，"三线建设"、"救灾物资"、"外事外援"、"能源交通"等，无不重要和紧迫。因此对征税的影响问题往往来不及审慎地权衡，常见的是事后另行考虑。为此，企业势必有动机缩小其应税收入和夸大其拨款需求。"国家拿大头，企业拿小头，个人拿零头"舆论的造出，一定程度上反映了这种情况。而在市场经济中，政府的基本职能是宪法明文设定了的，其必要开支是有充分保障的。政府额外的征收虽然有许多途径，但由于行政立法之间的制衡，许多努力的成本是禁止性的。因此，政府能比较集中精力地用财税杠杆等增进效率、公平和稳定，从而为企业提高效率提供较好的环境。

第二，市场经济的税制设计较多着眼经济，值得借鉴。（1）所得税就具有一种"自动稳定器"作用。当经济扩张时，所得税的增长速度快于 GNP 的增长，因而可自动为经济降温。相反，当经济收缩时，所得税的减少速度快于 GNP 的减少速度，因而可以自动为经济保留活力。个人所得税税率的变动还直接影响劳工的勤奋程度，资本利得和资本补偿则能直接影响投资决策。（2）可以转嫁的销售税和消费税也值得借鉴。以大家比较熟悉的石油产业为例。石油在美国属于"税源较窄的"销售税，也称"（特种）消费税"，同烟酒等相类似。为限制石油企业，美国设有"石油暴利税"，税率可高达 70％；为促进"车油路一体化"，美国的联邦汽油、轮胎、卡车等税全部交拨"公路信托基金"。此外，各州也因地制宜地开征石油税以促进地方福利。（3）财产税、遗产税、赠予税等也是重要的"社会稳定器"。20 世纪早期开征的遗产税是人类历史上一块重要的里程碑，它使得个人财富恶性加速度膨胀问题得到制约。（4）工薪税对于劳资关系和社会保障也意义重大，是解决"企业办社会"问题的重要途径。

第三，确定利润、应税收入等财务指标的方式不同，市场经济中企业财务体系较重竞争，而计划经济较重控制。市场经济中企业的会计、审计主要是为投资人服务，而计划经济中企业则是向上级主管或曰"国家"和"人民"负责。前者显然需要重视竞争，后者

491

显然需要注意控制。正因为如此，两种经济的财务报表体系有以下差别。例如，美国公司的会计报表主要有两份，一份是《资产负债表》，相当于我们的《资金平衡表》；另一份是《损益表》，相当于我们的《利润表》。此外还有一份我们没有的《财务状况变动表》，而这个表对于反映集资能力和竞争能力非常重要。相比之下，在计划经济中，由于上级监控的需要，我国传统企业比美国企业要多三张成本表：即每月上报的《商品产品成本表》，每季度上报的《主要产品单位成本表》，还有年终上报的《生产费用表》。在工艺流程较复杂的工业企业中，会计报表种类甚至多达 10 个，其中包括许多市场经济中不大需要的明细表。

492

  第四，由于两种经济财税管理方式不同，企业与社会的信息博弈方式也不同。成熟市场经济中的企业财务分成"（内部）成本会计"和"管理会计"。其中"管理会计"是专门向投资人负责的会计：会计师的人选必须系社会注册的符合 203 条职业道德的"独立会计师"；会计原则必须遵循全国注册会计师协会的《一般会计原则》（GAAP）；审计原则必须按照《标准审计公告》（SAS）；必须真实披露财务状况和经营状况；必须向股东大会、SEC（证券与交易委员会）备案备查；等等。正是由于这些制衡机制的存在，那些不依法行事、不注意企业形象的公司在"评级"（Rating）中势必不利，从而影响集资竞争能力，甚至被罚款和"停止终止"（cease or desist）。而在计划体系下，既然企业资金主要仰仗上级拨款，因此其主要努力势必集中在向上级讲清每一笔开支和每一笔拨款的合理性问题上。由于这种上下级联系的公开度相当低，加上生产工艺技术的模糊度又相当高，因此人际"关系"等软因素的作用势必很大，效率损失势必难免。此外，在计划经济中，既然企业的会计只能在不违反财会纪律的条件下才能有"效"帮助本企业（领导），因而势必会经常陷入两难。

（3）转轨经济社会政策教训与
中国社会保障制度改革*

　　世界银行格拉汉姆博士关于经济转轨时期社会经济政策经验教训的比较课题①，对于中国现阶段的改革具有重要的现实意义。其分析角度非常中肯、很值得我们借鉴。这里我做以下三点评论。

　　第一，中国的社会保险体制改革无论从理论上讲，还是从现实角度看都已经成为进一步改革的关键问题

　　从理论上讲，关于中国经济改革的转轨逻辑问题我个人曾有专门探讨。② 在我看来，市场经济机制可以分成"操作"、"调控"和"支持"三大系统；计划经济转向市场经济的逻辑程序则是在"退够"的过程中，先在操作系统上进行模拟并进行量的累积，然后转变调控或干预系统的职能，最后是完成文化意识形态的转变。据此，我认为社会保险的改革是中国下一步改革最重要、最迫切的任务。因为建立社会安全网不仅是实现操作系统成功切换的关键一环，而且也是转变政府职能从而改造干预系统的关键一环，此外它也是支持其他社会经济政策的前提条件之一。

493

　　从现实上看，当前中国经济改革正处于这样一个阶段：经济"退够"的任务从经济角度看已经告一段落，提出建设社会主义市场经济可以说是一块里程碑；操作系统的模拟和积累工作也取得很客观的成就，正面临改造国有企业这个"重点突破"的临界、胶着状态；转变政府职能的任务已经提出并迅速取得了很大进展。但是，国有企业改革已带来一系列两难问题。其中重要的难题之一是如何解决"潜在失业"和"企业办社会"的问题。而这两个问题都同社会保障制度的改革至为密切。

---

　　* 本文是在北京召开的"转轨经济：亚洲与东欧经验国际比较研讨会"上的特约评论。

　　① 可参见世界银行已出版的专著：Carol Graham：《Safety Nets，Politics and the Poor：Transitions to Market Economics》，Brookings Institution，1994。

　　② 见《太平洋学报》1995 年第 3 期萧琛的论文"论中国经济转轨的逻辑程序与现实前景"。

具体的观察表明，我国现行的社会保障领域不仅老问题仍然存在，而且新问题正接踵而来。老问题主要有：统筹难、规模小和项目（选择）少。新问题则是：各行业、各产业、各地区差别大，无法统一；社会保障资金使用不当，利用改革"生财"的名目较多。这些问题一方面阻挡裁员、流动和实施其他公共政策，另一方面也增加了当前疏导"民工潮"工作的困难。

中国农村的情况也值得关注，农民的社会保险问题长期以来几乎不经由公共政策来解决。最近电视上的一个小品节目生动而典型地反映了中国农村"养儿防老"等问题的严重性。故事说的是两个已经成家的儿子共同供养他们的母亲。供养的规则是每个人轮流"供饭"，一个月换一次。为了确保供养质量，每换一次，需要将母亲的体重称一次。如体重减轻，可以采取"惩罚"。结果，两个儿子的媳妇都用各种办法作弊。小儿媳尽让婆婆吃红薯，能加体重却不加营养；大媳妇则……；等等。

494

第二，对转轨经济中社会政策经验教训及其政策含义的理解

格拉汉姆博士比较了转轨经济各国在公共政策（包括社会保障）制定方面的具体情况，归纳出以下五个重要的经验或教训：（1）社会政策必须同经济发展水平和改革速度相适应；（2）注意同公众沟通，包括工会组织在内，"参与率"必须比较高；（3）社会保障的体系运作与管理成本必须能承受；（4）将民主法制同扶贫机制相联系；（5）对改革和政策效果的期望适当。

根据现阶段中国经济改革实践，我认为格拉汉姆的意见可以理解和阐释为以下几点建议。（1）中国经济的进一步改革应当注意实事求是和量力而行。中国经济的增长率最近几年已为世界瞩目和震惊。国民生产总值增长率连续多年在十几以上，即便是在发展中国家的经济起飞的最佳阶段也是非常罕见的。但是，中国的实际经济增长率则是更为值得重视的指标。"实际"的意义有两层：其一是进一步彻底扣除通货膨胀因素；其二是区分投入型增长与效益型增长。（2）注意经济机制的"可算度"和"负责体系"。抽象的负责必须为具体的负责所代替。否则，公开透明原则将难以落实。而在公共经济领域，没有公开透明，明智的政策不仅难以产生，而且也不可能

真正执行。（3）注意公共政策中的"造租"和"寻租"现象。根据前几个阶段的改革实践来看，每一轮改革政策的出现总是难免要出现一些钱权交换渠道，有时影响很大。（4）改变目前我国社会保障制度（如住房、医疗等）改革中国家或单位包办的办法。较好的办法是提供政策选择，将信息公布于众。我国国有企业职工对于他们的社会保险权利义务的了解恐怕非常有限，虽然绝大多数人已经被保险了很多年。这说明没有民主参与难以推动改革的。

第三，关于中国社会保障制度改革的几点引申

中国社会保障制度改革的实质性任务是将"计划支持型"保障制度转换成"市场支持型"。"计划支持型"侧重平等、平均、稳定和易于控制劳工；市场支持型则侧重注意效率、流动、通约和民主参与。而欲达此目的，工资制度、税收制度、基金制度、住房制度、户籍制度等的政策目标都必须做相应的调整。

495

中国社会保障制度的转型动力很大、成本不小、欲速不达。动力大的原因在于个人、企业、政府和社会在改革中理论上都可以收益。对个人来说，流动、保险和增加选择无疑应受欢迎；对企业来说，解决多余人员、借助劳工市场优化配置也是非常重要的；对国家来说，可促进税制的现代化、基金的非国家化或曰社会化，以摆脱不必要的公共事务负担过重的情况，未免不是一件乐事；对社会来说，经济安全网无疑是稳定的最重要因素之一。

尽管如此，改革的成本、阻力和困难仍然是巨大的。原因之一在于这首先是一场利益格局的再调整。对于有关人员来说，失去已有的控制权意味着一系列现实内容。其次，再就业、培训、教育的费用将是巨大的，而其责任一时却难以明确。此外，过渡性的社会经济问题势必难免，例如通货膨胀、腐败和收入差距等。这表明这项制度转型可能需要一代人左右的较长时间。

就改革对策而言，我认为"机构投资制"和"基金制"等都是值得选择和参考的。这些国内外许多专家都曾论及。我认为今后值得注意的一点是美国 IRA（个人退休账户）[①]。该账户 1974 年开始，

---

① 英文全称：Individual Retirement Accounts。

到 20 世纪 80 年代中期发展速度变慢，但到 90 年代又得到重新重视。该账户发展在美国所遇的问题（如多重目标）是我们现阶段所没有的，而一些促进条件（如居民储蓄率）则是我们现阶段的长处之一。

（4）萨克斯教授关于中国经济转轨形势的评论很值得重视[*]

1995 年 7 月 5～6 日，国家体改委的研究所与国外经济体制司在亚洲基金会的赞助下，在京城大厦召开了"转轨经济：亚洲与东欧经验比较国际研讨会"。与会的外国代表来自越南、蒙古、捷克、匈牙利、波兰、俄罗斯、美国、法国、世界银行及其他国际组织的著名学者和政府顾问。会上，有 17 位外国学者、专家做了专题发言，12 位国内学者、专家做了评论。来自美国哈佛大学的杰费里·萨克斯（Jefferey D. Sachs）博士在会议发言和讨论过程中始终比较活跃与突出。萨克斯曾经在"休克疗法"、"滞胀"等问题的研究中取得突出成绩，并曾任拉美、东欧及亚洲等地区的若干国家的政府经济顾问；现为哈佛大学国际发展研究院主任、哈佛大学国际贸易系教授。据他在会上的发言和我本人在会议期间与他的交谈，特将他在五个重要改革领域中的一些有启发性的思想概要整理评价如下，一方面加深学习理解，另一方面也可供读者参考。

第一个问题：通货膨胀的代价到底有多大？应该说它在宏观经济上的影响是清楚的。通货膨胀会使货币供应进一步增加，导致人们对人民币失去信心，实际投资回报率的下降和利润率预期等大量不确定因素也都会对经济产生不利影响。中国的货币投放在过去一些年中一直增长得非常迅速，这意味着通货膨胀的压力在不断增大。但值得注意的问题是这个压力并没有导致某种爆炸性后果。原因在

496

---

　　[*] 1995 年 7 月 5～6 日，"休克疗法"的提出者，哈佛大学杰费里·萨克斯教授在"转轨经济：亚洲与东欧经验比较国际研讨会"上的发言整理稿，作为泛亚太国际经济学术研究交流中心的调研参考资料。

于中国的居民户不断地增加了他们的储蓄，抵消了一部分货币投放量的增长应当造成的冲击。也就是说，货币1增加的效应为货币流通速度的减低的效应所抵消，储蓄及其他资产属于货币2或流动性更弱的货币形式。然而，现今的问题已经是：中国的货币流通速度已经不再下降，各种替代性金融渠道已经出现。在过去的两年中，毋庸讳言，中国通货膨胀竟能够被有效地控制住，这的确让我非常地震惊。不过我还要说的是：这还决不是结果，中国通货膨胀的风险仍然存在，实际的压力仍然很大。

第二个问题：货币供应体制改革。要稳定货币，中国的中央银行必须能够独立。1994年《银行法》的通过，是中国改革所迈出的非常重要的第一步。但应该说，中国的中央银行很难完全独立于政治。中国还没有一个能够支持独立的中央银行的政治基础设施。这是未来中国的变革势将发生的领域，真正独立的银行无疑需要直到宪法层面的各种改革的支持。

497

第三个问题：（商业）银行体制改革。中国现在仍然拥有庞大的国有银行体制。将国有银行变成非国有银行、变成真正的商业银行，是非常难办的事情。中国的国有银行有些像墨西哥，总是不断地支持国有企业，结果是呆账的比重巨大。中国的国有企业，一方面效率低下且缺少私人融资渠道，另一方面则是贷款比例很高。呆账比率大而注入资金又不足这种情况，使中国的国有银行无法按真正的商业银行的方式运作，即使现在就有一部"法律"做出明文规定也不行。因此，改革国有银行的关键一步，便是要使它能够脱离国有企业。

分离国有银行和国有企业的三个基本步骤有可能在五年内实现：其一，给国有银行压力，使之通过公开出售其资本等方式，将呆账转化成股本。其二，在资产小于负债之后，银行势必需要重新注入资本，如政府债券等。其三，将国有银行从国有企业中分离出来。

在全国范围内做到这些可能有一定的困难。可行的办法之一是将国有银行改建成行政管理力所能及的中小银行。波兰的国有银行就是这样地被分成许多规模较小的地区银行，改革的速度虽然比较慢，但是却比较成功。

第四个问题：财政分权。去年中国的财税改革走出了很有意义的一步，但是我认为走得还不够远。中国仍然存在中央政府直接管理的税收体系，省一级很少有自设税种和自定税率的自主权。在过去的两千年中，中国的税收制度是成功的，但是它的前提条件是"不变动"。因此，在当今中国的财税改革中，要建成西方式的"财政联邦制"，将是非常重要和富有挑战性的任务。中国经济改革中，中央向地方"分权"任重道远。

第五个问题：社会政策。在社会保障方面，中国一方面向大约20％的城市工业人口提供过多的社会保护，另一方面，又对占人口比例80％的农村人口几乎不提供任何保护。这种两极化的政策在转轨中不可能是长远的办法。国有企业"铁饭碗"是中国最大的问题，必须加以解决。第二次世界大战期间以及战后一段时期内，各国社会保障一般都必须通过政府；但是如今已经有了一些新的办法，例如市场上的私人资本和私人资金，还有各种储蓄保险办法等。中国的社会保障通过大约10％的工资税来筹集，当然具体情况很多，这种办法至少要比战后美国、欧洲的办法要落后或曰倒退，虽然有些欧洲国家的工薪税非常之高。我认为拉美国家的社会政策模式可供中国社会政策制定者借鉴和参考。

（5）从辽河油田实践重新观察
中国国有企业改革[*]

1995 年 7 月 24 日至 28 日，全国中青年世界经济学会在辽宁省兴城市辽河油田疗养院召开了"国有企业经营管理国际比较研讨会"。油田领导王显松局长就 1992 年以来该油田在深化改革探索新路方面的经验和问题做了基调报告，并同该局的总经济师和研究所所长一同回答了与会代表的各种问题。研讨会第三天，代表们参观了辽河油田的采油场、钻井作业场以及整个油田的设计控制中心等。参观结束时，少数与会代表又同油田的领导们和油田的电视台同志

---

[*] 本文是北京泛亚太国际经济学术研究交流中心的不定期调研报告。

们进行了多渠道的交流。作为会议的主要发言人和学会的组织者之一，我对于油田的改革实践印象深刻、感触很多。有些感受对国有企业改革的流行观点可以说是一个不小的冲击。特整理如下：

第一，在国有企业普遍遭遇困境时，辽河油田一枝独秀的案例值得关注

1992 年深化改革战略启动之前，辽河油田的投入产出情况严重困难，实际投资规模要比计划指标亏空 6 亿～7 亿，到 1993 年，油田在采购上的负债达 8 个亿，被迫停止了 20 多口油井。由于生产效益较差，职工收入人年均不足 4000 元，当时的情况可谓士气低落。这类困难同全国许多严重亏损的国有企业并无二致。

在油田领导更新观念、解放思想、大力改革、举措到位之后，辽河油田的经验状况发生了很大的转变，1993 年该油田产油 1420 万吨，比计划超出了 30 万吨，职工收入增加了 2300 元，1994 年在水灾造成了 5 亿损失的严峻的条件下，仍产油 1502 万吨，比承包基数 1375 万吨超出 127 万吨，增加效益 12 亿。1995 年的产量，可望达到 1600 万吨左右，而职工的年均收入也可望达到 1 万元以上。

第二，辽河油田的"资产经营承包责任制"是一种新的经验尝试和理论探索

辽河油田的改革起步比较晚。直到 1991 年以前，油田基本上还是传统的计划分配型管理，尽管从 1981 年开始，该油田已经进入了"承包制"改革阶段。但由于承包基数不能较好地确定，相应的权利没有到位，利益分配方面的兑现程度低，奖惩激励方面的机制模糊，等等，导致油田的承包制改革未能见效。辽河油田的新任领导在坚持承包制改革方向的同时，狠抓了改革的配套问题，列下了 27 条大的配套举措。如，"内部二级承包"、"模拟法人"、"模拟内部市场"、"成本节约分成"等，都有一定的特色。

更值得注意的是，油田领导已经发现了承包制所带来的一系列短期行为的问题，已经开始不仅在"分子"（产出）上做文章，而且已经注意到了"分母"（投入）的问题。所提出"资产经营承包责任制"，就是他们在这方面的一种尝试。显然，资产的合理分类和适当评估，是一系列的复杂和棘手的问题。从理论上讲，资产承包同产

权改革究竟应该是什么样的关系，同一般的经营承包又如何结合，等等，都值得经济学者从理论上加以总结和回答。

第三，辽河油田的"产业多元化"和"外向发展意识"值得关注和扶持

辽河油田在积累了一定的实力之后，其发展方向可谓有两个：一是发展三产，着眼于在油田附近社区形成能够逐步独立于油田产业的新的经济增长点；二是努力发展跨国经营，注重"外向牵动战略"。鉴于油田属于"可消耗性资源"采掘产业，注意到未雨绸缪，可谓难能可贵，毕竟该油田的 12.4 万职工要支撑一个包括 5 万学生的 25 万人的小型社会。

向海外发展对于该油田更是一个新的问题，领导成员的素质和组织结构、数据资料的积累分析和把握、外部信息合作网络的形成、海外石油产业市场的法律环境，等等，都不是油田的决策者"一下决心"就定能办到的。因为，国际竞争的学费，对于国家来说不无一个"规模经济"的问题。因此，国家的石油部乃至整个国家的研究、外交资源的共同享用和共同开发等，就都是一个值得注意的问题。也就是说，既要鼓励企业争夺国际市场（中国的钻井成本只有外国的 1/3！），又不能让大家单独去闯，否则同一种"学费"的重复支付情况就势所难免。

第四，天然垄断产业中国有企业改革应当有别于其他产业的情况

辽河油田的改革实践表明：国有企业改革的模式应当因产业而异。在"承包制"改革的潜力远未挖尽的时候，过早地推行更为"先进"的改革战略可能会拔苗助长。

首先，因为油田既是一种特殊的国有企业，也是一种特殊的第一产业。在西方经济学中，采油业属于天然垄断的资源性产业。所谓的天然垄断，指的是，它在一个作业区（油田的自然范围）中，最适宜由一个企业来经营，否则，各种"沉淀成本"就会重复和浪费，"产品边际成本不断趋向零"的"规模效益"就会丧失。

其次，这种企业的产品定价可以是"零利润点"，也可以是"平均利润点"等等，也为企业的统一管理和公共社会的统一约束提供

条件。正是由于这些特殊的性质，"价格双轨"在这种承包环境中，显得相当适应。

再者，"企业办社会"在一般的国有企业显然是严重的"包袱"，但在采油业却不尽然。因为没有家属和"村城"的油田的作业队伍势必是难以稳定的。采油的"游牧式"社区，使它能够从一般的社会改革环境中块状地分割出来，因此它所受到的外部社会的"干扰"显然就比较地小；再加上长期的供给制传统，油田的管理就有可能形成一个独立的有向心力的经济核算单位。这也是其内部模拟承包制能够显出优势的一种社会学方面的原因。

总之，辽河油田的改革实践，有理由向人们表明：企业的公共性质未必是缺少效率的根源。对于这种性质的企业，内在的领导人素质（因为集权）和外部的价格环境可能是问题的关键。引申的一个问题则是：国有企业的"影子价格"问题在国有企业的改革中，不应当继续被"容易忽视"；价格中的"分配性努力"问题也应当注意加以抑制。

501

（6）商品市场秩序与国外
"名优"品牌认证机制[*]

"商奥会"的性质同"省优"、"部优"、"国优"，乃至"质量万里行"等有共同的"设计性权威"问题。要解决这类问题，首先必须了解成熟的消费市场上认证权威的确定、分工和权责分布格局。其次是这种设置和格局形成的条件。然后才能确知现阶段中国应该如何做得更好些。为此特将美国的情况解剖如下以供参考。

成熟市场上公认的、确定一般产品质量和品牌的权威是多元化的，既来自政府（独立）机构，也来自众多的民间机构和民间权威。多元化意味着较多和较彻底的分权与制衡，没有一个机构能够拥有绝对的权威。众多消费者或用户的实际参与使得商品质量品牌的认

---

　　* 本文是为《浙江富阳"商奥会"的预可行报告》所提供的咨询讲话的整理稿。曾发表于萧琛著《论中国经济改革》，北京大学出版社 1996 年版。

证标准势必客观、通约与及时。市场独立出一整套执行这种权威的人力物力需要一个长期演进的过程和消费水平要提高到一定的档次。

这方面美国比较直接地行使政府权威的机构主要有联邦贸易委员会（FTC）、食品药物管理署（FDA）、消费产品安全委员会（CPSC）和国家标准局（NBS）等。确认产品质量品牌的民间机构主要有安全测试保险局（ITO）、美国各种商会、消费者协会、职业协会、（国际）特许经销协会（IFA）等等。此外，新闻媒介，如"商业电台"、《妇女》杂志、《星期六晚邮报》、《消费者新闻》、《家务管理》以及各报刊的经济管理类形形色色的栏目。间接的质量保障管理体系更为复杂和精良，因为企业行为是产品质量优劣的最基本因素。而引导与约束企业经济行为的机制则包括法规、专利、银行、证券、保险财税、会计、审计、评级和各种"企业社会行为运行指数"。

联邦贸易委员会是防止企业采取不正当竞争手段、杜绝各种商业欺骗、维持市场秩序和保护消费者的联邦政府独立机构。它有权向任何违章伪劣企业发出"终止和停止"命令并提请司法部立案罚款，但无权直接惩治。食品药物管理署的主要工作是对生物产品，如副食、药品和各种食用化学剂等进行广泛调研、检测与管理。国家标准局下设全国工程研究室、全国度量衡研究室、美国金属协会等，负责制定应用工程方面的非强制性标准。该局信息集散与服务能力很强，约有 24 万种美国乃至世界各国关于产品质量管理标准、规格和测试方法的文献。消费产品安全委员会的宗旨是使消费者免于不合格产品的伤害，制定统一的全国消费产品的安全标准，帮助消费者对产品的安全性做出判断。它有权取缔产品或命令制造商重新设计，必要时将该产品的危害性公布于众。

美国民间的商品质量管理功能主要由私人非营利性机构承担。这些机构的权威性质完全来自其长期持续的服务质量。安全保险测试局是这类机构的典型。它是检验国内外产品质量并颁发合格证的权威机构。取得这种合格证的厂商可以免于许多可能系不负责任的诉讼。该局总部设在伊利诺斯州，但在纽约、加利福尼亚和佛罗里达州设有分支机构。检测手段通常取决于产品特性。消防门的检测是置之于一场熊熊大火，成本往往高达 1 万美元以上；电视屏幕的防碎性检测方法就比较简单，代价也比较低。民间刊物《消费者新闻》的舆论媒介功能也值得一提。该刊对各种产品进行全面检测并确定其等级。该刊设有畅销品专栏。由于读者众多，能够将产品列入畅销品专栏，无异于获得几百万美元的广告经费。该杂志是世界上惟一能够对其所刊登的广告的后果实行保险的刊物。此外，由美国和其他工业国 350 多家特许经销厂商组成的国际特许经销协会的许多做法也值得借鉴。

名优品牌的确认同专利、商标和版权等无形资产的管理机制密不可分。客观、及时和科学地测定是所有这类机构的一个重要特征。为此这些机构无不拥有大量的工程技术人员、各种工程师和先进的检测手段。其次，这些机构无不尽可能借助法律对厂商和消费者进行保护，因为公开的、固化的契约通常总是比变动性较强的行政手段要可靠一点。

（7）分期付款与中国消费市场发育差异：
CCTV《经济半小时》访谈*

记者：大型家用电器私人消费量的上升，现阶段中国消费市场似乎需要推广西方市场上的"分期付款"办法。目前，广州等南方城市这方面已有很大进展，北京等北方城市这方面似有些滞后，这方面我们已经进行了采访。萧教授，您可否就此问题在较深层次上谈谈您对这种融资机制的看法？

作者：我以为这个问题可以分成以下三个方面来认识。

第一，分期付款的实质内容和时代意义是什么

分期付款在商品所有权范畴中创造了一种暧昧而又令人乐观的灰色地带，是一种能让消费者"在实际拥有之前就能够拥有"的现

---

* 本访谈被编入《分期付款向我们走来》（上下辑），于 1996 年 2 月 18～19 日（春节）播出。文字稿修订之后发表于《人民日报》1996 年 6 月 3 日第 7 版，题目是"分期付款与消费市场"，署名萧琛。

代消费融资方式。分期付款在英国叫 hireperchase，直译为"租买"，所有权似主要在卖方；在美国它叫 installment plan，直译是"分期组装计划"，所有权更近买方，显得更令人乐观。

分期付款是伴随着 20 世纪初的最伟大的"福特制装配线革命"而产生的一项推动消费民主化的制度创新。福特制只能生产大批量轿车，而分期付款则使轿车走进了千百万寻常百姓的家庭。分期付款还是一场冲破传统社会"储蓄消费观"的道德反思运动。传统的"量入为出"、"永远买你能够买得起的东西"等节俭和谨慎的信条，在这场运动中逐渐成为历史。

第二，分期付款在外国的产生与推广情况

很久以前在欧洲土地抵押交易中即有类似分期付款的安排。因为土地是一种固定性极强的商品，债务人无法携"地"而逃。但是，欧洲的抵押法很严，使这类安排不可能广为流行。19 世纪中期之

后，美国在缝纫机、钢琴等昂贵家庭用品的推销中也有这类安排，但是未能扩大到整个经济领域。

现代意义上的分期付款是随着数以百万计的轿车成批地离开装配线而启动的。汽车比钢琴要贵得多，也不像土地那样不可移动。要唤起人们购买一辆轿车的欲望是不难的，但要使汽车大众化和民主化，显然需要一种不同于工程技术革命的制度创新。

福特本人的消费观是保守的。虽然他的公司也有一些促销办法，但都还是要求在攒够款项之后才能拥有汽车。因此，福特汽车销量增长缓慢。1915 年，俄亥俄州托莱多的一些商人成立了法人"保证金公司"，为汽车分期付款提供贷款。公司很快生意兴隆、应接不暇，之后迁往纽约。10 年后，这类公司发展到 1700 多家。同期汽车销量翻了 3 倍。福特汽车公司至此成立了自己的"万象资助销售公司"实行分期付款。

银行家们起先也本能地反对分期付款。在他们看来小汽车不过是用来消遣和兜风的工具，而且"鼓励消费必然妨碍节俭"。因此银行家协会继续鼓励人们应当用现金购买汽车。但到了 20 世纪 30 年代，银行家自己也开始经营起分期付款贷款业务来，而且到二战前夕已变得非常活跃。银行的加入使分期付款变得正规和体面，取得

贷款的条件和定金的数额也在降低。除了汽车、活动房屋等价格昂贵的私人耐用消费品之外，分期付款还被用于钢琴、空调、电视、音响、冰箱、热水器、吸尘器、剪草机、洗衣机、活动房屋、游艇等商品的销售，几乎无所不能。到 60 年代中期，分期付款信贷总额达到 3 倍于其他任何种类的消费信贷总额，以至于许多美国人认为他们的"生活水准是用分期付款方法买来的。"

第三，中国现阶段是否应当鼓励分期付款

这个问题很难简单回答。中国区域经济差异大，东南和西北的市场发育程度和消费水平很难同日而语。但一般说来，"汽车文化"和信用卡等电子融资方式是任何一个现代化经济所不可逾越的。在中国虽然许多条件还有待创造，但积极地欢迎分期付款应当是无可非议的。

505

消费市场营销史可以划分成五个阶段：产品供不应求阶段、要求推销阶段、销售成为关键阶段、消费者导向阶段、全面服务阶段。国外分期付款一般都发生在第二阶段并在第四阶段接近饱和。中国市场总体上说已经开始走出产品短缺阶段，东南沿海城市实际上已经进入第二、第三甚至更高的阶段。据此可以认为，鼓励分期付款不仅是应该的，而且是必须的。

另一方面中国也还存在着一系列令人关注和值得探索的问题。中国"汽车文化"先天不足；银行体系、非银行金融中介的职责都有欠确定和透明；国民储蓄率虽然比较高，但家庭收入流量仍很有限并且不够稳定；等等。中国现阶段一辆中低档小汽车往往是普通工薪家庭年收入的几倍，而当年美国的同一指标是不到 1/5。因此，通过政策进行大力提倡一般说来是不足取的。

（8）"风险"控制：中国证券市场建设任重道远*

中国证券市场的巨大潜力未能较好实现的一个根本原因在于对"风险"的控制和管理机制难以健全和规范。

---

* 本文发表于《中国证券报》1997 年 1 月 23 日第 8 版《新世纪论坛》上，署名萧琛。

举世瞩目的中国经济"奇迹"已经使得中国证券市场成了备受青睐之地。美国商务部加藤副部长就曾认为:"未来二十年的好戏将在这些地方上演,所以我们必须进入那里。"然而一个值得正视的情况却是:大多数美国投资人在中国还只是"涉足"而不是"投入",少数美籍华人甚至说过"必须保持必要的撤退能力。"就国内情况来看,虽然银行的居民存款高达 4 万亿元,但真正"上市公司"的额度仅仅为 80 亿元,国债发行也只有 1 千亿元。尽管关心股市的人士日益快速增长,但真正投身其中的却仍然很有限。

同其他种类的投资一样,证券投资的全部技术无非是在"收益"、"风险"、"灵活"三者之间进行动态的权衡。风险,无非是一种不确定性。它可以划分成"违约风险"和"市场风险"两大类。

违约风险指的是负债人无法偿付的可能性。例如,国债券就显然要比企业股票和债券的违约风险要小。冷战结束后,对发展中国家投资的政治"违约风险"已被降到极低。中国经济实力迅速增强,也使得我们的集资信誉空前提高。近些年中国吸引外资能力异常强大就是一个例证。但是,如果国内企业的三角债问题不能根除,效率不能从根本上改观,"违约风险"就很难被控制在较低的范围内。

市场风险指的是因各种资产价格波动而导致损失的可能性。这种风险即使在成熟的市场条件下,也永远不可能消除。所谓的"规范"与"健全",其实不过是尽可能让那些导致资产价格波动的因素具备"可预测性"。(潜在)投资者裹足不前的根本原因也许并不在于指望毫无风险,而只是在于对不确定因素能进行预期。

为了合理预期,充分地收集和把握信息显然是首要的条件。证券市场的"信息"包括"筹资人"方面的信息,如股票、债券发行公司的经营状况和财务状况等。"评级"、"年度报告"、"财务报表"等是常见的信息载体。然而更重要的是如何保证信息的真实、及时和充分。为此,"充分披露"、"涉嫌回避"、"公认会计原则"、"审计标准公告",还有独立会计师等职业协会及其严格的职业道德条款等,都是规范企业行为从而保证信息质量的常见的一系列举措。相比之下,我们的企业和市场的"硬"约束少、"软"

约束多，这势必难以防止信息发生扭曲和出现舆论误导等问题。极端的情况是，当一些企业的股票被炒得很热的时候，该企业却正在一筹莫展。

另一类信息是市场结构变动和金融调控导向方面的信息。在成熟市场上，市场的格局、分工，金融工具的种类及其相对比重，央行和证券交易管理当局的职责和服务种类等，已进入了一种相对平稳的状态；而在中国新兴市场上，这些基础层次的组织和规则却正好处在一个不断变动或曰发展的状态。此外，商业银行和政策银行分工不明，证券业和银行业关系模糊、巨额现金交易流行、灰色经济规模巨大等，也都值得关注。

控制风险的组织管理手段归根到底应基于（金融）技术条件。去年 3·27 国债崩盘事件，说明我国计算机交易程序存在不少漏洞，应设置自动停板等机制，并加强高科技投资以保证其有效的精度。在美国，芝加哥商品交易所早就备有两套高度先进的计算机网络系统，他们扬言要确保在任何情况下都不会出现差错。1987 年"股市暴跌"时，该所日平均交易量曾由 3 亿美元曜升为 23 亿美元，但是该系统仍能应付裕如，未出一笔差错。

此外，没有先进的技术条件，能够较好地回避市场风险的"股票价格指数"等衍生工具和多元化投资组合等技术，恐怕也只能是"英雄"无用武之地。

（9）当前通货膨胀与体制转轨的战略前景*

中国通货膨胀实际上是同转轨时期经济周期的特征联系在一起的。改革之前中国经济周期主要表现为产出增长率的缓慢波动，而改革开放之后则表现为通货膨胀和国际收支平衡的波动，产出的波动不再明显。在改革的每一阶段，但凡采取分权放权以及削弱计划

---

* 本文是 1994 年 5 月 13 日在北京大学电教报告厅"经济学院经济文化节及九四中国经济改革论坛开幕式"上的讲话。由经济学院王培等同学根据录音整理，曾在北京大学经济学院团学联主办的"九四经济文化节专刊"《天任》上印发。后整理发表在《世界经济与政治》杂志 1995 年第 6 期上。

作用的举措之后，都会跟随着一轮总需求的高涨（表现为过热的工资增长和投资增长）并通过信贷扩张而加以认可。关键部门资源短缺和瓶颈问题的出现，导致通货膨胀加速和（或）国际收支恶化。最后又通过行政控制来放慢速度，甚至以改革的踏步甚至倒退来稳定经济。观察货币供应情况可以发现它同改革形势的某种对应，1949～1979 年，货币发行总额为 212 亿元；1979～1982 年为 230 亿元；1983～1987 年为 1015 亿元；1988 年为 680 亿元；1992 年为 1152 亿元；1993 年超过 1700 亿元；1994 年超过 2000 亿元。

体制转轨中"胀"事实上是作为一种基本经济手段来对付"滞"的，但认识上的一个误区是将高速增长与改革成功相混同。中国改革同原苏联和东欧各国相比，具有两个有利的宏观社会经济条件，其一是经济剩余巨大，而且基本上没有外债和内债；其二是政治体制内核一直稳定，虽然也有不少冲突。这些条件使得改革设计者能够明智地选择或遵循一种"体制外改革先行"的战略，通过奖金、让利、分权等办法先调动积极性，以增长经济和逐步形成进一步改革的共识。推行这种战略时最能让各利益集团普遍接受（至少不反抗）的经济手段就是提高工资（然后是物价）水平。因为：在增量上做文章总是容易一些；各层管理当局总是容易愿意不断"给予"，各经济主体也都乐意不断"得到"；体制的漏洞因为转轨而变得更多。

通货膨胀及其他金融混乱与改革相伴随的情况在前苏联、东欧国家和许多发展中国家也严重存在，甚至在一些中进国家的经济（准备）"起飞"阶段，也几乎是不可避免的。可见通胀不仅是特殊社会制度的产物，而且是特定时期对人性通病的一种利用。20 世纪30 年代"大萧条"以来，或者也可以说在上一个"长波"中，发达工业国实际上经历了一个"滞"、以"胀"治"滞"、"胀"、"滞胀"的过程，现在又重归"不滞不胀"阶段。

探讨中国通货膨胀与转轨战略前景的关系，首先应当考虑"胀"的余地，因为经济剩余不是耗之不尽的，投资的"乘数"作用会随剩余的减少而减弱，而消费的"加速"作用也需要许多条件。当前中国"滞"的情况很特别，一方面是总体经济连续的超高速增长，另一方面局部经济（主要是部分国有大中型企业）设备落后、开工不足、产品滞销、（潜在）失业上升、亏损严重和仰仗贷款为生。经济剩余的情况也很特别，一方面通货膨胀居高不下，另一方面却又大量投资类产品积压，工业性生活消费品并不匮乏，而且从人力资源、市场潜力上看，"余地"可以说更蔚然可观。这些情况说明，"剩余"的"结构"、体制政策的实际"生产性"问题应该成为决定"余地"的关键。而结构和生产性问题取决于当局的因势利导能力和控制"钱权"交换等各种"分配性"努力的决心。与转轨前景直接相关的还有当前改革的难度。"体制外改革先行"的战略已经使得分权让利等（可转换成）"顺利的帕累托改善"等改革举措的余地缩小。现在的困难实质在于"自我两难"。一方面无疑需要政企分开，另一方面保障秩序的需求又日益迫切。这种想改而又不敢彻底的两难心态具有广泛的社会基础。

这就是说，如果金融改革、社会保险改革和国有企业改革能够及时跟上，宏观调控体制真能集中精力从经济角度考虑问题，那么，在经济剩余的"余地"缩减殆尽之前，避免"滞胀"并使经济与改革相互良性推进的局面是可以出现的；而如果在推进改革时犹豫畏缩，则通货膨胀由"温和性"转向"奔腾性"，也即"指数状"地加速度猛增的局面也是大有前车之鉴的。

509

（10）《中国与 GATT》电视讲座：
积极融入新型的世界经济社会[*]

　　经过前面 21 讲的学习与研讨，各位听众对于关贸总协定和我国重返关贸总协定的机遇、挑战及有关问题已经有了一个较系统的了解。作为最后一讲，我们准备将整个"入关"大业放在正在经历着一场大的变革的国际经济的背景上，提出与分析以下四个问题：

　　第一个问题：中国经济的市场化进程正在全面推向国际领域

　　事实已经并将进一步说明，改革开放必然呼唤早日"入关"，而

---

* 本文系中央电视台系列电视讲座《中国与关贸总协定》第 22 讲（最后一讲）。

"入关"又必将进一步深化改革开放。

近年来世界经济增长势头虽有所恢复，但各国经济增长速度仍相当缓慢。在过去的一年中，美国和西欧的发达工业国的经济增长率普遍在不到2％左右的水平上徘徊，东欧一些国家至今还未能走出零增长甚至负增长的困境。即便是在经济蓬勃兴旺的东亚地区，经济增长也只是处在6％左右。而同年中国经济的增长率却高达12％！1992年我国的进出口总额迅速增加到1656.3亿美元，超过了韩国与西班牙，从而使我国在全世界贸易大国中的排名又提前了两位，跃居到世界第十一位。

中国经济改革开放的实践，实际上是市场化进程逐步推向国际领域的过程。十四年来中国改革开放的重点可以说已经经历了三个相互关联与交叉的阶段。第一阶段是重点放在中国广大农村的改革。主要的改革措施是推广"家庭联产承包责任制"和大力发展乡镇工业。农村改革一方面极大地提高了农业的产出能力，解放了近1亿的农业劳动力；另一方面又奇迹般地改变了工业产值的格局，迅速地增加了中国经济的市场成分。第二个阶段是重点放在城市并且以企业经营机制转换为核心的难度更大的改革。这一阶段的改革措施可以分成三个层次。第一个层次是明确企业的权责利，推行利润包干或盈亏包干；第二个层次是推行承包制、租赁制，进一步实行两权分离，将有关的权责利等一揽子问题用合同或契约的形式相对稳定下来；第三个层次是试行与推广股份制，改革的锋芒不再限于经营管理效率层面，而是进一步深入到所有制这一根本性问题，其实质是重建社会主义特色的微观产出经营机制，是涉及全社会宏观调控机制的改革。它包括对计划、财税、银行、证券等机制的改革，如价格工资改革、国债制度改革、银行体系、资本市场的重建，等等。此外，住房、医疗、保险、科技、教育体制的改革也都随之推出。

510

上述改革，也许曾经带来一系列新的需要加以注意的社会问题，但是它的确已经成功地使得中国经济中的市场经济比重空前迅速地增长到一个意义深远的水平。到1992年年底，几十年来一直占绝对劣势的非国有工业的增加值已经占到了全国新增工业增加值的61％！改革进程难以逆转的另一个经济因素在于：中国经济的市场化进程正在全面地向国际领域推进。十四年来，我国对外口岸由原先的五个飞速地增长到三千多个。包括特区、沿海、沿江、内地省市、计划单列市和各类外贸公司的全方位的对外开放体系已经形成。

此外，与国际经济全面"接轨"、恢复我国在关贸总协定中的缔约国地位的历史任务已经提上了议事日程，引起了众多海内外有识之士的关注。自从 1971 年我国恢复在联合国的合法席位以来，我国相继参加了联合国系统几乎所有的国际组织。然而，作为联合国安理会五个常任理事国之一的中国，至今却仍然徘徊在关贸总协定这个拥有 105 个缔约方的国际多边贸易组织之外。这个事实与我国的经济实力和改革开放的巨大成就很不相称，不能不令人感到非常的沉痛。

第二个问题：国际经济贸易协调机制正在动荡、分化与重建

关贸总协定内部利益结构的变化及其本身的机制建设问题，应该说为我们提供了许多新的机遇。

511

20 世纪 80、90 年代之交，世界上发生了一系列惊天动地的大事。冷战结束、苏东巨变、两德统一，等等。这些变化使得国际经济中各大集团正在进行利益调整。冷战的结束使得原先对抗着的两大利益板块的黏合剂迅速失效；两德统一对于美日欧的抗衡态势和欧洲各国力量的对比都产生了巨大的影响。苏联的解体则使得美国有可能将每年 3 千亿美元的世界性军费削减近半，去增强自己在新一轮世界经济争夺中的优势地位。1993 年欧洲统一大市场已经正式开始运作，美加贸易协定已经执行，美墨贸易协定从而北美自由贸易区也已经初具规模。在亚太地区，美日经济摩擦问题也正在进入一个新的时期。美国正在以它在太平洋地区的"扇形"模式去对抗日本在东亚地区的"雁行"模式。

战后以联合国为中心的国际经济协调机制的前提条件是：各国市场相对独立；有形产品和自然资源较为重要；实际经济与虚假经济的脱节不甚明显；国际分工较多地表现为垂直型；两大利益集团呈板块式对立。而如今这一切都逐步发生了方向性的变化。此外，美国经济实力的相对削弱也使得以一国为中心、以强制为解决争端的主要手段的国际经济秩序难以为继。7 年来乌拉圭回合的一再难

产，七国首脑会议对于重建联合国机制议题的强调可以说是上述动向的直接表现。

新旧国际经济与贸易体制交替的另一种体现是：战后各轮国际多边谈判的主要内容是削减关税，后两大回合中也开始重视非关税壁垒问题。一般说来，这些举措对于有形产品和民族厂商的产品贸易较为富有效益。而在国际经济一体化、跨国公司无国籍化、贸易对象高科技化、无形资产价值比重日益增大的今天，传统的办法就已经显得力不胜任。总协定的第八轮谈判，也即乌拉圭回合所面临的新问题已经是：第一，当今各缔约国，特别是美国的单边和双边倾向，已经在削弱关税与贸易总协定的多边主义原则；第二，总协定中的"灰色条款"问题正在侵蚀总协定的最惠国待遇原则；第三，贸易投资、知识产权和服务贸易这类问题也都已超出传统的议题。因而在总协定本身的建设问题未能解决好之前，上述问题很难达成一致意见。

512

第三个问题：把握中美双边问题与处理好国际多边问题的联系，必须首先认真了解美国在新时期的战略利益

就近十年来国际贸易谈判情况而言，美国战略利益在于他们所说的"神圣三大件"：即知识产权，贸易投资和服务贸易，农产品问题。除农产品之外，几大新议题都是经过美国多方奔走游说才被列入乌拉圭回合谈判议题的。美国《1988年的综合贸易法》表明，美国正在单方面地运用行政手段来执行自己的意志推行新保护主义战略。"超级301条款"和"特别301条款"，既是美国强调与维持新时期美国在高科技、服务贸易领域的优势，也意味着一种以经济实力为基础的新的贸易秩序。

克林顿今年2月26日在美利坚大学所做的关于美国新时期对外经贸五大原则的讲话，一定程度上体现着美国的战略动向。五大原则的基本精神是：第一，强调本国经济重建；第二，指出贸易是美国安全的首要因素；第三，继续发挥大国的领导作用，不与伙伴们拧着干；第四，促进发展中国家的经济的稳步发展；第五，援助俄罗斯的民主化。整个报告的基调是竞争而不是退却。克林顿还创设了国家经济委员会，授权它与国家安全委员会共同制定美国近代史

上"第一个成套的对外经贸战略"。

在中美"最惠国待遇"问题上,美国的战略利益表现得十分明显。克林顿这次讲演提到要建立跨太平洋合作问题,并肯定中国经济正在"生机勃勃"。比起前总统布什的泛大西洋联盟,克林顿可谓前进了一大步。但在要求国会给予中国"1993～1994 年度最惠国待遇"时,却提出要在下一年度附加人权之类的条件。这反映美国当局在对华问题上的一种矛盾的心态。一方面,中国经济实力可观、潜力巨大,孤立中国不仅不符合美国利益,而且会失去推动中国民主化进程的机会。另一方面,中国是一个社会主义国家,强大的中国未必符合美国在亚太的利益,因此必须保持对中国的压力。

从行政角度看,克林顿作为民主党的总统候选人,而且对华曾有过不少攻击之词,面对民主党为主的国会,克林顿显然不能明显地出尔反尔。但是,作为美国行政当局的首脑,克林顿又不能不考虑中国在世界政治中的影响力,激怒中国对克林顿推行美国领导世界的战略意图并没有什么好处。

513

美国人的这一矛盾心态在中国"入关"问题上倒是并没有什么明显的体现。根据去年中美谅解备忘录,根据最近的一次,即 5 月 24 日的关贸总协定中国工作小组的会议,美方的态度是:一方面愿意参加多边会议,另一方面也愿意就中国"复关"议定书的实质内容,特别是一些难点问题,通过双边渠道磋商解决,以促进中国"复关"的进程。

第四个问题:知己知彼、更新观念、大胆慎重,迎接国内外经济一体化的新时代。未来的时代,是亚洲与太平洋的时代,是东方巨龙苏醒与腾飞的时代,是后来者居上的时代

中国重返关贸总协定,全面深入地参与世界经济的运作过程,实际上是一个增强民族经济对于国际经济新时代的适应能力的问题。

中国经济的迅速发展和世界经济的巨大变革,必将使得民族经济独立于国际经济分工体系的可能性愈来愈小。中国加入关贸总协定已经成为历史的客观要求和时代的潮流所向。如果说在世界经济发展的早期阶段,实物资本对经济的推动作用较为关键的话,那么,当今世界经济发展的关键则主要取决于市场。今天的美国经济之所

以仍然能够独占鳌头，关键就在于美国是世界资本的最佳去处。美国的外债比各国外债的总和还要多，美国的管理和劳动生产率也并非世界之最。但毋庸讳言的是，美国的专利制度和其他各种商法却无疑是全世界最为完备的从而也是最先能够适应国内外经济一体化的新时代的要求的。

中国重返关贸总协定，实际上是一个增强民族经济对于国际经济新时代的适应能力的问题。未来的世界经济，必将更多地倚重信息、知识与高科技资源而不再主要是自然资源，廉价劳动和低工资竞争优势的重要性势必受到很大影响。因为工序分解与批量生产正在让位于灵活编程组装和产品个性化；制造业的核心作用正在让位于服务业。现代经济中不仅仅是第三产业占发达国经济 2/3 比重的问题，而且第四产业、第五产业乃至第六产业也都已经成为统计学的对象。就各民族的经济追求而言，当今有的国家忙于温饱，有的追求高额消费，少数先进的国家则已进入追求生活质量的阶段。复杂、多彩而又不乏世态炎凉的世界，正需要越来越多的理解与合作。新的国际经济与贸易协调机制中，较多的水平分工将会更多地取代垂直分工，民族经济发展的速度比起累积了的经济发展程度来，在国际政治经济权力结构中的重要性将会明显地上升。

重返国际多边贸易体制，不仅需要我们进一步解放思想与更新观念，而且也需要我们进一步知己知彼，否则难以在各种国际经济贸易规则面前应付裕如。一方面，没有理由不大胆地去迎接新的挑战。一些人认为复关之后中国必将"国门大开"、"洋货泛滥"，实际上是一种误解。关贸总协定成立以来，先后已经有 70 多个发展中国家加入其中。他们并没有丧失自己的经济主权，也没有面临民族工业的破产。同那些底子更薄、起步更晚的发展中国家相比，改革开放之后的中国，没有理由缺乏信心。

另一方面，为了取得权利和义务的平衡，重点研究总协定的有关条款，如发展中国家保护幼稚工业的权限问题，最惠国待遇问题，"灰色条款"问题等，都值得我们花大气力进行研究。此外，为了增强我国企业的国际适应性，加快经营管理机制的转换，迅速调整现行的产业结构，加速我国市场法规化的进程，等等，也都是相当紧迫的任务。

总之，只要我们知己知彼、更新观念、大胆慎重并坚持不懈，努力促进我国市场体制的尽快完善，我国经济就能真正地融入世界经济社会，并成为一个最有生气的组成部分。未来的时代，是亚洲与太平洋的时代，是东方巨龙苏醒与腾飞的时代，是后来者居上的时代！

（11）"入世"前外贸政策制定的
基础设施应加速改善[*]

　　1997 年 7 月 21 日（星期一）上午，中国代表团在世界银行的 MC 大楼的 8401 会议室，听取了尼赫鲁（V. Nehru）和马丁（W. Martin）关于中国外贸和加入 WTO 等问题的意见。两位首席经济学家分别来自该行的中国局和国际贸易局。他们依次介绍了关于中国涉外经济方面的最新研究成果。

　　尼赫鲁和马丁两位经济学博士的意见可谓不同凡响。在 9 月份 APEC 温哥华会议到来之前，他们的数据和观点都还处在"修订状态"。应该说这些数据、推理和模型在技术上还存有一定的片面性，在意识形态方面也显然难免带有西方学者的某种偏见。但是，他们的政策结论，我认为还是具有十分重要的参考价值。首先是在统计方面，可以为我们提供一面镜子。其次是在政策制定方面，对于我们有相当重要的警示作用。

　　同美国大多数教授相比，世界银行经济政策分析专家的立场一般说来比较居于中性。尼赫鲁和马丁分别来自印度和意大利。从讲话、答问和午宴闲谈的情况看，我感到他们对于中国的态度还是比较友善的。尽管如此，在力图加速打开中国市场大门方面，他们仍然是固守着西方学者的共识。整个交流内容丰富，也许正确理解和

　　* 1997 年 7 月 21 日（星期一）上午 10：00～12：00，在世界银行 MC 大楼 8401 小会议室、世界银行中国局和国际贸易局的首席经济学家 V. Nehru 和 W. Martih 两位经济学博士谈中国外贸改革、金融改革和世界贸易自由化对中国经济政策的影响，本文标题系笔者的理解和引申。

客观传达对于中国的政策制定者更为重要。为此，不妨允许我尽可能客观地译述他们的观点。

尼赫鲁：有效的统计是中国贸易金融自由化的一个重要前提。

1. 中国经济增长并不算很特殊，至少是可以理解的。同印度、巴西、印尼等国相比，中国现在明显处于领先的地位，但若同东南亚的国家相比，却并没有十分明显的优势。中国外贸出口增长中，44％还是加工贸易，而这对于提高经济增长质量的贡献度是比较低的。

2. 关于中国开放程度的统计，有些并不完全真实和客观。中国的贸易多元化的情况，据我们的统计是：中国香港 24％，日本 29％，美国 17％，韩国 4％，德国 4％，新加坡 2％，中国台湾 2％，其他 18％。中国关税下降情况同印尼、马来西亚相当，快于印度和中国台湾。

3. 中国的"有效关税税率"更值得关注。据我们的计量模型结果，中国关税保护较强的产业，是那些资本密集度较高的产业，主要是国有企业。这些企业的问题比较多。相比之下，那些受保护较少的产业，主要的是非国有企业，但却显示着比较大的活力。

4. 中国的贸易自由化进程的加快，同中国银行系统坏账的较快增加之间有一定的联系，这是值得注意的现象。中国银行当局似乎还没有重视到这个问题。在贸易继续开放的同时，没有强调或有效地进行银行体制改革，甚至是在银行坏账持续增加的时候。贸易自由化会冲击国有企业。而鉴于这些企业受银行贷款较多，占银行资产的较大部分，因此，实现贸易的自由化，也可以说，在中国加入WTO 问题解决之后，中国的国有银行体系势必会遭遇更大的压力。

5. 中国已经进入国际金融体系，贸易自由化进程方兴未艾。各国高技术产业投资逐渐注意到中国，中国市场的开放程度也在提高。在这种形势下，中国政府应该强调与国际经济共同体的一体化问题，切实地关注银行系统的自由化进程。没有适应能力强的银行系统，中国的贸易体制改进必将受到大的制约。

6. 中国应当特别注意两点：第一是尽快开放资本密集型产业，即加强国有企业的外向性；第二是进一步加强银行资本安全性保障机制的研究。

马丁：贸易自由化需要明确的思路和一系列配套工程。

1. 中国外贸体制改革的主要选择无非来自三个方面：单边改革；区域改革（REGIONAL）和多边改革。

2. 中国外贸体制单边改革的主要内容可以分成：增加贸易公司的数目；贸易程序自由化；多利用市场价格机制；削减关税和非关税壁垒。

3. 中国关税削减的近况可以分两组来进行统计。加权平均后的关税税率：1991 年、1995 年、1996 年分别是 31％、30％、22％；非加权平均的关税税率：1991 年、1995 年、1996 年分别为 39％、36％、23％。20 世纪 90 年代早期中国关税水平大约在 30％左右，低于泰国和印度，高于马来西亚和印度尼西亚。

4. 中国的非关税壁垒主要可分成以下五项，总计为 32.5％。其中，国家贸易 11％，DESIGNATED（设计性）贸易 73％，LICENSING（营业执照）18.5％，许可证 16.3％，投标 7.4％。投标之所以也属于非关税壁垒，是因为其虚假性比较强、竞争性比较弱。20 世纪 90 年代早期，中国的非关税壁垒低于印度的 45％左右的水平，中国大约为 30％，但明显高于泰国、印度尼西亚、马来西亚。这三国均低于 10％。

517

5. 中国单边改革的静态收益是市场机制作用权数增加，经济活力明显增加；动态的福利增进是加速国民生产总值的增长。

6. 区域改革主要指区域贸易自由化。主要的内容包括：大多数地区实行了贸易的多样化；APEC 的开放地区主义；单边贸易改革的综合效应。APEC 是对多边贸易体制的补充，而不是一种替代。而 WTO 则要求保证市场准入和建立贸易仲裁机制。

7. 多边贸易体制主要体现在乌拉圭回合所达成的共识中，包括：贸易自由化，改善规则，加强机构建设。贸易自由化的基本内容包括农产品贸易自由化，制造业贸易自由化和多纤维贸易自由化，具体的要求在有关文件中已经列得非常具体。

8. 根据计量分析结果，乌拉圭回合的利益分布对于中国，并不存有倾斜，也可以说，中国的得益是偏小的。乌拉圭回合的条款全部实现之后，各国 GDP（国内生产总值）将平均地增长 0.9％，（样本中）最多的泰国可高达 12.1％，而中国仅为 0.5％。具体的原因包括多纤维协议（MFA）等问题。

9. 如果中国加入 WTO，2005 年中国的关税税率应当是 17％。在乌拉圭回合实施后的一段时期中，中国的关税税率将高于印度尼西亚、马来西亚，低于泰国和印度。中国对 WTO 的非关税壁垒削减目标为 11％。

10. 世界贸易自由化对中国的综合影响是：中国的各重要产业的增长所受到的冲击是不同的。粮食产业会持平；纺织业将略有增长；服装业增长可高达 400％！而制造业则会下降！

11. 中国的静态福利收益在 WTO 条款下为 130 亿 1992 年不变美元，在 WTO 和 MFA 条款下为 360 亿 1992 年不变美元。

12. 对中国国际贸易政策改革的建议主要有四点：（1）改革国家贸易；（2）简化和通约化贸易程序；（3）进一步削减关税；（4）强调 MFA，即多纤维协定的重要性。

13. 以上关于贸易自由化前景及其对中国影响的经济计量分析表明：中国对于势必既定的国际贸易分工的格局应当有进一步的认识。中国在高科技、机械制造等领域中的比较优势是不足的。中国在服装业的潜力优势却非常遒劲。接受这些计算结果和现实是不容易的。但是，纵观韩国的新兴工业的发展历程，从争夺高科技产业转向率先夺取优势地位，可谓前所未见。这一点应当引起中国当局的高度重视。

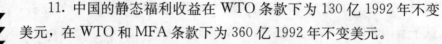

（12）外企"国民待遇"问题宜
借鉴印尼和中国香港的经验[*]

从 1995 年 4 月 1 日开始，我国将对现行进口关税税率进行大幅

---

　* 本文系泛亚太国际经济学术研究交流中心的不定期调研报告，作者萧琛。这里有删改。1998 年，香港著名企业家震雄集团主席蒋震博士和香港理工大学副校长曾庆忠教授曾访问北京大学。本文系根据他们的谈话加以整理而成。精度有限、不无偏颇，但无疑值得参考。

度的调整，同时将取消大部分外资企业减免税优惠政策。这是我国改革开放的又一项重大举措。

取消大部分政策性减免税优惠政策，目的是为外商投资企业逐步实行国民待遇，为国内各类企业之间开展平等竞争创造条件。就此而言，这项改革举措无疑无可非议。1995 年我国进口的 591.8 亿美元的机电产品中，竟大约有 80％左右享受着关税和增值税减免。这个事实值得认真关注。

第一，虽然"国民待遇"原则绝对没有问题，但是表面上公平并不等于实际上公平。从法理上讲，外企在同普通国民一样地尽"纳税"义务的同时，必须隐含的前提条件应当是：同普通公民一样享受平等的争取市场份额的权利。但是，由于大陆的企业，特别是国有企业，在获取市场份额方面有着许多特殊的优惠条件。这个事实表明，外企是无法同他们平等竞争的，因为权利和义务并不对等。由此蒋震先生就认为，如果说过去的税收优惠政策曾考虑了这一点的话，那么，即将出台的政策在一定意义上就很难说是一种合理的改进。这种"国民待遇"可以说至少不是港商所追求的。

519

进一步谈，这项改革举措仍包含着不少"保护落后"的成分。大陆国有企业管理人用的公众的钱，责任又不甚明确，难免会经营效率低和产品质量次。每年几千亿的亏损，是国家财政的一个大包袱，也是改革的一个"失"吧。这个包袱本来应该是逐步创造条件完全甩开才是。然而，今年（1995 年）四月份出台的税收政策显然是在扶持他们同外企竞争。其结果可能会导致"劣货驱逐良货"。长远地看，这个政策对于改革国有企业可能并非有利。

第二，关于市场保护问题，印度尼西亚所走过的弯路很值得中国重视。印尼人口密度大，农业比重大，这些同中国都类似。20 世纪 60 年代印尼的"石油"收入带来了一定的积累。政府采取了吸引外资政策，放松了管理。外资的流入和相应的技术转移在 8 到 10 年内为国民经济带来了巨大活力。自那以后，印尼的保护主义抬头。外企税收增长导致外企市场比重下降，外资股份比重也下降，外资逐渐流失。4、5 年后，印尼感到得不偿失，于是又重新回到吸引和鼓励外资方面来。现在看来，如果当初不走这段弯路，印尼的情况肯定会比今天更好。另一方面，如果印尼至今还不知返的话，那就恐怕不可能有今天的好形势。

第三，中国香港的税收管理经验也值得参考。大陆专家学者好像比较重视日本、美国的经验，殊不知东南亚和近邻的经验教训往往更加直接。香港的税收管理可谓最简单不过。不夸张地说，许多香港企业甚至不知道税务局是何物。因为，税收申报和缴纳方式实在再简单不过。通常每年只需要公司委托独立会计师填写一张税单，递交一张支票（电脑化以后连支票也不用了）。一个企业如果被税务局传话或不断有交道要打的话，则往往被看成是该企业一定出了问题。而在美国，"应税收入"的确定，"逃税""避税"的区分，恐怕要复杂得多，借鉴起来也要困难一点。

520

香港之所以能够使税制管理简单有效率，从而能够方便企业，使之集中精力进行合理的商业竞争，重要原因在于中国香港同欧美等福利国不同。北欧的高福利当然更是一种典型。高福利无疑会导致懒惰和投机。中国的国有企业实质上也是一种高福利的产物，理应在铲除之列。就此而言，今年四月开始的新税收举措也值得进一步深思。

（13）APEC 大阪会议应当酝酿
国内外合作新模式*

应"日美学生友好年会"（Japanese American Student conference，简称 JASC）的邀请，我作为中国首次参加该活动的特邀报告人（guest speaker）于 1995 年 8 月上旬在日本的京都和大阪参加了他们的"APEC 周"活动。其高潮是一场正式的高层次的学术交流会，会场选在大阪市中心地带的"国际会议厅"。其他活动主要在京都一带开展。日美两国学生加上数名来自京都大学和筑波大学的中国留日学生代表，都住在京都立命馆大学的国际会议大楼。正式演

---

* 本文系北京泛亚太国际经济学术研究交流中心的不定期调研报告，1995 年 8 月提交，作者萧琛。这里有所删改。

讲的会场，据悉就是 1995 年 11 月将由日本作东的"APEC 大阪年会"的会址。

促使我写这份调研的另一个事件是"中国社会科学院 APEC 政策研究中心"以及此前南开大学"APEC 研究中心"的成立。这类组织活动使得我们这些理事们初步了解到国家在这方面的若干进展情况。政府实际部门，诸如外交部、对外经贸部、国家经贸委、海关、农业部、机械电子部、邮电部的专家，曾分别就 1995 年我国参会的准备情况做过具体的介绍和分析。这些接触和交流，也使我感到目前国内在组织这方面的信息交流和政策研究工作时，似应注意以下几个问题。

一、与日本相比，国内对大阪会议和 APEC 合作的预备性研究有待进一步加强

日本经济发展起步很早，资源又很贫乏，因此传统上对于发展海外经济交流就极为重视。冷战结束后，随着商战重要性的升格、世界经济格局的变动和日本经济的转型，日本对于 APEC 和其他亚太、特别是东亚地区的经济合作的兴趣日益浓烈。从前几次会议的情况看，日本对于亚太合作的发展进程应该说是深谋远虑的。APEC 从完全松散的务虚性的论坛，逐步变成一种基本务实且约束力很强的区域性国际经济组织。

521

回顾日本 20 世纪 80 年代以来在东亚地区的一些"学术"活动，可以发现他们以日元进行各种"赞助"是有眼光的。我曾经作为国家经贸部"亚洲太平洋经济研究所"的特约研究员，参加过在北京召开的"东北亚经济合作会议"。1992 年中韩建交之际，我作为北京大学的学者，还参加过日本支持举办的"东亚经济学会"（EAEA）汉城年会。这类会议不论从研讨内容还是从日方姿态来看，日本对于国际社会关于亚太合作的模式构想都高度重视。会议论文他们通常都迅速地组织印发、出版和广泛地进行交流。

对于今年 APEC 年会的宣传工作，大阪方面可谓十分重视。JASC 在大阪的会议，一定意义上可被视为是一个"气象气球"，大阪的商会、日本的外交部、主要媒介和著名学府的专家等，都出席了会议。JASC 的"APEC 周"会议的主题是"作为全球公民我们在亚太经济共同体中应当做些什么?"会议的讨论题包括"在亚太地区日本和美国谁更该成为领导"等等。1995 年 JASC 的会徽设计是一个被日本国旗和美国国旗分成两半的地球。大阪及附近城市可以经常见到有关大阪会议即将召开的宣传广告等张贴,少数地段有巨幅宣传,有点像北京准备"世界妇女大会"时的情形。

相比之下,国内的研究和社会宣传工作的起步可能较晚,力度似乎也有待加强。目前国内学者、学生和干部在这方面的知识积累显然还相当欠缺,高质量的研究成果非常有限,媒介宣传也鲜有出色的报道,难免导致政策制定者出现信息不足、思路不清,甚至心中无数的问题。例如,我们在该地区谋求合作的战略意图和行动方案,可能就不十分明确(至少一般公众感觉是如此)。而日本早就有"雁行模式",美国则有"扇型模式",美、加、澳等也有"开放地区主义"。又如,对国内农业、汽车产业究竟应该保护到什么程度、保护到什么时候? 对《茂物宣言》和《行动议程》中的一些原则对中国多方面的实际影响的评估,也可能就是很不确切的,因为国内学者所能提供的计量性的研究实在太少,而且难以计量的"软信息"在国内也的确太多。在"亚太政策研究中心"成立时,笔者曾闻得国内有学者反映过这样一种带抱怨性的意见,"与其花大钱派许多代表参加年会,还不如省点钱以小得多的资金投入研究。"

522

二、转"外压"为"内压"、加速深化改革,以"内强"支持"外强"

目前国内关于 APEC 问题的研讨似带有应急色彩,所考虑的问题往往局限在一些外交策略和对外经济谈判等具体细节上,如怎样对付某项条款,某个方案等等。表面上看这无疑非常务实,但实际上却难以收到实效。因为真正的困难并不在于如何表态等细节,而在于信息和决策是否真能够明察秋毫深谋远虑。

情况不明的重要原因之一是可供制定政策者参考的研究成果不仅数量缺而且质量低。了解实际谈判进展信息的第一线专家往往没有时间自己做研究,而那些作研究的学者又苦于不了解前方的实际情况。另一个重要的原因是:外交、外经同国内各产业部门的研究信息相当程度上缺少沟通。虽然为了商讨对策大家有可能坐到一起,但由于每个单位的意见并非无偏，加上口头交换意见的情况居多，有限的书面意见难免又带有官样色彩，因此也很难导致方案的高质量择优。例如，农业部的发言人总是容易多谈中国农业如何困难，汽车产业也容易多谈中国汽车业如何异常软弱，等等，似乎为本部门呼吁和请命是第一要旨，似乎中国代表团的"谈判"和"保护"的能力是可以各取所需和按需分配的。

在市场化程度很低的条件下，我们要跟上国际经济合作的步伐的确是处处困难。在对策过程中，各单位都很容易首先考虑为本部门争取更多的国家外交和外经政策的支持或保护，而较少或难以将严峻的挑战留给本部门、并拿出魄力和勇气去自强不息。这势必导致在外交谈判过程中，一方面是"中国不能同意"的情况总是特别的多，另一方面则是在"不得不"或"总得同意一些什么"的时候，很难还有大的选择余地和充分的思想准备。因此，在处理 GATT 和APEC 等合作事态的过程中，最困难的问题，与其说是缺少外交策略，不如说是缺少一份关于"国内实际承受能力及其动向"和关于"国内改革规划和进展态势预测"的有质量的调研。

523

有质量的调研报告的出现，首先需要对中国经济改革开放的进程和速度有一个全局的了解。中国经济转轨究竟需要多长的时期？农业的现代化和国际化究竟需要分阶段地完成哪些中短期的目标？中国汽车业的"规模不经济"现状究竟该不该借助外来冲击加以改造？如何"借助"而不是作茧自缚？对汽车进口及其入关管理究竟应采取什么态度？在保护国内工业的同时，对实际进口或市场份额能否始终进行较客观的估计。IMF 驻华代表道格拉斯·斯哥特曾谈及中国国内韩国汽车的牌照数和海关进口统计数严重不符的情况，后者仅占前者的五分之一不足。果真如此，则 APEC 谈判上为国内汽车"争保护"的分寸及其实际意义又应当如何把握？可能就值得重新评估。

我国是个有市场潜力的大国，但经济发展程度毕竟很低，虽然改革开放成绩斐然，但许多传统机制的弊端仍可谓积重难返，力不从心和"弱国无外交"的情况肯定难免。我国外交工作能取得如此良好的局面应该说已经很不容易，因为它所依托的国家经济实力毕竟相当有限，虽然国家这方面的经费拨款已经相当有魄力。鉴于"外强"总归依托于"内强"，因此韬光养晦、奋发图强和加速深化改革可能至为重要。因为谈判策略和外交艺术的作用总是有限的，而只有在国内增强、体制理顺时，才可能根本摆脱难以主动的局面。国力增强不等于经济增长，更长远的毋宁是社会的发展。日本人面对美国压力而不得不让日元几轮大幅度升值的时候，就曾采取以内强支持外强的办法。不管美元如何对日元贬值，日本产品的国际价格就是决不上扬，因为日本人下决心借助外压提高劳动生产率以降低成本。结果是日本产品的市场就是能抗住冲击，美国人对此只能无可奈何，虽然日本的代价也不小。

中国的情况一定意义上有类似之处，西方，特别是美日列强对于中国经济的"关心"显然远非友善，压我们"市场化"的意图也可谓居心叵测。但是深化改革毕竟也是我们的长远利益所在，因此因势利导地将"外压"转变成"内压"可能不失为明智之举，虽然无疑是更为艰辛。例如，解决国内知识产权有效保护这个问题，对于我们同样具有非同寻常的社会经济意义。况且根据 WTO、APEC 的发展态势来看，中国必须踩上国际节奏、跟上现代化步伐和加入国际分工这一点，可能已经是没有太多选择余地的事。

三、既注重政治考虑也权衡经济实效，努力以"市场份额"换取"加速发展"

多年的改革开放实践和国际交往经验告诉我们，没有一个稳定的政治局面就没有一切。历史上美日对华的战略态势也告诉我们，没有对于西方列强的警惕，就没有改革开放成果的巩固。因此，"MFN"问题也罢、"人权"问题也罢、"西藏"问题也罢、香港、台湾问题也罢，没有哪一个不带有干预内政和压而改之的意图，因此保持足够清楚的头脑无疑至为重要。最近一位在北大国经系访问的日本庆应大学的马克思主义的经济学者还感叹地对我说，"你们知道我们（日本）的援助并非为的是你们，我为此感到欣慰。"

尽管如此，另一方面的问题也不应当因此忽视。在经济实力不足、用以同国际社会换取利益的手段还相当有限的条件下，我们究竟应当依靠什么资源去换取别国的妥协和让步？在国际经济合作成为潮流，全球经济在电子高科技条件下的迅速的一体化方兴未艾之际，传统的"内政"和主权是否应该受到挑战，而且在必要的时候，是否应当明智地摆出一种允许协商的姿态？"欧盟"（EU）、"北美自由贸易条约"（NAFTA）、"东盟"（ASEAN）等国际经济合作组织的成员国，甚至更早的联合国及其各类组织的成员国，有哪一个不是在适当地舍弃一些国家权力以换取较好的国际环境呢？"在信息本位制"正在兴起的当今，民族国家能否避免这种难以两全的挑战？

诚然，舍弃任何民族权力都意味着某种成本，有时这些成本可能非常昂贵。但更重要的一点是应当看长远和看大局，如果它能够为民族的更迅速的振兴换来更宝贵的机会，从而意味着更多的经济效益或曰经济实惠的时候，必要的退让未必就不是一种明智。例如，在对台问题上，是否可以采取一种更有弹性和韧性的外交姿态，不绝对排除对于某些"称谓"之类的东西做有限度退让，可能会赢得更多实惠，更有利于促进 MFN（最惠国待遇）问题的解决。当然，MFN 问题是很复杂和棘手的问题。但即使在这个问题上，值得权衡和筹划的地方也不少。现时为取得 MFN 我们不仅要付沉重的代价，而且从根本上解决问题看来还是一个可望而不可即的东西，至少在未来的几年时间内。为此，将这类一时无法得到的东西暂时地"让"出去，可能并非是一种糊涂。事实上，在很长时期内，MFN很可能只是一种有惊无险、未必影响"经济效益"的游戏，尤其是美资在中国大陆的涉足已经越来越深的时候。"不确定因素"会带来风险这一点，在经济生活中已经司空见惯，小概率事件为什么要花费大精力？何况 MFN 的"威力"实际上不过是在于"恐吓"，正像西方工人的"罢工"呼声一样。一旦真"罢"，"威胁"的意义就无以存在，对谁都没有好处。

525

可见，谨慎灵活不仅在事关主权、内政的场合极为重要，而且在出让市场份额的场合也非常重要。中国经济"奇迹"受全世界关注的根源之一，就在于它是未来最富潜力且已经被有效治理了的"新兴市场"（emerging market）。美国近年开列的十大新兴市场名单之中，中国列居榜首。中国市场为日本和其他亚太国家特别关注的根源也在于其市场潜力。亚太地区的"雁行"需要"领头"大雁，日本自"当仁不让"。但是在这列以日本为"火车头"的国际列车上，由于种种困难，无疑还需要一个后推的"火车头"，这就是中国。没有中国市场所提供的巨大需求，中国香港的繁荣就很难设想，中国台湾省的过剩资本就没有好的出路，日本的经济转型也很难以完成，西方"七强"的低利润率和高失业率问题也就更加难办。2020年以前，西方七强的产值将从近年的13万亿美元增加到24万亿美元，年增长率只在2％，而"非富有国"的产值将从9万亿美元增加到34万亿美元，年增长率将为4.5％。在"非富有国"增加25万亿产值，意味着每年可以向该地区输出3000亿美元的资本。

以国内市场潜力换国际合作环境的全方位开放战略，虽然已经成功地运用了十多年，特区、开发区、外资准入、外贸准入等，从一定角度都可以这样地归结。但是，明确地感知、理解和总结这一点，却仍然存有很大的努力空间。这次在日本的经历，使我感到他们在亚太地区特别是东亚地区的"ambition"的确是异常强烈的，"他们尽可能拒美国于圈外的动向"这一点，可能也值得我们注意和利用。虽然他们精干办事；美国人的弱点是对东方文化的理解能力较弱，国家决策的分权格局复杂、程序繁琐，这些都可以加以研究和利导。自大狂妄往往是疏漏的前兆。中美对话曾经被夸张为"瞎子与聋子的会谈"，一定程度是说明文化差距中存有许多机会。总之，分门别类，不仅从政治主权而且也从经济效益角度，既大胆又谨慎地权衡"以市场等资源换加速发展"的战略和策略，在今后一个时期内，应该说更值得注意。

526

四、实事求是地利用"纵向合作模式"争取更多的理解与支持

同 NAFTA、EU 等明显不同，APEC 国家的经济合作模式从经济角度看，纵向性质是最为突出的。尽管从政治角度看，横向平等仍然是最基本的原则。由于历史、文化和语言等方面的巨大差异，环太平洋地区各国的经济发展程度、速度和产业结构落差巨大且呈现阶梯状。纵向结构的另一层含义是：APEC 毕竟只是区域性的国际经济组织，它势必既要承接联合国、WTO、世界银行等全球性组织的原则，又要对次区域经济合作组织或协会进行左右或协调。面对这种双重纵向结构，中国的身份可谓既是"火车尾"，又是"火车

头"，因为中国在联合国中有特殊的地位。毋庸讳言，面对经济上滞后和政治是领先的格局，中国的努力空间取决于我们能否既注意合作又注意发展、既注意政治又注意经济。

经济合作说到底是一个利益分配问题，而利益分配的合理取决于合作者之间的沟通与尊重。在进行沟通方面，APEC 合作模式中的问题显然特别多，因为政治多元化和经济多层次的现实使得"如何说'不'"委实成为一个不小的问题。历次 APEC 会谈中，我国代表说"不"的次数显然都很多，因为我们无法同意或难以同意的东西委实较多。这种状况的客观原因虽不必多说，但主观上也不能说没有问题。娴熟外国文化、经济和政治背景这一点决非能够一蹴而就，新一代优秀的外交、外经人才的培养恐怕还需要一个长的过程。文化底蕴和学术魅力在许多重大的国际场合实在是非常重要。

为促成合作而进行沟通时所需要解决的另一个一般性的问题是如何善于区分对方的代表、企业和政府。市场经济下的企业，尤其是美国，并没有效忠美国政府的义务，美国的公司采取不利于美国经济的做法的案例可谓并不鲜见，甚至比比皆是。美国代表个人同政府的立场不尽一致的地方也非常多。洞察和熟悉这些差别对会谈决非可有可无。因为适当地尊重对方和努力争取较多的理解和支持这一点，至少需要有效地恰如其分地激发对方的"崇高"的动机。

最后也是最重要的一点是：合作者必须有起码的诚意。国内学者专家前一段在探讨今年 APEC 年会对策的过程中，似乎存在一种值得注意和令人担心的倾向，即，总是试图提出一种完全有利于自己，总是试图将成功寄托在参会人员的临场应变能力上。其实，在集体决策中，"合理性"仍然是成功的最基本要素，无法假定一部分人始终特别聪明而另一部分人通常特别愚笨。也就是说，实事求是的原则决不能丢掉，该承认的，该承担的，该配合的，决不应也不能回避和推委。这也是起码的相互尊重，是"五项基本原则"的内容。

尽管上述问题都不可忽视，但最终要强调的一点还是事先算好经济账，因为坚实的研究毕竟是既定条件下推动 APEC 合作成功和逐步摆脱较被动局面的最基本的条件。为此，经济学家、特别是国

527

际经济合作的专家的作用的发挥显然至关重要。

（14）日本北海道的农业、环保、旅游等产业考察印象

应北海道北见大学的邀请，我于 1995 年 8 月 6 日至 8 月 16 日实地考察了北海道地区的持续农业发展和环境保护等方面的问题。除了与北见大学开发政策研究所、北海学园大学（北太平洋地域研究所设在该校）专家进行讨论、必要的政界拜访、新闻界采访之外，我们先后参观了北见市政府、道立的北见农业实验场、"北连"饲料株式会社、"北连"训子府乳制品研究所、"北连"畜产品实验研修牧场、北见市建设部下水道终末处理场、"北连"肥料株式会社、道立鄂霍次克地区食品加工技术研究所、北见市企业局净水课、"雪印"乳业株式会社札幌市"客样相谈"工厂兼博物馆、札幌市开拓使麦酒博物馆等十多个机构；就便观看了北海道"森林湖"、"摩周湖"、"阿寒湖"一带的水质、及火山、温泉等地热与旅游资源；沿途还观察了北见地区的"大雪山"、"大隧道"等巨型开发工程、还有札幌市的"大仓山皇家园林竞技场"（1987 年冬季奥林匹克 90 米滑雪跳台赛场），取得了一些第一手资料。现将考察中的一些感受整理如下：

528

第一，北海道地区经济开发显然非常成功

1950 年日本制定《北海道开发法》并设置了北海道开发厅。第一次开发计划包括两个五年计划：第一个五年计划重视天然资源，增产食物原料有吸收人口；第二个五年计划重视工业化。第二次开发是从 1971 年到 1980 年，着重产业振兴、社会基础设施、交通通信建设、国土及环境保护、水产、旅游等自然资源的开发。

我们就地观察的情况可以在一定程度上表明上述开发举措是富有成效的。在北海道四通八达的各级公路上驱车，日本"资源拮据"和"拥挤不堪"的通常印象可以一扫而光。事实上它的丰饶和开阔景象完全可以同美国、加拿大等地农村相比，田园风光、集镇村舍、

水利电网等，比起已有相当发展的韩国中部农村来，显然要高出一筹。绿树覆盖率极高，农舍基本上都是轻薄型新建筑材料建成，多姿多彩；交通基础设施档次很高，缘山公路有可能出现水土流失和塌方的地方都做了持久性的防范处理，长达数公里的隧道涵洞屡见不鲜，相当壮观；旅游资源开发也有一定的成效，"阿寒湖"等一带风光绮丽，水质清澈见底，不仅是日本人度假的"天堂"而且也是外国人逐渐增多的观光佳地；居民生活、居住条件也相当舒适，各种社会服务设施都已发展起来，其方便程度不亚于美欧等发达国家。

第二，农业组织制度灵活实用、高度重视科研技术开发

北海道地区是日本的重要"粮仓"，农业和畜牧业在全国居领先位置。考察印象表明：农业组织形式适当和重视科研开发是两条重要的经验。北海道的农业合作组织有两个大的系列，其一是"北连"集团；其二是"雪印"集团。这些集团一方面有竞争关系，另一方面也有分工合作之处。如果说合作社更多的是"接近"农工企业的话，而"农协"则更加接近农户或农场主。通过这些组织，将农业前部门、农业后部门的各个产业环节紧密地连接起来。我们参观的饲料、化肥、良种试验和食品加工等一系列机构，无不同农业生产和农业劳工培训配合默契。例如，化肥的价格一定要控制在保证务农赢利的限度内，饲料的原料运进和产品营销完全由另一些公司承接，各环节各司其职，以至于有的公司经理居然不清楚本集团到底有多少公司。生产、科研和教育结合这一点，也让人有突出的印象。畜产品研修牧场，既是生产有 2000 头奶牛的饲养和产奶单位，也是北海道地区畜牧技术人员的培训站，还是一个在奶牛人工授精方面具有世界领先地位的研究所。训子府乳制品研究所只有 2 名正式研究人员和 2 名合同聘任的女工，但是经管的车间面积达 200 平方米，生产的乳制品的品种达 8 个。

鄂霍次克食品加工技术研究所是北海道地区道立的该领域三大研究所之一，资产一半来自道政府，另一半来自社会法人集资，投资数额巨大，各种高技术研究手段，微电子、红外线等全部用上；虽然图书不过手册，但是世界性专门期刊却是附近大学也不得不来借阅的，而且其专业技术联网程度也达到令人吃惊的程度；所有的

先进设备都可以向农户开放和免费使用，以鼓励科研。札幌市的乳制品博物馆和啤酒博物馆也是富有特色的一个案例。它们实际上都是设在市内繁华地带的直接从事生产的工场。由于技术先进，几乎没有任何气味，工场的大楼与附近的商店、旅馆非常协调和融洽。其独特之处在于，将生产和营销、旅游、科普等结合起来，令人感慨良多。两个工场对参观的游人完全免费开放、义务讲解、导游并招待新鲜啤酒或乳制品（如冰淇淋等），讲解的内容包括生产的原理、程序、设备及其沿革情况，配有详尽的实物、模型和图片、录像、动画等，不仅令儿童们神往和憧憬，也令成人们在休闲中受益匪浅。

第三，环境保护意识非常强，城市控污投资很有魄力

530

日本在环境保护方面在亚洲显然是成绩最突出的国家之一，而北海道地区则更是这方面的先进地区。重要原因在于它的自然社会条件优越，人口密度小，植被良好。但是，该地区日本人的资源和环保意识仍然极为强烈，对于水、空气、植物、动物、经济发展持久性等一系列问题，他们都有强烈的未雨绸缪的考虑。例如，公路上随处可见"注意动物（穿越公路）"的标记，伤害动物要受严厉的谴责和惩罚。北见市污水处理系统是一个管理高度电脑化和投资高度密集的单位，它使该市69％的废水得到完全的净化，而全日本也已达到50％左右。该市自来水系统是一个比较传统的单位，设备一般，但是在取水和运营成本控制方面有不少成绩和特色。城市污水净化工程费时若干年，投资数百亿日元，设备先进程度可以达到现代国际水平。这些系统都可以免费向外人开放参观，反映环保知识普及工作到处都受到重视。

第四，旅游、地热资源潜力很大

北海道地区旅游、地热资源十分丰富。火山湖风景独特、一些地区温泉随处可见，火山口也成为游人必至之处。但是，由于日本的物价水平太高，北海道地区的国际航空条件也比较有限，因此，虽然游人很多，但是其中的欧美人比较少见。鉴于亚洲、东亚、东北亚经济的崛起，旅游业、特别是新兴旅游点的开发可能势所难免，因此该地区值得重视。北海学园北见大学设立旅游观光专业，并正

在申请博士授予权，据说着眼的就是开发该地区的旅游资源。北海道夏季凉爽，是避暑胜地，冬季滑雪期长，又有奥林匹克举办之经历（且当年曾包揽金银铜三块奖牌），值得中国旅游业关注。

综上，我感到有几点值得我们注意之处。第一，"区域经济开发"（regional development）、"规划计划设计"这类研究和教学应当得到进一步重视。目前许多高校还没有设立这方面的专业课程。第二，农业问题在中国可谓至关重要。但是，由于土地私有和合作机制等问题，现代农工商一体化的合作链的形成，还缺乏一条清晰的思路。第三，环保问题应同不可再生资源的有效开发紧密相连，日本在这方面有很多成功的经验，富于战略眼光是突出的特点之一。第四，旅游业与开发活动相结合。这方面中国有许多成功之处，但是，鉴于疆土辽阔，开发潜力巨大，因此，加强交流和注意积累别国经验，也是非常值得重视的事情。

531

（15）"大湄公河次区域经济学高教合作"值得密切关注和因势利导*

1996 年 4 月 2 日至 5 日，联合国教委文组织的亚洲太平洋地区公署（UNESCO PROAP）和东南亚教育部长会议的区域高教发展中心在泰国首都曼谷共同主持召开了一个"大湄公河次区域经济转轨时期经济学教育与培训的大学合作网络计划会议"①。出席会议的代表来自湄公河流域的柬埔寨、中国云南、老挝、越南、泰国的主要大学，一般都是院系一级的领导。

应 UNESCO、国家教委和北京大学的安排，我作为中国问题发言人出席了会议，就"经济转轨时期中国高等教育与培训"问题做了专题讲演，回答了会议代表关于中国经济转轨和高等教育发展方

---

* 本文系为国家教委和联合国教科文组织中国委员会的工作报告。曾摘要发表在 1997 年第 2 期《国际学术动态》杂志上，署名萧琛。作为国家教委正式推荐的 UNESCO 的转轨经济教育顾问，笔者曾多次赴该组织亚太分部在曼谷举办的工作会议。

① 会议英文名是："UNITWIN Planning Meeting on Economics Teaching and Training in Transitional Economies in the Greater Mekong Sub—region"。

面的一系列问题，并就今后合作中的课程设计、师资发展、合作研究、建立网络、中近期工作计划等发表了一些意见。以下是我参会的印象、实地考察的感受和今后中国开展这方面工作的建议。

一、泰国政府积极谋求大湄公河地区高教合作的意图

这次会议进一步反映了泰国政府对于大湄公河地区经济技术和文教合作问题高度重视并做了积极稳妥的部署。区域高等教育发展机构（RIHED）早在 1970 年便在新加坡成立，包括柬埔寨、印度尼西亚、老挝、马来西亚、新加坡、泰国和越南共 7 个成员国。但直到 1985～1991 年，该组织才开始表现出活力。1992 年泰国政府承诺作为 RIHED 的东道主国。1993 年，RIHED 在东南亚教育部长会议（SEAMEO）之下重新建立。1995 年 8 月，泰国政府同SEAMEO 达成了谅解备忘录，泰国政府同意资助 RIHED 的长期设施和短期运营成本。

这次会议的重要目标之一是拟定 1996 年 9～10 月由泰国政府出资的一项发展中国家的教育培训项目。届时，应邀参加这次会议的主要大学（含中国云南大学）将派出骨干教师作为学员，参加这项大湄公河地区的教学研究交流和国际师资培训。据初步匡算，泰国政府将为这次活动出资 10 万美元。

泰国政府的重要机构经济技术合作部（DTEC）的主任参加了这次会议的开幕式并做了重要讲话。该讲话表明泰国在"南南合作"方面已经全面地有部署地对外展开了一系列合作。项目之多，规模之大，速度之快，令人印象深刻。1996 年秋季活动所需的经费将由DTEC 独家提供。

泰国政府对大湄公河计划的积极态度来自多方面考虑。政治上讲，在湄公河流域合作可以排除马来西亚和新加坡。这两个强国都（曾）是 HIRED 的成员。此外也可以游离在中国的强大影响之外，独立自主地领导该地区的合作。越南、柬埔寨和老挝在经济实力上现在还无法同泰国抗衡。经济上讲，泰国经济实力的增强和中国市场的巨大潜力使得它一方面需要同中国改善经济贸易和投资关系，另一方面也需要联合一些印度支那的发展中国家进行独立自主的经

济合作。此外，湄公河上下游之间的相互经济影响对于该地区的农业和旅游经济也不无重要意义。例如，云南上游的水坝对于中下游国家的航运和灌溉显然就有重要影响。事实上已经出现这类问题和纠纷。通过文化教育投资，可以加强联系和为进一步的合作进行铺垫。不仅如此，通过文教合作，泰国还可以争取一些国际援助和学习机会，培养更多的了解泰国的国际经济合作人才，增强其高教实力。

二、泰国主要大学政治经济实力、国际合作能力及其进展态势

历史上泰国不仅同中国南部有悠长的渊源，而且深受过欧洲文化和殖民浪潮的冲击。自 20 世纪 60 年代开始，泰国成功地制定和实施了一系列国民经济发展计划。在第三个五年计划期间，泰国的国民生产总值年平均增长曾高达 7.17％，其中制造业年平均增长 9.45％。近年，泰国的人均国民生产总值已超过 2000 美元（1993年为 52961 铢）。

经济实力的增强为高等教育的兴盛提供了契机。这次会议期间，我们实地考察了泰国的最高学府朱拉隆功大学和全国最佳的法政（经济管理类）大学（Thammasat Univ.）。

朱拉隆功大学是暹罗拉玛第五朱拉隆功（1868～1910 年）锐意改革的产物之一。为改革内政和振兴经济，国王朱拉隆功不仅派遣留学生（多为年轻军官）出国学习，而且大力兴办教育。朱拉隆功大学就是国王在首都曼谷市中心赠拨大量土地而开办的。该校至今仍是全国惟一的拥有丰厚地产收益的全国最高学府。法政大学是 20世纪 30 年代经济变革潮流的产物。该校主攻法律、商务、政治外交、还有经济学，是一个有特色的大学。

这两所大学校不仅教学实施先进，而且教育经费充裕。经济系的图书馆中有大量的新近原版文献，计算机网络也比较成熟。两校的国际培训项目很多，有一些全英文培训项目。法政大学经济系正在进行的一项培训的学员中还有一位中国计委派出的青年干部，此外有不少独联体国家，巴基斯坦等发展中国家学员。从学习内容看，主要是普及西方经济学基础知识。1996 年，东亚经济学会（EAEA）第五届年会（两年一次，主要是由日本人出资，笔者曾出

席在汉城召开的第三届年会）将由政法大学承办。从教职员班子的基本素质来看，国际交流经验较多，英语会话能力普遍较强。

两校同政府关系紧密，在国际合作资金筹集等方面有许多渠道。朱拉隆功大学的校友会大厦可谓非常现代和气派。法政大学连续3年的国际培训和交流项目也显得资金非常充裕。就两校国际合作态势而言，前几年似乎是准备时期，普遍地对发展中国家搞教育输出。目前应该说两校已确立了在大湄公河地区领导五国六方的经济和学术的地位。1996年9月到10月的交流和培训，势将进一步巩固泰国的这一地位。

下一步合作已初步拟定，将同云南省合作，在中国境内开办一次国际学术交流活动。再下一步则是否要向中国的内地，包括北京渗透。但目前情况还不能确定，泰国的经济形势前景不无不确定因素。从两校要人的态度看，他们是很希望有机会访问北京大学和谋求发展教育合作的。

534

三、国家教委和高校对大湄公河次区域合作宜采取的态度

短短几天的交流无疑很难提供定型的建议，这里只能就个人直觉提出以下五点参考性想法。

第一，大湄公河区域教育合作值得重视。该地区合作同APEC、EAEC、ASEAN、UNESCO、SEAMEO相关密切。保持在该地区的影响是必要的。但是，我们目前在这方面的研究可能还很不够，投入也可能非常地小。泰国的农业、旅游业等相当发达，国际合作地位很可观，目前APEC新提出的"经济技术合作"的具体内容正需要专家献计献策。泰国在中国南部的经济文化影响不小，香港、台湾问题在该地都很受重视。如何因势利导值得权衡。

第二，将该地教育合作尽可能地纳入联合国援助和APEC合作的范围。这次会议的资助和组织工作中，UNESCO和SEAMEO中的中国和其他国家的专家起了很好的作用。进一步理解、支持和充实是明智之举。

第三，目前支持边缘省份（如云南）较多介入该地区的合作是比较稳妥的办法。目前泰国政府似无同中国北京进行大的教育合作

的意向。他们主动地同云南大学合作可能出于两方面的考虑，其一是在稳定地区经济（如湄公河流域）联系中保持泰国的独立主导地位；其二可能是积累经验稳步前进。因此，我们先以一省份同该国合作，然后再考虑全面的交流及升格，可能比较实际和稳妥。值得担心的问题是地方大学的经费和合作能力。因此，地方政府对高校的经济支持和高校本身，应任人唯贤做好工作。这两点可能都非常重要。国际合作一定要保证质量，而质量就是中国的形象。

第四，北大同朱拉隆功大学，北大有关研究中心，如"泛亚太国际经济学说研究交流中心"等，同泰国法政大学的交流活动将值得促成。为此，北大方面也似应尽可能集中若干合作力量。一些常规的准备工作可能是必要的，如邀请专家、派出教授讲学、高层领导互访之类。如能启动一些中小型研究项目，集中精力做好信息联络工作的话，则上马大的并且主要由对方提供经费的教学研究项目这一点，应该说是没有问题的。

535

第五，其他具体的教学培训等业务问题也值得借鉴。这次会议还谈到很多教学设计和师资规划方面的具体的业务问题，如经济转轨时期"核心课程"的设置等，还有大湄公河次区域内各国的教育培训发展态势的综合报告和案例分析，也都值得借鉴。

（16）WTO 总部归来：国际经济法律人才
储备是当务之急和长远大计*

学习考察时间虽然有限，但是代表们都有一个非常紧迫而又深切的共识：随着"入世"步伐的加快和新时期的到来，我国对外经济贸易管理、WTO 及其一整套的法律人才的准备工作，应当进一步成为有关教学组织和实施单位的工作重点，并能进一步切实地得到大力增强。为此我们建议：在中长期战略研究和中短期教学培训等工作中，可以考虑提出下列新的原则、并确定新时期的教学和科

---

* 本文是中国大学教授代表团 2000 年 9 月访问日内瓦 WTO 总部、联合国有关机构和世界经济论坛的归国报告的一部分的改写稿，执笔人北京大学萧琛教授。

研等各项人才的准备任务。

由于种种历史和现实的原因，目前我国国际经济贸易和有关法律管理人才的培养，可以说存在严重的政出多头、条块分割、各自为政的情况。而在 WTO 问题及有关的国际经济法律人才的培养和培训方面，则似乎更加明显。其结果是值得关注的。在日内瓦 WTO 总部和其他重要的联合国机构，在国际的经济和法律的学术和政策的前沿，有关的政府工作人员和我们大学的教授，似乎都有一个同感，即：适用而又得力的人才，不仅数量严重不足，而且素质很有欠缺。

人才培育的择优，人才素质的配置，人才发挥的激励等问题，对于国际经济法律各项工作的成败得失，应当说非常关键。很多情况下，不是政府的方针不正确，而是具体工作人员的形象、能力、及其工作的得力程度显得心有余而力不足。

究其教育发面的原因，代表团的教授们深感，国际经贸法律和管理人才的培养，长期以来似存在不少结构性的问题。如不能迅速有效地加以矫正，则要较好地满足"入世"后大量优秀人才的需求，恐怕是非常地困难。这些结构性问题，包括人才培育的协调机制、信息交流机制、师资共享机制，此外还包括教学和科研的指导思想、科学教育体制及高校专业课程的设置等。总之都存在大力改进的空间。

经过这段时间的考察，结合代表团许多教授长期大量的教育经验和国际经历，我们深感有必要向有关的领导汇报一下我们的基本想法和下列参考性意见或建议。

中国的市场经济实践经验很有限，法治工作的传统很难说像我们的历史那样源远流长和博大深厚。而在国际法律工作方面，新的、甚至是全新的问题可谓比比皆是。加之中国"入关"和"入世"的谈判经历历时很长、曲折较多，国内的宣传、教学和研究等各方面的工作难免存有很多不够始终如一和不够及时的地方。由于加入 WTO 前景多年不定，专家学者较多关注的重点，往往只能是"入世"对国内经济、产业和企业的利弊等（外围）问题。而对于 WTO 本身，对于它的一整套的法规案例（超过 2 万页），可能很少有专家能够进行潜心的研究，并能够像西方有关（法律）专家那样娴熟精通。

原因是多方面的。归口协调组织的方针不够明确，可能是其中之一。经贸部、国家教委、社会科学院和有关大学，不无各自为政之处。人才知识结构和能力的培育、有关干部才干和素质的提高，是一项需要时间、专业性强并要求综合能力的工作。语言、历史、法律和经济管理等有关知识和能力，必须从长计议。短期突击，就政策谈政策，难以解决根本问题。为此，项目配备、学科交叉、专业设置、信息供给、师资共享、培养手段等一系列问题，都需要服从新时期国际经贸法律管理人才的培养战略的需要，都需要制订新的规则制度和相应举措，这些长期性基础性的战略的制订和有关培训工作的协调，适宜由国家教委统一协调。

537

为配合协调，可考虑成立由全国有关专家教授组成的非正式的咨询机构，以较快地集思广益。

值得提醒注意的问题很多，应当包括：（1）重点高校国际经济贸易、国际法律和管理专业应当进一步成为新时期社会科学领域的重中之重；（2）经济学人才的培育和培训工作中，语言、国际性经济、法律和管理等课程应当进一步强调；（3）语言能力的培育和培训，应当着眼涉外经济法律管理的实际需要，突出英语，适当鼓励法语和西班牙语等二外；（4）国际经贸、法律、管理可以酌情交叉培养。在本科、研究生、成人等各个教育层次，可以考虑设置新的专业和方向；（5）国际经贸、法律、管理的师资，应当进一步创造条件，以更好地保证科研教学条件和提高质量。可以考虑设立国内外研究和交流项目，以便更好地"请进来"和"走出去"。

四、求索与眺望

1. 现代经济学的昨天、今天和明天[*]

保罗·A. 萨缪尔森和威廉·D. 诺德豪斯的"新世纪第一版"①《经济学》教科书于 2001 年在美国由麦格劳·希尔出版公司推出。该书首版发行是在 1948 年，之后大约每三年更新一次，迄今已经有了 17 个版本。半个世纪以来，这部世界上最为实用和畅销的经济学教科书，早已被译成了法文、德文、意大利文、瑞典文、西班牙文、葡萄牙文、日文、中文、阿拉伯文、俄文、匈牙利文、捷克文、罗马尼亚文、塞尔维亚文、越南文等 40 余种文字，其销售总量也已超过一千万册。②

一、为什么萨缪尔森在普及经济学的事业中能够取得如此成就

萨缪尔森《经济学》教科书长期广泛流行，是一件值得思索和回味的事情。萨缪尔森早在而立之年就在西方经济学界赢得了盛誉。他在 30 岁时出版的一项高级研究成果《经济分析基础》，在 25 年之

---

* 本文系萨缪尔森《经济学》教科书第 17 版中译本"译者序"，中国人民邮电出版社 2004 年 1 月出版。标题系新加。

① 《经济学》第 17 版两位作者在本书末尾的"告别辞"中所称。

② "胡代光序"，第 1 页，萨缪尔森和诺德豪斯：《经济学》第 16 版中译本，华夏出版社 1999 年版。

后为他带来了诺贝尔经济学奖，并使他成了美国经济学家中第一个享此殊荣的人。一个顶尖的学者为什么投身于普及性教育事业并取得了如此的成就？

　　首先，萨缪尔森有一种经世济民的心胸和博学睿智的头脑。在二战后百废待兴、憧憬无限的氛围中，作为一名教师，他所看到的是年轻学生们失望于传统教科书的茫然的眼神，他所感到的是"探讨普及经济学的革命性方法的时机业已成熟。"[①] "为了影响一代人的思想"，[②] 萨缪尔森长期竭尽心血甘之如饴。在诺贝尔颁奖致辞中，瑞典斯德哥尔摩经济学院教授阿沙·林贝克曾经这样评价："萨缪尔森在提高经济学分析水平方面的贡献，已超过当代任何一位其他的经济学家。他事实上是重写了经济学理论的许多领域"。[③]

　　其次，萨缪尔森博采众长、善于折衷，是一位海纳百川的高手。萨缪尔森认定现代资本主义经济是一种"混合经济"，由私人经济和公共经济两部分构成，前者可以用微观经济学加以分析，后者则可用宏观经济学进行论证。"萨缪尔森的开拓性的教科书的功绩在于：它第一次成功地把（当时）新的凯恩斯主义经济学和传统的微观经济学结合在一起。萨缪尔森使用了新古典综合派的概念，即一旦经济被恢复到充分就业状态，原有的古典学派的原理便能够适用。"萨缪尔森意欲为宏观经济学提供一个同微观经济学相一致的分析框架。[④] 一个基本的事实是："宏观经济学"一词，在萨缪尔森的教科书问世之前，甚至还不曾出现在西方经济学的词典中。[⑤] 在微观经济学领域，萨缪尔森所采用的一整套市场分析方法，如供给曲线、需求曲线和成本曲线等，迄今仍是经济学界的共识和典范。[⑥]

---

　　① "金色的诞辰"，第2页，萧琛译，萨缪尔森和诺德豪斯：《经济学》第16版中译本，华夏出版社1999年版。

　　② 萨缪尔森：《保罗·A. 萨缪尔森科学论文集》第4卷，MIT出版社1977年版，第870页。

　　③ "胡代光序"，第2页，萨缪尔森和诺德豪斯：《经济学》第16版中译本，华夏出版社1999年版。

　　④ "Play it again, Samuelson", The Economist, Auguest 23rd, 1997, p. 58.

　　⑤ "金色的诞辰"，第2页，萧琛译，萨缪尔森和诺德豪斯：《经济学》第16版中译本，华夏出版社1999年版。

　　⑥ "Play it again, Samuelson", The Economist, Auguest 23rd, 1997, p. 58.

再次，萨缪尔森具有博爱的师长情怀和非凡的沟通才能。萨缪尔森的书前有一句看似平常却意境迥远的题词："献给我们的孩子和学生。"萨缪尔森不仅桃李满天下、读者千百万，而且还是一位6个孩子（含1"三胞胎"）的慈父和15个子孙的家长。萨缪尔森深感："若要让'沉闷的经济学'变成激动人心的学科，以恢复他的本来面目，那么，即使是很一般的经济学图表，也都需要重新加以设计。"萨缪尔森还专门附加了一章"如何读图"。为了更恰如其分，他甚至"踏破铁鞋"地采撷了一句很有点鲜见的"中国谚语"，来作为该章的题头格言。在讨论国际贸易的时候，他又独具匠心地绘制了一幅特别的"世界地图"。在图中，各国的位置性状仍赫然可变，但版图大小却不再取决于疆土面积、而是贸易份额！这样的图读起来，怎能不让年轻的学生为之心动和浮想联翩？

最后，萨缪尔森既是语言巨匠，又是幽默大师。[①] 在缜密漫长的理论思辨和沉闷枯燥的逻辑推理中，本书的读者总是有幸能不时地为作者的语言艺术所感染，不时地为一种自然幽默的风格所触动。例如，在讨论"边际价值决定价格"的时候，萨缪尔森会提醒您应当切记，是"狗尾巴在摇动狗身子"。又如，在讲解国际贸易政策时，他将"关税"比做"撒在轮船发动机里的沙子"；而在讨论投资乘数效应的时候，他又用"拨动小提琴弦"加以类比。此外，在介绍马克思的"专栏"中，他引用了马克思的名言，让旧世界在共产主义革命面前发抖吧，而后又加以呼应：统治阶级确实在这位伟人的影响下颤抖了一个多世纪！

543

二、萨缪尔森《经济学》教科书面临哪些批评和挑战

萨缪尔森经济学教科书"的确开创了一个崭新而持久的典范。"[②] 研究经济学的历史学家，像那些研究地球上骨骼与化石的古

① "Play it again, Samuelson", The Economist, Auguest 23rd, 1997, p.58.
② "金色的诞辰"，萧琛译，萨缪尔森和诺德豪斯：《经济学》第16版中译本，华夏出版社2003年第7次印刷，第3页。

生物学家一样，通过考证《经济学》的第 1 版如何修订成第 2 版，并最终成为今天这个版本的，来确定各种经济学观点的盛衰年代。

尽管如此，随着岁月的流逝，"凯恩斯革命"的局限性逐渐暴露，萨缪尔森的教科书也招致了许多的批评。在 20 世纪 60 年代，曾有一本评论性专著《批萨缪尔森》[①] 指责他过于为自由放任的市场制度辩护，其篇幅竟然等同于萨缪尔森的教科书。而到 1997 年第 16 版推出之前，美国评论界又有人认为萨缪尔森过于追随凯恩斯，其 15 个版本的教科书基调"体现了一种对政府干预功能的信任和对市场运作后果的担忧。"该文还指出，"由于总是着眼于短期总需求，《经济学》低估了探讨长期经济增长的源泉的重要性。又由于凯恩斯所担心的问题，即'人们往往会储蓄过多，从而会导致经济紧缩'，《经济学》的许多版本都隐含着一种'反储蓄'的基调。直到 1989 年发行的第 13 版，萨缪尔森和诺德豪斯才深感美国的储蓄率已经过低，才开始提请人们关注储蓄水平和经济增长之间存有密切的关系。"[②]

544

近年釜底抽薪式的挑战应该说来自于斯坦福大学的教授斯蒂格利茨。他写道："在实质上，这（指新古典综合体系）就是把经济学分为两个不同的部分。在一个部分中，当社会的经济资源没有达到充分就业时，宏观理论便能够适用；在另一个部分，当社会的资源达到充分就业时，微观理论就发生作用。这种二者相互独立而很少关联的理论体系在教科书的写作和课程的教学上得以反映出来；先讲微观、后讲宏观，或者把次序颠倒过来都是无所谓的事情。在过去的数十年中，经济学者们已经对微观经济学和宏观经济学的分割提出了疑问。整个经济学界已经相信：宏观的变化必须以微观经济学的原理为基础；经济学只有一套，而非两套。然而，这一观点却没有在现有的任何教科书中被反映出来。"[③]

不满是向上的车轮，竞争是创新的动力。早在 20 世纪 70 年代，

---

① 林特：《批萨缪尔森》，1974 年德文版，1977 年英文版。

② "Play it again, Samuelson", The Economist, Auguest 23rd, 1997, p. 58.

③ 斯蒂格利茨：《经济学》中译本上册，姚开建等译，高鸿业等校，中国人民大学出版社 1998 年版，第 17 页。

当"滞胀"这个经济学难题出现之后，经济学界已深感"新古典综合派"的解释力已经达到极限，并呼吁要"寻找一个新的凯恩斯，他的突如其来的洞察能力将会发展出一个理论来解释今天所发生的事情"，①。到了 90 年代，当"不停滞又不膨胀"的"新经济"展现之后，西方经济学家则更是大声疾呼："需要超过马歇尔和萨缪尔森的原理。"萨缪尔森第 15 版《经济学》发行之后，一些评论家已经委婉地挑明"其流行势头似成强弩之末"②。同期，斯蒂格利茨和曼昆的教科书都已经开始在国内外引起轰动；William Baumol 的教科书的呼声也很高，截止到 1997 年已经出了 7 版，而更早的 Richard G. Lipsey 的教科书，在 1981 年就出到了第 6 版。

令人困惑的是，1998 年萨缪尔森教科书的第 16 版也即 50 周年金版诞生后，其人气指数则似又重新如日中天。加里·伯克（Gary Burk）评论道："凯恩斯曾不无自嘲地说过：'长期看，我们都属于死亡。'在经济学第 16 版问世的今天，我对此似乎不再敢苟同。看来，我们的脉搏还依然相当的强劲。"而萨缪尔森本人甚至不无自豪地宣称"已经站到了时代的潮头和经济学的锋刃之上"。③

545

三、为什么说当今的西方经济学处在一场革命的前夕

主流经济学代表作，或者说公认的"集大成"之教科书，一般说来不应该不惟一，尽管现在还不能排除"多元化"有可能会成为一个很长的时期。由此，上述"里程碑"候选作的数量本身，似乎也折射着一个问题，即它们在"均质化"或曰"殊途同归"的道路上恐怕还需要进一步磨合。或者，它们的读者群和风格特色还需要进一步细分和定位。能否真的成为"第四块里程碑"，目前许多专家

---

① （美）《商业周刊》1974 年 6 月 29 日，第 50 页。

② "Play it again, Samuelson", The Economist, Auguest 23rd, 1997, p. 58.

③ "萨缪尔森致中国读者"第 1 页，萨缪尔森和诺德豪斯：《经济学》第 16 版中译本，华夏出版社 1999 年版。

都还一致认为："恐怕还需要时间的检验。"① "绿油油的麦苗"不等于"金灿灿的谷穗"。"曼昆的书，即使能够畅销，也不可能变更经济学的教学模式，像萨缪尔森所做过的那样。"②

从历史角度看，里程碑式的经济学教科书在几十年内长盛不衰的情况并不鲜见。1776年经济学之父亚当·斯密的《国富论》问世以来，西方经济学界已经产生了三部公认的里程碑之作。第一部是1848年首版问世约翰·穆勒的《政治经济学原理》。该书多次重版，成为19世纪后半叶英语世界中必读的经济学教科书。第二部是1890年首版的阿尔弗里德·马歇尔的《经济学原理》，该书一直被奉为西方经济学界的"圣经"。直到1948年，才出现第三部"集大成"之作，即保罗·萨缪尔森的《经济学》。

从学术创新角度看，教科书是"长城"，革命性成果是"基石"，其他突破性成果则是"砖"。在第一次大综合中，穆勒等所要论证和阐扬的是著名的"看不见的手"的原理，然后再综合其他成果并派生出改善市场经济制度的方案。在第二次大综合中，融合了微积分和心理学的"边际革命"，显然是不可或缺的"基石"。马歇尔将"供求论"、"节欲论"、"生产费用论"同"边际效用理论"集成在一起，才形成了一个新的折衷体系。而在第三次综合中，凯恩斯的《通论》显然是石破天惊的革命性成果。毋庸置疑，近半个多世纪以来，货币学派、合理预期学派等都已经取得了显赫的成就，都构成了对凯恩斯经济学的严峻挑战。但是，恐怕还不能说它们已经超脱了凯恩斯的理论体系，并已经推出了可以同《通论》相媲美的"基石"性成果。

从世界经济新现实角度看，当今的经济学正处在一场大革命的前夜。半个世纪以来，西方经济经历了一场慢性的波动，20世纪30和40年代是"停滞"、50和60年代是"膨胀"、70和80年代是"停滞膨胀"，而90年代以来则是"不停滞又不膨胀"。③ 与此相应，

① "胡代光序"，第2页，萨缪尔森和诺德豪斯：《经济学》第16版中译本，华夏出版社1999年版。

② "Play it again, Samuelson", The Economist, Auguest 23rd, 1997, p.58.

③ 萧琛："新经济周期与经济学新边疆"，《经济学动态》2000年第3期，第53页。

凯恩斯经济学似乎也经历一轮慢性波动，30 和 40 年代是"开创"和"拓展"，50 和 60 年代是"成熟"，70 和 80 年代是"扬弃"，90 年代以来则是"回归"，[①] 商业周期的"涟漪论"乃至"永远消失论"，应该说是一种信号。此外，"真实经济周期"理论也特别值得重视，虽然它面临着"虚拟经济周期"的困扰。

如何解释上述"长波"，而新的"长波"又是什么？汽车主导产业群为微电子主导产业群所替代之后，"实物资本"经济周期是否会让位于"人力资本"的经济周期？"金融风暴"是一种什么样的新型危机？而在微观经济学方面，"（软件）版本"、"锁定"、"捆绑"、"网络效应"、"企业新边界"、"需求方规模经济"等，都有待锐意开拓、形成共识并创建新的体系。

四、在"多元化"竞争和"新经济"现实面前萨缪尔森怎样继续如履薄冰

"多元化"的竞争与"新经济"的挑战，不仅意味着经济学正在成为一个空前引人入胜的领域，而且也意味着萨缪尔森"古老的"教科书需要进一步焕发青春。尽管本书不无先机优势，但毕竟已经历 50 年的风雨。若不能继续"如履薄冰"，则本书的优势也未尝不能易手。让译者吃惊的一点是，在 16 版进行了那么大的改动之后，本版竟然还有许多伤筋动骨之处。

第一，经过更加精心和严格的筛选，本版内容更加切合初学者在新世纪初期的需要。在浓缩了的篇幅中，不仅继续包含了诸如稀缺、效率、贸易收益和比较优势原则等微观经济学概念，总供给和总需求、货币政策传导机制等宏观经济学范畴，以及经济增长理论和经济周期模型；而且还进一步扩大了"信息经济学"、"环境经济学"和"真实经济周期理论"等内容。环境生态经济学，医疗保健经济学等前沿问题，国际宏观经济学的新视角，强调技术、发明和

① 参见萧琛："现代西方经济周期理论的成熟扬弃与回归"，《北京大学学报》1993 年第 4 期，第 69～77 页。

人力资本的新的经济增长理论，信息经济学的新流派、信息定价的困境和网络效应，投资经济学中的不确定性与博弈论，污染许可证交易的经济学分析和案例分析，等等，都得到了进一步的强调。

第二，本书不仅增强了上一版重视"信息网络经济"的色调，而且推进了"市场机制再度崛起"的时代旋律。前苏联、东欧，特别是中国改革的经验，得到了更多的重视。寻租问题、腐败问题、委托代理问题，也都有更多的新内容。"转轨经济学"是萨缪尔森多年来一直在呼唤的新学科。而"新经济"则是诺德豪斯近年精力投入较多的领域。此外，污染许可证，无线电频道，网址域名等新型"商品"交易范式，也得到了更进一步的评介。

第三，第17版还伤筋动骨地将上一版36章归并重组成现在的34章，整个体系显得更加合理和严整。国际贸易已经从原先的宏观部分被有机地调配到微观部分。"国际宏观经济学"等较前沿内容的篇幅有所增进。国际金融方面的内容有了较多刷新和较大调整。此外，本书的附件如资料、人物、案例等"专栏"，有了很多的增删、调整和润色。

在第15版经济学推出后，有人曾批评萨缪尔森在"灯塔"公共品的讨论中不无谬误，至少是不如曼昆。那篇评论这样写道："萨缪尔森教科书的微观部分也并非无可指责。《经济学》一直坚信政府应当矫正'市场不灵'并供应'公共品'。1961年以来，每一版本都以'灯塔'为例来说明市场不能提供这样的'公共品'。虽然，罗纳德·科斯，早在1974年就已经指出，19世纪英国的许多灯塔都是由私人经营的。而这位芝加哥大学的教授，也曾同萨缪尔森一样，获得过诺贝尔经济学奖。"这篇评论后来又写道："最令人兴奋的一点是，本（曼昆的）书可谓不偏不倚。……同萨缪尔森《经济学》一样，本书也提到'灯塔'。但是它这样问：'灯塔是公共品吗？'接着便给出了两种看法和理由。"[①]

也许是第16版还来不及"反馈"，或者真的是理屈词穷也未尝不能，直到翻译第17版时，我才留意到他们的改进。由衷而言，我

548

---

① "Play it again, Samuelson", The Economist, Auguest 23rd, 1997, p. 58.

不能不为他们渊博的学识和绝妙的"回敬"所折服。您不妨细读一下本书第 29 页的专栏，领略一下大师们如何娓娓道来。在那里，有一段历史上发生在美国佛罗里达东海岸的关于灯塔的小故事。

五、新世纪初期中国读者应该如何借鉴西方经济学教科书

经济学是一门帮助您增强洞察能力和保障选择效率的学问。经济学有许多定义，就新世纪中国读者而言，我感到有两个特别值得注意。其一是马歇尔的定义："经济学是一门研究人类一般生活事物的学问；它研究个人和社会活动中与获取和使用物质福利必需品最密切相关的那一部分。"其二是罗宾斯的定义："经济学是研究人类行为的一个侧面，即目的和具有多种用途的稀缺的手段之间的关系的科学。"[①]

坚持不懈地将"最优化行为"、"市场均衡"和"稳定性偏好假设"结合起来，[②] 经济学提供了各种范示，可以帮助我们在确定目标、选择手段和保证效率之间获得一种均衡。高考复习时间应该如何分布才能保证各科成绩最能相辅相成？金融风暴导致经济萧条之后应否多做些"时间密集型"的事情，如生孩子或读 MBA？经济适用房的装修应否追求豪华？是否应该用当"负人"的办法去购买第二套住房？科学家应否长期担任行政领导？"抗击非典"和"控制污染"的制度设计的最大难点何在？等等。显然，这些问题的答案都会因时因地因人而异。

正因为如此，我们才需要寻找一种一般性的参照"解"。日常生活中，你看到的是情怀各异的芸芸众生，是特殊；而在经济学中，你遇到的将是具有"自利"目标和"理性"手段的"经济人"，是一般。找到了一般，显然有助于比照出特殊。认真系统地学习经济学

549

---

① 杰克·赫什利弗："经济学帝国的扩张"，萧琛译，朱天校，《现代国外经济学论文选》第十四辑，商务印书馆 1992 年版，第 179 页。

② 加里·贝克尔：《人类行为的经济学方法》，1976 年英文版，麦格劳·希尔出版社，第 4 页。

之后，你将会用一种同以往迥异的目光去审视整个世界。你所关注的东西可能不再仅仅是价格如何上涨，而是会这样地问：价格上涨的主要原因是"需求拉上"还是"成本推进"？

哈佛大学的曼昆教授说得好，"在我当学生的 20 年中，最令我兴奋的课程是我在上大学一年级时所选的连续两个学期的经济学原理。可以毫不夸张地说，这门课改变了我的一生。"① 无怪乎萨缪尔森敢有一句豪言："如果我能为一个国家编写经济学教科书，我就不会在乎是谁在为它制定法律，又是谁在为他起草条约。"② 萨缪尔森的教科书不仅能够让初学者迅速地概览主流经济学的全貌，而且还能不断地刷新财政学、金融学、统计学、会计学、制度经济学、国际经济学、发展经济学和环境经济学的知识。在西方它堪称一部"小型的经济学百科全书"。

550

改革开放，特别是中国加入 WTO 以来，东西方经济学的交流和碰撞，对于中国新一代人才的素质乃至整个民族的思维习惯，应该说都已经产生了积极的影响。许多经济学工具，如"需求管理"和"比较优势"等，都已经为我们的政策制定者所驾轻就熟。在"SARS 抗战"中，中国政府的制度创新能力，已经让以 WHO（世界卫生组织）为代表的国际社会刮目相看。

尽管如此，西方经济学的土壤毕竟与我们不同，西方学者的基本立场也与我们有别，为此，中国读者在大胆地借鉴、参考、择取和利用的同时，决不可以放松必要的警惕。让我们紧密团结在以胡锦涛同志为代表的党中央周围，高举邓小平理论和"三个代表"重要思想伟大旗帜，结合中国社会主义初级阶段的国情，更加清醒和有效地抓住新世纪头 20 年的重要的战略机遇期，为实现全面建设小康社会的宏伟目标而努力奋斗。

---

① 曼昆：《经济学原理》中译本，梁小民译，三联书店和北京大学出版社 1999 年版，第 6 页。

② 张维迎：致读者（代序），经济学英文版第 16 版影印本，机械工业出版社 1998 年 7 月版，第 8 页。

2. 经济周期理论的成熟、扬弃与回归[*]

半个世纪以来，西方经济周期理论由开创、拓展、成熟到反思、扬弃与回归的过程，呈现出一种慢性波动。20 世纪 50 年代以前，周期理论争鸣不已，不断有所建树；60 年代以后却又厄运不止，频频遭到挑战。近十几年来竟至处于从根本上被否定的边缘。本文旨在通过对西方现代经济周期理论的比较系统的考察，努力揭示西方政府干预经济模式的转变和经济周期理论的新近动向。

一、现代西方经济周期理论的开创

关于经济是一个整体的重要思想是在 20 世纪 30 年代凯恩斯经济学的基础上发展起来的。凯恩斯是现代经济周期理论的奠基人。他不仅否定了剑桥学派的国民收入自动调节趋于充分就业均衡的理论，分析了投资支出和消费支出的变动对于国民收入变动的影响，论证了危机的必然性，考察了经济周期波动的原因，还确定了现代宏观经济学的一系列基本范畴。凯恩斯对经济周期理论的开创性贡献主要体现在以下三个方面：

第一，开掘与发展了马尔萨斯的"有效需求"原理，提出了现代经济周期理论的中心问题。凯恩斯对马尔萨斯的有效需求理论可

---

* 本文发表于《北京大学学报》1993 年第 4 期，署名萧琛。

谓推崇备至，称此是"通过最好的途径探讨了经济理论的中心问题"，[1]并认为马尔萨斯没有因此而是因人口论而出名是一大憾事。凯恩斯还就马尔萨斯有效需求理论的不足之处加以修正与发挥，形成了具有现代意义的有效需求理论。有效需求理论在凯恩斯体系中居中心地位。正如凯恩斯本人所言，"此（有效需求）即就业通论之要旨。以下各章，大部分在探讨何种因素决定此二函数。"[2]

第二，将马歇尔的利润率改造成"资本边际效率"，指出了经济周期波动的直接原因。凯恩斯在其《通论》中写道："我认为商业循环之所以称为循环，尤其是在时间先后上及期限长短上之所以有规则性，主要是从资本边际效率之变动上产生的。虽然当资本之边际效率改变时，经济体系中之其他重要短期因素要随之改变，因之情况更趋复杂，更趋严重，但我认为商业循环之主要原因，还是资本边际效率这循环性变动。"[3]凯恩斯的"资本边际效率"这一重要概念系由一般经济学文献中的"利润率"引申而成。马歇尔的利润率泛指现实利润率，而凯恩斯却着眼持久性资本资产的现实成本与机会收益，强调"一种资本资产之未来收益与其供给价格之关系"[4]。具体地说，凯恩斯对马歇尔的理论有五点拓展：（1）引入了时间与"贴现"因素；（2）引入了利率因素；（3）引入了价值观念，认为仅讨论"产物之物质增量"而不讨论"产物之价值增量"是不妥当的；[5]（4）引入了预期因素；（5）强调的是利率对于投资的变化率而不仅仅是一种比率。[6]

第三，与卡恩共同创立了"乘数"理论，找到了经济周期理论的基本分析工具。乘数思想最初萌发于凯恩斯1929年《劳合·乔治能做到吗?》这篇旨在为自由党竞选而发行的小册子。在这本小册子中，凯恩斯对于公共工程对解救失业的"疗效"问题做了意味深长

552

---

① 《凯恩斯选集》第10卷，商务印书馆，第106～107页。

② （英）凯恩斯著：《就业利息和货币通论》（徐毓楠译），商务印书馆1977年版，（以下简称《通论》），第28页。

③ 《通论》第267页；第115页；第117页；第118页。

④ 《通论》第267页；第115页；第117页；第118页。

⑤ 《通论》第267页；第115页；第117页；第118页。

⑥ 《通论》第267页；第115页；第117页；第118页。

的常规推理。在举例说明一笔财政支出能创造多少直接与间接的就业机会过程中，凯恩斯提出了他关于乘数的思想。凯恩斯对此十分珍视，认为这是"通向正确认识世界的第一步"，是"经济科学的A、B、C"①。尽管当时凯恩斯的这一常规推理还很粗糙，但它对于卡恩的启发却非同小可。卡恩受此启发而撰写的《国内投资与失业的关系》一文，② 提出了"一定量的第一级就业可以产生若干倍的总就业量"的观点。这篇文章被认为是关于"乘数原理"的开创性论文，对此凯恩斯本人也是承认的。③ 但是卡恩毕竟：（1）没有提出乘数（multiplier）这一专门术语；（2）缺少一个精确的边际消费倾向概念；（3）只研究了就业乘数，这只是乘数概念的特殊而非一般。而这三项任务都是由凯恩斯逐步完成的。

二、现代西方经济周期理论的拓展

在凯恩斯之后，经济周期理论的拓展大体有两大流向：其一是汉森、弗瑞希等所支持的弱加速数理论；其二是希克斯、戈德文等经济学家的理论。他们在乘数和加速数的取值能产生增幅周期的假定上创建了当今的主流理论。后者的拓展大体可以分成三个方面。

（一）从凯恩斯"收入决定论"衍生出简单的经济周期模型

凯恩斯在其有效需求理论的基础上创立了国民收入决定论，并提出了一条解释危机的新思路。但他的收入决定论并未能同他的周期理论相挂钩。凯恩斯认为，"要阐释这个论点，须对事实详加考察，篇幅须占一书"④，但遗憾的是，凯恩斯一生中一直不曾有这样一本书来展开他的思想。

卡尔多的周期理论是在《通论》出版4年之后提出的，这是一

---

① 刘涤源著：《凯恩斯主义研究》（上卷），经济科学出版社1989年版，第172页。

② 该文发表于《经济学杂志》1931年4月。

③ 见《通论》第97页。

④ 《通论》第267页。《通论》（英文版）ch. 22："Notes on the Trade Cycle,"译作："略论商业循环。"

种直接建立在凯恩斯储蓄——投资分析基础上的比较简明的理论。比较卡尔多经济周期模型与凯恩斯收入决定模型，人们不难发现：卡尔多的周期理论基本上是用他的特殊的非线性储蓄函数和投资函数代替了凯恩斯的收入决定模型中的线性储蓄和投资函数而得到的。

凯恩斯关注的是收入水平如何决定的新理论，他的模型中两种均衡水平都是理论上的极端情况。当边际储蓄倾向大于边际投资倾向时，收入均衡的稳定性强于现实情况；而当边际投资倾向大于边际储蓄倾向时，收入均衡水平的稳定性又会弱于现实情况。卡尔多认为这两种情况在理论上都是必要的，但是经济周期的实际表现肯定是介于二者之间。因而有理由认为两函数都是非线性的。

做了这一关键性引申后，卡尔多将两个非线性函数的曲线叠在同一图式中；使得凯恩斯的两种情况下各有一均衡点的比较静态模型变成了同一图像中的动态多重均衡模型。当然这还不是经济周期模型，因为周期是由交替的扩张与收缩组成的，而这一图示仅从稳定角度说明了两种均衡的动态关系。卡尔多认为："解释经济周期的关键要在这一事实中寻找：只有在短期内，这两种情况中的每一种单独看都是不稳定的。无论在哪一收入水平，活动都在继续进行，因而力量的累积，迟早要引起特定点的不稳定。"[1] 为此卡尔多进一步引进了资本存量这一重要因素，对上述思想进行了论证，从而将带有动态性的多重均衡模型扩展成六阶段的动态循环性的经济周期模型。

（二）将乘数－加速数联合作用引入经济周期模型

加速原理产生于西方经济学家对于经济运行实践的直接观察。起初它是与乘数原理按照完全不同的方向发展起来的。1909 年，法国经济学家阿夫塔利翁发现在商业循环中，投资品的价格和产量的波动总是大于制成品的价格和产量的波动，并对此做了研究。[2] 后

---

① N. 卡尔多："经济增长模型"《经济稳定与增长论文集》，自由出版社 1960 年版，第182 页。

② 见阿夫塔利翁的《一般生产过剩的实现》。该书首次分析了消费品需求的增长引起固定资本投资需求的更大波动。这一分析被认为是加速原理的雏形。

来经济学家小克拉克（J. M. Clark）进一步进行了分析。[①]

最初将加速数与乘数结合起来并用以解释经济周期的是英国经济学家罗伊·哈罗德。他在《通论》出版之后不久便作为凯恩斯的弟子发表了《商业循环》一书。在解释消费增长会随经济增长而逐步放慢这一事实时，哈罗德提出了凯恩斯未曾虑及的另一种原因：即经济繁荣使利润率上升，而利润份额中绝大部分是用于储蓄而不是消费，因而消费倾向会随之降低。鉴于用作储蓄的利润势必主要转化为投资，因而会影响资本产量比率或曰加速系数。消费倾向的降低既意味着乘数作用的减少，又会通过加速原理引起投资增长率的下降。可见乘数加速数二者的结合不仅影响投资对国民收入的刺激能力，而且也会影响投资数额本身。由此哈罗德认为："商业循环产生于'关于'（即加速数）和乘数的联合作用。"[②]

哈罗德用乘数加速数的联合作用解释经济周期的另一大贡献是从动态角度揭示了消费、投资和国民收入三者之间的循环传递机制，并指出经济体系的累积运动取决于这一机制。三者的传递关系是：投资通过乘数原理影响国民收入，国民收入通过消费倾向影响消费，而消费又通过加速管理影响投资。这些在哈罗德的概念中被称为"动态决定因素"。哈罗德还认为，在边际消费倾向和加速数不变时，收入的稳定增长是可能的。无论收入处于何种水平，只要投资和储蓄相等，则整个经济的向上累积运动从理论上说总是可能的。[③] 然而在现实中，消费倾向和加速数又不可能总是保持不变，因此经济运动不是一种均衡发展而是一种不断波动的过程。

（三）引入"时滞"概念并揭示经济周期波动类型

这一任务是萨缪尔森在建立一个以数学表达的乘数加速数经济

① J. M. 克拉克："产业加速作用与需求规律：经济周期中的一个技术因素"，《政治经济学》杂志，第 25 卷，1917 年 3 月，第 217～235 页。

② 哈罗德：《经济周期》，牛津出版社 1936 年版，第 102 页。哈罗德实际上是独立地发现了加速原理。

③ 哈罗德认为经济均衡增长的条件在于投资等于储蓄。详见李实硕士论文（1984 年，北大经济学院）：《萨缪尔森、希克斯的乘数加速数的经济周期理论评述》，胡代光、厉以宁指导，商务印书馆出版 1990 年版。

周期模型中完成的。萨缪尔森认为理想的经济周期模型必须能回答三个问题：乘数加速数的相互作用是否必然产生一个向下的转折过程？将时滞引入模型之后会产生什么样的变化？经济的非均衡运动是否围绕某一均衡发展路线，这一均衡水平是否存在？其决定因素又是什么？对于这些问题，哈罗德基本上都未能解决甚至未曾考虑。

尽管如此，萨缪尔森的研究还是以哈罗德的理论为基础的。萨缪尔森的进展在于：（1）即使乘数加速数能够保持不变，乘数加速数的相互作用也会引起经济周期波动；（2）经济周期波动取决于乘数加速数的特性，是经济体系内在运动的必然结果。

萨缪尔森的第二大拓展在于他引进了时滞概念。在没有时滞的条件下，任一时期的投资支出的非自发部分取决于前期和现期之间的产量的变动；引入时滞后，则取决于前期与更早一期之间产量的波动。由此萨缪尔森得到了一个新的投资函数并用以建立了一个连续 22 个时期的消费、投资和国民收入变动序列表。[①] 该表数据表明：将加速数时滞引入了投资函数之后，自发投资的持久增加就不再必定意味着卡尔多模型的结果，而是可以使经济体系开始一系列自我产生的不建立新的均衡的周期性波动。

萨缪尔森的第三个贡献在于：通过赋予加速数和边际消费倾向不同的取值组合，揭示了经济波动的五种类型：（1）收入按一个减小的比率升降并逐步接近一个新的均衡；（2）收入的波动经由一系列振幅越来越小的周期，直到周期最后消失；（3）收入的波动经由一系列振幅越来越大的周期；（4）收入按一个增长的比率上升或下降；（5）收入的波动经由一系列有固定的振幅的周期。[②]

三、现代西方经济周期理论的成熟

萨缪尔森虽然提出了关于经济周期理论的成熟标准并做了许多

---

① （美）爱德华·夏皮罗：《宏观经济分析》（中译本）闵庆全等译校，中国社会科学出版社 1985 年版。第 19 章《经济周期理论》，第 521～544 页。

② （美）爱德华·夏皮罗：《宏观经济分析》（中译本）闵庆全等译校，中国社会科学出版社 1985 年版。第 19 章《经济周期理论》，第 521～544 页。

拓展，但是他并未能解决经济波动赖以围绕的均衡发展路线及其一系列问题。此外他所择定的经济波动类型同现实也貌合神离。这些任务都是由希克斯来完成的。1950年希克斯出版了《经济周期理论》一书，其"精彩的创造性的成分"① 可以归纳为以下五点：

第一，发现"自发投资"能以不变比率增长而不再是一个常数。认为自发投资的增长率决定整个经济体系的均衡增长率，自发投资的水平决定产量的均衡水平。这样，希克斯进一步区分了自发投资与引致投资，认为自发投资是一个不受国民收入或消费变动影响的一个独立因素。此前，哈罗德只考虑了引致投资，萨缪尔森也只认为自发投资是一个常数。弗瑞希虽然区分了扩散机制与冲击机制，但却未将冲击机制的一系列外生变量的作用化成一个相对稳定的经济增长背景。

557

第二，创立并运用"超级乘数"（Super-multiplier）。希克斯认为一旦有了引致投资，收入的增加就会超出凯恩斯所提出的一般乘数的作用。这种作用源于最初投资和增加存货的引致投资的共同作用。超级乘数指的是在"既定的增长率下，自发投资与均衡产量的比率"②。

第三，拓宽了乘数加速数作用的时滞，并以产量而不是消费作为引致投资的动因。凯恩斯的乘数是静态的。萨缪尔森的时滞则指现期与前期之间的变动，且引致投资取决于消费支出。希克斯则强调引致投资依赖于前两期之间的产量变动。

第四，提出并解决了加速作用的非对称性问题，考察了乘数加速数二者在周期各阶段的结合形式与程度。在萨缪尔森那里，乘数加速数的联合作用是连续的与简单的。这使萨缪尔森无法从理论上解决经济体系累积运动的方向的转折。

第五，从貌似衰减振动型（即B型）运动的经济波动行为中确认出经济周期波动应选择发散振动型（D型）。因为边际消费倾向的数值通常都比较大，所以乘数的数值也比较大；就加速数而言，随

---

① （美）爱德华·夏皮罗：《宏观经济分析》（中译本）闵庆全等译校，中国社会科学出版社1985年版。第19章《经济周期理论》，第521～544页。

② 希克斯：《经济周期理论》，牛津出版社1950年版，第61～62页。

着机械化、自动化程度的提高，取值也应当不小。这样二者的相互作用在没有外在冲击的条件下，必然表现为发散振动的爆炸波型。现实经济之所以貌似非爆炸型，原因在于存在一系列缓冲因素使得经济波动被局限在一定的范围内。希克斯这一关键性选择得益于他关于一个半世纪中的经济周期史的见解：经济在这样长时期内的运动不能作为一种由一系列无规则的冲击所造成的减幅运动（B型）来解释。而应由已经呈现出来的一种规则的七至十年的周期链条来解释。

基于上述突破，希克斯确定了其模型的几大前提，均衡增长路线、自发投资线、上升界限线和下降界限线，系统地阐释经济周期波动的累积运动过程、波长、波幅及各阶段依次转变的必然性，并做了数学推导与证明。[①]

希克斯经济周期模型的问世标志着现代西方经济周期理论的成熟。尽管这个模型也遭到一些批评，[②]但是西方经济学界还是比较一致地认为：这是"若干年中仅见的第一个首尾一贯的周期理论"，"在同类理论中，希克斯的理论是最精当的一个范例"[③]。美国著名宏观经济学家夏皮罗也认为（1978年）希克斯模型至今"仍然是经济周期理论的最后结论"。

四、现代西方经济周期理论的扬弃

随着对于经济周期的本质和原因有了较为系统的与一致的理解，西方经济学家和政府干预经济周期的愿望也愈益强烈。各种相关应用性理论，如经济计量模型、国民收入核算体系、计划规划方法和投入产出分析技术等等，为这种愿望的付诸实践架起了一座又一座的桥梁。

促进经济增长与反危机宏观调控实践中的任何进展与成就，从

---

① 可参见福地崇生编著的《宏观经济学》中有关强制循环模型部分，清水川繁雄等著的《经济分析的理论和方法》中有关部分。

② 这些批评主要集中在乘数和加速这两个分析工具方面。

③ （美）哈伯勒：《繁荣与萧条》中译本，商务印书馆1988年版，第515~516页。

根本上说都取决于对于经济周期内在规律的洞察与把握的能力。相反，反危机实践带来的种种问题与恶果，归根到底也应归咎于经济理论的不足与谬误。因此，如果说 20 世纪 60 年代以来对于凯恩斯主义的种种批评的锋芒所向是政府的反危机政策的话，那么其更深层次的矛头则指向凯恩斯的经济周期理论。货币学派、合理预期学派都竭力反对国家积极全面干预经济。但就基本理论角度来看，他们无非是通过引入新变理或新因素来解释旧理论所不能解释的新的现实。因此，与其说他们完全站在凯恩斯的树立面，不如说他们主要地还是在凯恩斯体系内部进行理论上的反思与扬弃。因为他们的批评并未触及凯恩斯的基本前提与基本结论。

（一）全面引入货币因素

凯恩斯的早期学术生涯主要是研究货币问题，并颇有建树。但尽管如此，货币因素在他的追随者们的周期模型中始终未引起足够重视。希克斯的模型也是实物性的。虽然他考察了货币因素，但却只认为货币在经济向下累积运动时才值得重视。希克斯关于经济周期在下降界限线上"下垂部分"[1] 的论述显然可以为 20 世纪 30 年代大萧条所验证。但时至 60 年代，长期赤字财政已经使得通货膨胀不再"温和"，资源限制也愈益成为问题。因此，希克斯模型及其对货币因素的处理，显然已不能用来解释新的现实。

货币主义经济学家根据美国 1867～1960 年的统计资料证明了在长时期内，利息率对货币需求的影响是微不足道的，货币流通速度并非仅受利息率的影响而轻易变动，它与许多重要变动都有相当稳定的函数关系。因此，货币需求变量在周期各阶段的作用远比凯恩斯及其追随者想像的重要与复杂得多。因此，货币因素不应被继续排斥在经济周期模型之外，甚或仅仅考虑利息率为资本边际效率的波动提供下限[2]这种情况。货币数量变动不仅会影响利息率（从而影响资本边际效率），而且还会影响各种资产的相对价格与收益，而相对价格与收益的变化又决定着人们各种经济抉择。

---

[1]　参见胡尔钟：《希克斯的经济理论》，经济科学出版社 1988 年版。

[2]　参见刘涤源著：《凯恩斯主义研究》，经济科学出版社 1989 年版。

货币主义者对于周期理论的突出贡献在于提出了"自然失业率"这一范畴。他们对于通货膨胀条件下货币政策与失业之间的关系做了较深入的探讨，初步回答了菲利普斯曲线变形这一难题，[①] 由此得出了凯恩斯所主张的以通货膨胀为手段来减少失业的政策从长期看是缺乏理论依据的，从而也是难以奏效的结论。

（二）充分强调信息与预期问题

20 世纪 50 年代以前，由于信息技术较落后，公司企业的透明度较低，且大多数人对经济周期规模缺乏认识，因此凯恩斯理论中的经济当事人的信息一直远非充足。相反，按照凯恩斯的说法，正是由于人们缺少信息且主观盲动，才导致资本边际效率的波动与"突然崩溃"。战后经济技术发展表明：（1）经济周期的规律性[②]可以为人们逐步把握；（2）经济统计数据和经济计量学分析有可能对经济周期和政府的政策效应做出相当精确的预期。因此，一个假定人们通常情况下都不能合理预期的经济周期理论是不符合现实的。

合理预期假定的引入使得新现实下经济周期的根源更为明确。经济波动，按照卢卡斯[③]的观点，来源于实际价格和预期价格之间的差距以及经济当事人对这种相对价格的反应。为了从商品市场和劳工市场上的个人供给行为中推出总产量，卢卡斯建立了跨时间替代模型。该模型中的居民户以自愿选择方式对可观察到的实际工资的暂时变化跨时间做反应，从而导致失业与产量波动。居民户针对相对价格的暂时性变化而改变劳动供给，而厂商则主要根据永久性的相对价格变动做出反应。劳动供给和产量在经济周期中同向变化。这是因为居民户与厂商都不能确定工资和价格变化是永久性的还是暂时性的。因为他们缺少完全的信息。

引入合理预期概念之后，上述情况便会发生变化。合理预期与

---

① 见胡代光、厉以宁：《当代资产阶级经济学主要流派》第四章，商务印书馆 1982 年版，第 102～140 页。

② 卢卡斯认为有 5 点。如（1）产出在范围很广的部门中共同变动；（2）生产者和消费者耐用品显示更大振幅；等等。

③ 卢卡斯于 1977 年发表了《预期与货币中性》和《自然率假设的计量检验》，将合理预期纳入了货币性的经济周期。

传统的"静态预期"、"外插型预期"和"适应型预期"① 不同。它是人们预先充分掌握了一切可以利用的信息而做出一种预期。在信息完备、预期合理和相对价格得以充分调整的条件下，产出会出现另外一种变化。为此，卢卡斯改造了总供给函数，建立了它的完整的经济周期模型。在这个模型中，总产出既包括一个永久性的成分，也包含一个取决于实际价格和名义价格偏离的周期成分。

卢卡斯理论的政策含义是：只有意外的货币冲击或需求管理才会产出实际效果。货币供给的意外增长会导致产出的相应上升，因为它被误认为是相对价格的变动；另一方面，如果当事人准确地观察与把握了货币供给的变化，那么，货币（从而需求管理）对经济的干预作用将会是中性的，这一结论显然与货币主义者不谋而合。

五、现代西方经济周期理论的回归

在反思凯恩斯理论的过程中，还有一些学派不仅在反危机政策方面持针锋相对的态度，而且在核心理论方面也显示出势不两立的性质。公共选择学派提出了国家机器运转效率和反危机政策本身的经济冲击作用，认为政治过程应纳入经济周期研究。供应学派则首先重新肯定"萨伊定律"，矛头直指凯恩斯体系赖以建立的基石。近年来流行的"真实经济周期理论"则走得更远。此外，非均衡经济学、非线性经济学的萌生与发展，也为经济周期理论背离凯恩斯和回归新古典的趋势铺垫了新的背景。

（一）政治经济学周期理论的再生

现代西方经济周期理论强调依赖国家干预。凯恩斯偏重财政手段，弗里德曼偏重货币手段。尽管货币学派与合理预期学派都得出国家干预应当是非积极的这一新结论，但是国家赖以体现的公共经济的政治决策问题，却一直不曾在这些经济学家的视野之中。可以

---

① 由合理预期学派的代表人物之一穆斯研究。见《现代国外经济学论文选》第七辑，商务印书馆 1983 年版，第 107 页。

说，在公共选择理论问世以前，所有的传统模式都将经济决策视为经济体系的内生变量，而将政治决策（公共经济过程）视为外生变量。而却从未过问过这一外部因素产生的原因与必然结果。而公共选择理论却试图将人类行为的这两个方面重新合作一个统一的模式。公共选择学派认为解释滞胀这一经济周期波动的困境必须考虑到政治过程的非效率性和反危机政策的副作用。他们认为通货膨胀这一反经济衰退的主要手段有两个作用。其一是降低实际工资，这是凯恩斯主义者所看到的。"自然率"和"合理预期"概念也都是基于这一认识。其二则在于普遍瓦解市场运行机制。这不仅反映在为响应由通货膨胀所引起的相对价格的短期变动而进行的资源再分配上，同时也反映在由于进行合理的经济计算愈益困难而引起的收入再分配上。由于这些分配性扭曲愈益重要，摒弃加速的通货膨胀政策既会导致失业暂时地高于自然率，也会改变重新回到自然率所必需的时间。因此，如果政府面对滞胀困境不仅不能履行反通货膨胀的诺言，而且还不得不再次决定刺激总需求的话，那么这种刺激就会导致通货膨胀与失业交替上升的螺旋。因此，经济周期波动的新特征，与其说是凯恩斯主义者所言的市场经济的破产，不如说是西方政治制度的失败，在于公共选择机制现行结构固有的缺陷。①

（二）走出"需求管理"模式

"另辟蹊径"是 20 世纪 70 年代后期登上经济学舞台的供应学派的显著特征。他们努力将被凯恩斯颠倒了的关于需求与供给谁创造谁的命题重新颠倒过来。其重要代表人物拉弗因此被誉为"我们当代的萨伊"。供应学派的抱负似不再在于对凯恩斯的理论加以修补，而是企求成为"一个新的凯恩斯"，像老凯恩斯在 30 年代那样"发明出一种（新）理论来解释今天发生的事情"②。

供应学派的基本命题几乎全部同凯恩斯对立。首先，凯恩斯认

---

① 本段主要论点取自（法）亨利·勒帕日著：《美国新自由主义经济学》，北大出版社 1985 年版，第 1～36 页。（美）布坎南，瓦格纳著：《赤字中的民主》，北京经济学院出版社 1983 年版，第 170～172 页。

② （美）《商业周刊》1974 年 6 月 29 日。

为失业根源于有效需求不足，供应学派则认为在于需求过度，在于政府的扩张性财政、货币政策和不适当地扩大社会福利为失业者支付高的失业津贴；其次，凯恩斯认为投资率和劳动生产率的下降根源于消费需求不足，因而鼓励消费，抑制储蓄；供应学派则以大量数据表明：投资率和劳动生产率下降的根源在于战后美国人消费过度；再次，凯恩斯理论的前提是需求创造供给，供应学派则认为是供给创造需求。因为在社会活动中，首先是生产要素的投入，然后才能有产出。需求的量是由供给的量决定的，二者总量永远相等。"就全部经济看，购买力永远等于生产力。在经济中总有足够的财富来购买它的产品。不会由于总需求不足而发生商品过剩。从整体看，生产者在生产过程中会创造出对他们的产品的需求。"[1] 此外，凯恩斯主义全力注重需求管理，供应学派则认为应当走出这一模式而转向供应方经济，主张结构性政策和各种产业政策。拉弗更是直截了当地写道："供应学派就是一种新的关于个人刺激的经济学"[2]。

563

（三）"真实经济周期理论"的流行

真实经济周期理论（Real Business Cycles）近十年来才开始出现。他的基本命题是：经济衰退的原因在于经济体系的外部冲击：地震、石油禁运、战争、新发明等等。这些冲击是真实的。经济周期不是由于利率或货币供应这类非实物性因素的作用而产生的。

西方经济学家，从弗里德曼到加尔布雷斯，都认为 1929～1933 年和 1938 年的经济衰退，乃至 1981～1982 年和 1990 年以来这一次衰退，在很大程度上都是由于联邦储备的失误而造成的。因为恰恰在需要投放货币的时候，"头寸"却被从联储体系中抽走了。但是真实经济周期理论的代表人物之一普洛泽则认为这纯粹是无稽之谈。普洛泽认为 1957～1958 年衰退的原因在于那以前爆发了一场旷日持久的汽车大罢工；1974～1975 年危机的根源则在于阿拉伯国家的石油禁运；1981～1982 年的衰退在于石油冲击和信贷管制；而这一次衰退则更能验证其理论，它是由一系列小冲击汇合而成的：储贷机

① （美）乔治·吉尔德：《财富与贫困》，纽约基本图书公司 1981 年版，第 28 页。
② （美）《商业周刊》1979 年 9 月 17 日。

构危机，有关增税的预测和伊拉克入侵科威特，等等。

真实经济周期理论不仅与凯恩斯主义相背离，而且也与货币主义同凯恩斯主义相糅合成的"新凯恩斯主义"相去甚远。它是从亚当·斯密那里去寻求灵感的。这派理论认为，在一个自由市场经济中，上述"实实在在的"冲击是由无数个人和企业来对付的。他们按照新的环境调整自身的行为。从而使经济得以平稳地复苏。而经济的繁荣与衰退是一种自然而有效的现象。所谓有效，指的是它们有助于经济进行调整以适应外部冲击。因此政府干预愈少愈好。这一论证方法显然十分类似于斯密关于"无形的手"之分析。真实经济周期理论已经在美国各大学产生了相当大的影响。五六年前，大学经济学研究生院将这派理论著述列入阅读书单的只占 10％，而如今几乎已经概莫能外。在政府决策方面，这派理论的影响也日益扩大。例如 1990 年秋天，尽管美国经济出现明显的衰退迹象，但是联邦储备当局仍然采取消极态度，拒绝降低利率。联储官员就此谈到："我们确实力图记住真实经济周期理论对经济政策所具有的意义。"①

关于真实经济周期理论和供应学派理论等"新古典理论"的发展，萨缪尔森曾有过一个值得人们注意的评论："我常常认为，新古典经济学是一个严峻的挑战，它比货币学派的挑战更为严峻。"②

新古典学派对他们的理论在决策者中传播得较慢这一点并不感到担忧。明尼苏达大学教授普雷斯科特就此说道："看看科学的发展史吧，道耳顿早在 1810 年就介绍了现代化学理论，而 50 年后还有一些教授在讲授道耳顿以前的化学。"在各种政府计划和其他形式的干预主义几乎无不声名扫地的时代，也许未来是属于新古典学派的。

---

① "类似'无形的手'学说的理论"，美国《福布斯》杂志 1991 年 5 月 27 日，《世界经济科技》杂志 1991 年 7 月 3 日，第 24 页、第 23 页。
② "类似'无形的手'学说的理论"，美国《福布斯》杂志 1991 年 5 月 27 日，《世界经济科技》杂志 1991 年 7 月 3 日，第 24 页、第 23 页。

3. 试论美国"滞胀"与 "长波"的关系[*]

"滞胀"(即经济停滞与通货膨胀)是近些年来世界经济领域使用率最高的新词之一。但滞胀是什么?起于何时?是否过去?国内外一直众说纷纭,莫衷一是。本文试就上述问题进行探讨,努力确定"滞胀"的长度,以便同"长波"假说的第 4 降面进行比照。

565

一、"滞胀"的定义

国内外专家关于滞胀的研究,分歧一直较大,根本原因在于滞胀定义及由此产生的判断标准不一致。

多年来萨缪尔森的定义先入为主,广为流行。萨缪尔森写道:滞胀是"增长着的失业与价格膨胀同时发生",但在同一书中,滞胀又成了"生产和就业的停滞伴随着爬行式的价格膨胀。"

萨缪尔森的定义至少有这样几个缺陷:其一,不统一;其二,有时将失业当做"滞"的惟一内容,理论上不成立;其三,罗列(部分)"病装"而非确认"病症"。萨缪尔森承认滞胀是一种"新的现代病",也承认价格膨胀只是通货膨胀的"病状",但其定义中却只出现"价格膨胀";其四,对滞胀的长期持续性讳莫如深。按照这两个定义,滞胀的并存只能是短期的,间歇出现的,因为失业不可

---

* 本文发表于北京大学《经济科学》杂志 1986 年第 2 期,署名萧琛。此处有所删改。

能总是"增长",生产也不可能以停顿与倒退为常态。

　　萨缪尔森在其《经济学》教科书 1980 年版中将"增长着的失业与价格膨胀"改为"失业与通货膨胀"。R. G. Lipsey 和 P. O. Steiner 对萨缪尔森的定义改动更大。他们在其 1981 年版的《经济学》教科书中把滞胀定义为:"发生在国民收入低于充分就业时的通货膨胀(inflations)。"① 有的西方经济学家还用"减速器"(decelerator)来定义滞胀。②

　　国内专家在沿用萨缪尔森定义时,一直试图改造。例如有的同志认为:"'滞胀'一词固然可以借用,但它所概括的应是资本主义再生产周期运动中所发生的多种互相影响,互相促进的综合症状,而决不应仅仅指高通货膨胀率和低经济增长两种现象的并存。"③ 很多同志提出并肯定了滞胀的长期持续性,其中有的将"滞"定义成"危机期间的生产下降和非危机期间的经济增长缓慢与波动"。④ 有的同志视"滞"为"生产停滞趋势长期占上风",⑤ 其视野已扩展到现象范畴以外。但是也有的同志至今仍坚持应以萨缪尔森定义为前提,只强调逻辑上的统一。然而,定义的确立不仅仅是一个约定俗成的问题,首先并且最根本的是认识论而不是逻辑学方面的问题。只有与客观事物相吻合的概念才能在理论上为各家接受,才能在运用中始终不犯同一律。

566

　　作者认为,滞胀客体至少具有以下四个有机联系着的特征。

　　第一,滞胀是长期(十几年甚至更长)的,而不是短期(两三年)的;

　　第二,滞胀是持续的而且不是间歇的,可以在周期的各阶段而不仅在一两个阶段(如危机或危机与萧条)发生作用;

　　第三,滞的本质是造成经济增长减速的那个作用力,胀的本质

　　① (美)R. G. Lipsey 和 P. O. Steiner:Economics bth edN. Y. 第 483 页。

　　②《世界经济译丛》1979 年第 7 期,第 18 页。

　　③ 薛伯英:《战后美国政府"反周期"的经济政策初析》第 15 页,1984 年 3 月世界经济发展趋势讨论会交流论文。

　　④ 美梦觉、沈学民:《论停滞膨胀》。见《论当代帝国主义》上海人民出版社,1984 年第一版,第 268 页。

　　⑤ 王章跃、杜厚文:《关于"滞胀"的几个理论问题》第 4 页,1984 年 3 月世界经济发展趋势讨论会交流论文。

是造成货币信贷紊乱的那个破坏力或膨胀力。滞胀体现在一束经济现象动态序列之中，属于趋势范畴而不仅仅属现象范畴。减速力与膨胀力不引起的经济变化只是滞胀的现象形态；

第四，滞胀是普遍的，带有全国性或国际性。

根据滞胀客观特征，作者试给滞胀下一定义：滞胀是长期普遍持续地并存于资本主义经济中的经济停滞趋势与通货膨胀趋势二者的综合。

二、"滞胀"的判断

纵观近百年资本主义经济史，经济停滞趋势已出现三次。第一次是 19 世纪后期的"经济萧条"；[①] 第二次是 20 世纪 30 年代大危机与"特种萧条"；第三次是伴随着通货膨胀的经济停滞——滞胀。

567

事实证明，经济停滞趋势出现之前，生产力生产关系矛盾运动中往往会呈现三个相互联系着的特征：第一，生产关系面临一次带有根本性的调整。第一次是自由竞争向垄断过渡；第二次是向国家垄断过渡，这一次则是国家垄断向国际化方向发展。第二，产业结构正面临一次大变革。第一次是以蒸汽轮船、（移动）蒸汽机和铁路建设为主要特征的产业结构向以电、化学、汽车、电报电话为主的产业结构过渡；第二次是前一产业结构向以石油、航空运输、电子业为特征的产业结构过渡；这一次则向以微电子业、生物工程、太阳能、核能、长途通讯为特征的产业结构过渡。第三，经济停滞出现之前，科技革命的推动力明显减弱，而在停滞过程中，新的科技成果逐步增加，对现实产业的推动力逐渐增大。一旦经济结构的调整与变革卓见成效，新的科技成果形成了足够强大的现实的生产力，经济停滞便告一段落。

从理论上说，由于旧有经济结构和发展中的新经济结构二者青黄不接，社会总产品的比例失调会严重，劳动生产率的提高会放慢，资本积累的难度加大，资本活力不能不受到压抑。换言之，会出现

---

① 《马克思恩格斯全集》第 21 卷，人民出版社 1972 年版，第 424 页。

一种减速力，使经济增长围绕较低的水平波动。这个减速力首先表现为物质生产部门利润率的下降，投资不旺，开工不足，相对过剩人口的增长。这些现象在西方经济统计中的反映是国民生产总值增长率低于"充分就业"所要求的水平，实际增长与应该增长水平之间长期出现差距；失业率在较高的水平上波动，设备利用率较低等等。

总之，判断"滞"可以就经济结构主要的三个方面做定性的分析，并借助下列四类指标做定量的分析：（1）资本活跃程度：利润率、利润额、销售额、库存额，投资增长率等；（2）经济增长率：国民生产总值增长率、工业增长率、制造业增长率等；（3）生产要素利用率：失业率、设备利用率等；（4）生产要素潜力：劳动生产率、固定资本役龄等。

至于胀的判断，作者认为应注意以下三点：

第一，物价上涨不等于通货膨胀。物价上涨之中，既包括理论上所说的通货膨胀的作用，也包括其他因素的作用。如商品供应突然减少（农业歉收等）、自然货币突然增加（如发现金矿），也会引起通货相对（于商品）增加或绝对增加，导致物价上涨。

第二，通货膨胀不等于滞胀之中的"胀"。通货膨胀指的是货币（包括纸币与各种信用货币），供应量超过了商品流通对货币的需求量，单位货币所代表的价值量下降。它是财政赤字在货币金融领域中的伴随物。赤字财政实施以来，轻度的通货膨胀已成为资本主义机体内不可缺少的"细菌"。只是在资本主义机体虚弱之际，在"细菌"数量超过了某种界限之后，"细菌"才成为"病毒"。滞胀研究的是病态问题，因此，作为"细菌"的，也即尚未阻碍当时的经济增长的，一般说来是轻度的通货膨胀，不应被视为理论上的滞胀之中的胀。

第三，通货膨胀主要通过物价上涨表现出来，但在特殊条件下可以主要地表现为"受到压制的通货膨胀"，而以物价上涨为其次要的体现途径。因此，必须分析特殊的条件，明确其受到压制的程度，并与物价上涨率结合起来，才能判断通货膨胀的真实情况，不致为特定政策所造成的物价稳定或物价上涨率较低的假象所迷惑。萨缪尔森对此也曾写道:"1947 年,当我们的价格限制被解除以后,价格猛增。在此之前的价格稳定是否意味着没有通货膨胀?不能这样说。在 1942～1947 年间当物资缺乏日益严重时,我们实际上具有受到抑制的通货膨胀。"[1] 1980 年,萨缪尔森就这一段话又补充道:"20 世纪 70 年代中期,尼克松的控制物价工资政策被解除之后,也出现过类似的效应。"[2]

三、美国"滞胀"的起点

美国何时出现滞胀?学术界意见很多,通行的说法是 1974～1975 年危机。

认为滞胀与这次危机同时出现,必须否认滞胀这一减速力与膨胀力在危机爆发前即已存在,说明长期影响经济增长的因素的恶化不是一个渐变的过程,否则难以让人信服;滞胀一出现就具有很大的力度(且无滞后问题),使这次危机远比战后历次危机严重,几乎可以与 20 世纪 30 年代大危机相比。其次,认为二者同步不能说明国际性滞胀的发端。滞胀是长期结构性因素,尽管其隐现程度会受周期规律的影响,但其出现的迟早却是"我行我素"的。战后美国相对衰落,长期支持"繁荣"的条件恶化得较早,美国滞胀理应早于日本、西德等国,而不应与之同步甚至略迟。即使以西方"滞胀"概念为前提,或以菲利普斯曲线进行分析,二者同时出现也不是合乎逻辑的结论。

美国滞胀的起点应在 20 世纪 60 年代末。

20 世纪 60 年代末,发展中国家要求建立国际经济新秩序的斗争已经对美帝新殖民体系产生了巨大冲击,维持战后"繁荣"的重大支柱——美元体系也已经出现了第二次危机,"黄金双价制"和"特别提款权"的出现,标志着美元体系已名存实亡,寻求新的国际货币机制的任务已迫在眉睫。就国内情况看,凯恩斯主义政策的危害作用已日益明显。1968 年,通货膨胀已成为总统大选时的主要问

---

① 萨缪尔森:《经济学》(上册)高鸿业译,商务印书馆 1979 年版,第 320 页。
② 萨缪尔森:《经济学》,1980 年英文版,第 255 页。

题。金融业股票价格指数看涨，复合工业股票价格指数看跌，产业资本开始大量地向借贷资本转移。1970 年，纯利息收入超过了税后利润，这是美国史上破天荒的现象！产业资本的萎缩，借贷资本的膨胀，在一定程度上标志着物质生产部门的衰落，传统经济增长方式的生命已经衰竭。因此，寻求新的活力的任务也已无法回避。

20 世纪 60 年代末，美国产业结构也亟待变革。战后美国利用海外廉价能源，为其产业结构装上了"汽车轮子"，高速公路，建材工业相应迅速发展，但到 60 年代后期，这一进展已近尾声，加上海外原材料供应状况迅速恶化，主导产业部门的新旧替换便被提上了议事日程：取代轿车化和市郊化的新的刺激是什么呢？新的电视机、民航业和电子计算机新时代在哪里呢？人们所见到的是钢铁业的衰落，汽车业的停滞；而纺织、化工、造船业衰落得更早。

根据门斯克（mensch）的研究，20 世纪 60 年代末，科技推动力也已处于低潮，他预计新的基本创新高潮要到 1982 年才会出现。[①] 60 年代末，微电子技术尚在探索之中，生物工程只是隐约地出现在地平线上。

美著名经济学家 H. 马格多夫与 P. 斯威齐曾指出："从 20 世纪 60 年代末期开始，……，潜在的经济增长因素明显削弱，长期经济增长显示着种种告终迹象，并进入一个类似于 30 年代的经济停滞时期。"[②]

根据西方统计资料，按上述四类指标建立动态序列进行观察分析，也可以得出上述的结论。美国利润率，国民生产总值年增长率，工业增长率都在 1967 年发生逆转，劳动生产率的增长速度和制造业投资增长率，在 60 年代后期也都明显放慢。至于消费物价上涨率从 1966 年即开始上升，并都明显超过了美国大多数经济学家所谓的界限。[③]

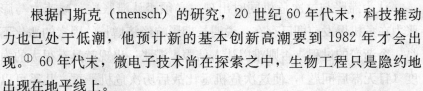

---

① 见（英）弗里曼（Freeman）：《失业与技术革新》，伦敦，1982 年英文版，第 45 页、第 46 页；（美）《经济影响》1983 年第 2 期《技术变革的动力学业》一文。

② （美）H. 马格多夫和 P. 斯威齐：《繁荣的终结——70 年代的美国经济》，纽约，1977 年英文版，参见第 59 页、第 135 页。

③ 参见（美）D. 格林沃尔德主编：《现代经济词典》，商务印书馆 1981 年版，第 228 页。

四、美国是否已走出"滞胀"

1982年年底以来，美国经济开始复苏，回升速度之快超出了人们预料。同时，物价上涨率已连续三年被控制在3.9％左右的较低水平。据此，美国政府宣称其经济已走上"没有通货膨胀的增长之路"，进入了一个"新的活动时期"。

美国是否已走出了滞胀？1983年、1984年是否还是滞胀？这是两年来国内专家讨论得最多的问题之一。其实质在于：阻碍美国经济增长的结构性因素是否已发生逆转？长期持续的减速力与膨胀力是否已停止作用？如果仅就"滞胀现象"而言，那么这一课题势必黯然失色，因为对"20世纪80年代后期世界经济发展趋势的预测"来说，"滞胀现象"无关宏旨。滞胀作为现象，只能是短期间歇的，如果"已经走出"并不意味着今后几年不可能再陷入，那么这一课题又如何能受到如此关注？况且，1976年美国经济增长与失业状况的好转决不亚于这两（三）年，如果以经济增长较快去否定"滞"从而否定"滞胀"并存，那么美国1976年即时已走出（过）滞胀。于是，1983年是否走出"七十年代中期以来长达十年的滞胀"这一课题的前提就不存在！

571

1983年以来美国经济增长较快的主要推动力在于周期规律和短期政策因素。1979～1982年危机是战后美国最沉重、持续期最长的一次周期性危机，较好地为复苏扫清了道路。联邦政府因势利导，采取了相当得力的措施。3年大减税无异于将三千亿美元放进了私人腰包，将五百亿美元还给了企业。这使企业现金流动率提高，个人收入上升，从而为企业大力增加库存，为消费者利用物价较低之机突出购买提供了可能。1983年美国商品零售额按年率计算第一次冲破了1000亿美元。减税的同时，里根又大幅度增加军费和整个财政开支。1983年美国军费增加了15％；财政支出增加了675亿美元，增幅为9.3％。此外，政府还采取了一系列维护资本收益、刺激国内外投资的措施。两年来美国固定资本投资一度高达14.9％，强于战后历次回升时的情况。

强行制造"经济奇迹"的代价之高也是奇迹般的。1981 年以来美国的财政赤字已由 579 亿美元增加到近几年的两千亿美元左右，4 年中的赤字总额超过了包括罗斯福历任政府以来近 50 年中财政赤字的总和！1980 年，赤字在国民生产总值中的比重为 2.3％，1983 年则猛升为 6.1％，提高了 3.8％（经济界认为财政赤字在国民生产总值中的比重不得超过 2％）。

为了弥补财政赤字而又不能与控制物价上涨的目标相冲突，政府只能依靠发行债券。1981 年美国国债总额刚破 1 亿美元，1984 年则已跃为一万八千多亿美元，增加了 81.7％；目前，美国政府借款需求已占国内信贷总额的 70％以上，为了从国内外市场吸引资金，联邦当局逐步取消了 20 世纪 30 年代以来的 Q 条例，使利率封顶化为乌有，听凭利率扶摇直上。80 年代以前，美国实际利率仅为 2％～3％，近几年则为 7％～8％。

就封闭型经济而言，在财政赤字居高不下而又要维持经济增长的条件下，利率与物价上涨之间存有明显的此起彼落的替代关系。利率的提高可以缓和物价上涨，掩盖通货膨胀。利率的升高使货币的机会成本变大，因而同一价格水平虽然意味着较高的通货膨胀率，但这部分通货膨胀却没有通过物价上涨而直观地表现出来。这部分通货膨胀表现为用以计价的货币的机会成本的提高，而不是计价货币数额的增加。

美国经济学家罗纳德·麦金农曾指出：以往的经济学家和政策制定者，眼光局限在单个国家的货币供应上，然而经济增长的物价水平稳定的关系，是世界货币供应量。据估计，1980～1982 年，十个主要工业国货币供应量年增长率由 5％增为 7％左右。这使联邦当局有可能较为顺利地大力引进外货，输出通货膨胀。[①] 据报道，1983 年、1984 年两年净流入美国的私人外资分别高达 436 亿美元和 800 亿美元以上，可以缓解一部分通货膨胀，而利率上升幅度得以遮掩这一点，使得利率上升与物价上涨之间的替代关系在经济统计

---

① 英国保守党主席古默 1985 年 2 月 15 日指出："美国引进世界上其他地方的存款，输出通货膨胀，这是十分严重的事"，《世界经济》1985 年第 4 期，第 15 页。

数字上反映得不够直观。

　　大量外资流向美国，外汇市场上对美元的需求猛增。自 1980 年中期到 1985 年 1 月底，美元对其他西方主要货币的比价提高了 63％。高汇价使美国进口商品以美元反映的价格明显便宜。1983 年、1984 年美国商品进口额高达 2700 亿美元以上。廉价商品大批涌入，加上国内用于出口的农产品又碍于美元高汇价而滞留于国内市场及石油降价等因素，使得国内市场货源充裕价格水平得以平抑。然而代价也是怵目惊心的。1983 年、1984 年美国外贸逆差分别高达 694 亿美元、1233 亿美元。① 1985 年上半年又已达 707 亿美元。② 据认为，如要重新恢复外贸平衡，将使目前 4‰ 的物价上涨率上升 3.6％。③

　　由上可见，里根经济政策确实系一种特殊条件下所采取的基于"国际性输血"的特殊刺激办法。从理论上说这种政策是不可能持久的；1984 年夏季以来的现实已经证明了这一点。如果我们只看高增长与低物价，而不看代之而起的高（得出奇的）赤字、高国债、高国际收支逆差、高利率、高汇率、高外贸逆差等一系列恶果，不分析诸多奇特现象之间的（量的）关系，就不能把握高增长与低物价的短期虚假的性质，从而得出较为切实的结论。

　　既然 20 世纪 70 年代尼克松控制工资物价政策实施期间美国存在着"受到压制的通常膨胀"，既然里根政策抑制物价的作用比尼克松政策有过之而无不及，难道我们可以否定这几年中"受到压制的通货膨胀"（包括暂时被输出的通货膨胀）的存在，而只看体现在物价上涨率之中的那总值未必是主要成分的通货膨胀吗？

　　以《纽约评论》④ 提供的数据作为"暂时被输出的通货膨胀"的估计值，以物价上涨率作为体现在其中的那部分通货膨胀率（即假定物价上涨全由通货膨胀因素造成），则美国 1983 年、1984 年的通货膨胀率不是 3.9％ 左右，而是 7.5％ 左右。如考虑受到压制的而

---

　　① 1985 年 4 月 8 日《世界经济导报》第 4 版。
　　② （美）《纽约评论》1985 年 2 月 14 日；见 1985 年 4 月 8 日《世界经济导报》第 4 版。
　　③ 可参见日本高坂正尧教授的研究成果。
　　④ 1985 年 2 月 14 日美国《纽约评论》(The N. Y. Reriew)。参见 1985 年 4 月 8 日《世界经济导报》第 4 版，1984 年 11 月 19 日《世界经济导报》第 9 版。

未被输出的通货膨胀（如单位货币机会成本提高所体现的那部分通货膨胀），那么这两年的通货膨胀率估计可达 8% 左右。远远高于 50、60 年代年产均 2.25% 的水平，不低于 70 年代平均 7.8% 的水平。

同理，基于美国专家索墨尔斯所提供的数据[①]；考虑外贸逆差的抵消作用；并且仅仅考虑财政赤字中高得出奇的那一部分（约占 3/4）；则美国这一部分财政赤字对国民生产总值仍可起 1.05%[②] 的作用。因此，排除短期性的特殊的财政支出对国民生产总值所造成的虚假成分，1983 年、1984 年国民生产总值的增长率应为 2.25% 和 5.75%，平均年回升速度为 4%，如考虑第三年的回升情况，则平均增长率估计不会超过 3.5%。明显低于 1976 年、1977 年、1978 年三年的平均回升速度 5.3%。

574

既然 1983 年、1984 年通货膨胀率不低于 70 年代平均 7.8% 的水平，经济平均回升速度又明显低于 1976~1978 年的水平，那么，认为这两年不是"滞胀"年，从而美国经济已走出滞胀，恐怕无法成立。

美国经济还没有走出滞胀，1983 年、1984 年仍旧是滞胀年，这一结论还基于下列几点事实。首先，美国的利润率仍处于相当低的水平，滞胀以来利润率下降的趋势并没有得到扭转。1980~1983 年制造业利润率分别是 4.8%、4.7%、3.5%、3.9%。如以旧系列估算，只相当于 3.9%、3.8%、2.6% 和 3.0% 左右，均明显低于 1966 年以前的平均水平。[③] 其次，经济增长不足。就国民生产总值增长率而言，即使不做如上合理排除，1983~1985 年平均回升速度也不会超过 4.27%，仍低于滞胀中的 1976~1978 年的情况。就制造业情况而言，"1983 年最好也不过是个停滞年"。[④] 联邦储备当局现已

---

① 索墨尔斯是美国大资本权力组织工商理事会的理事，他在 1984 年 10 月该会的一次会议上说，目前预算赤字约对美经济起 5.2% 的刺激作用，经外贸逆差抵消后可起 1.4% 的作用。参见《世界经济》1985 年第 2 期，第 2~3 页。

② 参见《世界经济》1985 年第 2 期，第 2~3 页；《世界经济情况》1984 年第 3~4 期，第 9 页。

③ 《1984 年美国总统经济报告》，第 319 页、第 318 页。

④ 《世界经济译丛》1984 年第 7 期，第 37 页。

公布，美国工业生产已出现下降，"制造业实际上（自 1984 年 6 月）近十个月来毫无起色"。[1] 此外，美国失业率仍旧很高，经济增长潜力也明显不足。储蓄率降至 40 年来最低水平，并将在 1985 年内发生由净资本输出国成为输入国的历史性转折。据报道，一直迅速发展的新技术产业正面临一场严重的波折，企业固定资本投资也几乎成倍地下降。[2]

诺贝尔奖金获得者克莱因教授认为："从长期来看，美国现在正处于产业结构的变换过程中，目前美国正在逐步走出这个过渡期"。从生产力、生产关系和科技推动力等各方面的资料来看，克莱因这段话是有见地的。

---

① 1985 年 9 月 10 日《世界经济导报》第 4 版。
② 1985 年 4 月 30 日《国际贸易消息》。

44. 菲利普斯与"菲利普斯曲线"*

菲利普斯（A. W. Philips，1914～1975），新西兰经济学家，著名的菲利普斯曲线的创立者。他出身于新西兰一个农民家庭，16 岁以前在新西兰州立中小学读书，其后靠自学而成为一名机电工程师。菲利普斯曾有过一段漫游生活，他曾随澳大利亚探矿营寻猎鳄鱼，曾横贯苏联西伯利亚大铁路，在第二次世界大战中，还曾经做过一段战俘。战后，菲利普斯进了伦敦经济学院。同战后许多人的想法一样，菲利普斯感到有必要进一步洞察"社会"，因此选择了社会学专业。

经济学在该校是社会学的必修课。鲍尔丁的《经济分析》教科书中存量与流量的关系问题，使菲利普斯感到经济体系的运行可以借助一台机器来进行分解与演示，这样做至少可以较好地服务于教学活动。在这一机器中，经济变量中的存量与流量可分别由有形的流动着的与滞积着的液体来表示。经过努力，样机终于在利兹大学的实验室内组装成功。

关于这台机器的设计、功能分析及其他类似的模型构成了菲利普斯于 1950 年发表的第一篇学术论文的主要内容。当时在伦敦经济学院任教的米德对菲利普斯的机器相当欣赏，他让菲利普斯在罗宾斯主持的学术研讨会前现场演示。鉴于这一学术研讨会的权威性质，

576

---

* 本文应《当代外国著名经济学家（续编）》编者约稿编写。该书由中国社会科学出版社于 1988 年版。

菲利普斯很快成了全校知名的人物。此后不长的一段时期内，菲利普斯在该校得到了教师职位，这使他在经济上有可能进一步研制他的机器。

他的第二部机器更为复杂与精密。他接受了米德的建议，使这部机器分为两大部分，各代表一个经济体系，其间通过一个体现国际收支的机件来连接。

菲利普斯在伦敦经济学院度过了 17 个寒暑，这实质上构成了他全部的治学生涯。最初 4 年里，他获得了博士学位，并从助教升为讲师。1965～1966 年，菲利普斯曾赴美，在麻省理工学院担任过客座教授，1966 年在旧金山大学举办过经济计量学与社会学讲座。

菲利普斯在这 17 年中倾心探讨的始终是一个课题：视经济为一个动态体系，探求如何较好地保持这一体系平稳地运行。他从宏观上分析问题，对于相对价格或其他微观经济学问题几乎没有兴趣。他的思考方式显然受到了他作为工程师这一经历的影响，容易从某种机械的途径去把握经济学的方法。然而由于机械反应过程中滞后与耽搁这类问题的重要性，他的职业习惯倒是不无积极影响。

577

他在 1954 年发表的第二篇论文谈的就是经济政策的稳定及其时差问题。在这篇论文中，他严格区分了"协调政策"、"整顿政策"和"派生政策"。所谓"协调政策"指的是对经济变量运行中的误差所作的校正性的对策；"整顿政策"是与对需求状态的累积性的偏离相关的对策；"派生政策"是与目标变动率相关的对策。菲利普斯认为最好的政策的产生取决于对于经济体系反应的滞后或时差性的把握，而这种性质又是由"协调政策"、"整顿政策"和"派生政策"三者的滞后性混合而成的。

在进一步探讨过程中，菲利普斯常常运用模拟计算机（当时，数字计算机革命正在发展，但还没有传到英国）。他逐步明确地意识到，如果不能确定时滞，就无法谈论具体的经济政策，于是他对统计估算等问题进一步产生了浓厚的兴趣。这一兴趣在他 1956 年和 1957 年发表的两篇论文中体现得很明显。1958 年发表的举世瞩目的关于"菲利普斯曲线"的论文也正是由于这种对经验统计等日益增长的兴趣而生产的。关于这篇论文与菲利普斯曲线，后文将进一步评介。

菲利普斯在此之后还有过三篇论文，分别于 1961 年、1962 年和 1968 年发表，主题依然是动态经济中政策形成问题。这段时期，他渐渐体会到为设计政策而估算参数的极端复杂性与艰巨性，感到有些必要的技能已非他本人所能及。学者的诚实使他负疚于在他不能继续有所作为的领域中安然"执教"；另一方面，他认为自己在研究中国经济方面会更有前途。年轻时的漫游生活曾给了他一些关于中国的第一手材料，而且他对中国的兴趣正与岁月俱增。1968 年他离开了伦敦经济学院而接受了澳大利亚国立大学的教职，希望在堪培拉萌生与发展他的新志趣。

578

然而，就在他开始新的探索之际，他于 1969 年不幸患了严重的中风，此后再也未能完全康复。1970 年他退休回到自己的故乡新西兰。在那里他担任过一些教学工作，同时主持一些关于中国经济发展问题的研讨会，直到 1975 年与世长辞。

菲利普斯一生主要留下了八篇论文，依次为：《经济动态机械模型》(1950 年)，《封闭经济中的稳定政策》(1954 年)，《关于相互独立的动态体系中诸关系的时间形式及估算问题》(1956 年)，《稳定政策与滞后的时间形式》(1957 年)，《1861～1957 年英国的失业和货币工资变动率之间的关系》(1958 年)，《经济增长中就业、货币与价格的简单模型》(1961 年)，《就业，通货膨胀与经济增长》(1962 年)，《控制经济波动的模型》(1968 年)。

菲利普斯平生著述相当少，甚至达不到美国副教授申请晋升时所要求的水平，但是由于他关于失业水平与货币工资变化率关系的研究，由于他的菲利普斯曲线，使得他的名字在全世界的经济学家、经济系学生、报刊财经专栏的广大读者中尽人皆知。以下我们详细地讨论这条曲线。

在《1861～1957 年英国的失业和货币工资变动率之间的关系》一文中，菲利普斯开宗明义：论文的目的是"在于探究统计数据能否证实下述假设：除了在进口价格迅速上涨的年份及其后几年之外，英国的货币工资变动率可以由失业水平及其变动率来解释；如果这种假设能够成立，则进而对失业与货币工资变动率之间的关系做出某种量的估计。"

起初，菲利普斯的同事收集到了一套关于工资与失业问题的动态参数，以备进一步研究时参考。但是在进行了描点作图之后，菲利普斯注意到这些点的分布与他事先想像相差甚远，这些点在各个时期所组成的都是一条新月形的曲线，而非近于直线。曲线表明，货币工资变化率为零的时候，失业率为正值；当失业率降低至这一正值水平之后，工资以渐增的变化率增长；当失业率趋于零的时候，货币工资变化率的增长变得非常之大。高于工资变化率为零时相应的那个失业水平时，失业率的增长对工资变化率下降的影响比较小，即使失业率变得非常之大，工资变化率水平的下降仍旧相当小（见图）。

579

菲利普斯在他的论文中，以其独特的方法，对于这种非线性关系中的各参数做了估算，并提出了自己的解说。菲利普斯列出了用以表现失业率和货币工资变动率之间的函数关系的经济计量模型：$y+a=bx^c$（其中 y 为工资变动率，x 为失业率，a、b、c 都是参数），然后根据各时期的统计数据等资料，利用统计学上的最小二乘法和错试法，估算配合而得出一条反映二者依存关系的曲线。菲利普斯认为适合曲线的方程为 $y+0.9=9.638x^{-1.394}$。

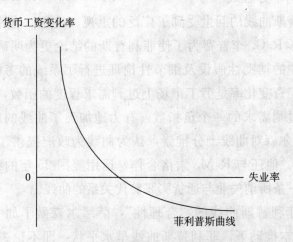

在这篇论文中，菲利普斯还对二者的高度非线性的关系做了理论上的解说。在论文结论部分中，菲利普斯认为他的假设已经得到

证实，并指出：撇开特殊的年份，"假设生产率每年增长 2％，从与资料相符的失业和货币工资变动率二者的关系中似乎可以看到：假如总需求保持在能维持物价稳定的水平上，则与此相关的失业水平不足 2.5％；如果像人们有时所议论的那样，总需求保持在维持工资稳定的水平上，那么，与此相关的失业水平将达到大约 5.5％左右。"

值得一提的是，菲利普斯在这篇论文中虽然注意到通货膨胀率（不等于货币工资变化率）与失业率之间的替代关系，但是没有能够强调这一问题。然而正是这种替代关系才使得菲利普斯曲线著称于世。西方经济学家认为，在说明通货膨胀与失业的数量关系方面，菲利普斯曲线具有开创的性质。在菲利普斯之前，讨论这类问题的文章并不少见，但像他这样准确、直观与有力的论述还没有出现过。曲线的开创性意义并不在于根治失业与通货膨胀，而在于为西方经济寻求失业与通货膨胀之间的"最佳组合"，为制定经济政策提供一个工具，使经济学家有可能把可以采用的其他选择告诉政策制定者。此外，菲利普斯曲线提出的失业水平与通货膨胀率之间存在稳定关系的假说，填补了凯恩斯理论结构的一个空隙。可以说它就是凯恩斯本人曾经说过的"我们……缺少"的"一个方程式"。

菲利普斯曲线的问世受到了广泛的重视、欢迎，他的伦敦经济学院的同学 R. G. 李普赛为了使菲利普斯的结论更为明确，对菲利普斯论文中的辅助性假设及细节性论证进行了系统的考察和检验，指出货币工资变化率是劳工市场上过剩需求程度的函数，失业率是劳工市场过剩需求的一个负指数。有力地加强了曲线的理论基础。P. A. 萨缪尔森对曲线十分推崇，认为曲线为政府提供了"政策选择的菜单"。他还与 R. M. 索洛合作，运用美国 25 年的统计数据，衍生出了一条所谓失业与通货膨胀替代关系的曲线。

关于菲利普斯曲线的"合理性"，萨缪尔森做了如下的说明："在单纯成本推动下，菲利普斯曲线呈水平状，即不论失业水平多高，都不足以稳定价格水平"；"在单纯需求推动下，菲利普斯曲线呈垂直状，并使失业达最小，产量与充分就业水平相适应，价格则通过市场自由竞争浮动于总货币支出所决定的价格水平";"把二者相结合，现实生活中的菲利普斯曲线是介于二者之间某一位置而向下倾斜的。"各国经济学家也纷纷大做文章，试图找出本国的菲利普斯曲线。据调查，菲利普斯论文发表后的 20 年中，各国关于该曲线的专题文献多至 228 篇。美国近一二十年来出版的宏观经济学教科书，几乎没有不评价菲利普斯曲线的。

如果说菲利普斯曲线提出的失业水平与通膨胀率之间存在着稳定的替代关系的假说在最初阶段中已被欣然接受，那么在第二阶段中，这一假说则日益受到普遍的怀疑，其长期性质已开始为经济学家所否定。这些经济学家提出了垂直的菲利普斯曲线，认为长期看来，货币工资变化率与失业水平之间并没有菲利普斯提出的那种替代关系。对照菲利普斯原来的论文，弗里德曼指出劳工与雇主交易的集中点是实际工资而不是货币工资，劳工关心与保卫的是实际工资，要求货币工资的增长能补偿预期通货膨胀率所带来的损失，也即：$\Delta W = F(U)_t + \lambda \Delta P_t^e$（这里 $\lambda = 1$；ΔW：货币工资变化率；U：失业率；ΔP_t^e：对 t 时期价格变化的预期）。

（见下图）A 点是"自然失业率"，政府从 A 点出发，企图通过扩大总需求来减少失业率，需求上升，业主会雇佣更多的工作，于是失业率下降。当然，业主只能通过提供较高的工资来吸引更多的工人，因此短期菲利普斯曲线会从 A 点上移至 B 点。由于劳动生产率既定，价格上升意味着实际工资下降，因而失业率下降到 C 点。于是在回到自然失业率的同时，出现了正值的通货膨胀率做出预期，并要求较高的货币工资率，以补偿通货膨胀将给他们造成的损失。如果政府不进一步刺激需求，这一包含通货膨胀的均衡将会继续下去。

如果政府进一步试图将失业率降低到自然失业率以下，第二条短期菲利普曲线将首先移至 D 点，然后又回到 E 点。如此下去，A、C、E 等点将会组成一条垂直的菲利普斯曲线。

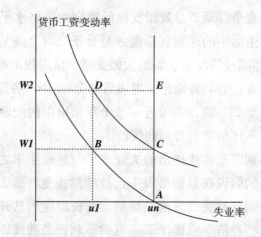

上述"自然失业率"或"加速度主义"或"按预期调整的菲利普斯曲线"的假说——按不同的理论设计模式而有不同的称呼——现在已被经济学家广泛接受。少数人仍然紧紧抱着原始的菲利普斯曲线不放;更多的人承认短期和长期曲线的区别,但依然认为长期曲线的斜率是负数,尽管它比短期曲线倾斜度更大;有些人则用加速度通货膨胀和失业之间的稳定的关系代替通货膨胀与失业之间的关系。当今有许多经济研究工作致力于探索这第二阶段的各个不同方面——如过程动态,预期的形成,以及系统政策的种类。在这些问题上可能会有迅速的进展。

第二阶段还远远没有得到充分全面的探索,事件的进程已经在向第三阶段推进。根据 20 世纪 60 年代末以来的统计资料绘制的菲利普斯曲线的斜率为负数的曲线。琼·罗宾逊曾猛烈抨击菲利普斯曲线,认为它不过是"经济计量学家的魔术"、"是一个骗局"。事实证明:"我们可能有经济衰退,没有充分就业,而同时通货膨胀依然如此,并未减轻一点",她认为这就宣告了菲利普斯曲线的彻底"破产"。曾担任过英国首相的卡拉汉也曾在演说中引证过这样一段话:"我们习惯于认为通地减税和增加政府开销,就能够勉强渡过经济衰退并增加就业。让我坦率地告诉你们,那种选择不再存在了,而在它确实存在过的时候,它不过是向经济中注射更大的通货膨胀剂,跟着而来的则是更高的失业水平。这就是过去 20 年的历史。"

菲利普斯曲线渊源于凯恩斯的就业理论,这就注定了它的短期性质。凯恩斯经济学的基本前提就是将注意力集中于短期，他有一句几乎众所周知的妙语——"对长期来说我们都死了"。凯恩斯用通货膨胀解救失业的必然结果只能是"滞胀"，而"滞胀"的出现无疑给了菲利普斯曲线以致命的打击。

　　同许多著名的经济学家相比，菲利普斯远非博大精深，但却不乏专一、敏锐与诚实，他在人们极为关注与熟悉的经济问题上，以他独到见解，引起了整个经济学界的思考，使人类的探索新增了一条路径。今天，菲利普斯的曲线分析法如此流行，以至于在他自己著名的曲线解说已经名誉扫地时，他本人却享有不朽的声誉。

583

5. 经济学 "帝国" 的扩张[*]

经济学有许多定义。就本文宗旨而言，我以为有两个已经为人们熟悉的定义特别的合用：

> ……经济学是一门研究人类一般生活事务的学问；其二，经济学研究个人和社会活动中与获取和使用物质福利必需品最密切相关的那一部分。
>
> ——艾尔弗雷德·马歇尔
>
> 经济学是研究一种人类行为，即目的与具有多种用途的稀缺的手段之间的关系的科学。
>
> ——莱昂内尔·罗宾斯

在马歇尔那里，经济学是何等惊人地狭隘、沉闷与平庸！难道经济学家只能将注意力限于那些普通的、粗俗的物质生活事务吗？罗宾斯所说的"目的与稀缺的手段之间的关系"倒是将经济学的大门敞开了一些，尽管其定义也同样地单调。不管怎么说，男男女女所追求的目标决不仅仅是面包与黄油，他们还要求荣誉、冒险性、地位、不朽的济世精神、生活的意义与良好的睡眠——司空见惯的是，满足其中任一目的手段都显然不足。

把经济学看成扩张着的帝国这一地缘政治学的比喻也许能给人

---

* 本文是我在北京大学准备出国之前的一篇翻译习作，发表于《现代外国经济学论文选》第十四辑（商务印书馆 1992 年版）。论文由胡代光先生选自《美国经济评论》1985 年 12 月，作者是美国加利福尼亚大学的教授杰克·赫什利弗。本文思想含量特重大，故破例保留。发表时译文的题目是"扩张中的经济学领域"。

以启迪。我们的思想王国为两个狭隘的观念所割据：（1）作为理性的自利的决策者的人；（2）以市场交换为特征的社会的相互作用。但思想的逻辑势必使经济学家越出这个核心地带。理性和自利的选择在市场之外的许多生活领域中同样起着作用，例如政治、福利、择偶、工程设计和统计推断，等等。反过来说，即使在市场行为的范围内，经济学家也几乎不能否认人们想买什么和卖什么会受到文化、种族甚至"非理性"等因素的影响，而这些因素通常需要社会心理学家和人类学家们做进一步研究。此外，人们在市场交易过程中，还会遇到法学与社会学问题。

作为上述思想的魅力的反应，一位像加里·贝克尔那样的经济学帝国主义者的言辞特别有力：

585

> 将被坚持不懈地使用的最优化行为，市场均衡和稳定性偏好的假设结合起来，便形成经济学方法的核心……
>
> （加里·贝克尔：《人类行为的经济学方法》，
> 1976 年英文版，第 4 页）

正是这种方法推动经济学向社会学、政治学、人类学、法学和社会生态学的传统领地进行了帝国式的扩张——这种扩张还将涉及更多的学科。

限于篇幅，作者在此不能一一回顾这种种经济学的帝国式侵略的思想史，或全面评价其是非功过。除了必要的议论，我将不得不撇开一系列重要而又激动人心的课题，如人类学中实体主义者（substantivist）同形式主义者（formalist）的争论；政治学中最佳宪法的制定；投票均衡（voting equilibria）的稳定性与压力集团之间力量的平衡；社会学与法学中的犯罪及其惩治与防范问题；还有许多边缘性问题，如最佳进食；依据性别、年龄或种性的劳动分工；生育与婚姻的方式，等等。相反，我把重点放在经济学的帝国式侵略给予经济学家的特别的教益上，这种教益关系到经济人模式的有效性及市场对非市场相互关系的相对作用。

我将强调两个中心主题。第一，在整个社会科学的领地上单独为经济学划出一块地盘最终是不可能的。经济学渗入到了所有的社会科学学科，同时也为各学科所渗入①。事实上只有一个社会科学。经济学家发动侵略的动力来自我们用以分析问题的分析范畴——稀缺、成本、偏好、机会，等等，这些范畴是普遍适用的。甚至更重要的是将这些概念有机地结合到个人决策水平上的最优化与社会分析水平上的均衡的清醒而又相互交织的过程中。因而，经济学实际上制定了社会学通用的语法。但这仅仅是问题的一个方法。问题的另一方面是，人类学、社会学和政治学之类学科的研究将愈益难以同经济学相区别，因此经济学家不能不意识到自己关于人类与社会的相互作用的本质的看法具有何等的局限性。归根结底，好的经济学必须是好的人类学、社会学、政治学与哲学。

第二个基本主题已为马歇尔简练地表述过：

> 经济学与任何自然科学都没有近亲关系……经济学是广义生物学的分支。

经济学作为广义生物学的"自然经济"的一个方面，在亚当·斯密看来并不奇怪。亚当·斯密在《道德情操论》中曾有一段近乎达尔文主义的议论：

> 就此而言，自然经济确在这方面是与其他场合是一致的……因此自我保存与物种繁衍是伟大的目的，其本质似乎是计划了所有动物的形成。人类也因此希求达到这些目的而厌恶其相反的。

社会科学（包括经济学）在一定程度上必须基于人种的生物学构造，这并不是新思想，但是我将提出一种新的观念，即经济学是与生物学独特地交织在一起的。

---

① 因此我不能赞同罗纳德·H. 科斯所主张的观点，即其他社会科学在任何有用的意义上都与经济学"接壤"。

Ⅰ. 经济人

经济人的特点是具有自利的目标与手段的理性选择。由于两个理由，这个人类动物的假定一直是人们指责的对象。至少，人们有时的确为他人谋福利，他们有时还会由于考虑不周或一时糊涂而走入歧途。对此经济学家应做何解释？（1）温和的说法（对此不想多谈）是搞文字游戏，重新解释目的与手段，使之符合自利与理性的原则。（2）比较有说服力的解释是，经济学家可采取自我否定法，把非自利的目的与手段的非理性选择作为"非经济的"加以排除，然后宣称理性和自利的人的假说在某种程度上的确不确切，但事实说明在我们用以解释问题的场合它仍然具有很强的说服力。

总是有一些事需要人们有所退让，科学事业更是如此。当放射衰减现象否定了质量守恒定律的时候，物理学家应当退让，决定从此之后将这方面的考察限于质量的确守恒的场合，但不应当因此无所作为。同样，如果经济人假定不完全适用，正确的科学的反应不是软弱撤退，而是继续进取，创建较为完善的理论。

帝国式经济学的历史说明经济人模型的确是适用的，但是只能在一定的限度内。经济学的每一次扩侵，初期通常总会轻易取得成功，把理性自利行为的假定运用到新的领域会立即产生令人注目的成果。例如，当它东尼·唐斯大胆地当做"公理"提出人们求官的目的在于收入、威信与权力，并且都会遵循最少使用其有限的资源来达到其目的的原则而进行活动时，经济人假定仿佛成了一股吹进政治领域内的新风。又如在犯罪学领域，加里·S.贝克尔和艾萨克·埃利希抛开了将犯罪行为归于罪犯可能的"离经叛道"的个性的方法，而将其视为个人对于以惩罚与奖掖形式出现的机会做出的理性反应。此外还有一些类似的探索进入了法学、婚姻和家庭、战争与冲突等研究领域，也都迅速地绽开了智慧之花，取得了激动人心的成果。

随之而来的是第二阶段，这时人们开始怀疑。在一部分新征服

587

的土地上，有些事实越来越难以解释，难以同理性自利人的行为相符合。在政治学中，这些事实包括投票，提供公共财物的意愿，意识形态的控制。至于犯罪，在面对同样的诱惑时，有的人犯罪，有的人却遵纪守法，这也是事实。因此，疑问仍然存在，结果，犯罪在一定程度上还是"离经叛道"的个性所致。在一些经济学帝国式扩张的领域中我们仍处于第一阶段，摘取着便宜之果，不过我的考察重点在于更为有趣的第二阶段，在于我们能够从中有所汲取的我们所面临的那些难题。

下面我将考察经济学的帝国式扩张在关于经济人假设的两个关键方面上教给了我们什么，即自利（第Ⅱ节）和理性（第Ⅲ节），然后论及冲突问题（第Ⅳ节），以说明经济学对于这一最为重要的人类所参与的非市场的相互作用能说些什么。最后在第Ⅴ节中分析上述行为方式的生物学基础。

Ⅱ. 自利

对此，还是亚当·斯密说得好：

我们不打算怀疑任何人在自私方面会有缺陷。

当然，他还有下面的一段名言：

我们期待之中的晚餐不是来自屠夫、酿酒商或面包商的善行，而是来自他们对自己的利益的关注。

新古典学派时代的 F. Y. 埃奇沃思有一段特别有力的论述：

经济学的第一个法则就是人的每一个动机都仅仅是由自利心所激发。

最后引理查德·波斯纳（Richard Posner）的一段话。波斯纳是当代著名的法学家——主张改变天主教教义甚于更换教皇——已成为最杰出的经济学帝国主义者之一。

> 经济学……探索与检验的是这样一个假定所具有的含义，即人是满足其生活目的——我们称之为"自利"——的理性的最优化的人。

这里存在一个问题，对此波斯纳即刻提出来了。假设人的生活目的包括为他人谋利而且情况又真的如此，为他人谋利是否会成为"自利"？同其他经济学家们一样，波斯纳的回答也是肯定的——一种偷换了具有清晰内容的"自利"概念的遁词。但是要把"自利的"满足同由于他人的体验而产生的心理感受区分开来并不是那么容易的事。

阿马特亚·K. 森提出的区分标准实质上体现了这种困难。

> 如果他人的痛苦使你难受，这种情况属于同情；如果你不觉得难受，但认为这样是不对的……，这种情况属于义务……基于同情的"行为"是一种重要的自利，因为人会随他人快乐而快乐，也会随他人痛苦而痛苦：同情他人有助于增进自己的效用。出于义务的行为在这一场合是非自利的。

可见，森认为同情是自利的，而抽象的道义是非自利的——这并不是一种很吸引人的观点。就本文目的而言，下列常识性的解释〔我认为与戴维·科勒德的观点是一致的〕是合用的：某人在一定程度上是不自私的，他（或她）把追求自己的效用与其对他人身心上的影响联系在一起考虑。当我母亲说"你把牛奶喝了，"这时她对我的健康的慈爱的关心。假如我喝奶的目的仅仅是为了使她高兴，那么这就成了我宽慰母亲的孝敬。（下文我们将见到，这种区分上的困难最后只有借助生物经济学的思考方法才能解决，这种方法允许我们把自利的动机从自利的各种表现中区分出来。）

　　动机是个人效用或偏好函数的一个方面，重要的是把动机与行为区别开来（经济学家懂得，即使是完全自私的人，在一套适当的奖惩制度下，也可能参与互惠的行为）。自利的或自私的动机，在以仁慈为一极、恶毒为另一极的动机序列中是一个中间点。①

　　以下我将指出帝国式经济学如何为解决自利的本质与内容问题带来了希望。此外需要声明的是，在一些案例中，帝国式经济学采用的新模型新方法，对于核心地带的传统经济学同样适用。

　　1. 政治行为与分身的史密斯模型

　　政治行为能否以自利这一术语来解释？这个问题自有政治思想以来就一直在争论。正如罗杰·马斯特斯所言：

590

　　　　在古希腊，这个争论无疑已经出现。前苏格拉底派公开提出唯我至上或享乐主义的关于人类本质的理论……最为人所知的是柏拉图《理想国》中思雷斯麦克斯的讲演，他宣扬享乐主义，把人类的法律或习惯看成是对本性的一种压制……

　　　　不论是柏拉图还是亚里士多德，显然都遵循了苏格拉底开创的传统理论，并为之辩护。例如亚里士多德指出人本质上的"政治动物"，直接向诡辩学派提出了挑战。诡辩学派认为人类社会建立在为自己打算的个人之间契约性或协定性的权力义务之上，亚里士多德的观点则基于对社会合作的发展与演进的考虑。

　　经济学家近来闯入政治学，几乎全都基于自利的假定——诡辩学派的观点。这些为人们遵循不够的理论曾经获得成功，但难以自

---

　　① 仁慈（benevolence）一词［源于拉丁语"to wish well"（祝福）］与常见的"利他主义"（altruism）相比，含糊之处比较少。利他主义一词已成为以上同于特定原因而提及的概念混乱的根源。尽管有些作者［如科勒德］在该词原来固有的及专有的动机意义上小心地使用该词时，但其他人却随意将任何对他人有益的行为冠之以利他主义——即使其动机是自利的。又如生物学家使用"互惠利他主义"（reciprocal altruism）一般仅仅指自私的利益交换。

圆其说之处依然存在（虽然人们乐于接受）：从最野蛮的社会到最文明的社会，对于程度较高的合作，仅仅用自私的社会成员的实用主义战略来解释是不够的。在出现机构与自由乘客问题时，在对付公开或隐藏的暴力行为的过程中，社会契约所具有的保守性远比我们所想像的要顽固得多。换言之，那些为了公益而自愿行事的社会成员好比是社会机器运转的润滑剂。

至于投票问题，用理性自利假说的确能说明一些问题。例如，自利的人更有可能在赛马行将结束时参加投票——既然投中的可能性更大。实际上比赛接近尾声时，结果已经比较明朗。这些事实在相对意义上符合自利假定：对自利参项变动的行为反应与预期的方向一致。但是在绝对意义上，用自利来解释仍旧难以成立，只要投票本身需要费用。单个投票者起决定作用的机会通常小得不值得考虑。

591

一个甚至更大的"诋毁"是私人自愿提供公共财货的程度。为具体起见，现假定私人 I 的效用函数如下：在任何收入水平上他都愿意缴纳其收入的 k 部分，如果他是惟一的捐助人的话。现在进一步假定 $k=0.1$，于是，对于有 N 个 I 私人的社会来说，当 N 趋于无穷大时，社会用于公共财货的总额的极限比只有一个捐助人的社会高 10%。[①] 显然，个人提供公共财货的意向远非自利这一假定所能圆满解释的。

霍华德·马戈利斯以其思想实验将这一观点说得再透彻不过了，他举了这样一个例子：史密斯根据周围情况与他对其他人会拿出多少的信念，决定拿出整 50 美元作为公共财货——具体地说，如捐给联合基金会的年度慈善运动。就在史密斯签署支票之时，他了解到琼斯也正在捐助 50 美元，而人们此前并不曾期待他拿出一分钱。按照标准的分析，史密斯会即刻缩减其捐助。例如，若只有史密斯一人捐款时，他会捐出其 10% 的收入（见前例），那么他现在应当将

---

① 从理论上说明这一值得重视的结果显然归功于马丁·麦圭尔，但其重要性却首先是由霍华德·马戈利斯加以确认的。

自己的捐款由 50 美元减至 5 美元。[①] 常识告诉我们这种情况不大可能发生，一般情况是史密斯只会稍许缩减一点，如果他决定缩减的话。我将以马戈利斯对这个谜的解说，作为我对于经济学在扩张了的领域中面对新困难而产生的新模型新方法的初步说明。

假定史密斯被分身为史密斯$_1$与史密斯$_2$。史密斯$_1$具有典型的自私的动机，只关心肉体史密斯的福利；史密斯$_2$比较慷慨与仁慈，但也并非完全不自私，史密斯$_2$的确以捐助为乐，但与其说他以别人福利的增进为乐，不如说是通过其"参与效用"（participation vtility）得到满足。

如果史密斯真的仁慈到一定程度，他的效用函数会是：

$$U^s = U^s \ (X_s; \ X_A, \ X_B \cdots) \tag{1}$$

这里 X_s 是史密斯本人的消费向量，X_A，$X_B \cdots$ 是其他社会成员 A，$B \cdots$ 的消费向量（所有的边际效用都取正值）。[②] 但我们的史密斯的偏好是：

$$U^s = U^s \ (x_s, \ y_s) \tag{2a}$$

这里 y_s 指史密斯自己的"参与"支出。再具体一些，假定公式（2a）可写成：

$$U^s = W u^s \ 1(x_s) + u^{s2} (y_s) \tag{2b}$$

这里，史密斯$_1$ 的效用 u^{s1} 是史密斯消费的函数，而 u^{s2} 是史密斯参与支出的函数，两部分效用都取正值并服从递减规律。W 是权数，可视为一个常数，两部分效用都取正值并服从递减规律。W 是权数，可视为一个常数，[③] 表示任何时刻两个史密斯之间的"力量平衡"。可以认为这种内部的力量平衡一般同一个人与另一个人之间的情况不同，与年龄和外在情况的变化也不同。

---

① 由于琼斯的捐助使财富增加了 50 美元，史密斯现在需要使公共财货不再是原计划中的 50 美元，而是要多 5 美元，总额达 55 美元。但由于琼斯已经交了 50 美元，因此，史密斯只需交 5 美元。

② 一个可选用的仁慈的史密斯的效用函数是：
$$U^s = U^s \ (X_s; \ U^A \ [X_A], \ U^B \ [X_B], \cdots)$$
这里，与其说史密斯以他人的财货消费为乐，不如说是以他人的效用为乐（区别在于公式（1）听凭史密斯对受益人的消费有"爱管闲事"的癖好），这一区别本文不予进一步考虑。

③ 马戈利斯将 W 电视为比率的函数，但似乎不必这样使问题复杂化，如果（正如他们的假定）每一部分效用都遵循递减规律的话。

运用这个模型，公共财货之谜——在传统理论中琼斯的捐款几乎可完全替代史密斯的捐助，它应当一对一地取代后者（但并没有这样）——可以得到解决。进而，如果我们确认消费效用比参与效用更易于饱和——u_1' 的递减快于 u'_2——那么我们可以推论：富人的捐助会比较多。这个模型还提出了对权数 W 的测定研究，及由此对人际与环境决定因素的研究。模型的意义还在于：人类决策的不一致，或偶尔的表面上的 "非理性"，可能是由于在两个史密斯之间的命令的内在转辙。

2. 家庭中的慈爱与宠儿原理

在政治领域中还可能坚持纯粹自利的动机的理论，但是在家庭范畴中，没有人能认真地否定慈爱起着主导的作用。然而即使在这里，经济学家仍可以、并且已经认识到，从自利假定出发，仍可以做出相对正确的论断。其他类同的场合也是如此。如用以减少妇女孕期开销的育前补贴能够刺激出生率的增长。又如，农村的父母让孩子离开学校较早，城市里的父母却较少这样，因为年轻人在农场比在城市中更能帮助父母。

593

慈爱在家庭中不完全笼罩在各谋己利的气氛中，然而家庭好似一种强有力的粘合剂，仿佛仁慈的父母拥有一笔 "有感染力" 的财产。加里·贝克尔的 "宠儿原理" 解释的就是这种现象。我将把这一理论作为帝国式经济学在扩张了的领域上解释新现象的第二例新模型。

图 1 中的宠儿是自私的，只图自己的物质收入 X_k 尽可能地大而不考虑爸爸的收入 X_D。不过爸爸有一定程度的慈爱，见以 X_D, X_K 为再两轴的常态偏好图（图中无差异曲线 U_D 表示爸爸的偏好）。假设儿子沿联合有效机会轨迹 QQ 选择了有效解之后，爸爸沿 135°线 TT 以 1∶1 的比率向儿子转移收入。如儿子目光短浅，则他会沿 QQ 线选取 R^* 点以使自己的收入最大。但如果儿子聪明，则会选取 J^* 点，使其家庭收入最大。儿子可指望爸爸出于慈爱动机从 J^* 点沿 TT 线转移收入，直到 A^* 点。A^* 点的 X_k 大于 R^* 点的 X_k，说明儿子的境况更好了。仅此而言，还不是令人注目的结果，聪明的孩子比目光短浅而贪心的孩子获得更多是常用的事。引人注意的是，爸爸在 A^* 点的境况也比在 R^* 点强，即使从纯粹

的物质收入 X_D 的情况来看也是如此。因此，金律（Golden-Rule）动机从作用上看似乎可能是合算的！

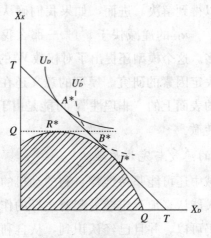

图 1　宠儿理论

594

　　这里我将提出三个条件，它们是上述结论成立所必需的。第一，儿子为使家庭收入最大而沿 QQ 线选取 J^* 点，必须能使爸爸得到足够的收入优势，从而引致收入转移。第二，爸爸的慈爱必须超过一定的限度，如果程度比较低，如图 1 中以虚线表示无差异曲线 U'_D，那么爸爸的收入转移只能由 J^* 点达到 B^* 点，这将不足以导致儿子的合作，因而双方仍会在 R^* 点达到 B^* 点，这将不足以导致儿子的合作，因而双方仍会在 R^* 点达到均衡。第三，爸爸必须"最后说话"。如果爸爸的收入转移必须先于儿子沿 QQ 线的选择，儿子肯定不会做出使家庭收入最大的决策。

　　宠儿理论及上述限定条件有助于我们理解家庭中各种现象。这里再举一例：外界公众帮助某些家庭成员，比如说帮助一个残疾儿童。这种帮助对于孩子的实际利益不如最初预计的那样大——因为原来已经向孩子转移收入的慈爱的父母，此时令理性地削减其转移。此外，在宠儿原理的条件得到满足时，慈爱这种有感染力的财富还有助于解释即使是在家庭以外的其他领域中的非自利行为的程度。[①]

――――――――――

① 在一定意义上，政府可作为一个巨大的爸爸，来导致自利的公民们的合作。

3. 赠予，地位和"鼠赛"（rat-race）

几乎在全部被观察的社会中，赠予及其他"再分配制度"的重要性可以说首先在于它是广义的慈爱。不管怎么说，传统的人类学的理解与经济人模型是一致的。原始人间的赠予被视为一种真正的社会交换形式；如不被酬答，则赠予将被收回（甚至会采取更严厉的惩罚）。表面上的仁爱不过是间接的或伪装着的自私。因此马赛尔·茅斯（Marce Mauss）认为这些"给付"（prestations）是：

> ……从理论上说是自愿、无私和自发的，但在事实上却是出于义务的和自利的。

595

这个传统成见挑明了问题：为什么人们不厌其烦地把真正的交换用送礼这一形式伪装起来？没有理由伪装，没有真正需要伪装的东西。因此我们不禁要问：这些礼物所要伪装的东西是什么？以下我的关于生物学的探讨也许可以回答这个问题。在真正的原始社会中，自愿的资源转移的形式只能是家族集团内部的分配（像宠儿模型中爸爸的转移那样）。这种仁慈的生物学基础是一目了然的。随着社会成员相互依存的范围的扩大和程度的加深，参与交易的各利益集团之间的实际家族关系弱化了，但家庭的共享的观念依然存在，作为一种有益的虚构，人们把贸易伙伴们当做准亲戚来"接纳"。这个虚构随着交易者们社会距离的拉开而变得愈益难以依赖——结果，严格的自利集团之间的交换在一定限度内就接近于真正的非个人交换。准亲戚观念的残余即使在当代"普通的生活事务"（马歇尔语）中也不无好处。那些超乎自利的欲望，那些贸易集团或企业伙伴之间的真正的信任因素，在事务世界中几乎总是不可缺少的。

与上述观点成对比，弗里德里克·A. 哈耶克相当矛盾地主张：如果不是随着文化演进，人类克服了自身的"追求共同目标"的生物天性，那么在建设社会与发展文明方面，人类社会组织是不会在原始群的基础上有所前提的。与亚当·斯密相反，有时哈耶克好像几乎声称自然人"在自私方面有缺陷"①。我认为哈耶克观点的更公允的理解应当是：原始社会的亲族共享（kinship-sharing）道德势必为一种社会道德——中心点是公平与互惠——所取代，以适合于市场秩序。当哈耶克所强调的社会道德为人们从文化上感知时，人类的成见便会演进，以便形成互惠这种社会规范。我曾经提出（1980年）社会进化至少把三种不同的社会道德因素潜移默化到人类的灵魂中；其一是与分享金律联系着的；其二则与私人权力与互惠的银律（Silver Rule）相联系；其三所联系的可谓之支配与从属的铁律（Iron Rule）。

回到赠予这个题目上来。经济学帝国主义者理查德·波斯纳（与若干人类学家一起）将其视为一种基本上是人们相互保障的手段。满载而归的猎手乐于帮助运气不佳的同伴，因为他知道明天的情况很可能会相反。这种解释不能完全令人满意，因为至少有两个理由：（1）有些猎手一贯比同伴高超，因而"保障"支付与互惠将随时间推移而趋于不平衡。（2）缺少正式的保障契约，造成了许多可乘之机，如溜之大吉、延宕或怠慢偿付，等等。

然而，互惠性赠予在主要的范围内的确近似于平等者之间的自利性交换。但又如何解释单向或再分配的赠予呢？人类学家通常似非而是地认为：这里的动机不只是中性的，而可能是不善意的——背后的动机是为了提高或维持自己的地位。根据克劳德·列维—斯特劳斯的观点，其目的是：

> ……要比对方更慷慨，若有可能，则让对方陷在未来的人情债务之中，而自己则不希望陷入其中，这样便能从对方得到特惠、衔头、等级、权威和声望。

一个著名的例子是太平洋沿岸一些印第安人社会中的冬季赠礼

---

① 唐纳德·T. 坎贝尔从一个准进化论出发，他在向美国心理学学会所作的主席致辞中的主张，几乎与哈耶克对立。即，人类的生物天性的自私总是威胁并趋于颠覆现存的社会秩序，只有那相当脆弱的演进着的文化道德传统维护着这一秩序。坎贝尔指出为首先传统所抵制着的邪恶——"自私、吝啬、贪婪、暴饮暴食、嫉妒、偷盗、色淫、性紊乱"——事实上是"随生物优生劣汰过程而告终"的行为。

节习俗。在这个习俗中（至少传闻如此），为了羞辱比较穷的对手，人们在奢华的宴会上挥霍，甚至故意毁掉财物。

追求晋级的动机本身就带有恶意，因为一个人的晋升意味着另一个人的贬降——整个过程是一场零和对策。由于追求地位这一点不言而喻地贯穿在人类全部活动之中，[①] 因而直到不久以前经济学家们还显然不能用其模型来解释这些现象，这是值得注意的。

无论如何，等级也许只是追求对象的近似物而并非目的本身——例如，如果收入来自以等级决定报酬的"竞赛"过程，在一场竞走或一场战争中，即使你的目的在于获取物质奖励，你仍然必须胜过对手。高累进性按等级付酬的收入产生过程导致了"超级明星"现象，这已为有关文献注意，不过我们的兴趣在于等级从何处进入效用函数的，以至

$$U^i = U^i \ (x_i, \ R_i) \tag{3}$$

597

这里 x_i 指个人 i 的收入，R_i 可理解为，在按等级付酬制度下的低于 i 的参照组的百分比。公式（3）的一个有趣的含义是，这个人对地位阶梯上的上一个和下一个邻居最怀有嫉妒与警惕心理，而对那些远高于或远低于他的人则基本上采取中性态度。因此，对于地位的关注可以同对他人财富的纯粹嫉妒相区分。

当地位靠炫耀性的消费来体现时，其花费可以得到双重的补偿——比较充裕优质的消费加上比较高的声望。据此，罗伯特·H. 弗兰克在其近作中分析了"鼠赛"现象。一些描写现代市郊生活的小说告诉我们，鼠赛随着收入水平的上升不断恶化。其原因是：当人们富裕程度提高时，便要求购买更多的消费品，也要求购买更高的地位。从绝对意义上说，社会地位的供给是固定的，其边际合意性相对于消费稳定上升——因而导致为得到它而做的更大的努力，这些努力从总体上看必定是徒劳的。[②]

---

① 对自我品评的"幸福"的考察提供了这一实例。如所预料，幸福在任何时刻都与较高的收入相关，但是当收入在长时期内趋于上升时，自我品评的幸福并无程度相应的上升趋势。最自然的解释是幸福受到相对收入的影响比受绝对收入的影响大。穷人富于以前，但仍在社会的底层。

② 相对地说，当收入上升之时，时间的稀缺性也会增强。地位与时间限制的联合作用，导致"匆忙的有用阶级"产生。

另一方面,如果地位不取决于收入,那么却常常可以用收入换取地位。一些社会兴盛的原因可以说在于有适当的等级决定的标准。例如,一个部落在面临强敌时,如果能以作战英勇为获取地位的标准,那么该部落继续生存的可能性会比较大,而以大方慷慨为荣的再分配制度,会缓和为获得收入的鼠赛竞争。在这样的社会里,高收入可以用于消费或换取荣誉,但二者不可兼得。

Ⅲ. 理性

在理性问题上,经济学这个侵略者会意外地发现自己处于防守的地位,理性人假定遭到了心理学的毁灭性打击。如果我说的经济学最终将与其他社会科学融合这一观点成立,这倒未尝不是件好事。广义的经济学将人视为真实的——自利的或不自利的,完全理性的或不完全理性的。

598

理性是一个工具性的概念,根据人们的目的(偏好),如选定的手段(行动)适当,便认为具有理性,否则便不具有理性。所谓"适当",指的是方法而不是结果,即合乎逻辑法则和其他可行性规范。由于偶然因素,理性的方法未必都产生好的结果。

世上男男女女的行为几乎不可能始终符合理性,许多人一生都缺乏理性。对此,经济学家将如何维持理性假定?同自利假定受到挑战时的情况相似,这里同样有几种回答:(1)我们可以重新定义所有的手段选择都是理性的("如果我选择手段 x,我一定认为 x 是最适合的")。但这样做是行不通的。(2)可以退回到我们有把握的地方,指出理性假定在经济学家通常运用的范围——即市场决策领域——内会产生有用的结论。如前所述,这种让步是对于挑战的不妥当的问题。[①] 总之,在理性假说与事实上的人类行为不相符的地方,我们必须准备抛开这一理论。

---

① 有趣的是,尽管理性假定对于个人不够有效,但依然常常成为有用的社会预言。理由之一在于总合效果:因为理性行为是系统的和有意识的,而非理性行为近乎是随机的和不稳定的。退一步说,即使一定程度的理性也趋于支配社会总体。另一个理由在于选择竞争,下面将具体讨论。

理性假定会在两个不同的方面失灵。第一，人们常常在逻辑推理上犯错误，即使他尽力遵循逻辑。第二，这与前一点相去甚远。人们出于习惯或热情，甚至不屑于理性控制自己，他们的行为往往是"不假思索"的（下文我将指出像对自利假设的违背一样，这些失灵会被证明也适合于人种的遗传变异和文化的演进）。

1. 关于逻辑失误

正确地进行逻辑推理并不是容易的事。这里我将指出三类逻辑错误。

第一，直接违背推理法则。现举一例如下：

> 分牌游戏中有一条规则："一面为'A'的牌另一面应为'1'。"现有四张牌：（1）一面为"A"；（2）一面为"B"；（3）一面为"1"；（4）一面为"2"。指出哪张牌需要检查其反面以判其犯规。

多数情况下，人们会根据试题要求正确地指出（1）号牌需要检查，但却会忽视（4）号牌也应受检查。

值得研究的是，无论什么情况下，人们对下列同类问题的反应却不会出错。

> 假定你在波斯顿酒馆值勤，任务是执行下列规则："不到 20 岁的人不得喝酒。"现有四个顾客：（1）喝威士忌者；（2）喝咖啡者；（3）25 岁者；（4）16 岁者。指出哪位顾客应受查询以判定他犯规。

这一次，几乎每个人都能既指出（1）号顾客，又指出（4）号顾客。作者对此所做的解释是出于生物学角度的：不管人在形式逻辑方面的智力是何等的不完善，达尔文的自然选择法则已经使我们能有效地察觉欺骗或违犯社会规范——这在第二次实验而不是在第一次实验中起作用。

心理学家阿莫斯·特韦斯基和丹尼尔·卡乃曼关于人们在概率判断

中的错误的文献，更为经济学家们所熟悉。特韦斯基和卡乃曼指出：

> ……人们依靠若干为数有限的启发性的原理来降低概率判断的复杂程度，简化其估算。一般说来，这些经验法则是相当有用的，但有时会产生严重的系统错误。

这类错误的例子有：（1）由于特定心理而高估的倾向（亲眼看着房屋烧烤的人对这种事发生的概率，比仅仅听闻此事的人的估计值会偏高一些）。（2）夸大少数样本的代表性的倾向（人们似乎不能直接判断教科书中连续几行字中的平均字长比连续几页中的字长变动得更快）。一般地说，人们凭经验约略地判断，多数场合都能奏效，但这种约略会导致各种系统偏差。

600

心理学家们所谓的"内心冲突"曾引起一些经济学家的注意。这种现象与其说是一种逻辑推理错误，不如说是一种反常。例如某人选择了一个一般人都认为风险太大的职业。为了减轻思想负担，他可能会修正自己的信念，自欺欺人地认为他的工作根本没有那么大的风险！用过时的术语，这被称做理性化。当人们意识到其行为与偏好和信念不协调时，经济学家认为他们会修正自己的行为选择——内心冲突论者则认为他可能会修正偏好和信念。

上述问题的基本前提是人们总是试图向世人（包括自己）表明其行为系列符合某种理性标准。被观察到的不一致情况，要求人们做出修正，这种修正或者是理性的，或者是理性化的形式。展开这一思想，以区分"理由不足"和"理由过剩"。内心冲突情况属于前者，如果主体没有足够的以奖掖或抑止形式出现的外部理由，他会编出一个内在理由（修正目的或信念）。"理由过剩"指的是：告诉主体其行为有强有力的外部理由，由此他会认为缺乏内在理由。例如，假定学校当局这样引导孩子们：学习成绩优秀的可获得金质奖章。那么，在停授金质奖章的时候，我们可以断定孩子们会放松学习。[1]

---

[1] 理由过剩与人们熟悉的条件反射理论是对立的，条件反射理论认为由奖掖引致的行为方式在一定程度上会持续（如巴甫洛夫有名的试验：狗的唾液分泌）：即使在奖掖条件不复出现之时。

修正信念也许不完全是荒唐的。[①] 但却都倾向于不切实际。例如一军事指挥官知道其左翼弱，危险。经济学家期待他做出理性的反应，加强左翼。内心冲突论者则期待理性化反应，认为该军官转而相信敌人不会攻其左翼。然而环境选择总是倾向于否定这种不切实际的反应。这一点下文会讨论。

2. 关于非理性（或"有限理性"）决策的程序

有些情况下，人们根本不想推理（或者只是在有限的范围内思考），这一事实至少同不能正确推理一样地重要。习惯无疑是节省有限精力的手段。在许多场合，习惯的确比思考更为敏捷与准确。没有人能够不经过大量复杂的反复的练习，就能弹好钢琴，开好轿车。不过我还未见到心理学对于习惯问题的研究。

赫伯特·A. 西蒙以"有限理性"为题，指出：在对付劳命而费神的复杂问题时，人们会不企望严谨的最优解，而会仅仅满足于"令人满意的解"，就是说，人们的目标不是要找到最好的办法而只是好的办法——近似达到既定的目标或理想水平即可。西蒙指出：

601

> 令人满意的行为模型的内容化最优行为模型要丰富，因为它不但要考虑均衡问题，而且要考虑达到均衡的方法……（a）当行为过程不能令人满意时，会引起搜索行为。（b）同时会降低满意的标准，使之在实际中有可能达到。（c）如果上述两种机制见效太慢，来不及理想标准与行为过程相符合，情绪行为——如冷漠或冒犯——会取代理性的适应行为。

西蒙所说的前两点（a）和（b），组成了一种行之有效的连续近似技术，通过节省人们有限的获取情报和进行推理的能力而达到最优水平，这一点至少是应该肯定的。但是第三点（c），即对挫折的情绪反应，从理性适应的角度看是不起作用的。然而可以明确的是，

---

① 例如，知道某活动得到社会补偿的孩子可能会这样正确推理：人们一般都认为该活动麻烦或不对称。既然我们总是要向他人学习，他人判断的外在权数理应对我们的价值判断产生影响。

即使是"非理性"的情绪也是一种有用的适应。

　　具体地说，个人不能控制的由于他人的有害的/有益的行为而产生的愤怒/感激，能引致类似"宠儿原理"中的那种合作。图 2 与图 1 相同，但加上了"（收入）转移线"T, T', T''，表示（每次）怀着感激心情的爸爸以 1∶1 的比率向儿子转移收入；此外还有"'惩罚线"D, D', D''，表示愤怒的爸爸以 1∶1 的比率剥夺儿子的收入。这里的 1∶1 指的是，爸爸每进行一单位惩罚，自己也损失一单位收入（这个假定说明愤怒与感激一样也可以用成本来表示）。于是，理性的自利的儿子，先根据爸爸的愤怒/感激反应曲线（AGR），考虑到这一反映对自己收入的最终影响，在 QQ 线上选取一个有效的向量。AGR 曲线的性状反映着这样一个合理的假定：儿子沿 QQ 线的选择愈是自私，爸爸的感激程度就愈低（或者说愤怒愈是增加）。图 2 的 V^* 点是一个有效率的结果，与图 1 的答案 A^* 点很相似。在图 1 中，确保爸爸潜在的许诺——即对于儿子的合作给予回报——得以实现的是爸爸的慈爱；而在图 2 中，这一保证是爸爸的对应于儿子行为优劣的感情的"失控"。

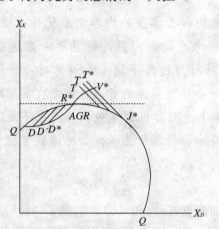

图 2　愤怒/感激反应曲线

　　通过 AGR 效应求得有效率的结果之可能性的前提是一系列特殊的假设，这些假设与宠儿模型所要求的条件非常相像。这一次爸爸仍必须"最后发言"，并且全部的解在一定程度上都依赖了 AGR 曲线的位置与性状。如果爸爸怒气很盛（因而 AGR 曲线可能全部低于 QQ 线），爸爸甚至可能向儿子索取收益——例如从儿子的支出中得到好处。但如果爸爸过于愤怒，则可能使儿子选取一个非常有害的点，这时双方都穷困到一定的程度，以至于爸爸不能（或不愿）对儿子给予惩罚。

下面，我将站在正统的扩张性的经济学帝国主义者的立场上总结上述关于理性的心理学讨论。据我所知，经济学家，如艾克劳夫、狄更斯和大卫·阿尔代夫一直过于尊重心理学所告诉我们的那些东西，这些成果从资料数据上来说是丰富的，但从理论水平上说，心理学依然是一片范畴杂乱，争吵不休之地，谈不上有系统的理论构架。恕我如此大胆地预言，如果心理学能够建起有系统的理论构架，那么这个构架就本质而言一定基本上是经济学的——或更准确地说是生物经济学的。也就是说，心理学将要揭示：在稀缺与竞争等限定条件下，心理结构如何演进，以期获得最优结果。

603

3. 环境选择与"似乎"的理性

即使个人犯了上述某些或全部的推理错误，其决策在一定意义上仍属于经济中的竞争选择过程。阿门·A. 阿尔奇安认为即使厂商的决策是完全任意的，环境也会为了生存而选择这些决策中的符合最低生存标准的相对正确的部分。斯蒂芬·恩克进一步指出，竞争不能保证所有的政策在任何时候都能保留其真正的最优成分。当那些实行相对成功的政策的厂商扩建和（由于效仿）增多时，日益升高的成功标准变成了最低限度的标准。长时期内，生存能力意味着最适性。结果，就长期既定目标而言，竞争使得经济学家们假定这些厂商的行为"似乎"真的遵循理性最优原则。

这个模型至少在描述均衡的方法上是不准确的。现实经济虽然不尽符合理想标准，但肯定会避免由于任意行为而产生的恣意挥霍与浪费（弃置、破产等）。另一个严重的缺陷是西德尼·G. 温特最早指出来的，选择—进化过程导致相同的长期均衡，以至于厂商"似乎"实际上符合最优标准，这一点不是必然的。关于一点，理查德·R. 纳尔逊和温特考察了下面过程的结果，在这个过程里，有限理性的厂商在"制定的程序"范围内进行政策选择，并且竞争的环境选择同时进行，以改变总体中这些可替换程序的样本。此外约翰·唐理斯克考察了这样一个过程，在此过程中，由于最优化相对于单纯的模仿需要更大的代价，结果，一般说来，"自然选择"最后的均衡是这两种类型的混合物。一个并行的分析强调模仿可以被视为文化的继承，见于罗伯特·博伊德和彼得·J. 理查森的著述。

经济学家们研究厂商及其企业决策程序的环境选择的同时，进化论人类学家提出了一种类似的令人瞩目的关于文化、习惯的环境选择模型，这些文化习俗包括原始人集团规模，生育间隔和土地占有的构成。人类学家这项工作可作为范例，说明更为一般的（和有些争议的）准经济学的进化模型的原则，谓之适应主义假说或最优理论：不论从个人还是从社会角度看问题，形态学和行为选择"似乎"可以被理解成对进化成功的机会是最适当的把握。特别是从社会角度看，会出现许多困难，这主要由于对个人最适并非对集团最适这一事实的存在。经济学家对此可能大有作为，因为经济学家已系统地考察了这类"合成谬误"，多样化的兴趣，信念差别，外部性问题，等等。不过我要提请注意的是另一个我们不大熟悉的问题：说明个人适应与社会适应不一致的一个极为重要的理由，在决定社会组织形式的过程中冲突的作用。

604

Ⅳ. 冲突

维尔弗雷多·帕累托说过：

> 人们会在两个不同的方面进行努力：自己直接生产或运送经济财货，不然就去占用他人生产的财货。

帕累托观点的正确性将会得到证明。他所说的旨在占用财货的侵犯性行为，最终将为我们提供富饶的园地，供我们用经济学进行推理，像我们在生产与市场等传统主题上进行的研究一样。尽管侵占在某种程度上可以通过合法手段进行，例如再分配政策，或被称做"谋求租金"的办法。但其最激烈也是最有代表性的方式总是包含了冲突。无论如何，在或者通过生产和自愿交换，或者通过暴力，勒索和欺骗这两类手段中间，理性自利者会做出最佳的权衡，以达到其目的。事实上，即使他无意于后一类手段，他也可能会得到忠告，拿出其一部分资源防御他人的侵犯。最后，在人们相互依存相互制约的关系中，社会均衡既包括人类建设性的或合作性的努力，也包括耗费性的和侵犯性的行为。

关于冲突这个大问题我只能简单谈及三点：第一点是关于冲突的原因；第二点是关于冲突的处理与技术；第三点谈冲突的社会后果。

1. 冲突的原因

经济学推理表明参与冲突的理性决策取决于决策者的偏好，机会和感知能力。这三个要素与历史学家和政治学家长期争论的"战争原因"问题是一致的：战争主要是由于敌意和根深蒂固的好斗性（敌对的偏好），还是由于获取物质财富的前景（机会）？或者是对于对方的动机与能力的单方的或双方的误会？

在最简单的两个人的情况下并且不考虑与集团选择相联系的各种复杂情况图 3 和图 4 可以说明偏好，机会和感知能力如何共同影响决策。两图中的 QQ 线代表和平可能性边界或"和解机会集"——两轴分别代表蓝方的收入 I_B 和红方的收入 I_R，点 P_B 和 P_R 分别代表双方各自的对于冲突结果的感知能力。U_B 和 U_R 曲线分别代表我们熟悉的效用无差异等高线。

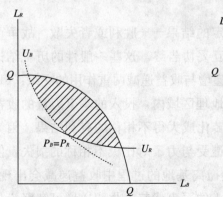

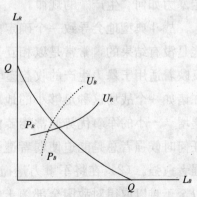

图 3　静态冲突——和解区大的时候　　图 4　静态冲突——和解区小的时候

图 3 反映的是一个比较温和的局面：和解机会是互补的，双方都偏好宽厚，对冲突结果的预期是保守的和相同的（P_B 与 P_R 重合）。"潜在的和解区"（Potential Settlement Region，PSR）（图中阴影部分）比较大。在"潜在的和解区"内，双方都认为和解比冲突有利。这种有利的局面意味着双方缔结和约的概率大。图 4 的局面不太妙；双方机会相克，偏好的是恶毒仇视，对于冲突的收益的估计日益乐观。因此 PSR 小，和平的前景暗淡。

为分析冲突、双方的机会和预期，上述结论性图示自然比文字叙述略为直观一点。这里我只能再说几点。双方和平机会是否协调取决于马尔萨斯压力（Malthusian pressures），收益增长经济学与劳动分工，以及实施协议的可能性。偏好（宽厚或好斗）可能是家族及其共享的文化遗产的函数。感知能力会受信息传播（包括威胁与欺骗）和各方在过去和现在的敌对行动中所显示的威力的影响。

然而，即使根据上述静态分析双方趋于和解，但谈判过程中的变化因素也可能成为缔结互利协定的障碍。例如，在有名的囚犯两难困境中，由于不可能做出一个约束性的协议，因此使各方都陷于一个相互都不满意的结局。

606

2. 冲突的技术

冲突是一种"产业"，各"厂商"争相挤垮对手。经济学家在不作为管理者与工程师的条件下，能把某些通则运用到产业过程中去，同样，在没有被任命为军事指挥官的条件下，经济学家也能研究决定暴力如何"生产"的规律。

战斗典型地会导致一个确定的结果——胜利或者失败。战争可能是没有结果的，常常是以相互妥协告终。这些一般性的历史结论反映着适用于暴力生产的收益递增与收益递减两重作用的交织：（1）在诸如一个战场这种足够小的地理区域内，投入的军事力量的收益递增——小的军事优势通常能转化成大得不相称的有利结果。因为任何时候强者总是能迫使弱者遭受与力量对比极不相称的损失，使强者愈强。（2）在将军事力量撤离基地的过程中收益递减会出现，以至于难以取得对敌国全部领土的军事优势。收益递增可解释为什么一个民族—国家内部存在着军事力量的"自然垄断"。收益递减则说明为什么大批民族—国家至今仍保持军事活力（无论如何我们有理由相信，远程武器进攻技术在国防中的广泛采用已经达到这样的程度，以至于世界—国家的确即将来临）。

3. 作为冲突结果的效率

斗争与冲突显然是代价大、无效率的过程，那么它还可以成为那种斗争掩盖着更深刻的利益协调的情况吗？一些研究者坦率地认为斗争本质的背后潜藏着深刻的有益的智慧。因此，花豹对其牺牲品是值得称道的，因为前者能控制后者的数目，根除后者中的老弱的和不适应的成员。公羊的顶角争斗也同样，因为这种争斗为的是争取性交机会，而这样做可以优化品种。这些论点和对人类中类似现象的说明，我认为是相当庸俗和愚蠢的。与交换不同，冲突几乎不能同时使双方受益。

一种更可抗辩的论点认为：冲突会导致，或者至少最终会导致效率。即是说，斗争的结果是，资源在那些能最合理地利用它们的那些集团的控制之下被使用。这一模型已为经济学帝国主义者在解释法律的演进时所提出。

607

设想这样一种局面：权力的互利交换局部地或全部地行不通。于是科斯原理不再适用，财产权的有效转让将导致真正的效率差别。各利益集团会为资源而竞争，由于互利交换行不通，因而竞争主要是通过诉讼。于是出现一个命题，那些特权或法律对其有利的个人与集团会最后取胜，因为他们比对手更能够承受压力。保罗·H. 罗宾关于这一过程的模型强调了再诉讼。既然总统职位从来不是固定的，因而推翻无效率的总统的企图会不断地产生。只要司法决策过程中存在随机因素，即使不谈任何可能的知识因素，效率标准事实上也可以达到——而且只有有效率的总统才能相对稳定。在一个可选择的模型中，那些受益于更有效率的决策的个人与集团能进行更大的投资（例如雇佣较高级的律师），因而更有可能赢得这场竞争。

最后，这种通过实力较量达到效率的模型决不仅仅适用于习惯法诉讼的场所。只要最小的修正，同样的原则也适用于对成文法和宪法的解释。就此而言，既然这基本上是一个"通过争论的审判"，为什么不将这些原则用到国内战争与国际冲突中去呢？显然冲突产生效率的论点只是在一定的意义上才是正确的，不过下面我将不得不离开这个有趣的问题。

Ⅴ. 经济学与生物学：竞争中奉行帝国主义

在经济学横向扩张之际，可以说纵向扩张也已经同时在进行，正像进化生物学曾宣称要成为全部社会科学的基础一样。这一观点为爱德华·O. 威尔逊所坚持：

> 任何学科在其发展初期都存在一门反学科……使用反学科一词希望能强调一种特别的相逆的关系，这种关系最初出现在组织的毗邻水平的研究中。……生物学现已足够地靠近社会科学而成为它们的反学科。……许多学者认为这个（社会理论的）核心是人类本性的深层结构，一种本质上的生物现象。

这一发展虽然在有些方面是有争议的，[①] 但不应妨碍经济学家。马尔萨斯和亚当·斯密对查里斯·达尔文思想的影响是人们所熟悉的。鉴于艾尔弗雷德·马歇尔所说的经济学是生物学的一个分支，生物学家迈克尔·吉赛林想使宇宙经济（universal economy）成为更基本的学科。在这个大题目下，可以认为生物学家们研究的是自然经济，而受社会制约的人类行为则是政治经济。总之，这两个相克的帝国主义者，可以同连环画报中的人物波戈同声说道："我们已遇到敌人，这个敌人就是我们自己！"

为了捍卫上述主张，我可以指出诸如竞争和分工这类基本的通

---

① 不幸的是，"社会生物学"已成为传统观念攻击的目标，因为有关的一些科学家和宣传家竭力低估遗传学，认为遗传学与社会行为与组织的文化渊源是对立的。但是没有人能正式否定形态学和"生物化学"在社会行为中的某种作用，正像"社会生物学家"从未排除文化因素的影响一样（而且，人类文化能力本身就有遗传因素，语言中其中最值得注意的部分）。个别社会生物学家会产生错误理论或对某些特殊例证理解错误，但这些错误不足以否定整个科学对人类行为潜在的生物学基础的探索。

用的概念，也可以指出下列诸对术语，如物种/产业，变异/创新，进化/进步，等等，或者最为明确地建立描述均衡状态和变化路径的平行的方程体系。然而下面我打算将自己限制在几个具体观点中，这些观点都与以上我们所探讨过的问题有关。

1. 关于自私问题，当我们赞同在生物学中存在着两个自我水平——机体与基因——时，许多难题都能得到解决。基因是"自私的基因"（理查德·道金斯），但是，让作为基因载体的机体对其他机体仁慈（或狠毒），对于这个基因来说，有时是有益的。然而，机体的非自利动机在作用上就成为基因水平上的自利。

2. 正像厂商和其他社会团体是个人的联合一样，机体一定意义上也是基因的联合。一些值得注意的现象，如不起作用的或"寄生的"DNA，揭示了"自由骑士"与其他甚至发生在机体内部的联合性问题。因此，实现社会效率或协调的限制因素同样会损害个别机体对环境的最佳适应。

609

3. 在达尔文自然选择理论中，再生性生存（reproductive survival，RS）或适应可以被视为形态学中基因的"目的"。但是，既然某个家族同一基因遗传的概率是可以计算的，那么我们就有可能确定一个有机体对其亲属的仁慈程度。尤其是可谓之为生物经济学第一条法则（W. D. 汉密尔顿提出）指出：在没有回报的前提下，一动物帮助另一动物的条件和惟一条件是：

$$b/c \geqslant 1/r \qquad (4)$$

这里 b 是接受者得到的收益，c 是提供者的成本，都取 RS 单位。r 是双方的相关程度。举例来说，如果同胞之间的 $r=1/2$，那么同胞中的一个应该愿意牺牲 1 单位的 RS，以换取其兄（弟）（妹）的 2 单位的 RS。把 RS 转换成收入单位，并假定服从边际效用递减法则，我们可以得到常态的具有描述对亲属的仁慈的曲线的偏好图（像图 1 中爸爸的仁慈曲线那样）。

4. 当然，汉密尔顿的公式只有在"其他因素不变"的意义上才能成立。就两代人而言，用 RS 语言，父母帮助孩子的动机比孩子帮助父母的动机要强烈得多。更为一般的是，行为不仅取决于偏好（相关性），也取决于机会。在任一竞争环境中，不仅父与母之间会有尖锐的冲突，而且，甚至在父母与儿女之间，或者在同胞争相要求父母援助之时，都存在尖锐的冲突。

5. 正如达尔文所强调过的，自然选择并不是根据机体性能的绝对标准，而毋宁说是根据与其最接近的竞争者相比的机体状况——例如，在男子追求女子的再生性竞争中，情况就是如此。这也许是我们对支配与等级的似乎倾心的追求之最终原因。

6. 达尔文认为在原始社会时期，那些成员"英勇、富于同情和忠实"的人类群体具有选择上的优势。不过达尔文也赞同"自由骑士"问题会发生作用：旨在有效地追求私利的个人选择趋于破坏对仁慈的群体选择。此外，生物学家普遍认为个人选择几乎总是更为有力。不过，许多追随达尔文的生物学家至少还是将人类作为例外。异常严格的群体选择，尤其是通过冲突与战争进行的选择，与人类智力[1]一起，导致集团倾向的仁慈程度的演进。所谓的人类智力，指的是判定与惩罚破坏性的自私行为的能力。

7. 这一发展含有强烈的仇外心理。其他与有机体相当的事物都被"当成'敌人'，只要有可能，便伤害他们，所有人（与他）的关系都低于平均水平"（W. D. 汉密尔顿）。因此伦理学家说的部分的或普遍的仁慈在进化生物学中将找不到对应物。

8. 最后，人类精神文明的高度发达终将使我们成为能够"向作为自私化身的暴君——我们的基因——造反"的惟一的物种（道金斯）。认识到主宰我们行为的动力，我们就能改造自己并与之抗争——正如我们可以通过外科手术整治体形，通过药物治疗体内生化因素。在这些事实削弱简单的基因决定理论的同时，一些基本原理如稀缺性、机会成本、竞争选择的普遍的生物经济过程，对于分析和预言人类行为和社会组织会依然有效。

我必须简单地做个结论。在追求其各自的帝国主义的目标过程中，经济学与社会生物学殊途同归，得出了最终相同的社会理论的主宰模式。各社会科学所研究的现象，在一定程度上已经顺应，并且终将会全部顺应这个模式。

---

[1] 这些人类品质本身很可能就是经过战争中的严格的人种选择而逐渐形成的。

6. 世界经济 "转移理论" 评述[*]

20 世纪 60 年代末期以来，西方经济长期不景气，经济增长率普遍下降，失业率长期居高不下，同时通货膨胀如病魔缠身，摆脱不得。西方经济学家把这段时期称为一个 "暗淡的" 时期，而将战后二十余年经济长期较快增长的时期视为 "顺利的" 时期。英国经济学家宾斯道克的转移理论试图解释这段 "暗淡" 时期。

611

一、长波理论和传统转移理论的解释

对于战后 "繁荣" 告终的根源，西方经济学家从各种角度进行了大量的探讨。一度为人冷落了的康德拉季耶夫长波假说以及熊彼特等人关于长波的研究再度成为西方报刊上常见的话题，W. 罗斯托于 1978 年在其《世界经济——历史与未来》一书中，用长波理论来说明发达国家陷入 "滞胀" 的原因。康韦尔于 1977 年和 A. 杰里法尔科于 1987 年则从技术创新推动力的角度来解释发达国家经济的停滞，认为战后经济增长较快的原因在于：战前的大量技术发明由于战争等历史原因，直到战后才逐步得到采用与扩散。战后二十余年，随着这些技术推动力扩散的殆尽，经济必然陷于停滞状态。杰里法尔科还根据杰哈德·门斯克对 112 种技术创新进行研究所得出的数据，绘制了技术创新周期图。布鲁诺和萨克斯则以世界市场原

---

* 本文发表于中国社会科学院经济研究所《经济学动态》1986 年第 10 期，署名萧琛。

材料价格的上涨来说明经济停滞，认为原材料涨价会提高发达国家产品的成本，导致供给减少。詹姆士·库克则提出了"换羽说"，认为美国经济正在脱落旧的羽毛，而新羽毛尚未丰满，发达国家经济停滞是两次增长之间的自然间歇。

1983 年，英国经济学家 M. 宾斯道克出版了《转移中的世界经济》一书，他认为停滞是国际性的，单从个别国家（如美国）或局部地区（如发达国家）出发，而将整个世界经济的变化当做一项并不重要的外部因素，就不可能得出中肯的结论。他认为局部分析方法是不可取的，经济学家应当采取全局性的分析方法，从世界经济结构的变动中，从南北经济实力对比的变动中探求发达国家经济停滞的根源。

612

宾斯道克在提出"转移理论"的过程中，对上述其他经济学家的理论提出了怀疑与诘难。宾斯道克认为经济生活中并不存在着长波这一不能为任何因素所逆转的铁的规律，发达国家经济停滞未必是"繁荣"的必然结果，也未必正好是二三十年，很可能会更长。对于康韦尔的"技术扩散论"，宾斯道克指出这一理论的缺陷是不可能解释发达国家停滞的突然性。因为"技术扩散论"含有这样一种推论：随着技术推动力的逐步弱化，经济只能逐步减速，而不可能全面地由高潮很快地落入低潮。至于用原材料涨价来解释停滞的观点，宾斯道克认为根本没有切中要害，而只是在现象上兜圈子。基于上述思想，宾斯道克认为不能以长波作为论据，而必须寻找新呈现的各种特征，又不会陷于循环推理，在价格上涨现象与停滞之间进行徒劳的探索。

宾斯道克"转移理论"的提出，不基于这样一个传统的国际经济传递理论难以解释的经济态势。20 世纪 60、70 年代之交发达国经济增长率普遍减慢，国内生产总值由 60 年代的年均 4.9％的水平降为 70 年代上半期的 3.1％，工业增长率由同期的 6.9％降为 2.2％。但是发展中国家未遭殃及，相反却一直保持相当高的经济增长率，只是到了 70 年代中期以后才略显舒缓。从 1955 年到 1980 年，发展中国家国内生产总值每 5 年的年均增长率依次是 4.3％、5.5％、6.1％、6.2％、5.7％。这是传统理论所不能解释的。因为传统理论认为发达国家经济是世界经济的自变量，发达国家停滞不可能不影响发展中国家。

传统的国际经济传递理论可以表述如下：

（1）发展中国家经济增长的主要障碍是外汇不足。

（2）发达国家经济增长可以从两个方面改善发展中国家的国际收支。第一，对发展中国家出口的需求上升；第二，需求上升导致发展中国家出口商品价格的上升，从而改善了发展中国家的贸易条件。对此，宾斯道克和迪克斯在1981年曾做过这样一项估计：经济合作与发展组织国家工业增长率每提高一个百分点，世界市场上制成品的相对价格将会上升3%。

（3）国际收支的改善为发展中国家经济增长排除了障碍。

（4）发展中国家经济增长较快，势必增加对发达国家产品的进口，这又会刺激发达国家的经济。可以推知，在这种往返着的经济传递过程中，存在着一个影响世界经济的乘数效应。

宾斯道克对传统理论的批评主要集中在第一个环节，即发展中国家经济增长的障碍在于外汇不足。按照新古典经济学的发展理论，所谓的外汇缺口和储蓄缺口不可能长期持续，前者可以通过汇率的调整而得到平衡，后者则可以借助利息率的调整。宾斯道克指出这种所谓的"缺口论"实质上只是"凯恩斯主义者"的理论，凯恩斯本人并未曾对此发表过观点。总之，传统国际经济传递理论的既定前提从理论说来是不能长期存在的，因而难以解释20世纪60、70年代世界经济中出现的新现象。

二、宾斯道克的转移理论

宾斯道克"转移理论"的中心是，发展中国家经济的"起飞"或迅速发展具有相对独立的或自发的性质。这种增长改变了世界市场上南北经济力量的对比，冲击了发达国家赖以支撑其经济"繁荣"的世界经济结构，并引起发达国家国内产业结构的调整与变革。发达国家要使自己适应变化了的形势，势必经历一个较长时期的经济动荡的过程。而在这一过程中，发展中国家的经济好转与发达国家的逆转会同时出现。

"转移理论"列举了大量的经验统计数据，进行了一系列的理论推导，详细地研究了发展中国家影响发达国家经济增长的传递过程。概括地说，这一理论主要有下列 6 个环节：

（1）从 20 世纪 60 年代中期开始，发展中国家的经济（特别是制造业），开始迅速增长，如纺织业、服装业、电子等轻工业和部分重工业都有明显的起色。同期，这些国家的城市化进程在加速，大批人口由农村流向城市，以适应工业化的需要，并享受工业化的好处。尽管对于这种变化的原因和性质，学术界尚存分歧，但它作为一个基本事实，构成了宾斯道克转移理论的出发点。

（2）发展中国家经济的自发增长，使世界市场上制成品供应量上升，相对价格开始下降，与此相应的是原材料价格相对上升。相对价格的变化引起资源从发达国家的工业部门（如制造业）转向其他部门，从而产生了产业结构的非工业化，即物质生产部门在国民经济中的比重下降。

（3）随着"非工业化"的出现，发达国家国民收入中的利润比重会下降，工资比重会上升。由于制造业等是被视为资本相对密集的产业部门的，制造业的萎缩势必引起资本边际产品减少而劳动边际产品增长。因此资本的市场力量会减少，而劳工作为一个整体，其市场力量会上升。宾斯道克认为这是 20 世纪 60 年代工会富于挑战性的根本原因，也是 60 年代末期发达国家利润率普遍下降的基本原因。

（4）资源从制造业转向其他产业部门并不是没有许多现实障碍的，这意味着经济结构的调整需要时间。调整过程中，产业结构势必出现失衡，社会产品的比例势必失调，制造业衰退的同时，服务业却出现"瓶颈现象"。换言之，制造业的供给过剩与其他行业的需求过剩同时出现。宾斯道克认为这种"不配套（dismatch）效应"是对 70 年代失业与空位相并存，丰裕中存有短缺这类新现象的极好说明。

（5）由（1）可见，自发的工业化提高了发展中国家的资本收益率；由（3）可见，非工业化会降低发达国家的资本收益率。这种资本收益率的差距势必导致资本由发达国家流向发展中国家。与此相应，发展中国家国际收支平衡表中的资本账户会出现盈余，经常项目会出现赤字。然而这种赤字的背后则是发展中国家资本货物进口的扩大，而这一点正是发展中国家经济加速增长所需要的。

（6）综上所述，发展中国家工业化热潮导致了发达国家经济结构的调整。宾斯道克认为一旦调整告一段落，失业率和增长率会恢复到原来的水平，因而"转移"是阵发式的而不是长期持续的。不配套效应本质上也是一种过渡时期中暂时的经济现象。但是由于发展中国家工业化的进展会使转移不断地发生，因而不配套效应会累积。鉴于经济已经起飞或好转较为显著的发展中国家还不是很多，占整个发展中国家的比重还不算很大，因而可以相信，在未来的几个十年中，"转移"还将会不断地发生。

615

宾斯道克认为 19 世纪后叶，世界经济中曾出现过他所说的"转移"。当时英国是世界经济的先锋，而美国、法国、德国、俄国、阿根廷、澳大利亚等则是"发展中国家"，后者向英国的世界工业霸主地位进行了挑战。英国经济衰落之日，正是上述"发展中国家"兴起之时。从反映英国经济衰落和"发展中国家"兴起的各种统计指标和重要的参数来看，当时的情况与"转移理论"的演绎结果是基本吻合的。宾斯道克认为，今天发达国家经济的长期停滞，正是历史上世界经济"转移"的重演。

三、对宾斯道克理论的评论

"转移理论"沿用了新古典派关于相对价格和经济结构变动的分析，将哈耶克关于国内经济结构变化引起危机的理论用于国际市场与世界经济结构的分析，用不同产品的相对价格变动来说明发达国家产业结构的变动，用发展中国家的兴起来解释发达国家的停滞。这在西方经济理论中，不失为一种创见。如果说 20 世纪 70 年代以来西方宏观经济学存在着微观化的趋势，那么宾斯道克则似乎有意要使宏观分析超宏观化。"转移理论"立论宏大，涉及面很广，不论在理论推导还是在经验统计数据方面，难度是比较大的。宾斯道克也曾开宗明义，认为他的理论带有一定的风险，需要几十年的时间来进行验证。可以说"转移理论"的确是一种大胆的探索。

"转移理论"与"换羽理论"之间存在一种相互补充的关系，二者都强调经济结构分析。前者着重世界经济结构对发达国家国内产业结构的冲击，后者则较为集中地研究美国国内产业结构的巨大变动。"转移理论"的敏锐之处在于它足够地估计了20世纪60年代以来发展中国家依靠自身的力量，为改变不合理的国际经济新秩序的斗争所产生的巨大冲击力，并与发达国家经济的"非物质化"倾向相联系。但是宾斯道克出于种种原因，已将这一冲击力强调到了不

616

适当的程度。既然作者认为发展中国家经济好转具有自发性质，那么为什么发达国家的经济停滞不可能带有自发性质呢？为什么不能到发达国家经济内部去寻找更基本的原因呢？实际上，经济结构的变化不仅包括科技潜力和产业结构的变动，而且也包括生产关系的沿革。发达国经济停滞与其长期推行新殖民主义政策，在国际领域中进行掠夺性的不平等的交换，与其长期推行凯恩斯短期的需求刺激政策是紧密相联的。这些国内外的经济政策在短期内刺激发达国家经济在"量"上迅速增长，支撑战后经济"繁荣"的同时，已经逐步地在恶化其经济的"质"的构成，使其经济大厦建立在发展中国家能够始终逆来顺受和源源不断地供给"廉价能源"等这一流沙之上。

"转移理论"只谈发展中国家对发达国家经济的冲击，而不谈后者对发展中国家的剥削与掠夺，也没有回答"转移"为什么只是单向的。这与发展中国家的经济学家，如布雷比什和萨米尔·阿明等关于发展中国家贫困根源等所提出的理论，形成了强烈而鲜明的对比。"转移理论"的辩护性质是相当明显的。根据作者的逻辑，我们完全有理由认为，当年英国的地位与今天美国的地位倒是很相似的。战后，日本、西欧经济迅速膨胀，不论在国际贸易领域还是在金融领域、生产领域，都对美国经济的持续增长构成了很大威胁，而美国也不示弱。发达国家之间的这种相互"转移"，难道与发达国家经

济毫不相干吗？

　　"转移理论"在政策的制定方面为发达国家当局提出了这样一个问题：即发达国家应如何限制与发展中国家的经济合作，如何节制其资本技术流向发展中的国家，以便尽可能地维持其经济上的相对优势。正是在这一问题上，表现了宾斯道克转移理论的出发点和落脚点。

7.国家既是"上层建筑"
又是"经济基础"吗[*]

仇启华、黄苏、解得源三位学者在《国家垄断资本主义是垄断资本主义生产关系的部分质变》一文中曾写道:"作为国家垄断资本主义二因素之一的国家,同不作为国家垄断资本主义的组成部分的国家相比,是不一样的。"不作为国家垄断资本主义组成部分的国家,属于上层建筑的范畴,而作为国家垄断资本主义二因素之一的国家,则是经济基础的一个组成部分,[①] 在《现代垄断资本主义经济》一书中,仇启华老师进一步写道:在国家垄断资本主义条件下,一方面,"国家作为上层建筑的传统作用仍然保留着,"[②] 另一方面,国家"具有了一种崭新的作用,即作为经济基础组成部分的作用。"[③]

仇启华等老师认为,国家之所以作为经济基础起作用,是因为国家垄断资本二因素结合体中的国家,可以是:真正的总垄断资本家,是国有垄断资本的所有者;在资产阶级内部与非垄断资本家相对立,在社会范围内与劳动人民相对立。仇启华等老师的思路是:
(1) 大前提:资本家可以是一个经济因素,属于经济基础的范畴;
(2) 小前提:二要素中的国家是真正的总资本家,与资本家一样,

---

* 本文是我在北京大学读书期间的一篇习作,也是我完全严格地按照马列经济学规范所撰写的一篇驳论。论文发表在上海社会科学院《世界经济研究》杂志 1986 年第 3 期上,署名萧琛。

① 《南开学报》1980 年第 1 期。
② 仇启华主编:《现代垄断资本主义经济》,中共中央党校出版社 1982 年版,第 43 页。
③ 仇启华主编:《现代垄断资本主义经济》,中共中央党校出版社 1982 年版,第 42 页。

就是资本家；（3）结论：二因素之一的国家也可以是一个经济因素，属于经济基础的范畴。很明显，结论成立的关键在于小前提部分，即国家能否作为一个资本家。要回答这一问题，又必须解决：（1）国家能否是一个经济因素；（2）国家能否是经济实在意义上的资本所有者？

为此，我们首先要问：

一、国家垄断资本二因素的结合是经济因素与经济因素的结合吗？

既然仇启华老师认为在国家垄断资本二因素结合体中，国家是经济基础的组成部分，并认为作为上层建筑的那个国家同时存在，那么，二因素中的国家无疑是被视为一个经济因素的；至于二因素中的垄断资本，则不过是处在垄断勾结关系中的资本，一种资本家与雇佣劳动之间的生产关系或物质关系，而不是一种政治关系或思想关系。因为这种政治关系和思想关系在社会形态分析中，已经化为资本主义的政治法律制度以及为资本主义服务的意识形态，作为经济基础的对立面上层建筑而存在。于是，国家垄断资本二要素的结合便成了经济因素的结合，因而二因素结合体的性质是纯经济的。

然而，国有垄断资本区别于其他垄断资本的一个基本特征，就在于其运动的非经济性质。国有垄断资本的运动不首先取决于自身的增殖，换言之，存在着一种对其经济本性的压抑力，这种压抑力无法来自二因素结合体本身，因为社会形态分析中的二因素都已被定义为经济性质的，只能与其他独立资本一样，无止境地追求剩余价值，无从产生国有垄断资本的那种"自我牺牲"精神。除非（1）它是另一种具有独立增殖运动的资本的一个从属部分；或（2）存在着一种非经济力量，如国家政权等，对其运动施加影响。前提（1）成立时，"国家是国有垄断资本的所有者"[①] 就不能成立，至少不能

619

---

① 仇启华主编：《现代垄断资本主义经济》，中共中央党校出版社1982年版，第41页。

说国家是经济实在意义上的资本所有者；因为国家背后一定站着一个真实的资本所有者，否则，国有垄断资本的运动如何能成其从属？前提（2）成立时，二因素的说法就不能成立。因为国家垄断资本不仅是作为经济因素的国家与垄断资本的结合，而且至少有三个因素，如作为上层建筑的国家参与这一结合。因此，二因素说法至少不如三因素妥贴。可见，说国家垄断资本是两个经济因素的结合是不能成立的。在仇启华等老师的书中，之所以会出现"国家是国有垄断资本的所有者"这句令人百思不得其解的话，原因恐怕离不开二因素的说法。

也许我们可以把二因素中的国家理解为兼为政治因素的经济因素，从而让国有垄断资本的运动特征得到解释，二因素说法成立。但是这样一来，垄断资本就有了双重政治色彩，一重是作为上层建筑的国家赋予的，一重是作为经济基础组成部分的国家赋予的。如果这种说法本身还可以让人理解，那么，作为经济因素的国家本身包含着上层建筑的一部分，从而，一部分上层建筑不再在经济基础之上而在其内，这就断然不能让人接受了。仇启华等老师也认为这样"理论上是说不通的。"①

实际上，国家垄断资本的结合只能是上层建筑（国家）与经济基础（垄断资本）的结合。只能是政治因素与经济因素的结合。国家在参与垄断资本经营过程中，施加政治影响，执行其政治使命，垄断资本则借助国家政权力量保证其增殖运动的顺利进行。在一般垄断资本主义条件下，国家可以在：（1）政策法令等的制定；（2）社会财务的管理；（3）铁路、邮电、银行等特殊企业的经营管理等几个领域体现作为上层建筑主要组成部分的国家的职能，保证资本主义生产的外部条件。在国家垄断资本主义条件下，国家仍然在上述几个领域施加政治影响，只是作用力度已大大增强，并且更为经常与稳定。这表现为：（1）政策法令等更加完备；（2）财政再分配的绝对量和相对量都大大增长；（3）国有化的行业由特殊扩展到一般，不仅铁路、邮电等（生产力性质）特殊的行业可以被国有化，

---

① 《南开学报》1980 年第 1 期，第 35 页。

而且，只要垄断资本需要，从新兴工业到传统工业，从导弹到织袜，都可以采取国有化的形式。

可见，新条件下国家作用的变化都属于量变的范畴。诚然，量变中含有部分质变，但是并不表现在国家是资本所有者、是经济基础组成部分这一点上，而是主要表现在可以国有化的那些行业性质上的飞跃。如果说，新条件下国家作用的变化在于国家可以作为资本所有者，从而成了经济基础组成部分，那么，国家这一作用就并不是什么"崭新的作用"。因为在国家垄断资本主义阶段以前，国家就曾经是铁路、邮电、银行等企业的资本所有者，就曾经在经济基础内部发生作用。至于国有化企业的资本所有者——"国家经济机构"可以在经济基础领域、在再生产过程中直接发生作用这一点也并不能说明国家属于经济基础的范畴，因为"国家（经济）机构"并不是马列理论中抽象为上层建筑的那个国家！

621

二、"国家经济机构"、"国家经济职能"属于马列理论中严格意义上的国家范畴吗？

仇启华等老师在论述国家新作用时，曾引用列宁的一段话。"在现代国家机构中，除了常务军、警察、官吏这些主要是'压迫性'的机构以外，还有一个同银行和辛迪加有非常紧密的联系的机构，它执行着大量计算、登记的工作（如果可以这样说的话）。"[①] 仇启华等老师接下去写道："国家的两种机构执行着两种职能。列宁已经说得十分明白了。"[②] 似乎"国家（经济）机构就是国家，似乎列宁的（如果可以这样说的话）"可以视而不见。

列宁接下去是怎么说的呢？"这个机构决不可以也用不着打碎。应当使它摆脱资本家的控制，应当割去、砍掉、斩断资本家影响它的线索，""……资本主义建立了银行、辛迪加，邮局、消费合作社和职员联合会等这样一些计算机构。……大银行是我们实现社会主

---

① 仇启华主编：《现代垄断资本主义经济》，中共中央党校出版社 1982 年版，第 46 页。
② 仇启华主编：《现代垄断资本主义经济》，中共中央党校出版社 1982 年版，第 46 页。

义所必需的'国家机构'，我们可以把它当做现成的机构从资本主义那里夺取过来，而我们在这方面的任务只是砍掉使这个极好机构产生资本主义畸形发展的东西。"[1]

可见，列宁明确认为：马克思、恩格斯一再强调过的应当打碎和摧毁的旧的国家机器，并不是大银行等"社会主义所必需的'国家机构'"（因为这些机构本身是"极好"的），而只是使之受资本主义控制和影响，使之产生资本主义性质的那个"东西"。只有这个"东西"才是真正的资本主义的国家机器。

这个"东西"是什么？国家的本体是什么？这个问题，正如列宁说的，在恩格斯的"出色的极其深刻的定义"中"说得十分清楚的"。[2] 国家是"一种表面上驾于社会之上的力量。这种力量应当缓和冲突，把冲突保持在秩序的范围以内；这种从社会中产生但又自居于社会之上并且日益同社会脱离的力量，就是国家"。[3] 可见，国家只是"实行镇压的特殊力量"，[4] 只是一个抽象的对象物。现实中的军队、警察、官吏、法庭、监狱等之所以首先被视为国家的组成部分，只是因为（它）们"主要的是'压迫性'的机构"，能够比较单纯地作为特殊力量的化身。武装的人，物质附属机构之所以被视为国家，只是因为他们执行特殊使命的那部分体力智力，因为它们被特殊使用时所产生的那部分影响，而不是因为他们是人力资源或物质要素。

马列理论中的国家之所以属于上层建筑，就因为它只是由物质要素的某种特殊属性综合而成的一个抽象的对象物。这种特殊属性指的是：物质要素被用于"缓和冲突"，维持"秩序"，"把被剥削阶级控制在当时的生产方式所决定的那些压迫条件下"。很明显，这个力量的性质是政治的。

马克思在《资本论》中曾指出：资本主义政府的监督劳动和全面干涉包括两方面：既包括执行由一切社会的性质产生的各种公共

---

① 《列宁选集》第3卷，人民出版社1972年版，第311页。
② 《列宁选集》第3卷，人民出版社1972年版，第185页。
③ 《列宁选集》第3卷，人民出版社1972年版，第175页。
④ 《列宁选集》第3卷，人民出版社1972年版，第185页。

事务，又包括由政府同人民大众相对立而产生的各种特殊职能。政府这两种职能根源于资本主义生产过程的二重性：它作为劳动过程，是社会化的大生产，而凡是存在社会化生产的地方，都存在组织劳动的职能；它作为剩余价值生产过程，就存在阶级对抗，而凡是存在阶级对抗的地方，都存在统治和压迫的职能。执行前一种职能的政府，并不是作为严格意义上的国家，而只是作为一个社会经济机构。这个机构的作用目的是组织社会劳动，创造社会财富，其作用性质是经济的。执行后一种职能的政府，才是严格意义上的国家。其作用目的在于使劳动过程成为为统治阶级服务的过程，其作用性质是政治的。政府的这两重职能在现实中是无法分开的。"政治统治到处都是以执行某种社会职能为基础，而且政治统治只有在它执行了它的这种社会职能时才能持续下去。"① 但是在理论上，特别是在对社会形态的分析中，必须将"国家经济职能"与国家职能二者严格区别开来。

623

在引用列宁关于现代国家的两种机构和两种职能那段语录时，仇启华等老师的思路似乎是：国家机构分两种，一种是政治机构，一种是经济机构。前者执行政治职能，后者执行经济职能。前者是国家作为上层建筑存在的依据，后者是国家新作用（即作为经济基础组成部分）的依据。从现实形态看，接受这一观点似乎不会让人感到很困难，因为政府的确在管理经济。然而从理论上看，却导致了让人无法接受的命题。问题的症结何在？我认为就在于未能将包括"国家经济机构（或职能）"的"国家"与严格意义上的国家相区分。说国家属于上层建筑范畴而又认为国家具有新作用时，前后所使用的国家概念实质上是不同一的！

三、国家是垄断资本的真实所有者吗？

仇启华等老师认为，在国家垄断资本主义条件下，"国家是国有垄断资本的所有者，就是人格化的国有垄断资本，正如资本家是资

---

① 《马克思恩格斯选集》第 3 卷，人民出版社 1972 年版，第 219 页。

本的人格化一样。"①

仇启华等老师的这段话是不太明确的。就所有制的客体来说，可以作两种理解：国家是（1）"国"有垄断资本的所有者；（2）垄断资本的所有者。就所有制的主体来说，根据仇启华等老师的国家概念，可以理解为"国家经济机构"。

以上我们已经说明，"国家经济机构"并不是国家，而是一个社会经济机构。说"国家经济机构"所有，实际上是表明资本的社会（经济机构）所有，不能说明国家成了资本所有者。何况社会经济机构也仅仅是资本的形式上的所有者。

仇启华等老师认为国家是资本真实所有者的另一个理由是：国有垄断资本是国家用财政收入的一部分去"购买"来的。即是说，国家是通过交换途径得到垄断资本的。交换中，对垄断资本的所有权与对财政收入的所有权发生易位。因而国家是名正言顺的所有者。我认为仇启华等老师的论点至少需要一个前提：国家是财政收入的真实的而不仅仅是形式上的所有者。要证明这个前提，只能：（1）国家是经济因素，是资本所有者、经营者，占有剩余价值；（2）废除（至少"国家"与资产阶级"交换"时）等价交换规律。第一种情况只能导致循环推理，第二种情况更是令人不能接受。

反过来说，如果国家是资本的真实所有者，与资本家是资本的所有者一样，那么国有垄断资本应当有其独立的增殖运动。然而，正如《专》所言：有垄断资本的这样资本原性，社会上，很明显，仇启华等老师说这话时，已经把国有垄断资本作为私人垄断资本的一个从属部分来对待了。于是，国有垄断资本为什么会使其运动成为从属，不惜自我牺牲？难道不是私人（垄断）资本家是站在"国家"身后的资本的真实所有者吗？

仇启华等老师还引用恩格斯的话：国家"愈是把更多的生产力据为己有，就愈是成为真正的总资本家"，② 认为循着恩格斯的思路，就可以得出国家新作用的结论。其实并不如此。

首先，国家是真正的总资本家，并不说明国家成了真正的资本

---

① 仇启华主编：《现代垄断资本主义经济》，中共中央党校出版社 1982 年版，第 41 页。

② 《马克思恩格斯选集》第 3 卷，人民出版社 1972 年版，第 436 页。

家，可以作为经济因素。

其次，恩格斯这里说的"国家所有"，我认为应当理解为国家通过社会经济机构形式上所有。因为恩格斯的下文是，"生产力的国家所有不是冲突的解决，但是它包含着解决冲突的形式上的手段……这种解决只能是事实上承认现代生产力的社会本性，……而要实现这一点，只有由社会公开地和直接地占有已经发展到除了社会管理不适于任何其他管理的生产力。"①（着重号系本文作者所加）

再者，"国家愈是把更多的生产力据为己有，就愈是成为真正的总资本家"这句话，包含着这样一个命题：只要国家把一部分生产力据为己有，国家就是真正的总资本家。因此，国家早已是真正的总资本家，具有"新作用"；因为在国家垄断资本主义出现以前，国家已通过社会经济机构据有一部分生产力，如铁路、邮电、水利等等。可见恩格斯的论断不仅不能作为国家产生作用的理论依据，相反，却说明国家"新作用"不是新的。

625

---

① 《马克思恩格斯选集》第 3 卷，人民出版社 1972 年版，第 436～437 页。

8. "权力"、"金钱"与转轨

　　诺贝尔经济学奖得主哈耶克曾有一名言：世间有两种社会制度，一种是有了"权"才能有"钱"，另一种是有了"钱"才能有"权"。虽然两者都不理想，但却有"哪一种更坏"的问题。

　　由"先重权"转向"先重钱"体现着人类文明演进的足迹。人类由较多纵向合作转向较多横向合作，由较多权力"金字塔"转向较多交换协作"网络"，无疑都是自由和民主的增进。由"权"转向"钱"还体现着世界各民族文化"趋同"的潮流。中国、前苏联、东欧国家以及其他转轨型经济虽然国情各异，但转轨的方向却完全相同，而且都是有不可逆性。

　　不可逆性来自两种机制的文明层次有别，传统计划体制不治之症只能由市场机制来根治。计划体制的隐含前提是当权者能够"指导私人产业，使之最适合于社会利益的义务"。殊不知"要履行这种义务"并"行之得当"，"恐怖不是人间智慧或知识所能做到的"。因为，"关于可以把资本用在什么种类的国内产业上面，其生产物能有最大价值这一问题，每个人处在他自己的地位，显然能判断得比政治家或立法家好得多。如果政治家企图指导私人应如何运用他们的资本，那不仅是自寻烦恼地去注意最不需要注意的问题，而且是僭取一种不能放心地委托给任何个人，也不能放心地委托给任何委员会或参议院的权力。"（亚当·斯密：《国富论》）

　　计划体制第一大弊病是"生产性动力不足"。"党政不分"和"政企不分"导致一系列名利双收的位置，诱使许多人不辞辛劳地去为之奋斗并加以利用，进而导致大量的"寻租"、"避租"和"租的消散"。这些位置还使得人的行为函数带上一种间接色彩，因为各种利益直接相关于"位置"，获取名利等待遇必须借助于等到"位置"（或认可）。而市场机制的精髓就在于"等价交换"，这势必要求否定各种特权和"位差"，势必要求"名""利"分流、事业企业分流和政治经济分流。"等价交换"还势必要求努力与报酬直接挂钩且公开透明，否则便无所谓市场。因此在市场机制正常运作时生产性动力一般是不成问题的。相反，由于利润机制的驱动，值得担心的倒很可能是"动力"过大而市场又并非万能。

计划体制的另一大弊病在于"信息资源无效"。它首先表现为信息"供应不足"。由于投入产出关系模糊、不适当地强调"集体努力"和平均主义大锅饭，"自由骑士"和"不求有功但求无过"的心理势必盛行。这会导致各种（稀缺性）信息的揭示，如"技术发明"和"管理创新"等信息长期供应不足。此外，由于"私有信息"和"无形投入"的存在，企业对于上级主管都有"信息保留"动机，这不仅影响信息供应，而且导致"（计划指标）监控无效"。"信息资源无效"还表现为"利用不足"。计划经济条件下，信息传播的制约因素较多，"位置"的"条条"、"块块"或其他各种"位差"，都会影响信息的有效利用，因为保密是必须的。此外，计划体制中信息空间的"维度"很多，缺少哪一项批准手续都不行，这也会导致大量信息的搁置与闲置。而市场机制的突出优点就在于它所要求的信息的通约性极强，种类极少，主要信息种类只有"价格"和"总供求"。这些信息的显示、传播和利用的障碍比较少，政治性比较弱。

627

迄今为止，人类由"权"转向"钱"的路径至少可以分成四条。第一条是欧美式的，通过先确立私人产权和资本原始积累逐步建成当今最为典型的成熟市场；第二条是东亚道路，借助集权力量和国际交换，模仿、借鉴发达市场，逐步建立现代化经济，然后再进行社会政治的全方位改造；第三条是前苏联、东欧诸国的"激进式"改革，在命令控制型经济濒于崩溃时，全面引进成熟市场经济的社会权力机制，比较彻底地打破原先的经济分工格局，然后摸索恢复与振兴经济的出路；第四条则是中国特色的"社会主义市场经济道路"。经过十几年"翻天覆地的创举、实验、学习和调整"，"中国已经踏在（一种）市场经济的门槛上"。

中国渐进式改革表现在"不断更改方向和对未曾预计到的后果作出一系列临时性反应"。尽管如此，改革措施的有效推出顺序仍然从几个角度显示出一定的规律性。首先，改革重点是在农村"退够"，然后转入城市，继而转入整体；其次，改革重点先在乡镇企业，然后转入其他非国有企业，继而才是传统国有企业；再者，体制性改革先是全面推行责任制，然后转入承包制、租赁制，继而实验与推广股份制；再者，体制性改革先是全面推行责任制，然后转入承包制、租赁制，继而实验与推广股份制；最后，改革先注重市场价格，然后转入税制、外汇继而注重金融体制；此外，改革先采用恢复20世纪50年代早期的某些做法，然后较多采用放权让利，继而注重立法和建立相应设施；等等；这些顺序都可以说明中国改革的"先退后进"、"先易后难"或"体制外改革先行"的渐进性质，改革的主要手段则是从计划集权体制回归到"laissez—faire"状态。

628

构建市场经济无疑是一个系统工程。第一，它需要一定规模的可供配置的自由流动的经济资源，如土地、劳动、资本和管理技术等；第二，它需要从事配置活动的市场主体，如企业、个人、（政府）机构等；第三，它需要交换活动赖以进行的"场"或"空间"，如劳工市场、商品市场和资本市场；第四，这个"场"还需要一些辅助性机制，如实施法规、帮助融资、提供信息、分散风险和提供基础设施的具有公共威信性质的实体或功能。第三部分我称之为"运作系统"，第四部分我谓之"干预系统"。除了这些之外，市场机制的运行环境或曰"支持系统"也非常关键，例如民主法治传统、文化、伦理、道德乃至宗教和意识形态等。

中国市场经济的特殊性在于市场的"干预系统"和"支持系统"有别于西方成熟市场。首先，后者的"代议制"、"联邦制"和"私有制"同我们的"民主集中制"、"条块制"及所有制结构相去甚远，我们的"公共权威"和"政治权威"分离程度较低。其次，中国市场经济构建只能倚重行政集权体制而不是多元化的漫长的原始积累机制。最后，东方的儒家文化同西方的基督教文化对于市场原则的兼容性显然也有差别。

鉴于这些特殊性，中国经济转轨的逻辑顺序应当是：首先，只能在"回归"的过程中，尝试性地、局部地模拟成熟市场"运作系统"并努力逐步推广。其次，"全面推进"市场的"运作系统"，并通过模拟量的积聚来为模拟性质的消除创造条件。再者，由于消除模拟性同改造"干预系统"的任务密不可分，因此转变国家职能，将公共权威的政治性和社会性分离开的任务也势必会成为"重点突破"的目标。最后是彻底改造"支持系统"。只有千百万人的习惯势力被市场化之后，市场经济才能最终确立。

现阶段中国的"立法高潮"虽然不时触及第三逻辑环节的问题，但主攻方向显然还是在构建市场"运作系统"，因为该系统本身还很不完善、努力空间还非常之大，而全面改革"干预系统"的条件还不成熟。

629

构建市场"运作系统"的任务其实质是赋予有关的规则体系四项基本功能。第一是保证上述四大要素能自由流动。第二是保证三大行为主体的行为规范，从而使得各种"软信息"具有"可算度"。第三是保证各行为主体具有足够而有效的动力。第四是有效供应和利用两类基本信息。即宏观资源配置信息向量（如总供给和总需求等）和微观价格向量（如利率、股价、汇率、税率，会计、审计、评级、保险、商检收费率等等）。

即使不考虑"干预系统"和"支持系统"的配合，"运作系统构建"任务本身现在看来还没有完成。

首先，土地的流动还基本上限于使用权层面，而且地域限制很强，新出现的"土地折股合作"制也只是一种过渡性的矫正措施；人才的流动还严重受到住房等福利制度的限制，户籍制度也未能彻底打破，以"官"而不是以"钱"为主的"社会地位通约标准"也是深层次的障碍。

其次，职责体系等"软信息"的"可算度"还很低，甚至根本就"不可算"。长期的"集体负责"说明没有一个人向大家负责，而"抽象负责"（如向人民负责）说明可以不向任何一个具体的上司负责。而现代市场经济"至少在原则上，可能通过其确定的一般原则而进行理性的预期，就像能够对机器运行进行观测一样"（马克思·

韦伯语)。

再者,改革举措尚未能深入到"动力分流"层面,"官商"现象严重流行。在行政立法权和经济管理权合为一体的条件下,每一项改革都容易意味着一个新的"钱权交换"机会。计划体制转向市场体制的关键一环是必须形成一个钱权交易的灰色地带,权力逐步接受制约的进程必须经过这个缓冲地带。

最后,市场经济决策所需要的两类向量的提供也不能按质按量。独立的宏观和微观领域还未能形成。三大交易空间中三对相互制衡的利益集团:投资人与筹资人,消费者(用户)与厂商,劳工协会与雇主协会也没有产生。而信息质量只有在不停息的相互申辩和权力平衡中才有可能得到保证。

630

配置"干预系统"的任务应该说已经提出。而早在它们被正式提出之前,自发性的前期铺垫工作已经有一定的积累。但是,无论是就其功能的种类和配套情况来说,还是就其成熟程度和巩固程度而言,今后的路都可以说还相当长。

因为干预机制不仅有数量和配套的问题,而且应当有质量和性质的问题。质量主要指其成熟程度;性质则主要指其权威的公共性和政府性,而政府的性质又取决于更深层次的利益格局。"政治职能到处都是以执行某种社会职能为基础,而且政治职能只有在它执行了这种社会职能时才能继续下去"(恩格斯语)。此外,即使工作者决心"政企彻底分开",选择时点也将极为困难。因为,两种经济秩序的切换不可能在真空中进行,轻易地撒手未必就不意味着一场灾难。

构筑"市场支持系统"更是任重道远。改变东方式的合作与嫉妒方式、重新认识"个人主义"、"实用主义"和"重商主义",培养民族的"契约观念"、"时间观念"和"忠诚观念",形成现代化的中国"企业文化"和"物质文明",等等,无一不是需要一代人以上的时间。儒家文化中的"三纲五常"着眼的是纵向服从,忽视的是平等互惠和横向合作;"君子言义不言利"和"为商要奸"两个极端等有违实用主义与重商主义;"难得糊涂"、"吃亏是福"、"人怕出名猪怕壮"等有违契约观念和积极的自强不息的"个人主义",不利于形成企业家阶层，等等。这类不适应民主原则和市场精神的东西，自五四运动以来虽经过多次批判，影响仍然存在。本应根植于社会伦理范畴的"敬老"、"尊师"原则长期被过分地理所当然地运用在管理方面，从而使一个民族的"经济年龄"至少老化半代人的现象长期存在，就是一个司空见惯的例子。

9. WTO 如何加速中国
社会经济法治化进程*

党的十六大报告在第四部分"经济建设和经济体制改革"① 中所提出的第七条任务是：坚持"引进来"和"走出去"相结合，全面提高对外开放水平。报告还进一步提出了"以开放促发展"的新思路："适应经济全球化和加入 WTO 的新形势，在更大范围、更广领域和更高层次上参与国际经济技术合作和竞争，充分利用国际国内两个市场，优化资源配置，拓宽发展空间，以开放促发展。"

在体制改革方面，当前"适应全球化"的重大而迫切的任务，显然是进一步增进适应能力，以化解"入世过渡期"中难免会出现的各种体制摩擦。为此，进一步研究和认清 WTO 的"产业效应"和"制度效应"，显然是中国社会科学学者义不容辞的课题。

WTO 对于中国经济的影响大致可归为两个方面：其一是更多利用比较优势逐步优化产业结构，从而促进经济增长。"入世"后，中国经济增长已明显加速。2002 年，GDP 首次突破了 10 万亿元，年增长率提升到 8%；其中工业增加值首次突破 3 万亿元，年增长率 12.6%，比上年提升 2.7%！② 其二是要求我们彻底反思中国法治

---

* 本文发表在《北京大学学报》2003 年第 4 期上，署名萧琛。

① 江泽民：《全面建设小康社会，开创中国特色社会主义事业新局面》，人民出版社 2002 年 11 月版，第 29 页。

② 张汉林：《"入世"一年来宏观经济与外贸发展状况》，2003 年 3 月中国国际贸易学术研讨会交流论文，第 10 页。

的现状，加速市场制度的"成熟"和"升级"①。一般说来，经济的"健康水平"往往要比其"运动记录"更加重要。社会主义市场经济体制的法治化，才是中国经济长期持续健康增长的关键。为此本文拟扼要探讨以下三点。

（一）WTO 要求认真落实"先规则"与"显规则"的法治精神

自 1986 年中国提出"入关/复关申请"后，国内讨论热点一直是"入关利弊"等经济问题。其实，原函数比导函数重要，认识WTO 首先需要的是法学家，更基本的问题也是法律本身。2001 年"入世"后，中国政府曾公布有关"入世"文件，但两天后就急忙回收。原因据说是法律条文翻译难以到位。

从经济学角度看，WTO 无非是个国际性（制度）公共品，"入世"无非就是"购买"这个美欧产的"舶来品"。讨论其影响，首先有必要认清其"效用"（性能），进一步确定其"价格"和性价比。作为国际制度公共品，WTO 的基本性能是刚性地要求成员国进行"法治"接轨，否则不可能实现"用对话代替对抗"和"用秩序替代冲突"的基本宗旨。WTO 的"买主"和直接"消费者"是政府，这显然意味着"入世"无异于一轮新的改革开放。

633

尽管 WTO 是由数以千万页计的法律文件所构成，但其基本原则却只有九个：公开、透明、公平、竞争、可预见、非歧视，等等；而这些原则所要求的基本工作也无非是：抑制和改变"后规则"和"潜规则"传统，贯彻和落实"先规则"和"显规则"精神，保证信息机制的合理和畅通。说到底，是要进一步变"人治"为"法治"，以有效进行国际经济合作。

人类的合作（包括国际经济合作）是一个"规则－合作－（再）规则－（再）合作"的无尽的链条。就这个链条的每一环而言，先定规则还是后定规则这个逻辑顺序极为关键，可谓"法治"和"人治"的分野之所在。就极端意义而言，"人治"的基本手段是用"候选偏好"去定"选举规则"（用因变量去求自变量）。显然，其实质

① 参见萧琛：《论"入世"对市场制度的"成熟效应"和"升级效应"》，《世界经济与政治》2002 年第 4 期，第 3～8 页。

是一种"非规则"。

至于"显规则",所针对的是众所周知的"潜规则"。它对于理解亚细亚文化特别是中国人的合作,可谓异常重要。"潜规则"同"第三种调节"① 概念还不是一回事。它可以是"市场规则"抑或"政府规则",只是看不见和不定型而已。其实质是对"既定规则"进行"无规则的增减",显然这也是一种"非规则"。由此,"潜规则"也可以理解成"后规则"的一种特例,并与之相辅相成。

遏止"潜规则"与"后规则"等非法治传统,对于明晰"投入产出体系"和抑制"分配性努力",从而确立市场竞争机制和提高(国际)合作效率,应该说是"无声处"的"惊雷"!

(二)"减少行政干预"和"废止朝令夕改",势必进一步优化"投入产出体系"
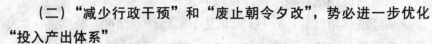

634

博弈论、"囚徒之迷"范式,还有电脑模拟实验都已经表明:两个无政府主义者在无规则条件下,只要相互交易能无穷持续,则合作规则就能趋向合理或曰"效率"。而如果得知交易将会终结,则在终结前的一轮中,双方将都有动机(至少是不再相信对方)选择"背叛"。"树倒猢狲散"之前,通常都容易原形毕露。

可以推论:在"一张白纸"条件下,"交易连续不断"是合作规则效率、连贯的前提;而在(非法治因素)"积重难返"条件下,"朝令夕改"则是鼓励"投机"、"背叛"和怂恿"分配性努力"的诱因。"朝令夕改"意味的是规则不稳定、不连续,体现的是"后规则"和"潜规则"。长期以来,它已经导致传统中国和现代中国的一系列弊端。

传统中国,农民起义烧皇宫、"一朝天子一朝臣",结果是灿烂辉煌的华夏文明一直难以累积和升华。现代中国也存在同样的问题。改革开放前,政策长期不能走出"一放就活、一活就乱、一乱就收、一收就死"的怪圈;改革开放后,许多干部都力争"提前执行政策","造租"、"寻租"行为形形色色、层出不穷。"国优部优"、"重

---

① 新范畴"第三种调节"参见厉以宁著:《超越市场与超越政府——论道德力量在经济中的作用》,经济科学出版社 1999 年第 1 版。

点学科"、"跨世纪人才"之类的包罗万象的行政干预、"打一枪换一个地方"的企业短期行为，显然不仅是"假冒"、"伪劣"和"打擦边球"的沃土，而且也是"劣币驱逐良币"的根源。

加入 WTO 可以从两个渠道使上述问题改观。其一，"制度接轨"势必提高中国政府企业法规的规范程度，而国际规范通常都比较稳定和连续。"入世"后中国政府根据自己的承诺，法治建设步伐可谓日夜兼程。2002 年国务院 30 个部门共清理法规 2300 多件，其中废止 830 件，修订 325 件。其二，尽可能减少不必要的行政干预，将本可由市场解决的问题尽可能多地交给市场。"入世"第一年中，国家行政审批项目第一批就已经取消了 789 项；2003 年"两会"前又进一步取消了 406 项。其中涉及经济管理事务的 241 项，涉及社会管理事务的 105 项，涉及行政管理及地方事务的 60 项。[①]

635

一般说来，"市场竞争机制"要比"政府指令机制"更有产出"效率"，尽管更有可能忽视"公平"。"入世"后"行政机制"的迅速收缩，已为市场机制的成长让出了巨大的空间。这对于简化和透明中国经济的投入产出体系非常重要。改革开放二十多年后，行政改革已开始成为瓶颈。而"入世"在这方面正好及时地发挥着很好的加速作用。这次两会期间，一些有识之士就认为：我国行政改革已经从过去的"瘦身"转变成现今的"健美"；已经从过去的"加减法"转变成现在的重新"排列组合"。"计委"和"对外经贸部"的撤销，"商务部"和"食品药物监管委"的问世，还有"国资委"的创设，都是非同凡响的新一轮改革开放的大手笔，可以说不亚于当年改革总设计师小平同志"撤销人民公社"的壮举！

（三）"矫正信息扭曲"和"抑制分配性努力"势必改变"职责体制含混"的局面

就建立和发展市场经济而言，亚洲文化的基本弱点不仅是投入产出体系模糊，而且是"职责体制含混"。"一大二公"的结果只能是"三个和尚没水吃"。职责体系的英文是"accountability"，直译

---

① 新华社北京 3 月 1 日电："国务院决定再取消一批行政审批项目"，《经济参考报》2003 年 3 月 2 日。

是"（权责）账户"。理论上说，经济系统必须明确规定好每个"经济人"的具体权利和具体约束。否则，"分配性努力"就会泛滥、"生产性努力"就得不到鼓励。

长期以来中国经济体制的突出问题就在于个人"权责账户"朦胧。就责任的归宿而言，"集体负责"容易导致"没有一个具体人对某一具体事负责"。谁（包括官员）愿意少要"自由"而多要"约束"？结果，权力通常都是个人的和具体的，而责任则却往往是大家的和抽象的。这个问题应当说非常的危险！例如，在这次"SARS抗战"中，如果再不"果断罢免渎职者"并引进"首疹负责制"和"条块责任制"，则这场"非典灾难"将如何避免？从经济学看，"抗病"相当于"控污品"生产，其"非效率"症结首先就在于难以追索具体人的具体责任。简言之，accountability 不清楚！

636

就责任的监控而言，在党性欠缺的场合，"向人民负责"也很容易导致"不向具体的人负具体的责"，因而也很容易导致浪费和滋生腐败。现实表现是，容易偏好数量型的"轰轰烈烈"的大会战和大项目，容易回避那些质量型的需要"防微杜渐"和"厚积薄发"的具体工作，等等。在市政建设中，"马路挖了又挖"以至于老百姓怨声载道的情况是屡见不鲜。根源是可以不计（或很难具体追索）"扰民成本"。在高校，抓教学质量往往容易"虚"，而抓"某某工程"则容易"实"。相比之下，中小学（毕业班）的质量管理就好一些，因为统招"可比性"（竞争性）强，且毕业班班主任的职责比较明确、投入产出比较透明。

可见，职责体制含混的岗位，如国有企业、政府机关，通常都容易累积冗员。而那些职责体制明确的场合，如医生、律师、教师，乃至跳高、乒乓球、拳击等运动员岗位，恐怕就很难"开后门求职"，乃至真能做到"任人唯贤"。这次"SARS 抗战"中，广东"抗非典英雄"钟南山，竟能同总理和特首并肩代表中国参加国际会议，应该说发人深省。

改革"职责含混"的局面，不仅需要对"经济人"的动力进行分流，而且需要"矫正信息扭曲"和"规范人才认证"。在知识经济新时代，经济持续健康增长的关键在于人力资源，而"人尽其才"

的关键又在于"知人善任"。就优化"人才认证机制"而言，CCTV"全国电视歌手大奖赛"评选模式及其中的竞争原则和法治精神，是一种难得的借鉴。[①]

至于"动力分流"，经济学和经济史都已经表明，人类"爱财"和"爱权"这两种动力中的任何一种，都可以创造奇迹和造福人类，但是千万不能在同一目标上将二者联成一体，而必须加以分流。否则，"经济人"就会不辞辛劳、百般钻营甚至冒天下之大不韪去追求"名利双收"的岗位，乃至给自己的同胞制造苦难。"事业"和"企业"出现分工，是人类社会发展史上的重大进步。因此，现阶段国内事业企业界限模糊的状况，恐怕值得关注。

"动力分流"在"人治"条件下通常比较艰难。原因不仅在于"南郭先生"不喜欢，而且也在于中国的封建传统和习惯势力。千百年来，中国的"升官"和"发财"几乎一直是同一个概念！而在"法治"条件下，由于必须坚持"先规则"和"显规则"原则，因而合作交往就能够持续，公开竞争也会出现，"人才认证"和"选举程序"就能够趋向"效率"、"金钱扭曲"和"权力扭曲"[②]也才能得到矫正。进而，"个人努力"和"利益预期"之间就有可能出现一种"合理对应"。"赚钱的不辛苦、辛苦的不赚钱""说你行不行也行，说你不行行也不行"这类转型期的怪现状，都必将成为我们有趣的回忆。

"动力分流"和"认证规范"，还会进一步导致人们的"偏好显示"趋向及时和真实，并让"人才"（包括先富者）敢于冒尖和不再忌讳"人怕出名猪怕壮"，人们的创造力和企业的活力才得以充分激发和长期持续。其结果势必是经济的健康持续增长。相反，如果"既要沽名又要抗病"，则"报喜不报忧"等误国现象恐怕就很难杜绝。这次"SARS抗战"中，中国信息机制和激励机制的改观如此迅速，以至于国际社会能如此刮目相看，应该说离不开全球社会（如WHO等）的规范和约束。而这显然也是本论题的一个生动有力的佐证。

---

① 参见萧琛："中国文科学科制度建设与经济学精神"，《中国社会科学》2002年第3期，第91页。

② 参见萧琛："中国文科学科制度建设与经济学精神"，《中国社会科学》2002年第3期，第89页。

10.中国文科学科制度
建设与经济学精神[*]

很高兴有机会参加这样的研讨。应该说这是一场"伟大的务虚",是"无用之大用"①。在当前国内经济学激情多投向"如何快速成功"的氛围中,哲学、法学、社会学、历史学等学科有代表性的学者们,能拨冗聚会于此并真诚热烈地探求文科制度建设的"要义"和"真谛",实在是难能可贵!

关于学科制度不尽合理或者说还不够完善这一点,我同在座各位一样,不仅有深沉感受,而且有切肤之痛。改革开放以来,社会科学学科制度建设工作已取得巨大成就,也有过重大突破。尽管如此,"学科空间界定"中大量的随意行为,形形色色的"人才"、"基地"、"重点学科"评审中相当普遍的"拍脑袋"氛围,"书评"、"评论"、"鉴定"中的"捧煞"和"棒煞"风气,"抄袭"、"剽窃"、"文凭交易"中的"道德颓丧"态势,等等,都仍然在腐蚀着学者的良知,挫伤着学者锐意"开拓"和刻意"原创"的努力,阻碍着整个中国社会科学的繁荣。为此,我想就这些问题的根源和对策谈几点想法。

---

* 本文 2002 年 1 月 12 日在《中国社会科学》杂志"学科制度建设"研讨会上的讲话,结合了近几年笔者在北大的几篇学科建设的内部报告应约写成,发表于《中国社会科学》杂志 2002 年第 3 期。若有以偏概全和评点偏激之处,务请读者多予理解和包涵。

① 北大著名教授袁行霈语。

一、"智能产品"和"人才资源"的"认证"是关键

文科研究的对象有两个基本特征。其一，文科研究的是人文现象。所谓的"事实"，即学者们用以论证的原材料，不过是"真相"加上"感情"。感情当然难免倏忽可变，也难免有雅俗文野、见仁见智、利益亲疏、意识形态等一系列问题。"历史是可以随意打扮的小姑娘"。康熙、雍正、韩信、关云长，都可因时因地而形象不同，历史剧就更不必多言。总之，"人"是最灵活最难把握的。在哈佛大学，历史学、（理论）经济学等人文系科都被放在人文艺术学院中，实在不无道理。

639

其二，文科研究的是社会现象，盘根错节，不可"再现"，不能像在理工科的实验室中所研究的东西那样。什么是社会？我的定义是："社会就是一加一不一定等于二"。任何企图将纷繁复杂的社会现象抽象归纳成简单模型的办法，其解释力都难免有很强的局限性。不仅有如何还原现实条件的问题，而且更存在时过境迁的困难。"两只脚不可能踏入同一条河流"，尽管简明的模型对认识的深化极为重要。"经济学是科学吗？"西方经济学家已经认真地问过千百次。

研究对象特殊导致文科产品信息量大、涉及面宽，诸子百家各抱地势勾心斗角。这当然会加大"智能产品"和"人才资源"的"认证"难度。一方面，"原创"和"开拓"等真有价值的东西显然很容易被淹没。另一方面，同一"产品"或"资源"，往往会有许多种，甚至往往是截然相反而又都有理有据的结论。

流行的一句幽默也许是这种困境的一种极端的写照："说你行你就行，说你不行你就不行；说你行不行也行，说你不行行也不行。"尽管现实中这种指鹿为马的情况实属罕见，但是这种"荒诞成分"及其累积态势却足以令人不可等闲视之。若果真如此，则中国的文科制度大厦即使竖建得再高、再巍峨，恐怕也都于事无补。因为，"认证"是激励和监管的基础。"良莠不分"和"价码无序"必然导致竞争秩序混乱和各种规制形同虚设。

没有区别就没有政策，而没有客观的认证则不可能有明智的区别，当然也就很难有百花齐放、百家争鸣的学术繁荣的景象。何为真才实学、何为拔尖学者、何为学术权威、何为朝阳学科？如何比较其重要性，用经济学的说法，就是如何（按稀缺性等）求得该资产的社会"影子价格"，等等，最终都离不开对"智能产品"和"人才资源"的（原始）"认证"！

"智能资本"的管理，即使在市场经济成熟的国度，也还是一个没有航标的海域。因此，文科制度大厦的设计和建设的确是任重道远。千里之行始于足下，人文社会科学学科制度建设好比建筑高楼，首要的问题恐怕不是"盖得多高多快"，而应当是：千万不能选址在"流沙"之上！

中国文科学科制度建设的最根本问题，应当锁定在"认证"问题上。一切不利于"认证"，甚至是故意"搅浑水"的机制，统统应在铲除之列。而惟有一切旨在客观、全面、及时和连续地充分提供信息的举措，才有希望迎来璀璨的明天。

二、长期封建的文化传统和习惯势力绝对不可等闲视之

基本认证机制在中国并非一张白纸，而只是受制于社会历史条件，质量上存在着许多问题。一个基本规律是：越是对弱势群体的认证就越是容易公正。中小学生的成绩可能就比较客观，青少年艺术特长"考级"，公正肯定是主流。然而，成人，特别是有权有钱者的各种考级（如"高级经济师"等），灰色地带就会增多，甚至导致整个考级的"净效益"为零为负。现阶段大学生、硕士生、博士生和博士后学术能力"名副其实程度"的倒置，可以说是这种规律的一种典型全面的体现。

究其原因，恐怕离不开"考试"的宽严软硬。然而为什么要厚此薄彼呢？为什么规则的合理性、稳定性总是同"钱""权"之间有某种消极关系呢？根源恐怕要追溯到长期的封建文化传统，不能简单地埋怨某个人或某些人。制度是社会历史的产物。生产性努力得

不到足够激励，而分配性努力（投机）容易滋生和泛滥，这在中国历史和社会中委实由来已久。

千百年来，"升官"和"发财"在中国社会中一直是同一个概念。"升官发财不分"的经济学含义是"动力不分流"。"升官"应当求"名"（留名青史），否则恐难清正廉明；制度制约总归不可能全面覆盖灵魂。而"发财"，则是经营性活动，应当最大限度地追求利润。不赚钱的企业家肯定不是成功的企业家，"民族旗帜、华侨光辉"的陈嘉庚，与其说是成功的企业家，不如说是伟大的教育（事业）家。

避雷针的发明者，美利坚合众国宪法的缔造人之一、科学家本杰明·福兰克林，当年在美国制宪会议上曾特地提过一条意见。他明智地要求将升官与发财拆开。他说："人世间有两种爱好对人间发生着强有力的影响。这就是野心和贪心，也就是爱权和爱财。如果把他们拆开，那么，这两爱之中的任何一爱都可以成为推动人们发挥才干的一种强大力量。但如果将两者在同一目标上联成一体，那它们就会对许多人产生最猛烈的影响。"[①]

在"名""利"可以双收、事业企业可以混为一谈的条件下，"分配性努力"一定会非常强大，人性中"恶"的一面就一定会被充分地发掘。所谓的"分配性努力"，是同"生产性努力"相匹配的一个概念。指的是那种不能扩大"经济蛋糕"而只图多加瓜分的努力。其极端形式是抢夺和盗窃。在学术领域，重则是剽窃，轻则是简单重复，将所读之文重新排列组合一番。不过，更严重的分配性努力恐怕还是"拉山头"和"学术圈权"。它导致文科学科制度建设举步维艰。每个人的努力受挫是他人努力受挫的条件。一篓螃蟹，何以直挂云帆济沧海？

"学而优则仕"可谓中国文化传统的另一"国粹"。它在封建制度上的集中表现是"科举"制度。重教尚贤、强调学习，本是东亚文化的精华。科举制度也并非没有其合理性，那就是它可以缓释社会抱怨的能量的累积，为社会稳定提供一个"安全阀"。它赋予天下

---

① 美国研究参考资料 1985 年第 5 期，第 57 页。

所有的聪明人"纵向流动"的成功希望。"八股文"更是消极地塑造读书人的思维模式。这些东西所强调的是"应试教育",鼓励的是死记硬背和防止出错(也即复制),腐蚀的是学人的探索独创精神。

这类小概率成功渠道、不鼓励个性和创造的机制,事实上是在长期"误导精英"。它不仅导致中华民族丧失现代市场制度萌生和国民经济起飞的先机,而且严重地影响了中国文科学者的"有效动力"和"有效探索"。中国的《天工开物》和《本草纲目》之类,恐怕不如《唐诗》和《宋词》来得辉煌和夺目。现今的"做学问",恐怕不如"搞活动"更容易成功,而"当院士",恐怕也不如"当主任"来得实惠。

三、防止和矫正"金钱扭曲"和"权力扭曲"是认证的困难之所在

改革开放以来,先前的"政企不分",还有其派生形式"政教不分"和"政研不分"等,都容易尽可能多地将本可由学术文化"市场"解决的问题纳入到行政解决的范围,都容易将本可经由公共渠道解决的问题纳入到政治渠道。经济学所谈的"寻租"问题,在转轨经济中表现得特别突出。"钱权交换"、"钱名交换"、"权名交换"等,现阶段可谓土壤厚实。

拉山头和圈权显然需要成本,事后当然也需要补偿和利润。其基本方法,现看来还是倚重各种各样的交换;而其结果,必然是形形色色的扭曲。其一是金钱扭曲,赞助人用金钱优势简单置换学术优势。例如,许多学术刊物的编委压根不是该领域的学者。这当然会埋下以假乱真和以次充好的种子。又如,考不上名牌大学的人照样能上名牌大学,而且比别人更舒服自在。这当然会亵渎凭真才实学考进的学子。

其二是"权力扭曲",主要是指用行政权力优势简单置换学术优势。注意一下国内学术研讨会的排座和发言安排,往往就很有意思;国内著述的署名方式似乎也有些光怪陆离,"著"一门"学"的情况

竟似已司空见惯；而没有习题、没有注释也没有参考文献的"三无教材"，竟然也相当流行，甚至还频频获奖。究其最终原因，显然还是同会议、媒体、出版、编写等方面的管理垄断权紧密相关。

此外，学术权力也会导致扭曲。权威对新秀，教授对讲师，老师对学生，长者对幼者，也可能产生某种权力扭曲。在东亚许多国家，白发的老教授老学者在场的时候，研讨会的辩论氛围往往就不那么活跃。

各种扭曲在现实中往往交叉作用，只是在说理时我们才有意识地拆出其纯粹形态。认证扭曲的对象主要是智能产品和人才资源。其中更可怕的恐怕还是表现在人才的认证方面。要搞坏一个经济，最可怕的是破坏它的货币。[①] 而要搞坏一个学术环境，最可怕的恐怕是败坏它的学术规范。经济学中的"劣币驱逐良币"的格雷欣法则，在转轨中的国内学术界中应该说广泛适用。

643

如果我们可以说，一些书出版后的最大价值就在于"报废"的话，那么，培养一个"假博士"的后果，恐怕就会殃及并可能报废一方水土。中国古来卖官鬻爵者颇多，科场作弊者也不鲜见，但标价卖秀才、卖举人的情况恐怕还应属罕见。而如今，国内学位授予点和重大项目的"圈权"状况，恐怕已令人堪忧。

人才认证扭曲势必影响专家队伍的组成。专家中除了前辈"权威"，便多是"新秀"。经济学所谈的"路径倚赖"，即现在的选择往往为已经留存的"选择集"所决定，在这里也会发生作用。例如，早年云集在名牌大学的一批杰出的学术权威，无疑都是中华民族最值得自豪的资源。但是，前辈所擅长的领域是否还持久地属于"朝阳"学科？他们的学生及学生的学生是否还能够持续地青出于蓝而胜于蓝，等等，恐怕就不应当简单等量置换。然而，在重点学科评选过程中，谁能比较彻底地排除路径倚赖的作用呢？

至于"新秀"，恐怕也应当区分其两种能力。一种是学术能力，一种是活动能力。在缺乏健全评论机制的条件下，学术能力通常只能依靠口碑来认证。而在口碑难以完整地提交到有关的遴选或评审

---

① 列宁名言。参见萧琛主译：萨缪尔森《经济学》第 17 版中译本，人民邮电出版社 2004 年版，第 546 页。

会议的时候，学术能力或其他质量标准都往往只能是一种很有弹性的软标准。相反，数量标准，比如能带来多少项目经费等，就显得"硬"而有力。其结果，活动型学者势必容易较快地获得成功。而其伴随物，不仅可能包括比较频繁的丑闻，而且还势必包括教学科研质量的严重滑坡。

量化标准同一刀切的管理有某种内在联系。"鼓励脱颖而出"机制的合理性无可厚非。问题是应当考虑"文化大革命"之后的"人才梯队"等现实国情。例如，按年龄鼓励，就忽视了"文革"后生理年龄和学术年龄之间的特殊关系。即，生理年龄相差十岁左右的人，实际是同时正规地进入其学术生涯的。没有理由不给他们以平等竞争的机会。更不用说，文科需要较多的阅历和积累；也不用说，中学阶段对于"成才"作用如何重大。"年龄一刀切"的办法无疑有很多的成绩，但是，不少"有学问却没有文化"的"跨世纪人才"的出现，似乎也不无悲剧成分。

644

最后似乎应当补充一句，学术干预中的种种问题，决不意味着政府不应当干预。而只是强调应当努力杜绝各种误导和滥用。按经济学的话，在矫正"市场不灵"（market failures）的同时，千万也要注意预防各种"政府不灵"（government failures）。当然，这也是人类常见的两难问题。

四、"引用频率"、"匿名审稿"在何种程度上能解决中国的问题

旨在改进文科管理的努力很多，现阶段常见的有各种"人才工程"、"教学基地"、"科研基地"、"重点学科"、"重点项目"、"SSCI标准"、各种级别的"奖"，等等。为此，各种评委会的组织原则和工作程序，显然值得重视。通常情况下，选择了"选举人"，也就基本选定了目标；选举人的素质，以累积信息和提供信息的方式，势必共同决定决策的质量。

设定原则和操作程序实质是决定提供信息的模式。如果规则预

先设定（可预见）、操作程序又完全透明，则"选举人"的素质及其可及时拥有的信息就是关键；否则，关键就在选举模式本身。控制决策程序，控制信息提供从而进一步控制偏好显示，就能控制对"智能产品"和"人才资源"的"认证结果"。这种模式的实质是"后规则"和"潜规则"。尽管基本原则预定，但操作程序灵活可塑的空间仍然不小。因为选举人和控制人之间远非信息对称。按"目标"选"程序"的可行性和成功率都比较大。

国外回避文科资源产品认证困难的对策之一，是尽可能多地将人文社会科学的研究方法"数学化"。几十年来，西方的经济学、政治学和社会学等，都尽可能多甚至是不适当地援引数理统计等方法。目的是简化研究对象、避免抄袭和力争有效累积。这种办法的出发点是有利于避免文科研究对象的模糊、复杂和可变。效果虽然明显，但也不无危机。由于抽象太多，应用和普及势必困难。如今国外的理论经济学，似乎日益难以找到恰当的论题。繁琐论证"常识"的情况，已经屡见不鲜和频繁出现。"新制度经济学"、"新政治经济学"和"公共选择学"的兴起，意味着一场社会科学研究方法论上的"人文主义"的回归潮。

其次，为显示真实偏好，数量化认证管理在国外也相当的流行和奏效。为学术杂志确定权数或曰"打分"等，就不失为一种好办法。例如，在经济学领域，在《美国经济评论》上发一篇论文可得分 100，《政治经济学期刊》或《经济学文献期刊》是 80.88，《国际经济评论》分数是 19.04，英国《经济学家》是 9.95，而澳洲的《经济学文献》只有 0.12，此外还有不少得分为零的经济学期刊。[①] 国内评定核心刊物的办法，应该说包含了这类积极努力的因素。

确定权数的依据，据说是根据世界上最好的一百家经济学期刊上文章的引用频率。对此，一些非欧美的经济学家，如澳洲经济学家黄有光等，就认为"太过分"，"不能反映经济学家的重要程度和贡献度"。理由之一是期刊的选择太偏美国、偏英文和偏理论。理由之二是，强调引用频率本身，就势必有利于原先基础好的期刊，导

645

---

① 以下几段议论参见萧琛执行主编：《效率公平与深化改革开放》，北京大学出版社 1993 年版，第 185～188 页。

致初始的不公平。

匿名审稿在国外也存在争议。匿名审稿人本身也是"经济人"，即使能抛开"门户之见"和"校园政治"（campus politics），审稿人能否花费足够的精力，也是一个很大的问题。因为对匿名审稿人的有效监控很难，既有技术专业因素，也有暗箱操作的问题。其结果是误判很多。为此一些学者建议对那些实行匿名审稿的刊物允许作者一稿多投，以便让杂志之间也有所竞争。同时还建议允许刊物向投稿人收取审稿费等，以便鼓励专家尽力。尽管如此，"请君入瓮"毕竟很难。

646

再就是 SSCI 问题。有矛就有盾。"无谓相互引用"情况的出现，已经令外国当局堪忧。国内条件更有差距。教学科研经费对比，意识形态和文化差异，都会影响成效。例如，意识形态问题恐怕就很难处理：旨在建设中国特色市场制度的政策性研究成果，在西方重点学刊的引用频率恐怕很难超过"犯人劳工"和"西藏人权"等问题。还要不要强调 SSCI？又如，方法、语言、翻译等也决不是小问题，尤其是中国的文科。

"业绩"本身理应比他人评价重要。"民族魂"鲁迅和中国台湾学者高行健的文学成就孰高孰低，有识之士恐怕很少会强调获否诺贝尔奖。事实上，愈是民族的才愈是世界的。国际接轨当然重要，理应只争朝夕，尤其是在中国"入世"之后。但教育科研事业毕竟是百年大计，与实物产品有别。十年树木，百年树人。当务之急应当是：从娃娃开始抓教育的国际竞争力。千万不要指望第一代移民就能在美国当好律师。任何拔苗助长和急功近利的办法，都应在审慎之列。

五、强化"竞争"、"揭示偏好"和及时、连续、充分地"提供学术信息"

认证的基本任务其实质是充分显示真实偏好。如果真实显示的代价偏大，则势必只有较少的人敢于正面展开批评。"引蛇出洞"、

"大鸣大放"，应该说是典型的代价过大。另一方面，如果显示虚假癖好的收益偏大，则势必有较多的人善于趋炎附势、欺下媚上；其结果势必"马太效应"过多，都喜欢锦上添花而非雪中送炭。

揭示真实偏好不能只仰仗勇气，而应当注意制度环境的建设。没有理由让说真话的人承担过重的代价。当然也没有理由让批评演变成不负责任的轻率之举。为此，在法律层面上，一方面应落实"言者无罪"，另一方面也应设立"诽谤罪"和学术伪证罪。

认证总体上讲是一种公共选择，其质量取决于所揭示的偏好的质量。规则等信息的及时、连续、充分和透明，是揭示真实偏好的基本条件。"朝令夕改"、"暗箱操作"，甚至按"结果"选"程序"等，显然都会导致虚假的偏好和错误的认证。

制度建设的基本原则是尽可能多地引入和强化竞争。"竞争"的负面极端含义是"以毒攻毒"。不怕"不识货"，就怕"货比货"。为此，一支内行而健康的（专业）评论队伍和批评园地，是学术界保持纯洁的重要前提。至于评论界本身的"自律"和"激励"等问题，应该说可资借鉴的国内外经验已经不少。成熟市场经济中的各种职业性的自律协会，就值得我们参照。

国内电视歌手大赛的规则也值得深思。"评委"阵容强大，意味着"陪审团有规模"，可提高公正水平；"去掉一个最高分"和"去掉一个最低分"，是"剔除极端偏好"，让"有作弊嫌疑的人"弄巧成拙；面对千百万观众"亮分"，意味着专家决策必须独立透明，有利于偏好的如实和中肯。在这种选择模式下，评委"作弊"的代价是"自损"，一般说来他们都会有强烈的"表现"动机。因为观众众多、内行数量不确定。不内行不道德者，势必贻笑大方和授人以柄。

最后是认证对象描述信息的提供问题。"扭曲"存在的土壤是信息不透明和不充分。为此，建立"开放、双向、只许添加不许推翻"的学术档案查询系统可能意义深远。学者学术情况理应彻底公示于众。只要所追溯的时间足够地长、所追溯的空间足够地广，决策的质量就可能得到一定的保证。大数定律永远强而有力。"你可以骗所有人于一时，也可以骗一些人于永远，但你不可以骗所有人于永远"。（林肯语）对付那些在学术上一窍不通而在搞阴谋诡计方面却

颇为能干的人（指考茨基等）的基本办法，就是将事实彻底公开。（恩格斯语）

连续记录并彻底公示学术信息也许会伤及少数人并似有侵害隐私之嫌，因此肯定也会有阻力。"模糊"往往为"南郭先生"所偏好。但应该说，这毕竟是可以起步，甚至是可以举重若轻的举措，至少桌面上和舆论上的阻力不应该很大。否则，消除扭曲和优化认证乃至成功建设中国文科学科制度，将会真的没有希望。

11. 专利产权、宗教信仰与"智能品"保护[*]

三年前（1988 年）我曾在美国首都华盛顿国家广场参加"独立节"庆祝。是夜，随着潮水般人群唱起《啊，美丽的阿美利加!》，国庆活动进入高潮：礼炮轰鸣，焰火腾空，火树银花，色彩纷呈……

人声鼎沸也罢，歌声激越也罢，恐怕都很难让我们中国人称奇，尤其是像我这样经历过"文化大革命"的曾经善于激昂的一代人。但是，那天晚上创尽辉煌的焰火，却令人感触良多。据说这些焰火是特别地从中国大陆进口，是我们的发明、我们的奉献……

一、"祖传秘方"与"自由骑士"

中国人勇于探索、善于创造。远有四大发明、近有火箭超导，令人刮目相看。然而指南针、火药为夷所用攻破国门，现代复印及信息技术洋人又捷足先登，却也都是事实。也许惟有造纸术，外国人未能全学了去。至少，我知道，堪称世界一绝的宣纸制造工艺是一例。

当年日本人侵华，曾将宣纸厂技师工匠绑去东洋。但所造之物见不得太阳，否则便龟裂。因为这纸非要该厂所在地——皖南泾县

---

* 本随笔发表于《读书》杂志 1991 年第 11 期，原名"保护创造与提倡奉献（谈知识专利）"，发表时无标题，署名萧琛。

的"乌溪"的水与"小岭"的稻草不可！真是一方水土养一方人。

这一传闻是否科学且当别论，但其中的经济学问题却值得回味。例中，宣纸制造工艺无非是由一系列技术诀窍（Know—How）等构成，可以成为类似"专利"的东西，受法律或其他习惯势力的保护。日本人的强夺无疑是再侵权不过（偷盗和剽窃是分配性努力的一个极端），奈何国破法何在，最后只得靠"土地神"显灵。

日本人当年行径可耻可恨自不待言。然平心而论，在现代社会经济中，公开抢夺丝毫不比暗中盗用和剽窃抄袭更为可怕。

经济学已经证明：发明创造是需要保护的，否则发明数量与传播速度势必低于"效率"水平。中国历史上大量的"祖传秘方"便是一个生动的写照。更令人扼腕痛心的是：这些发明往往会因"世代单传"、"男女有别"等原因而自生自灭或逐渐流失。得以昭示天下者恐或有之，但却往往是在"满门抄斩"或其他形式的行刑之前夕！

怨中国人不深明大义及时行善？不如怜中国人苦于制度不合理。

创造发明是一种具有"正外在性"的无形产品，成本大、回收难，"个人收益"小于"社会收益"，"个人风险"大于"社会风险"。例如"五笔字型"输入法，研制者费尽心力，拷贝人却仅仅需要几分钟。除非这一发明不投入市场，否则劳动者便不能合理占有其劳动成果。换句话说，这种劳动的收益会"外溢"成一种"第三者效应"，使许多人不劳而获。因此，对于发明创造不加保护等于鼓励怠惰与投机。或者是另一个极端，创造者拍案而起、越轨自卫。"编写病毒"防盗泄愤，据说就是一种方式。

不愿（或勉强）开创而坐等他人火中取栗的心理，经济学归之为"自由骑士"（Free Rider）问题，也称"搭便车"或"不付费乘客"。从前，一队骑兵行进时受到篱笆阻拦，可谁也不愿意先下马去挪开障碍。"既然势必有人开路，为什么自己不继续等待一下呢？"相反，如果先下马者有重赏，则景况又将如何？

二、"天才火焰"与"利益燃料"

专利制度的基本内容是授予发明人以"产权"，并在一定时期内加以保护。其基本思想是：假如某个人突然有一个可以把某件事做得更好的念头，他也许会下决心再花十年功夫使这个想法臻于完善，以期获得酬报；但是，他也完全有可能认为：实在不值得冒这个险。假如他确信其他人也会产生这类想法并有更好的条件去加以利用。果如此，他就很可能不再去竭尽愚钝。然而，假如他确信这个念头的效益确实能为他所有，那么，他就极有可能百折不挠地继续努力下去。

专利制度可以从两个层次上鼓励创造。

第一，判定发明者在创造性劳动链条上的增加值，这一劳动的复杂程度和时空影响力度，并以货币、嘉奖等形式将这一劳动的报酬通约成可以同其他劳动相比较的东西。其实质是对特殊劳动实行"按劳（包括风险）分配"原则，以便"各尽所能"。就此而言，专利制度与股份制度可谓异曲同工相辅相成。

第二，专利制度使发明及时公开，并遵循等价交换原则传播。这可以减少"秘方"保守之必要，减少"自由骑士"和抑制（正常的）投机心理。更重要的是可以及时启动各种"引致发明"或曰"派生发明"，引起连锁反应。资本主义生产力在短短数百年的时间中所创造的社会财富，之所以能够超过以往几千年的总和，不能说同上述良性的"乘数"和"加速数"的魔术般功效无关。当然，这类加速效应的渠道很多。经济学家埃德温·曼斯菲尔德的一项研究表明：如果没有专利制度，60％的药品和38％的化工制品根本不会问世。

现代经济学中一个迅速崛起的课题，是关于"经济机制设计"。它强调经济体制的效率运转取决于信息机制与动力（incentive）机制。专利可以使得单位信息（如一项发明）的应用"极大化"，可以使得单位经济（如一国或一行业）所需要的（原始发明）信息最小化。

"专利制度是在天才的创造火焰中添加了利益这种燃料"[1]，可以为"在黑暗中摸金子"[2] 这种发明创造活动带来意想不到的巨大动力。

651

---

① 美国第十六任总统亚伯拉罕·林肯语。
② 马克思语。

三、"制度不灵"与信奉精神

社会经济发展过程中，最可靠的东西是制度，最不可靠的东西也是制度。因为制度是一种"硬约束"，而人的本质是在各种（至少是"硬"的）约束下择优。毛手毛脚的小伙子参加解放军后，肯定会判若两人；而"服务态度不好"的年轻女职工，进了"香格里拉"（中外合资五星级旅馆）以后，恐怕也会必恭必敬起来。

然而制度不外乎是根据经验和由经验推知的东西设计而成的一套因果关系方程式。制度的执行无非是将各种"事实"代入方程式求解。可是在"社会"现象中，"事实"往往只能是"真相"的一部分，其余的是"感情"。如果说，在自然科学中，1 加 1 无疑等于 2 的话，那么在社会科学中，却无疑应当打上一个问号。因为严格地说，社会现象中没有一个"1"和另外一个"1""完全"相同，"线性相关"实在并非必然。例如，在"计划生育"或"福利分房"工作中，"1"加"1"究竟等于几才更"科学"？

652

专利制度当然也不例外。从市场角度看，专利制度至少有两大缺陷。

第一，不能有效地影响那些无法垫付、无法回收成本的发明创造。例如基础科学和可以换回生命的发明（前文谈到过的"死囚献方"，其解密一次的收益为"无穷大"）等。著名的可口可乐饮料的原始配方，就一直不曾申请专利。该配方已问世 103 年，如当时申请专利，则专利权已失效 86 年。

第二，专利制度下发明的实施率会低于"效率水平"。因为有"付费意愿"与"转让意愿"等问题。例如在江苏省，1985 年推行专利法以来，年平均专利实施率仅为 39.3%。这还算是比较好的情况。在外国，这一指标往往更低。

弥补的办法一般是：第一，由政府用征税办法资助基础研究和组织大型科研。例如在美国，国防部、能源部、航空航天部和国家科学基金，就是他们"计划"科研体制的"四大支柱"。第二，实行

"强制实施权",克服"防卫性专利"带来的非效率。防卫性专利指的是专利持有人既不亲自实施而又不让他人实施的情况。

"市场不灵"应由政府干预补足,不等于政府一定能够胜任。实际上政府干预也有许多弊端。近二十年来公共选择学派谈得最多的话题之一便是"政府不灵"。就专利问题而言。政府不灵表现在:第一,事先无从"科学"地比较谁更适于承担某个发明项目。至少这一"计划分配过程"内耗巨大、结果却很难如期。众所周知,社会上形形色色的"评",恐怕早已让国人头疼。第二,征税会造成经济扭曲。

可见,市场调节也好,政府计划也好,最终都离不开人,离不开人们所显示的"偏好"的真实程度。而对此,社会经济制度最多只能影响而不可能保障,无论你的市场机制、规章法令是何等的健全与完善。因此,人的灵魂开发工程及其有效程度,往往举足轻重。

值得注意的一点是,许多社会将这一开发权交给了"主"、"真主"或"佛主"之类,讲求的是"因果报应"、"从善积德"和"普渡众生"云云。金律(Golden Rule)主张"设身处地,与人为善"①,孟子主张"己所不欲,勿施于人"。翻译成经济学语言,则是:多造成"正外在性",不造成"负外在性"。简言之则是:多奉献,少索取,凭良心。

伟大的发明创造往往离不开高尚的情操。马克思写作《资本论》的稿费,据说还不足以支付他所吸掉的雪茄烟,足见奉献精神之伟力:"如果我们选择了适合于我们自己的事业,我们就决不会为它的重负所压倒。因为这是为全人类的工作。我们得到的将不是一点点可怜而自私的欢乐,我们的幸福将属于千百万人。我们的事业决不是显赫一时,但将永远存在。"(卡尔·马克思语)

四、临渊羡鱼与退而结网

"山中方七日,世上已千年。"这是国门乍开之际不少出国访问归来者的感慨。羡慕别国经济成就,本不足为虑,毕竟这还是一种

653

---

① 原文是:"Do onto others as you would have them do onto you"。

"正视"。令人担忧的是"高山仰止"和"妄自菲薄",因为它阻挡羡慕的深化并容易产生销蚀作用。改革开放多年后的今天,"外国月亮圆"、"西瓜比东(冬)瓜甜"之类,好像已经鲜见,但言"外国天空蓝"、"外国草坪绿"者,恐怕还应当大有人在。

其实,这也不失为一句老实话。因为外国同一片草坪上轮迴繁茂、争青竞翠之草,往往竟出自多达十几种的混合在一起的草籽!据说,这种"配方草籽"非常昂贵。

深沉的羡慕应该是:正视、调研、效仿和赶超。这方面日本人做得不错。早年,他们虚心学习唐文化,已成历史佳话。近现代乃至战后,日本人的学习赶超可谓更加卓有成效。

654

1900年前后,一位日本官员到华盛顿研究美国专利制度时曾说:"我们四下环顾,找寻最伟大的国家以仿效他们。我们问,'是什么使美国变得如此伟大?'经过调查,我们发现是专利制度,因此我们也将建立。"一个世纪过去了,这一先天不足的岛国究竟发生了什么样的变化?应该自有公论。如今(20世纪80年代后期),日本人不仅在"获美国专利的外国人"中位居第一,而且他们"获取美国专利的速度"已经比美国人自己还要快!

由于种种社会历史原因,我们一度竟试图与专利意识彻底"决裂",批判"知识私有",风行"集体"创作……。近十年,神州大地焕发了青春。如今《专利法》已颁发数年,《著作权法》也已经实施。此外,保护生物技术发明的《物种法》和《种子法》,保护电子软件技术发明的有关法规也将相继诞生……照此速度,谁能料想在新的世纪里中国将会繁荣到什么样的程度?

当今世界,强者辈出,形势逼人,科技进步日新月异,空间不断"贬值",时间不断"升值"。"星球大战计划"、"尤里卡计划"、"第五代电子计算机计划",我们的"星火计划"、"火炬计划"、"211工程"、"985计划"①,等等,实在是令人目不暇接。

然而,"风起于青萍之末",奇迹发生于无形之中。在社会经济变迁的历史进程中,"习惯势力"的新陈代谢,往往最为重要、也最

---

① 后两项系十年后今天笔者的补充。

为困难。因此，切实增强国人对创造性劳动的保护意识，切实增强对各种侵权投机行为的制约能力，尊重知识、尊重人才、鼓励发明、提倡奉献，是一项更富有决定意义的使命，也是中华民族"科教兴国"和"入世"后开创新局面的根本。

12.东西方文化模式的
差异与市场机制的成熟

（1）中、日、韩传统文化
扬弃与市场经济起飞[*]

　　儒教色彩浓烈的传统东亚文化的基本特征是注重纵向合作。这主要体现为重权威、重集体和轻商等基本倾向。君臣、父子、夫妇，长幼有序、男女有别等，乃至由此派生的忠诚观念和民族主义等，对于政府主导经济增长和实行平等甚至均等的分配等，具有较强的支持能力。"国之本在家"、"忠孝节义"等家族、团队精神，加上儒教、佛教和道教共同派生出的一种魔力般的宗教宽容，可演化成一种"克己复礼"或曰善于服从的传统职业道德。

　　鉴于市场企业机制的精髓在于"等价交换"和"企业家精神"（实质是一种非"集体主义"），因此，传统东亚文化在现代工业化浪潮中只可能且在事实上已经是处于一种非主流的地位。

　　注重纵向合作的文化对于市场机制的形成总体上说是很难有利的。"纵向驱动"容易导致政府经济干预面过宽，而过度的公共经济（实际是政府经济）的非效率通常容易偏多；其镜像"民不患寡患不均"，不利于酝酿和跟进快节奏投入产出的现代工业文明。

　　"纵向驱动"不仅势必弱化"横向竞争"，而且势必会导致一种

　　* 本文是在"中日韩三方东北亚问题研讨会"上的讲话；发表于《人民日报》1996 年 2 月 29 日。

"掐尖子"恶习，不利于"企业家"阶层的形成和"精英分子"用武。"枪打出头鸟"、"人怕出名猪怕壮"、"出头的椽子先烂"、"树高于林风必摧之"，"糊涂的皇帝乱杀人，聪明的皇帝只杀比他聪明的人"，等等，实在值得国人深思。"个人主义"，本是西方文化的精髓之一，但在其东方概念中，总难免等同于"极端自私"、"以邻为壑"等万恶之源。

殊不知，事实上经济学者一直认为，没有个人主义就没有企业家，也就没有市场。企业家的基本特征就是跳出传统约束并迎着风险独辟蹊径。市场这种以等价交换为核心的典型的横向合作只能发生在完全独立平等自主的"个人"（含法人）之间。"尊卑世袭"和"长幼有序"等，只会容易导致一个民族耽于"养尊处优"和"经济年龄"系统偏高。

重视纵向合作的"无谓宽容"和"局部理性"容易导致社会规范总体缺乏基本逻辑。西方不少亚细亚问题专家曾就此论及"实质非理性"问题。

传统东亚文化的突出长处在于"尚贤"和"重视教育"。儒家的"学而时习之"、"富之，教之"、"有教无类"，可谓内涵深刻、意义深远。日本人现今仍然自信，如果说日本经济将来有可能胜过美国，则其主要原因必在于日本教育更为成功。另一个东亚国家韩国，教授知识分子的待遇之高，在世界上也少见。就中国而言，虽然对"学而优则仕"传统有诸多褒贬，但家长们"望子成龙"之切，也无疑举世瞩目。

另一个长处是，东亚民众较少西方社会的那种浪费、奢华和纵欲主义恶习。与西方乃至世界各国相比，中国（含台湾）、日本和韩国的家庭和政府的国内储蓄率都比较高；"基尼系数"也显示中日韩收入分配较西方国家平等。而在美国，"国民储蓄率"一直低得惊人，近些年甚至是负数。对此恐怕美国人自己也不好"称道"。

长期以来，中日韩等国分享着东亚文化的传统。但由于扬弃传统文化的条件和方式不同，三国在把握现代市场"经济起飞"历史契机方面存在着一定的差异。

日本对传统东亚文化反思最早。在江户时代，葡萄牙人远征日本，其后，天主教传播，使日本文化增进了"西学"成分。"明治维新"之后又出现第二次学习西方文化的高潮。明治思想家甚至提出"脱亚入欧"口号，号召"仿效西方，在亚洲建立一个纯西方的国家"。第二次世界大战结束后，日本人更是倒向美国怀抱。

天皇制度（君主立宪）一定意义上是英国"光荣革命"的翻版。其实质是分离民族国家的拥有权和行政权。这种最高层次的"非纵"事件影响积极而又深远。日本"人均海岸线"长，大量的对外商贸机会对于市场交换机制的形成其作用不可低估。日本的专利制度是20世纪初学自美国，其实质是激励个体和保护创造。

日本人的可贵之处还在于对西方文化既全面汲取而又不"拿来主义"。例如，他们对"纵欲主义"和"极端个人主义"就始终戒备森严。此外，日本人在保留传统东亚文化的长处，如重视"团队精神"、服从意识、勤俭节约和重视教育等方面，也一直能够成功地发扬光大。当然，另一个极端的"武士道"，也是日本文化怂恿极端民族主义的一大反例。

658

另一个值得深思的问题是：日本的"纵向合作"型体制导致较多的"间接经济"。这是日本20世纪90年代以来经济长期疲软、"走走停停"的制度根源，也是日本在信息网络经济时代到来之后重新彻底反思文化的新的战略任务。

韩国吸收西方文化时间较迟，力度也不如日本那么大。由于日本殖民、美军进入和随之而来的"美援"，韩国吸收了许多日本和美国的经济管理经验。当然，韩国经济起飞主要还是在传统东亚文化的框架内完成的。属于"权威主义"范畴的政府在统摄整个经济发展过程中始终起主导作用。"强化团队"、"推迟享乐"、"严明纪律"、"忠诚奉献"、"重视教育"等，对韩国经济起飞的作用显然都不可低估。韩国现在已经经历"统制经济"和"权贵资本"阶段，已经跨入"经济自由发展"时期。东亚经济"奇迹"正在导致一种真正的市场机制和政府体制的创新。

东亚金融危机给了韩国一场大的教训。韩国的"经济奇迹"和"雄心战略"几乎完全瘫痪。IMF数以500亿美元计的"挽救资金"，正在彻底改造韩国的经济体制和民族性情。近期，美国"通用"刚刚完成对"大宇"的收购，是一个文化反思的例证。这些表明韩国的文化和经济正在跨越新的台阶，当然也意味着韩国传统文化的扬弃任重道远。

如果说，日本赶上了产业革命后世界第一次工业文明浪潮，韩国在第二次世界大战之后赶上了第二次工业文明浪潮，则可以说，中国正在抓住以信息网络革命为主体的第三次工业文明浪潮。

中国经济改革开放比较成功的原因很多，一定意义上可以解释成：对于传统文化进行了正确的反思。中国传统社会曾经举世辉煌。但由于长期"精英误导（科举、轻商）"、"分配性努力过强（升官发财是一个概念）"，中国的市场机制乃至发展现代工业之"火"一直未能"燎原"。战后尤其是"文革"中，"一大二公"、"闭关锁国"，不适当的"集体主义（如集体'创'作）"，知识人才得不到应有尊重，等等，是导致中国丧失上一个起飞机会的令人痛心疾首的文化原因之一。

659

党的十届三中全会以来，"撤销人民公社"、推出"厂长经理负责制"、"破除迷信，年轻化、专业化"，"买退"（一种离休制度改革）等，一定意义上都是富有效率的"非纵"。"猫论"，无疑是绝妙的中国式"实用主义"；"石头论"，则是一种在现代管理学上相当先进的"无目标计划"。"为钱正名"，是"言义"也"言利"，是对"君子"内涵的一种釜底抽薪。"科教兴国"、"专利法"，可以说是新高层次的反思。因为，"人力资源"和"科技立国"在"新世纪新经济"中，必将更具战略意义。

（2）中美西部开发进程中移民机制的比较[*]

初次经由内蒙古高原和沿黄河中上游乘火车来到兰州，沿途荒漠空旷的感觉几乎为之一扫而尽。兰州市的昌盛景象和兰州大学的校园风光令人深感大西北绿洲文化的奇特魅力。几十个小时满目苍

---

　* 本文是在兰州大学全国中青年世界经济学会年会上的讲话，后收入萧琛《论中国经济改革》北京大学出版社 1996 年 11 月版。

凉的旅行中我真的没想到西北的鲜花竟然也能开得这样的红!

我今天要谈的话题是由"开发"、"开放"与"改革"派生而来的。内容拟就中美西部开发过程中市场和政府"推""拉"移民开发西部的作用机制等问题做一点比较和引申。

美国人曾在80年内通过"南进"和"西移"运动占领了整整一个大陆。移民和开发成功的基本原因似可归结为对西部的"推力"和西部的"拉力"都比较强大。中国国内早期大的移民有两次,一次是被称为"闯关东"的向东北地区的移民,另一次则是被称为"走西口"的向西北地区的移民。"闯关东"成功,"走西口"却不尽然,原因何在?东北地区自然资源丰饶,"拉力"强大显然是重要的原因。相反大部分西北地区条件较恶劣,即便是解放后政府花大气力进行动员和"支边",也即增加"推力",但成绩还是不理想。

660

自然"拉力"只是问题的一个重要方面。另一个方面是社会"拉力"。没有相应的制度创新,"自由经济"和各种"淘金"机会就不可能膨胀从而产生巨大的引力。作为"自然资源",美国西部长年沉睡的土地只有在找到合理的利用和开发机制时才具有现实的经济价值。世界农业经济史上著名的"美国式道路"实质是利用私人产权的巨大开发力和创造力。《公地先买权法》、《宅地法》、《植树造林法》、《荒漠土地法》、《木材石料法》、《森林保留法》,还有后来的《全国农垦法》等等,使得耕地在这段时期内增长了2倍,房地产价值增加了9倍。《赠地学院法》和铁路、公园等土地法,对于教育、交通等社会基础设施的发展也起了根本性作用。产权明确还使得劳工市场、不动产市场和证券市场兴旺繁荣,世界各地的劳工、西欧乃至世界各国的资本也都纷纷被吸引到美国的西部开发洪流之中。

被投入美国西部开发的人力、财力的"推力"也相当强大。欧洲的宗教迫害和资本相对过剩、非洲"奴隶贸易"、亚洲的贫穷落后、外国在美的军事订货等等,都促使各种能工巧匠、生意人、企业家、乃至财阀等流向美国。国内制度的地区差异也构成一种压力,诚如《愤怒的葡萄》等小说所描述的那样。

新中国政府"支援大西北"和"知识青年到边疆去"政策的实质是推动向西北移民从而开发建设西北。鉴于西北地区的自然资源

"拉力"很弱,这场西进运动所依靠的主要是一种"政策推力"。大学生分配中的"四个面向"、产业调整中的"三线建设"、"知识青年上山下乡"等是这场人口流动的社会背景。而话剧《年轻的一代》、诗歌《西去列车的窗口》、歌曲《打起背包就出发》等可以说是该运动的时代强音:"一路上:苏州、郑州、兰州……,人生、革命、战斗……"。

毋庸讳言,这场主要依靠"推力"的移民运动是声势浩大和蔚然壮观的,其经济成就也是中国历史上任何"军屯""民屯"或"闯""走"之类举措所难以比拟的。西北的骨干企业"兰炼"和"兰化"就是在"支援大西北"的口号下成长壮大起来的。如今在兰州市的 230 万人口中,这两大企业的居民人数竟然高达 50 万。

值得研究的问题是,形成政策"推力"和"拉力"的主要举措是借助形成计划和相应意识形态来完成的。"西北共青团干部比外地相应团干的行政级别要高一级",就是造成"拉力"的一例。又如,西北"钢铁厂"与"纺织厂"相连,也是解决性比例失调问题和促成安居乐业的好办法。此外,中央领导人对于西北移民问题一直是高度重视的,许多西北人说他们对中央领导人如胡耀邦同志等有一种"特殊的感情"。

行政动员和计划干预的功能应当说是非常强大的,但是它毕竟不能取代市场合作机制。因为后者意味着一种"制度创新",它比政策更容易持久且动力难以衰减。中央财政优惠政策毕竟难以长期持续并保持加速态势。无怪乎兰州老一代移民中流传着一句意味深长的口头禅:"献完青春献终身,献完终身献子孙"。而在经济市场化的今天,"孔雀东南飞"和"黄河之水向东流"的现象已经不再鲜见。

计划"有余"而市场"不足"的根本原因无疑在于西北自然"拉力"的确太有限。茫茫荒漠,基础设施匮乏,虽然不至于"春风不度玉门关",但毕竟属于"羌笛怨杨柳"之处。

保持开发大西北的热情和活力的出路在于多引进市场机制和寻求市场适应型的新的行政推力。仔细观察那些"东归"或"东流"去的人口构成可以发现:"拿工资的在向东流,而不拿工资的(能工巧匠）在向西流"或曰"新型走西口"。兰州市内大批量的江浙一带的手艺人和生意人正在到大西北寻找市场机会。这些人口虽然是流动的，但却也是批量的和有规模的。可见，改革户籍制度，鼓励"留才不留人"的技术性移民和循环性移民可能不失为一种办法。

西北经济不仅是中国经济的一部分，而且也是世界经济的一部分。有鉴于此，"外商联合走西口"、建设"欧亚大陆桥"、"世界旅游热"等国际经济现象显然非常值得注意。如何吸引外资联合开发西北是一个重要而现实的课题。这个课题又同该地区市场机制建设步伐紧密相关。为此，值得探索的对策应包括：努力多培养国际经济合作人才；建立各种外援促成（如世界银行 UNDP 贷款）机制；试行土地廉价化和私人长期拥有化政策；在确立初级产权市场的基础上进一步发行土地资源勘探股票；大力发展丝绸之路旅游业（现有的西北"酒文化"活动可视为一种尝试）；创建敦煌佛学院和艺术学院等。

662

（3）东西方的历史文化传统与现代企业制度[*]

文化传统对社会经济繁荣之重要性可谓不言而喻。第二次世界大战后德国、日本几乎一片废墟，但仍然能够在不长的时间内重新崛起。近现代史上中华民族灾难深重，但却能不屈不挠、千锤百炼，后来居上。

近期陕北社会调查也许发人深省。一个当地的放羊娃被依次问及"为什么放羊"等一连串的"为什么"时，回答依次是"挣钱"、"娶老婆"、"养娃"、长大了"当然还是放羊"。金庸武侠小说中也有一例，"韦小宝"，虽无大智大勇，但却能逢凶化吉，让那些"高手"一个个人仰马翻。更耐人寻味的一点是，"五毒俱全"的韦小宝并不令人生厌，相反却一直左右逢源。

"放羊娃问答"和"韦小宝现象"也许体现了中国文化传统中某些消极的侧面。换个角度，就中国传统文化的活学活用或曰古为今

---

* 本文是在北大"中国传统文化与现代企业"研讨会上的发言，发表于《北京大学（校报）》2002 年 3 月 5 日学术专版。

用这一点而言，北大及国内许多学者的努力却无疑是功勋卓著。150集电视片《中华文明之光》4度播放，对于丰富知识、陶冶情操和教化心灵，显然是"无用之大用"！中美"入世（入关）谈判"山穷水尽之际，电视台曾播能屈能伸的《韩信》。而遭遇"（长江）洪水"和"（东亚金融）风暴"之时，电视台则播放励精图治的《雍正皇帝》……

从制度经济学角度看，文化传统应该属于现代市场企业制度的支持系统。（刚才张教授谈的）"文化搭台，经济唱戏"是一种通俗写照。现代市场经济应该可以划分出三大系统："运作系统"、"干预系统"和"支持系统"。支持系统包括物理层面和伦理层面。涵盖历史、宗教和道德的"文化传统"显然应该是伦理层的基本要素。

663

欧洲的"重商"文化传统，曾策动葡萄牙、荷兰、西班牙和英国等"海霸"的原始积累迅速有效，也曾参与酿成圈地运动和蒸汽机的发明，还曾导致德国（恩格斯故乡"捂帕沓"）等地那缘山势跨溪涧的星罗棋布的纺织工场簇群。如果没有重商文化传统，重科技乃至由此催生的产权保护制度也就很难出现，西欧资本主义的"发疹"，恐怕很难设想。

中国资本主义萌芽并不迟，明代的"官窑"、"民窑"，甚至汉代的盐铁"官营"应该说不缺市场企业制度成长"气候"。但鉴于"土壤"问题另当别论，因此我们也只能是"曾经辉煌"、"痛失机会"和而今"后来居上"。为此，反思和扬弃文化传统理应不可等闲。

英国人偏好以祖先为荣，"我的祖上是伯爵"；而美国人却喜欢强调和夸耀自我，"我的爸爸还只不过是个一名不文的落魄者，但我却……"。另有一句幽默，"美国人喜欢机器，英国人喜欢狗"，可以说是现代英美经济出现巨大反差的一个重要文化因素。还有，德国产品致力于"可靠"，比较容易赢得中长期市场；而日本厂商则崇尚"精明"，比较容易赢得中短期利益。此外，欧洲人注重"横向合作"，市场制度才比较容易催生；而亚洲则注重"纵向驱动"，"亲情""关系"盘根错节，市场制度和企业家精神很难率先推出。

文化传统不仅能支持和解释市场企业制度，而且明显带有深远和根本的性质。亚细亚文化的一个不适应市场经济的弱点在于：很难在投入产出方面具备较高的"可观测性"。"含蓄"、"勾结"和"幕后"等"局部理性",势必最终导致整个经济系统的"实质非理性"。日本曾提出"脱亚入欧"口号,崇美情绪长期很高。在日本旅行,一口流利的英语要比一口流利的日语还要受欢迎。但民族根性毕竟无法根除,因此只能是"自拔头发欲离地球"式的徒劳。日本市场的透明度至今仍旧低,无法较好地适应方兴未艾的新型经济。

日本文化传统当然也有很多长处。影片《啊,野麦岭》体现的是原始积累进程中的有血有肉的日本式人性冲突,电视剧《阿幸》体现的是勤勉诚信、坚韧进取的原始创业美德。可惜中国这方面的作品好像不多,近年《上海一家人》也许有异曲同工之处。

以新教为主的基督教盛行的美国,"虔诚"、"严于律己"的清教徒文化传统对于市场企业制度的成长应该说非常有利。马克思·韦伯的经典著作《基督教新教伦理和资本主义精神》的主要案例,就主要来自美国民族性格楷模本杰明·富兰克林的著述。集工匠、作家、发明者、开国元勋、外交家和勤劳致富者为一身的富兰克林,集中体现着美国清教传统向资本主义演进的众多特征。富兰克林的《自传》、《穷查里历书》、《致富之路》等劝业教诲之书,曾经广为流行,有上百种版本,被译成十多种文字。

664

美国文化传统不仅"重经济",而且"重法律"。当年西进运动中移民每新到一处"边疆",别的事可以不做,但有两件事却例外:一是修教堂,二是设法庭。美国人迄今最引为骄傲的是:拥有一部先进而灵活的宪法。美国鼓励发明保护专利的法规几乎与建国同时。也许正是仰仗于此,美国的计算机软件才能较早地独立于硬件而蓬勃发展。而日本,在独立的大中型软件方面,几乎完全没有立足之地。

再回到东方。我国市场制度和企业家精神之所以出现较迟,文化传统的作用也很显著。其一是"分配性努力"一直过强,"生产性努力"长期鼓励不足。"升官"和"发财"自古以来一直是同一概念。"科举"是典型的"精英误导"机制,诸多聪明才智都用在小概率的"成功"之上。分配性努力强的结果势必是中介环节多、"交易成本"高。这也是现今中国的汽车、房地产价格高得离谱的注脚。

其二，纵向驱动过多，不利于市场制度和企业家精神。市场的精髓是（等价）交换，平等、横向、自愿是基本前提。"三纲五常"、"忠孝节义"、"尊卑世袭"、"长幼有序"等，无法不导致一个民族很容易耽于"养尊处优"和"经济年龄"偏高。企业家成长当然会很困难。一般说来，企业家终归是某种制度框架和利益格局的突破者。普通人避之惟恐不及的"风险"，却被企业家坚定地视为"机会"。

企业家难免有"个人主义"色彩。在西方概念中，没有"个人主义"就没有企业家和市场。个人主义是美国的国粹之一。但在东方，由于不适当地强调集体努力（人民公社、一大二公、集体"创"作等），"个人主义"一直被视为"损人利己"和"以邻为壑"等"万恶之源"。追溯历史，中国的"掐尖子"文化实在是"灿烂辉煌"。"人怕出名猪怕壮"、"出头的椽子先烂"、"树高于林风必摧之"……长期生长在市场经济中的人，谁懂？

以上所谈显然是批判居多。然平心而论，中华文化传统的精华也委实璀璨巍峨。改革开放之所以"奇迹"不断，"走向辉煌"之所以能举世瞩目，无疑也得益于文化传统及其成功而彻底的反思和扬弃。"猫论"是最典型的中式"实用主义"和"个人主义"的生花妙笔，"石头论"是当今管理学境界很高的"无目标计划"，是对"因循保守"和"清论空谈"的断然否决。"精兵简政"和"下岗分流"旨在削减"分配性努力"和降低"交易成本"，而"三个代表"理论，则更是"重科教"、"重生产"和"重文明"的集大成之作。

（4）中国企业家在借鉴西方时宜注意之处[*]

当一名出色的"企业家"决非易事，在中国且在转轨时期可谓更不容易。中国经济改革初期涌现的一批"改革家"，能够保持荣誉者已经不多，中国国有企业中的锐意进取者和奋勇开拓者在一定意义上则可以说是更加艰辛。因为，"企业家的重要标志就是追求自主

* 本文是在《世界经济》新增"现代企业与企业家"栏目时应约写成。发表在《世界经济》杂志 1996 年第 1 期，署名萧琛。

665

和摆脱束缚"，[①] 而在现阶段的中国，真正的企业是否存在本身可能就是一个问题。尽管如此，平均素质有限，知识缺陷比较明显等，也是值得中国企业的领导人加以注意的因素。本文拟从借鉴成熟市场企业家素质和有关专家研究成果的角度，在"功能定位"、"创新魄力"的"行为魅力"等问题上为中国的企业家们谈一点"圈外人"的想法。

第一，企业家的任务是抓住要害，而经理人员则是把事情办好

区分企业的领导人与企业的管理人在实践上是困难的。不仅因为这双重作用通常以同一个自然人为载体，而且常识已经告诉人们，权力必须在参与管理的过程中才能执掌。尽管如此，对于每一个立志成为"家"，也即真正的"领导"的人士，都必须在意念上将二者明确地加以区分。无数经验告诉我们：被领导者通常都在不想对自己的决策负责或承担后果，因而才有我们常见的"事事请示"问题，其实质不过是"将棘手的问题上交"。面对交上来的一系列棘手问题，不注意明确区分二者的"领导人"一定会发现，他们所面对的这一摊子事情"要么是管不了，要么就是没法管"。其严重后果之一当然是领导人无法抽出足够的时间去干一个领导人首先应当干好的事情。因此，当身居要职的领导人将某项不该做的事处理得井井有条时，应该说这绝不是该企业的好兆头。日常管理得不错而领导却很差劲的企业可谓比比皆是。

666

企业领导的首要责任在于为企业的发展寻找新的机会和避免随时可能出现的风险。就中国的情况而言，政治经济形势、新改革举措的推出、新竞争对手的动向、发明专利和原材料的新替代途径、信贷、进出口、汇价等新的变动、上级主管机构的人事变动，等等，无一不是需要不断跟踪并做前瞻分析的事。在透明度比较高的成熟市场上，企业领导人对于两类基本向量（总供求向量和价格向量）的收集通常比较简单，在一般的"人际问题"的观测方面也可能比较省心。但在中国，由于"市场"、"政策"和"主管上级及其他当事人的行为"的"可测性"太低，致使中国的企业领导人不得不用

---

① Daniel Goleman 语。《纽约时报》1986 年 2 月 2 日。

大量的精力同时关注上下左右前后各种关系中的无穷无尽的"软信息"。这一方面显然会使他们耗尽心力，另一方面却也能提供一些（至少是暂时的）"合法"机会。"逃税"和"避税"的法律责任迥然不同，但经济"效益"却并无二致。这类生产性不强（less productive）的竞争努力已经导致这样一句话得以流行，"上等领导是提前执行政策，中等领导是同步执行政策，下等领导是事后抱怨政策"。

　　所谓的"提前执行政策"，指的是该企业领导能够看准政策的变动趋势，并能在机会到来之前做好一切准备。而那些"下等"领导，则甚至等到政策已经失效时还不能够充分理解事情的经过。可见，紧跟改革开放的节奏，在中国市场上实在极为重要。为此，企业家必须能够对改革的现实、动向和前景等有很强的直觉能力。而要获得这种能力，不善于收集信息、不努力学习思考是不可能的。因为直觉虽然不需要严密的推理，但却需要广博的知识和灵敏的感觉。很难设想一个对税制改革、汇率并轨、GATT、WTO、APEC乃至"汽车文化"等一无兴趣的人能够在加入WTO后中国汽车业投资方面应付裕如。

667

　　第二，保持将潜在机会"变现"的魄力，注意在"创新"过程中保持高度的灵活性

　　企业家之所以能够赢得人们的赞扬，基本原因在于他们都是些锐意进取而又才能出众之辈。"渴望自主"通常是企业家们辞去原先待遇颇厚和舒适安全的工作并走上个人奋斗道路的动力。作为下属的时候，他们通常是一些容易给上司带来麻烦的人。企业家"原先多是在某个机构供职时就是狂妄之人"。他们"简直可以发展到打破一切规章制度的地步"，因为"他们渴求一块自由的天地，除了自己之外，他们在任何机构中都感到压抑"。[1]

　　企业家的追求意味着一种内在的叛逆精神以及在风险面前毫不畏惧的精神。"真正的企业家都坚信自己不会失败"，"即使曾经失败过，他也相信下次不会再失败，他看到的只是光明的一面"。"当其他人在风险面前避之惟恐不及的时候，企业家们却被风险所吸引。"[2] 正是这样一种可贵而又稀缺的心理素质，不仅使得企业家人

① Daniel Goleman 语。《纽约时报》1986 年 2 月 2 日。
② Daniel Goleman 语。《纽约时报》1986 年 2 月 2 日。

才难得，使得企业家的努力通常都具有特别高的回报率，而且使得许多风险很大，不确定因素很多的重新组织资源的努力产生了巨大的社会经济效益。

企业家只有创造的勇气还不够。"引起注意"、"善于表达"、"赢得信赖"和"自我控制"这四种素质[①]通常也是成功的企业家难以或缺的素质。为了让别人清楚自己的理想和把众人团结在自己周围，企业家必须善于表达自己的见解和善于建立一种协作体，并能够将那些拥有自身还不具备的技术人才招募进来。理论上说，企业家最好还应当是精明的政治家、具有魅力的演说家、善于鼓动的教练、某些方面的技术专家，以及高效率的管理人员。实际上，除了极少数例外，如罕见的美籍华人企业家王安，几乎没有人能够同时具备上述才能。为此，一个企业家必须能够有效地寻求合作者。苹果机公司的创建者乔布斯（Steven Jobs）和技术天才沃兹（Steve Wozniak）的搭配就堪称这类合作的佳话。[②]

668

由于不确定因素太多，创新过程中采取"灵活的、注重行动的战略"是明智的，而通常的财务专家们关于理性地制定目标的建议在此往往是不合适的。研究企业家行为的专家们已经惊异地发现，企业家们通常偏好的都是一种所谓的"无目标计划"，[③]对于各种可能出现的选择机会保持高度开放和灵活的姿态。与此形成强烈对比的是：一般的企业经理人员都愿意在做出决定之后墨守成规。这两种人的最大区别在于企业家比经理们更多地依靠直觉、预感、预测和勇气取胜。企业家不断以其顽强的个人奋斗向人们传达这样一个信息，即生活不是陷阱，而是大有作为的。

第三，"决策"就是"把握信息"，"合作"就是"合理分享"

企业家倚重直觉闯越一系列不确定因素所组成的屏障的成功率很大程度上取决于他个人的社会魅力。企业家通常总是能够机敏地处理人际交往问题和善于进行博取人心的宣传，许多企业家们的数学才华也许并不出众，在校学习时往往也是成绩平平，但是他们的

---

① Warren Bennis：《Why Leaders Can't Lead》.
② 乔布斯巧舌如簧、善于组织，沃兹是数学和计算机天才。
③ 美国麦克贝尔公司的 Lyle Spencer 语。

社会魅力往往能够足以弥补这方面的缺陷。他们在收集信息方面往往采取特别开放的方式。和那些创业精神略逊一筹的同辈相比，他们的信息网要广泛得多。企业家通常都具有建立联系、坐探内情、广泛涉猎和耳听八方的天然能力。

企业家在收集信息过程中所侧重的问题不同于一般经理人员的地方在于，他们更注重"对于人的理解"[①] 和对于未来的新见解。而对于一般的统计分析和数据库检索，虽然他们也必须注意积累和保持兴趣，但是他们绝不迷信这类信息。美国著名的民族英雄式的企业家艾科卡的办公桌上就是不放置电脑的，"成功的关键不在于信息而在于人"是他的一个有意味的信条。当然这只是一种极端。诺贝尔经济学奖得主哈耶克曾写道：知识既可以理解为有组织有系统的东西，也可以理解成零散的、无规则的但往往非常有用的见闻。而有些见闻甚至可以是一个人的生计之所在。企业家正是在通常的信息分析方式之外寻找自己独特的感觉。

669

企业家的管理能力未必出众，不善理财的企业家也大有人在。一般说来，企业家不应当是那些注意细节和善于计较的精明人士，但是他们在整体利益的匡算、把握和分割方面无疑应是天赋极高的能手。在企业家看来，合作只能基于对彼此资源的尊重，合作的建立不过是寻求一种合理的分配方式，而只有合理的分配才能够稳定有效地进行激励。因此，准确地寻找出彼此的共同利益所在并妥善地达成合情理的分享办法是建立合作关系的最基本要素。兑现的分配是新的合作机会的起点。

企业家的弱点一般也比较明显。"缺少持久力"可能是常见的弱点，这往往需要借助其他企业管理者并通过稳定规则等来加以弥补。另一种弱点出自企业家的感情方面，企业家的极端自信很容易演变成一贯正确，表现之一是不再能够容忍公司内部那些敢于提出不同见解的人。这种情况对于企业家和他的企业无疑是一种危险。而这很可能正是下一个企业家开始脱颖而出的土壤和气候，正像当年他所面对的情况那样。

---

① 美国一保险业推销员、《如何赚大钱》一书的作者曾写道，他的成功98％来自对人的理解。

（5）西方人如何在亚洲太平洋地区做生意①

世界之大，无奇不有。一件成功的事，往往不是因为办事人想要去做，而是因为他再也不能不做。至少《亚太风俗礼仪》（Asian Customs and Manners：With Australia and New Zealand）的问世是如此。该书的作者——一位美国朋友，本是一名奔走于亚太地区的推销商，然而却有违初衷，下定决心组织人写出了一部简明实用的民俗学专著。而这本书的译者——六位中国亚太经济研究所的研究员，本当安安分分地耕耘于经济学领域，然而却也不忌唐突，"越位"译出了这一算是经济而又不是经济的有关如何做生意的作品。缘由何在？说来话长。

670

第二次世界大战以后，世界经济的和平发展已进入了第五个十年，世界经济的中心也已经开始转向亚洲太平洋地区。从 1963 年到 1984 年，大西洋地区的贸易在全球的比重已由 15％ 下降到 11％，而太平洋地区的比重则由 6％ 上升到 11％。② 最近几年来，亚太地区的发展速度更是快于其他地区。继 NIES（新兴工业化国家和地区）、ASEAN（东盟）和 APEC（亚太地区经济合作部长会议）之后，"东北亚经济共同体"、"黄海、渤海经济圈"、"日本海经济圈"、"朝鲜半岛经济走廊"，等等，都已不止一次地被提上国际经济合作的议事日程。合作的形势是喜人的，合作的前景也是令人鼓舞的。但是由于政治经济文化发展的巨大差异，亚太地区形成一整套合作机制并发挥作用，还需要相当长的时间。其间从民间文化、风俗礼仪等方面进行沟通，恐怕是最为基本的准备工作。亚太地区水域浩渺、民族众多、语言复杂、风俗迥异，其差别之大，甚于世界上其他任何地区。对此，上述那位海外客商有切身的体会。他在《亚太风俗礼仪》的序言中这样写道：

---

① 本文副题是《亚太风俗礼仪》译后序。发表于中央财经大学《开拓》杂志 1990 年试刊。

② 见于日本筑波大学花井教授，"通向亚洲共同体之路"。"东北亚经济合作与发展国际研讨会"交流论文，中国亚太经济研究所主办，1990 年 10 月，北京。

"当我的眼光越过咖啡桌而落在日本商人身上时，我突
然感到脑门上似乎在冒汗：他们一个个脖子挺直，眼睛不
看人，不住地咂嘴，从齿缝间发出一缕令人悚然的嘶嘶声。
尴尬之际，我只得提高嗓门强作推销，试图打破沉默。然
而他们却丝毫不为所动。……

这场遭遇之后不久，我便意识到自己犯了严重的错误。我的推
销方式是美国的，但这些买主却是东京的日本人，而且我们还只是
刚刚认识而已。

我忽视了民族文化的鸿沟，以为生意就是生意，不论哪国哪乡，
谁不为钱。我因此错过机会，并使得我的主顾们极不舒服。

民俗风情的无知还使我冒犯过中国主人与其他朋友。在一次中
国宴会上，我将一双筷子直挺挺地插在一碗白米饭的中央。我还曾
无意得罪了我的马来西亚主人，因为我在他们面前露了自己的脚板
心。此外，我还用一种只能用于葬礼的贺卡表示对日本朋友晋升的
祝贺。可以说正是由于这次'失礼'，我才最后决定写这本书。"

671

其实，因为缺少民俗知识而洋相迭出的又何止这位美国商人？
平心而论，我们对马来西亚了解得如何？对于菲律宾、泰国、印度、
新西兰等了解得又如何？即使是我们较为熟悉的日本，现有知识恐
怕也并非够用。党的十一届三中全会以来，我们对外部世界的了解
的确有了巨大的进步。但是由于种种原因，多数人的目光一直集中
在美国、西欧等发达工业国的文化上。对于我们的近邻，对于我们
未来的合作伙伴们，却一直未能给予足够的重视。举世瞩目的北京
亚运会期间，亚太民俗问题向我们提出了多少次强有力的挑战啊！

为了迎接新的挑战，推动亚太地区经济合作，加强亚太各国的
民间文化交流，中国亚太经济研究所的同志们在外国学者研究的基
础上，立足于国内需要，选译了《亚太风俗礼仪》一书，较为系统
地介绍了澳大利亚、新西兰、印度、孟加拉国、印尼、菲律宾、泰
国、韩国、日本等十几个国家的情况。

对于初次涉足亚太地区的朋友，这本书可以帮助您免于日常交
往方面种种屡见不鲜的笑话，极大地提高您的办事效率。该书还能

使您较好地领略异国他乡之情趣，使得您的旅行更加美不胜收。它将告诉您哪些事情应该做，哪些事情不应该做。话题极为广泛：如何见面打招呼，如何登门做客，如何赢得友谊，如何谈判成功，等等等等。借助这本指南性的手册，您可以在大多数场合应付裕如，不论在何方办事或旅游都能大为轻松惬意。

该书每章（一两万字）谈一个国家，分若干节，便于快速查阅、各取所需。每节谈一个方面。标题及小标题如下：一、交往（问候；交谈；用语习惯）。二、货币。三、礼节（言谈举止；体态语言；穿着；寺庙圣地；私人宅邸；送礼；小费）。四、用餐（饮食习惯；餐馆选择；食物选择；就餐须知）。五、住宿（旅馆；洗手间与厕所）。六、交通（公共交通；驾车）。七、办事须知（办公时间；办事习惯）。八、电话与邮件。九、法律事宜（关税与移民；其他限制）。十、安全（犯罪；保健）。十一、购物和娱乐。

该书翻译过程中，笔者曾参阅过一些外国学者的文献，也有幸与专家交换过一点意见或感想。总起来说，外国学者对亚太民俗问题的研究是相当重视的，文献种类很多，研究也有相当的深度。例如，关于"中国餐馆"、"亚太俚语"这类主题，就都有长达数百页的专著。其次，《亚太风俗礼仪》一书的作者在某些问题上也可谓颇有独到之处。不妨引文如下：

> "不论您是接待那些可能的买主，还是坐在谈判桌前，或者在外国主人的宴会上，如果您想留下好印象，那就应该记住：在亚洲，形式往往比内容重要。亚洲人判断行为的成功与否往往取决于办事的方法（说话的态度、场合与是否得体）。"

作者还举例说，你也许觉得有必要纠正一下你的泰国对手，但是因为他有同事在场，他会觉得脸上无光（极容易如此！），因而往往会引起一连串的麻烦，尽管他可能知道你是善意的，你的意见实质上对他有好处。然而他们还是"往往不告诉您错在哪儿，而是不再给您打电话，避免同您接触，让您坠入云里雾里……"

上述见解是否精当？我们是否也在评议之列？这些且作别论。但是，如果真的有人将形式看得比内容还要重要的话，那恐怕是不能不失之偏颇和舍本求末的。记得"四人帮"横行的年代，日本人曾佩戴着"为人民服务"的徽章同我们谈判……。如今韩国的朋友们也在兴致勃勃地谈论文化寻根、汉字与儒教问题。难道我们不应当时刻注意强调那些隐藏在形式后面的东西？难道我们不应当尽可能地减少我们自己的可供竞争对手（或曰合作伙伴）利用的东西？

"他山之石，可以攻玉"。攻，磨也。"他山之石，可以为错"。错，砺石也。介绍异邦人士对亚太文化的研究，不仅有助于了解其他民族与发展经济合作，而且可以借此为镜，从别人的感受、从邻国的文化中更全面更深刻地认识自己。明鉴不止，自强不息，才能永远立于不败之地，才能更好地深化中华民族的改革开放大业。

673

（6）"人本"、"求实"与现代企业制度考察[①]

本书最初写作念头的萌动似可追溯到十年以前。1984 年，我的导师洪君彦教授，曾经组织好几个学生编写《当代美国经济》一书。在征求全书篇章安排意见时，我曾提议将美国经济视为一部复杂而精良的机器，并将分析、解剖这部机器作为全书主线，而将那些关于经济运行的价值评判放在从属地位。

强调机制的朦胧意识首先来自将近七年的北京大学学生生活。当时"世界经济"、"国别经济"教学无疑为封闭多年的大陆青年吹入阵阵清风。但作为学生，我们永远是容易苛求和喜欢不满的。具体理由可能在于这些课程明显带有从苏联"政治经济学"和"帝国主义论"脱胎出来的痕迹；其次是方法也有问题，往往在现实真相并不清楚时不得不作学术结论；再者，由于理论和方法的局限，这些课程中许多知识虽然比较年轻，但总体上难免让人有过眼云烟之感。

---

① 本文是《美国经济运行机制：成熟的市场与现代企业制度考察》的序言。该书于1995 年 8 月由北京大学出版社出版，作者萧琛。

　　学生期间关于上述课程的模糊期望，说来也许奇怪，并非来自当时一系列关于西方经济的热门课。相反，认为注重机制一定可行的信念最初是来自"国外统计分析"和"苏联经济"。那时为我们讲这两门课的主要是张康琴教授，她早年留苏时曾专攻统计学。这两门课留给学生较多的是关于规则结构的静态知识。尽管该课程讨论对象未必能唤起更多兴趣，但其探索与讲授路径却别开生面。对于学生来说，注意"结晶"当然比只注意"升华"的意义更长远。

　　"原函数"在许多场合恐怕要比"导函数"重要，因为它更为"基本"，而"基本的"就是"精髓的"！虽然这一点在英文词汇"essential"中已经表达得明白无误，但真要悟出一点什么并用之于经济问题思考，对于我却是在美国学习、工作和生活了一段期间之后。新大陆的社会制度、管理规则和人文风俗，M. Olson、D. C. Mueller、W. Oates 和 H. J. Aaron 等著名学者的谈吐与风范，现代经济学发展过程中强烈的"求实"主义和"人本"主义倾向等，的确都让人茅塞顿开和心灵震撼。

674

　　就反思国内经济学而言，"求实"可以说是不能再简单地欣赏两维思辨，"人本"可以说是不能再一味地自然科学化。由此，"投入产出"、"作业运筹"、"机制设计"、"机构发展"、"产业组织"和"公共选择"这类研究不应当继续被忽视。几十年闭关锁国长期使得许多专家才俊只能隔岸观火，只能根据有限的经验统计来判断国外，就好像是根据留下的车辙和扬起的烟尘来判断奔驰而去的汽车的行驶情况和前方的凶吉。改革开放以来，事过境迁、不再无可奈何之后，彻底解剖一下美国经济这部一路领先的汽车，将它的各个部件及其传动关系、甚至驾驶技术等弄个清楚明白，难道不是一件很有意义的事？

　　现在想来，当时我所感到的意义无非来自两点：一是全面地"考洋"；二是系统地研究"合作"。也许是历史悠久和文化灿烂的缘故吧，我国"考古"、"掘墓"工作长期学问很深，颇受重视。但对于"考洋"，恐怕就绝少听说，甚至完全陌生。其实，"洋为中用"未必比"古为今用"次要，尤其是在走向市场和走向世界的今天！另一方面，也许是近现代中华民族灾难深重之故吧，长期以来历史在新共和国公民的眼中似乎只是一部"人吃人"的"斗争"史。其实，"合作"和"建设"又有什么理由不更加重要？

就构思酝酿而言，我或许得益于两个得天独厚的条件。其一是受聘在世界银行当顾问（Consultant），并曾有机会实地考察美国预算管理局、美国财政部、国会预算管理局、联邦储备银行、纽约股票交易所、高胜证券投资公司、摩迪投资评级公司、皮特·马威克财务会计公司、美国城市公债保险公司、华盛顿特区政府、蒙哥马利县政府、纽约市预算局、纽约地区港务局等 19 个重要的美国官方的或民间的重要经济机构。为此我应当感激世行经济发展学院（EDI）的 Y. K. Wen 博士和他的秘书 Juddy 小姐。此外还应感谢世行中国局的 Bob Li 博士和他的秘书 Lily 女士。

其二是在北京大学连续 5 年讲授"美国经济机制与运行"，而这五年中校园生活又不大寻常，"出国热"和"经商热"弄得高年级课堂的书桌一直不太安稳。"学者"的执著、"骑士"的热情和"信徒"的虔诚，一度似乎都笼罩在"发迹"、"下海"和"淘金"的氛围之中。"托福"、"GRE"、"GMAT"、"兼职"、"打工"等，都在同严肃的教学争夺年轻学生的宝贵时间。那些没有考试难度、可释性不强或者不够务"实"的课程，要稳住听课人数甚至吸引求知者纷至沓来，不竭尽愚钝地追求更好更新是不大可能的。北大的"传统"之一是上课不考勤，学生有权"用脚投票"。在北大执教的另一个好处是随时都可以得到许多学者的指点和享有较多的国内外学术交流机会。

本书写作过程较长的主要原因是我个人需要补课或钻研的东西和一时搞不清楚或搞不透彻的东西比较多。这个压力的积极成果是一系列关于美国经济的论文的发表："告别凯恩斯时代——论美国税制改革"、"华尔街与电子时代——论美国证券业沿革"、"转入化剑为犁的新时期——论美国军费削减的经济影响"、"走向市场走向世界——论美国企业第四次兼并浪潮"、"新技术呼唤新型现代企业组织——美日欧企业组织金字塔结构的网络化"、"经济衰退迫使（美国）当局寻求新的调控机制"、"20 世纪 90 年代美国经济现实和政策选择"、"世界经济正在经历一场大的变革——

675

兼论改革开放思想观念的调整"，"深化改革必须进一步借鉴国外市场机制"，等等。

此外，我还曾作为世界银行的雇员帮助皮特·玛威克公司编写过一本中英文对照的小册子 Models and Data Bases for Use in Fiscal Policy（《美国财税政策模型与数据库》）；作为中国经贸部亚太经济研究所的特约研究员就"如何同美国人做生意"这一课题写作近十万字；并曾作为中国社会科学院"资本主义再认识"丛书的作者之一拟定了《美国民主法治和经济繁荣》一书的详细协作计划。这些对于本书无疑都有一定的补课意义。没有这些努力，要想使机制剖析不像"一叠照片"而像"一盘录像"是不大可能的。

除了独立研究之外，与学生合作也富有意义。近三年来，我指导的关于美国经济机制与运行的毕业论文有 15 篇，其中 10 篇已经摘要出来同读者见面。"零仓储管理技术"、"高技术投资评估"、"股票指数期货考察"、"布雷迪报告研究"、"第十联储区增税"、"美国农业复苏"，"美国与乌拉圭回合"、"中美知识产权"、"军工转产运动"、"劳工市场分析"、"投资组合调整"、"医疗保险改革"、"外贸战略转变"等，几乎遍及美国经济各主要领域。

目前奉献给读者的这本书是全部授课内容的微观部分，也即主要的是市场机制和企业机制部分。对于美国社会法律的考察系作为基础，对于"四大要素"和"三大主体"从而整个混合机制的勾画系作为铺垫，这些显然都不可缺忽。不言而喻，在分析居民户面临的劳工市场、消费市场、金融证券市场的时候，在探讨工商企业、农工企业的内部结构和外部合作的时候，在研究市场和企业结构演进的时候，政府干预和产业政策的有关部分当然是被融化在"居民户和企业经济行为的引导与约束机制"之中的。但是，关于政府经济机制设计本身，关于对外经贸合作的横向开放机制，关于整个国民经济动态运行、产业结构升级的纵向推进机制，只能是下一本书《美国宏观经济运行机制：法治的政府与现代产业组织模式考察》的内容。

本书另一个不足是许多材料在出版之前已经来不及全面刷新。作为弥补，几乎全部的数据资料都注明了出处。此外，虽然有关术语、法规、重要概念等几乎无一未注明英文，但限于时间和篇幅，并没有能够像许多西方著述那样，将加注概念作全面索引。其他的不足、疏漏甚至错误，我想很可能难免。为此深感歉疚并望读者谅解。

本书出版资助申请过程中，除了本院系领导和教师们的支持与关心之外，社会科学院的罗肇鸿教授和人民大学的杜厚文教授为本书写过中肯的推荐。王怀宁先生、陈宝森先生、黄苏女士的长期支持与帮助也令人获益匪浅。国家教委留学生司、北大社科处和教材办为我这几年的研究提供了宝贵的项目资助和出版补贴。特在此一并表示诚挚的谢意。

最后应当感激的是严仁赓先生、陈振汉先生、范家骧先生、洪君彦先生和美籍华人学者杨淑进先生。陈先生、范先生与洪老师在我申请世界银行奖学金时曾执笔为写推荐，杨先生则是华盛顿方面的主考官和我去马里兰大学的推荐人，没有那次成功，上述进展恐怕只能是另外一番景象。严先生在我报考美国经济研究生时是同洪老师联名招考的我的硕士导师。记得入学时他曾轻声告诫我："每个星期最少要去一次外文报刊阅览室，坚持下去必有补益。"十二年来，这句话的分量真是越来越沉。

（7）"人本"、"求实"与现代产业组织考察[*]

美国总统及其经济顾问委员会每年都要向国会提交一份最为重要的报告。主要内容是详细评价美国一年来的经济形势和存在问题，以及政府对各经济部门方针政策的执行情况。基于全国的财政、税收、金融、证券、投资、贸易、企业、产业、微观管理、宏观调控等领域的翔实数据，总统经济报告还融合经济学和其他社会科学的科研项目成果，由经济顾问委员会的高级经济学家们执笔编写。美国总统经济顾问委员会通常由三人组成，主席通常

---

[*] 本文是《2001 年美国总统经济报告》的中译本序。该书由中国财经出版社 2003 年出版，萧琛主译。

是美国经济学界正领风骚的经济学家，如，斯蒂格利茨、罗斯托等经济学大师。

不妨允许笔者这样类比总统经济报告的分量：其内容，可谓是中国的总书记的讲话、总理政府工作报告、财政部长税收总局的财税工作报告，还有中国经济统计年鉴的数据的集大成者；其形式，可谓一流经济学家关于本国经济运行的分析综述专著，文、表、图、数俱全，且经由一流文化人士和为数众多的工作班子进行加工润色。

读者眼前的这本《2001年美国总统经济报告》，是美国最年轻能干的总统克林顿8年任期的最后一本，也是经美国使馆授权，由中国学者正式翻译出版的第一本。之所以选定从新千年第一本入手，之所以特别关注"拐点"前夕的"新经济"，目的是希望更能非同凡响和引起共鸣。中国读者将不难发现，本报告几乎是（信息化全球化的）"新经济"的一部专题研究的通俗本。

本书第一章研究"新经济的形成"，讨论经济持续高速良性循环的支撑因素，也讨论劳动生产率加速增长的非经济周期性质。第二章讨论宏观经济政策与网络经济运行的关系。深入系统地分析了GDP构成和宏观经济变量的走势，如投资、消费、储蓄、通货膨胀和财政盈余等。第三章的标题是"新经济的开创与传播"，回答经济绩效超额提升的产业组织原因。一方面探讨信息网络金融产业的培育，另一方面则勾画新型企业的横向边界和纵向边界。第四章推而广之，探讨焦点转为全球化进程中的美国新经济。政府在贸易、技术、服务、知识产品、海外市场等领域的重大努力及其进展，都得到了高屋建瓴的评述。第五章研究新经济给老百姓带来的福利。扶贫就业、教育改革、医疗保险、社区建设等民生问题，都得到了足够的关注和充裕的篇幅。

《2001年美国总统经济报告》中译本终于在北京问世，显然是一件非常有意义的新事情。党的"十六大"之后第一个春天的"两会"刚刚散去，新一代党和国家的领导人的治国宏图正在徐徐展开。学习和借鉴那些成熟市场经济的经验，研究和借鉴网络产业已初具规模的经济模式，对于抓好"入世"过渡期的新契机显然至关重要。

首先，治国安邦不仅需要科学而且需要艺术。而这一"他山之石"应该说已经别开生面：既要入木三分、模型定量，又要深入浅出、轻松明晰。否则，美国国会中大量的非专业议员岂能轻易地给予理解和支持。其次，"经世济民"不仅需要注意国情，而且需要体恤民情。在这本报告中，教育改革中"缩小班级规模"问题，城市建设中"摊大饼"问题，等等，我相信都能让有识之士和普通百姓不难为之叫绝。

本书不仅对政府部门及国有企业至关重要，而且对非政府部门，对普通工人和各界人士，都有助于刷新知识、开阔视野、提高境界和增进能力。科教工作者和 IT 新白领等自不必多说，厚积薄发和广博通达是真有所作为的重要前提。至于那些正在创业的中小企业家、正在崛起的民营企业、正在走向世界的民族企业，了解世界、了解美国也无疑十分重要，而本书显然能提供一条捷径。"未来的路，其实别人已经在走"。

679

本书尽管是经济学家的作品，但政治毕竟永远是政治，且不说还属于另一类文化。因此，中国读者还是不妨以谨慎为上。举例来说。本书"新经济"的定义，简言为"一种经济业绩的特别提升"。这在克林顿任内，对于总结 8 年的新经济成就显然是再舒服不过。然而到了小布什总统任内，由于市场滑坡和经济不景气，该定义便很难一以贯之。于是在《2002 年总统经济报告》中就出现了"是否还有新经济之说？"的专栏。这在学术上显然有欠严肃。其实，新经济的实质是信息化和全球化，是一种正在演绎的社会经济发展规律，而决非一种业已成就了的丰功业绩。否则它在世界、亚洲和中国何以能有如此影响。

在传递信任和跨国合作方面，本中文译本的问世应该说是一个突破。然而，万事开头难，好事往往多磨。其结果，这本报告应该说有点姗姗迟来。我们曾经计划一定要隆重推出，序言也拟请国内外头面人物撰写。现看来恐怕还是从简从速为宜，伊拉克战事正在牵动亿万家庭。来日方长，不妨将遗憾留待下一本再弥补吧。我深信：时间和读者永远更重要。

（8）全球网络经济与当代经济学的"新边疆"[*]

《全球网络经济》今天总算脱手，我不禁轻轻地舒了口气。

本书构思最早可追溯到 1992 年年初。当时我在中国社会科学院世经政所每年一度的世界经济形势座谈会上有个发言，回答的是信息技术加速发展条件下世界经济向何处去的问题。

在考察了信息技术（产业）、微观管理、宏观调控、国际合作、全球经济五大层面的经济机制变革之后，我认为世界正从一个倚重自然资源和制造业的国民经济时代转向一个倚重信息资源和服务业的国际经济时代。除了大量的事实数据，我还引证和拓展了信息技术变革、经济成长阶段、主导产业部门、长波假说和历史唯物论五个方面的学术结论。

那篇论文引起过同行兴趣和社会反响。《世界经济》杂志全文刊载之后，论文还有幸受到《人民日报》、中国留美经济学会学术论文集、CCTV、《跨世纪对话》等媒体或出版物的重视，也曾被推荐在北京大学获过奖。不足之处在于：对于世界经济前沿现实的考察还很粗浅，所提新命题还不够明确，所用的方法还基本属引证推理一类。

几年来，我在北大开设过《全球信息网络经济研究》、《国际经济信息应用软件》和《世界经济专题》（合作开设）等课程，积累了一些新素材。我所指导的几十篇本科生毕业论文、硕士学位论文和参与指导的博士学位论文，不少都同信息网络经济学有关。另外，我也曾应邀就网络经济问题在北京、广东、延边、香港等地演讲，听众大量的问题使我很受启发和鞭策。

更令人长进的是为研究生开 Seminar 课。在这些课上，我先让同学们有系统地熟悉现实前沿，然后提出一些有望提炼出的经济学新课题。例如，生产函数中添加"信息"和"制度"变量的问题，"广度规模经济"问题，"金字塔结构"的信息劣势问题，"分众式竞

---

[*] 本文是《全球网络经济》的后记，这里有删节。该书由华夏出版社于 1998 年出版，作者萧琛。

争"和"合作竞争"问题，"剩余索取者"的变革线索问题，"市场供给方优势"和"资本供给方劣势"，还有"新的国际联盟经济理论"等。突破这类问题无疑还需要时日。为此，我只能先将已经可以说清楚的问题整理成型，将"可读的"印发到同学和其他读者手中，以便让更多的人进一步探讨。

眼前奉献给大家的这本书的基本思路还是几年前的那篇论文，但增加了不少新意。首先，将五大层面扩充成七大层面：技术、作业、企管、政企、国家、国际、全球。其次，将信息化和全球化聚焦成网络化，并以此为中心线索组织论据。再者，注重发达国特别是美国的现实启示，以增加前瞻性。一般说来，成熟市场的今天是新兴市场的明天。最后，一系列的思考已经趋于成熟、明确和具体，虽然纯理论还不是本书的任务。

681

本书原本可早些写成。但赶上了东亚金融风暴、北大百年校庆、美国总统访华等一系列大事，自己不断有新的兴奋点，同时也不断深感力不从心、难以跟上日新月异的世界经济形势。因此修改一直没完没了。出版当然也是问题，虽然不乏热心者，但多了也难。好在经济学"不该是对于完美的追求"，于是，我终于斗胆在炙手可热的"知识经济"探索新潮中，献上自己这一滴汗水，也算是真心求教读者。

（9）网络经济要求"横向合作"和"直接经济"*

这些年，从国际看，全球股市奇观、美国新经济周期、亚洲金融风暴、科索沃危机等，令人目不暇接；从国内看，"连续降息"、"新政"和新增长点、还有"入世在即"等，都令人耳目一新。为此，似有必要对迅速变幻了的世界做一番新的思考。

一、知识经济、信息经济还是网络经济？

著名政治经济学家、诺贝尔经济学奖得主哈耶克认为：世界上

---

* 本文应约写稿发表在 2001 年 1 月 25 日中华工商时报《世纪论坛》上，署名萧琛。

的经济有两种，一种是有了"权"才能买"钱"的经济，另一种是有了"钱"才能买"权"的经济。这两种经济都不好，但有一个"孰更"的问题。

现在，应该说世界上已经出现了第三种经济。这种经济是有了"智能"才能"买钱"和"买权"的经济。在这种经济中，"经济剩余"的瓜分权威已经不再是"达官"和"富豪"，而是"智士仁人"。代表人物包括世界首富比尔·盖茨和萨马兰奇。驱动这种经济主要依靠智慧、主意和点子等知识。这也是"知识经济"广为流传的注脚。

不过严格地说，"知识"可分为能带来"产出效益"的"生产性知识"，和只能带来"分配实惠"的分配性知识。从经济角度看，首先应当强调的当然是生产性知识，也即"旨在扩大而不是瓜分蛋糕的那些有机联系的数据"或曰"信息"。就此而言，知识经济毋宁可以表述成"信息经济"。

682

比之"知识经济"，"信息经济"也许可以更好地将新型经济从传统的工业经济和农业经济中界定出来。但它更多体现的毕竟只是经济的内在驱动要素，而不能较好地同时反映出新型经济在地缘空间上的突飞猛进，也即当代最引人瞩目的经济社会的全球化形态。能够同时涵盖二者，而又比"信息"更加鲜明的表述，应该说非"网络经济"莫属。

如果哪位语言学家在着力找寻一个近些年使用频率最高而又最能体现新时代精神的术语，那么他一定很难找得到比"网络"更为合适的词。时代语汇新陈代谢浩浩荡荡，应该说普通大众往往是走在经济学家的前面。

二、网络经济要求什么？

文字和印刷术等信息媒介出现之后，要求分享特权的社会压力曾经引发一段攻击文字的奇谈怪论，认为"文字的罪过在于制造健忘。它使得人类变得好像无所不知，但其实却一无所知！"信息网络技术出现之后，当然也并非没有人将它同各种邪恶，诸如性紊乱和艾滋病等搅和在一起。在中东，"碟型天线"曾几何时竟成了射手们赶时髦的靶子。

青山遮不住，毕竟东流去。网络经济在不过一两个十年中，不仅在日夜穿透各民族国家的边界，不仅魔术般地呼唤出各种目不暇接的信息产业（包括信息技术产业和信息商品化产业），而且使得这些新的主导产业群已经将传统上作为发达国工业象征的汽车文化及其主导产业群远远地抛在身后。如今在美国，信息产业已经占到整个经济的四分之一以上，而汽车工业产值只占百分之四左右。

网络经济还到处兴风作浪，迫使那些网络化程度不够，或者还没有网络化的经济不断地捉襟见肘，并疲于弥补自己的各种制度漏洞。英镑、（意大利）里拉、日元都曾发生汇市错位危机，（墨西哥）比索、泰铢、韩元、卢布、（巴西）雷亚尔等新兴市场经济体的货币，也都曾遭遇和饱受外资抽逃而又缺乏反馈机制的金融恐慌之苦。

683

在这类频频爆发的"新型危机"中，徘徊着"全球网络金融"这个幽灵。从制度经济学角度看，这个幽灵在呼唤两个东西：其一是"横向合作"，其二是"直接经济"。网络经济倚重的是信息资源、网络服务和世界社会，而传统工业经济倚重的则是自然资源、制造产业和民族政府。

三、横向合作和直接经济初见端倪？

人类的经济合作模式，可以划分成两个对立的理论模式：一个是纵向合作，最典型的是体现在军事经济中。此外也包括计划指令经济、（准）新兴市场经济之中。这种经济主要是依靠权力（镜像是服从）来驱动。另一个理论形态是横向合作：最充分地体现在完全竞争的市场经济中。这种经济主要依靠金钱来进行驱动，其镜像是包罗万象的商品交易，其实质是要求等价交换，至少是在形式上。

倚重横向合作，对于作业体系，意味着福特制流水线的解体，劳力者"蓝领"和劳心者"白领"的界线正在消失，监工或工头制度正在为各种"特别作业班组"所取代；对于企业组织，横向合作意味着传统的公司"金字塔"结构正在变得扁平，中层经理和参谋班子正在深入到科研、管理、生产、营销一体化的市场前线去；对于民族国家，横向合作意味着"无国界经济"蔚然成风，国际化、诸侯化、民间化的趋向也已渐成气候。例如，我国对外贸易从过去的几个口岸嬗变成数百上千个对外合作实体，就是一种写照。

至于直接经济，目前比较突出的是表现在"直接融资"和"非中介合作"方面。日本的危机实质是从"间接融资"转向"直接融资"过程中的一种阵痛。银行中介功能过度，证券融资比重过低，无中介的高效率的电子融资起步太迟，等等，此外，日本政府、银行和企业的勾结关系，也是改革的症结之所在。当然这些问题在泰国、韩国乃至整个的东亚模式中也许更为严重。政府、银行关系暧昧、过度中介投资等，势必容易在诱导外资流入的同时埋下危机的种子。

网络经济已经给我们送来了新的世纪。中国入世在即，东亚重现生机，地球已带上一条又一条卫星"项链"，电子商务已经孕育了一代新人，城市的年轮正在继续推向远郊企业总部正逐渐迁离喧嚣的都市，"纯洁利润"势将成为新的时尚，而新一代汽车，也正载着整个的世界工业社会，开进我们成千上万的寻常百姓之家。

684

（10）新世纪经济学教学科研应推出新的模式[*]

萨缪尔森《经济学》第 16 版发行以来，在京城及各地引起了很大反响。这部写在千年之交和它的 50 岁生日的世纪"金版"，正巧赶上了共和国 50 周年"大庆"，并曾荣列为"影响共和国成长的 50 部书"之一。此外，主译人是刚"知天命"的共和国同龄人，译书初衷也的确含有献礼之意。正式的话，译本中前言后记已有交待。这里，请允许我结合国情随便谈几点杂感。

第一点是个情结：我们都还是跟随萨缪尔森学习经济学的一代人

虽然参加首发式和有关研讨活动的各位经济学学者年龄差距较大，但在过去 50 年中都曾受到萨缪尔森的很大影响，都是他的忠实读者。像我本人，1978 年考上北大经济系之后，读过中国首译萨缪

　　＊ 本文系萨缪尔森《经济学》教科书第 16 版首发式上的讲话，发表于中国发展出版社 2000 年 5 月出版的《中国经济专家新思想年集》（2000 版）。

尔森教科书的高鸿业先生的书，听的是厉以宁、范家骧、胡代光等老师的课。当然也看这些老师们一部又一部的饱学之作。当年老师们讲课的情景，常穿的服装，今天我都历历在目。

毕业后我到过许多地方，包括在美国学习和工作，也学过几门经济学课程，读过不少的经济学名著。但现在回头一想，还是萨缪尔森这位大师说得好。他在本书的序言"金色的诞辰"里有一段话："你所修过的最好的经济学，往往还是那些导论性的东西。一旦进了这块新奇的思想园地，你就会发现世界同以往相比已经大不相同。从现在起，到若干年后的某一天，如果你蓦然回首，看看自己这一段的经历，那么你一定会感到，当初你的那些一知半解的东西，现在都已经豁然开朗。"

我不知道自己是否已经豁然开朗，但我知道应当感谢萨缪尔森，是他将我领进了一个新的天地。我想这决不只是我一个人的心态。十年浩劫之后，那些在"金色的黄昏"中追赶时间的人们，似有着某种共通的东西。而今这些人都在走向成熟。

685

萨缪尔森的书之所以还能得到广大读者的青睐和不胫而走，而且竟然在许多影响很大的书店荣居销售排行榜之首，一个重要的原因就是，人们容易偏好"确定性"而不是"可能性"，容易偏好"金灿灿的麦穗"而不是"绿油油的麦苗"。尽管我们可以说，当今经济学的"西装"世界，的确需要生龙活虎的"牛仔"们来不断加以改观。

然而，时势造英雄。没有"凯恩斯革命"，就没有现代宏观经济学，也就没有萨缪尔森发挥天才的舞台。反过来想，当我们如饥似渴地翘首以盼经济学教科书出现"新里程碑"的时候，为什么不先想一想：当今经济学界究竟有没有出现一种可以同凯恩斯革命相匹敌的地震式的学说突破。

第二点是个心得：这次翻译不仅是温故知新，而且有助于找寻当代经济学的"空白"

因为全书内容已经同以往迥异，早已有系统地推陈出新。译书的初衷是"教然后知困"，需要温习。但后来我却发现大量内容已经不是我所预想的那样，更不是70年代末我所学过的那个《经济学》了。"环境生态经济学"、"医疗保健经济学"、"博弈论"、"信息经济学"、"开放经济学",甚至"知识产权"、"欧元"等问题,都统统被收入有关章节。

本版《经济学》有两大旋律,一个是 Internet,书前甚至有专文"经济学与因特网";另一个总贯全书的旋律是"市场机制的重新崛起"。围绕这两个主题,作者重新组织素材。从成熟市场国到经济转轨国,几乎无所不论、无所不精。

首发式上,麦格劳·希尔出版社的 Jhon Black 副总裁先生曾播放萨缪尔森的"录像发言"。从发言中可知,这位大师已经在向中国的经济学家们呼唤一种新的经济学,即"转轨经济学",并希望中国人能有自己的教科书。他还预言,到那时,经济学教科书将不再是从英文翻译成中文,而是从中文翻译成英文。

美国马里兰大学著名经济学教授奥尔森(M. Olson)曾说过类似的话:"二十年后,诺贝尔奖得主应当出在你们中国"。我想这也许是他们所见略同,或异曲同工。的确,中国文明悠远、人文资源极其丰富。大家知道,中国的经济是何等地难以组织,中国的合作模型又是何等的复杂和迂回。美国人能找到这种"感觉"吗?所以,中国理应有希望产生国际公认的杰出的经济学家。事实如何当然要看,但总得努力向前才是。

除了"转轨模型","网络金融冲击模型"、不滞不胀的"新经济"等,也是经济学重要的有待开拓的"新边疆"。生产函数有待重写,规模经济有待重新定义,组织结构的"金字塔"有待网络化,剩余索取的权威转移有待研究,等等,还有宏微观的有机连接问题,都是当今西方经济学的"空白"。

第三点是一项祝愿:希望本书能提供新的借鉴,成为国内经济学教材建设的新契机

近几年国内已经引进了很多新的、有生命力的好教材。我祝愿本书能进一步推波助澜,使中国的经济学教育和教材建设能更快进入新的时期,尤其是在今天,我们处在"科教兴国"和"知识经济"这样一个新的时期。

为此我在想,萨缪尔森这本书为什么能够长盛不衰,以至于许多经济学教科书,若想跻身"流行",则首要的一点必须是:将自己

说成"萨缪尔森的挑战者"。50 年来，这个事实一直没有发生根本变化。这本身也许就是一件非常了不起和非常值得思考的事。光靠"语言大师"和"幽默大师"，光靠"拨动心弦"，显然是不够的。翻译过程中，我时常在想，以下几点也许算是其中的一部分缘由：

其一，他为学生这个"上帝"想得无微不至，其思考能力之强和素材积累之多实为他人所不及。细读他的书，可以说他无处不在刻意追求，无时不是独具匠心。大家不妨去看书中的每一张表、每一幅图、每一个插絮、每一段结论、引言和格言，还有教学参考书、幻灯、光盘等，都的确投入了异乎寻常的创造力。例如，在国际贸易一章，一幅按照国际贸易量而非疆土精心绘制的世界各国地图，就能胜过多少话语？

其二，流水不腐，户枢不蠹。一本好的教科书在兼容并蓄的同时，必须能保持一定的灵活性。美国两百多年了，那部宪法就有了数十个修正案。也许正是这种代谢机制，才能有美国长期持续至今的繁荣。本书也一样，年富力强的诺德豪斯教授加盟以后，它不断改观的速度明显在加快。而到现在的这个 50 周年的世纪金版，这对黄金搭档更是倾注了特别的心血。正如萨缪尔森本人所言，它已经"努力站到了时代的潮头和经济学的锋刃之上"。

其三，办教育和编教材当然也必须有钱。前一段我曾出访美国明尼苏达大学，我的老同学王一江在那里执教。该校年教育经费超过 15 亿美金，一算下来，每个学生的平均经费是我们北大的 50 倍有余，不知是清华的多少倍。北大、清华的经费在全国应该说不算低。在这种条件下编写教材赶超国际水平，当然会有许多困难。可以说，中国的教师"吃的是青草，挤的是牛奶和血"。江总书记提出了"985 计划"，显然是兴办教育和出好教材的大好时机。

其四是几点反思：东方式教育并非尽善尽美，新世纪经济学教育应当有新的模式

首先是教育模式。从某个意义上讲，我们从小接受的是一种"防错教育"。从小就教孩子不能丢分，学会同（判分）老师斤斤计较。孩子被板凳绊倒，妈妈往往会拍打板凳而不责备孩子。这实际上是从小就教他推卸责任。冬天下雪了，幼儿园富有爱心的阿姨们

会教孩子们如何好好地待着和看着；而很少会像国外幼儿园的男性老师那样，让孩子们出去打雪仗。中国学生的弱点，如高分低能、恶性嫉妒等，可能值得国人寻根究底。

其次，我们的经济学教育一直是"双轨制"："政治经济学"和"西方经济学"并行。这种状况也许很不容易迅速改变。但在国外，经济学各分支在教学上早已融为一体，而且明确被区分成高中低三个档次，所有课程都按难度编号。这些，我们似乎也应当创造条件加以借鉴。中国学生虽然聪明，但精力毕竟有限。当然，注意"洋为中用"这一点，决不可以或缺。

再者，教材建设中应该先求"砖"还是先求"墙"。"砖"，指的是开拓性论文或其他突破性成果。没有一系列的创造性研究成果，就不可能有系统地编出好教材。因此，鼓励攻关、鼓励创新，而非"动辄来一体系"，可能更值得重视。诸如此类的急躁情绪，即使在国外的大学里，也可以说不鲜见。当然，国外经济学成果的"积累"问题，应该说解决得比我们要好，尤其是文科。

最后，经济学和诗歌不太一样，诗人出名也许必须年轻。生龙活虎、情爱丰富、善于愤怒，往往是好诗的前提。可经济学不同，从某个意义上讲，它可能更要求饱经沧桑、身体力行和老谋深算。注意把握学科差别，对于新世纪的鼓励机制和办科教模式，应当说是重要的，特别是考虑到"文革"因素。例如，生理年龄相差十年左右的学子们，竟往往不得不同时正式进入经济学殿堂，甚至很多人还要落后很多。尽管如此，无论是少年得志，还是大器晚成，也许每个人都依然毫无疑问地存在着一个共同的问题：总得选好一本教材领你入门，并持久地吸引你手不释卷。好的开头，成功一半！

（11）转型岁月、集体行动与拒绝平庸[*]

《经济学》第16版总算最后定稿。看着那一大堆软盘和一尺多

---

　　* 本文是萨缪尔森《经济学》教科书第 16 版的译后记。该书由华夏出版社于 1999 年出版，萧琛等译。

高的打印稿，总觉得意犹未尽不吐不快。一年多来的酸甜苦辣，虽不必多言，但还是有不少需要交待清楚的事。出版社方面也正好有这个意思，他们也希望以此替代"出版者说明"并向读者捎上一点心意。

斗胆承译本书，我是有顾虑的。一个刚"知天命"的教书人，能承蒙错爱译此名著，当然是个机会。但是，要在一年左右的时间中，提供上百万字的经典翻译又谈何容易。

我之所以还是签了合同，很可能是出于狐假虎威。在西方经济学方面，北大可谓源远流长。且不说徐毓木丹先生翻译凯恩斯《通论》等往事。单是我 1978 年来北大后，就目睹一大批饱学而多产的学者和前辈，曾经"十年如一日"，而后又"一天等于二十年"。其次，萨缪尔森《经济学》毕竟属入门教科书，国内也已有过好几版译作可资借鉴。此外，我身边的研究生不少，他们不仅有吞噬知识的强健的脾胃，而且有十多双能敲键盘的手和二十多只明亮而又犀利的眼睛。

胡代光先生，我在北大读书和教书的启蒙老师之一，一开始就给了我许多鼓励。更荣幸的是，先生还欣然应允担任本版翻译的学术顾问。

为了又快又好，"作业模式"是需要创新的。除助理金曦外，主要成员都是我的研究生。一级成员包括蔚兴华、曾刚、胡冰、冯娟、卢莹；二级成员包括洪宇、曹宇芳、刘永强、叶泰、杨晔。此外，我的学生金赛男、陈圆圆、佘云飞等也帮了忙。

为了各尽所能，"纵向分工"在这里是应取的。北大学生的天分、英文、经济学应该说是不错的。但经典教科书和出版社的要求非同一般，散文水平有限和著述经验几乎全无的学生很难不感到力不从心。为此，作业必须区分档次。

"加工对象"也值得注意。本版虽然改动很大，但据大家估算，新添的成块内容，最多不过 1/3；而全然未动（相对于此前中译本）的内容，也不过 1/3 左右。其他多数内容都是既删改又保留的。为此，我们请二级成员翻译成块的新内容；其他大量的完成初稿的工作，基本由 5 个一级成员负责分担。

两个多月后，初稿已陆续备齐，图表也近乎完成。正好也赶上暑假，我开始集中全副精力对（电子）初稿进行修改审校。到 9 月底，微观部分已大致可以出手。宏观部分是开学后我和一级成员参照微观部分"教训"共同查核的。至 10 月底，按合同，全部译稿交到编辑手中，以便按原定计划于今年年初出版。

"欲速则不达"。责任编辑退回了宏观部分。批评言辞之激，足以让从不缺少自信的北大人沮丧。明确"纵向分工"时，对翻译初稿的要求是"信"，具体指标是："不抄袭，不遗漏，不硬译；标明疑点，空出难词、难句和难段。"然而这一点执行起来却非常困难。错误不怕多，就怕不知有多少。"信"不足，"达"就快不起来。于是，我一直苦苦改到今年 3 月下旬，宏观部分才算过了编辑这一关。

690

华夏出版社对本书的出版极为重视，副社长和经济部主任也挂帅参加编辑，译稿被拷打得"遍体鳞伤"。一个极端举措是在终审终校后还不善罢甘休，社内"悬赏"：每找出一个错奖 20 元！直到 6 月下旬，才算折腾得差不多了。于是，图文混排的校样被陆续送到我的面前。他们终于不无勉强地说了一句"不错"。

但"平"和"光"还不是一个概念。同编写基础教科书一样，翻译显然也需要"深入浅出"和"洋进中出"。力求高雅和追求清新的重要手法之一，根据我的文字（翻译）和教学生涯体会，是千万不能拘泥于原文和强求一律，而是必须紧扣思路和把握语流，逐句、逐段甚至逐篇适当地超脱出来忠实地进行再创作。

我是个见了"不舒服"就会动手的文字癖。于是乎，同 5 位编辑（副社长算 1 位有余）展开一场耗时 40 多个日夜的拉锯战。这是一个罕见的高温持续达摄氏 40 多度的暑假，空调和风扇都得不到喘息，校样在出版社和北大之间穿梭……直到我写这篇后记的今天。

令人感动的是：在这些日子里，出版社的领导、编辑和其他人员，为这意外而沉重的工作量日夜加班、任劳任怨。一般说来，对校样进行大改是会遭来"白眼"的，何况这次回头的稿件简直是"体无完肤"！

本版附件翻译任务也不轻。诸如属于"前言"性质的"出版者的话"、"金色的诞辰"、"序言"和"经济学与国际互联网",属于"附录"性质的"重要术语(索引)",还有每一章题头和文中的大量格言警句和名人传记之类,都由我自己翻译。杨晔、金曦、冯娟帮过忙;"经济学和国际互联网"是金曦译的;杨晔刚赴美国马里兰大学经济学系(我学习过的地方)攻读博士;"重要术语"初稿是大家分工翻译并拼接而成的,蔚兴华协助了加工整理和初校,后来我又逐字重新翻译和审校。

中译本序言很荣幸地约请了中华国外经济学研究会会长胡代光先生撰写,以上"前言类文字"译稿也一并提送参考,得到先生许多指点。胡先生还帮我审阅过微观部分的第 6 章到第 11 章。在肯定成绩的同时,先生告诫应"深耕"、勿"浅尝"。

本书封内照片,是我和 5 个一级成员,还有助理金曦,于去年北大百年校庆期间在胡老师家中祝贺先生八十寿辰的留影。照片是师母拍的。现在看来,那不仅是个"好开头",而且也真是个特别珍贵的瞬间。

虽然不无抱负并竭尽愚钝,但本书还是存在许多欠缺和遗憾。

一个明显的不足是每章结束前的"讨论题",由于精力顾不过来,应该说还没有翻译到位,特提请授课教师和自学的同学多加注意和包涵,有条件的,不妨买一本原文 16 版影印本加以对照。重要术语的最后校对,时间太紧,我也只能匆匆过目。对于国内有不同译法的术语概念,我们通常选北大习惯,同时注明英文和其他译法,以便读者自定。极个别我们有独特理解的术语,如 market failures 和 government failures,我们一方面坚持己见,另一方面也注明接受别的译法。

目前的开本、版式仿真是有创意的,体现了"阅读心理学"的理念;缺点是未能像原版那样双色印刷,据说是考虑到成本以及学生对价格的承受能力等因素,暂且只能如此。作为补救,出版社已正式告知说要出"微观版"和"宏观版",还准备出"精装本"。前二者至少在文字方面还将作进一步润色,时间篇幅也将变得从容。

"精装本"据说将会比较彻底地消除遗憾。如采用大一点的字和双色印刷，务求同原版媲美等。

其他欠缺和遗憾肯定也在所难免。在主持翻译方面，我还缺少经验。同华夏出版社虽有合作，但却不在翻译上面，完全磨合还需要时间。尽管目前可以说皆大欢喜，但我还是恳请读者千万不要过于厚望。在经济转型的岁月里，在"自由骑士"（free rider，经济学术语）难免的集体行动中，精品总是需要千呼万换的。为了广大中文读者，也为了经济学教育的繁荣，译者恳请各方人士不吝赐教。

（12）呼唤大师：于细微处见"精神"*

692

萨缪尔森《经济学》教科书的首次中文译本，是由商务印书馆于 1964 年出版，译者是中国人民大学的高鸿业教授。他摘译了该书第 5 版（1961 年出版）中的部分章节。15 年后的 1979 年，商务印书馆再次出版了该书的第 10 版（出版于 1976 年）的全部内容，仍由高鸿业教授翻译。1992 年中国发展出版社出版了该书的第 12 版（1985 年出版，威廉·D. 诺德豪斯已加盟）的中译本，高鸿业教授负责总翻译和校阅。1996 年首都经济贸易大学出版社出版了本书的第 14 版（1992 年出版）的中译本，由北京大学胡代光教授等翻译，李渝林同志校阅。1999 年华夏出版社出版了本书的第 16 版（1998 年出版），由北京大学萧琛教授主译，胡代光先生出任学术顾问。

第 17 版《经济学》翻译工作的启动，应该说有点姗姗来迟。原因首先在于，选题策划人的工作有了大的变动。他们告别了自己参与领导多年的工作单位——《经济学》第 16 版中译本的出版者华夏出版社，开创了市场型的"北京新曲线出版咨询有限公司"。新公司力主由我一个人翻译，这让我犯难。其次，由于 16 版感觉不错，我的思想有点保守，一直不想打破国内隔版翻译的传统。"50 周年金版"的确开创了一个令人惊喜的畅销纪录，无论是相对于历次中译

---

* 本文是萨缪尔森《经济学》教科书第 17 版的译后记。该书由人民邮电出版社于 2004 年出版，萧琛主译。

本，还是相对于国内其他《经济学》译著。尽管诺德豪斯夫妇造访过北大并签名赠书，尽管麦格劳·希尔出版公司曾多次催促，本书的翻译还是直到 2003 年暑期才正式启动。因为，18 版的推出时间已经不止一次地推迟。中国的读者已经不宜再等。

半年左右要将一百几十万字的经典文献全面地更新、修订和润色一遍，无疑是一项严峻的挑战。没有上一版的底子，没有功能强大的网络设备，没有眼疾手快的年轻团队，显然是不堪设想的。本书初稿的译者是北京大学国际经济系的研究生，依次是：蔡玮菁（第 1、2、25 章），孙嘉弥（第 3 章），钱艳琼（第 4、5、6、7 章），任小琛（第 8、9、10、11 章），王琳（第 12、13、14 章），方晋（第 15、16、17、18、19 章），杜兵（第 20、21、22、23、24 章），谢辉（第 26、27、28、29、30 章），杨丽花（第 31、32、33、34 章）。附加性文字初稿由钱艳琼、任小琛、蔡玮菁和孙嘉弥完成；电子图表的扫描和统一工作，由留学生多拉承担。项目助理，除了金曦女士，这次又增加了钱艳琼同学。此外，为了保证我能抽出更多精力，本系的李权、刘群艺老师这半年来分担了我不少的教学科研行政工作。

在上一版"译后记"中我曾感叹："在经济转型的岁月里，在'自由骑士'难免的集体行动中，精品总是需要千呼万唤的。"有幸的是，这次新曲线公司的领导人似乎特别能理解这一点。所选的两位责任编辑，年轻能干、悉心配合，仿佛用了箅子，将我执笔的第二稿译文逐字梳理了两遍，并率真坦言"这个译稿是她们所遇中'最好的'"。这让我自始至终都能有一个好心情，即使是在腰杆已经需要保健支架之时。

如果说欣赏是一种鞭策，则"匿名评审"就是麦格劳·希尔（McGraw Hill）公司悬在我头上的一柄"达摩克利斯剑"。市场是残酷的，他们要分散风险本在情理之中。只是为什么第一个首当其冲的人是我？为什么这种添"婆婆"的事要在途中插入？为什么只有大棒而没有胡萝卜？难道还嫌中国的学者"吃草挤奶"得不够么？惟一积极的解释，只能是为了国际接轨和精益求精。

更内在的激励来自"超 Z 理论"。萨缪尔森"无须扬鞭自奋蹄"

的精神，无时不在给我们以极大的鼓舞。在剥离经济学呆板的外衣和展示其动人的肌体方面，萨缪尔森见于细微之处的"精神"可谓俯拾皆是。这不能不让译者，一个中国最高学府的"知天命"的教书人，经常地"念此私自愧，尽日不能忘"。

本书翻译虽然是一次"短平快"，但其酝酿过程却可谓一场"马拉松"。16 版发行后，华夏出版社发出过四千份调查问卷，收集了大量的读者意见。一些学校的经济学基础课教师，如北大光华管理学院，还让学生用中英文对照的方法来学习这本经济学，并转达了学生们的真情实感。其他许多读者也都曾主动来信进言。一些大学曾邀请和组织讲座，本版"译者序"（当代经济学的昨天、今天和明天）就是这些讲座，特别是在中国教育电视台（CETV）上的讲座《经济学的明天》的加工稿。对于五年来所有关心过本书的人士，都请允许我在此一并表示诚挚的感谢，并恳请各位继续不吝赐教。

694

为了记住上一版译者的劳动，本书保留了蔚兴华、卢莹、冯娟、胡冰、曾刚、金曦和我在学术顾问胡代光先生家中祝贺他 80 岁生日的留影。这次译者团队的数码照片是今年教师节时，几位可爱的年轻人在蓝旗营小区内和我的合影。北大的范家骧、厉以宁老师和人大的高鸿业先生，还有其他被列在匿名评审专家库中的本专业的权威或新秀，出版社方面均嘱托我在此向他们表示敬意。

附录：归从邻父学春耕[*]

> 浪花是美丽的，海潮是壮观的，但更加魅人的东西，
> 是在大海的深处！

萧　琛

萧琛教授看上去特显年轻，怎么说也难以让人相信他的年龄。他属牛，是新中国的同龄人。

萧教授首先告诉我们的，是一段耐人寻味的往事。

"十年浩劫，举世受其荼毒，虽芥末不能幸免"。萧琛回忆着他们那一代人当年的境遇，特别地提到了当年他看《决裂》那部电影时沉痛而愤懑的心境。"历史竟能被颠倒到那种程度，无法不叫人痛国忧民！"后来，萧琛进了北大，聆听过老师回忆在江西"蹲牛棚"的故事，才明白该片的背景。"四人帮"所要羞辱和诋毁的，正是北大这些民族圣殿！

"不过，我第一眼中的圣殿也许并不圣洁，而且应该说它相当地狼狈"。那是在 1967 年学生"红卫兵"进京"大串联"的时候。萧教授指着一张三十年前的二寸半的发黄的照片说。

照片上，一个稚气未褪的高中生在天安门前留影，他的裤腿上对称地带有两个大补丁。我还注意到那人提了个小网兜，里面装着一本小东西，是当年人手一册的"红宝书"。"我当时没有千篇一律

---

　　* 本代序选自北京大学研究生院于 1998 年为百年校庆所编的"燕园学子访谈录"《如歌岁月》一书。该书由北京大学出版社于 1998 年 5 月出版。

地将它擎在胸前，可以说还需要一点勇气呢。"萧教授解释道。

大串联当然包括观赏名胜古迹和高等学府。风华正茂的学生当时兴徒步，从颐和园到西直门这段路，萧琛一行全仗两条腿。

"北大'西门'一带给我的印象最难忘！奈何照相机在当时非常贵重。否则，你们今天一定能看到当年的那一派"革命"景象：朱门碧檐，被弄得斑驳落离；玉砌雕栏，大字报铺天盖地；一张连一张又湿又亮的墨迹中，夹杂着许多血红色的圈圈和叉叉……"

冬天久了，春天绝不会远去！

1978 年秋天，萧琛再进北大时，已直奔而立之年。十多年来深感"正路迢迢心有翅，斜晖默默水无声"[1] 的他，沐浴着小平同志"恢复全国高考"的春风，以优异的成绩考入了北京大学经济学系的世界经济专业。四年后他又更上一层楼，考上了该专业美国经济方向的研究生。导师是国际经济系主任洪君彦先生，联名招考的导师是著名学者严仁赓老教授。

696

北大的录取通知又厚又重，但经济系的"迎新会"却简陋异常。会场设在 37 楼一个昏暗的大活动间内，新生们各自带一张方凳。浩劫之后，大楼的门檐还残缺不全，其他地方也不无"当年鏖战激"的感觉。

但就是这样一个会，著名经济学"泰斗"陈岱孙先生也亲自到场。陈岱老幽默的话语，给了萧琛永不磨灭的启迪。"要将失去的时间追回来，这毕竟只是一种文学的说法。失去的，终归是已经失去了的。"

多年来，萧琛一直在追寻这句话的真谛。在北大将近七年的学子生活中，他一直在同时间赛跑，一直在向自己挑战。他学得很好也很苦。南方家乡的春节是暖融融的，但他寒假里极少回家，他深知应酬的代价和学校资源空闲的宝贵；北方的冬季又冷又长，但他从不穿棉袄和毛裤，他深知磨炼的内涵和意志的重要；在花瓷砖地上旋转，对于感情丰富的他当然也有魅力，但他从来不敢有过多的

_____

① 萧琛诗句。

兴致，他深知"放松"和"懈怠"二者不同。

他总是努力地从哲人智者那里博采众长。这方面，北大的条件得天独厚。著名学者如云的地方，有的是"十年如一日"的面壁工夫，有的是"一天等于二十年"的济世热情，有的是"板凳当坐十年冷，文章不写一句空"的治学态度。

萧琛还从自己的同学那里学到许多东西。他一直是学生干部，当过两届班长。他们争论"利改税"、"翻两番"，探讨路遥的《人生》同"中央一号文件"的关联……他的同学一个个才气轩昂、冲劲十足，志在万里的、志在万卷的、志在万贯的，现看来几乎全都如愿以偿。"优秀的学生及其智力角逐，是北大青春常驻、英才辈出的重要源泉。"萧琛感触良多地说道。

多年后，成了经济学院国际经济系系主任的他，曾经这样地与自己的弟子们共勉："浪花是美丽的，海潮是壮观的，但更加魅人的东西，是在大海的深处！"

697

萧琛第二次重返北大并正式为母校服务之前，曾有一段"曲线苦恋"的佳话。

北大无疑永远需要真才实学，而77、78两届学生显然藏龙卧虎。然而，众所周知，北大培育人才的能力和她当年留住人才的能力并不很相称。那个年代特定的"两地分居"等问题，使得萧琛不能不另辟蹊径。

七年学子生活告一段落后，萧琛到了中央财经大学工作。该校创建时的首任校长就是后来北京大学经济学院院长陈岱孙先生。在中财大，萧琛很快解决了爱人的"调京"和"住房"等现实问题。继后，在北大著名学者陈振汉和范家骧等老师的指点和推荐之下，萧琛考得了世界银行的全额奖学金，赴美国马里兰大学经济学系攻读博士课程。完成学业后，萧琛又按该奖学金要求进入了世界银行接受工作培训，并很快受聘为该行的"Consultant"（顾问）！

在离开北大的日子里，萧琛从未忘记过自己是"北大人"。学习上、工作上受到赞誉的时候，他最希望听的话莫过于："不愧是中国最高学府来的！"中财大引进人才的时候，他总是为北大的校友们进言并多次促成；在世界银行 EDI，他编好培训教材后，总忘不了要给万里之遥的北京大学寄上一份，就像对待成员国一样；作为世行项目"中方教学主任"设计培训课程和活动时，他总是尽力多邀请和多安排北大的老师。

"山中方七日，世上已千年"。五年后萧琛回母校兼课的时候，他不得不承认：这神圣的殿堂似乎已经落上了许多灰尘。未名湖已有些憔悴，博雅塔也显得疲惫；早年那发黄和斑驳的阶梯教室居然还在服役；老教授们头上的粉笔灰不见减少，但白发却在增添。

国际经济系的领导和自己的导师曾多次安排他来北大讲课，还亲自到中财大去"挖"人；经院的院长石世奇教授和党委书记丁国香教授也多次语重心长地"寄予厚望"；几位师弟也主张他回归母校任教和发展。

北大需要人！饥渴的学生需要人！考来北大的学生，多数是学界娇子，国际经济系更是占尽天时地利，它总是尖子生和状元生成堆的地方。得如此英才而育之，如何不是乐事？有如此机会报效北大，还有什么样的功利不可以放弃？还有什么样的现实障碍不可以逾越？

于是，萧琛教授放弃了刚住上不久的令同学羡慕不已的温馨的"三居室"，放弃了已经唾手可得的"高级职称"，谢绝了中财大校长进一步重用和提拔的许诺，"傻乎乎地"调回北大当了一名 22 个大学生的"班主任"。

在最高学府任教，不尽心竭力追求更新更好是不可能的。北大的"不成文法"之一是上课不记考勤，学生有权"用脚投票"。这个"效率阀门"对于草料不足但又不得不挤奶挤血的"孺子牛"来讲，多少有点残酷，但无疑是一种有益的鞭策。

萧琛先后开设过《公共部门财政学》、《美国经济运行机制》、《市场、企业与产业组织》、《全球信息网络经济》和《国际经济软件与网络文献》等课程。独自撰写了 4 部学术专著，主编和参与过 10 多部著作，发表论文 100 多篇；先后 10 多次获得各种嘉奖。

当我们惊异问他为什么如此精力过人和高产高效时，萧琛教授指了指十年来他的第五台电脑诙谐地说："不过是为了活着而累得死去活来罢了"。

作为班主任，他的家一直是年轻学生纷至沓来的地方；作为教师，他的谈话一直是后起之秀不断攀登的阶梯。他鼓励学生："好射手的美名不是来自他的弓箭，而是来自他的目标。""一二十年后，诺贝尔经济学奖得主中应该有中国的学者。"

他先后帮助学生修改和发表过 20 余篇论文；他曾经担任北大学生的"文化节"顾问，"青鸟杯"、"演讲比赛"、"辩论比赛"等活动的评委；他曾经在百忙中抽空同《北大学生就业指导报》的学生记者们探讨有关"新时期、新素质和新型择业观念"等问题；他还曾应邀在周末到昌平园分校为学生作"全球网络经济与新一代经济学人的使命"的激动人心的学术报告。

他总是强调扎实的基本功和全面的素质："除了专业之外，名牌大学的学生，琴棋书画之类理应必精一门！"他还特地戏说过郭小川的一句诗："如果'不'（原诗是'只'）会在花瓷砖地上旋转，那也算不得伟大的生活！"由国经系学生组成的辩论队，曾一举夺得全校冠军！两名上场队员和整个比赛"最佳辩手"来自国经系的北京大学学生辩论队，曾经在牵动千家万户的北京市"万家乐杯电视辩论大奖赛"上所向披靡、尽显新一代风流！

699

熟悉萧琛教授寓所的人也许记得，在他不到 7 平米的"厅"中，长时间里曾挂着一幅吊屏，画的是一枝高大的燃烧着的红色的蜡烛！那橙色的光芒也许并不耀眼，但它究竟点亮过多少颗年轻的心，恐怕只有萧琛教授自己有数。

萧琛教授不仅在北大学生风华正茂的心田里辛勤劳作，而且在共和国改革开放的沃土上扬鞭奋蹄。作为暂露头角的北大学者，萧琛教授一直惟恐自己名不副实，一直生怕自己误国贻民。"北大人的笔，真是特别地沉！"

1992 年他的一篇学术论文为《人民日报》转载。1993 年他首次走进中央电视台演播室讲解《关贸总协定与中国改革》。1995 年春节他在 CCTV "经济半小时"中的关于"分期付款向我们走来（迎接汽车文化）"的讲话反应很好，先后为几家重要媒介转用。1996

年他的两本著作①引起反响。1997 年《中华英才》以"不拒杯土、不择细流"为题系统地报道了他。1998 年他的《全球网络经济》一书在各地不胫而走。1999 年他主译的萨缪尔森《经济学》教科书 50 周年"金版"也隆重问世。②

萧琛教授感激母校的主要方式是"用行动推进改革开放"。他曾就"211 工程"等问题多次向征求意见的校领导进言，认为北大百尺竿头更进一步的"棋眼"在于"建设开放的信息共享系统"。因为绝大部分的"非效率"和"结构性问题"，都源于我们彼此并不很了解，甚或相当陌生！

北大（前）校长牵头的"全国哲学社会科学九五规划调研项目"，曾让他担任世界经济学组的报告起草人。国务院学位办和国家教委经济学类目录的调整，也有他许多汗水。这些不仅对于北京大学而且对于全国高等教育事业都很有意义。

700

作为系主任，萧琛教授曾多次主持国际学术合作项目，为系里提供更多的机会。经济学院国际经济系同日本北海道北海学园的合作项目，三年中已有 7 人访日。国际经济系同德国诺曼基金会的合作，曾 4 次在北京举行中外高层专家国际经济研讨会。1997 年暑假，萧琛教授又开始将合作重点指向美国和加拿大。

作为国际经济方面的教授，萧琛教授先后配合学校接待过 20 多个学者专家访问团，为他们讲解有关问题。他流畅的英语、广博的知识和机敏的谈吐，总是能够让外国人对北大的这个"年轻人"刮目相看。很多次，他被问及年龄。对此，他总是幽默地回答："您不妨在自己的感觉上加上一个'文化大革命'，那 10 年我没有长进，是北大给了我第二次青春。"

1994 年春，在气魄宏大的韩国科学城，他与美、日、德、韩四国著名大学的权威教授联袂为三百多名学者专家演讲。1995 年夏，

① 一本是《美国微观经济运行机制：成熟的市场与现代企业制度考察》，另一本是《论中国经济改革：道路、转轨、接轨》，都由北京大学出版社出版。

② 1999 年这一情况系补充。1999 年之后，他的重要著作包括《信息网络经济的管理与调控：美国新经济周期研究》（人民出版社 2004 年版）和《"新经济"求索与应对》（北京大学出版社 2005 年版）。重要译著包括《美国总统经济报告》（中国财经出版社 2003 年版）和第 17 版的萨谬尔森《经济学》教科书（人民邮电出版社 2004 年版）。

他作为"特约讲演人"出席了当年在日本召开的第 47 届"日美大学生年会"（JASC），成为多年来第一个有幸被破例邀请的大陆学者。1996 年春，联合国教科文组织要求中国国家教委推荐一名高水平的英语好的咨询专家。北大社科处想到了他。他的出马和表现立即让该机构高度满意，于是有了第二、第三和第四次。萧教授还荣获了 UNESCO 的"转轨经济教育咨询专家奖"！

在最后一次采访结束之前，我们再次溜了一眼他女儿房中的那幅行草："行遍天涯千万里，归从邻父学春耕"。那是他岳父十多年前书就的陆放翁的诗句。

（记者：杨柳）

701